ANALYSE

CONCEPTS ET CONTEXTES

Volume 2. Fonctions de plusieurs variables

Chez le même éditeur
Extrait du catalogue

Mathématiques

DUPONT P., *Exercices de mathématiques. Volume 1. Algèbre et géométrie*

DUPONT P., *Exercices de mathématiques. Volume 2. Analyse*

LAY D. C., *Algèbre linéaire. Théorie, exercices et applications*

STEWART J., *Analyse. Concepts et contextes. Volume 1. Fonctions d'une variable*

STEWART J., *Analyse. Concepts et contextes. Volume 2. Fonctions de plusieurs variables*

SWOKOWSKI E.W., *Analyse*

ANALYSE
CONCEPTS ET CONTEXTES
Volume 2. Fonctions de plusieurs variables

•James STEWART•

McMaster University

Traduction de la 1re édition par Micheline Citta-Vanthemsche
(Facultés universitaires Saint-Louis, Bruxelles)

Ouvrage original :
Calculus. Concepts and Contexts by J. Stewart
© 1997, 1998 by Brooks/Cole Publishing Company
A division of International Thomson Publishing Inc.
All rights reserved.

Pour toute information sur notre fonds et les nouveautés dans votre domaine de spécialisation, consultez notre site web : **www.deboeck.com**

© De Boeck & Larcier s.a., 2001
Éditions De Boeck Université
Rue des Minimes 39, B-1000 Bruxelles
Pour la traduction et l'adaptation française

1re édition
3e tirage 2005

Imprimé en Espagne

Dépôt légal :
Bibliothèque Nationale, Paris : avril 2001
Bibliothèque Royale de Belgique, Bruxelles : 2001/0074/85   ISBN 2-7445-0119-0

À Geoff, Brad, Anna et Jon.
À Debbie, Lorraine, Alan et Matt.
Aux amis disparus.

Préface de la traductrice

Traduire et adapter au monde francophone le *Calculus, Concepts and Contexts* de J. Stewart furent pour moi un réel plaisir. Tant la mathématicienne que l'enseignante de mathématiques y ont trouvé leur compte : j'ai ainsi pu observer de très près avec quel soin les concepts étaient introduits et énoncés, avec quelle patience leurs diverses facettes étaient mises en lumière pour que l'apprenant ait le temps de s'en forger une première image mentale. Comme enseignante, je partage entièrement les choix de l'auteur quant à l'exploration numérique et graphique des concepts avant que ne « tombe », beaucoup moins lourdement alors, leur définition formelle.

Dès la première section du premier chapitre, en mettant en avant le rôle de modélisation des fonctions, le ton est donné : les concepts seront plongés dans des contextes. Certains d'entre eux réapparaissent d'ailleurs de loin en loin « au service » de plusieurs concepts, dont ils éclairent parfois l'origine, parfois le fonctionnement et toujours le sens. J'acquiesce.

L'histoire des mathématiques est présente dans les Sujets de rédaction proposés et dans les brèves notices des marges relatives à quelques grands mathématiciens. Il n'est plus nécessaire aujourd'hui de souligner les points d'appui que l'enseignement des mathématiques peut trouver dans l'histoire, même si le chemin fut long depuis le temps où cet enseignement se réduisait à des théories intemporelles, achevées et définitives. Je me réjouis à la place des étudiants d'aujourd'hui.

La généralisation des logiciels de calcul symbolique et des outils graphiques, en facilitant l'expérimentation, l'exploration et la conjecture, a bouleversé l'enseignement de l'analyse. Cet ouvrage en tient compte largement, tant dans la manière de présenter les concepts que dans les types d'exercices proposés. Les questions résolues et à résoudre en sont d'autant plus intéressantes.

Enfin, rares sont les ouvrages qui mettent autant l'accent sur les aspects méthodologiques. Étudier des mathématiques, c'est accroître ses connaissances mais c'est aussi progresser dans ses façons de raisonner, de se poser des questions, de penser tout court. J'envie le lecteur ainsi aidé à prendre conscience de la manière dont il construit et s'approprie son savoir.

Je remercie les Éditions De Boeck Université, et particulièrement Messieurs Michel Jezierski et Michel Blaimont qui m'ont accompagnée tout au long de ce travail. Je tiens aussi à souligner la collaboration efficace avec Monsieur Pierre Bar pour l'expertise et la minutie dans la mise en page toujours délicate en mathématiques.

Enfin, je tiens à adresser un merci très affectueux à Marco pour sa patience sans faille, son aide ponctuelle et son vif intérêt pour ce travail.

Micheline Citta-Vanthemsche

Avant-propos

Aux États-Unis, les départements de mathématiques sont engagés dans un débat sur la réforme du calcul différentiel et intégral. Celui-ci s'inscrit bien sûr dans le débat ininterrompu qui a commencé il y a 300 ans, lorsque le premier manuel d'analyse fut publié. Mais que veulent dire exactement ceux qui se déclarent en faveur de la réforme ? D'avoir écouté beaucoup d'enseignants et lu les réponses à des centaines d'enquêtes, j'ai appris que tout le monde ne donne pas le même sens aux mêmes mots. Certaines personnes ont pris position de façon passionnée ; elles sont d'accord sur certaines choses, mais les enseignants se montrent diamétralement opposés sur d'autres. Jetons un coup d'oeil sur certains éléments clés de la réforme.

D'après certaines enquêtes, il semble que ce soit l'introduction des outils de calcul et autres outils graphiques qui soit le point crucial. Ceux d'entre nous qui ont regardé leurs étudiants travailler avec des calculatrices graphiques et des ordinateurs savent à quel point cela peut vivifier le travail. Ils ont lu sur les visages l'attention que ces outils provoquent et l'attitude d'apprenant actif qu'ils donnent. Or, ces machines sont aussi employées dans beaucoup d'écoles où l'enseignement est resté traditionnel. Par exemple, beaucoup de manuels d'analyse traditionnels (y compris le mien *Calculus, troisième édition*) en font un large usage. De plus, je connais quelques cours d'analyse très favorable à la réforme qui n'en font pas usage. Aussi, même si les outils techniques constituent un sujet de réflexion dans le cadre des objectifs de la réforme, je ne crois pas qu'en eux-mêmes ils caractérisent toute la réforme.

Nombreux sont ceux qui citent la *Règle des trois* comme un principe clé : « les sujets doivent être présentés géométriquement, numériquement et algébriquement ». Cela vient du fait que, par le passé, le point de vue algébrique dominait au détriment des points de vue numérique et graphique. Plus récemment, la règle des trois est devenue la *Règle des quatre*, mettant en avant l'aspect verbal ou descriptif. Mais à nouveau, je crois que mon livre traditionnel *Calculus, troisième édition* inclut la visualisation et la règle des trois. Je suis donc d'avis que la règle des trois (ou des quatre), pour importante qu'elle soit, ne constitue pas à elle seule le point crucial de la réforme.

D'autres encore pensent que l'attention accrue aux applications est un élément clé et que les enseignants ont maintenant plus de liberté pour choisir les applications qui les attirent le plus. Même si cet aspect est vrai, il est tout aussi important dans un cours traditionnel.

Dès lors, en quoi consiste la réforme ? À mon avis et en un mot : les *concepts*. On oublie parfois que le mouvement actuel est sorti de la Conférence de Tulane en janvier 1986. Je crois que le mobile principal de la réforme est ce que la conférence a énoncé dans sa première recommandation :

Gros plan sur la compréhension des concepts.

Les outils techniques, la règle des quatre et les autres aspects de la réforme ont permis aux enseignants d'utiliser de nouveaux outils et de nouvelles méthodes pour améliorer le raisonnement et les aptitudes conceptuelles. Visualisation, expérimentation numérique et graphique et autres approches ont modifié fondamentalement la manière d'enseigner le raisonnement conceptuel.

Je crois que presque tous, du partisan le plus dur de la réforme jusqu'à l'honnête traditionnaliste, appuyent l'objectif central de se concentrer sur la compréhension des concepts. Mais qu'est-ce qu'implique la poursuite de cet objectif ? Si on veut sérieusement mettre l'accent sur la compréhension des concepts, on doit attendre des facultés et des étudiants qu'ils donnent des explications claires sur ce que les symboles signifient et sur pourquoi les choses fonctionnent comme elles fonctionnent. Et cela n'arrivera pas à moins de prendre le temps de travailler patiemment avec les étudiants. On doit nécessairement ralentir, présenter plusieurs approches et ne pas foncer à travers la matière quand un nouveau concept est introduit.

J'ai rationalisé la description de certains sujets afin de libérer du temps à consacrer à la compréhension des concepts. En écrivant ce livre, je suis parti du principe qu'il était possible de parfaire la compréhension des concepts tout en maintenant les meilleures traditions du calcul différentiel et intégral traditionnel. J'espère que ce livre servira de support à un éventail plus large d'approches de l'enseignement de l'analyse et contribuera à améliorer la compréhension des concepts chez les étudiants dans le cadre des collèges et universités.

Des particularités ●

Des exercices sur les concepts

Le rôle principal des exercices proposés est de renforcer la compréhension des concepts. À cette fin, j'ai conçu différents types de problèmes. Certaines sections d'exercices commencent par demander d'expliquer la signification des concepts de base de la section. (Voyez par exemple les deux premiers exercices des sections 11.2 et 11.3.) Dans le même esprit, les révisions commencent par un Contrôle des concepts et une liste de Vrai-Faux. D'autres exercices testent la compréhension des concepts sur des représentations graphiques. Voyez les exercices 1-2 dans la section 10.2, l'exercice 25 dans la section 10.3, les exercices 1-2 et 9-11 dans la section 11.1, les exercices 1-2 dans la section 11.6, les exercices 3-4 dans la section 11.7, les exercices 1-2 dans la section 11.8, les exercices 11-18 dans la section 13.1, les exercices 13-14 dans la section 13.2, les exercices 1, 2, 11, 23 dans la section 13.3 et les exercices 7-9 dans la section 13.5.

Pages 577, 765, 775

Pages 714, 723, 757
Pages 808, 818, 828, 923

Pages 934, 944, 960

Des données réelles

Mes assistants et moi-même avons passé beaucoup de temps à consulter des bibliothèques, à contacter des sociétés et des organismes gouvernementaux, à chercher sur l'Internet des données intéressantes en vue d'introduire, de soutenir et d'illustrer des concepts du calcul différentiel et intégral. C'est ainsi que beaucoup d'exemples et d'exercices impliquent des fonctions définies par de telles données numériques ou graphiques. Par exemple, les fonctions de deux variables sont illustrées par une table de valeurs de l'indice de refroidissement dû au vent comme une fonction de la température de l'air et de la force du vent (exemple 1 dans la section 11.1). Les dérivées partielles sont introduites dans la section 11.3 en examinant une colonne d'une table de valeurs de l'indice de chaleur (température de l'air perçue) comme une fonction de la température réelle et de l'humidité relative. Cet exemple est repris plus loin en lien avec les approximations du premier degré (exemple 3 de la section 11.4). Dans la section 11.6, les dérivées dans une direction sont introduites à l'aide des courbes de niveau de la température pour estimer la vitesse de variation de la température à Reno dans la direction de Las Vegas. Les intégrales doubles sont utilisées pour estimer la quantité de neige tombée au Colorado le 24 décembre 1982 (exemple 4 de la section 12.1). Les champs vectoriels sont présentés dans la section 13.1 par la description du véritable champ de vitesse qui caractérise les vents dans la baie de San Francisco.

Page 748
Page 766

Page 783
Pages 798, 800

Page 846
Page 918

De véritables projets

Une façon d'impliquer les étudiants et d'en faire des apprenants actifs est de les mettre au travail (éventuellement en groupe) sur des projets plus importants qui, une fois traités, leur donnent un sentiment d'immense satisfaction. Les *projets appliqués* proposent des applications qui parlent à l'imagination des étudiants. Le projet de la page 829, par exemple, met en œuvre les multiplicateurs de Lagrange pour déterminer la masse de chacun des trois étages d'une fusée de sorte que la masse totale soit minimale tout en permettant à la fusée d'atteindre la vitesse voulue. Les *sujets à découvrir* appartiennent à la géométrie : le tétraèdre (page 674), les hypersphères (page 894) et l'intersection de trois cylindres (page 901). Le *sujet d'étude* de la page 697 propose de découvrir, à l'aide des outils de calcul, à quel point la forme des surfaces peut être intéressante et comment, à l'intérieur d'une famille de surfaces, ces formes évoluent avec le paramètre. Le *sujet de rédaction* de la page 978 a trait aux origines historiques et physiques du théorème de Green et du théorème de Stokes et au rôle respectif de trois savants.

Les outils techniques

Que l'on dispose aujourd'hui d'outils techniques rend, non pas moins importante, mais plus importante la maîtrise des concepts sous-jacents aux images affichées sur l'écran. En outre, utilisés à bon escient, les calculatrices graphiques ou les ordinateurs peuvent contribuer à faire découvrir et comprendre les concepts. Je pars du postulat que l'étudiant dispose soit d'une calculatrice graphique, soit d'un ordinateur muni d'un logiciel de calcul symbolique. L'icône ⬛ indique que l'exemple ou l'exercice devant lequel il est placé demande sans aucun doute l'usage de tels outils techniques, mais cela n'exclut pas de les employer dans la résolution d'autres exercices. Le symbole ⬛ est réservé aux problèmes qui font appel aux ressources d'un logiciel de calcul symbolique (tel Derive, Maple, Mathematica ou TI-92). Il ne faut pas en conclure que désormais le papier et le crayon soient devenus obsolètes. Le calcul à la main et l'esquisse à main levée sont souvent préférables aux outils techniques pour illustrer ou renforcer certains concepts. C'est à l'enseignant et à l'étudiant d'apprendre à décider lequel est le plus approprié.

Le contenu •

Chapitre 9
Les vecteurs et la géométrie de l'espace

Les produits scalaire et vectoriel sont définis géométriquement, grâce au travail et au moment de torsion, avant d'être définis algébriquement. Les fonctions de deux variables et leurs graphiques sont introduits ici afin de faciliter l'étude des surfaces.

Chapitre 10
Les fonctions vectorielles

La première loi de Kepler sur le mouvement planétaire est démontrée grâce aux propriétés des fonctions vectorielles, la démonstration des autres lois étant laissée comme projet. En cohérence avec l'introduction précoce des courbes paramétrées dans le chapitre 1, les surfaces paramétrées sont introduites dans ce chapitre aussitôt que possible. Je crois qu'une familiarité précoce avec de telles surfaces est souhaitable, en particulier en raison de l'aptitude des ordinateurs à produire leurs graphiques. Il est ensuite possible d'étudier les plans tangents et les aires relatives à ces surfaces paramétrées dans les sections 11.4 et 12.6.

Chapitre 11
Les dérivées partielles

Les fonctions de deux et trois variables sont étudiées du point de vue verbal, numérique, graphique et algébrique. En particulier, j'introduis les dérivées partielles en regardant une certaine colonne dans une table de valeurs de l'indice chaleur (température ressentie de l'air) comme une fonction de la température réelle et de l'humidité relative. Les dérivées dans une direction sont évaluées à partir de diagrammes de niveau de température, de pression et de hauteurs de chute de neige.

Chapitre 12
Les intégrales multiples

Les diagrammes de courbes de niveau et la méthode du point médian servent à évaluer la quantité moyenne de neige et la température moyenne de certaines régions. Des intégrales doubles et triples permettent de calculer des probabilités, des aires de surfaces paramétrées, les volumes des hypersphères et le volume de la partie commune à trois cylindres qui se coupent.

Chapitre 13
Les champs vectoriels

Les champs vectoriels sont introduits par le biais des images des champs de vitesse du vent dans la baie de San Francisco. L'accent est mis sur les similitudes entre le théorème fondamental pour les intégrales curvilignes, le théorème de Green, le théorème de Stokes et le théorème de flux-divergence.

Remerciements •

J'exprime ma reconnaissance à tous ceux qui, grâce à leur savoir et leur jugement, m'ont apporté des critiques. J'ai appris quelque chose de chacun d'entre eux.

Jay Bourland, *Colorado State University*
John Chadam, *University of Pittsburgh*
Ronald Freiwald, *Washington University in St. Louis*
Harvey Keynes, *University of Minnesota*
Rennie Mirollo, *Boston College*

Bill Moss, *Clemson University*
James Reynolds, *Clarion University*
Bettina Schmidt, *Auburn University at Montgomery*
Lorenzo Traldi, *Lafayette College*

Je remercie également ceux qui ont répondu à l'enquête sur l'attitude prise face à la réforme du calcul différentiel et intégral :

Irfan Altas, *Charles Sturt University*
Robert Burton, *Oregon State University*
Bem Cayco, *San Jose State University*
James Daly, *University of Colorado*
Richard Davis, *Edmonds Community College*
Richard DiDio, *LaSalle University*
Robert Dieffenbach, *Miami University-Middletown*
Helmut Doll, *Bloomsburg University*
William Dunham, *Muhlenberg College*
David A. Edwards, *The University of Georgia*
John Ellison, *Grove City College*
James P. Fink, *Gettysburg College*
Robert Fontenot, *Whitman College*
Laurette Foster, *Prairie View A & M University*
Gregory Goodhart, *Columbus State Community College*
Daniel Grayson, *University off Illinois at Urbana-Champaign*
Raymond Greenwell, *Hofstra University*
Murli Gupta, *The George Washington University*
Kathy Hann, *California State University at Hayward*
Judy Holdener, *United States Air Force Academy*
Helmer Junghans, *Montgomery College*
Victor Kaftal, *University of Cincinnati*
Doug Kuhlmann, *Phillips Academy*
David E. Kullman, *Miami University*

Carl Leinbach, *Gettysburg College*
William L. Lepowsky, *Laney College*
Kathryn Lesh, *University of Toledo*
Estela Llinas, *University of Pittsburgh at Greensburg*
Lou Ann Mahaney, *Tarrant County Junior College-Northeast*
John R. Martin, *Tarrant County Junior College*
R. J. McKellar, *University of New Brunswick*
David Minda, *University of Cincinnati*
Brian Mortimer, *Carleton University*
Richard Nowakowski, *Dalhousie University*
Stephen Ott, *Lexington Community College*
Paul Patten, *North Georgia College*
Leslie Peek, *Mercer University*
Mike Pepe, *Seattle Central Community College*
Fred Prydz, *Shoreline Community College*
Daniel Russow, *Arizona Western College*
Brad Shelton, *University of Oregon*
Don Small, *United States Military Academy-West Point*
Richard B. Thompson, *The University of Arizona*
Alan Tucker, *State University of New York at Stony Brook*
George Van Zwalenberg, *Calvin College*
Dennis Watson, *Clark College*
Paul R. Wenston, *The University of Georgia*
Ruth Williams, *University of California-San Diego*

En outre, je voudrais dire merci à Bill Ralph, Harvey Keynes, Saleem Watson et Tom DiCiccio pour leurs conseils et leur aide, à Kevin Kreider pour sa critique des exercices d'application, à Al Shenk de m'avoir autorisé à me servir de son texte de calculs, à COMAP de m'avoir autorisé à me servir du matériel des projets, à George Beigman pour ses idées pour de nombreux exercices ; et Dan Drucker, John Ramsay et Philip Straffin pour leurs idées sur les différents projets. Dan Clegg a été mon assistant tout au long de la réalisation de ce livre : il a lu les épreuves, a fait des suggestions, a entamé des recherches en bibliothèque et sur internet, il a écrit les premiers jets de certains projets et a préparé le solutionnaire.

Mes remerciements vont encore à l'équipe de TECH-arts pour leur services de production, à Sandy Senter du Beacon Group pour la saisie du texte, à David Bruce Johnson et Ian Sabell pour la photo de couverture et à l'équipe de Brooks/Cole : Marlene Thom, responsable de la production, Vernon T. Boes, concepteur de la couverture, Caroline Croley et Christine Davis, l'équipe de vente, à Beth Wilbur, l'assistante d'édition et à Carol Benedict, l'associée d'édition. Tous ont réalisé un remarquable travail.

Je tiens à remercier tout spécialement mon éditeur, Gary W. Ostedt. J'ai grandement bénéficié de sa longue expérience et de connaissance approfondie de l'édition. Je lui sais gré en particulier de m'avoir facilité la vie en rassemblant une équipe de gens de talent pour m'assister lors de la rédaction de ce livre.

James Stewart

Table des matières

12 LES INTÉGRALES MULTIPLES   839

13 L'ANALYSE VECTORIELLE   917

ANNEXES   A1

INDEX   A46

Dans ce chapitre, nous allons introduire les vecteurs et des systèmes de coordonnées adaptés à un espace de dimension trois. Tel est le cadre pour étudier les fonctions de deux variables parce que leur représentation graphique est une surface de l'espace. Les vecteurs sont des outils particulièrement simples pour décrire des droites et des plans de l'espace ainsi que des vitesses et des accélérations d'objets qui se meuvent dans l'espace.

9

Les vecteurs et la géométrie de l'espace

9.1 Le repère cartésien d'un espace de dimension trois • • • • • • • • • • • • • • • • •

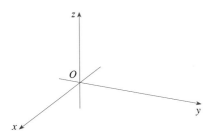

FIGURE I
Les axes de coordonnées

FIGURE 2
Règle de la main droite

Pour situer un point dans un plan, il faut deux nombres. Nous savons qu'à n'importe quel point du plan est associé un couple de nombres réels (a, b), où a est l'abscisse et b l'ordonnée. Voilà pourquoi un plan est appelé un espace de dimension deux. Pour situer un point dans l'espace, il faut trois nombres. Tout point de l'espace est représenté par un triplet (a, b, c) de nombres réels.

En vue de représenter des points dans l'espace, il faut d'abord choisir un point fixe O (l'origine) et trois axes orientés passant par O, perpendiculaires entre eux, appelés les **axes de coordonnées**, et étiquetés axe Ox, axe Oy et axe Oz. Il est habituel d'imaginer les axes Ox et Oy horizontaux et l'axe Oz vertical. L'orientation des axes est celle de la figure 1. Le sens de l'axe Oz est déterminé par la **règle de la main droite** comme vous pouvez le voir dans la figure 2 : si vous enroulez les doigts de votre main droite autour de l'axe Oz à la manière d'une rotation de 90° dans le sens contraire des aiguilles d'une montre, allant de l'axe Ox vers l'axe Oy, alors votre pouce est pointé dans le sens positif de l'axe Oz.

Les trois axes de coordonnées déterminent les trois **plans de coordonnées** représentés dans la figure 3(a). Le plan Oxy est le plan des axes Ox et Oy ; le plan Oyz celui des axes Oy et Oz ; le plan Oxz celui des axes Ox et Oz. Ces trois plans de coordonnées divisent l'espace en huit parties, appelées **octants**. Le **premier octant**, au premier plan, correspond à la partie positive de chacun des axes.

Parce que beaucoup éprouvent des difficultés à lire des figures tridimensionnelles, nous leur proposons l'aide que voici [voyez la figure 3(b)]. Regardez un coin inférieur d'une pièce et appelez ce coin l'origine. Le mur à votre gauche est le plan Oxz, le mur à votre droite, le plan Oyz et le plancher, le plan Oxy. L'axe Ox coïncide avec l'intersection du plancher et du mur de gauche. L'axe Oy coïncide avec l'intersection du plancher et du mur de droite. L'axe Oz se dresse du plancher vers le plafond le long de l'intersection des deux murs. Vous êtes dans le premier octant et vous pouvez imaginer maintenant les sept autres pièces situées dans les sept autres octants (trois au même étage et quatre à l'étage inférieur), tous reliés au coin commun O.

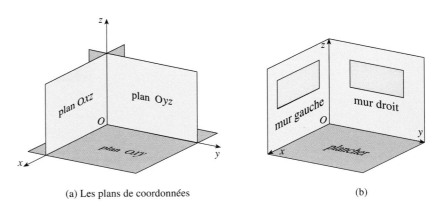

FIGURE 3   (a) Les plans de coordonnées   (b)

Soit maintenant P un point quelconque de l'espace. Désignons par a la distance de P au plan Oyz, par b la distance de P au plan Oxz et par c la distance de P au plan

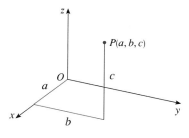

FIGURE 4

Oxy. Le point *P* est identifié par le triplet (a, b, c) de nombres réels et les nombres *a*, *b* et *c* sont appelés les **coordonnées** de *P* ; *a* est l'abscisse, *b* l'ordonnée et *c* la cote. Pour situer le point (a, b, c), nous pouvons donc partir de l'origine *O*, compter *a* unités sur l'axe *Ox*, *b* unités parallèlement à l'axe *Oy* et *c* unités parallèlement à l'axe *Oz*, comme dans la figure 4.

Le point $P(a, b, c)$ détermine un parallélipipède rectangle comme celui de la figure 5. Si nous abaissons la perpendiculaire depuis *P* sur la plan *Oxy*, celle-ci perce le plan en un point *Q* de coordonnées $(a, b, 0)$, appelé la **projection** de *P* sur le plan *Oxy*. De même, $R(0, b, c)$ et $S(a, 0, c)$ sont les deux projections de *P* sur le plan *Oyz* et *Oxz* respectivement.

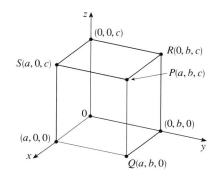

FIGURE 5

À titre d'illustration numérique, voici dans la figure 6 la représentation des points $(-4, 3, -5)$ et $(3, -2, -6)$.

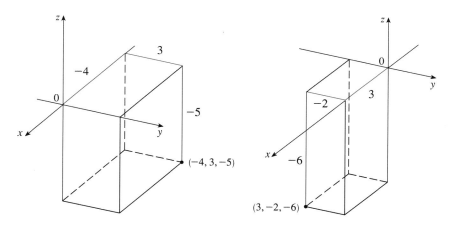

FIGURE 6

Le produit cartésien $\mathbb{R} \times \mathbb{R} \times \mathbb{R} = \{(x, y, z) \mid x, y, z \in \mathbb{R}\}$ est l'ensemble des triplets de nombres réels et est noté $\mathbb{R}^3$. Nous avons établi une correspondance bijective entre les points *P* de l'espace et les triplets (a, b, c) de $\mathbb{R}^3$. Cela s'appelle un **système de coordonnées cartésiennes orthogonal de dimension trois**. Remarquez que, en termes de coordonnées, le premier octant peut être décrit comme l'ensemble des points dont les coordonnées sont toutes positives.

En géométrie analytique de dimension deux, le graphique d'une équation qui comporte *x* et *y* est une courbe de $\mathbb{R}^2$. En géométrie analytique de dimension trois, une équation en *x*, *y* et *z* représente une *surface* dans $\mathbb{R}^3$.

EXEMPLE 1 ■ Quelles sont les surfaces de $\mathbb{R}^3$ représentées par les équations suivantes ?   a) $z = 3$ b) $y = 5$.

SOLUTION

a) L'équation $z = 3$ représente l'ensemble $\{(x, y, z) \mid z = 3\}$, qui est l'ensemble de tous les points de $\mathbb{R}^3$ dont la coordonnée z est 3. C'est un plan horizontal, parallèle au plan Oxy, situé trois unités au-dessus de lui [voyez la figure 7(a)].

b) L'équation $y = 5$ représente l'ensemble de tous les points de $\mathbb{R}^3$ dont l'ordonnée est 5. C'est un plan vertical, parallèle au plan Oxz, situé 5 unités à droite de lui, comme celui de la figure 7(b).

(a) $z = 3$, un plan de $\mathbb{R}^3$

(b) $y = 5$, un plan de $\mathbb{R}^3$

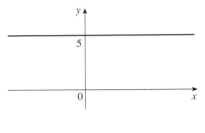

(c) $y = 5$, une droite de $\mathbb{R}^2$

FIGURE 7

REMARQUE ● Face à une équation donnée, il faut comprendre d'après le contexte s'il s'agit d'une courbe dans $\mathbb{R}^2$ ou d'une surface dans $\mathbb{R}^3$. Dans l'exemple 1, $y = 5$ représente un plan dans $\mathbb{R}^3$, mais $y = 5$ peut aussi bien sûr représenter une droite dans $\mathbb{R}^2$ en géométrie analytique de dimension deux. Voyez les figures 7(b) et 7(c).

Généralement, $x = k$ où k est une constante représente un plan parallèle au plan Oyz, $y = k$, un plan parallèle au plan Oxz et $z = k$ un plan parallèle au plan Oxy. Dans la figure 5, les faces du parallélipipède rectangle sont les trois plans de coordonnées $x = 0$ (plan Oyz), $y = 0$ (plan Oxz) et $z = 0$ (plan Oxy) ainsi que les plans $x = a$, $y = b$ et $z = c$.

EXEMPLE 2 ■ Décrivez et dessinez la surface dans $\mathbb{R}^3$ représentée par l'équation $y = x$.

SOLUTION L'équation représente l'ensemble de tous les points de $\mathbb{R}^3$ dont l'abscisse et l'ordonnée sont égales, c'est-à-dire $\{(x, x, z) \mid x \in \mathbb{R}, z \in \mathbb{R}\}$. C'est un plan vertical qui coupe le plan Oxy selon la droite $x = y$, $z = 0$. La figure 8 montre la portion de ce plan située dans le premier octant.

FIGURE 8
Le plan $y = x$

La formule bien connue de la distance entre deux points dans un plan s'étend aisément à l'espace de dimension trois.

Formule de la distance dans l'espace La distance $|P_1 P_2|$ entre les points $P_1(x_1, y_1, z_1)$ et $P_2(x_2, y_2, z_2)$ est égale à

$$|P_1 P_2| = \sqrt{(x_2 - x_1)^2 + (y_2 - y_1)^2 + (z_2 - z_1)^2}$$

Pour justifier cette formule, nous construisons un parallélipipède rectangle dont P_1 et P_2 sont des sommets opposés et dont les faces sont parallèles aux plans de

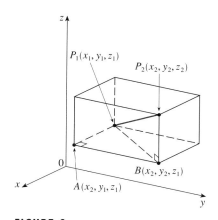

FIGURE 9

coordonnées. Si $A(x_2, y_1, z_1)$ et $B(x_2, y_2, z_1)$ sont les sommets indiqués sur la figure 9, alors

$$|P_1 A| = |x_2 - x_1| \qquad |AB| = |y_2 - y_1| \qquad |BP_2| = |z_2 - z_1|.$$

Comme les deux triangles $P_1 B P_2$ et $P_1 A B$ sont rectangles, le théorème de Pythagore peut leur être appliqué et fournit

$$|P_1 P_2|^2 = |P_1 B|^2 + |BP_2|^2 \qquad \text{et} \qquad |P_1 B|^2 = |P_1 A|^2 + |AB|^2.$$

En introduisant la deuxième équation dans la première, nous obtenons :

$$|P_1 P_2|^2 = |P_1 A|^2 + |AB|^2 + |BP_2|^2$$

$$= |x_2 - x_1|^2 + |y_2 - y_1|^2 + |z_2 - z_1|^2$$

$$= (x_2 - x_1)^2 + (y_2 - y_1)^2 + (z_2 - z_1)^2$$

Par conséquent,

$$|P_1 P_2| = \sqrt{(x_2 - x_1)^2 + (y_2 - y_1)^2 + (z_2 - z_1)^2}.$$

EXEMPLE 3 ■ La distance entre le point $P(2, -1, 7)$ et le point $Q(1, -3, 5)$ est égale à

$$|PQ| = \sqrt{(1-2)^2 + (-3+1)^2 + (5-7)^2}$$

$$= \sqrt{1 + 4 + 4} = 3$$

EXEMPLE 4 ■ Déterminez une équation de la sphère de rayon r et de centre $C(h, k, l)$.

SOLUTION Par définition, une sphère est l'ensemble de tous les points $P(x, y, z)$ dont la distance par rapport à C est r (voyez la figure 10). Un point P est donc sur la sphère si et seulement si $|PC| = r$. Après élévation au carré des deux membres, nous obtenons $|PC|^2 = r^2$ ou

$$(x - h)^2 + (y - k)^2 + (z - l)^2 = r^2.$$

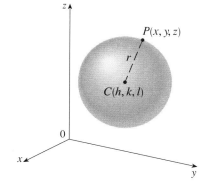

FIGURE 10

Ce résultat vaut la peine d'être retenu :

L'équation d'une sphère   Une équation d'une sphère de centre $C(h, k, l)$ et de rayon r est

$$(x - h)^2 + (y - k)^2 + (z - l)^2 = r^2.$$

En particulier, si le centre est l'origine O, alors une équation de la sphère est

$$x^2 + y^2 + z^2 = r^2.$$

EXEMPLE 5 ■ Montrez que $x^2 + y^2 + z^2 + 4x - 6y + 2z + 6 = 0$ est l'équation d'une sphère et déterminez son centre et son rayon.

SOLUTION Nous pouvons rapprocher l'équation donnée de celle d'une sphère en complétant les carrés :

$$(x^2 + 4x + 4) + (y^2 - 6y + 9) + (z^2 + 2z + 1) = -6 + 4 + 9 + 1$$

$$(x + 2)^2 + (y - 3)^2 + (z + 1)^2 = 8$$

Par comparaison avec la forme standard, nous voyons qu'il s'agit d'une sphère centrée en $(-2, 3, -1)$ et de rayon $\sqrt{8} = 2\sqrt{2}$.

EXEMPLE 6 ■ Quelle est la région de $\mathbb{R}^3$ représentée par les inégalités suivantes ?

$$1 \leqslant x^2 + y^2 + z^2 \leqslant 4 \qquad z \leqslant 0.$$

SOLUTION Les inégalités

$$1 \leqslant x^2 + y^2 + z^2 \leqslant 4$$

peuvent être réécrites

$$1 \leqslant \sqrt{x^2 + y^2 + z^2} \leqslant 2,$$

ce qui montre que les points (x, y, z) de cette région sont à une distance de l'origine au moins égale à 1 sans pour autant dépasser 2. De plus, $z \leqslant 0$ entraîne que les points se trouvent soit sur, soit sous le plan Oxy. Par conséquent, les inégalités données représentent la région située entre (ou sur) les sphères $x^2 + y^2 + z^2 = 1$ et $x^2 + y^2 + z^2 = 4$ et au-dessous du (ou sur le) plan Oxy. Elle est représentée dans la figure 11.

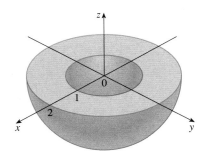

FIGURE 11

9.1 Exercices

1. Vous partez de l'origine et vous déplacez le long de l'axe Ox de 4 unités dans le sens positif, ensuite vous descendez de 3 unités vers le bas. Quelles sont les coordonnées du point où vous vous trouvez ?

2. Dans un même repère cartésien, marquez les points $(3, 0, 1)$, $(-1, 0, 3)$, $(0, 4, -2)$ et $(1, 1, 0)$.

3. Lequel parmi les points $P(6, 2, 3)$, $Q(-5, -1, 4)$ et $R(0, 3, 8)$ est le plus proche du plan Oxz ? Quel est le point qui se trouve sur le plan Oyz ?

4. Déterminez les coordonnées des projections du point $(2, 3, 5)$ dans les plans Oxy, Oyz et Oxz. Dessinez un parallélipipède rectangle dont l'origine et $(2, 3, 5)$ sont des sommets opposés et dont les faces sont des plans parallèles aux plans de coordonnées. Étiquetez chaque sommet. Calculez la longueur de la diagonale.

5. Décrivez et dessinez la surface dans $\mathbb{R}^3$ représentée par l'équation $x + y = 2$.

6. a) Que représente l'équation $x = 4$ dans $\mathbb{R}^2$? Que représente-t-elle dans $\mathbb{R}^3$? Illustrez votre réponse par un dessin.

   b) Que représente l'équation $y = 3$ dans $\mathbb{R}^3$? Que représente $z = 5$? Que représente la paire d'équations $y = 3, z = 5$? En d'autres mots, décrivez l'ensemble des points (x, y, z) tels que $y = 3$ et $z = 5$. Illustrez par un dessin.

7. Calculez la mesure des côtés du triangle de sommets $A(3, -4, 1)$, $B(5, -3, 0)$ et $C(6, -7, 4)$. Est-ce que ABC est un triangle rectangle ? Un triangle isocèle ?

8. Déterminez si les points $K(0, 3, -4)$, $L(1, 2, -2)$ et $M(3, 0, 1)$ sont colinéaires.

9. Déterminez une équation de la sphère centrée en $(0, 1, -1)$ de rayon 4. Quelle est l'intersection de cette sphère avec le plan Oyz ?

10. Déterminez l'équation d'une sphère qui passe par l'origine et centrée en $(1, 2, 3)$.

11-12 ■ Montrez que l'équation est celle d'une sphère et déterminez son centre et son rayon.

11. $x^2 + y^2 + z^2 + 2x + 8y - 4z = 28$

12. $2x^2 + 2y^2 + 2z^2 + 4y - 2z = 1$

13. a) Démontrez que les coordonnées du point milieu du segment d'extrémités $P_1(x_1, y_1, z_1)$ et $P_2(x_2, y_2, z_2)$ sont

$$\left(\frac{x_1 + x_2}{2}, \frac{y_1 + y_2}{2}, \frac{z_1 + z_2}{2} \right)$$

  b) Calculez la mesure des médianes du triangle de sommets $A(1, 2, 3)$, $B(-2, 0, 5)$ et $C(4, 1, 5)$.

14. Déterminez une équation d'une sphère dont un des diamètres a comme extrémités $(2, 1, 4)$ et $(4, 3, 10)$.

15. Déterminez des équations des sphères centrées en $(2, -3, 6)$ qui touche a) le plan Oxy, b) le plan Oyz, c) le plan Oxz.

16. Déterminez une équation de la plus grande sphère centrée en $(5, 4, 9)$ contenue dans le premier octant.

17-26 ■ Décrivez avec des mots la région de $\mathbb{R}^3$ représentée par l'équation ou l'inégalité.

17. $x = 9$ **18.** $z = -8$

19. $y > 2$ **20.** $z \leqslant 0$

21. $|z| \leqslant 2$ **22.** $y = z$

23. $x^2 + y^2 + z^2 > 1$ **24.** $1 \leqslant x^2 + y^2 + z^2 \leqslant 25$

25. $x^2 + y^2 + z^2 - 2z < 3$ **26.** $x^2 + y^2 = 1$

27-30 ■ Décrivez par des inégalités la région donnée.

27. Le demi-espace comprenant tous les points à gauche du plan Oxz.

28. Le parallélipipède rectangle situé dans le premier octant borné par les plans $x = 1$, $y = 2$ et $z = 3$.

29. La région située strictement entre les sphères de rayon r et R centrée à l'origine, où $r < R$.

30. La moitié supérieure de la sphère de rayon 2 centrée à l'origine.

31. La figure montre une droite d_1 dans l'espace et une deuxième droite d_2, projection de la première dans le plan Oxy. (En d'autres mots, les points de d_2 sont soit au-dessus, soit en dessous de ceux de d_1.)

  a) Déterminez les coordonnées du point P sur la droite d_1.

  b) Indiquez sur le dessin les points A, B et C en lesquels la droite d_1 perce les plans Oxy, Oyz et Oxz, respectivement.

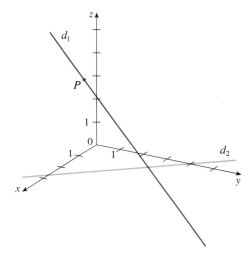

32. Considérez les points P dont la distance à $A(-1, 5, 3)$ est le double de celle de P à $B(6, 2, -2)$. Montrez que ces points sont sur une sphère et déterminez son centre et son rayon.

33. Déterminez une équation de l'ensemble des points équidistants des points $A(-1, 5, 3)$ et $B(6, 2, -2)$. Décrivez cet ensemble.

34. Calculez le volume du solide compris entre les deux sphères $x^2 + y^2 + z^2 + 4x - 2y + 4z + 5 = 0$ et $x^2 + y^2 + z^2 = 4$.

9.2   Les vecteurs ● ● ● ● ● ● ● ● ● ● ● ● ● ● ● ● ● ● ●

Le mot **vecteur** dans la bouche d'un scientifique désigne une quantité (telle une vitesse ou une force) qui a à la fois une grandeur, une direction et un sens. Un vecteur est souvent représenté par une flèche ou un segment orienté. La longueur de la flèche représente la grandeur du vecteur, la droite qui la porte indique la direction et la flèche le sens du vecteur. Par exemple, la figure 1(a) montre la trajectoire d'un point matériel et en un point de celle-ci le vecteur vitesse $\vec{v}$. Ici, la longueur de la flèche représente la vitesse scalaire du point matériel et elle est dirigée dans la direction dans laquelle le point matériel se déplace.

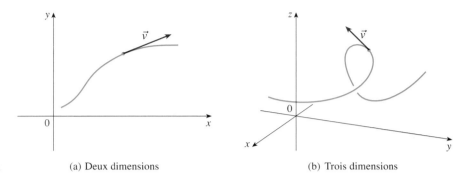

FIGURE 1

Le vecteur vitesse d'un point matériel

(a) Deux dimensions

(b) Trois dimensions

La figure 1(b) montre le chemin suivi par le point matériel dans l'espace. Ici, le vecteur vitesse $\vec{v}$ est un vecteur de dimension trois. (Cette application des vecteurs sera étudiée en détail dans la section 10.4.)

La figure 2 montre plusieurs flèches qui sont équivalentes au sens où elles ont toutes la même longueur, la même direction et le même sens même si elles sont dessinées à des endroits différents. Tous ces segments orientés sont caractérisés par le fait que pour aller du point initial au point final, il faut effectuer un déplacement de trois unités vers la droite et deux unités vers le haut. Nous considérons tous ces segments orientés comme des représentations équivalentes d'un seul objet mathématique, appelé un **vecteur**. Autrement dit, un vecteur $\vec{v}$ est un ensemble de segments orientés équivalents. Ces segments sont caractérisés par les nombres 3 et 2 et nous écrivons cela symboliquement $\vec{v} = (3, 2)$. C'est ainsi qu'un vecteur de dimension deux peut être pensé comme un couple de nombres réels. Nous adoptons la notation (a, b) de couple ou paire ordonnée pour écrire un vecteur. Dans certains livres, un vecteur est représenté par une lettre en gras (**v**), mais nous emploierons de préférence une lettre surmontée d'une flèche ($\vec{v}$).

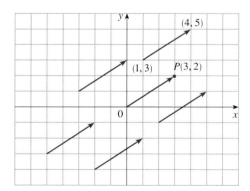

FIGURE 2

Des représentations du vecteur
$\vec{v} = (3, 2)$

Définition Un **vecteur de dimension deux** est un couple $\vec{a} = (a_1, a_2)$ de nombres réels. Un **vecteur de dimension trois** est un triplet $\vec{a} = (a_1, a_2, a_3)$ de nombres réels. Les nombres a_1, a_2 et a_3 sont appelées les **composantes** de $\vec{a}$.

Une **représentation** du vecteur $\vec{a} = (a_1, a_2)$ est un segment orienté $\overrightarrow{AB}$ qui va de n'importe quel point $A(x, y)$ jusqu'au point $B(x + a_1, y + a_2)$. Le segment orienté $\overrightarrow{OP}$ qui va de l'origine au point $P(a_1, a_2)$ est une représentation particulière de $\vec{a}$ et (a_1, a_2) est appelé le **vecteur position** du point $P(a_1, a_2)$. Semblablement, en trois dimensions, le vecteur $\vec{a} = (a_1, a_2, a_3)$ est le vecteur position du point $P(a_1, a_2, a_3)$ (voyez la figure 3).

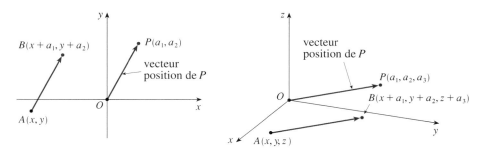

FIGURE 3   (a) Des représentations de $\vec{a} = (a_1, a_2)$ (b) Des représentations de $\vec{a} = (a_1, a_2, a_3)$

Observons que si $\vec{a} = (a_1, a_2, a_3)$ est un vecteur qui admet comme représentation $\overrightarrow{AB}$, où $A(x_1, y_1, z_1)$ est le point initial et $B(x_2, y_2, z_2)$ le point final, alors $x_1 + a_1 = x_2, y_1 + a_2 = y_2, z_1 + a_3 = z_2$ et de là, $a_1 = x_2 - x_1$, $a_2 = y_2 - y_1$ et $a_3 = z_2 - z_1$. Nous avons donc l'énoncé suivant.

> **❶** Étant donnés les points $A(x_1, y_1, z_1)$ et $B(x_2, y_2, z_2)$, le vecteur $\vec{a}$ représenté par $\overrightarrow{AB}$ est
>
> $$\vec{a} = (x_2 - x_1, y_2 - y_1, z_2 - z_1).$$

EXEMPLE 1 ■ Déterminez le vecteur représenté par le segment orienté d'origine $A(2, -3, 4)$ et d'extrémité $B(-2, 1, 1)$.

SOLUTION Le vecteur correspondant à $\overrightarrow{AB}$ est, d'après (1),

$$\vec{a} = (-2 - 2, 1 - (-3), 1 - 4) = (-4, 4, -3).$$

La **grandeur** ou **longueur** du vecteur $\vec{v}$ est la longueur de n'importe lequel des segments orientés qui le représente. Elle est notée par $|\vec{v}|$ ou $\|\vec{v}\|$. En faisant usage de la formule de la distance pour calculer la longueur d'un segment OP, nous obtenons :

> La longueur d'un vecteur de dimension deux $\vec{a} = (a_1, a_2)$ est égale à
>
> $$\|\vec{a}\| = \sqrt{a_1^2 + a_2^2}.$$
>
> La longueur d'un vecteur de dimension trois $\vec{a} = (a_1, a_2, a_3)$ est égale à
>
> $$\|\vec{a}\| = \sqrt{a_1^2 + a_2^2 + a_3^2}.$$

Le seul vecteur de longueur 0 est le **vecteur nul** $\vec{0} = (0, 0)$ (ou $\vec{0} = (0, 0, 0)$). Ce vecteur est aussi le seul vecteur à ne pas avoir de direction précise.

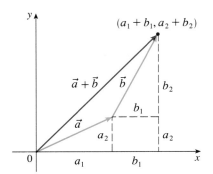

FIGURE 4
La Loi du triangle

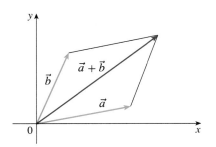

FIGURE 5
La Loi du parallélogramme

FIGURE 6

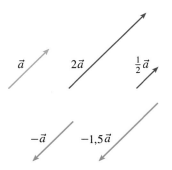

FIGURE 7
Des multiples scalaires de $\vec{a}$

Conformément à la définition suivante, pour additionner deux vecteurs, on additionne composante par composante.

> **L'addition des vecteurs** Si $\vec{a} = (a_1, a_2)$ et $\vec{b} = (b_1, b_2)$, alors le vecteur $\vec{a} + \vec{b}$ est défini par
>
> $$\vec{a} + \vec{b} = (a_1 + b_1, a_2 + b_2).$$
>
> De même, pour les vecteurs de dimension trois,
>
> $$(a_1, a_2, a_3) + (b_1, b_2, b_3) = (a_1 + b_1, a_2 + b_2, a_3 + b_3).$$

La figure 4 illustre géométriquement l'addition de deux vecteurs dans le cas bidimensionnel. Vous y découvrez pourquoi la définition de l'addition vectorielle est parfois appelée la **Loi du triangle**. Ou bien, l'addition vectorielle est interprétée comme dans la figure 5 et est alors appelée la **Loi du parallélogramme**.

On peut multiplier un vecteur par un nombre réel c. (Dans ce contexte, le nombre réel est appelé un **scalaire** pour mieux le distinguer du vecteur.) Par exemple, on veut que $2\vec{a}$ soit le même vecteur que le vecteur $\vec{a} + \vec{a}$, aussi

$$2(a_1, a_2) = (a_1, a_2) + (a_1, a_2) = (2a_1, 2a_2).$$

De façon générale, pour multiplier un vecteur par un scalaire, on multiplie chaque composante par le scalaire.

> **La multiplication d'un vecteur par un scalaire** Si c est un scalaire et $\vec{a} = (a_1, a_2)$, alors le vecteur $c\vec{a}$ est défini par
>
> $$c\vec{a} = (ca_1, ca_2).$$
>
> De même, pour les vecteurs de dimension trois,
>
> $$c(a_1, a_2, a_3) = (ca_1, ca_2, ca_3).$$

La figure 6 illustre cette définition.

Comparons maintenant le multiple scalaire $c\vec{a}$ avec le vecteur original $\vec{a}$, dans le cas bidimensionnel. Si $\vec{a} = (a_1, a_2)$, alors

$$\|c\vec{a}\| = \sqrt{(ca_1)^2 + (ca_2)^2} = \sqrt{c^2(a_1^2 + a_2^2)}$$
$$= \sqrt{c^2}\sqrt{a_1^2 + a_2^2} = |c|\,\|\vec{a}\|$$

La longueur de $c\vec{a}$ est $|c|$ fois plus grande que la longueur de $\vec{a}$.

La pente d'un vecteur $\vec{a}$ est a_2/a_1, à condition que $a_1 \neq 0$. Sauf si $c = 0$, la pente de $c\vec{a}$ est $ca_2/ca_1 = a_2/a_1$, c'est-à-dire la même que celle de $\vec{a}$. Au cas où $c > 0$, a_1 et ca_1 sont de même signe, de même que a_2 et ca_2. Cela signifie que $\vec{a}$ et $c\vec{a}$ sont de même sens. Mais au cas où $c < 0$, a_1 et ca_1 sont de signes opposés, de même que a_2 et ca_2. De ce fait, $\vec{a}$ et $c\vec{a}$ sont de sens opposés. En particulier, le vecteur $-\vec{a} = (-1)\vec{a}$ a la même longueur que $\vec{a}$, mais est de sens opposé. Vous trouvez des illustrations dans la figure 7.

Bien que les derniers vecteurs considérés aient été de dimension deux, ce que nous en avons dit est également vrai pour des vecteurs de dimension trois, à savoir que $c\vec{a}$ est un vecteur $|c|$ fois plus long que $\vec{a}$, de même direction et de même sens si $c > 0$ et de même direction mais de sens opposé si $c < 0$. Deux vecteurs non nuls $\vec{a}$ et $\vec{b}$ sont dits **parallèles** si, pour un certain scalaire c, $\vec{b} = c\vec{a}$.

Par le **vecteur différence** $\vec{a} - \vec{b}$ de deux vecteurs, on entend

$$\vec{a} - \vec{b} = \vec{a} + (-\vec{b}).$$

D'où, si $\vec{a} = (a_1, a_2)$ et $\vec{b} = (b_1, b_2)$, alors

$$\vec{a} - \vec{b} = (a_1 - b_1, a_2 - b_2).$$

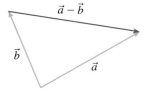

FIGURE 8
Une interprétation géométrique
de la différence de deux vecteurs

Comme $(\vec{a} - \vec{b}) + \vec{b} = \vec{a}$, le vecteur $\vec{a} - \vec{b}$ est celui qui, additionné à $\vec{b}$, redonne $\vec{a}$, comme l'illustre la figure 8 à l'aide de la Loi du triangle.

EXEMPLE 2 ■ Déterminez $\|\vec{a}\|$ ainsi que les vecteurs $\vec{a} + \vec{b}$, $\vec{a} - \vec{b}$, $3\vec{b}$ et $2\vec{a} + 5\vec{b}$ si $\vec{a} = (4, 0, 3)$ et $\vec{b} = (-2, 1, 5)$.

SOLUTION
$$\|\vec{a}\| = \sqrt{4^2 + 0^2 + 3^2} = \sqrt{25} = 5.$$

$$\vec{a} + \vec{b} = (4, 0, 3) + (-2, 1, 5)$$
$$= (4 - 2, 0 + 1, 3 + 5) = (2, 1, 8).$$

$$\vec{a} - \vec{b} = (4, 0, 3) - (-2, 1, 5)$$
$$= (4 - (-2), 0 - 1, 3 - 5) = (6, -1, -2).$$

$$3\vec{b} = 3(-2, 1, 5) = (3(-2), 3(1), 3(5)) = (-6, 3, 15).$$

$$2\vec{a} + 5\vec{b} = 2(4, 0, 3) + 5(-2, 1, 5)$$
$$= (8, 0, 6) + (-10, 5, 25) = (-2, 5, 31).$$

On utilise des vecteurs de dimension n pour faire la liste de différentes quantités organisées d'une certaine façon. Par exemple, les composantes d'un vecteur de dimension six

$$\vec{p} = (p_1, p_2, p_3, p_4, p_5, p_6)$$

peuvent être les prix de six composants de fabrication d'un certain produit. En théorie de la relativité, on emploie des vecteurs de dimension quatre (x, y, z, t) où les trois premières composantes servent à situer une position dans l'espace et la quatrième correspond au temps.

Nous désignons par V_2 l'ensemble de tous les vecteurs de dimension deux et par V_3, l'ensemble de tous les vecteurs de dimension trois. Plus généralement, nous aurons besoin de considérer plus tard l'ensemble V_n des vecteurs de dimension n. Un vecteur de dimension n est un n-uple :

$$\vec{a} = (a_1, a_2, \ldots, a_n),$$

où $a_1, a_2, \ldots, a_n$ sont des nombres réels, appelés les composantes de $\vec{a}$. L'addition et la multiplication par un scalaire sont définis en termes de composantes, exactement de la même manière que dans les cas $n = 2$ et $n = 3$.

Les propriétés des vecteurs Soient $\vec{a}$, $\vec{b}$ et $\vec{c}$ des vecteurs de V_n et c et d des scalaires. Alors

1. $\vec{a} + \vec{b} = \vec{b} + \vec{a}$ **2.** $\vec{a} + (\vec{b} + \vec{c}) = (\vec{a} + \vec{b}) + \vec{c}$

3. $\vec{a} + \vec{0} = \vec{a}$ **4.** $\vec{a} + (-\vec{a}) = \vec{0}$

5. $c(\vec{a} + \vec{b}) = c\vec{a} + c\vec{b}$ **6.** $(c + d)\vec{a} = c\vec{a} + d\vec{a}$

7. $(cd)\vec{a} = c(d\vec{a})$ **8.** $1\vec{a} = \vec{a}$

FIGURE 9

(a)

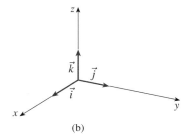

(b)

FIGURE 10
Les vecteurs standard de base dans V_2 et V_3

Ces huit propriétés des vecteurs peuvent facilement être vérifiées, soit géométriquement, soit algébriquement. La propriété 1, par exemple, se lit dans la figure 5 (elle revient à la Loi du parallélogramme) ou se démontre algébriquement, dans le cas $n = 2$, comme suit :

$$\vec{a} + \vec{b} = (a_1, a_2) + (b_1, b_2) = (a_1 + b_1, a_2 + b_2)$$
$$= (b_1 + a_1, b_2 + a_2) = (b_1, b_2) + (a_1, a_2)$$
$$= \vec{b} + \vec{a}$$

La propriété 2 (l'associativité) se lit dans la figure 9 en appliquant la Loi du triangle plusieurs fois : le vecteur $\overrightarrow{PQ}$ est obtenu comme résultat soit de la construction de $\vec{a} + \vec{b}$ auquel on ajoute $\vec{c}$, soit de $\vec{a}$ auquel on ajoute $\vec{b} + \vec{c}$.

Trois vecteurs de V_3 jouent un rôle spécial. Posons

$$\vec{i} = (1, 0, 0) \qquad \vec{j} = (0, 1, 0) \qquad \vec{k} = (0, 0, 1)$$

Les vecteurs $\vec{i}, \vec{j}$ et $\vec{k}$ sont de longueur 1 et pointent dans le sens positif de chaque axe. De même, en dimension deux, on définit $\vec{i} = (1, 0)$ et $\vec{j} = (0, 1)$ (voyez la figure 10).

Un vecteur $\vec{a} = (a_1, a_2, a_3)$ quelconque peut maintenant être écrit

$$\vec{a} = (a_1, a_2, a_3) = (a_1, 0, 0) + (0, a_2, 0) + (0, 0, a_3)$$
$$= a_1(1, 0, 0) + a_2(0, 1, 0) + a_3(0, 0, 1)$$

2 $$\vec{a} = a_1 \vec{i} + a_2 \vec{j} + a_3 \vec{k}.$$

C'est ainsi qu'un vecteur quelconque de V_3 peut être exprimé en fonction des **vecteurs de base standard** $\vec{i}, \vec{j}$ et $\vec{k}$. Par exemple,

$$(1, -2, 6) = \vec{i} - 2\vec{j} + 6\vec{k}.$$

De même, en dimension deux, on peut écrire

3 $$\vec{a} = (a_1, a_2) = a_1 \vec{i} + a_2 \vec{j}.$$

La figure 11 montre une interprétation géométrique des équations 3 et 2. Comparez-la avec la figure 10.

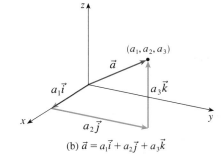

FIGURE 11   (a) $\vec{a} = a_1\vec{i} + a_2\vec{j}$ (b) $\vec{a} = a_1\vec{i} + a_2\vec{j} + a_3\vec{k}$

EXEMPLE 3 ■ Exprimez le vecteur $2\vec{a} + 3\vec{b}$ en termes de $\vec{i}, \vec{j}$ et $\vec{k}$, si $\vec{a} = \vec{i} + 2\vec{j} - 3\vec{k}$ et $\vec{b} = 4\vec{i} + 7\vec{k}$.

SOLUTION Grâce aux propriétés 1, 2, 5, 6 et 7 des vecteurs, on a

$$2\,\vec{a} + 3\,\vec{b} = 2(\vec{i} + 2\,\vec{j} - 3\vec{k}) + 3(4\,\vec{i} + 7\,\vec{k})$$
$$= 2\,\vec{i} + 4\,\vec{j} - 6\,\vec{k} + 12\,\vec{i} + 21\,\vec{k} = 14\vec{i} + 4\vec{j} + 15\,\vec{k}.$$

Un vecteur de longueur 1 est appelé un **vecteur unitaire**. Le sont, par exemple, les vecteurs $\vec{i}, \vec{j}$ et $\vec{k}$. De façon générale, si $\vec{a} \neq 0$, le vecteur unitaire de même direction et de même sens que $\vec{a}$ est

4
$$\vec{u} = \frac{1}{\|\vec{a}\|}\,\vec{a} = \frac{\vec{a}}{\|\vec{a}\|}.$$

En vue de vérifier cela, on pose $c = 1/\|\vec{a}\|$. Alors $\vec{u} = c\vec{a}$ où c est un scalaire positif. Donc $\vec{u}$ a même direction et même sens que $\vec{a}$. Et encore

$$\|\vec{u}\| = \|c\vec{a}\| = |c|\|\vec{a}\| = \frac{1}{\|\vec{a}\|}\,\|\vec{a}\| = 1.$$

EXEMPLE 4 ■ Déterminez le vecteur unitaire de même direction et de même sens que le vecteur $2\,\vec{i} - \vec{j} - 2\,\vec{k}$.

SOLUTION La norme du vecteur donné est égale à

$$\|2\,\vec{i} - \vec{j} - 2\,\vec{k}\| = \sqrt{2^2 + (-1)^2 + (-2)^2} = \sqrt{9} = 3.$$

Selon l'équation 4, le vecteur unitaire de même direction et de même sens est donc

$$\frac{1}{3}\,(2\,\vec{i} - \vec{j} - 2\,\vec{k}) = \frac{2}{3}\,\vec{i} - \frac{1}{3}\,\vec{j} - \frac{2}{3}\,\vec{k}.$$

Nous terminons cette section par une des nombreuses applications des vecteurs en physique et en sciences appliquées. Une force est représentée par un vecteur parce qu'elle a à la fois une grandeur (mesurée en newtons), une direction et un sens. Lorsque plusieurs forces agissent sur un objet, la **force résultante** exercée sur l'objet est le vecteur somme de ces forces.

EXEMPLE 5 ■ Deux câbles soutiennent un poids de 100 N, comme le montre la figure 12. Calculez les tensions (forces) $\vec{T}_1$ et $\vec{T}_2$ des deux câbles et leur module.

SOLUTION Nous exprimons d'abord $\vec{T}_1$ et $\vec{T}_2$ en fonction de leurs composantes horizontale et verticale. D'après la figure 13, nous voyons que

5
$$\vec{T}_1 = -\|\vec{T}_1\| \cos 50°\,\vec{i} + \|\vec{T}_1\| \sin 50°\vec{j}$$

6
$$\vec{T}_2 = \|\vec{T}_2\| \cos 32°\,\vec{i} + \|\vec{T}_2\| \sin 32°\vec{j}$$

Comme la résultante $\vec{T}_1 + \vec{T}_2$ des tensions contrecarre le poids $\vec{w}$, nous avons

$$\vec{T}_1 + \vec{T}_2 = -\vec{w} = 100\vec{j}.$$

D'où

$$(-\|\vec{T}_1\| \cos 50° + \|\vec{T}_2\| \cos 32°)\,\vec{i} + (\|\vec{T}_1\| \sin 50° + \|\vec{T}_2\| \sin 32°)\vec{j} = 100\vec{j}.$$

FIGURE 12

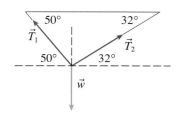

FIGURE 13

Égalons les composantes

$$-\|\vec{T_1}\| \cos 50° + \|\vec{T_2}\| \cos 32° = 0.$$

$$\|\vec{T_1}\| \sin 50° + \|\vec{T_2}\| \sin 32° = 100.$$

Résolvons le première de ces équations par rapport à $\|\vec{T_2}\|$ et substituons l'expression obtenue dans la deuxième :

$$\|\vec{T_1}\| \sin 50° + \frac{\|\vec{T_1}\| \cos 50°}{\cos 32°} \sin 32° = 100.$$

Les normes des tensions sont donc

$$\|\vec{T_1}\| = \frac{100}{\sin 50° + \mathrm{tg}\ 32° \cos 50°} \approx 85{,}64\ \mathrm{N}$$

et

$$\|\vec{T_2}\| = \frac{\|\vec{T_1}\| \cos 50°}{\cos 32°} \approx 64{,}91\ \mathrm{N}.$$

Reste à remplacer ces valeurs dans (5) et (6) pour obtenir les tensions

$$\vec{T_1} \approx -55{,}05\,\vec{i} + 65{,}60\,\vec{j} \qquad \vec{T_2} \approx 55{,}05\,\vec{i} + 34{,}40\,\vec{j}.$$

9.2 Exercices

I. Les quantités suivantes sont-elles des vecteurs ou des scalaires ? Expliquez.
  a) Le coût d'un billet de théâtre.
  b) Le courant d'une rivière.
  c) Le début du vol de Houston à Dallas.
  d) La population mondiale.

2. Exprimez $\vec{w}$ en fonction des vecteurs $\vec{u}$ et $\vec{v}$ dans la figure.

3. Écrivez chaque combinaison de vecteurs comme un seul vecteur.

  a) $\overrightarrow{AB} + \overrightarrow{BC}$ b) $\overrightarrow{CD} + \overrightarrow{DA}$
  c) $\overrightarrow{BC} - \overrightarrow{DC}$ d) $\overrightarrow{BC} + \overrightarrow{CD} + \overrightarrow{DA}$

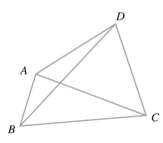

4. Recopier les vecteurs de la figure et, à partir de ceux-ci, tracez les vecteurs suivants.

  a) $\vec{a} + \vec{b}$ b) $\vec{a} - \vec{b}$ c) $2\vec{a}$
  d) $-\frac{1}{2}\vec{b}$ e) $2\vec{a} + \vec{b}$ f) $\vec{b} - 3\vec{a}$

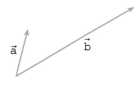

5-8 ■ Déterminez le vecteur $\vec{a}$ représenté par le segment orienté $\overrightarrow{AB}$. Dessinez $\overrightarrow{AB}$ et une autre représentation équivalente dont le point initial est l'origine.

5. $A(1,3),\quad B(4,4)$

6. $A(4,-1),\quad B(1,2)$

7. $A(0,3,1),\quad B(2,3,-1)$

8. $A(1,-2,0),\quad B(1,-2,3)$

9-10 ■ Déterminez la somme des vecteurs donnés et illustrez géométriquement.

  9. $(1,0,1),\quad (0,0,1)$

  10. $(-1,2),\quad (5,3)$

11-14 ■ Déterminez $\|\vec{a}\|$, $\vec{a} + \vec{b}$, $\vec{a} - \vec{b}$, $2\vec{a}$ et $3\vec{a} + 4\vec{b}$.

11. $\vec{a} = (5, -12)$, $\vec{b} = (-2, 8)$

12. $\vec{a} = (3, 2, -1)$, $\vec{b} = (0, 6, 7)$

13. $\vec{a} = \vec{i} - \vec{j}$, $\vec{b} = \vec{i} + \vec{j}$

14. $\vec{a} = 6\vec{i} + \vec{k}$, $\vec{b} = \vec{i} - 2\vec{j} + 7\vec{k}$

15-16 ■ Quel est le vecteur unitaire de même direction et de même sens que le vecteur donné ?

15. $(1, 2)$

16. $2\vec{i} - 4\vec{j} + 7\vec{k}$

17. Calculez $\overrightarrow{AB} + \overrightarrow{BC} + \overrightarrow{CA}$, si A, B et C sont les sommets d'un triangle.

18. a) Dessinez les vecteurs $\vec{a} = (3, 2)$, $\vec{b} = (2, -1)$ et $\vec{c} = (7, 1)$.
   b) Montrez par un dessin qu'il y a des scalaires s et t tels que $\vec{c} = s\vec{a} + t\vec{b}$.
   c) Estimez sur le dessin les valeurs de s et t.
   d) Calculez les valeurs exactes de s et t.

19. Deux forces $\vec{F}_1$ et $\vec{F}_2$ d'intensité 10 N et 20 N agissent sur un objet situé en P, comme le montre la figure. Déterminez la force résultante $\vec{F}$ qui agit sur P, sa grandeur et son sens. (Précisez la direction en donnant l'angle θ indiqué dans la figure).

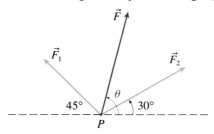

20. Les vitesses ont une grandeur scalaire, une direction et un sens ; elles sont donc des vecteurs. La grandeur scalaire d'un vecteur vitesse est appelée la *vitesse scalaire*. On suppose que le vent souffle à 45° nord-ouest (cela veut dire à 45° à l'ouest de la direction nord). Un avion se dirige à 60° nord-est à une vitesse (par rapport à l'air tranquille) de 250 km/h. Le vol réel de l'avion s'effectue dans la direction résultante des vecteurs vitesses de l'avion et du vent. La vitesse par rapport au sol de l'avion est le module de la résultante. Déterminez la direction réellement suivie par l'avion et sa vitesse par rapport au sol.

21. Une femme marche droit vers l'ouest sur le pont d'un navire à la vitesse de 3 km/h. Le bateau navigue vers le nord à la vitesse de 22 km/h. Déterminez la vitesse scalaire et la direction de la femme par rapport à la surface de l'eau.

22. Des cordes de 3 m et 5 m de long font partie d'une guirlande décorative placée à l'occasion de la braderie du quartier. La décoration a une masse de 5 kg. Les cordes, attachées à des hauteurs différentes, font des angles de 52° et 40° par rapport à l'horizontale. Déterminez la tension de chaque corde ainsi que le module de chaque tension.

23. Une corde à linge est fixée à deux poteaux distants de 8 m. La corde est tout à fait tendue et fait une flèche négligeable. Une chemise mouillée de 0,8 kg de masse est suspendue au milieu de la corde qui descend alors de 8 cm. Déterminez la tension de chaque moitié de la corde à linge.

24. La tension $\vec{T}$ à chaque extrémité de la chaîne est de 25 N. Quel est le poids de la chaîne ?

25. On suppose que $\vec{a}$ est un vecteur unitaire de dimension trois du premier octant qui part de l'origine et qui fait un angle de 60° avec la partie positive de l'axe Ox et de 72° avec la partie positive de l'axe Oy. Écrivez les composantes de $\vec{a}$.

26. Soient α, β et γ les angles que fait un vecteur $\vec{a}$ respectivement avec les parties positives des axes Ox, Oy et Oz. Déterminez les composantes de $\vec{a}$ et démontrez que

$$\cos^2 \alpha + \cos^2 \beta + \cos^2 \gamma = 1.$$

(Les nombres $\cos \alpha$, $\cos \beta$ et $\cos \gamma$ sont appelés les *cosinus directeurs* de $\vec{a}$.)

27. Étant donné $\vec{r} = (x, y, z)$ et $\vec{r}_0 = (x_0, y_0, z_0)$, décrivez l'ensemble de tous les points (x, y, z) tels que $\|\vec{r} - \vec{r}_0\| = 1$.

28. Étant donné $\vec{r} = (x, y)$ et $\vec{r}_1 = (x_1, y_1)$ et $\vec{r}_2 = (x_2, y_2)$, décrivez l'ensemble de tous les points (x, y) tels que

$$\|\vec{r} - \vec{r}_1\| + \|\vec{r} - \vec{r}_2\| = k, \text{ où } k > \|\vec{r}_1 - \vec{r}_2\|.$$

29. La figure 9 donne une démonstration géométrique de la Propriété 2 des vecteurs. Donnez une démonstration algébrique en termes de composantes dans le cas $n = 2$.

30. Démontrez algébriquement la Propriété 5 des vecteurs dans le cas $n = 3$. Utilisez ensuite des triangles semblables pour en donner une preuve de nature géométrique.

31. Démontrez vectoriellement que le segment qui joint les milieux de deux côtés d'un triangle est parallèle au troisième côté et en mesure la moitié.

32. On suppose que les trois plans de coordonnées sont des miroirs et qu'un rayon de lumière représenté par le vecteur $\vec{a} = (a_1, a_2, a_3)$ frappe d'abord le plan Oxz, comme dans la figure. Utilisez le fait que l'angle de réflexion est égal à l'angle d'incidence pour montrer que la direction du rayon réfléchi est donnée par $\vec{b} = (a_1, -a_2, a_3)$. Déduisez-en qu'après avoir été réfléchi par les trois miroirs perpendiculaires, le rayon sortant est parallèle au rayon initial. (Les chercheurs américains de l'espace ont utilisé ce principe, en même temps que des rayons laser et un tableau de miroirs en coin sur la Lune, pour déterminer avec précision la distance de la Terre à la Lune.)

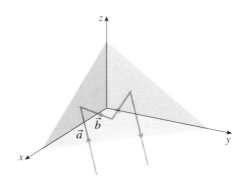

9.3 Le produit scalaire •

Jusqu'ici, nous avons additionné deux vecteurs et multiplié un vecteur par un scalaire. Se pose alors la question : comment multiplier deux vecteurs de manière à ce que leur produit soit un résultat utile ? Le produit scalaire que nous étudions dans cette section est une des réponses possibles à cette question. Le produit vectoriel en est une autre et il sera étudié dans la section suivante.

■ **Le travail et le produit scalaire**

En physique et en sciences appliquées il y a des situations dans lesquelles il faut tenir compte de deux vecteurs, c'est le cas par exemple lors du calcul du travail effectué par une force. Dans la section 6.5, nous avons défini le travail accompli par une force constante F qui fait se déplacer un objet d'une distance d par $W = Fd$, mais cette définition n'est valable que si la direction dans laquelle est exercée la force est celle du mouvement de l'objet. Supposons maintenant que la force constante est un vecteur $\vec{F} = \overrightarrow{PR}$ orienté différemment, comme dans la figure 1. Si la force déplace l'objet de P vers Q, alors le **vecteur déplacement** est $\vec{D} = \overrightarrow{PQ}$. Deux vecteurs sont en présence ici, la force $\vec{F}$ et le déplacement $\vec{D}$. Le **travail** effectué par $\vec{F}$ est défini comme la norme du déplacement, $\|\vec{D}\|$, multipliée par la norme de la force appliquée dans la direction du mouvement, qui, selon la figure 1, est

$$\|\overrightarrow{PS}\| = \|\vec{F}\| \cos \theta.$$

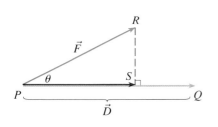

FIGURE 1

Le travail effectué par $\vec{F}$ est donc défini comme le produit

∎ $$W = \|\vec{D}\|(\|\vec{F}\| \cos \theta) = \|\vec{F}\| \|\vec{D}\| \cos \theta.$$

Notez que le travail est une grandeur scalaire ; elle n'a pas de direction ; mais sa valeur dépend de l'angle entre les vecteurs force et déplacement.

Nous nous servons de l'expression 1 pour définir le produit scalaire de deux vecteurs, même lorsqu'il ne s'agit pas d'une force et d'un déplacement.

Définition   Le **produit scalaire** de deux vecteurs non nuls $\vec{a}$ et $\vec{b}$ est le nombre

$$\vec{a} \cdot \vec{b} = \|\vec{a}\|\|\vec{b}\| \cos \theta,$$

où θ est l'angle entre $\vec{a}$ et $\vec{b}$, $0 \leqslant \theta \leqslant \pi$. Au cas où l'un des deux vecteurs est le vecteur nul, le produit scalaire est défini par $\vec{a} \cdot \vec{b} = 0$.

Ce produit est appelé **produit scalaire** justement parce que le résultat du calcul $\vec{a} \cdot \vec{b}$ n'est pas un vecteur, mais un nombre réel, un scalaire.

Dans l'exemple du travail $\vec{F} \cdot \vec{D} = \|\vec{F}\|\|\vec{D}\| \cos \theta$ effectué par une force $\vec{F}$ qui opère sur un objet un déplacement $\vec{D} = \overrightarrow{PQ}$, cela n'a pas de sens que l'angle θ entre $\vec{F}$ et $\vec{D}$ soit égal ou supérieur à $\pi/2$ car il n'y aurait pas de mouvement de P vers Q. Par contre, dans notre définition générale de $\vec{a} \cdot \vec{b}$, cette restriction n'existe pas et θ peut être n'importe quel angle entre 0 et π.

EXEMPLE I ■ Calculez $\vec{a} \cdot \vec{b}$ si les vecteurs $\vec{a}$ et $\vec{b}$ sont de longueur 4 et 6 et si l'angle qu'ils font entre eux mesure $\pi/3$.

SOLUTION Conformément à la définition,

$$\vec{a} \cdot \vec{b} = \|\vec{a}\|\|\vec{b}\| \cos(\pi/3) = 4 \cdot 6 \cdot \frac{1}{2} = 12.$$

EXEMPLE 2 ■ Un cageot est traîné sur 8 m le long d'une rampe sous une force constante de 20 N appliquée selon un angle de 25° par rapport à la rampe. Calculez le travail effectué.

SOLUTION Si $\vec{F}$ et $\vec{D}$ sont les vecteurs force et déplacement, tels qu'ils sont représentés dans la figure 2, alors le travail effectué est

$$W = \vec{F} \cdot \vec{D} = \|\vec{F}\|\|\vec{D}\| \cos 25°$$
$$= (20)(8)\cos 25° \approx 145 \text{ N·m} = 145 \text{ J}.$$

FIGURE 2

Deux vecteurs non nuls $\vec{a}$ et $\vec{b}$ sont dit **perpendiculaires** ou **orthogonaux** s'ils font entre eux un angle $\theta = \pi/2$. Pour ces vecteurs, on a

$$\vec{a} \cdot \vec{b} = \|\vec{a}\|\|\vec{b}\| \cos(\pi/2) = 0,$$

et réciproquement, si $\vec{a} \cdot \vec{b} = 0$, alors $\cos \theta = 0$, d'où $\theta = \pi/2$. Le vecteur nul $\vec{0}$ est considéré comme perpendiculaire à tous les vecteurs. Par conséquent

2   Deux vecteurs $\vec{a}$ et $\vec{b}$ sont orthogonaux si et seulement si $\vec{a} \cdot \vec{b} = 0$.

Vu que $\cos \theta > 0$ quand $0 \leqslant \theta < \pi/2$ et $\cos \theta < 0$ quand $\pi/2 < \theta \leqslant \pi$, nous constatons que $\vec{a} \cdot \vec{b}$ est positif lorsque $\theta < \pi/2$ et négatif lorsque $\theta > \pi/2$. Nous pouvons voir $\vec{a} \cdot \vec{b}$ comme une mesure de ce que $\vec{a}$ et $\vec{b}$ vont plus ou moins dans le même sens. Le produit scalaire $\vec{a} \cdot \vec{b}$ est positif si globalement $\vec{a}$ et $\vec{b}$ ont le même sens, est nul si $\vec{a}$ et $\vec{b}$ sont perpendiculaires et négatif si grosso modo ils pointent dans des directions opposées. Dans le cas extrême où $\vec{a}$ et $\vec{b}$ pointent exactement dans la même direction, $\theta = 0$, d'où $\cos \theta = 1$ et

$$\vec{a} \cdot \vec{b} = \|\vec{a}\|\|\vec{b}\|.$$

Si $\vec{a}$ et $\vec{b}$ sont parallèles et de sens opposés, $\theta = \pi$, d'où $\cos\theta = -1$ et

$$\vec{a} \cdot \vec{b} = -\|\vec{a}\|\|\vec{b}\|.$$

■ Le produit scalaire en termes de composantes

Deux vecteurs sont donnés par leurs composantes

$$\vec{a} = (a_1, a_2, a_3) \qquad \vec{b} = (b_1, b_2, b_3).$$

Nous voudrions écrire le produit scalaire $\vec{a} \cdot \vec{b}$ de façon intéressante avec des composantes. La Loi des cosinus appliquée au triangle de la figure 3 donne

$$\|\vec{a} - \vec{b}\|^2 = \|\vec{a}\|^2 + \|\vec{b}\|^2 - 2\|\vec{a}\|\|\vec{b}\|\cos\theta$$
$$= \|\vec{a}\|^2 + \|\vec{b}\|^2 - 2\vec{a} \cdot \vec{b}$$

La résolution par rapport au produit scalaire conduit à

$$\vec{a} \cdot \vec{b} = \tfrac{1}{2}(\|\vec{a}\|^2 + \|\vec{b}\|^2 - \|\vec{a} - \vec{b}\|^2)$$
$$= \tfrac{1}{2}[a_1^2 + a_2^2 + a_3^2 + b_1^2 + b_2^2 + b_3^2 - (a_1 - b_1)^2 - (a_2 - b_2)^2 - (a_3 - b_3)^2]$$
$$= a_1 b_1 + a_2 b_2 + a_3 b_3.$$

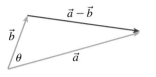

FIGURE 3

Le produit scalaire de $\vec{a} = (a_1, a_2, a_3)$ et $\vec{b} = (b_1, b_2, b_3)$ est

$$\vec{a} \cdot \vec{b} = a_1 b_1 + a_2 b_2 + a_3 b_3.$$

Le produit scalaire de deux vecteurs s'obtient donc en faisant le produit des composantes correspondantes et en additionnant les produits. Le produit scalaire de deux vecteurs de dimension deux s'effectue de manière analogue :

$$(a_1, a_2) \cdot (b_1, b_2) = a_1 b_1 + a_2 b_2.$$

EXEMPLE 3 ■ $\qquad (2, 4) \cdot (3, -1) = 2(3) + 4(-1) = 2$

$$(-1, 7, 4) \cdot \left(6, 2, -\frac{1}{2}\right) = (-1)(6) + 7(2) + 4\left(-\frac{1}{2}\right) = 6$$

$$(\vec{i} + 2\vec{j} - 3\vec{k}) \cdot (2\vec{j} - \vec{k}) = 1(0) + 2(2) + (-3)(-1) = 7. \qquad ■$$

EXEMPLE 4 ■ Montrez que $2\vec{i} + 2\vec{j} - \vec{k}$ est perpendiculaire à $5\vec{i} - 4\vec{j} + 2\vec{k}$.
SOLUTION Comme

$$(2\vec{i} + 2\vec{j} - \vec{k}) \cdot (5\vec{i} - 4\vec{j} + 2\vec{k}) = 2(5) + 2(-4) + (-1)(2) = 0,$$

ces vecteurs sont perpendiculaires, d'après (2). $\qquad ■$

EXEMPLE 5 ■ Quel angle font entre eux les vecteurs $\vec{a} = (2, 2, -1)$ et $\vec{b} = (5, -3, 2)$?
SOLUTION Désignons par θ l'angle cherché. Comme

$$\|\vec{a}\| = \sqrt{2^2 + 2^2 + (-1)^2} = 3 \qquad \text{et} \qquad \|\vec{b}\| = \sqrt{5^2 + (-3)^2 + 2^2} = \sqrt{38},$$

et comme

$$\vec{a} \cdot \vec{b} = 2(5) + 2(-3) + (-1)(2) = 2,$$

on a, par la définition du produit scalaire,

$$\cos \theta = \frac{\vec{a} \cdot \vec{b}}{\|\vec{a}\|\|\vec{b}\|} = \frac{2}{3\sqrt{38}}.$$

L'angle entre $\vec{a}$ et $\vec{b}$ mesure

$$\theta = \text{Arccos}\left(\frac{2}{3\sqrt{38}}\right) \approx 1,46 \text{ (ou } 84°\text{)}.$$

EXEMPLE 6 ■ Une force représentée par un vecteur $\vec{F} = 3\vec{i} + 4\vec{j} + 5\vec{k}$ agit sur un point matériel qui se déplace du point $P(2, 1, 0)$ vers le point $Q(4, 6, 2)$. Calculez le travail effectué.

SOLUTION Le déplacement est représenté par le vecteur $\vec{D} = \overrightarrow{PQ} = (2, 5, 2)$. Le travail est alors calculé comme suit

$$W = \vec{F} \cdot \vec{D} = (3, 4, 5) \cdot (2, 5, 2)$$

$$= 6 + 20 + 10 = 36.$$

Si l'unité de longueur est le mètre et si l'intensité de la force est mesurée en newtons, le travail est de 36 J.

Le produit scalaire vérifie plusieurs lois analogues à celles du produit ordinaire entre nombres réels. Elles sont énoncées dans le théorème suivant.

Les propriétés du produit scalaire Si $\vec{a}$, $\vec{b}$ et $\vec{c}$ sont des vecteurs de V_3 et c un scalaire, alors

1. $\vec{a} \cdot \vec{a} = \|\vec{a}\|^2$ **2.** $\vec{a} \cdot \vec{b} = \vec{b} \cdot \vec{a}$

3. $\vec{a} \cdot (\vec{b} + \vec{c}) = \vec{a} \cdot \vec{b} + \vec{a} \cdot \vec{c}$ **4.** $(c\vec{a}) \cdot \vec{b} = c(\vec{a} \cdot \vec{b}) = \vec{a} \cdot (c\vec{b})$

5. $\vec{0} \cdot \vec{a} = 0$

Les propriétés 1, 2 et 5 sont des conséquences immédiates de la définition du produit scalaire. La propriété 3 est très bien démontrée en utilisant les composantes :

$$\vec{a} \cdot (\vec{b} + \vec{c}) = (a_1, a_2, a_3) \cdot (b_1 + c_1, b_2 + c_2, b_3 + c_3)$$

$$= a_1(b_1 + c_1) + a_2(b_2 + c_2) + a_3(b_3 + c_3)$$

$$= a_1 b_1 + a_1 c_1 + a_2 b_2 + a_2 c_2 + a_3 b_3 + a_3 c_3$$

$$= (a_1 b_1 + a_2 b_2 + a_3 b_3) + (a_1 c_1 + a_2 c_2 + a_3 c_3)$$

$$= \vec{a} \cdot \vec{b} + \vec{a} \cdot \vec{c}$$

La démonstration de la propriété 4 est laissée comme exercice 37.

■ Les projections

La figure 4 montre des représentations PQ et PR de deux vecteurs $\vec{a}$ et $\vec{b}$ qui ont le même point initial P. Si S désigne le pied de la perpendiculaire abaissée de R sur la droite support de PQ, alors le vecteur représenté par PS est appelé le **vecteur projection** de $\vec{b}$ sur $\vec{a}$ et noté $\text{proj}_{\vec{a}}\vec{b}$. La **projection scalaire** de $\vec{b}$ sur $\vec{a}$ (appelée aussi la **composante de $\vec{b}$ selon $\vec{a}$**) est, par définition, le module du vecteur projection, qui vaut $\|\vec{b}\| \cos\theta$ où θ est l'angle entre $\vec{a}$ et $\vec{b}$ (voyez la figure 5). On la note $\text{comp}_{\vec{a}}\vec{b}$. Ce nombre est négatif quand $\pi/2 < \theta \leqslant \pi$. (Au début de cette section, on a employé la composante de la force $\vec{F}$ dans la direction du déplacement $\vec{D}$, $\text{comp}_{\vec{D}}\vec{F}$.)

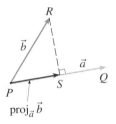

FIGURE 4

Des vecteurs projections

$\text{proj}_{\vec{a}}\vec{b}$ $\text{proj}_{\vec{a}}\vec{b}$

FIGURE 5

Projection scalaire

L'équation

$$\vec{a} \cdot \vec{b} = \|\vec{a}\|\|\vec{b}\| \cos\theta = \|\vec{a}\|(\|\vec{b}\| \cos\theta)$$

montre que le produit scalaire de $\vec{a}$ par $\vec{b}$ peut être vu comme la longueur de $\vec{a}$ multipliée par la projection scalaire de $\vec{b}$ sur $\vec{a}$. Comme

$$\|\vec{b}\| \cos\theta = \frac{\vec{a} \cdot \vec{b}}{\|\vec{a}\|} = \frac{\vec{a}}{\|\vec{a}\|} \cdot \vec{b},$$

la composante de $\vec{b}$ dans la direction de $\vec{a}$ n'est autre que le produit scalaire de $\vec{b}$ avec le vecteur unitaire dans la direction de $\vec{a}$. Pour résumer :

Projection scalaire de $\vec{b}$ sur $\vec{a}$:	$\text{comp}_{\vec{a}}\vec{b} = \dfrac{\vec{a} \cdot \vec{b}}{\|\vec{a}\|}$
Vecteur projection de $\vec{b}$ sur $\vec{a}$:	$\text{proj}_{\vec{a}}\vec{b} = \left(\dfrac{\vec{a} \cdot \vec{b}}{\|\vec{a}\|}\right) \dfrac{\vec{a}}{\|\vec{a}\|} = \dfrac{\vec{a} \cdot \vec{b}}{\|\vec{a}\|^2}\vec{a}.$

EXEMPLE 7 ■ Déterminez la projection scalaire et le vecteur projection de $\vec{b} = (1, 1, 2)$ sur $\vec{a} = (-2, 3, 1)$.

SOLUTION Comme $\|\vec{a}\| = \sqrt{(-2)^2 + 3^2 + 1^2} = \sqrt{14}$, la projection scalaire de $\vec{b}$ sur $\vec{a}$ est

$$\text{comp}_{\vec{a}}\vec{b} = \frac{\vec{a} \cdot \vec{b}}{\|\vec{a}\|} = \frac{(-2)(1) + 3(1) + 1(2)}{\sqrt{14}} = \frac{3}{\sqrt{14}}.$$

Le vecteur projection est le produit de cette projection scalaire par le vecteur unitaire dans la direction de $\vec{a}$:

$$\text{proj}_{\vec{a}}\vec{b} = \frac{3}{\sqrt{14}}\frac{\vec{a}}{\|\vec{a}\|} = \frac{3}{14}\vec{a} = \left(-\frac{3}{7}, \frac{9}{14}, \frac{3}{14}\right).$$

9.3 Exercices •••••••••

1. Parmi les expressions suivantes, lesquelles ont du sens ? Lesquelles n'en ont pas ? Expliquez.
   a) $(\vec{a} \cdot \vec{b}) \cdot c$
   b) $(\vec{a} \cdot \vec{b})\vec{c}$
   c) $\|\vec{a}\|(\vec{b} \cdot \vec{c})$
   d) $\vec{a} \cdot (\vec{b} + \vec{c})$
   e) $\vec{a} \cdot \vec{b} + \vec{c}$
   f) $\|\vec{a}\| \cdot (\vec{b} + \vec{c})$

2. Calculez le produit scalaire de deux vecteurs si les vecteurs sont de longueur 6 et 1/3 et si l'angle qu'ils font entre eux mesure $\pi/4$.

 3-6 ■ Calculez $\vec{a} \cdot \vec{b}$.

3. $\|\vec{a}\| = 2$, $\|\vec{b}\| = 3$, l'angle entre $\vec{a}$ et $\vec{b}$ est $\pi/3$.

4. $\vec{a} = (-2, -8)$, $\vec{b} = (6, -4)$.

5. $\vec{a} = (4, 7, -1)$, $\vec{b} = (-2, 1, 4)$

6. $\vec{a} = \vec{i} - \vec{k}$, $\vec{b} = \vec{i} + 2\vec{j}$

7-8 ■ Déterminez $\vec{u} \cdot \vec{v}$ et $\vec{u} \cdot \vec{w}$, sachant que $\vec{u}$ est un vecteur unitaire.

7.

8.
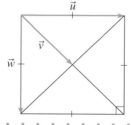

9. a) Montrez que $\vec{i} \cdot \vec{j} = \vec{j} \cdot \vec{k} = \vec{k} \cdot \vec{i} = 0$.
   b) Montrez que $\vec{i} \cdot \vec{i} = \vec{j} \cdot \vec{j} = \vec{k} \cdot \vec{k} = 1$.

10. Un certain jour, un marchand ambulant vend a hamburgers, b saucisses chaudes et c boissons. Il fait payer le hamburger 2 euros, la saucisse chaude 1,5 euros et la boisson 1 euro. Si $\vec{A} = (a, b, c)$ et $\vec{P} = (2; 1,5; 1)$, que représente le produit scalaire $\vec{A} \cdot \vec{P}$?

11-13 ■ Cherchez l'angle entre les vecteurs. (Cherchez d'abord une expression exacte et approximez ensuite au degré le plus proche.)

11. $\vec{a} = (1, 2, 2)$, $\vec{b} = (3, 4, 0)$

12. $\vec{a} = (3, 1)$, $\vec{b} = (2, 4)$

13. $\vec{a} = 6\vec{i} - 2\vec{j} - 3\vec{k}$, $\vec{b} = \vec{i} + \vec{j} + \vec{k}$

14. Calculez, au degré le plus proche, les trois angles du triangle de sommets $P(0, -1, 6)$, $Q(2, 1, -3)$ et $R(5, 4, 2)$.

15. Dites si les vecteurs donnés sont orthogonaux, parallèles ou aucun des deux.
   a) $\vec{a} = (2, -4)$, $\vec{b} = (-1, 2)$
   b) $\vec{a} = (2, -4)$, $\vec{b} = (4, 2)$

   c) $\vec{a} = (2, 8, -3)$, $\vec{b} = (-1, 2, 5)$
   d) $\vec{a} = 3\vec{i} + \vec{j} - \vec{k}$, $\vec{b} = \vec{i} - \vec{j} + 2\vec{k}$

16. Pour quelles valeurs de x les vecteurs $(x, x, -1)$ et $(1, x, 6)$ sont-ils orthogonaux ?

17. Déterminez un vecteur unitaire qui soit orthogonal à la fois à $\vec{i} + \vec{j}$ et $\vec{i} + \vec{k}$.

18. Pour quelles valeurs de c l'angle entre les vecteurs $(1, 2, 1)$ et $(1, 0, c)$ est-il égal à $60°$?

19-22 ■ Déterminez le vecteur projection de $\vec{b}$ sur $\vec{a}$ et la composante de $\vec{b}$ dans la direction de $\vec{a}$.

19. $\vec{a} = (2, 3)$, $\vec{b} = (4, 1)$

20. $\vec{a} = (3, -1)$, $\vec{b} = (2, 3)$

21. $\vec{a} = \vec{i} + \vec{k}$, $\vec{b} = \vec{i} - \vec{j}$

22. $\vec{a} = 2\vec{i} - 3\vec{j} + \vec{k}$, $\vec{b} = \vec{i} + 6\vec{j} - 2\vec{k}$

23. Démontrez que le vecteur

$$\text{orth}_{\vec{a}}\vec{b} = \vec{b} - \text{proj}_{\vec{a}}\vec{b}$$

est orthogonal à $\vec{a}$. Il est appelé une projection orthogonale de $\vec{b}$.

24. Pour les vecteurs de l'exercice 20, déterminez $\text{orth}_{\vec{a}}\vec{b}$ et illustrez en représentant les vecteurs $\vec{a}$, $\vec{b}$, $\text{proj}_{\vec{a}}\vec{b}$ et $\text{orth}_{\vec{a}}\vec{b}$.

25. Quel est le vecteur $\vec{b}$ tel que $\text{comp}_{\vec{a}}\vec{b} = 2$, si $\vec{a} = (3, 0, -1)$.

26. On suppose que $\vec{a}$ et $\vec{b}$ ne sont pas le vecteur nul.
   a) Dans quelles circonstances a-t-on $\text{comp}_{\vec{a}}\vec{b} = \text{comp}_{\vec{b}}\vec{a}$?
   b) Dans quelles circonstances a-t-on $\text{proj}_{\vec{a}}\vec{b} = \text{proj}_{\vec{b}}\vec{a}$?

27. Une force constante représentée par le vecteur

$$\vec{F} = 10\vec{i} + 18\vec{j} - 6\vec{k}$$

déplace un objet en ligne droite du point $(2, 3, 0)$ au point $(4, 9, 15)$. Calculez le travail effectué si la distance est mesurée en mètres et l'intensité de la force en newtons.

28. Calculez le travail effectué par une force de 20 N qui, agissant dans la direction $50°$ nord-ouest, fait se déplacer un objet de 4 m vers l'ouest.

29. Une femme tire avec une force de 100 N, exercée horizontalement, une caisse qu'elle amène 3 m plus loin sur un plan incliné qui fait un angle de $20°$ avec l'horizontale. Calculez le travail effectué sur la caisse.

30. Un chariot est tiré sur une distance de 100 m sur une route horizontale par une force constante de 50 N. L'attache du chariot fait un angle de $30°$ par rapport à l'horizontale. Quel est le travail effectué ?

31. Utilisez une projection scalaire pour montrer que la distance entre un point $P_1(x_1, y_1)$ et la droite $ax + by + c = 0$ est donnée par la formule

$$\frac{|ax_1 + by_1 + c|}{\sqrt{a^2 + b^2}}.$$

Calculez par cette formule la distance du point $(-2, 3)$ à la droite $3x - 4y + 5 = 0$.

32. Montrez que l'équation vectorielle $(\vec{r} - \vec{a}) \cdot (\vec{r} - \vec{b}) = 0$, où $\vec{r} = (x, y, z)$, $\vec{a} = (a_1, a_2, a_3)$ et $\vec{b} = (b_1, b_2, b_3)$, représente une sphère. Déterminez son centre et son rayon.

33. Calculez l'amplitude de l'angle entre une diagonale d'un cube et l'une de ses arêtes.

34. Calculez l'amplitude de l'angle entre une diagonale d'un cube et une diagonale de l'une de ses faces.

35. Dans la structure d'une molécule de méthane, CH_4, les quatre atomes d'hydrogène occupent les sommets d'un tétraèdre régulier et l'atome de carbone occupe le centre. L'*angle de liaison* est l'angle formé par la combinaison H–C–H ; c'est l'angle entre les droites qui joignent l'atome de carbone aux deux atomes d'hydrogène. Montrez que l'angle de liaison est d'environ 109,5°.

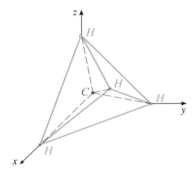

[*Suggestion* : Choisissez les sommets du tétraèdre aux points $(1, 0, 0)$, $(0, 1, 0)$, $(0, 0, 1)$ et $(1, 1, 1)$ comme dans la figure. Alors le centre occupe la position $(\frac{1}{2}, \frac{1}{2}, \frac{1}{2})$.]

36. Montrez que le vecteur $\vec{c} = \|\vec{a}\|\vec{b} + \|\vec{b}\|\vec{a}$, est porté par la bissectrice de l'angle formé par $\vec{a}$ et $\vec{b}$, étant entendu que $\vec{a}$, $\vec{b}$ et $\vec{c}$ ne sont pas le vecteur nul.

37. Démontrez la propriétét 4 du produit scalaire. Vous pouvez utiliser soit la définition du produit scalaire (en distinguant les cas $c > 0$, $c = 0$ et $c < 0$), soit travailler avec les composantes.

38. Démontrez vectoriellement que les diagonales d'un quadrilatère dont les quatre côtés sont égaux et parallèles deux à deux sont perpendiculaires.

39. Démontrez l'inégalité de Cauchy-Schwarz :

$$|\vec{a} \cdot \vec{b}| \leqslant \|\vec{a}\|\|\vec{b}\|.$$

40. L'inégalité triangulaire pour les vecteurs s'écrit

$$\|\vec{a} + \vec{b}\| \leqslant \|\vec{a}\| + \|\vec{b}\|.$$

a) Donnez une interprétation géométrique de l'inégalité triangulaire.

b) Servez-vous de l'inégalité de Cauchy-Schwarz de l'exercice 39 pour démontrer l'inégalité triangulaire. [*Suggestion* : Utilisez le fait que $\|\vec{a} + \vec{b}\|^2 = (\vec{a} + \vec{b}) \cdot (\vec{a} + \vec{b})$ ainsi que la propriété 3 du produit scalaire.]

41. La Loi du parallélogramme établit que

$$\|\vec{a} + \vec{b}\|^2 + \|\vec{a} - \vec{b}\|^2 = 2\|\vec{a}\|^2 + 2\|\vec{b}\|^2.$$

a) Interprétez géométriquement la Loi du parallélogramme.

b) Démontrez la Loi du parallélogramme. (Voyez la suggestion de l'exercice 40.)

9.4 Le produit vectoriel •

Le **produit vectoriel** $\vec{a} \wedge \vec{b}$ de deux vecteurs $\vec{a}$ et $\vec{b}$, à la différence du produit scalaire, est un vecteur. Il porte donc bien son nom. Nous allons voir que le vecteur $\vec{a} \wedge \vec{b}$ rend service en géométrie parce qu'il est perpendiculaire à la fois à $\vec{a}$ et $\vec{b}$. Mais nous allons l'introduire dans le contexte où il intervient en physique et en sciences appliquées.

■ Moment de torsion et produit vectoriel

Quand nous vissons un boulon en exerçant une force sur une clé, comme dans la figure 1, nous produisons un effet de torsion appelé *moment de torsion* et désigné par le vecteur $\vec{\tau}$. La norme de ce vecteur dépend de deux facteurs :

FIGURE I

■ La distance entre l'axe du boulon et le point auquel la force est appliquée. C'est $\|\vec{r}\|$, la longueur du vecteur position $\vec{r}$.

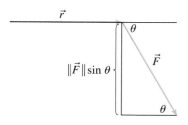

FIGURE 2

■ La composante scalaire de la force $\vec{F}$ dans la direction perpendiculaire à $\vec{r}$. C'est la seule composante qui puisse produire une rotation et, d'après la figure 2, nous voyons qu'elle est égale à

$$\|\vec{F}\| \sin \theta,$$

où θ est l'angle entre les vecteurs $\vec{r}$ et $\vec{F}$.

Nous définissons la norme du vecteur moment de torsion comme le produit de ces deux facteurs :

$$\|\vec{\tau}\| = \|\vec{r}\|\|\vec{F}\| \sin \theta.$$

La direction de ce vecteur est celle de l'axe de la rotation produite. Si $\vec{n}$ est un vecteur unitaire dirigé dans le sens de progression d'un boulon muni d'un filet droit (voyez la figure 1), nous définissons le **moment de torsion** comme le vecteur

1
$$\vec{\tau} = (\|\vec{r}\|\|\vec{F}\| \sin \theta)\vec{n}.$$

Nous notons ce vecteur $\vec{\tau} = \vec{r} \wedge \vec{F}$ et nous l'appelons le *produit vectoriel* de $\vec{r}$ et $\vec{F}$.

Une expression du type 1 apparaît tellement fréquemment que ce soit dans l'étude de l'écoulement des fluides, du mouvement planétaire ou d'autres domaines de la physique et des sciences appliquées, que nous définissons et étudions le produit vectoriel de *n'importe* quel couple de vecteurs $\vec{a}$ et $\vec{b}$ de dimension trois.

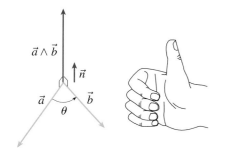

FIGURE 3
La règle de la main droite
donne le sens du vecteur $\vec{a} \wedge \vec{b}$.

Définition Si $\vec{a}$ et $\vec{b}$ sont des vecteurs de dimension trois non nuls, le **produit vectoriel** de $\vec{a}$ et $\vec{b}$ est le vecteur

$$\vec{a} \wedge \vec{b} = (\|\vec{a}\|\|\vec{b}\| \sin \theta)\vec{n}$$

où θ est l'angle entre $\vec{a}$ et $\vec{b}$, $0 \leqslant \theta \leqslant \pi$, et où $\vec{n}$ est un vecteur unitaire perpendiculaire aux deux vecteurs $\vec{a}$ et $\vec{b}$ et dont le sens est donné par la **règle de la main droite** : lorsque les doigts de votre main droite balayent en tournant l'angle θ depuis $\vec{a}$ jusqu'à $\vec{b}$, alors votre pouce indique le sens de $\vec{n}$. (Voyez la figure 3.)

Si l'un des vecteurs $\vec{a}$ ou $\vec{b}$ est le vecteur nul, alors, par définition, $\vec{a} \wedge \vec{b} = \vec{0}$. Puisque $\vec{a} \wedge \vec{b}$ est un multiple scalaire de $\vec{n}$, il a la même direction que $\vec{n}$ et donc

$$\boxed{\vec{a} \wedge \vec{b} \text{ est orthogonal à } \vec{a} \text{ et } \vec{b}.}$$

Si on se rappelle que deux vecteurs non nuls sont parallèles si et seulement si l'angle θ entre eux mesure 0 ou π, on constate que, comme dans ce cas $\sin \theta = 0$, $\vec{a} \wedge \vec{b} = \vec{0}$.

$$\boxed{\text{Deux vecteurs non nuls } \vec{a} \text{ et } \vec{b} \text{ sont parallèles si et seulement si } \vec{a} \wedge \vec{b} = \vec{0}.}$$

En particulier, comme tout vecteur $\vec{a}$ est parallèle à lui-même,

$$\vec{a} \wedge \vec{a} = \vec{0}.$$

Ce cas particulier se comprend très bien dans le contexte du moment de torsion : si la force agit (par traction ou pression) dans la même direction que le manche de la clé (ainsi $\vec{F}$ est parallèle à $\vec{r}$), aucune rotation ne se produit.

FIGURE 4

EXEMPLE I ■ Un boulon est serré en appliquant une force de 40 N sur une clé de 0,25 m, comme dans la figure 4. Calculez l'intensité du moment de torsion par rapport au centre du boulon.

SOLUTION La norme du vecteur moment de torsion est

$$\|\vec{\tau}\| = \|\vec{r} \wedge \vec{F}\| = \|\vec{r}\|\|\vec{F}\| \sin 75°\|\vec{n}\| = (0{,}25)(40) \sin 75°$$

$$= 10 \sin 75° \approx 9{,}66 \text{ N-m} = 9{,}66 \text{ J}.$$

Si le boulon est muni d'un filet droit, le moment de torsion lui-même est le vecteur

$$\vec{\tau} = \|\vec{\tau}\|\vec{n} \approx 9{,}66 \, \vec{n},$$

où $\vec{n}$ est un vecteur unitaire qui pointe en direction de la page. ∎

EXEMPLE 2 ■ Déterminez $\vec{i} \wedge \vec{j}$ et $\vec{j} \wedge \vec{i}$.

SOLUTION Les vecteurs de base $\vec{i}$ et $\vec{j}$ sont tous les deux de longueur 1 et l'angle qu'ils font entre eux mesure $\pi/2$. Comme, par la règle de la main droite, le vecteur unitaire perpendiculaire à $\vec{i}$ et $\vec{j}$ est $\vec{n} = \vec{k}$ (voyez la figure 5),

$$\vec{i} \wedge \vec{j} = (\|\vec{i}\|\|\vec{j}\| \sin(\pi/2)) \, \vec{k} = \vec{k}.$$

Par contre, si nous appliquons la règle de la main droite aux vecteurs $\vec{j}$ et $\vec{i}$ (dans cet ordre), nous constatons que le sens de $\vec{n}$ pointe vers le bas et donc, $\vec{n} = -\vec{k}$. D'où

$$\vec{j} \wedge \vec{i} = -\vec{k}.$$ ∎

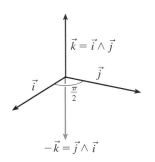

FIGURE 5

L'exemple 2 a montré que

$$\vec{i} \wedge \vec{j} \neq \vec{j} \wedge \vec{i},$$

ce qui entraîne que le produit vectoriel n'est pas commutatif. Un raisonnement semblable montrerait que

$$\vec{j} \wedge \vec{k} = \vec{i} \qquad \vec{k} \wedge \vec{j} = -\vec{i}$$

$$\vec{k} \wedge \vec{i} = \vec{j} \qquad \vec{i} \wedge \vec{k} = -\vec{j}.$$

De façon générale, la règle de la main droite démontre que

$$\vec{b} \wedge \vec{a} = -\vec{a} \wedge \vec{b}.$$

Une autre loi algébrique qui échoue pour le produit vectoriel est celle de l'associativité du produit ; c'est-à-dire, en général,

$$(\vec{a} \wedge \vec{b}) \wedge \vec{c} \neq \vec{a} \wedge (\vec{b} \wedge \vec{c}).$$

Par exemple, si $\vec{a} = \vec{i}$, $\vec{b} = \vec{i}$ et $\vec{c} = \vec{j}$, alors

$$(\vec{i} \wedge \vec{i}) \wedge \vec{j} = \vec{0} \wedge \vec{j} = \vec{0},$$

alors que

$$\vec{i} \wedge (\vec{i} \wedge \vec{j}) = \vec{i} \wedge \vec{k} = -\vec{j}.$$

Néanmoins, certaines règles habituelles de l'algèbre subsistent pour le produit vectoriel :

Propriétés du produit vectoriel Si $\vec{a}, \vec{b}$ et $\vec{c}$ sont des vecteurs et c un scalaire, alors

1. $\vec{a} \wedge \vec{b} = -\vec{b} \wedge \vec{a}$
2. $(c\vec{a}) \wedge \vec{b} = c(\vec{a} \wedge \vec{b}) = \vec{a} \wedge (c\vec{b})$
3. $\vec{a} \wedge (\vec{b} + \vec{c}) = \vec{a} \wedge \vec{b} + \vec{a} \wedge \vec{c}$
4. $(\vec{a} + \vec{b}) \wedge \vec{c} = \vec{a} \wedge \vec{c} + \vec{b} \wedge \vec{c}$

La propriété 2 se démontre en appliquant la définition du produit vectoriel à chacune des trois expressions. Les propriétés 3 et 4 (Lois de distributivité à droite et à gauche du produit vectoriel par rapport à l'addition) sont plus difficiles à établir ; nous ne le ferons pas ici.

Voici, dans la figure 6, une interprétation géométrique de la norme du produit vectoriel. Si $\vec{a}$ et $\vec{b}$ sont représentés par des segments orientés issus du même point initial, alors ils déterminent un parallélogramme de base $\|\vec{a}\|$, de hauteur $\|\vec{b}\| \sin \theta$ et d'aire

$$A = \|\vec{a}\|(\|\vec{b}\| \sin \theta) = \|\vec{a} \wedge \vec{b}\|.$$

La norme du produit vectoriel $\vec{a} \wedge \vec{b}$ est égale à l'aire du parallélogramme déterminé par $\vec{a}$ et $\vec{b}$.

FIGURE 6

■ **Les composantes du produit vectoriel**

On suppose que $\vec{a}$ et $\vec{b}$ sont donnés par leurs composantes :

$$\vec{a} = a_1 \vec{i} + a_2 \vec{j} + a_3 \vec{k} \qquad \vec{b} = b_1 \vec{i} + b_2 \vec{j} + b_3 \vec{k}.$$

Les composantes de $\vec{a} \wedge \vec{b}$ résultent des lois de distributivité et des résultats de l'exemple 2 :

$$\vec{a} \wedge \vec{b} = (a_1 \vec{i} + a_2 \vec{j} + a_3 \vec{k}) \wedge (b_1 \vec{i} + b_2 \vec{j} + b_3 \vec{k})$$

$$= a_1 b_1 \vec{i} \wedge \vec{i} + a_1 b_2 \vec{i} \wedge \vec{j} + a_1 b_3 \vec{i} \wedge \vec{k}$$
$$+ a_2 b_1 \vec{j} \wedge \vec{i} + a_2 b_2 \vec{j} \wedge \vec{j} + a_2 b_3 \vec{j} \wedge \vec{k}$$
$$+ a_3 b_1 \vec{k} \wedge \vec{i} + a_3 b_2 \vec{k} \wedge \vec{j} + a_3 b_3 \vec{k} \wedge \vec{k}$$

$$= a_1 b_2 \vec{k} + a_1 b_3 (-\vec{j}) + a_2 b_1 (-\vec{k}) + a_2 b_3 \vec{i} + a_3 b_1 \vec{j} + a_3 b_2 (-\vec{i})$$

$$= (a_2 b_3 - a_3 b_2) \vec{i} + (a_3 b_1 - a_1 b_3) \vec{j} + (a_1 b_2 - a_2 b_1) \vec{k}.$$

Notez que

$$\vec{i} \wedge \vec{i} = \vec{0} \qquad \vec{j} \wedge \vec{j} = \vec{0} \qquad \vec{k} \wedge \vec{k} = \vec{0}$$

2 Soit $\vec{a} = (a_1, a_2, a_3)$ et $\vec{b} = (b_1, b_2, b_3)$. Alors,

$$\vec{a} \wedge \vec{b} = (a_2 b_3 - a_3 b_2, a_3 b_1 - a_1 b_3, a_1 b_2 - a_2 b_1)$$

Afin de se rappeler plus commodément l'expression de $\vec{a} \wedge \vec{b}$, nous recourons à la notation des déterminants. Un **déterminant d'ordre 2** est défini par

$$\begin{vmatrix} a & b \\ c & d \end{vmatrix} = ad - bc.$$

Par exemple,

$$\begin{vmatrix} 2 & 1 \\ -6 & 4 \end{vmatrix} = 2(4) - 1(-6) = 14.$$

Un **déterminant d'ordre 3** peut être défini à partir de déterminants d'ordre 2 comme suit :

3
$$\begin{vmatrix} a_1 & a_2 & a_3 \\ b_1 & b_2 & b_3 \\ c_1 & c_2 & c_3 \end{vmatrix} = a_1 \begin{vmatrix} b_2 & b_3 \\ c_2 & c_3 \end{vmatrix} - a_2 \begin{vmatrix} b_1 & b_3 \\ c_1 & c_3 \end{vmatrix} + a_3 \begin{vmatrix} b_1 & b_2 \\ c_1 & c_2 \end{vmatrix}$$

Observez que chaque terme du membre de droite de l'équation 3 contient un a_i de la première ligne du déterminant et que cet a_i est multiplié par le déterminant d'ordre 2 obtenu en supprimant à partir de la gauche la ligne et la colonne auxquelles a_i appartient. Notez aussi le signe moins du second terme. Par exemple,

$$\begin{vmatrix} 1 & 2 & -1 \\ 3 & 0 & 1 \\ -5 & 4 & 2 \end{vmatrix} = 1\begin{vmatrix} 0 & 1 \\ 4 & 2 \end{vmatrix} - 2\begin{vmatrix} 3 & 1 \\ -5 & 2 \end{vmatrix} + (-1)\begin{vmatrix} 3 & 0 \\ -5 & 4 \end{vmatrix}$$

$$= 1(0 - 4) - 2(6 + 5) + (-1)(12 - 0) = -38.$$

À l'aide des déterminants d'ordre 2 et des vecteurs de base $\vec{i}, \vec{j}$ et $\vec{k}$, le produit vectoriel de $\vec{a} = a_1\vec{i} + a_2\vec{j} + a_3\vec{k}$ et $\vec{b} = b_1\vec{i} + b_2\vec{j} + b_3\vec{k}$ peut s'écrire

4
$$\vec{a} \wedge \vec{b} = \begin{vmatrix} a_2 & a_3 \\ b_2 & b_3 \end{vmatrix}\vec{i} - \begin{vmatrix} a_1 & a_3 \\ b_1 & b_3 \end{vmatrix}\vec{j} + \begin{vmatrix} a_1 & a_2 \\ b_1 & b_2 \end{vmatrix}\vec{k}$$

À cause de la ressemblance entre les équations 3 et 4, il arrive souvent d'écrire le déterminant « symbolique »

5
$$\vec{a} \wedge \vec{b} = \begin{vmatrix} \vec{i} & \vec{j} & \vec{k} \\ a_1 & a_2 & a_3 \\ b_1 & b_2 & b_3 \end{vmatrix}$$

Symbolique, parce que la première ligne se compose de vecteurs et non de nombres, mais le développement de ce déterminant à la manière de l'équation 3, comme s'il s'agissait d'un déterminant ordinaire, fournit bien l'expression 4. La formule symbolique 5 est probablement la façon la plus facile de se remémorer et de calculer les produits vectoriels.

EXEMPLE 3 ■ Si $\vec{a} = (1, 3, 4)$ et $\vec{b} = (2, 7, -5)$, alors

$$\vec{a} \wedge \vec{b} = \begin{vmatrix} \vec{i} & \vec{j} & \vec{k} \\ 1 & 3 & 4 \\ 2 & 7 & -5 \end{vmatrix}$$

$$= \begin{vmatrix} 3 & 4 \\ 7 & -5 \end{vmatrix}\vec{i} - \begin{vmatrix} 1 & 4 \\ 2 & -5 \end{vmatrix}\vec{j} + \begin{vmatrix} 1 & 3 \\ 2 & 7 \end{vmatrix}\vec{k}$$

$$= (-15 - 28)\vec{i} - (-5 - 8)\vec{j} + (7 - 6)\vec{k} = -43\vec{i} + 13\vec{j} + \vec{k}. \quad ■$$

EXEMPLE 4 ■ Cherchez un vecteur perpendiculaire au plan qui passe par les points $P(1, 4, 6)$, $Q(-2, 5, -1)$ et $R(1, -1, 1)$.

SOLUTION Le vecteur $\overrightarrow{PQ} \wedge \overrightarrow{PR}$, étant perpendiculaire à la fois à $\overrightarrow{PQ}$ et à $\overrightarrow{PR}$, est perpendiculaire au plan qui passe par P, Q et R. Selon (1) de la section 9.2, les composantes de ces vecteurs sont

$$\overrightarrow{PQ} = (-2-1)\vec{i} + (5-4)\vec{j} + (-1-6)\vec{k} = -3\vec{i} + \vec{j} - 7\vec{k}$$

$$\overrightarrow{PR} = (1-1)\vec{i} + (-1-4)\vec{j} + (1-6)\vec{k} = -5\vec{j} - 5\vec{k}.$$

Le produit vectoriel de ces vecteurs s'effectue comme suit :

$$\overrightarrow{PQ} \wedge \overrightarrow{PR} = \begin{vmatrix} \vec{i} & \vec{j} & \vec{k} \\ -3 & 1 & -7 \\ 0 & -5 & -5 \end{vmatrix}$$

$$= (-5-35)\vec{i} - (15-0)\vec{j} + (15-0)\vec{k} = -40\vec{i} - 15\vec{j} + 15\vec{k}.$$

Le vecteur $(-40, -15, 15)$ est donc perpendiculaire au plan donné. Tout autre multiple scalaire non nul de ce vecteur ferait également l'affaire.

EXEMPLE 5 ■ Calculez l'aire du triangle de sommets $P(1, 4, 6)$, $Q(-2, 5, -1)$ et $R(1, -1, 1)$.

SOLUTION Le produit scalaire $\overrightarrow{PQ} \wedge \overrightarrow{PR} = (-40, -15, 15)$ a été calculé à l'exemple 4 et la norme de ce produit scalaire représente l'aire du parallélogramme construit sur les côtés adjacents PQ et PR :

$$\|\overrightarrow{PQ} \wedge \overrightarrow{PR}\| = \sqrt{(-40)^2 + (-15)^2 + 15^2} = 5\sqrt{82}.$$

L'aire A du triangle PQR mesure la moitié de l'aire de ce parallélogramme, à savoir $\frac{5}{2}\sqrt{82}$.

■ Des produits de trois vecteurs

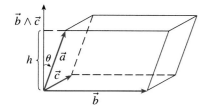

FIGURE 7

Le produit $\vec{a} \cdot (\vec{b} \wedge \vec{c})$ porte le nom de **produit mixte** des vecteurs $\vec{a}$, $\vec{b}$ et $\vec{c}$. Le parallélipipède construit sur ces trois vecteurs (figure 7) permet de voir la signification géométrique de ce produit. L'aire du parallélogramme de base est $A = \|\vec{b} \wedge \vec{c}\|$. La hauteur h du parallélipipède vaut $h = \|\vec{a}\| |cos\theta|$, si θ désigne l'angle entre $\vec{a}$ et $\vec{b} \wedge \vec{c}$. (Il faut prévoir $|\cos\theta|$ au lieu de simplement $\cos\theta$ pour le cas où $\theta > \pi/2$.) Par conséquent, le volume du parallélipipède est

$$V = Ah = \|\vec{b} \wedge \vec{c}\| \|\vec{a}\| |\cos\theta| = \|\vec{a} \cdot (\vec{b} \wedge \vec{c})\|.$$

Nous avons ainsi établi le résultat suivant :

> Le volume du parallélipipède construit sur les vecteurs $\vec{a}$, $\vec{b}$ et $\vec{c}$ est la norme de leur produit mixte :
>
> $$V = \|\vec{a} \cdot (\vec{b} \wedge \vec{c})\|.$$

Au lieu de voir comme base du parallélipipède le parallélogramme construit sur les vecteurs $\vec{b}$ et $\vec{c}$, on pourrait tout aussi bien lui voir comme base le parallélogramme construit sur $\vec{a}$ et $\vec{b}$. Cet autre point de vue conduit à

$$\vec{a} \cdot (\vec{b} \wedge \vec{c}) = \vec{c} \cdot (\vec{a} \wedge \vec{b}).$$

Or, le produit scalaire est commutatif. D'où

6 $$\vec{a} \cdot (\vec{b} \wedge \vec{c}) = (\vec{a} \wedge \vec{b}) \cdot \vec{c}.$$

On suppose que $\vec{a}$, $\vec{b}$ et $\vec{c}$ sont donnés par leurs composantes :

$$\vec{a} = a_1 \vec{i} + a_2 \vec{j} + a_3 \vec{k} \qquad \vec{b} = b_1 \vec{i} + b_2 \vec{j} + b_3 \vec{k} \qquad \vec{c} = c_1 \vec{i} + c_2 \vec{j} + c_3 \vec{k}.$$

Alors,

$$\vec{a} \cdot (\vec{b} \wedge \vec{c}) = \vec{a} \cdot \left[\begin{vmatrix} b_2 & b_3 \\ c_2 & c_3 \end{vmatrix} \vec{i} - \begin{vmatrix} b_1 & b_3 \\ c_1 & c_3 \end{vmatrix} \vec{j} + \begin{vmatrix} b_1 & b_2 \\ c_1 & c_2 \end{vmatrix} \vec{k} \right]$$

$$= a_1 \begin{vmatrix} b_2 & b_3 \\ c_2 & c_3 \end{vmatrix} - a_2 \begin{vmatrix} b_1 & b_3 \\ c_1 & c_3 \end{vmatrix} + a_3 \begin{vmatrix} b_1 & b_2 \\ c_1 & c_2 \end{vmatrix}$$

Ceci montre que le produit mixte des vecteurs $\vec{a}$, $\vec{b}$ et $\vec{c}$ peut être écrit sous la forme d'un déterminant dont les lignes sont les composantes des trois vecteurs :

7 $$\vec{a} \cdot (\vec{b} \wedge \vec{c}) = \begin{vmatrix} a_1 & a_2 & a_3 \\ b_1 & b_2 & b_3 \\ c_1 & c_2 & c_3 \end{vmatrix}$$

EXEMPLE 6 ■ Grâce au produit mixte, montrez que les vecteurs $\vec{a} = (1, 4, -7)$, $\vec{b} = (2, -1, 4)$ et $\vec{c} = (0, -9, 18)$ sont coplanaires, c'est-à-dire appartiennent à un même plan.

SOLUTION Nous calculons le produit mixte selon la formule 7 :

$$\vec{a} \cdot (\vec{b} \wedge \vec{c}) = \begin{vmatrix} 1 & 4 & -7 \\ 2 & -1 & 4 \\ 0 & -9 & 18 \end{vmatrix}$$

$$= 1 \begin{vmatrix} -1 & 4 \\ -9 & 18 \end{vmatrix} - 4 \begin{vmatrix} 2 & 4 \\ 0 & 18 \end{vmatrix} - 7 \begin{vmatrix} 2 & -1 \\ 0 & -9 \end{vmatrix}$$

$$= 1(18) - 4(36) - 7(-18) = 0.$$

Ceci veut dire que le volume du parallélipipède construit sur $\vec{a}$, $\vec{b}$ et $\vec{c}$ est nul. Donc, les trois vecteurs sont coplanaires.

Le produit $\vec{a} \wedge (\vec{b} \wedge \vec{c})$ s'appelle le **double produit vectoriel** des vecteurs $\vec{a}$, $\vec{b}$ et $\vec{c}$. L'exercice 28 consiste à démontrer la formule suivante relative à ce double produit vectoriel

8 $$\vec{a} \wedge (\vec{b} \wedge \vec{c}) = (\vec{a} \cdot \vec{c})\vec{b} - (\vec{a} \cdot \vec{b})\vec{c}.$$

La formule 8 servira lors de l'établissement de la première loi de Kepler du mouvement planétaire dans le chapitre 10.

9.4 Exercices •

1. Examinez si chaque expression a du sens. Si elle n'en a pas, dites pourquoi. Si elle en a, dites s'il s'agit d'un vecteur ou d'un scalaire.

a) $\vec{a} \cdot (\vec{b} \wedge \vec{c})$

b) $\vec{a} \wedge (\vec{b} \cdot \vec{c})$

c) $\vec{a} \wedge (\vec{b} \wedge \vec{c})$

d) $(\vec{a} \cdot \vec{b}) \wedge \vec{c}$

e) $(\vec{a} \cdot \vec{b}) \wedge (\vec{c} \cdot \vec{d})$

f) $(\vec{a} \wedge \vec{b}) \cdot (\vec{c} \wedge \vec{d})$

2-3 ■ Calculez $\|\vec{u} \wedge \vec{v}\|$ et dites si $\vec{u} \wedge \vec{v}$ pointe vers la page ou vers l'extérieur de la page.

2.

$\|\vec{u}\| = 5$ 60° $\|\vec{v}\| = 10$

3.

$\|\vec{u}\| = 6$ 150° $\|\vec{v}\| = 8$

4. La figure montre un vecteur $\vec{a}$ du plan Oxy et un vecteur $\vec{b}$ dirigé comme $\vec{k}$. Leurs longueurs sont $\|\vec{a}\| = 3$ et $\|\vec{b}\| = 2$.

a) Calculer $\|\vec{a} \wedge \vec{b}\|$.

b) Utilisez la règle de la main droite pour savoir si les composantes de $\vec{a} \wedge \vec{b}$ sont positives, négatives ou nulles

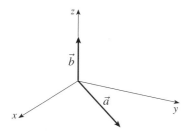

5. La pédale d'un vélo est enfoncée avec une force de 60 N (voyez la figure). Le bras du pédalier mesure 18 cm. Calculez la norme du moment de torsion par rapport à P.

60 N   70°   10° P

6. Calculez la norme du moment de torsion par rapport à P d'une force de 36 N appliquée comme le montre la figure.

P 4 m   4 m   30°   36 N

7-9 ■ Effectuez le produit vectoriel $\vec{a} \wedge \vec{b}$.

7. $\vec{a} = (-2, 3, 4)$, $\vec{b} = (3, 0, 1)$

8. $\vec{a} = (1, 2, -3)$, $\vec{b} = (5, -1, -2)$

9. $\vec{a} = \vec{i} + \vec{j} + \vec{k}$, $\vec{b} = \vec{i} + \vec{j} - \vec{k}$

10. Effectuer $\vec{a} \wedge \vec{b}$ si $\vec{a} = \vec{i} - 2\vec{k}$ et $\vec{b} = \vec{j} + \vec{k}$. Représentez $\vec{a}$, $\vec{b}$ et $\vec{a} \wedge \vec{b}$ par des segments orientés, de point initial O.

11. Déterminez deux vecteurs unitaires orthogonaux à la fois à $(1, -1, 1)$ et $(0, 4, 4)$.

12. Déterminez deux vecteurs unitaires orthogonaux à la fois à $\vec{i} + \vec{j}$ et $\vec{i} - \vec{j} + \vec{k}$.

13. Calculez l'aire du parallélogramme de sommets $A(0, 1)$, $B(3, 0)$, $C(5, -2)$ et $D(2, -1)$.

14. Calculez l'aire du parallélogramme de sommets $P(0, 0, 0)$, $Q(5, 0, 0)$, $R(2, 6, 6)$ et $S(7, 6, 6)$.

15-16 ■ a) Trouvez un vecteur orthogonal au plan déterminé par les points P, Q et R et b) calculez l'aire du triangle PQR.

15. $P(1, 0, 0)$, $Q(0, 2, 0)$, $R(0, 0, 3)$

16. $P(1, 0, -1)$, $Q(2, 4, 5)$, $R(3, 1, 7)$

17. La tête d'une clé de 30 cm de long posée le long de la partie positive de l'axe Oy enserre un boulon situé à l'origine. À l'extrémité de la clé, on applique une force dans la direction $(0, 3, -4)$. Quelle doit être l'intensité de la force pour exercer un moment de torsion de 100 J sur le boulon ?

18. Soit $\vec{v} = 5\vec{j}$ et soit $\vec{u}$ un vecteur de longueur 3 dont le point initial est à l'origine et qui tourne dans le plan Oxy. Déterminez les valeurs maximales et minimales de la norme du vecteur $\vec{u} \wedge \vec{v}$. Dans quelle direction pointe $\vec{u} \wedge \vec{v}$?

19-20 ■ Calculez le volume du parallélipipède construit sur les vecteurs $\vec{a}$, $\vec{b}$ et $\vec{c}$.

19. $\vec{a} = (1, 0, 6)$, $\vec{b} = (2, 3, -8)$, $\vec{c} = (8, -5, 6)$

20. $\vec{a} = 2\vec{i} + 3\vec{j} - 2\vec{k}, \quad \vec{b} = \vec{i} - \vec{j}, \quad \vec{c} = 2\vec{i} + 3\vec{k}.$

21-22 ■ Calculez le volume du parallélipipède d'arêtes adjacentes PQ, PR et PS.

21. $P(1,1,1), \quad Q(2,0,3), \quad R(4,1,7), \quad S(3,-1,-2)$

22. $P(0,1,2), \quad Q(2,4,5), \quad R(-1,0,1), \quad S(6,-1,4)$

23. Démontrez, à l'aide du produit mixte, que les vecteurs $\vec{a} = 2\vec{i} + 3\vec{j} + \vec{k}, \vec{b} = \vec{i} - \vec{j}$ et $\vec{c} = 7\vec{i} + 3\vec{j} + 2\vec{k}$ sont coplanaires.

24. Utilisez le produit mixte pour savoir si les points $P(1,0,1)$, $Q(2,4,6)$ $R(3,-1,2)$ et $S(6,2,8)$ appartiennent à un même plan.

25. a) Soit P un point extérieur à la droite L qui relie les points Q et R. Montrez que la distance d du point P à la droite L vaut

$$d = \frac{\|\vec{a} \wedge \vec{b}\|}{\|\vec{a}\|}$$

où $\vec{a} = \overrightarrow{QR}$ et $\vec{b} = \overrightarrow{QP}$.

b) Servez-vous de la formule de la partie a) pour calculer la distance du point $P(1,1,1)$ à la droite qui passe par $Q(0,6,8)$ et $R(-1,4,7)$.

26. a) Soit P un point extérieur au plan qui passe par les points Q, R et S. Montrez que la distance d du point P au plan vaut

$$d = \frac{\|\vec{a} \cdot (\vec{b} \wedge \vec{c})\|}{\|\vec{a} \wedge \vec{b}\|}$$

où $\vec{a} = \overrightarrow{QR}, \vec{b} = \overrightarrow{QS}$ et $\vec{c} = \overrightarrow{QP}$.

b) Servez-vous de la formule de la partie a) pour calculer la distance du point $P(2,1,4)$ au plan déterminé par les points $Q(1,0,0)$, $R(0,2,0)$ et $S(0,0,3)$.

27. Démontrez que $(\vec{a} - \vec{b}) \wedge (\vec{a} + \vec{b}) = 2(\vec{a} \wedge \vec{b})$.

28. Démontrez la formule suivante relative au double produit vectoriel :

$$\vec{a} \wedge (\vec{b} \wedge \vec{c}) = (\vec{a} \cdot \vec{c})\vec{b} - (\vec{a} \cdot \vec{b})\vec{c}.$$

29. Utilisez l'exercice 28 pour démontrer

$$\vec{a} \wedge (\vec{b} \wedge \vec{c}) + \vec{b} \wedge (\vec{c} \wedge \vec{a}) + \vec{c} \wedge (\vec{a} \wedge \vec{b}) = \vec{0}.$$

30. Démontrez que

$$(\vec{a} \wedge \vec{b}) \cdot (\vec{c} \wedge \vec{d}) = \begin{vmatrix} \vec{a} \cdot \vec{c} & \vec{b} \cdot \vec{c} \\ \vec{a} \cdot \vec{d} & \vec{b} \cdot \vec{d} \end{vmatrix}$$

31. On suppose $\vec{a} \neq \vec{0}$.
a) Est-ce que $\vec{a} \cdot \vec{b} = \vec{a} \cdot \vec{c}$ entraîne $\vec{b} = \vec{c}$?
b) Est-ce que $\vec{a} \wedge \vec{b} = \vec{a} \wedge \vec{c}$ entraîne $\vec{b} = \vec{c}$?
c) Est-ce que $\vec{a} \cdot \vec{b} = \vec{a} \cdot \vec{c}$ et $\vec{a} \wedge \vec{b} = \vec{a} \wedge \vec{c}$ entraîne $\vec{b} = \vec{c}$?

32. On suppose que $\vec{v}_1$, $\vec{v}_2$ et $\vec{v}_3$ sont des vecteurs non coplanaires. Soit

$$\vec{k}_1 = \frac{\vec{v}_2 \wedge \vec{v}_3}{\vec{v}_1 \cdot (\vec{v}_2 \wedge \vec{v}_3)}$$

$$\vec{k}_2 = \frac{\vec{v}_3 \wedge \vec{v}_1}{\vec{v}_1 \cdot (\vec{v}_2 \wedge \vec{v}_3)}$$

$$\vec{k}_3 = \frac{\vec{v}_1 \wedge \vec{v}_2}{\vec{v}_1 \cdot (\vec{v}_2 \wedge \vec{v}_3)}$$

(De tels vecteurs se rencontrent en cristallographie. Des vecteurs de la forme $n_1\vec{v}_1 + n_2\vec{v}_2 + n_3\vec{v}_3$, où chaque n_i est un entier, forme un *réseau* pour un cristal. Des vecteurs écrits de manière semblable en termes de $\vec{k}_1$, $\vec{k}_2$ et $\vec{k}_3$ forment le *réseau réciproque*.)
a) Démontrez que $\vec{k}_i$ est perpendiculaire à $\vec{v}_j$ pour $i \neq j$.
b) Démontrez que $\vec{k}_i \cdot \vec{v}_i = 1$ pour $i = 1, 2, 3$
c) Démontrez que $\vec{k}_1 \cdot (\vec{k}_2 \wedge \vec{k}_3) = \frac{1}{\vec{v}_1 \cdot (\vec{v}_2 \wedge \vec{v}_3)}$.

Sujet à découvrir

La géométrie du tétraèdre

Un tétraèdre est un solide à quatre sommets P, Q, R et S et à quatre faces triangulaires. (Voyez la figure.)

1. Soit $\vec{v}_1, \vec{v}_2, \vec{v}_3$ et $\vec{v}_4$ des vecteurs de longueurs égales aux aires des faces opposées aux sommets P, Q, R et S respectivement et dirigés perpendiculairement aux faces respectives et pointés vers l'extérieur. Démontrez que

$$\vec{v}_1 + \vec{v}_2 + \vec{v}_3 + \vec{v}_4 = \vec{0}.$$

2. Le volume d'un tétraèdre vaut un tiers de la distance d'un sommet à la face opposée multiplié par l'aire de cette face.

a) Écrivez une formule du volume du tétraèdre en termes des coordonnées des sommets P, Q, R et S.

b) Calculez le volume du tétraèdre dont les sommets sont $P(1,1,1)$, $Q(1,2,3)$, $R(1,1,2)$ et $S(3,-1,2)$.

3. On suppose que le trièdre en S du tétraèdre de la figure est trirectangle (cela signifie que les angles de sommet S sont tous les trois droits). Soit A, B et C les aires des trois faces qui se rencontrent en S et soit D l'aire de la face opposée PQR. À l'aide du résultat du problème 1, ou autrement, démontrez que

$$D^2 = A^2 + B^2 + C^2.$$

(Ceci est une version à trois dimensions du théorème de Pythagore.)

9.5 Les équations des droites et des plans •

Une droite du plan Oxy est déterminée dès que sont fixés un point par lequel elle passe et la direction de la droite (sa pente ou angle d'inclinaison). L'équation de la droite peut alors être écrite d'après la formule point-pente.

De même, une droite d de l'espace de dimension trois est déterminée dès que sont fixés un point $P_0(x_0, y_0, z_0)$ par lequel d passe et sa direction. En trois dimensions, la direction d'une droite est aisément fixée par un vecteur ; soit $\vec{v}$ un vecteur parallèle à d. Soit $\vec{r}_0$ le vecteur position de P_0 et $\vec{r}$ le vecteur position d'un point quelconque P de d (représentés par $\overrightarrow{OP_0}$ et $\overrightarrow{OP}$). Si $\vec{a}$ désigne le vecteur représenté par $\overrightarrow{P_0P}$, comme dans la figure 1, alors la Loi du triangle de l'addition vectorielle permet d'écrire $\vec{r} = \vec{r}_0 + \vec{a}$. Mais, comme $\vec{a}$ et $\vec{v}$ sont des vecteurs parallèles, il existe un scalaire t tel que $\vec{a} = t\vec{v}$. D'où

FIGURE 1

1
$$\vec{r} = \vec{r}_0 + t\vec{v}$$

Cette expression est l'*équation vectorielle* de d. Chaque valeur du **paramètre** t fixe le vecteur position $\vec{r}$ d'un point de d. Comme l'indique la figure 2, des valeurs positives de t correspondent à des points sur d situés d'un côté de P_0, tandis que des valeurs négatives de t correspondent à des points de d situés de l'autre côté de P_0.

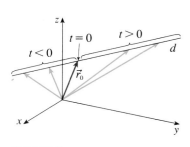

Si le vecteur qui indique la direction de d est décrit par ses composantes $\vec{v} = (a, b, c)$, alors $t\vec{v} = (ta, tb, tc)$. On peut également écrire $\vec{r} = (x, y, z)$ et $r_0 = (x_0, y_0, z_0)$. L'équation vectorielle (1) devient

$$(x, y, z) = (x_0 + ta, y_0 + tb, z_0 + tc).$$

FIGURE 2

Deux vecteurs sont égaux si et seulement si les composantes correspondantes sont égales. Par conséquent, on a les trois équations scalaires :

2
$$x = x_0 + ta, \qquad y = y_0 + tb, \qquad z = z_0 + tc$$

où $t \in \mathbb{R}$. Ces équations sont appelées des **équations paramétriques** de la droite d qui passe par $P_0(x_0, y_0, z_0)$ et parallèle au vecteur $\vec{v} = (a, b, c)$. Chaque valeur du paramètre donne un point (x, y, z) sur d.

La figure 3 montre la droite d de l'exemple 1 et ce qui la relie au point donné et au vecteur qui indique sa direction.

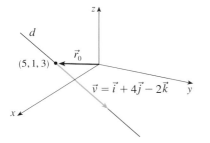

FIGURE 3

EXEMPLE 1 ■

a) Écrivez une équation vectorielle et des équations paramétriques de la droite qui passe par le point $(5, 1, 3)$ et parallèle au vecteur $\vec{i} + 4\vec{j} - 2\vec{k}$.

b) Cherchez les coordonnées de deux autres points de cette droite.

SOLUTION

a) Ici, $\vec{r}_0 = (5, 1, 3) = 5\vec{i} + \vec{j} + 3\vec{k}$ et $\vec{v} = \vec{i} + 4\vec{j} - 2\vec{k}$. L'équation (1) devient

$$\vec{r} = (5\vec{i} + \vec{j} + 3\vec{k}) + t(\vec{i} + 4\vec{j} - 2\vec{k})$$

ou

$$\vec{r} = (5 + t)\vec{i} + (1 + 4t)\vec{j} + (3 - 2t)\vec{k}.$$

Voici des équations paramétriques

$$x = 5 + t, \qquad y = 1 + 4t \qquad z = 3 - 2t.$$

b) La valeur $t = 1$ par exemple du paramètre donne $x = 6, y = 5$ et $z = 1$. Le point $(6, 5, 1)$ est un point de la droite. De même, $t = -1$ a comme image le point $(4, -3, 5)$.

L'équation vectorielle et les équations paramétriques d'une droite ne sont pas uniques. En changeant le point ou le paramètre ou en choisissant un autre vecteur parallèle, les équations changent. Par exemple, si, au lieu du point $(5, 1, 3)$, on prend le point $(6, 5, 1)$ dans l'exemple 1, les équations paramétriques de la droite deviennent

$$x = 6 + t \qquad y = 5 + 4t \qquad z = 1 - 2t.$$

Ou, en gardant le point $(5, 1, 3)$, mais en choisissant le vecteur parallèle $2\vec{i} + 8\vec{j} - 4\vec{k}$, on arrive aux équations

$$x = 5 + 2t \qquad y = 1 + 8t \qquad z = 3 - 4t.$$

En général, les composantes a, b et c d'un vecteur $\vec{v} = (a, b, c)$ qui appartient à la direction de la droite s'appellent des **paramètres directeurs** de d. Vu que n'importe quel vecteur parallèle à $\vec{v}$ appartient à la même direction, tout triplet de nombres proportionnels à a, b et c est aussi un ensemble de paramètres directeurs de d.

Une autre façon de décrire une droite d est d'éliminer le paramètre t des équations 2. Si aucun des nombres a, b ou c n'est nul, on peut résoudre chacune des équations paramétriques par rapport à t et égaler les résultats. Cela conduit à

3
$$\frac{x - x_0}{a} = \frac{y - y_0}{b} = \frac{z - z_0}{c}.$$

Ces équations sont appelées des **équations symétriques** de d. Les nombres a, b et c qui figurent au dénominateur de l'équation 3 sont justement des paramètres directeurs de d, c'est-à-dire des composantes d'un vecteur parallèle à d. Même si un de ces nombres est nul, il est encore possible d'éliminer le paramètre t. Par exemple, si $a = 0$, les équations symétriques de d se présenteront sous la forme

$$x = x_0 \qquad \frac{y - y_0}{b} = \frac{z - z_0}{c}.$$

Cela veut dire que d appartient au plan vertical $x = x_0$.

EXEMPLE 2 ■

a) Écrivez des équations paramétriques et des équations symétriques de la droite qui passe par les points $A(2, 4, -3)$ et $B(3, -1, 1)$.

b) En quel point cette droite perce-t-elle le plan Oxy ?

SOLUTION

a) Aucun vecteur parallèle à la droite n'a été explicitement donné, mais le vecteur $\vec{v}$ représenté par $\overrightarrow{AB}$ est parallèle à la droite. Ses composantes sont

$$\vec{v} = (3 - 2, -1 - 4, 1 - (-3)) = (1, -5, 4).$$

Les nombres $a = 1$, $b = -5$ et $c = 4$ peuvent servir de paramètres directeurs. En faisant jouer au point $(2, 4, -3)$ le rôle de P_0, les équations paramétriques (2) s'écrivent

$$x = 2 + t \qquad y = 4 - 5t \qquad z = -3 + 4t,$$

et des équations symétriques (3),

$$\frac{x - 2}{1} = \frac{y - 4}{-5} = \frac{z + 3}{4}.$$

La figure 4 montre la droite d de l'exemple 2 et le point P où elle traverse le plan Oxy.

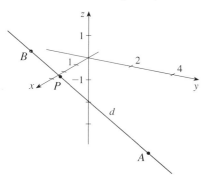

FIGURE 4

b) La droite traverse la plan Oxy lorsque $z = 0$. On pose donc $z = 0$ dans les équations symétriques :

$$\frac{x - 2}{1} = \frac{y - 4}{-5} = \frac{3}{4}.$$

Cela conduit à $x = \frac{11}{4}$ et $y = \frac{1}{4}$. Les coordonnées du point d'intersection de la droite avec le plan Oxy sont donc $(\frac{11}{4}, \frac{1}{4}, 0)$.

La solution de l'exemple 2 a montré que, de façon générale, des paramètres directeurs de la droite qui passe par les points $P_0(x_0, y_0, z_0)$ et $P_1(x_1, y_1, z_1)$ sont $x_1 - x_0, y_1 - y_0$ et $z_1 - z_0$ et qu'en conséquence, des équations symétriques de d sont

$$\frac{x - x_0}{x_1 - x_0} = \frac{y - y_0}{y_1 - y_0} = \frac{z - z_0}{z_1 - z_0}.$$

EXEMPLE 3 ■ Démontrez que les droites d_1 et d_2 d'équations paramétriques

$$x = 1 + t \qquad y = -2 + 3t \qquad z = 4 - t$$

$$x = 2s \qquad y = 3 + s \qquad z = -3 + 4s$$

Les droites d_1 et d_2 de l'exemple 3 et que montre la figure 5 sont gauches.

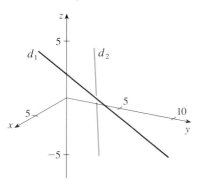

FIGURE 5

sont **gauches**, c'est-à-dire qu'elles ne se coupent pas et ne sont pas parallèles (elles ne sont donc pas dans un même plan).

SOLUTION Ces droites ne sont pas parallèles parce que les vecteurs correspondants $(1, 3, -1)$ et $(2, 1, 4)$ ne sont pas parallèles (leurs composantes ne sont pas proportionnelles). Si d_1 et d_2 ont un point en commun, alors il y a des valeurs de t et s telles que

$$1 + t = 2s$$

$$-2 + 3t = 3 + s$$

$$4 - t = -3 + 4s$$

Or, la solution des deux premières équations, $t = \frac{11}{5}$ et $s = \frac{8}{5}$, ne vérifie pas la troisième. Il n'y a donc pas de valeurs de s et t qui vérifient les trois équations. Les droites d_1 et d_2 ne se coupent pas. N'étant ni parallèles, ni sécantes, elles sont gauches.

■ Les plans

Même si une droite de l'espace est déterminée entièrement par un point et une direction, un plan de l'espace est plus difficile à décrire. Un seul vecteur parallèle au plan ne suffit pas à préciser la « direction » du plan ; par contre, un vecteur perpendiculaire au plan suffit à spécifier entièrement cette direction. Un plan de l'espace est donc déterminé par un point $P_0(x_0, y_0, z_0)$ qu'il contient et un vecteur $\vec{n}$ qui lui est orthogonal. Un tel vecteur orthogonal est appelé un **vecteur normal**. Soit donc $P(x, y, z)$ un point arbitraire du plan et soit $\vec{r}_0$ et $\vec{r}$ les vecteurs positions de P_0 et P. Le segment orienté $\overrightarrow{P_0P}$ représente alors le vecteur $\vec{r} - \vec{r}_0$ (figure 6). Le vecteur normal $\vec{n}$ est orthogonal à tout vecteur du plan considéré. En particulier, $\vec{n}$ est orthogonal à $\vec{r} - \vec{r}_0$ et donc

4
$$\vec{n} \cdot (\vec{r} - \vec{r}_0) = 0$$

Cette équation peut encore être écrite

5
$$\vec{n} \cdot \vec{r} = \vec{n} \cdot \vec{r}_0$$

L'équation 4 ou l'équation 5 s'appelle une **équation vectorielle du plan.**

Afin d'obtenir une équation scalaire du plan, on écrit $\vec{n} = (a, b, c), \vec{r} = (x, y, z)$ et $\vec{r}_0 = (x_0, y_0, z_0)$. L'équation vectorielle (4) devient

$$(a, b, c) \cdot (x - x_0, y - y_0, z - z_0) = 0$$

ou

6
$$a(x - x_0) + b(y - y_0) + c(z - z_0) = 0.$$

L'équation 6 est l'**équation scalaire du plan passant par $P_0(x_0, y_0, z_0)$ et normal au vecteur $\vec{n} = (a, b, c)$.**

EXEMPLE 4 ■ Écrivez une équation du plan qui passe par le point $(2, 4, -1)$ et qui admet comme vecteur normal $\vec{n} = (2, 3, 4)$. Déterminez les intersections avec les axes et dessinez le plan.

SOLUTION L'équation demandée s'obtient en posant dans l'expression 6, $a = 2$, $b = 3$, $c = 4$, $x_0 = 2$, $y_0 = 4$ et $z_0 = -1$:

$$2(x - 2) + 3(y - 4) + 4(z + 1) = 0,$$

ou

$$2x + 3y + 4z = 12.$$

L'intersection avec Ox se produit quand $y = z = 0$, ce qui donne $x = 6$. De même, l'intersection avec Oy a lieu en $y = 4$ et avec Oz en $z = 3$. Ces éléments permettent de dessiner la partie du plan visible dans le premier octant (voyez la figure 7).

FIGURE 6

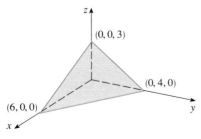

FIGURE 7

En regroupant les termes dans l'équation 6, comme cela a été fait dans l'exemple 4, on obtient de l'équation du plan l'expression

7

$$ax + by + cz = d.$$

où $d = ax_0 + by_0 + cz_0$. L'équation 7 est appelée une **équation linéaire** en x, y et z. Inversement, il est démontré que si a, b et c ne sont pas tous nuls, l'équation linéaire (7) représente un plan normal au vecteur (a, b, c) (voyez l'exercice 49).

EXEMPLE 5 ■ Quelle est une équation du plan déterminé par les trois points $P(1, 3, 2)$, $Q(3, -1, 6)$ et $R(5, 2, 0)$.

La figure 8 montre la portion triangulaire du plan de sommets P, Q, R.

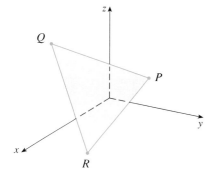

FIGURE 8

SOLUTION Les vecteurs $\vec{a}$ et $\vec{b}$ représentés par $\overrightarrow{PQ}$ et $\overrightarrow{PR}$ sont

$$\vec{a} = (2, -4, 4) \qquad \vec{b} = (4, -1, -2).$$

Puisque $\vec{a}$ et $\vec{b}$ sont tous les deux inclus dans le plan en question, le produit vectoriel $\vec{a} \wedge \vec{b}$ est orthogonal au plan et peut donc servir de vecteur normal. D'où

$$\vec{n} = \vec{a} \wedge \vec{b} = \begin{vmatrix} \vec{i} & \vec{j} & \vec{k} \\ 2 & -4 & 4 \\ 4 & -1 & -2 \end{vmatrix} = 12\vec{i} + 20\vec{j} + 14\vec{k}$$

et une équation du plan s'écrit

$$12(x - 1) + 20(y - 3) + 14(z - 2) = 0,$$

ou

$$6x + 10y + 7z = 50.$$

EXEMPLE 6 ■ Repérez le point en lequel la droite d'équations paramétriques $x = 2 + 3t$, $y = -4t$, $z = 5 + t$ perce le plan $4x + 5y - 2z = 18$.

SOLUTION On substitue les expressions de x, y et z des équations paramétriques dans l'équation du plan :

$$4(2 + 3t) + 5(-4t) - 2(5 + t) = 18.$$

Après simplification, on arrive à $-10t = 20$ ou $t = -2$. Le point d'intersection de la droite et du plan se produit pour la valeur $t = -2$ du paramètre, c'est-à-dire au point de coordonnées $x = 2 + 3(-2) = -4$, $y = -4(-2) = 8$, $z = 5 - 2 = 3$. Le point cherché est $(-4, 8, 3)$.

Deux plans sont parallèles si leurs vecteurs normaux sont parallèles. Par exemple, les plans $x + 2y - 3z = 4$ et $2x + 4y - 6z = 3$ sont parallèles parce que leurs vecteurs normaux $\vec{n}_1 = (1, 2, -3)$ et $\vec{n}_2 = (2, 4, -6)$ sont tels que $\vec{n}_2 = 2\vec{n}_1$. Si deux plans ne sont pas parallèles, ils se coupent selon une droite et l'angle qu'ils font entre eux est défini comme l'angle aigu formé par leurs vecteurs normaux (voyez la figure 9).

FIGURE 9

La figure 10 montre les plans de l'exemple 7 et leur droite d'intersection d.

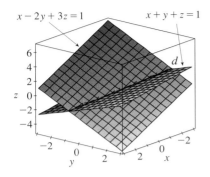

FIGURE 10

Une autre façon de trouver la droite d'intersection est de résoudre les équations des plans par rapport à deux variables en fonction de la troisième, qui peut alors jouer le rôle de paramètre.

EXEMPLE 7 ▪

a) Quel angle forment entre eux les plans $x + y + z = 1$ et $x - 2y + 3z = 1$?

b) Écrivez des équations symétriques de la droite d'intersection d de ces deux plans.

SOLUTION

a) Les vecteurs normaux à ces plans sont

$$\vec{n}_1 = (1, 1, 1) \qquad \vec{n}_2 = (1, -2, 3),$$

et l'angle θ entre les deux plans est tel que

$$\cos \theta = \frac{\vec{n}_1 \cdot \vec{n}_2}{\|\vec{n}_1\| \, \|\vec{n}_2\|} = \frac{1(1) + 1(-2) + 1(3)}{\sqrt{1 + 1 + 1} \, \sqrt{1 + 4 + 9}} = \frac{2}{\sqrt{42}}$$

$$\theta = \mathrm{Arccos} \left(\frac{2}{\sqrt{42}} \right) \approx 72°.$$

b) Il faut d'abord trouver un point de d. Par exemple celui en lequel d perce le plan Oxy. Il est tel que $z = 0$ dans les équations des plans. Cela donne $x + y = 1$ et $x - 2y = 1$. La solution est $x = 1, y = 0$. Le point $(1, 0, 0)$ appartient donc à d.

Maintenant, puisque d est incluse dans les deux plans, elle est orthogonale à chacun des vecteurs normaux. Par conséquent, un vecteur $\vec{v}$ parallèle à d est donné par le produit vectoriel

$$\vec{v} = \vec{n}_1 \wedge \vec{n}_2 = \begin{vmatrix} \vec{i} & \vec{j} & \vec{k} \\ 1 & 1 & 1 \\ 1 & -2 & 3 \end{vmatrix} = 5\vec{i} - 2\vec{j} - 3\vec{k}.$$

Les équations symétriques de d s'écrivent

$$\frac{x - 1}{5} = \frac{y}{-2} = \frac{z}{-3}.$$

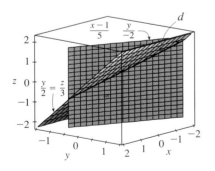

FIGURE 11

La figure 11 montre comment la droite d de l'exemple 7 peut être vue comme la droite d'intersection des plans issus de ses équations symétriques.

REMARQUE ● Puisqu'une équation linéaire en x, y et z représente un plan et que deux plans non parallèles se coupent selon une droite, il s'ensuit que deux équations linéaires peuvent représenter une droite. Les points (x, y, z) qui satisfont à la fois à $a_1 x + b_1 y + c_1 z = d_1$ et à $a_2 x + b_2 y + c_2 z = d_2$ appartiennent aux deux plans et donc la paire d'équations linéaires définit l'intersection des plans (s'ils ne sont pas parallèles). Par exemple, dans l'exemple 7, la droite d a été donnée comme la droite d'intersection des plans $x + y + z = 1$ et $x - 2y + 3z = 1$. Les équations symétriques de d auxquelles la solution a abouti pourraient être écrites ainsi

$$\frac{x - 1}{5} = \frac{y}{-2} \qquad \text{et} \qquad \frac{y}{-2} = \frac{z}{-3},$$

de manière à faire apparaître à nouveau une paire d'équations linéaires. Cette écriture met en évidence d comme droite d'intersection des plans $(x - 1)/5 = y/(-2)$ et $y/(-2) = z/(-3)$ (voyez la figure 11).

En général, quand on écrit les équations symétriques d'une droite

$$\frac{x - x_0}{a} = \frac{y - y_0}{b} = \frac{z - z_0}{c},$$

on peut la voir comme droite d'intersection des deux plans

$$\frac{x - x_0}{a} = \frac{y - y_0}{b} \qquad \text{et} \qquad \frac{y - y_0}{b} = \frac{z - z_0}{c}.$$

EXEMPLE 8 ■ Établissez une formule qui permette de calculer la distance D d'un point $P_1(x_1, y_1, z_1)$ à un plan $ax + by + cz + d = 0$.

SOLUTION Soit $P_0(x_0, y_0, z_0)$ un point quelconque du plan donné et soit $\vec{b}$ le vecteur représenté par $\overrightarrow{P_0 P_1}$. Alors,

$$\vec{b} = (x_1 - x_0, y_1 - y_0, z_1 - z_0).$$

La figure 12 permet de voir que la distance D de P_1 au plan est la valeur absolue de la projection scalaire de $\vec{b}$ sur le vecteur normal $\vec{n} = (a, b, c)$. (Voyez la section 9.3.) D'où

$$D = |\operatorname{comp}_{\vec{n}} \vec{b}| = \frac{|\vec{n} \cdot \vec{b}|}{\|\vec{n}\|}$$

$$= \frac{|a(x_1 - x_0) + b(y_1 - y_0) + c(z_1 - z_0)|}{\sqrt{a^2 + b^2 + c^2}}$$

$$= \frac{|(ax_1 + by_1 + cz_1) - (ax_0 + by_0 + cz_0)|}{\sqrt{a^2 + b^2 + c^2}}.$$

Comme P_0 appartient au plan, ses coordonnées satisfont à l'équation du plan, c'est-à-dire $ax_0 + by_0 + cz_0 + d = 0$. La formule de la distance D peut alors s'écrire :

8

$$D = \frac{|ax_1 + by_1 + cz_1 + d|}{\sqrt{a^2 + b^2 + c^2}}$$

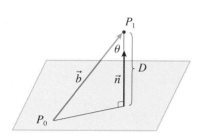

FIGURE 12

EXEMPLE 9 ■ Quelle distance sépare les plans parallèles $10x + 2y - 2z = 5$ et $5x + y - z = 1$?

SOLUTION On vérifie aisément que les plans sont bien parallèles puisque leurs vecteurs normaux $(10, 2, -2)$ et $(5, 1, -1)$ sont parallèles. Pour trouver la distance entre les deux plans, on choisit un point quelconque de l'un des plans et on calcule sa distance à l'autre plan. En particulier, en posant $y = z = 0$ dans l'équation du premier plan, on obtient $10x = 5$ ou $x = 1/2$. Ainsi, le point $(\frac{1}{2}, 0, 0)$ est un point de ce plan. Par la formule 8, la distance entre $(\frac{1}{2}, 0, 0)$ et le plan $5x + y - z - 1 = 0$ est

$$D = \frac{|5(\frac{1}{2}) + 1(0) - 1(0) - 1|}{\sqrt{5^2 + 1^2 + (-1)^2}} = \frac{\frac{3}{2}}{3\sqrt{3}} = \frac{\sqrt{3}}{6}.$$

La distance entre les deux plans est donc égale à $\sqrt{3}/6$.

EXEMPLE 10 ■ Il a été démontré, à l'exemple 3, que les droites

$$d_1 : x = 1 + t \qquad y = -2 + 3t \qquad z = 4 - t$$
$$d_2 : x = 2s \qquad y = 3 + s \qquad z = -3 + 4s$$

étaient gauches. Calculez la distance qui les sépare.

SOLUTION Comme les deux droites d_1 et d_2 sont gauches, on peut les voir comme appartenant à deux plans parallèles π_1 et π_2. La distance entre les deux droites est la même que la distance entre les deux plans et cette dernière peut être calculée comme dans l'exemple 9. Un vecteur normal commun aux deux plans doit être orthogonal à la fois à $\vec{v}_1 = (1, 3, -1)$ (la direction de d_1) et $\vec{v}_2 = (2, 1, 4)$ (la direction de d_2). Voici ce vecteur normal

$$\vec{n} = \vec{v}_1 \wedge \vec{v}_2 = \begin{vmatrix} \vec{i} & \vec{j} & \vec{k} \\ 1 & 3 & -1 \\ 2 & 1 & 4 \end{vmatrix} = 13\vec{i} - 6\vec{j} - 5\vec{k}.$$

En posant $s = 0$ dans les équations de d_2, on obtient le point $(0, 3, -3)$ de d_2 et, de là, une équation de π_2 est

$$13(x - 0) - 6(y - 3) - 5(z + 3) = 0 \qquad \text{ou} \qquad 13x - 6y - 5z + 3 = 0.$$

En posant maintenant $t = 0$ dans les équations de d_1, on obtient le point $(1, -2, 4)$ dans π_1. La distance entre d_1 et d_2 est la même que la distance entre $(1, -2, 4)$ et $13x - 6y - 5z + 3 = 0$. Cette dernière est calculée par la formule 8 :

$$D = \frac{\left| 13(1) - 6(-2) - 5(4) + 3 \right|}{\sqrt{13^2 + (-6)^2 + (-5)^2}} = \frac{8}{\sqrt{230}} \approx 0,53.$$

9.5 Exercices ●

1. Dites si l'énoncé est vrai ou faux.
  a) Deux droites parallèles à une troisième droite sont parallèles.
  b) Deux droites perpendiculaires à une troisième droite sont parallèles.
  c) Deux plans parallèles à un troisième plan sont parallèles.
  d) Deux plans perpendiculaires à un troisième plan sont parallèles.
  e) Deux droites parallèles à un plan sont parallèles.
  f) Deux droites perpendiculaires à un plan sont parallèles.
  g) Deux plans parallèles à une droite sont parallèles.
  h) Deux plans perpendiculaires à une droite sont parallèles.
  i) Deux plans, soit se coupent, soit sont parallèles.
  j) Deux droites, soit se coupent, soit sont parallèles.
  k) Une droite et un plan, soit se coupent, soit sont parallèles.

2-5 ■ Écrivez une équation vectorielle et des équations paramétriques de la droite.

2. La droite passe par le point $(-2, 4, 5)$ et est parallèle au vecteur $(3, -1, 6)$.

3. La droite passe par le point $(0, 1, 2)$ et est parallèle au vecteur $6\vec{i} + 3\vec{j} + 2\vec{k}$.

4. La droite passe par l'origine et est parallèle à la droite $x = 2t$, $y = 1 - t$, $z = 4 + 3t$.

5. La droite passe par le point $(1, 0, 6)$ et est perpendiculaire au plan $x + 3y + z = 5$.

6-8 ■ Écrivez des équations paramétriques et des équations symétriques de la droite.

6. La droite passe par les points $(-1, 0, 5)$ et $(4, -3, 3)$.

7. La droite passe par les points $(3, 1, -1)$ et $(3, 2, -6)$.

8. La droite est l'intersection des plans $x + y + z = 1$ et $x + z = 0$.

9. Montrez que la droite qui passe par les points $(2, -1, -5)$ et $(8, 8, 7)$ est parallèle à la droite qui passe par les points $(4, 2, -6)$ et $(8, 8, 2)$.

10. Montrez que la droite qui passe par les points $(0, 1, 1)$ et $(1, -1, 6)$ est perpendiculaire à la droite qui passe par les points $(-4, 2, 1)$ et $(-1, 6, 2)$.

11. a) Déterminez des équations symétriques de la droite qui passe par le point $(0, 2, -1)$ et est parallèle à la droite d'équations paramétriques $x = 1 + 2t$, $y = 3t$, $z = 5 - 7t$.
  b) En quels points la droite de la partie a) coupe-t-elle les plans de coordonnées.

12. a) Cherchez des équations paramétriques de la droite qui passe par $(5, 1, 0)$ et qui est perpendiculaire au plan $2x - y + z = 1$.
  b) En quels points cette droite coupe-t-elle les plans de coordonnées ?

13-16 ■ Dites si les droites d_1 et d_2 sont parallèles, gauches ou concourantes. Si elles se coupent, déterminez le point d'intersection.

13. d_1: $\dfrac{x-4}{2} = \dfrac{y+5}{4} = \dfrac{z-1}{-3}$

d_2: $\dfrac{x-2}{1} = \dfrac{y+1}{3} = \dfrac{z}{2}$

14. d_1: $\dfrac{x-1}{2} = \dfrac{y}{1} = \dfrac{z-1}{4}$, $\quad d_2$: $\dfrac{x}{1} = \dfrac{y+2}{2} = \dfrac{z+2}{3}$

15. d_1: $x = -6t$, $y = 1 + 9t$, $z = -3t$

d_2: $x = 1 + 2s$, $y = 4 - 3s$, $z = s$

16. d_1: $x = 1 + t$, $y = 2 - t$, $z = 3t$

d_2: $x = 2 - s$, $y = 1 + 2s$, $z = 4 + s$

17-24 ■ Cherchez une équation du plan.

17. Le plan passe par le point $(1, 4, 5)$ et est perpendiculaire au vecteur $(7, 1, 4)$.

18. Le plan passe par le point $(-1, -6, -4)$ et est normal au vecteur $-5\vec{i} + 2\vec{j} - 2\vec{k}$.

19. Le plan passe par le point $(6, 5, -2)$ et est parallèle au plan $x + y - z + 1 = 0$.

20. Le plan contient la droite $x = 3 + 2t$, $y = t$, $z = 8 - t$ et est parallèle au plan $2x + 4y + 8z = 17$.

21. Le plan passe par l'origine et les points $(1, 1, 1)$ et $(1, 2, 3)$.

22. Le plan passe par les points $(-1, 1, -1)$, $(1, -1, 2)$ et $(4, 0, 3)$.

23. Le plan passe par le point $(1, 6, -4)$ et contient la droite $x = 1 + 2t$, $y = 2 - 3t$, $z = 3 - t$.

24. Le plan passe par le point $(-1, 2, 1)$ et contient la droite d'intersection des plans $x + y - z = 2$ et $2x - y + 3z = 1$.

25-26 ■ Déterminez le point en lequel la droite donnée perce le plan spécifié.

25. $x = 1 + t$, $y = 2t$, $z = 3t$; $\quad x + y + z = 1$

26. $x = 5$, $y = 4 - t$, $z = 2t$; $\quad 2x - y + z = 5$

27-30 ■ Dites si les plans sont parallèles, perpendiculaires ou ni l'un ni l'autre. Dans ce dernier cas, calculez l'angle qu'ils font entre eux.

27. $x + z = 1$, $\quad y + z = 1$

28. $-8x - 6y + 2z = 1$, $\quad z = 4x + 3y$

29. $x + 4y - 3z = 1$, $\quad -3x + 6y + 7z = 0$

30. $2x + 2y - z = 4$, $\quad 6x - 3y + 2z = 5$

31. a) Écrivez des équations symétriques de la droite d'intersection des plans $x + y - z = 2$ et $3x - 4y + 5z = 6$.

b) Quel angle font-ils entre eux ?

32. Déterminez une équation du plan composé de tous les points équidistants des points $(-4, 2, 1)$ et $(2, -4, 3)$.

33. Écrivez une équation du plan qui coupe Ox en a, Oy en b et Oz en c.

34. a) En quel point les droites

$$\vec{r} = (1, 1, 0) + t(1, -1, 2)$$

et

$$\vec{r} = (2, 0, 2) + s(-1, 1, 0)$$

se coupent-elles ?

b) Quelle est une équation du plan que ces droites déterminent ?

35. Écrivez des équations paramétriques de la droite qui passe par le point $(0, 1, 2)$, qui est parallèle au plan $x + y + z = 2$ et perpendiculaire à la droite $x = 1 + t$, $y = 1 - t$, $z = 2t$.

36. Écrivez des équations paramétriques de la droite qui passe par le point $(0, 1, 2)$, qui est perpendiculaire à la droite $x = 1 + t$, $y = 1 - t$, $z = 2t$ et la coupe.

37. Parmi les quatre plans, lesquels sont parallèles ? Certains d'entre eux sont-ils confondus ?

$$\pi_1 : 4x - 2y + 6z = 3 \qquad \pi_2 : 4x - 2y - 2z = 6$$

$$\pi_3 : -6x + 3y - 9z = 5 \qquad \pi_4 : z = 2x - y - 3$$

38. Parmi les quatre droites, lesquelles sont parallèles ? Certaines d'entre elles sont-elles confondues ?

$$d_1 : x = 1 + t, \quad y = t, \quad z = 2 - 5t$$

$$d_2 : x + 1 = y - 2 = 1 - z$$

$$d_3 : x = 1 + t, \quad y = 4 + t, \quad z = 1 - t$$

$$d_4 : \vec{r} = (2, 1, -3) + t(2, 2, -10)$$

39-40 ■ Calculez la distance entre le point et la droite donnés à l'aide de la formule 25 de la section 9.4.

39. $(1, 2, 3)$; $\quad x = 2 + t$, $y = 2 - 3t$, $z = 5t$

40. $(1, 0, -1)$; $\quad x = 5 - t$, $y = 3t$, $z = 1 + 2t$

41-42 ■ Calculez la distance du point au plan.

41. $(2, 8, 5)$, $\quad x - 2y - 2z = 1$

42. $(3, -2, 7)$, $\quad 4x - 6y + z = 5$

43-44 ■ Calculez la distance entre les plans parallèles donnés.

43. $z = x + 2y + 1$, $\quad 3x + 6y - 3z = 4$

44. $3x + 6y - 9z = 4$, $\quad x + 2y - 3z = 1$

45. Montrez que la distance entre les plans parallèles $ax + by + cz = d_1$ et $ax + by + cz = d_2$ est

$$D = \frac{|d_1 - d_2|}{\sqrt{a^2 + b^2 + c^2}}.$$

46. Écrivez des équations des plans parallèles au plan $x + 2y - 2z = 1$, à deux unités de lui.

47. Démontrez que les droites d'équations symétriques $x = y = z$ et $x + 1 = y/2 = z/3$ sont gauches et calculez la distance entre elles.

48. Calculez la distance entre les droites gauches d'équations paramétriques $x = 1 + t$, $y = 1 + 6t$, $z = 2t$ et $x = 1 + 2s$, $y = 5 + 15s$, $z = -2 + 6s$.

49. Montrez que l'équation $ax + by + cz = d$ (où a, b et c ne sont pas tous nuls) représente un plan et que (a, b, c) est un vecteur normal à ce plan.

Suggestion : On suppose $a \neq 0$ et on réécrit l'équation sous la forme

$$a\left(x - \frac{d}{a}\right) + b(y - 0) + c(z - 0) = 0.$$

50. Décrivez d'un point de vue géométrique chaque famille de plans.

a) $x + y + z = c$
b) $y + z + cz = 1$
c) $y\cos\theta + z\sin\theta = 1$

9.6 Fonctions et surfaces •••••••••••••••••••••••••••••••••

Dans cette section, nous jetons un premier coup d'œil aux fonctions de deux variables et à leurs représentations graphiques qui sont des surfaces de l'espace de dimension trois. Nous traiterons ces fonctions de façon beaucoup plus complète dans le chapitre 11.

∎ Les fonctions de deux variables

La température T en un point de la surface du globe terrestre à un moment donné dépend de la longitude x et de la latitude y du point. C'est ainsi que la température apparaît comme une fonction des deux variables x et y, ou comme une fonction du couple (x, y). Cette dépendance fonctionnelle s'écrit $T = f(x, y)$.

Le volume V d'un cylindre circulaire dépend du rayon r et de la hauteur h. Nous savons en effet que $V = \pi r^2 h$. Nous disons alors que V est une fonction de r et h, et nous écrivons $V(r, h) = \pi r^2 h$.

> **Définition** Une **fonction de deux variables** est une règle qui assigne à chaque couple de nombres réels (x, y) d'un ensemble D un unique nombre réel, noté $f(x, y)$. L'ensemble D est le **domaine de définition** de f et l'ensemble des valeurs atteintes par f, c'est-à-dire $\{f(x, y) \mid (x, y) \in D\}$, est l'**ensemble image** de f.

On écrit souvent $z = f(x, y)$ pour désigner explicitement la valeur prise par f en un point général (x, y). Les variables x et y sont des **variables indépendantes** et z est la **variable dépendante**. (C'est le pendant de la notation $y = f(x)$ pour les fonctions d'une seule variable).

Le domaine de définition est un sous-ensemble de $\mathbb{R}^2$, le plan Oxy. Il faut penser au domaine de définition comme l'ensemble de toutes les entrées possibles et à l'ensemble image, comme l'ensemble de toutes les sorties possibles. Lorsqu'une fonction est donnée par une formule sans que soit précisé son domaine de définition, ce dernier est entendu comme l'ensemble de tous les couples (x, y) pour lesquels l'expression donnée est un nombre réel bien défini.

EXEMPLE 1 ∎ Si $f(x, y) = 4x^2 + y^2$, $f(x, y)$ est définie pour tous les couples de nombres réels (x, y) et le domaine de définition est $\mathbb{R}^2$, la totalité du plan Oxy. L'ensemble image de f est l'ensemble $[0, \infty[$ de tous les nombres réels positifs. (Car $x^2 \geqslant 0$ et $y^2 \geqslant 0$ entraînent $f(x, y) \geqslant 0$ quels que soient x et y.) ∎

OPÉRATIONS ÉLÉMENTAIRES

$$a(b + c) = ab + ac \qquad \frac{a}{b} + \frac{c}{d} = \frac{ad + bc}{bd}$$

$$\frac{a + c}{b} = \frac{a}{b} + \frac{c}{b} \qquad \frac{\dfrac{a}{b}}{\dfrac{c}{d}} = \frac{a}{b} \times \frac{d}{c} = \frac{ad}{bc}$$

EXPOSANTS ET RADICAUX

$$x^m x^n = x^{m+n} \qquad \frac{x^m}{x^n} = x^{m-n}$$

$$(x^m)^n = x^{mn}$$

$$x^{-n} = \frac{1}{x^n}$$

$$(xy)^n = x^n y^n$$

$$x^{1/n} = \sqrt[n]{x} \qquad \left(\frac{x}{y}\right)^n = \frac{x^n}{y^n}$$

$$\sqrt[n]{xy} = \sqrt[n]{x}\,\sqrt[n]{y} \qquad x^{m/n} = \sqrt[n]{x^m} = (\sqrt[n]{x})^m$$

$$\sqrt[m]{\sqrt[n]{x}} = \sqrt[n]{\sqrt[m]{x}} = \sqrt[mn]{x} \qquad \sqrt[n]{\frac{x}{y}} = \frac{\sqrt[n]{x}}{\sqrt[n]{y}}$$

FORMULES DE FACTORISATION

$$x^2 - y^2 = (x + y)(x - y)$$

$$x^3 + y^3 = (x + y)(x^2 - xy + y^2)$$

$$x^3 - y^3 = (x - y)(x^2 + xy + y^2)$$

FORMULES BINÔMIALES

$$(x + y)^2 = x^2 + 2xy + y^2 \qquad (x - y)^2 = x^2 - 2xy + y^2$$

$$(x + y)^3 = x^3 + 3x^2 y + 3xy^2 + y^3$$

$$(x - y)^3 = x^3 - 3x^2 y + 3xy^2 - y^3$$

$$(x + y)^n = x^n + nx^{n-1}y + \frac{n(n - 1)}{2}x^{n-2}y^2$$

$$+ \cdots + \binom{n}{k}x^{n-k}y^k + \cdots + nxy^{n-1} + y^n$$

$$\text{où } \binom{n}{k} = \frac{n(n - 1) \cdots (n - k + 1)}{1 \cdot 2 \cdot \cdots \cdot k}$$

RACINES DU TRINÔME DU SECOND DEGRÉ

Si $ax^2 + bx + c = 0$, alors

$$x = \frac{-b \pm \sqrt{b^2 - 4ac}}{2a}$$

INÉGALITÉS ET VALEUR ABSOLUE

Si $a < b$ et $b < c$, alors $a < c$.

Si $a < b$, alors $a + c < b + c$.

Si $a < b$ et $c > 0$, alors $ca < cb$.

Si $a < b$ et $c < 0$, alors $ca > cb$.

Si $a > 0$, alors

$$|x| = a \quad \text{signifie} \quad x = a \quad \text{ou} \quad x = -a$$

$$|x| < a \quad \text{signifie} \quad -a < x < a$$

$$|x| > a \quad \text{signifie} \quad x > a \quad \text{ou} \quad x < -a$$

FORMULES DE GÉOMÉTRIE

Aire A, circonférence C et volume V:

Triangle
$$A = \frac{1}{2}bh$$
$$= \frac{1}{2}ab \sin \theta$$

Cercle
$$A = \pi r^2$$
$$C = 2\pi r$$

Secteur circulaire
$$A = \frac{1}{2}r^2 \theta$$
$$s = r\theta \quad (\theta \text{ en radians})$$

  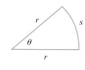

Sphère
$$V = \frac{4}{3}\pi r^3$$
$$A = 4\pi r^2$$

Cylindre
$$V = \pi r^2 h$$

Cône
$$V = \frac{1}{3}\pi r^2 h$$

DISTANCE ET POINT MILIEU

Distance entre $P_1(x_1, y_1)$ et $P_2(x_2, y_2)$:

$$d = \sqrt{(x_2 - x_1)^2 + (y_2 - y_1)^2}$$

Milieu de $\overline{P_1 P_2}$: $\left(\dfrac{x_1 + x_2}{2}, \dfrac{y_1 + y_2}{2}\right)$

DROITES

Pente de la droite qui passe par $P_1(x_1, y_1)$ et $P_2(x_2, y_2)$:

$$m = \frac{y_2 - y_1}{x_2 - x_1}$$

Équation point-pente d'une droite qui passe par $P_1(x_1, y_1)$ de pente m:

$$y - y_1 = m(x - x_1)$$

Équation pente-ordonnée à l'origine d'une droite de pente m et d'ordonnée à l'origine b:

$$y = mx + b$$

CERCLES

Équation du cercle de rayon r centré en (h, k):

$$(x - h)^2 + (y - k)^2 = r^2$$

TRIGONOMÉTRIE

MESURE D'UN ANGLE

π radians $= 180°$

$1° = \dfrac{\pi}{180}$ rad $\qquad$ 1 rad $= \dfrac{180°}{\pi}$

$s = r\theta$

(θ en radians)

TRIGONOMÉTRIE DU TRIANGLE RECTANGLE

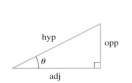

$$\sin\theta = \frac{\text{opp}}{\text{hyp}} \qquad \csc\theta = \frac{\text{hyp}}{\text{opp}}$$

$$\cos\theta = \frac{\text{adj}}{\text{hyp}} \qquad \sec\theta = \frac{\text{hyp}}{\text{adj}}$$

$$\text{tg}\,\theta = \frac{\text{opp}}{\text{adj}} \qquad \cot g\,\theta = \frac{\text{adj}}{\text{opp}}$$

FONCTIONS TRIGONOMÉTRIQUES

$$\sin\theta = \frac{y}{r} \qquad \csc\theta = \frac{r}{y}$$

$$\cos\theta = \frac{x}{r} \qquad \sec\theta = \frac{r}{x}$$

$$\text{tg}\,\theta = \frac{y}{x} \qquad \cot g\,\theta = \frac{x}{y}$$

GRAPHIQUES DES FONCTIONS TRIGONOMÉTRIQUES

VALEURS DE RÉFÉRENCE DES FONCTIONS TRIGONOMÉTRIQUES

θ	radians	$\sin\theta$	$\cos\theta$	$\text{tg}\,\theta$
0°	0	0	1	0
30°	$\pi/6$	$1/2$	$\sqrt{3}/2$	$\sqrt{3}/3$
45°	$\pi/4$	$\sqrt{2}/2$	$\sqrt{2}/2$	1
60°	$\pi/3$	$\sqrt{3}/2$	$1/2$	$\sqrt{3}$
90°	$\pi/2$	1	0	—

IDENTITÉS TRIGONOMÉTRIQUES

$$\csc\theta = \frac{1}{\sin\theta} \qquad\qquad \sec\theta = \frac{1}{\cos\theta}$$

$$\text{tg}\,\theta = \frac{\sin\theta}{\cos\theta} \qquad\qquad \cot g\,\theta = \frac{\cos\theta}{\sin\theta}$$

$$\cot g\,\theta = \frac{1}{\text{tg}\,\theta}$$

$$\sin^2\theta + \cos^2\theta = 1$$

$$1 + \text{tg}^2\theta = \sec^2\theta$$

$$1 + \cot g^2\theta = \csc^2\theta$$

$$\sin(-\theta) = -\sin\theta$$

$$\cos(-\theta) = \cos\theta$$

$$\text{tg}(-\theta) = -\text{tg}\,\theta$$

$$\sin\left(\frac{\pi}{2} - \theta\right) = \cos\theta$$

$$\cos\left(\frac{\pi}{2} - \theta\right) = \sin\theta \qquad \text{tg}\left(\frac{\pi}{2} - \theta\right) = \cot g\,\theta$$

LES LOIS DES SINUS

$$\frac{\sin A}{a} = \frac{\sin B}{b} = \frac{\sin C}{c}$$

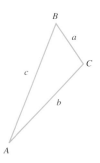

LES LOIS DES COSINUS

$$a^2 = b^2 + c^2 - 2bc\cos A$$

$$b^2 = a^2 + c^2 - 2ac\cos B$$

$$c^2 = a^2 + b^2 - 2ab\cos C$$

FORMULES D'ADDITION ET DE SOUSTRACTION

$$\sin(x + y) = \sin x\cos y + \cos x\sin y$$

$$\sin(x - y) = \sin x\cos y - \cos x\sin y$$

$$\cos(x + y) = \cos x\cos y - \sin x\sin y$$

$$\cos(x - y) = \cos x\cos y + \sin x\sin y$$

$$\text{tg}(x + y) = \frac{\text{tg}\,x + \text{tg}\,y}{1 - \text{tg}\,x\,\text{tg}\,y}$$

$$\text{tg}(x - y) = \frac{\text{tg}\,x - \text{tg}\,y}{1 + \text{tg}\,x\,\text{tg}\,y}$$

FORMULES DE DUPLICATION

$$\sin 2x = 2\sin x\cos x$$

$$\cos 2x = \cos^2 x - \sin^2 x = 2\cos^2 x - 1 = 1 - 2\sin^2 x$$

$$\text{tg}\,2x = \frac{2\,\text{tg}\,x}{1 - \text{tg}^2 x}$$

FORMULES DE BISSECTION

$$\sin^2 x = \frac{1 - \cos 2x}{2} \qquad\qquad \cos^2 x = \frac{1 + \cos 2x}{2}$$

FORMULES DE DÉRIVATION

RÈGLE DE LA MULTIPLICATION PAR UNE CONSTANTE

$$\frac{d}{dx}[cf(x)] = c\frac{d}{dx}f(x)$$

RÈGLE DE LA SOMME

$$\frac{d}{dx}[f(x) + g(x)] = \frac{d}{dx}f(x) + \frac{d}{dx}g(x)$$

RÈGLE DE LA DIFFÉRENCE

$$\frac{d}{dx}[f(x) - g(x)] = \frac{d}{dx}f(x) - \frac{d}{dx}g(x)$$

RÈGLE DU PRODUIT

$$\frac{d}{dx}[f(x)g(x)] = f(x)\frac{d}{dx}[g(x)] + g(x)\frac{d}{dx}[f(x)]$$

RÈGLE DU QUOTIENT

$$\frac{d}{dx}\left[\frac{f(x)}{g(x)}\right] = \frac{g(x)\frac{d}{dx}[f(x)] - f(x)\frac{d}{dx}[g(x)]}{[g(x)]^2}$$

RÈGLE DES FONCTIONS COMPOSÉES

$$\frac{d}{dx}[f(g(x))] = f'(g(x))g'(x)$$

DÉRIVATION D'UNE FONCTION CONSTANTE

$$\frac{d}{dx}(c) = 0$$

DÉRIVATION D'UNE PUISSANCE

$$\frac{d}{dx}(x^n) = nx^{n-1}$$

FONCTIONS EXPONENTIELLES

$$\frac{d}{dx}(e^x) = e^x$$

$$\frac{d}{dx}(a^x) = a^x \ln a$$

FONCTIONS LOGARITHMES

$$\frac{d}{dx}\ln x = \frac{1}{x}$$

$$\frac{d}{dx}\log_a x = \frac{1}{x \ln a}$$

FONCTIONS TRIGONOMÉTRIQUES

$$\frac{d}{dx}(\sin x) = \cos x$$

$$\frac{d}{dx}(\cos x) = -\sin x$$

$$\frac{d}{dx}(\text{tg } x) = \sec^2 x$$

$$\frac{d}{dx}(\text{cosec } x) = -\text{cosec } x \cot g\, x$$

$$\frac{d}{dx}(\sec x) = \sec x\, \text{tg } x$$

$$\frac{d}{dx}(\cot g\, x) = -\text{cosec}^2 x$$

FONCTIONS TRIGONOMÉTRIQUES RÉCIPROQUES

$$\frac{d}{dx}(\text{Arcsin } x) = \frac{1}{\sqrt{1 - x^2}}$$

$$\frac{d}{dx}(\text{Arccos } x) = -\frac{1}{\sqrt{1 - x^2}}$$

$$\frac{d}{dx}(\text{Arctg } x) = \frac{1}{1 + x^2}$$

STEWART – Analyse © De Boeck Université 2001.

DES FONCTIONS TRIGONOMÉTRIQUES RÉCIPROQUES

87. $\displaystyle\int \operatorname{Arcsin} u \, du = u \operatorname{Arcsin} u + \sqrt{1 - u^2} + C$

88. $\displaystyle\int \operatorname{Arccos} u \, du = u \operatorname{Arccos} u - \sqrt{1 - u^2} + C$

89. $\displaystyle\int \operatorname{Arctg} u \, du = u \operatorname{Arctg} u - \tfrac{1}{2} \ln(1 + u^2) + C$

90. $\displaystyle\int u \operatorname{Arcsin} u \, du = \frac{2u^2 - 1}{4} \operatorname{Arcsin} u + \frac{u\sqrt{1 - u^2}}{4} + C$

91. $\displaystyle\int u \operatorname{Arccos} u \, du = \frac{2u^2 - 1}{4} \operatorname{Arccos} u - \frac{u\sqrt{1 - u^2}}{4} + C$

92. $\displaystyle\int u \operatorname{Arctg} u \, du = \frac{u^2 + 1}{2} \operatorname{Arctg} u - \frac{u}{2} + C$

93. $\displaystyle\int u^n \operatorname{Arcsin} u \, du = \frac{1}{n + 1}\left[u^{n+1} \operatorname{Arcsin} u - \int \frac{u^{n+1}\, du}{\sqrt{1 - u^2}} \right], \; n \neq -1$

94. $\displaystyle\int u^n \operatorname{Arccos} u \, du = \frac{1}{n + 1}\left[u^{n+1} \operatorname{Arccos} u + \int \frac{u^{n+1}\, du}{\sqrt{1 - u^2}} \right], \; n \neq -1$

95. $\displaystyle\int u^n \operatorname{Arctg} u \, du = \frac{1}{n + 1}\left[u^{n+1} \operatorname{Arctg} u - \int \frac{u^{n+1}\, du}{1 + u^2} \right], \; n \neq -1$

DES FONCTIONS EXPONENTIELLES ET LOGARITHMES

96. $\displaystyle\int u e^{au} \, du = \frac{1}{a^2}(au - 1)e^{au} + C$

97. $\displaystyle\int u^n e^{au} \, du = \frac{1}{a} u^n e^{au} - \frac{n}{a} \int u^{n-1} e^{au} \, du$

98. $\displaystyle\int e^{au} \sin bu \, du = \frac{e^{au}}{a^2 + b^2}(a \sin bu - b \cos bu) + C$

99. $\displaystyle\int e^{au} \cos bu \, du = \frac{e^{au}}{a^2 + b^2}(a \cos bu + b \sin bu) + C$

100. $\displaystyle\int \ln u \, du = u \ln u - u + C$

101. $\displaystyle\int u^n \ln u \, du = \frac{u^{n+1}}{(n + 1)^2}[(n + 1) \ln u - 1] + C$

102. $\displaystyle\int \frac{1}{u \ln u} \, du = \ln|\ln u| + C$

DES FONCTIONS HYPERBOLIQUES

103. $\displaystyle\int \operatorname{sh} u \, du = \operatorname{ch} u + C$

104. $\displaystyle\int \operatorname{ch} u \, du = \operatorname{sh} u + C$

105. $\displaystyle\int \operatorname{th} u \, du = \ln \operatorname{ch} u + C$

106. $\displaystyle\int \operatorname{coth} u \, du = \ln|\operatorname{sh} u| + C$

107. $\displaystyle\int \operatorname{sech} u \, du = \operatorname{Arctg}|\operatorname{sh} u| + C$

108. $\displaystyle\int \operatorname{cosech} u \, du = \ln\left|\operatorname{th} \tfrac{1}{2} u\right| + C$

109. $\displaystyle\int \operatorname{sech}^2 u \, du = \operatorname{th} u + C$

110. $\displaystyle\int \operatorname{cosech}^2 u \, du = -\operatorname{coth} u + C$

111. $\displaystyle\int \operatorname{sech} u \operatorname{th} u \, du = -\operatorname{sech} u + C$

112. $\displaystyle\int \operatorname{cosech} u \operatorname{coth} u \, du = -\operatorname{cosech} u + C$

DES FONCTIONS DE LA FORME $\sqrt{2au - u^2}, \, a > 0$

113. $\displaystyle\int \sqrt{2au - u^2} \, du = \frac{u - a}{2} \sqrt{2au - u^2} + \frac{a^2}{2} \operatorname{Arccos}\left(\frac{a - u}{a}\right) + C$

114. $\displaystyle\int u \sqrt{2au - u^2} \, du = \frac{2u^2 - au - 3a^2}{6} \sqrt{2au - u^2} + \frac{a^3}{2} \operatorname{Arccos}\left(\frac{a - u}{a}\right) + C$

115. $\displaystyle\int \frac{\sqrt{2au - u^2}}{u} \, du = \sqrt{2au - u^2} + a \operatorname{Arccos}\left(\frac{a - u}{a}\right) + C$

116. $\displaystyle\int \frac{\sqrt{2au - u^2}}{u^2} \, du = -\frac{2 \sqrt{2au - u^2}}{u} - \operatorname{Arccos}\left(\frac{a - u}{a}\right) + C$

117. $\displaystyle\int \frac{du}{\sqrt{2au - u^2}} = \operatorname{Arccos}\left(\frac{a - u}{a}\right) + C$

118. $\displaystyle\int \frac{u \, du}{\sqrt{2au - u^2}} = -\sqrt{2au - u^2} + a \operatorname{Arccos}\left(\frac{a - u}{a}\right) + C$

119. $\displaystyle\int \frac{u^2 \, du}{\sqrt{2au - u^2}} = -\frac{u + 3a}{2} \sqrt{2au - u^2} + \frac{3a^2}{2} \operatorname{Arccos}\left(\frac{a - u}{a}\right) + C$

120. $\displaystyle\int \frac{du}{u \sqrt{2au - u^2}} = -\frac{\sqrt{2au - u^2}}{au} + C$

DES FONCTIONS DE LA FORME

47. $\displaystyle\int \frac{u\,du}{a+bu} = \frac{1}{b^2}\left(a+bu-a\ln|a+bu|\right)+C$

48. $\displaystyle\int \frac{u^2\,du}{a+bu} = \frac{1}{2b^3}\left[(a+bu)^2-4a(a+bu)+2a^2\ln|a+bu|\right]+C$

49. $\displaystyle\int \frac{du}{u(a+bu)} = \frac{1}{a}\ln\left|\frac{u}{a+bu}\right|+C$

50. $\displaystyle\int \frac{du}{u^2(a+bu)} = -\frac{1}{au}+\frac{b}{a^2}\ln\left|\frac{a+bu}{u}\right|+C$

51. $\displaystyle\int \frac{u\,du}{(a+bu)^2} = \frac{a}{b^2(a+bu)}+\frac{1}{b^2}\ln|a+bu|+C$

52. $\displaystyle\int \frac{du}{u(a+bu)^2} = \frac{1}{a(a+bu)}-\frac{1}{a^2}\ln\left|\frac{a+bu}{u}\right|+C$

53. $\displaystyle\int \frac{u^2\,du}{(a+bu)^2} = \frac{1}{b^3}\left(a+bu-\frac{a^2}{a+bu}-2a\ln|a+bu|\right)+C$

54. $\displaystyle\int u\sqrt{a+bu}\,du = \frac{2}{15b^2}(3bu-2a)(a+bu)^{3/2}+C$

55. $\displaystyle\int \frac{u\,du}{\sqrt{a+bu}} = \frac{2}{3b^2}(bu-2a)\sqrt{a+bu}+C$

56. $\displaystyle\int \frac{u^2\,du}{\sqrt{a+bu}} = \frac{2}{15b^3}(8a^2+3b^2u^2-4abu)\sqrt{a+bu}+C$

57. $\displaystyle\int \frac{du}{u\sqrt{a+bu}} = \frac{1}{\sqrt{a}}\ln\left|\frac{\sqrt{a+bu}-\sqrt{a}}{\sqrt{a+bu}+\sqrt{a}}\right|+C,\quad \text{si } a>0$

$\displaystyle\qquad\quad = \frac{2}{\sqrt{-a}}\operatorname{Artcg}\sqrt{\frac{a+bu}{-a}}+C,\qquad \text{si } a<0$

58. $\displaystyle\int \frac{\sqrt{a+bu}}{u}\,du = 2\sqrt{a+bu}+a\int\frac{du}{u\sqrt{a+bu}}$

59. $\displaystyle\int \frac{\sqrt{a+bu}}{u^2}\,du = -\frac{\sqrt{a+bu}}{u}+\frac{b}{2}\int\frac{du}{u\sqrt{a+bu}}$

60. $\displaystyle\int u^n\sqrt{a+bu}\,du$

$\displaystyle\qquad = \frac{2}{b(2n+3)}\left[u^n(a+bu)^{3/2}-na\int u^{n-1}\sqrt{a+bu}\,du\right]$

61. $\displaystyle\int \frac{u^n\,du}{\sqrt{a+bu}} = \frac{2u^n\sqrt{a+bu}}{b(2n+1)}-\frac{2na}{b(2n+1)}\int\frac{u^{n-1}\,du}{\sqrt{a+bu}}$

62. $\displaystyle\int \frac{du}{u^n\sqrt{a+bu}} = -\frac{\sqrt{a+bu}}{a(n-1)u^{n-1}}-\frac{b(2n-3)}{2a(n-1)}\int\frac{du}{u^{n-1}\sqrt{a+bu}}$

DES FONCTIONS TRIGONOMÉTRIQUES

63. $\displaystyle\int \sin^2 u\,du = \frac{1}{2}u-\frac{1}{4}\sin 2u+C$

64. $\displaystyle\int \cos^2 u\,du = \frac{1}{2}u+\frac{1}{4}\sin 2u+C$

65. $\displaystyle\int \operatorname{tg}^2 u\,du = \operatorname{tg} u-u+C$

66. $\displaystyle\int \operatorname{cotg}^2 u\,du = -\operatorname{cotg} u-u+C$

67. $\displaystyle\int \sin^3 u\,du = -\frac{1}{3}(2+\sin^2 u)\cos u+C$

68. $\displaystyle\int \cos^3 u\,du = \frac{1}{3}(2+\cos^2 u)\sin u+C$

69. $\displaystyle\int \operatorname{tg}^3 u\,du = \frac{1}{2}\operatorname{tg}^2 u+\ln|\cos u|+C$

70. $\displaystyle\int \operatorname{cotg}^3 u\,du = -\frac{1}{2}\operatorname{cotg}^2 u-\ln|\sin u|+C$

71. $\displaystyle\int \sec^3 u\,du = \frac{1}{2}\sec u\operatorname{tg} u+\frac{1}{2}\ln|\sec u+\operatorname{tg} u|+C$

72. $\displaystyle\int \operatorname{cosec}^3 u\,du = -\frac{1}{2}\operatorname{cosec} u\operatorname{cotg} u+\frac{1}{2}\ln|\operatorname{cosec} u-\operatorname{cotg} u|+C$

73. $\displaystyle\int \sin^n u\,du = -\frac{1}{n}\sin^{n-1}u\cos u+\frac{n-1}{n}\int\sin^{n-2}u\,du$

74. $\displaystyle\int \cos^n u\,du = \frac{1}{n}\cos^{n-1}u\sin u+\frac{n-1}{n}\int\cos^{n-2}u\,du$

75. $\displaystyle\int \operatorname{tg}^n u\,du = \frac{1}{n-1}\operatorname{tg}^{n-1}u-\int\operatorname{tg}^{n-2}u\,du$

76. $\displaystyle\int \operatorname{cotg}^n u\,du = \frac{-1}{n-1}\operatorname{cotg}^{n-1}u-\int\operatorname{cotg}^{n-2}u\,du$

77. $\displaystyle\int \sec^n u\,du = \frac{1}{n-1}\operatorname{tg} u\sec^{n-2}u+\frac{n-2}{n-1}\int\sec^{n-2}u\,du$

78. $\displaystyle\int \operatorname{cosec}^n u\,du = \frac{-1}{n-1}\operatorname{cotg} u\operatorname{cosec}^{n-2}u+\frac{n-2}{n-1}\int\operatorname{cosec}^{n-2}u\,du$

79. $\displaystyle\int \sin au\sin bu\,du = \frac{\sin(a-b)u}{2(a-b)}-\frac{\sin(a+b)u}{2(a+b)}+C$

80. $\displaystyle\int \cos au\cos bu\,du = \frac{\sin(a-b)u}{2(a-b)}+\frac{\sin(a+b)u}{2(a+b)}+C$

81. $\displaystyle\int \sin au\cos bu\,du = -\frac{\cos(a-b)u}{2(a-b)}-\frac{\cos(a+b)u}{2(a+b)}+C$

82. $\displaystyle\int u\sin u\,du = \sin u-u\cos u+C$

83. $\displaystyle\int u\cos u\,du = \cos u+u\sin u+C$

84. $\displaystyle\int u^n\sin u\,du = -u^n\cos u+n\int u^{n-1}\cos u\,du$

85. $\displaystyle\int u^n\cos u\,du = u^n\sin u-n\int u^{n-1}\sin u\,du$

86. $\displaystyle\int \sin^n u\cos^m u\,du = -\frac{\sin^{n-1}u\cos^{m+1}u}{n+m}+\frac{n-1}{n+m}\int\sin^{n-2}u\cos^m u\,du$

$\displaystyle\qquad = \frac{\sin^{n+1}u\cos^{m-1}u}{n+m}+\frac{m-1}{n+m}\int\sin^n u\cos^{m-2}u\,du$

STEWART – Analyse © De Boeck Université 2001.

TABLE DE PRIMITIVES

DES FONCTIONS USUELLES

1. $\int u\,dv = uv - \int v\,du$

2. $\int u^n\,du = \dfrac{1}{n+1}u^{n+1} + C, \quad n \neq -1$

3. $\int \dfrac{du}{u} = \ln|u| + C$

4. $\int e^u\,du = e^u + C$

5. $\int a^u\,du = \dfrac{1}{\ln a}a^u + C$

6. $\int \sin u\,du = -\cos u + C$

7. $\int \cos u\,du = \sin u + C$

8. $\int \sec^2 u\,du = \operatorname{tg} u + C$

9. $\int \operatorname{cosec}^2 u\,du = -\cotg u + C$

10. $\int \sec u\operatorname{tg} u\,du = \sec u + C$

11. $\int \operatorname{cosec} u\cotg u\,du = -\operatorname{cosec} u + C$

12. $\int \operatorname{tg} u\,du = \ln|\sec u| + C$

13. $\int \cotg u\,du = \ln|\sin u| + C$

14. $\int \sec u\,du = \ln|\sec u + \operatorname{tg} u| + C$

15. $\int \operatorname{cosec} u\,du = \ln|\operatorname{cosec} u - \cotg u| + C$

16. $\int \dfrac{du}{\sqrt{a^2 - u^2}} = \operatorname{Arcsin}\dfrac{u}{a} + C$

17. $\int \dfrac{du}{a^2 + u^2} = \dfrac{1}{a}\operatorname{Arctg}\dfrac{u}{a} + C$

18. $\int \dfrac{du}{u\sqrt{u^2 - a^2}} = \dfrac{1}{a}\operatorname{Arcsec}\dfrac{u}{a} + C$

19. $\int \dfrac{du}{a^2 - u^2} = \dfrac{1}{2a}\ln\left|\dfrac{u+a}{u-a}\right| + C$

20. $\int \dfrac{du}{u^2 - a^2} = \dfrac{1}{2a}\ln\left|\dfrac{u-a}{u+a}\right| + C$

DES FONCTIONS DE LA FORME $\sqrt{a^2 + u^2}$, $a > 0$

21. $\int \sqrt{a^2 + u^2}\,du = \dfrac{u}{2}\sqrt{a^2 + u^2} + \dfrac{a^2}{2}\ln(u + \sqrt{a^2 + u^2}) + C$

22. $\int u^2\sqrt{a^2 + u^2}\,du = \dfrac{u}{8}(a^2 + 2u^2)\sqrt{a^2 + u^2} - \dfrac{a^4}{8}\ln(u + \sqrt{a^2 + u^2}) + C$

23. $\int \dfrac{\sqrt{a^2 + u^2}}{u}\,du = \sqrt{a^2 + u^2} - a\ln\left|\dfrac{a + \sqrt{a^2 + u^2}}{u}\right| + C$

24. $\int \dfrac{\sqrt{a^2 + u^2}}{u^2}\,du = -\dfrac{\sqrt{a^2 + u^2}}{u} + \ln(u + \sqrt{a^2 + u^2}) + C$

25. $\int \dfrac{du}{\sqrt{a^2 + u^2}} = \ln(u + \sqrt{a^2 + u^2}) + C$

26. $\int \dfrac{u^2\,du}{\sqrt{a^2 + u^2}} = \dfrac{u}{2}\sqrt{a^2 + u^2} - \dfrac{a^2}{2}\ln(u + \sqrt{a^2 + u^2}) + C$

27. $\int \dfrac{du}{u\sqrt{a^2 + u^2}} = -\dfrac{1}{a}\ln\left|\dfrac{\sqrt{a^2 + u^2} + a}{u}\right| + C$

28. $\int \dfrac{du}{u^2\sqrt{a^2 + u^2}} = -\dfrac{\sqrt{a^2 + u^2}}{a^2 u} + C$

29. $\int \dfrac{du}{(a^2 + u^2)^{3/2}} = \dfrac{u}{a^2\sqrt{a^2 + u^2}} + C$

DES FONCTIONS DE LA FORME $\sqrt{a^2 - u^2}$, $a > 0$

30. $\int \sqrt{a^2 - u^2}\,du = \dfrac{u}{2}\sqrt{a^2 - u^2} + \dfrac{a^2}{2}\operatorname{Arcsin}\dfrac{u}{a} + C$

31. $\int u^2\sqrt{a^2 - u^2}\,du = \dfrac{u}{8}(2u^2 - a^2)\sqrt{a^2 - u^2} + \dfrac{a^4}{8}\operatorname{Arcsin}\dfrac{u}{a} + C$

32. $\int \dfrac{\sqrt{a^2 - u^2}}{u}\,du = \sqrt{a^2 - u^2} - a\ln\left|\dfrac{a + \sqrt{a^2 - u^2}}{u}\right| + C$

33. $\int \dfrac{\sqrt{a^2 - u^2}}{u^2}\,du = -\dfrac{1}{u}\sqrt{a^2 - u^2} - \operatorname{Arcsin}\dfrac{u}{a} + C$

34. $\int \dfrac{u^2\,du}{\sqrt{a^2 - u^2}} = -\dfrac{u}{2}\sqrt{a^2 - u^2} + \dfrac{a^2}{2}\operatorname{Arcsin}\dfrac{u}{a} + C$

35. $\int \dfrac{du}{u\sqrt{a^2 - u^2}} = -\dfrac{1}{a}\ln\left|\dfrac{a + \sqrt{a^2 - u^2}}{u}\right| + C$

36. $\int \dfrac{du}{u^2\sqrt{a^2 - u^2}} = -\dfrac{1}{a^2 u}\sqrt{a^2 - u^2} + C$

37. $\int (a^2 - u^2)^{3/2}\,du = -\dfrac{u}{8}(2u^2 - 5a^2)\sqrt{a^2 - u^2} + \dfrac{3a^4}{8}\operatorname{Arcsin}\dfrac{u}{a} + C$

38. $\int \dfrac{du}{(a^2 - u^2)^{3/2}} = \dfrac{u}{a^2\sqrt{a^2 - u^2}} + C$

DES FONCTIONS DE LA FORME $\sqrt{u^2 - a^2}$, $a > 0$

39. $\int \sqrt{u^2 - a^2}\,du = \dfrac{u}{2}\sqrt{u^2 - a^2} - \dfrac{a^2}{2}\ln|u + \sqrt{u^2 - a^2}| + C$

40. $\int u^2\sqrt{u^2 - a^2}\,du = \dfrac{u}{8}(2u^2 - a^2)\sqrt{u^2 - a^2} - \dfrac{a^4}{8}\ln|u + \sqrt{u^2 - a^2}| + C$

41. $\int \dfrac{\sqrt{u^2 - a^2}}{u}\,du = \sqrt{u^2 - a^2} - a\operatorname{Arccos}\dfrac{a}{|u|} + C$

42. $\int \dfrac{\sqrt{u^2 - a^2}}{u^2}\,du = -\dfrac{\sqrt{u^2 - a^2}}{u} + \ln|u + \sqrt{u^2 - a^2}| + C$

43. $\int \dfrac{du}{\sqrt{u^2 - a^2}} = \ln|u + \sqrt{u^2 - a^2}| + C$

44. $\int \dfrac{u^2\,du}{\sqrt{u^2 - a^2}} = \dfrac{u}{2}\sqrt{u^2 - a^2} + \dfrac{a^2}{2}\ln|u + \sqrt{u^2 - a^2}| + C$

45. $\int \dfrac{du}{u^2\sqrt{u^2 - a^2}} = \dfrac{\sqrt{u^2 - a^2}}{a^2 u} + C$

46. $\int \dfrac{du}{(u^2 - a^2)^{3/2}} = -\dfrac{u}{a^2\sqrt{u^2 - a^2}} + C$

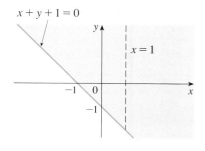

FIGURE 1

Domaine de définition de $f(x, y) = \dfrac{\sqrt{x + y + 1}}{x - 1}$

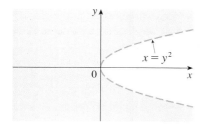

FIGURE 2

Domaine de définition de $f(x, y) = x \ln(y^2 - x)$

EXEMPLE 2 ■ Déterminez le domaine de définition des fonctions suivantes et calculez $f(3, 2)$.

a) $f(x, y) = \dfrac{\sqrt{x + y + 1}}{x - 1}$ \qquad b) $f(x, y) = x \ln(y^2 - x)$.

SOLUTION

a)
$$f(3, 2) = \frac{\sqrt{3 + 2 + 1}}{3 - 1} = \frac{\sqrt{6}}{2}.$$

L'expression de f a du sens lorsque le dénominateur n'est pas nul et que la quantité sous le radical est positive. Le domaine de définition de f est

$$D = \{(x, y) \mid x + y + 1 \geqslant 0, x \neq 1\}$$

L'inégalité $x + y + 1 \geqslant 0$ ou $y \geqslant -x - 1$ décrit les points qui se trouvent sur la droite $y = -x - 1$ ou plus haut, tandis que $x \neq 1$ signifie que les points de la droite verticale $x = 1$ doivent être exclus du domaine de définition (voyez la figure 1).

b)
$$f(3, 2) = 3 \ln(2^2 - 3) = 3 \ln 1 = 0.$$

Comme $\ln(y^2 - x)$ n'est défini que si $y^2 - x > 0$ ou $x < y^2$, le domaine de définition de f est $D = \{(x, y) \mid x < y^2\}$. Ces points sont situés à gauche de la parabole $x = y^2$ (voyez la figure 2). ■

EXEMPLE 3 ■ En haute mer, les hauteurs des vagues h (en pieds) dépendent principalement de la force v du vent (en nœuds) et du temps t (en heures) pendant lequel le vent souffle à cette vitesse. C'est ainsi que h est une fonction de v et de t que nous écrivons $h = f(v, t)$. Voici rassemblés dans un tableau quelques résultats issus des observations et des mesures enregistrées par des météorologues et des océanographes.

TABLE 1

Les hauteurs des vagues (en pieds) selon diverses forces du vent et diverses durées

				Durée (en heures)			
v \ t	5	10	15	20	30	40	50
10	2	2	2	2	2	2	2
15	4	4	5	5	5	5	5
20	5	7	8	8	9	9	9
30	9	13	16	17	18	19	19
40	14	21	25	28	31	33	33
50	19	29	36	40	45	48	50
60	24	37	47	54	62	67	69

Force du vent (en nœuds) — (rows 10 à 60)

On peut par exemple lire dans la table que si le vent souffle à 50 nœuds pendant 30 heures, la hauteur des vagues sera de 45 ft :

$$f(50, 30) \approx 45.$$

Le domaine de définition de cette fonction h est $v \geqslant 0$ et $t \geqslant 0$. Nous allons voir que, même en l'absence d'une formule explicite de comment h dépend de v et t, les diverses opérations du calcul différentiel peuvent être effectuées sur une telle fonction définie expérimentalement.

■ Les représentations graphiques

Une façon de visualiser le comportement d'une fonction de deux variables est de considérer sa représentation graphique.

> **Définition** Si f est une fonction de deux variables définie sur D, alors sa **représentation graphique** est l'ensemble de tous les points (x, y, z) de $\mathbb{R}^3$ tels que $z = f(x, y)$ et (x, y) dans D.

Tout comme le graphique d'une fonction f d'une variable est une courbe C d'équation $y = f(x)$, le graphique d'une fonction f de deux variables est une surface S d'équation $z = f(x, y)$. Le graphique S de f se trouve juste au-dessus ou en dessous de son domaine de définition D du plan Oxy (voyez la figure 3).

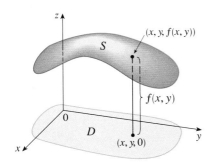

FIGURE 3

EXEMPLE 4 ■ Tracez le graphique de la fonction $f(x, y) = 6 - 3x - 2y$.

SOLUTION L'équation du graphique de f est $z = 6 - 3x - 2y$ ou $3x + 2y + z = 6$, qui représente un plan. La partie de ce plan visible dans le premier octant est présentée dans la figure 4.

La fonction de l'exemple 4 est un cas particulier de la fonction

$$f(x, y) = ax + by + c,$$

appelée **fonction du premier degré**. L'équation du graphique d'une telle fonction est $z = ax + by + c$ ou $ax + by - z + c = 0$ et il s'agit d'un plan. De la même façon que les fonctions du premier degré à une variable sont importantes dans le calcul différentiel à une variable, nous allons voir que les fonctions du premier degré de deux variables jouent un rôle central dans le calcul différentiel à plusieurs variables.

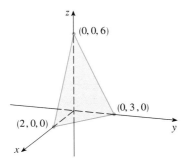

FIGURE 4

EXEMPLE 5 ■ Tracez le graphique de la fonction $f(x, y) = x^2$.

SOLUTION Remarquez que, quelle que soit la valeur attribuée à y, la valeur de $f(x, y)$ est toujours x^2. L'équation du graphique est $z = x^2$ et ne comprend donc pas y. Cela signifie que n'importe quel plan vertical d'équation $y = k$ (parallèle au plan de coordonnées Oxz) coupe la surface selon une courbe d'équation $z = x^2$, qui est une parabole. La figure 5 montre comment la surface est engendrée en prenant la parabole $z = x^2$ du plan Oxz et en la faisant glisser tout le long de l'axe Oy. Le graphique est donc un **cylindre parabolique** fait d'une infinité de copies translatées de la même parabole.

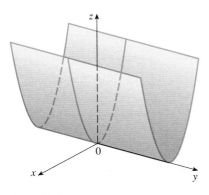

FIGURE 5

Le graphique de $f(x, y) = x^2$ est le cylindre parabolique $z = x^2$.

Lors de la recherche des représentations graphiques des fonctions de deux variables, il est souvent utile de commencer par déterminer les formes de leurs sections transversales (tranches). Par exemple, en maintenant x fixé, mettons $x = k$ (une constante), et en faisant varier y la fonction devient $z = f(k, y)$ et n'est plus ainsi qu'une fonction d'une seule variable, dont la courbe représentative est l'intersection de la surface $z = f(x, y)$ avec le plan vertical $x = k$. De même, nous pouvons trancher la surface par un plan vertical $y = k$ et chercher les courbes $z = f(x, k)$. Reste encore les intersections par des plans horizontaux $z = k$. Ces trois types de courbes s'appellent des **traces** (ou sections tranversales) de la surface $z = f(x, y)$.

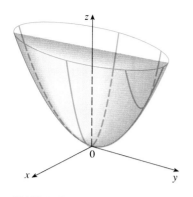

FIGURE 6

Le graphique de $f(x, y) = 4x^2 + y^2$
est le paraboloïde elliptique $z = 4x^2 + y^2$.
Les traces horizontales sont des ellipses,
les traces verticales, des paraboles.

EXEMPLE 6 ■ Déterminez l'allure du graphique de la fonction $f(x, y) = 4x^2 + y^2$ en utilisant les traces.

SOLUTION L'équation du graphique est $z = 4x^2 + y^2$. Le plan Oxz d'équation $x = 0$ laisse dans cette surface une trace d'équation $z = y^2$; c'est une parabole. Les plans, parallèles au précédent, d'équation $x = k$ (une constante) coupent selon les courbes $z = y^2 + 4k^2$, qui sont des paraboles dont la concavité est tournée vers le haut. De même, si $y = k$, l'équation de la trace est $z = 4x^2 + k^2$, à nouveau une parabole ouverte vers le haut. Enfin, si nous coupons par les plans horizontaux $z = k$, nous obtenons les courbes d'équation $4x^2 + y^2 = k$, en lesquelles nous reconnaissons une famille d'ellipses. Connaissant l'allure des traces, il est possible de dessiner le graphique de f à la figure 6. Une telle surface porte le nom de **paraboloïde elliptique** à cause des traces elliptiques et paraboliques.

EXEMPLE 7 ■ Dessinez la surface représentative de la fonction $f(x, y) = y^2 - x^2$.

SOLUTION Les traces dans les plans verticaux $x = k$ sont les paraboles $z = y^2 - k^2$, ouvertes vers le haut. Les traces dans $y = k$ sont les paraboles $z = -x^2 + k^2$, qui sont ouvertes vers le bas. Les traces horizontales sont $y^2 - x^2 = k$, une famille d'hyperboles. La figure 7 montre les différentes familles de traces tandis que la figure 8 les montre replacées dans leurs plans respectifs.

FIGURE 7

Les traces verticales sont
des paraboles, les traces
horizontales sont des hyperboles.
Toutes les traces portent
la valeur de k à laquelle
elles correspondent.

FIGURE 8

Les traces replacées
dans leurs plans respectifs.

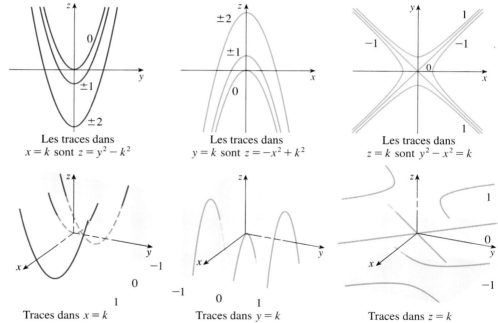

Les traces dans $x = k$ sont $z = y^2 - k^2$

Les traces dans $y = k$ sont $z = -x^2 + k^2$

Les traces dans $z = k$ sont $y^2 - x^2 = k$

Traces dans $x = k$

Traces dans $y = k$

Traces dans $z = k$

Finalement, la figure 9 fait apparaître la surface $z = y^2 - x^2$ qui provient du rassemblement de toutes les traces. Elle s'appelle **paraboloïde hyperbolique**. Remarquez la forme particulière de cette surface à proximité de l'origine où elle ressemble à une selle. Cette surface sera reprise dans la section 11.7 lors de l'étude des points de selle.

L'idée de se servir des traces pour dessiner des surfaces est exploitée par les logiciels de dessin en trois dimensions. Dans la plupart de ces logiciels, les traces par les plans verticaux $x = k$ et $y = k$ sont dessinées pour des valeurs régulièrement

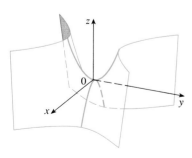

FIGURE 9

Le graphique de $f(x, y) = y^2 - x^2$ est le
paraboloïde hyperbolique $z = y^2 - x^2$.

espacées de k et elles sont en partie effacées moyennant la disparition des lignes cachées. La figure 10 montre les paraboloïdes des exemples 6 et 7 dessinés par un ordinateur d'après les traces. La figure 11 expose des graphiques de certaines fonctions réalisés par ordinateur. Vous remarquez que l'image d'une fonction est particulièrement bonne lorsque, à la faveur d'une rotation, elle se présente sous un bon angle.

(a) Le paraboloïde $z = 4x^2 + y^2$

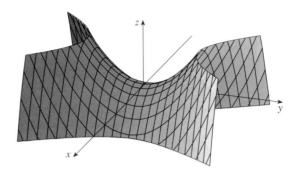

(b) Le paraboloïde $z = y^2 - x^2$

FIGURE 10

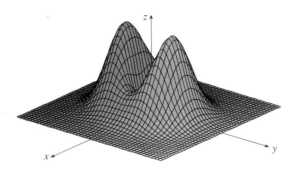

(a) $f(x, y) = (x^2 + 3y^2)e^{-x^2-y^2}$

(b) $f(x, y) = (x^2 + 3y^2)e^{-x^2-y^2}$

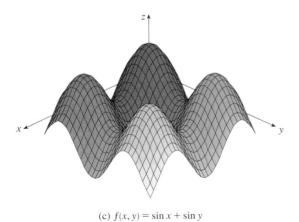

(c) $f(x, y) = \sin x + \sin y$

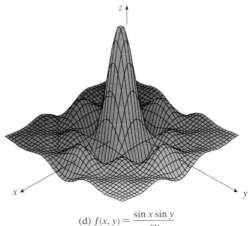

(d) $f(x, y) = \dfrac{\sin x \sin y}{xy}$

FIGURE 11

◾ **Les quadriques**

Le graphique d'une équation du second degré en les trois variables x, y et z est appelée une **quadrique**. Nous venons déjà de rencontrer deux quadriques, un paraboloïde elliptique $z = 4x^2 + y^2$ à la figure 6 et un paraboloïde hyperbolique $z = y^2 - x^2$ à la figure 9. Voici une autre quadrique appelée *ellipsoïde* dans l'exemple suivant.

EXEMPLE 8 ◾ Dessinez la quadrique d'équation

$$x^2 + \frac{y^2}{9} + \frac{z^2}{4} = 1.$$

SOLUTION Le plan Oxy ($z = 0$) coupe la surface suivant la courbe d'équation $x^2 + y^2/9 = 1$. C'est l'équation d'une ellipse. Un plan horizontal $z = k$ laisse la trace d'équation

$$x^2 + \frac{y^2}{9} = 1 - \frac{k^2}{4},$$

à condition que $k^2 < 4$, ou $-2 < k < 2$.

De même, les traces verticales sont aussi des ellipses :

$$\frac{y^2}{9} + \frac{z^2}{4} = 1 - k^2, \qquad (\text{si } -1 < k < 1)$$

$$x^2 + \frac{z^2}{4} = 1 - \frac{k^2}{9} \qquad (\text{si } -3 < k < 3)$$

La figure 12 montre comment le dessin de quelques traces suffit à rendre la surface. Elle porte le nom d'ellipsoïde parce que toutes ses traces sont des ellipses. Remarquez la symétrie par rapport à chacun des plans de coordonnées, celle-ci étant le reflet de ce que l'équation ne comporte que des puissances paires de x, y et z.

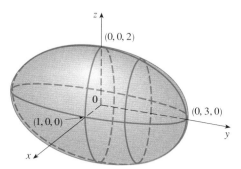

FIGURE 12

L'ellipsoïde $x^2 + \dfrac{y^2}{9} + \dfrac{z^2}{4} = 1$

L'ellipsoïde de l'exemple 8 n'est *pas* le graphique d'une fonction parce que certaines droites verticales (l'axe Oz par exemple) le rencontrent plus d'une fois. En revanche, la moitié supérieure ou la moitié inférieure *sont* des graphiques de fonctions. La résolution de l'équation de l'ellipsoïde par rapport à z conduit à

$$z^2 = 4\left(1 - x^2 - \frac{y^2}{9}\right) \qquad z = \pm 2 \sqrt{1 - x^2 - \frac{y^2}{9}}$$

De là, les graphiques des fonctions

$$f(x, y) = 2 \sqrt{1 - x^2 - \frac{y^2}{9}} \qquad \text{et} \qquad g(x, y) = -2 \sqrt{1 - x^2 - \frac{y^2}{9}}$$

sont les moitiés supérieure et inférieure de l'ellispoïde (voyez la figure 13). Le domaine de définition des fonctions f et g est l'ensemble des points (x, y) tels que

$$1 - x^2 - \frac{y^2}{9} \geqslant 0 \Longleftrightarrow x^2 + \frac{y^2}{9} \leqslant 1,$$

autrement dit l'ensemble des points qui, dans le plan Oxy se trouvent, soit sur, soit à l'intérieur de l'ellipse $x^2 + y^2/9 = 1$.

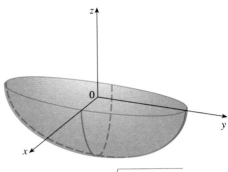

FIGURE 13

$f(x, y) = 2\sqrt{1 - x^2 - \frac{1}{9} y^2}$ $g(x, y) = -2\sqrt{1 - x^2 - \frac{1}{9} y^2}$

L'équation générale de l'ellipsoïde dont les intersections avec les axes sont $\pm a$, $\pm b$ et $\pm c$ est

$$\frac{x^2}{a^2} + \frac{y^2}{b^2} + \frac{z^2}{c^2} = 1.$$

Quelques autres quadriques sont illustrées dans les figures 14, 15 et 16 (voyez les exercices 22, 23 et 24).

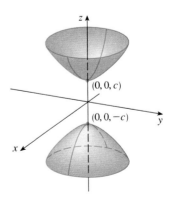

FIGURE 14

Le cône $\dfrac{z^2}{c^2} = \dfrac{x^2}{a^2} + \dfrac{y^2}{b^2}$

FIGURE 15

L'hyperboloïde à une nappe

$\dfrac{x^2}{a^2} + \dfrac{y^2}{b^2} - \dfrac{z^2}{c^2} = 1$

FIGURE 16

L'hyperboloïde à deux nappes

$-\dfrac{x^2}{a^2} - \dfrac{y^2}{b^2} + \dfrac{z^2}{c^2} = 1$

9.6 Exercices ·

1. Dans l'exemple 3, nous avons envisagé la fonction $h = f(v, t)$, où h est la hauteur des vagues produites par un vent de force v pendant une durée de t heures. Cherchez dans la table 1 les réponses aux questions suivantes ;

a) Que vaut $f(40, 15)$? Que signifie cette valeur ?

b) Expliquez le sens de la fonction $h = f(30, t)$. Décrivez le comportement de cette fonction.

c) Expliquez le sens de la fonction $h = f(v, 30)$. Décrivez le comportement de cette fonction.

2. La figure montre les traces verticales d'une fonction $z = f(x, y)$. Lequel des graphiques I à IV correspond à ces traces ? Expliquez.

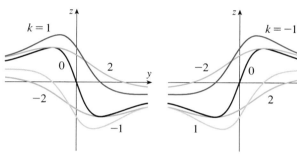

Traces dans $x = k$ Traces dans $y = k$

II   I

III   IV

3. Soit $f(x, y) = e^{x^2 - y}$.

a) Calculez $f(2, 4)$.

b) Déterminez le domaine de définition de f.

c) Déterminez l'ensemble image de f.

4. Soit $g(x, y) = \sqrt{36 - 9x^2 - 4y^2}$.

a) Calculez $g(1, 2)$.

b) Déterminez et esquissez le domaine de définition de g.

c) Déterminez l'ensemble image de g.

5-8 ■ Déterminez et esquissez le domaine de définition de la fonction.

5. $f(x, y) = \sqrt[4]{y - 2x}$ **6.** $f(x, y) = \dfrac{x^2 + y^2}{x^2 - y^2}$

7. $f(x, y) = xy\sqrt{x^2 + y}$

8. $f(x, y) = \sqrt{x^2 + y^2 - 1} + \ln(4 - x^2 - y^2)$

9-13 ■ Dessinez le graphique de la fonction.

9. $f(x, y) = 3$ **10.** $f(x, y) = x$

11. $f(x, y) = 1 - x - y$ **12.** $f(x, y) = \sin y$

13. $f(x, y) = 1 - x^2$

14. a) Déterminez les traces de la fonction $f(x, y) = x^2 + y^2$ dans les plans $x = k$, $y = k$ et $z = k$. À l'aide de ces traces, dessinez le graphique.

b) Tracez le graphique de $g(x, y) = -x^2 - y^2$. Quelle relation a-t-il avec celui de f ?

c) Tracez le graphique de $h(x, y) = 3 - x^2 - y^2$. Quelle relation a-t-il avec celui de g ?

15. Appariez la fonction avec un graphique (étiqueté I-VI). Justifiez votre choix.

a) $f(x, y) = |x| + |y|$ b) $f(x, y) = |xy|$

c) $f(x, y) = \dfrac{1}{1 + x^2 + y^2}$ d) $f(x, y) = (x^2 - y^2)^2$

e) $f(x, y) = (x - y)^2$ f) $f(x, y) = \sin(|x| + |y|)$

II   I

III   IV

V   VI

16-18 ■ Dessinez le graphique de la fonction à l'aide des traces.

16. $f(x, y) = \sqrt{16 - x^2 - 16y^2}$

17. $f(x, y) = x^2 + 9y^2$

18. $f(x, y) = x^2 - y^2$

19-20 ■ Dessinez la surface à l'aide des traces.

19. $y = z^2 - x^2$ **20.** $y = x^2 + z^2$

21. a) Que représente l'équation $x^2 + y^2 = 1$ en tant que courbe de $\mathbb{R}^2$?
  b) Que représente-t-elle en tant que surface de $\mathbb{R}^3$?
  c) Que représente l'équation $x^2 + z^2 = 1$?

22. a) Reconnaissez les traces de la surface $z^2 = x^2 + y^2$.
  b) Dessinez la surface.
  c) Dessinez le graphique des fonctions $f(x, y) = \sqrt{x^2 + y^2}$ et $g(x, y) = -\sqrt{x^2 + y^2}$.

23. Déterminez et reconnaissez les traces de la quadrique $x^2 + y^2 - z^2 = 1$ et expliquez pourquoi cette surface ressemble à celle de la figure 15.

24. Déterminez et reconnaissez les traces de la quadrique $-x^2 - y^2 + z^2 = 1$ et expliquez pourquoi cette surface ressemble à celle de la figure 16.

25-26 ■ À l'aide d'un ordinateur, faites le graphique de la fonction sur plusieurs domaines de définition et sous divers angles de vue. Faites une copie papier qui donne une bonne vue des « sommets et des fonds ». Diriez-vous que la fonction a une valeur maximale? Pouvez-vous identifier des points du graphique que vous considérez comme des « maxima locaux »? Voyez-vous des « minima locaux »?

25. $f(x, y) = 3x - x^4 - 4y^2 - 10xy$

26. $f(x, y) = xye^{-x^2 - y^2}$

27-28 ■ À l'aide d'un ordinateur, faites le graphique de la fonction sur plusieurs domaines de définition et sous divers angles de vue. Commentez le comportement à l'infini de la fonction. Que se passe-t-il lorsqu'à la fois x et y deviennent grands? Que se passe-t-il lorsque (x, y) s'approche de l'origine?

27. $f(x, y) = \dfrac{x + y}{x^2 + y^2}$ **28.** $f(x, y) = \dfrac{xy}{x^2 + y^2}$

29. Faites apparaître les graphiques de $z = x^2 + y^2$ et $z = 1 - y^2$ dans la même fenêtre sur le domaine de définition $|x| \leqslant 1,2$, $|y| \leqslant 1,2$, et observez la courbe d'intersection de ces surfaces. Montrez que la projection de cette courbe sur le plan Oxy est une ellipse.

30. Démontrez que la courbe d'intersection des surfaces

$$x^2 + 2y^2 - z^2 + 3x = 1$$

et

$$2x^2 + 4y^2 - 2z^2 - 5y = 0$$

est plane.

31. Démontrez que les droites décrites par les équations paramétriques $x = a + t, y = b + t, z = c + 2(b - a)t$ et $x = a + t, y = b - t, z = c - 2(b + a)t$, qui passent manifestement par (a, b, c) appartiennent entièrement au paraboloïde hyperbolique $z = y^2 - x^2$, si le point (a, b, c) est un point de cette quadrique. (Ceci démontre que paraboloïde hyperbolique est ce qu'on appelle une surface **réglée**, c'est-à-dire une surface qui peut être engendrée par le mouvement d'une droite. En fait, cet exercice montre que par chaque point du paraboloïde hyperbolique passe deux droites génératrices. Parmi les quadriques, les autres surfaces réglées sont les cylindres, les cônes et les hyperboloïdes à une nappe.)

32. Déterminez une équation de la surface faite de tous les points P tels que la distance de P à l'axe Ox est le double de la distance de P au plan Oyz. Reconnaissez de quelle surface il s'agit.

9.7 Les coordonnées cylindriques et sphériques ●●●●●●●●●●●●●●●●●

En géométrie plane, le système de coordonnées polaires est particulièrement adapté pour décrire certaines courbes et régions. (Voyez l'annexe G.) En dimension trois, il y a deux systèmes de coordonnées, analogues aux coordonnées polaires, pour décrire aisément certaines surfaces et solides que l'on rencontre fréquemment. Ils seront particulièrement bienvenus dans le chapitre 12 pour calculer des volumes et des intégrales triples.

En **coordonnées cylindriques**, un point P de l'espace est représenté par un triplet (r, θ, z), où r et θ sont les coordonnées polaires du projeté de P sur le plan Oxy et où z est la cote de P (voyez la figure 1).

Le passage des coordonnées cylindriques aux coordonnées cartésiennes s'effectue au moyen des équations

FIGURE I

$$x = r \cos \theta \qquad y = r \sin \theta \qquad z = z,$$

tandis que le passage des équations cartésiennes aux coordonnées cylindriques se fait par

2

$$r^2 = x^2 + y^2 \qquad \text{tg } \theta = \frac{y}{x} \qquad z = z.$$

Ces équations proviennent des équations 1 et 2 de l'annexe G.1.

EXEMPLE 1 ■

a) Situez le point de coordonnées cylindriques $(2, 2\pi/3, 1)$ et déterminez ses coordonnées cartésiennes.

b) Déterminez les coordonnées cylindriques du point de coordonnées cartésiennes $(3, -3, -7)$.

SOLUTION

a) Le point de coordonnées cylindriques $(2, 2\pi/3, 1)$ est marqué dans la figure 2. Suivant les équations 1, ses coordonnées cartésiennes sont

$$x = 2\cos\frac{2\pi}{3} = 2\left(-\frac{1}{2}\right) = -1$$

$$y = 2\sin\frac{2\pi}{3} = 2\left(\frac{\sqrt{3}}{2}\right) = \sqrt{3}$$

$$z = 1$$

Il s'agit donc du point $(-1, \sqrt{3}, 1)$ en coordonnées cartésiennes.

b) D'après les équations 2, on a

$$r = \sqrt{3^2 + (-3)^2} = 3\sqrt{2}$$

$$\text{tg } \theta = \frac{-3}{3} = -1 \quad \text{donc} \quad \theta = \frac{7\pi}{4} + 2n\pi$$

$$z = -7$$

Par conséquent, un triplet de coordonnées cylindriques est $(3\sqrt{2}, 7\pi/4, -7)$. Un autre est $(3\sqrt{2}, -\pi/4, -7)$. Comme en coordonnées polaires, il y a une infinité de choix possibles. ■

Les coordonnées cylindriques sont employées surtout dans les problèmes où intervient une symétrie par rapport à un axe et on fait en sorte que cet axe soit l'axe Oz. Par exemple, l'axe du cylindre d'équation cartésienne $x^2 + y^2 = c^2$ est l'axe Oz. En coordonnées cylindriques, une équation de ce cylindre est tout simplement $r = c$ (voyez la figure 3). Voilà pourquoi ces coordonnées portent le nom de coordonnées « cylindriques ».

EXEMPLE 2 ■ Décrivez la surface représentée en coordonnées cylindriques par l'équation $z = r$.

SOLUTION D'après l'équation, la cote de chaque point de la surface est égale à la distance r du point à l'axe Oz. Puisque θ n'apparaît pas dans l'équation, il varie librement. N'importe quelle trace horizontale dans un plan $z = k$ $(k > 0)$ est donc un cercle de rayon k. Ces traces suggèrent que la surface soit un cône. Cette conjecture peut être confirmée en convertissant l'équation donnée en coordonnées cartésiennes.

FIGURE 2

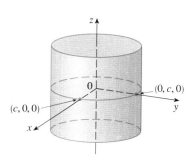

FIGURE 3
$r = c$, un cylindre

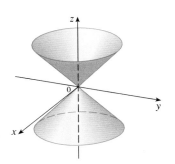

FIGURE 4
$z = r$, un cône

Selon la première équation de (2),

$$z^2 = r^2 = x^2 + y^2.$$

On reconnaît que l'équation $z^2 = x^2 + y^2$ (par référence à la figure 14 de la section 9.6) est celle d'un cône circulaire dont l'axe est Oz (voyez la figure 4). ■

EXEMPLE 3 ■ Déterminez une équation en coordonnées cylindriques de l'ellipsoïde $4x^2 + 4y^2 + z^2 = 1$.

SOLUTION Comme $r^2 = x^2 + y^2$ d'après les équations 2, on a

$$z^2 = 1 - 4(x^2 + y^2) = 1 - 4r^2.$$

L'équation en coordonnées cylindriques de l'ellipsoïde est donc $z^2 = 1 - 4r^2$. ■

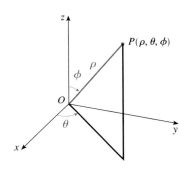

FIGURE 5

La figure 5 montre les **coordonnées sphériques** (ρ, θ, ϕ) d'un point P de l'espace : $\rho = |OP|$ est la distance du point P à l'origine, θ est le même angle qu'en coordonnées cylindriques et ϕ est l'angle entre la partie positive de l'axe Oz et le segment OP. Remarquez que

$$\rho \geqslant 0 \qquad 0 \leqslant \phi \leqslant \pi.$$

Les coordonnées sphériques sont plus particulièrement utilisées dans les problèmes où intervient une symétrie par rapport à un point et il est fait en sorte que ce point occupe l'origine. Par exemple, la sphère de centre O et de rayon c a comme équation tout simplement $\rho = c$ (voyez la figure 6) et c'est la raison du nom coordonnées « sphériques ». Le graphique de l'équation $\theta = c$ est un demi-plan vertical (voyez la figure 7) et celui de l'équation $\phi = c$ est un demi-cône dont l'axe est l'axe Oz (voyez la figure 8).

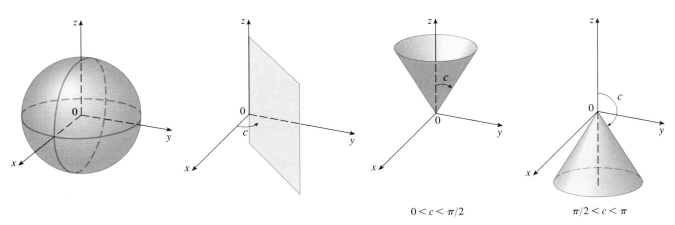

$$0 < c < \pi/2 \qquad \pi/2 < c < \pi$$

FIGURE 6
$\rho = c$, une sphère

FIGURE 7
$\theta = c$, un demi-plan

FIGURE 8
$\phi = c$, un demi-cône

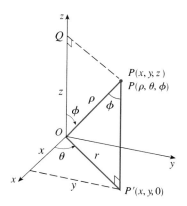

FIGURE 9

La relation entre les coordonnées cartésiennes et sphériques se lit dans la figure 9. Des triangles OPQ et OPP', il ressort que

$$z = \rho \cos \phi \qquad r = \rho \sin \phi.$$

Mais, comme $x = r \cos \theta$ et $y = r \sin \theta$, les formules de conversion des coordonnées sphériques vers les coordonnées cartésiennes deviennent

3
$$x = \rho \sin \phi \cos \theta \qquad y = \rho \sin \phi \sin \theta \qquad z = \rho \cos \phi$$

De plus, d'après la formule de la distance,

4
$$\rho^2 = x^2 + y^2 + z^2$$

Cette dernière équation permet de passer des coordonnées cartésiennes aux coordonnées sphériques.

EXEMPLE 4 ■ Déterminez les coordonnées cartésiennes du point caractérisé par les coordonnées sphériques $(2, \pi/4, \pi/3)$.

SOLUTION D'après les équations 3, on a

$$x = \rho \sin \phi \cos \theta = 2 \sin \frac{\pi}{3} \cos \frac{\pi}{4} = 2 \left(\frac{\sqrt{3}}{2} \right) \left(\frac{1}{\sqrt{2}} \right) = \sqrt{\frac{3}{2}}$$

$$y = \rho \sin \phi \sin \theta = 2 \sin \frac{\pi}{3} \sin \frac{\pi}{4} = 2 \left(\frac{\sqrt{3}}{2} \right) \left(\frac{1}{\sqrt{2}} \right) = \sqrt{\frac{3}{2}}$$

$$z = \rho \cos \phi = 2 \cos \frac{\pi}{3} = 2 \left(\tfrac{1}{2} \right) = 1$$

Ainsi, le point $(2, \pi/4, \pi/3)$ est en coordonnées cartésiennes le point $(\sqrt{3/2}, \sqrt{3/2}, 1)$.

EXEMPLE 5 ■ Déterminez les coordonnées sphériques du point de coordonnées cartésiennes $(0, 2\sqrt{3}, -2)$.

SOLUTION D'après l'équation 4, on a

$$\rho = \sqrt{x^2 + y^2 + z^2} = \sqrt{0 + 12 + 4} = 4$$

et donc les équations 3 fournissent

$$\cos \phi = \frac{z}{\rho} = \frac{-2}{4} = -\frac{1}{2} \qquad \phi = \frac{2\pi}{3}$$

$$\cos \theta = \frac{x}{\rho \sin \phi} = 0 \qquad\qquad \theta = \frac{\pi}{2}$$

(Remarquez que $\theta \neq 3\pi/2$ parce que $y = 2\sqrt{3} > 0$.) Par conséquent, les coordonnées sphériques du point donné sont $(4, \pi/2, 2\pi/3)$.

EXEMPLE 6 ■ Déterminez une équation en coordonnées sphériques de l'hyperboloïde à deux nappes d'équation cartésienne $x^2 - y^2 - z^2 = 1$.

SOLUTION On introduit dans l'équation donnée les expressions des équations 3. Cela donne

$$\rho^2 \sin^2\phi \cos^2\theta - \rho^2 \sin^2\phi \sin^2\theta - \rho^2 \cos^2\phi = 1$$

$$\rho^2[\sin^2\phi\,(\cos^2\theta - \sin^2\theta) - \cos^2\phi] = 1$$

$$\rho^2(\sin^2\phi \cos 2\theta - \cos^2\phi) = 1$$

EXEMPLE 7 ■ Quelle est l'équation cartésienne de la surface décrite en coordonnées sphériques par $\rho = \sin\theta \sin\phi$.

SOLUTION Grâce aux équations 4 et 3, il vient

$$x^2 + y^2 + z^2 = \rho^2 = \rho \sin\theta \sin\phi = y,$$

ou

$$x^2 + \left(y - \tfrac{1}{2}\right)^2 + z^2 = \tfrac{1}{4},$$

qui est l'équation d'une sphère de centre $(0, \tfrac{1}{2}, 0)$ et de rayon $\tfrac{1}{2}$.

EXEMPLE 8 ■ Utilisez un logiciel de dessin pour représenter ce qu'il reste d'une sphère de rayon 4 après qu'elle ait été percée centralement d'un trou cylindrique de rayon 3.

SOLUTION Pour que les équations soient simples, on choisit l'origine du système de coordonnées au centre de la sphère et l'axe Oz comme axe du trou cylindrique. On pourrait travailler en coordonnées cylindriques ou sphériques, mais la description est un peu plus simple en coordonnées cylindriques. En effet, l'équation du cylindre est $r = 3$ et celle de la sphère, $x^2 + y^2 + z^2 = 16$, ou $r^2 + z^2 = 16$. Les points de la sphère extérieurs au cylindre sont à une distance de l'origine qui satisfait à la double inégalité

$$3 \leqslant r \leqslant \sqrt{16 - z^2}.$$

La plupart des programmes de dessin à trois dimensions sont aptes à représenter des surfaces spécifiées par des équations cylindriques ou sphériques. Ainsi que le démontre l'exemple 8, c'est souvent le moyen le plus commode de faire dessiner un solide.

Pour s'assurer que l'ordinateur ne dessine que la partie voulue de ces surfaces, on calcule à quelle hauteur les surfaces se coupent en résolvant les équations $r = 3$ et $r = \sqrt{16 - z^2}$.

$$\sqrt{16 - z^2} = 3 \quad \Rightarrow \quad 16 - z^2 = 9 \quad \Rightarrow \quad z^2 = 7 \quad \Rightarrow \quad z = \pm\sqrt{7}.$$

Le solide est compris entre les plans $z = -\sqrt{7}$ et $z = \sqrt{7}$. Par conséquent, on demande à l'ordinateur de tracer les surfaces qui correspondent aux équations et aux domaines de définitions suivants :

$$r = 3 \qquad 0 \leqslant \theta \leqslant 2\pi \qquad -\sqrt{7} \leqslant z \leqslant \sqrt{7}$$

$$r = \sqrt{16 - z^2} \qquad 0 \leqslant \theta \leqslant 2\pi \qquad -\sqrt{7} \leqslant z \leqslant \sqrt{7}.$$

La figure qui en résulte, la figure 10, est exactement ce qui était demandé.

FIGURE 10

9.7 Exercices

1. Qu'entend-on par coordonnées cylindriques ? À quels types de surfaces ces coordonnées sont-elles particulièrement adaptées ?

2. Qu'entend-on par coordonnées sphériques ? Pour quels types de surfaces ces coordonnées conviennent-elles particulièrement ?

3-4 ■ Marquez le point de coordonnées cylindriques donné. Cherchez ensuite les coordonnées cartésiennes du point.

3. a) $(3, \pi/2, 1)$ b) $(3, 0, -6)$

4. a) $(\sqrt{2}, \pi/4, \sqrt{2})$ b) $(1, \pi, e)$

5-6 ■ Tranformez les coordonnées cartésiennes en coordonnées cylindriques.

5. a) $(-1, 0, 0)$ b) $(\sqrt{3}, 1, 4)$

6. a) $(1, 1, 1)$ b) $(-\sqrt{2}, \sqrt{2}, 0)$

7-8 ■ Situez le point de coordonnées sphériques donné. Cherchez ensuite les coordonnées cartésiennes du point.

7. a) $(1, 0, 0)$ b) $(1, \pi/6, \pi/6)$

8. a) $(3, 0, \pi)$ b) $(2, \pi/4, \pi/4)$

9-10 ■ Tranformez les coordonnées cartésiennes en coordonnées sphériques.

9. a) $(-3, 0, 0)$ b) $(\sqrt{3}, 0, 1)$

10. a) $(1, 1, \sqrt{2})$ b) $(-\sqrt{3}, -3, -2)$

11-14 ■ Décrivez verbalement la surface d'équation donnée.

11. $r = 3$ **12.** $\rho = 3$

13. $\phi = \pi/3$ **14.** $\theta = \pi/3$

15-20 ■ Reconnaissez la surface d'équation donnée.

15. $z = r^2$ **16.** $\rho \cos \phi = 2$

17. $r = 2 \cos \theta$ **18.** $\rho = 2 \cos \phi$

19. $r^2 + z^2 = 25$ **20.** $\rho^2 - 6\rho + 8 = 0$

21-24 ■ Écrivez l'équation a) en coordonnées cylindriques et b) en coordonnées sphériques.

21. $x^2 + y^2 + z^2 = 16$ **22.** $x^2 + y^2 - z^2 = 16$

23. $x^2 + y^2 = 2y$ **24.** $z = x^2 - y^2$

25-28 ■ Représentez le solide décrit par les inéquations données.

25. $r^2 \leqslant z \leqslant 2 - r^2$

26. $0 \leqslant \theta \leqslant \pi/2, \quad r \leqslant z \leqslant 2$

27. $-\pi/2 \leqslant \theta \leqslant \pi/2, \quad 0 \leqslant \phi \leqslant \pi/6, \quad 0 \leqslant \rho \leqslant \sec \phi$

28. $0 \leqslant \phi \leqslant \pi/3, \quad \rho \leqslant 2$

29. Un solide est délimité inférieurement par le cône $z = \sqrt{x^2 + y^2}$ et supérieurement par la sphère $x^2 + y^2 + z^2 = z$. Écrivez des inéquations en coordonnées sphériques qui correspondent à ce solide.

30. Dessinez à l'aide d'un ordinateur le solide enfermé dans les paraboloïdes $z = x^2 + y^2$ et $z = 5 - x^2 - y^2$.

31. Dessinez à l'aide d'un ordinateur un silo formé d'un cylindre de rayon 3 et de hauteur 10, fermé par une demi-sphère.

32. Voici comment la latitude et la longitude d'un point P de l'hémisphère nord sont liées aux coordonnées sphériques ρ, θ, φ. L'origine coïncide avec le centre de la Terre et l'axe Oz passe par le pôle nord. Le demi-axe positif Ox passe par le point en lequel le premier méridien (le méridien de Greenwich, Angleterre) coupe l'équateur. Alors, la latitude de P est $\alpha = 90° - \phi°$ et la longitude, $\beta = 360° - \theta°$. Déterminez la distance de grand cercle qui sépare Los Angeles (lat. 34,06° N, long. 118,25° W) de Montréal (lat. 45,50° N, long. 73,60° W). Prenez le rayon de la Terre égal à 6370 km. (Un *grand cercle* est un cercle d'intersection d'une sphère avec un plan qui passe par le centre de la sphère.)

Sujet d'étude

Des familles de surfaces

Il s'agit au cours de cette étude de découvrir les formes intéressantes que prennent les membres d'une famille de surfaces. Vous serez amenés à porter votre attention sur comment évoluent les surfaces lorsque les constantes changent.

1. Servez-vous d'un ordinateur pour examiner la famille des fonctions

$$f(x, y) = (ax^2 + by^2)e^{-x^2 - y^2}.$$

Comment la forme du graphique change-t-elle en fonction des nombres a et b ?

2. Utilisez un ordinateur pour observer la famille des surfaces $z = x^2 + y^2 + cxy$. Et plus particulièrement déterminez la valeur charnière de c qui fait passer d'un type de quadrique à un autre.

3. Certains membres de la famille des surfaces définies en coordonnées sphériques par l'équation

$$\rho = 1 + 0,2 \sin m\theta \sin n\phi$$

ont été présentés comme modèles de tumeurs et de ce fait, ont été appelés *surfaces bosselées* et *surfaces ridées*. Étudiez cette famille de surfaces, en supposant que m et n sont des entiers positifs. Quel rôle jouent les valeurs de m et n dans la forme de la surface ?

Chapitre 9 Révision

• CONTRÔLE DES CONCEPTS •

1. Quelle différence y a-t-il entre un vecteur et un scalaire?

2. Comment additionne-t-on géométriquement deux vecteurs? Comment les additionne-t-on algébriquement?

3. Si $\vec{a}$ est un vecteur et c un scalaire, quelle relation géométrique lie $c\vec{a}$ à $\vec{a}$? Comment trouve-t-on algébriquement $c\vec{a}$?

4. Comment obtient-on le vecteur qui joint un point à un autre?

5. Comment déterminez-vous le produit scalaire $\vec{a} \cdot \vec{b}$ de deux vecteurs si vous connaissez leur longueur et l'angle qu'ils forment? Et si vous connaissez leurs composantes?

6. En quoi le produit scalaire est-il utile?

7. Écrivez l'expression des projections vectorielle et scalaire de $\vec{b}$ sur $\vec{a}$. Éclairez ces expressions d'un dessin.

8. Comment déterminez-vous le produit vectoriel $\vec{a} \cdot \vec{b}$ de deux vecteurs si vous connaissez leur longueur et l'angle qu'ils forment? Et si vous connaissez leurs composantes?

9. En quoi le produit vectoriel est-il utile?

10. a) Comment calculez-vous l'aire d'un parallélogamme construit sur $\vec{a}$ et $\vec{b}$?
   b) Comment calculez-vous le volume d'un parallélipipède construit sur $\vec{a}$, $\vec{b}$ et $\vec{c}$?

11. Comment trouve-t-on un vecteur perpendiculaire à un plan?

12. Écrivez une équation vectorielle, des équations paramétriques et des équations symétriques d'une droite.

13. Écrivez une équation vectorielle et une équation scalaire d'un plan.

14. a) Comment procède-t-on pour vérifier que trois points P, Q et R se trouvent sur une même droite.
   b) Comment procède-t-on pour vérifier que quatre points P, Q, R et S se trouvent dans un même plan.

15. a) Quelle est la formule qui permet de calculer la distance d'un point à une droite?
   b) Quelle est la formule qui permet de calculer la distance d'un point à un plan?
   c) Quelle est la formule qui permet de calculer la distance entre deux droites?

16. Comment obtenez-vous le graphique d'une fonction de deux variables?

17. a) Écrivez les équations de conversion des coordonnées cylindriques aux coordonnées cartésiennes. Dans quelles circonstances emploie-t-on des coordonnées cylindriques?
   b) Écrivez les équations de conversion des coordonnées sphériques aux coordonnées cartésiennes. Dans quelles circonstances emploie-t-on des coordonnées sphériques?

▲ VRAI-FAUX ▲

Dites si la proposition est vraie ou fausse. Si elle est vraie, expliquez pourquoi. Si elle est fausse, expliquez pourquoi et donnez un exemple qui contredit la proposition.

1. Quels que soient les vecteurs $\vec{u}$ et $\vec{v}$ de V_3, $\vec{u} \cdot \vec{v} = \vec{v} \cdot \vec{u}$.

2. Quels que soient les vecteurs $\vec{u}$ et $\vec{v}$ de V_3, $\vec{u} \wedge \vec{v} = \vec{v} \wedge \vec{u}$.

3. Quels que soient les vecteurs $\vec{u}$ et $\vec{v}$ de V_3, $\|\vec{u} \wedge \vec{v}\| = \|\vec{v} \wedge \vec{u}\|$.

4. Quels que soient les vecteurs $\vec{u}$ et $\vec{v}$ de V_3 et un scalaire k quelconque, $k(\vec{u} \cdot \vec{v}) = (k\vec{u}) \cdot \vec{v}$.

5. Quels que soient les vecteurs $\vec{u}$ et $\vec{v}$ de V_3, et un scalaire k quelconque, $k(\vec{u} \wedge \vec{v}) = (k\vec{u}) \wedge \vec{v}$.

6. Quels que soient les vecteurs $\vec{u}$, $\vec{v}$ et $\vec{w}$ de V_3, $(\vec{u} + \vec{v}) \wedge \vec{w} = \vec{u} \wedge \vec{w} + \vec{v} \wedge \vec{w}$.

7. Quels que soient les vecteurs $\vec{u}$, $\vec{v}$ et $\vec{w}$ de V_3, $\vec{u} \cdot (\vec{v} \wedge \vec{w}) = (\vec{u} \wedge w) \cdot \vec{w}$.

8. Quels que soient les vecteurs $\vec{u}$, $\vec{v}$ et $\vec{w}$ de V_3, $\vec{u} \wedge (\vec{v} \wedge \vec{w}) = (\vec{u} \wedge v) \wedge \vec{w}$.

9. Quels que soient les vecteurs $\vec{u}$ et $\vec{v}$ de V_3, $(\vec{u} \wedge \vec{w}) \cdot \vec{u} = 0$.

10. Quels que soient les vecteurs $\vec{u}$ et $\vec{v}$ de V_3, $(\vec{u} + \vec{v}) \wedge \vec{v} = \vec{u} \wedge \vec{v}$.

11. Le produit vectoriel de deux vecteurs unitaires est un vecteur unitaire.

12. Une équation linéaire $Ax + By + Cz + D = 0$ représente une droite de l'espace.

13. L'ensemble des points $\{(x, y, z) \mid x^2 + y^2 = 1\}$ est un cercle.

◆ **EXERCICES** ◆

1. a) Écrivez une équation de la sphère centrée en $(1, -1, 2)$ et de rayon 3.

b) Déterminez le centre et le rayon de la sphère

$$x^2 + y^2 + z^2 + 4x + 6y - 10z + 2 = 0.$$

2. Recopiez les vecteurs de la figure et utilisez-les pour dessinez chacun des vecteurs suivants.

a) $\vec{a} + \vec{b}$ b) $\vec{a} - \vec{b}$

c) $-\frac{1}{2}\vec{a}$ d) $2\vec{a} + \vec{b}$

3. Déterminez $\vec{u} \cdot \vec{v}$ et $\|\vec{u} \wedge \vec{v}\|$ pour les vecteurs $\vec{u}$ et $\vec{v}$ représentés dans la figure. Le vecteur $\vec{u} \wedge \vec{v}$ est-il dirigé vers la feuille ou sort-il de la feuille ?

$\|\vec{v}\| = 3$

$45°$

$\|\vec{u}\| = 2$

4. Calculez la grandeur demandée sachant que

$$\vec{a} = \vec{i} + \vec{j} - 2\vec{k} \qquad \vec{b} = 3\vec{i} - 2\vec{j} + \vec{k} \qquad \vec{c} = \vec{j} - 5\vec{k}.$$

a) $2\vec{a} + 3\vec{b}$ b) $\|\vec{b}\|$

c) $\vec{a} \cdot \vec{b}$ d) $\vec{a} \wedge \vec{b}$

e) $\|\vec{b} \wedge \vec{c}\|$ f) $\vec{a} \cdot (\vec{b} \wedge \vec{c})$

g) $\vec{c} \wedge \vec{c}$ h) $\vec{a} \wedge (\vec{b} \wedge \vec{c})$

i) $\text{comp}_{\vec{a}}\vec{b}$ j) $\text{proj}_{\vec{a}}\vec{b}$

k) L'angle entre $\vec{a}$ et $\vec{b}$ (exact au degré le plus proche)

5. Déterminez x de manière à ce que les vecteurs $(2, x, 4)$ et $(2x, 3, -7)$ soient orthogonaux.

6. Déterminez deux vecteurs unitaires orthogonaux à la fois à $(1, 0, 1)$ et $(2, 3, 4)$.

7. On suppose que $\vec{u} \cdot (\vec{v} \wedge \vec{w}) = 2$. Déterminez

a) $(\vec{u} \wedge \vec{v}) \cdot \vec{w}$ b) $\vec{u} \cdot (\vec{w} \wedge \vec{v})$

c) $\vec{v} \cdot (\vec{u} \wedge \vec{w})$ d) $(\vec{u} \wedge \vec{v}) \cdot \vec{v}$

8. Montrez que si $\vec{a}$, $\vec{b}$ et $\vec{c}$ sont des vecteurs de V_3, alors

$$(\vec{a} \wedge \vec{b}) \cdot [(\vec{b} \wedge \vec{c}) \wedge (\vec{c} \wedge \vec{a})] = [\vec{a} \cdot (\vec{b} \wedge \vec{c})]^2.$$

9. Combien mesure l'angle aigu entre deux diagonales d'un cube ?

10. Étant donné les points $A(1, 0, 1)$, $B(2, 3, 0)$, $C(-1, 1, 4)$ et $D(0, 3, 2)$, déterminez le volume du parallélipipède de côtés adjacents AB, AC et AD.

11. a) Déterminez un vecteur perpendiculaire au plan qui passe par les points $A(1, 0, 0)$, $B(2, 0, -1)$ et $C(1, 4, 3)$.

b) Calculez l'aire du triangle ABC.

12. Une force constante $\vec{F} = 3\vec{i} + 5\vec{j} + 10\vec{k}$ s'exerce sur un objet le long du segment qui joint $(1, 0, 2)$ à $(5, 3, 8)$. Calculez le travail effectué si la distance est mesurée en mètres et la force en newtons.

13. On tire un bateau sur le rivage au moyen de deux cordes, comme le montre la figure. S'il faut une force de 255 N, déterminez l'intensité de la force à exercer sur chacune des cordes.

$20°$ 255 N

$30°$

14. Quelle est la norme du moment de torsion en P si une force de 50 N est appliquée de la manière que montre la figure.

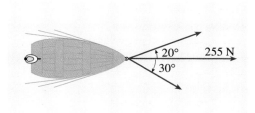

50 N

$30°$

40 cm

P

15-17 ▪ Écrivez des équations paramétriques de la droite qui satisfait aux conditions données.

15. Droite qui passe par $(1, 2, 4)$ dans la direction de $\vec{v} = 2\vec{i} - \vec{j} + 3\vec{k}$.

16. Droite qui passe par $(-6, -1, 0)$ et $(2, -3, 5)$.

17. Droite qui passe par $(1, 0, 1)$ et parallèle à la droite d'équations paramétriques $x = 4t$, $y = 1 - 3t$, $z = 2 + 5t$.

18-21 ▪ Déterminez une équation du plan qui vérifie les conditions données.

18. Passe par $(4, -1, -1)$ et perpendiculaire au vecteur $(2, 6, -3)$.

19. Passe par $(-4, 1, 2)$ et parallèle au plan $x + 2y + 5z = 3$.

20. Passe par $(-1, 2, 0)$, $(2, 0, 1)$ et $(-5, 3, 1)$

21. Comprend la droite d'intersection des plans $x - z = 1$ et $y + 2z = 3$ et est perpendiculaire au plan $x + y - 2z = 1$.

22. Déterminez les coordonnées du point de percée de la droite de coordonnées paramétriques $x = 2 - t$, $y = 1 + 3t$ $z = 4t$ dans le plan $2x - y + z = 2$.

23. Examinez si les droites d'équations symétriques

$$\frac{x - 1}{2} = \frac{y - 2}{3} = \frac{z - 3}{4}$$

et

$$\frac{x + 1}{6} = \frac{y - 3}{-1} = \frac{z + 5}{2}$$

sont parallèles, gauches ou concourantes.

24. a) Montrez que les plans $x + y - z = 1$ et $2x - 3y + 4z = 5$ ne sont ni parallèles ni perpendiculaires.
b) Calculez la mesure de l'angle entre ces deux plans, au degré près.

25. Quelle distance sépare les plans $3x + y - 4z = 2$ et $3x + y - 4z = 24$.

26. Calculez la distance entre l'origine et la droite $x = 1 + t$, $y = 2 - t$, $z = -1 + 2t$.

27-28 ■ Déterminez et représentez le domaine de définition de la fonction.

27. $f(x, y) = \dfrac{\ln(x + y + 1)}{x - 1}$ **28.** $f(x, y) = \sqrt{\sin \pi(x^2 + y^2)}$

29-32 ■ Dessinez le graphique de la fonction.

29. $f(x, y) = 6 - 2x - 3y$ **30.** $f(x, y) = \cos x$

31. $f(x, y) = 4 - x^2 - 4y^2$ **32.** $f(x, y) = \sqrt{4 - x^2 - 4y^2}$

33-34 ■ Dessinez la surface.

33. $y^2 + z^2 = 1$ **34.** $y^2 + z^2 = x$

35. Les coordonnées cylindriques d'un point sont $(2, \pi/6, 2)$. Cherchez ses coordonnées cartésiennes et sphériques.

36. Les coordonnées cartésiennes d'un point sont $(2, 2, -1)$. Cherchez des coordonnées cylindriques et sphériques du point.

37. Les coordonnées sphériques d'un point sont $(4, \pi/3, \pi/6)$. Cherchez les coordonnées cartésiennes et cylindriques du point.

38. Reconnaissez les surfaces d'équation donnée.
a) $\theta = \pi/4$ b) $\phi = \pi/4$

39-40 ■ Écrivez l'équation en coordonnées cylindriques et en coordonnées sphériques.

39. $x^2 + y^2 + z^2 = 4$ **40.** $x^2 + y^2 = 4$

41. La parabole $z = 4y^2$, $x = 0$ subit une rotation autour de l'axe Oz. Écrivez une équation en coordonnées cylindriques de la surface ainsi engendrée.

42. Esquissez le solide composé de tous les points dont les coordonnées sphériques (ρ, θ, ϕ) sont telles que $0 \leqslant \theta \leqslant \pi/2$, $0 \leqslant \phi \leqslant \pi/6$ et $0 \leqslant \rho \leqslant 2\cos\phi$.

**Pleins feux
sur la résolution
de problèmes**

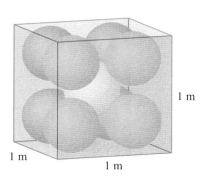

1 m

1 m

1 m

Figure relative au problème 1

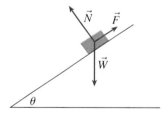

Figure relative au problme 5

1. Chaque arête d'une boîte cubique mesure 1 m. La boîte renferme 9 balles sphériques de même rayon r. La balle centrale a son centre au centre du cube et touche les huit autres balles. Chacune de ces huit autres balles touche trois faces du cube. Les balles sont donc entassées dans la boîte. Déterminez r. (Si ce problème vous cause des difficultés, allez lire la stratégie de résolution de problème appelée *Procéder par analogie* à la page 87.)

2. Soit B un parallélipipède rectangle de longueur L, largeur l et hauteur h. Soit S l'ensemble de tous les points dont la distance à un point quelconque de B n'excède pas 1. Cherchez une expression du volume de S en termes de L, l et h.

3. Soit d la droite d'intersection des plans $cx + y + z = c$ et $x - cy + cz = -1$, où c est un nombre réel.

   a) Déterminez des équations symétriques de d.

   b) Lorsque c varie, la droite d balaie une surface S. Trouvez une équation de la courbe d'intersection de S avec le plan horizontal $z = t$ (ou trace de S dans le plan $z = t$).

   c) Calculez le volume du solide délimité par S et les plans $z = 0$ et $z = 1$.

4. Un avion est capable de voler à une vitesse de 180 km/h par rapport à l'air. Un pilote décolle d'un aéroport et met le cap sur le nord suivant sa boussole. Trente minutes plus tard, il remarque, qu'à cause du vent, l'avion a réellement parcouru 80 km dans une direction qui a dévié d'un angle de 5° vers l'est.

   a) Quelle est la vitesse du vent ?

   b) Quelle direction le pilote aurait-il dû prendre pour atteindre la destination voulue ?

5. Un bloc de masse m est placé sur un plan incliné, comme le montre la figure. Le frottement ralentit la descente du bloc ; si l'angle θ est faible, il va même empêcher tout simplement le bloc de glisser. Les forces qui agissent sur le bloc sont le poids $\vec{P}$, où $\|\vec{P}\| = mg$ (g est l'accélération due à la gravité) ; la force normale $\vec{N}$ (force de réaction du plan sur le bloc), où $\|\vec{N}\| = n$; et la force $\vec{F}$ due au frottement qui agit parallèlement au plan incliné, dans la direction opposée à celle du mouvement. Si le bloc est immobile et que θ augmente, $\|\vec{F}\|$ se met à croître jusqu'à atteindre la valeur au delà de laquelle le bloc se met à glisser. À cet angle θ_s, il se fait que $\|\vec{F}\|$ est proportionnel à n. On peut donc écrire que $\|\vec{F}\| = \mu_s n$, où μ_s est appelé le **coefficient de frottement statique** et dépend des matériaux qui sont en contact.

   a) Observez que $\vec{N} + \vec{F} + \vec{P} = \vec{0}$ et déduisez-en que $\mu_s = \text{tg}\,(\theta_s)$.

   b) Supposons qu'une force extérieure additionnelle $\vec{H}$, horizontale orientée de gauche à droite, soit appliquée au bloc lorsque $\theta > \theta_s$ et que $\|\vec{H}\| = h$. Lorsque h est petit, le bloc peut encore glisser vers le bas ; par contre, lorsque h est suffisamment grand, le bloc peut remonter le plan incliné. Soit $h_{\min}$ la plus petite valeur de h qui permette au bloc de rester immobile.
   En choisissant les axes de coordonnées de manière à ce que $\vec{F}$ soit le long de l'axe Ox, développez chaque force en composantes parallèles et perpendiculaires au plan incliné et démontrez ainsi que

   $$h_{\min} \sin\theta + mg\cos\theta = n,$$

   $$h_{\min} \cos\theta + \mu_s n = mg\sin\theta.$$

   c) Montrez que

   $$h_{\min} \cos\theta = mg\,\text{tg}(\theta - \theta_s).$$

   Cette équation semble-t-elle raisonnable ? A-t-elle du sens pour $\theta = \theta_s$? Lorsque $\theta \to 90°$? Expliquez.

   d) Soit $h_{\max}$ la plus grande valeur de h qui permette au bloc de rester immobile. (Quelle est la direction de $\vec{F}$?) Montrez que

   $$h_{\max} = mg\,\text{tg}(\theta + \theta_s).$$

   Cette équation semble-t-elle plausible ? Expliquez.

Les fonctions que nous avons rencontrées jusqu'à présent étaient des fonctions réelles. Nous étudions maintenant des fonctions dont les valeurs sont des vecteurs parce que de telles fonctions sont nécessaires pour décrire des courbes et des surfaces de l'espace. Nous allons nous servir de fonctions vectorielles pour décrire le mouvement d'objets qui voyagent dans l'espace. En particulier, nous les utiliserons pour établir les lois de Kepler sur le mouvement des planètes.

10

Les fonctions vectorielles

10.1 Les fonctions vectorielles et les courbes de l'espace • • • • • • • • • • • • • • • •

En toute généralité, une fonction est une règle qui assigne à chaque élément du domaine de définition un élément de l'ensemble image. Une **fonction vectorielle** est simplement une fonction dont le domaine de définition est un ensemble de nombres réels mais dont l'ensemble image est un ensemble de vecteurs. Nous sommes plus particulièrement intéressés par les fonctions vectorielles $\vec{r}$ dont les valeurs sont des vecteurs de dimension trois. Cela signifie qu'à chaque nombre t du domaine de définition de $\vec{r}$ correspond un unique vecteur de V_3, noté $\vec{r}(t)$. Si $f(t)$, $g(t)$ et $h(t)$ sont les composantes du vecteur $\vec{r}(t)$, alors f, g et h sont des fonctions réelles appelées les **fonctions composantes** de $\vec{r}$ et nous pouvons écrire

$$\vec{r}(t) = (f(t), g(t), h(t)) = f(t)\,\vec{i} + g(t)\,\vec{j} + h(t)\,\vec{k}.$$

Le choix de la lettre t pour désigner la variable indépendante est dicté par le fait que, dans beaucoup d'applications des fonctions vectorielles, cette variable est le temps.

EXEMPLE 1 ■ Si

$$\vec{r}(t) = (t^3, \ln(3 - t), \sqrt{t}),$$

alors les fonctions composantes sont

$$f(t) = t^3 \qquad g(t) = \ln(3 - t) \qquad h(t) = \sqrt{t}.$$

Comme d'habitude, le domaine de définition de $\vec{r}$ se compose de toutes les valeurs pour lesquelles $\vec{r}(t)$ est définie. Les expressions t^3, $\ln(3 - t)$ et $\sqrt{t}$ sont toutes trois définies quand $3 - t > 0$ et $t \geqslant 0$. Par conséquent, le domaine de définition de $\vec{r}$ est l'intervalle $[0, 3[$.

La **limite** d'une fonction vectorielle $\vec{r}$ est définie en prenant les limites de ses fonctions composantes comme suit.

La définition $\lim_{t \to a} \vec{r}(t) = \vec{L}$ revient à dire que le vecteur $\vec{r}(t)$ tend vers le vecteur $\vec{L}$ en norme, direction et sens.

---

1 Si $\vec{r}(t) = (f(t), g(t), h(t))$, alors

$$\lim_{t \to a} \vec{r}(t) = \left(\lim_{t \to a} f(t), \lim_{t \to a} g(t), \lim_{t \to a} h(t) \right),$$

pourvu que les limites des fonctions composantes existent.

Les limites des fonctions vectorielles obéissent aux mêmes règles que les limites des fonctions réelles (voyez l'exercice 33).

EXEMPLE 2 ■ Déterminez $\lim_{t \to 0} \vec{r}(t)$ où $\vec{r}(t) = (1 + t^3)\,\vec{i} + te^{-t}\,\vec{j} + \dfrac{\sin t}{t}\,\vec{k}$.

SOLUTION Conformément à la définition 1, la limite de $\vec{r}$ est le vecteur dont les composantes sont les limites des fonctions composantes de $\vec{r}$:

$$\lim_{t \to 0} \vec{r}(t) = \left[\lim_{t \to 0} (1 + t^3)\right]\vec{i} + \left[\lim_{t \to 0} te^{-t}\right]\vec{j} + \left[\lim_{t \to 0} \frac{\sin t}{t}\right]\vec{k}$$

$$= \vec{i} + \vec{k} \qquad \text{(d'après l'équation 2 de la section 3.4)}$$

Une fonction vectorielle $\vec{r}$ est **continue en** a si

$$\lim_{t \to a} \vec{r}(t) = \vec{r}(a).$$

Eu égard à la définition 1, il est clair que $\vec{r}$ est continue en a si et seulement si ses fonctions composantes f, g et h sont continues en a.

Les fonctions vectorielles continues sont étroitement liées aux courbes de l'espace. Supposons que f, g et h soient des fonctions réelles continues sur un intervalle I. Alors, l'ensemble C de tous les points (x, y, z) de l'espace tels que

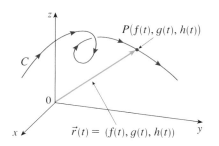

z
$P(f(t), g(t), h(t))$
C
0
x
$\vec{r}(t) = (f(t), g(t), h(t))$
y

FIGURE 1

C est parcourue par la pointe d'un vecteur position $\vec{r}$ en mouvement.

2 $$x = f(t) \qquad y = g(t) \qquad z = h(t),$$

et où t parcourt l'intervalle I est appelé une **courbe de l'espace.** Les équations (2) sont appelées des **équations paramétriques de** C et t est appelé le paramètre. On peut voir C comme tracée par un point dont la position au moment t est $(f(t), g(t), h(t))$. La fonction vectorielle $\vec{r}(t) = (f(t), g(t), h(t))$ correspond au rayon vecteur du point $P(f(t), g(t), h(t))$ sur C. N'importe quelle fonction vectorielle continue $\vec{r}$ définit donc une courbe de l'espace C parcourue par la pointe du vecteur en mouvement $\vec{r}(t)$, comme l'indique la figure 1.

EXEMPLE 3 ■ Décrivez la courbe définie par la fonction vectorielle

$$\vec{r}(t) = (1 + t, 2 + 5t, -1 + 6t).$$

SOLUTION Les équations paramétriques correspondantes sont

$$x = 1 + t \qquad y = 2 + 5t \qquad z = -1 + 6t,$$

identifiées, à la lumière des équations 2 de la section 9.5, comme des équations paramétriques d'une droite qui passe par le point $(1, 2, -1)$ et qui est parallèle au vecteur $(1, 5, 6)$.

Sinon, on peut aussi observer que la fonction est de la forme $\vec{r} = \vec{r}_0 + t\vec{v}$ où $\vec{r}_0 = (1, 2, -1)$ et $\vec{v} = (1, 5, 6)$, celle-ci étant l'équation vectorielle d'une droite, d'après l'équation 1 de la section 9.5.

Des courbes planes peuvent aussi être représentées vectoriellement. Par exemple, la courbe donnée par les équations paramétriques $x = t^2 - 2t$ et $y = t + 1$ (voyez l'exemple 1 de la section 1.4) peut aussi être décrite par la fonction vectorielle

$$\vec{r}(t) = (t^2 - 2t, t + 1) = (t^2 - 2t)\,\vec{i} + (t + 1)\vec{j},$$

où $\vec{i} = (1, 0)$ et $\vec{j} = (0, 1)$.

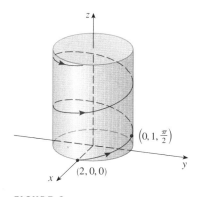

z
$\left(0, 1, \frac{\pi}{2}\right)$
y
x
$(2, 0, 0)$

FIGURE 2

EXEMPLE 4 ■ Dessinez la courbe dont l'équation vectorielle est

$$\vec{r}(t) = 2\cos t\,\vec{i} + \sin t\,\vec{j} + t\,\vec{k}.$$

SOLUTION Les équations paramétriques de cette courbe sont

$$x = 2\cos t \qquad y = \sin t \qquad z = t.$$

Vu que $(x/2)^2 + y^2 = \cos^2 t + \sin^2 t = 1$, la courbe doit se trouver sur le cylindre elliptique $x^2/4 + y^2 = 1$. Comme $z = t$, la courbe monte en spirale autour du cylindre lorsque t croît. C'est l'**hélice** que l'on voit dans la figure 2.

FIGURE 3

La forme en tire-bouchon de l'hélice de l'exemple 4 est familière car c'est aussi la forme des ressorts. On la trouve aussi dans la structure en double hélice de l'ADN (acide désoxyribonucléique, le matériel génétique des cellules vivantes). C'est en 1953 que James Watson et Francis Crick ont montré la structure en double hélice de la molécule d'ADN, entrelacée comme dans la figure 3.

EXEMPLE 5 ■ Définissez une fonction vectorielle qui représente la courbe d'intersection du cylindre $x^2 + y^2 = 1$ et du plan $y + z = 2$.

SOLUTION La figure 4 montre le plan qui coupe le cylindre et la figure 5, la courbe d'intersection C, qui a la forme d'une ellipse.

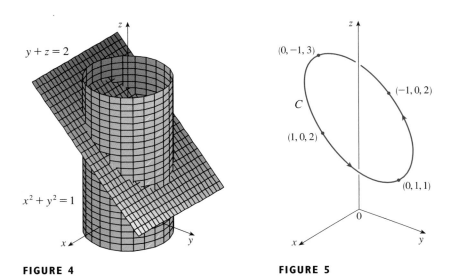

FIGURE 4   **FIGURE 5**

Cette ellipse se projette sur le plan Oxy selon le cercle $x^2 + y^2 = 1$, $z = 0$. Aussi, de l'exemple 2 de la section 1.4, nous tirons que

$$x = \cos t \qquad y = \sin t \qquad 0 \leqslant t \leqslant 2\pi.$$

De plus, l'équation du plan dit que

$$z = 2 - y = 2 - \sin t.$$

Des équations paramétriques de C sont dès lors

$$x = \cos t \qquad y = \sin t \qquad z = 2 - \sin t \qquad 0 \leqslant t \leqslant 2\pi.$$

L'équation vectorielle correspondante s'écrit

$$\vec{r}(t) = \cos t\,\vec{i} + \sin t\,\vec{j} + (2 - \sin t)\,\vec{k} \qquad 0 \leqslant t \leqslant 2\pi.$$

Cette équation est appelée une *paramétrisation* de la courbe C. Les flèches dans la figure 4 indiquent le sens dans lequel C est parcourue lorsque le paramètre t croît.

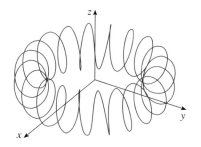

FIGURE 6
Une spirale en forme de tore

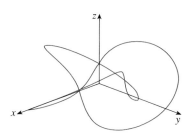

FIGURE 7
Un nœud de trèfle

Tracer des courbes de l'espace par ordinateur

Les courbes de l'espace sont par essence plus difficiles à dessiner à la main que les courbes planes ; une représentation précise exige donc de faire appel à la technologie. Par exemple, la figure 6 montre un graphique réalisé par ordinateur de la courbe d'équations paramétriques

$$x = (4 + \sin 20t) \cos t \qquad y = (4 + \sin 20t) \sin t \qquad z = \cos 20t.$$

C'est une **spirale en forme de tore** parce qu'elle repose sur un tore. Une autre courbe intéressante, le **nœud de trèfle**, d'équations

$$x = (2 + \cos 1{,}5t) \cos t \qquad y = (2 + \cos 1{,}5t) \sin t \qquad z = \sin 1{,}5t.$$

est présenté dans la figure 7. Tracer l'une ou l'autre de ces courbes à la main ne serait vraiment pas chose facile.

Même quand une courbe de l'espace a été tracée à l'aide d'un ordinateur, des illusions d'optique peut venir gêner la vue de l'allure de la courbe. (C'est justement le cas de la figure 7. Voyez l'exercice 34). L'exemple suivant montre comment faire face à ce problème.

EXEMPLE 6 ■ Dessinez par ordinateur la courbe d'équation vectorielle $\vec{r}(t) = (t, t^2, t^3)$. Cette courbe s'appelle une **cubique gauche**.

SOLUTION On commence par faire dessiner par l'ordinateur la courbe d'équations paramétriques $x = t, y = t^2, z = t^3$ pour $-2 \leqslant t \leqslant 2$. La figure 8(a) montre le résultat. Il n'est pas facile sur cette image de voir réellement le comportement de la courbe. La plupart des ordinateurs capables de produire des graphiques en dimension trois sont munis d'une commande qui place la courbe dans une boîte (parallélipipède rectangle) au lieu d'un système d'axes. La figure 8(b) montre donc la même courbe à l'intérieur d'une boîte et il apparaît plus clairement que la courbe part d'un coin inférieur et grimpe en tournant juqu'au coin supérieur à l'avant-plan.

(a)

(b)

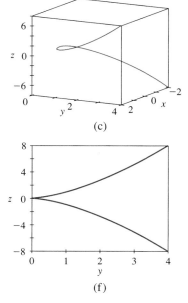

(c)

(d)

(e)

(f)

FIGURE 8 Des vues de la cubique gauche

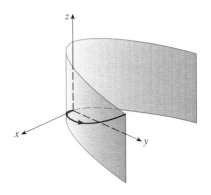

FIGURE 9

On s'en fait encore une meilleure idée en la regardant sous d'autres points de vue. La partie (c) la montre dans la boîte après une rotation. Les parties (d), (e) et (f) montrent les vues obtenues en regardant à travers chaque face de la boîte. En particulier, la figure (d) montre la vue d'en haut, c'est-à-dire la projection de la courbe dans le plan Oxy qui n'est autre que la parabole $y = x^2$. La figure (e) montre la projection dans le plan Oxz, la cubique $z = x^3$. La raison pour laquelle cette courbe s'appelle une cubique gauche est maintenant devenue évidente. ■

Une autre façon de visualiser une courbe de l'espace est de la tracer sur une surface. La cubique gauche de l'exemple 6, par exemple, se trouve sur le cylindre parabolique $y = x^2$. (Éliminez le paramètre des deux premières équations paramétriques $x = t$ et $y = t^2$.) La figure 9 montre le cylindre et la cubique gauche qui monte depuis l'origine à même la surface du cylindre. C'était de cette façon que l'hélice de l'exemple 4 était présentée à la surface du cylindre elliptique (voyez la figure 2).

Une troisième façon de visualiser la cubique gauche est de réaliser qu'elle est aussi sur le cylindre $z = x^3$. Elle est de ce fait la courbe intersection des cylindres $y = x^2$ et $z = x^3$ (voyez la figure 10).

FIGURE 10

10.1 Exercices ●

1-2 ■ Décrivez le domaine de définition de la fonction vectorielle.

1. $\vec{r}(t) = \left(t^2, \sqrt{t - 1}, \sqrt{5 - t} \right)$

2. $\vec{r}(t) = \ln t\, \vec{i} + \dfrac{t}{t - 1}\, \vec{j} + e^{-t}\, \vec{k}$

. . . .

3-4 ■ Calculez la limite.

3. $\lim\limits_{t \to 1} \left(\sqrt{t + 3}\, \vec{i} + \dfrac{t - 1}{t^2 - 1}\, \vec{j} + \dfrac{\operatorname{tg} t}{t}\, \vec{k} \right)$

4. $\lim\limits_{t \to \infty} \left(e^{-t}\, \vec{i} + \dfrac{t - 1}{t + 1}\, \vec{j} + \operatorname{Arctg} t\, \vec{k} \right)$

. . . .

5-10 ■ Appariez les équations paramétriques et les graphiques (étiquetés I-VI). Justifiez votre choix.

5. $x = \cos 4t, \quad y = t, \quad z = \sin 4t$

6. $x = t^2 - 2, \quad y = t^3, \quad z = t^4 + 1$

7. $x = t, \quad y = 1/(1 + t^2), \quad z = t^2$

8. $x = \sin 3t \cos t, \quad y = \sin 3t \sin t, \quad z = t$

9. $x = \cos t, \quad y = \sin t, \quad z = \sin 5t$

10. $x = \cos t, \quad y = \sin t, \quad z = \ln t$

III

IV

V

VI

|1-18| ■ Dessinez la courbe d'équation vectorielle donnée. Indiquez par une flèche son sens de parcours lorsque t grandit.

11. $\vec{r}(t) = (t^4 + 1, t)$

12. $\vec{r}(t) = (t^3, t^2)$

13. $\vec{r}(t) = (t, -t, 2t)$

14. $\vec{r}(t) = (\sin t, t, \cos t)$

15. $\vec{r}(t) = (\sin t, 3, \cos t)$

16. $\vec{r}(t) = t\vec{i} + t\vec{j} + \cos t\vec{k}$

17. $\vec{r}(t) = t^2\vec{i} + t^4\vec{j} + t^6\vec{k}$

18. $\vec{r}(t) = \sin t\vec{i} + \sin t\vec{j} + \sqrt{2}\cos t\vec{k}$

19. Montrez que la courbe d'équations paramétriques $x = t\cos t$, $y = t\sin t$, $z = t$ repose sur le cône $z^2 = x^2 + y^2$ et aidez-vous de cela pour la tracer.

20. Montrez que la courbe d'équations paramétriques $x = \sin t$, $y = \cos t$, $z = \sin^2 t$ est la courbe d'intersection des surfaces $z = x^2$ et $x^2 + y^2 = 1$. Cela doit vous aider à la tracer.

21-24 ■ Utilisez un ordinateur pour dessiner la courbe d'équation vectorielle donnée. Assurez-vous de choisir un domaine de définition pour le paramètre et les bons angles de vue qui offrent de voir le comportement réel de la courbe.

21. $\vec{r}(t) = (\sin t, \cos t, t^2)$

22. $\vec{r}(t) = (t^2, t^3 - t, t)$

23. $\vec{r}(t) = (\sqrt{t}, t, t^2 - 2)$

24. $\vec{r}(t) = (\sin t, \sin 2t, \sin 3t)$

25. Faites tracer la courbe d'équations paramétriques $x = (1 + \cos 16t)\cos t$, $y = (1 + \cos 16t)\sin t$, $z = 1 + \cos 16t$. Expliquez l'allure du graphique en montrant que cette courbe repose sur un cône.

26. Dessinez la courbe d'équations paramétriques

$$x = \sqrt{1 - 0{,}25\cos^2 10t}\,\cos t$$
$$y = \sqrt{1 - 0{,}25\cos^2 10t}\,\sin t$$
$$z = 0{,}5\cos 10t$$

Expliquez l'allure du graphique en démontrant que cette courbe repose sur une sphère.

27. Montrez que la courbe d'équations paramétriques $x = t^2$, $y = 1 - 3t$, $z = 1 + t^3$ passe par les points $(1, 4, 0)$ et $(9, -8, 28)$, mais pas par le point $(4, 7, -6)$.

28-30 ■ Écrivez une fonction vectorielle qui représente la courbe d'intersection des deux surfaces.

28. Le cylindre $x^2 + y^2 = 4$ et la surface $z = xy$.

29. Le cône $z = \sqrt{x^2 + y^2}$ et le plan $z = 1 + y$.

30. Le paraboloïde $z = 4x^2 + y^2$ et le cylindre parabolique $y = x^2$.

31. Essayez de tracer à la main la courbe d'intersection du cylindre circulaire $x^2 + y^2 = 4$ et du cylindre parabolique $z = x^2$. Ensuite, déterminez des équations paramétriques de cette courbe et servez-vous en pour faire dessiner la courbe par un ordinateur.

32. Essayez de tracer à la main la courbe d'intersection du cylindre parabolique $y = x^2$ et la moitié supérieure de l'ellipsoïde $x^2 + 4y^2 + 4z^2 = 16$. Ensuite, déterminez des équations paramétriques de cette courbe et servez-vous en pour faire dessiner la courbe par un ordinateur.

33. On suppose que $\vec{u}$ et $\vec{v}$ sont des fonctions vectorielles qui possèdent une limite quand $t \rightarrow a$ et que c est une constante. Démontrez les propriétés suivantes des limites.

a) $\lim\limits_{t\to a}[\vec{u}(t) + \vec{v}(t)] = \lim\limits_{t\to a}\vec{u}(t) + \lim\limits_{t\to a}\vec{v}(t)$

b) $\lim\limits_{t\to a}c\vec{u}(t) = c\lim\limits_{t\to a}\vec{u}(t)$

c) $\lim\limits_{t\to a}[\vec{u}(t) \cdot \vec{v}(t)] = \lim\limits_{t\to a}\vec{u}(t) \cdot \lim\limits_{t\to a}\vec{v}(t)$

d) $\lim\limits_{t\to a}[\vec{u}(t) \wedge \vec{v}(t)] = \lim\limits_{t\to a}\vec{u}(t) \wedge \lim\limits_{t\to a}\vec{v}(t)$

34. La vue du noeud de trèfle qu'offre la figure 7 est précise mais ne révèle pas tout. Utilisez les équations paramétriques

$$x = (2 + \cos 1{,}5t)\cos t$$
$$y = (2 + \cos 1{,}5t)\sin t$$
$$z = \sin 1{,}5t$$

pour dessiner à la main une vue d'en haut, en interrompant le trait afin de marquer les endroits où la courbe se recoupe elle-même. Commencez par montrer que la projection de la courbe sur le plan Oxy admet la description polaire $r = 2 + \cos 1{,}5t$ et $\theta = t$, de sorte que r varie entre 1 et 3. Montrez ensuite que z atteint son maximum et son minimum quand la projection est à mi-chemin entre $r = 1$ et $r = 3$.

Lorsque vous avez fini votre croquis, demandez à un ordinateur de dessiner la courbe vue d'en haut et comparez avec votre dessin. Demandez encore à l'ordinateur de la montrer sous divers angles de vue. Vous aurez une meilleure impression de la courbe si vous la placez dans un tube de rayon 0,2 (Commande tubeplot de Maple).

10.2 Les dérivées et les intégrales des fonctions vectorielles ● ● ● ● ● ● ● ● ● ● ●

Plus loin dans ce chapitre, les fonctions vectorielles serviront à décrire le mouvement des planètes et d'autres objets dans l'espace. En préparation à cela, nous développons le calcul différentiel et intégral des fonctions vectorielles.

■ Les dérivées

La **dérivée** $\vec{r}\,'$ d'une fonction vectorielle $\vec{r}$ est définie de façon fort semblable à la dérivée des fonctions réelles :

1
$$\frac{d\vec{r}}{dt} = \vec{r}\,'(t) = \lim_{h \to 0} \frac{\vec{r}(t+h) - \vec{r}(t)}{h}$$

si cette limite existe. La figure 1 montre l'interprétation géométrique de cette définition. Si les vecteurs positions $\vec{r}(t)$ et $\vec{r}(t+h)$ ont comme extrémité les points P et Q, alors le vecteur $\overrightarrow{PQ}$ représente le vecteur $\vec{r}(t+h) - \vec{r}(t)$, qui peut être vu comme un vecteur sécant. Si $h > 0$, le multiple scalaire $(1/h)(\vec{r}(t+h) - \vec{r}(t))$ est de même direction et même sens que $\vec{r}(t+h) - \vec{r}(t)$. Lorsque $h \to 0$, il semble que ce vecteur tende vers un vecteur porté par la droite tangente. Pour cette raison, le vecteur $\vec{r}\,'(t)$ est appelé le **vecteur tangent** à la courbe définie par $\vec{r}(t)$ au point P, à condition que $\vec{r}\,'(t)$ existe et $\vec{r}\,'(t) \neq \vec{0}$. La **droite tangente** à C en P est définie comme la droite qui passe par P et parallèle au vecteur tangent $\vec{r}\,'(t)$. Nous aurons aussi besoin à l'occasion d'envisager le **vecteur tangent unitaire**, défini par

$$\vec{T}(t) = \frac{\vec{r}\,'(t)}{\|\vec{r}\,'(t)\|}.$$

Le théorème suivant nous fournit un moyen très commode de calculer la dérivée d'une fonction vectorielle : dériver tout simplement une à une les composantes de $\vec{r}$.

(a) Le vecteur sécant

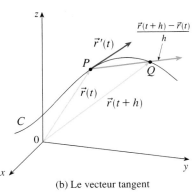

(b) Le vecteur tangent

FIGURE 1

---

2 Théorème Si $\vec{r}(t) = (f(t), g(t), h(t)) = f(t)\vec{i} + g(t)\vec{j} + h(t)\vec{k}$, où f, g et h sont des fonctions dérivables, alors
$$\vec{r}\,'(t) = (f'(t), g'(t), h'(t)) = f'(t)\vec{i} + g'(t)\vec{j} + h'(t)\vec{k}.$$

Démonstration

$$\vec{r}\,'(t) = \lim_{\Delta t \to 0} \frac{1}{\Delta t}[\vec{r}(t + \Delta t) - \vec{r}(t)]$$

$$= \lim_{\Delta t \to 0} \frac{1}{\Delta t}[(f(t + \Delta t), g(t + \Delta t), h(t + \Delta t)) - (f(t), g(t), h(t))]$$

$$= \lim_{\Delta t \to 0} \left(\frac{f(t + \Delta t) - f(t)}{\Delta t}, \frac{g(t + \Delta t) - g(t)}{\Delta t}, \frac{h(t + \Delta t) - h(t)}{\Delta t} \right)$$

$$= \left(\lim_{\Delta t \to 0} \frac{f(t + \Delta t) - f(t)}{\Delta t}, \lim_{\Delta t \to 0} \frac{g(t + \Delta t) - g(t)}{\Delta t}, \lim_{\Delta t \to 0} \frac{h(t + \Delta t) - h(t)}{\Delta t} \right)$$

$$= (f'(t), g'(t), h'(t))$$

■

EXEMPLE 1 ■
a) Calculez la dérivée de $\vec{r}(t) = (1 + t^3)\vec{i} + te^{-t}\vec{j} + \sin 2t\,\vec{k}$.
b) Déterminez le vecteur tangent unitaire au point correspondant à $t = 0$.

SOLUTION

a) Conformément au théorème 2, on dérive chaque composante de $\vec{r}$:

$$\vec{r}\,'(t) = 3t^2\,\vec{i} + (1 - t)e^{-t}\vec{j} + 2\cos 2t\,\vec{k}.$$

b) Comme $\vec{r}(0) = \vec{i}$ et $\vec{r}\,'(0) = \vec{j} + 2\,\vec{k}$, le vecteur tangent unitaire au point $(1, 0, 0)$ est

$$\vec{T}(0) = \frac{\vec{r}\,'(0)}{\|\vec{r}\,'(0)\|} = \frac{\vec{j} + 2\,\vec{k}}{\sqrt{1 + 4}} = \frac{1}{\sqrt{5}}\vec{j} + \frac{2}{\sqrt{5}}\,\vec{k}.$$

EXEMPLE 2 ■ Pour la courbe $\vec{r}(t) = \sqrt{t}\,\vec{i} + (2 - t)\vec{j}$, calculez $\vec{r}\,'(t)$ et dessinez le vecteur position $\vec{r}(1)$ et le vecteur tangent $\vec{r}\,'(1)$.

SOLUTION On a

$$\vec{r}\,'(t) = \frac{1}{2\sqrt{t}}\,\vec{i} - \vec{j} \qquad \text{et} \qquad \vec{r}\,'(1) = \frac{1}{2}\,\vec{i} - \vec{j}.$$

Il s'agit d'une courbe plane et l'élimination du paramètre des équations $x = \sqrt{t}$ et $y = 2 - t$ conduit à $y = 2 - x^2$, $x \geqslant 0$. Dans la figure 2, on a tracé le vecteur position $\vec{r}(1) = \vec{i} + \vec{j}$ avec son point initial à l'origine et le vecteur tangent $\vec{r}\,'(1)$ avec son point initial au point $(1, 1)$ de la courbe.

EXEMPLE 3 ■ Cherchez des équations paramétriques de la droite tangente à l'hélice d'équations paramétriques

$$x = 2\cos t \qquad y = \sin t \qquad z = t$$

au point $(0, 1, \pi/2)$.

SOLUTION L'équation vectorielle de l'hélice est $\vec{r}(t) = (2\cos t, \sin t, t)$ et la dérivée

$$\vec{r}\,'(t) = (-2\sin t, \cos t, 1).$$

Comme le point $(0, 1, \pi/2)$ est l'image de $t = \pi/2$, le vecteur tangent en ce point est $\vec{r}\,'(\pi/2) = (-2, 0, 1)$. La tangente demandée est la droite qui passe par $(0, 1, \pi/2)$ et

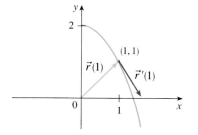

FIGURE 2

L'hélice et la tangente de l'exemple 3 sont exposés dans la figure 3.

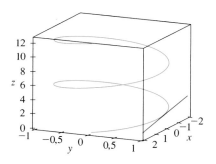

FIGURE 3

parallèle au vecteur $(-2, 0, 1)$. Des équations paramétriques sont, suivant les équations 2 de la section 9.5,

$$x = -2t \qquad y = 1 \qquad z = \frac{\pi}{2} + t.$$

Tout comme pour les fonctions réelles, la **dérivée seconde** d'une fonction vectorielle $\vec{r}$ est la dérivée de $\vec{r}'$, c'est-à-dire $\vec{r}'' = (\vec{r}')'$. Par exemple, la dérivée seconde de la fonction de l'exemple 3 est

$$\vec{r}''(t) = (-2\cos t, -\sin t, 0).$$

On dit qu'une courbe donnée par une fonction vectorielle $\vec{r}(t)$ sur un intervalle I est **lisse**[1] si $\vec{r}'$ est continue et si $\vec{r}'(t) \neq \vec{0}$ (sauf peut-être en l'une ou l'autre des extrémités de I). Par exemple, l'hélice de l'exemple 3 est lisse parce que $\vec{r}'(t)$ n'est jamais le vecteur nul.

EXEMPLE 4 ■ Est-ce que la parabole semi-cubique $\vec{r}(t) = (1 + t^3, t^2)$ est lisse ?

SOLUTION Comme

$$\vec{r}'(t) = (3t^2, 2t),$$

$\vec{r}'(0) = (0, 0) = \vec{0}$. La courbe n'est donc pas lisse. Le point image de $t = 0$ est $(1, 0)$, point en lequel la courbe de la figure 4 montre un coin pointu, appelé un **point de rebroussement**. Dès qu'une courbe présente ce comportement –un brusque changement de direction– elle n'est pas lisse.

La parabole semi-cubique ou tout autre courbe faite d'un nombre fini de morceaux lisses est dite **lisse par morceaux**.

FIGURE 4
La courbe $\vec{r}(t) = (1 + t^3, t^2)$ n'est pas lisse.

■ Les règles de dérivation

Le théorème suivant montre que les formules de dérivation des fonctions réelles ont leurs équivalents pour les fonctions vectorielles.

> **3 Théorème** On suppose que $\vec{u}$ et $\vec{v}$ sont des fonctions vectorielles dérivables, que c est un scalaire et que f est une fonction réelle. Alors
>
> **1.** $\dfrac{d}{dt}[\vec{u}(t) + \vec{v}(t)] = \vec{u}'(t) + \vec{v}'(t)$
>
> **2.** $\dfrac{d}{dt}[c\vec{u}(t)] = c\vec{u}'(t)$
>
> **3.** $\dfrac{d}{dt}[f(t)\vec{u}(t)] = f'(t)\vec{u}(t) + f(t)\vec{u}'(t)$
>
> **4.** $\dfrac{d}{dt}[\vec{u}(t) \cdot \vec{v}(t)] = \vec{u}'(t) \cdot \vec{v}(t) + \vec{u}(t) \cdot \vec{v}'(t)$
>
> **5.** $\dfrac{d}{dt}[\vec{u}(t) \wedge \vec{v}(t)] = \vec{u}'(t) \wedge \vec{v}(t) + \vec{u}(t) \wedge \vec{v}'(t)$
>
> **6.** $\dfrac{d}{dt}[\vec{u}(f(t))] = f'(t)\vec{u}'(f(t))$ (Règle de dérivation des fonctions composées)

---

[1] NdT : au sens de sans à coups. Ce terme, issu directement de l'anglais *smooth*, graphiquement plus suggestif, remplace de classe C^1.

La démonstration de ce théorème repose soit sur la définition 1, soit sur le théorème 2 associé aux formules de dérivation des fonctions réelles. Les démonstrations des formules 1, 2, 3, 5 et 6 sont laissées en exercices.

Démonstration de la formule 4   Soit

$$\vec{u}(t) = (f_1(t), f_2(t), f_3(t)) \qquad \vec{v}(t) = (g_1(t), g_2(t), g_3(t)).$$

Alors,

$$\vec{u}(t) \cdot \vec{v}(t) = f_1(t)g_1(t) + f_2(t)g_2(t) + f_3(t)g_3(t) = \sum_{i=1}^{3} f_i(t)g_i(t),$$

et la Règle ordinaire de dérivation du produit conduit à

$$\frac{d}{dt}[\vec{u}(t) \cdot \vec{v}(t)] = \frac{d}{dt}\sum_{i=1}^{3} f_i(t)g_i(t) = \sum_{i=1}^{3} \frac{d}{dt}[f_i(t)g_i(t)]$$

$$= \sum_{i=1}^{3} [f_i'(t)g_i(t) + f_i(t)g_i'(t)]$$

$$= \sum_{i=1}^{3} f_i'(t)g_i(t) + \sum_{i=1}^{3} f_i(t)g_i'(t)$$

$$= \vec{u}'(t) \cdot \vec{v}(t) + \vec{u}(t) \cdot \vec{v}'(t). \qquad ■$$

EXEMPLE 5 ■ Démontrez que si $\|\vec{r}(t)\| = c$ (une constante), alors $\vec{r}'(t)$ est orthogonal à $\vec{r}(t)$ quel que soit t.

SOLUTION Comme

$$\vec{r}(t) \cdot \vec{r}(t) = \|\vec{r}(t)\|^2 = c^2,$$

et que c^2 est une constante, la formule 4 du théorème 3 conduit à

$$0 = \frac{d}{dt}[\vec{r}(t) \cdot \vec{r}(t)] = \vec{r}'(t) \cdot \vec{r}(t) + \vec{r}(t) \cdot \vec{r}'(t) = 2\vec{r}'(t) \cdot \vec{r}(t).$$

Or, $\vec{r}'(t) \cdot \vec{r}(t) = 0$ revient à dire que $\vec{r}'(t)$ est orthogonal à $\vec{r}(t)$.

Géométriquement, ce résultat affirme que si une courbe repose sur la surface d'une sphère, alors le vecteur tangent $\vec{r}'(t)$ est toujours perpendiculaire au vecteur position $\vec{r}(t)$.

■ Les intégrales

L'**intégrale définie** d'une fonction vectorielle continue est pour beaucoup définie comme l'intégrale définie d'une fonction réelle, à part qu'elle est un vecteur. Mais alors, il est possible d'exprimer l'intégrale de $\vec{r}$ en fonction des intégrales de ses fonctions composantes f, g et h. (Ce sont les mêmes notations qu'au chapitre 5.)

$$\int_a^b \vec{r}(t)\,dt = \lim_{n \to \infty} \sum_{i=1}^{n} \vec{r}(t_i^*)\,\Delta t$$

$$= \lim_{n \to \infty} \left[\left(\sum_{i=1}^{n} f(t_i^*)\,\Delta t \right)\vec{i} + \left(\sum_{i=1}^{n} g(t_i^*)\,\Delta t \right)\vec{j} + \left(\sum_{i=1}^{n} h(t_i^*)\,\Delta t \right)\vec{k} \right]$$

et, de là,

$$\int_a^b \vec{r}(t)dt = \left(\int_a^b f(t)dt \right)\vec{i} + \left(\int_a^b g(t)dt \right)\vec{j} + \left(\int_a^b h(t)dt \right)\vec{k}.$$

Pour calculer l'intégrale d'une fonction vectorielle, il suffit d'intégrer chacune des fonctions composantes.

Le Théorème fondamental du calcul intégral s'étend aux fonctions vectorielles continues comme ceci :

$$\int_a^b \vec{r}(t)dt = \vec{R}(t) \Big]_a^b = \vec{R}(b) - \vec{R}(a),$$

où $\vec{R}$ est une primitive de $\vec{r}$, c'est-à-dire $\vec{R}'(t) = \vec{r}(t)$. La notation $\int \vec{r}(t)dt$ est attribuée aux intégrales indéfinies (primitives).

EXEMPLE 6 ■ Si $\vec{r}(t) = 2\cos t\,\vec{i} + \sin t\,\vec{j} + 2t\,\vec{k}$, alors

$$\int \vec{r}(t)dt = \left(\int 2\cos t\,dt \right)\vec{i} + \left(\int \sin t\,dt \right)\vec{j} + \left(\int 2t\,dt \right)\vec{k}$$
$$= 2\sin t\,\vec{i} - \cos t\,\vec{j} + t^2\,\vec{k} + \vec{C},$$

où $\vec{C}$ est un vecteur constant d'intégration, et

$$\int_0^{\pi/2} \vec{r}(t)dt = [2\sin t\,\vec{i} - \cos t\,\vec{j} + t^2\,\vec{k}]_0^{\pi/2} = 2\vec{i} + \vec{j} + \frac{\pi^2}{4}\,\vec{k}.$$

10.2 Exercices ●

1. La figure montre la courbe C représentative d'une fonction vectorielle $\vec{r}(t)$.

a) Représentez les vecteurs $\vec{r}(4,5) - \vec{r}(4)$ et $\vec{r}(4,2) - \vec{r}(4)$;

b) Représentez les vecteurs

$$\frac{\vec{r}(4,5) - \vec{r}(4)}{0,5} \quad \text{et} \quad \frac{\vec{r}(4,2) - \vec{r}(4)}{0,2}.$$

c) Écrivez des expressions pour $\vec{r}'(4)$ et pour le vecteur tangent unitaire $\vec{T}(4)$.

d) Représentez le vecteur $\vec{T}(4)$.

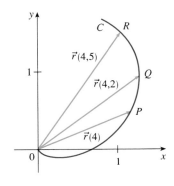

2. a) Faites un grand dessin de la courbe décrite par l'équation vectorielle $\vec{r}(t) = (t^2, t)$, $0 \leqslant t \leqslant 2$ et tracez les vecteurs $\vec{r}(1)$, $\vec{r}(1,1)$ et $\vec{r}(1,1) - \vec{r}(1)$.

b) Tracez le vecteur $\vec{r}'(1)$ en partant du point $(1,1)$ et comparez-le avec le vecteur

$$\frac{\vec{r}(1,1) - \vec{r}(1)}{0,1}.$$

Expliquez pourquoi ces vecteurs sont si proches l'un de l'autre en longueur, en direction et en sens.

3-8 ■

a) Dessinez la courbe plane d'équation vectorielle donnée.

b) Calculez $\vec{r}'(t)$.

c) Dessinez le vecteur position $\vec{r}(t)$ et le vecteur tangent $\vec{r}'(t)$ pour la valeur de t indiquée.

3. $\vec{r}(t) = (\cos t, \sin t)$, $t = \pi/4$

4. $\vec{r}(t) = (t^3, t^2)$, $t = 1$

5. $\vec{r}(t) = (1 + t)\vec{i} + t^2\vec{j}$, $t = 1$

6. $\vec{r}(t) = 2\sin t\,\vec{i} + 3\cos t\,\vec{j}$, $t = \pi/3$

7. $\vec{r}(t) = e^t \vec{i} + e^{-2t} \vec{j}, \quad t = 0$

8. $\vec{r}(t) = \sec t \, \vec{i} + \operatorname{tg} t \, \vec{j}, \quad t = \pi/4$

9-14 ■ Calculez la dérivée de la fonction vectorielle.

9. $\vec{r}(t) = \vec{i} + \operatorname{tg} t \, \vec{j} + \sec t \, \vec{k}$

10. $\vec{r}(t) = te^{2t} \vec{i} + \dfrac{t-1}{t+1} \vec{j} + \operatorname{Arctg} t \, \vec{k}$

11. $\vec{r}(t) = \ln(4 - t^2) \vec{i} + \sqrt{1+t} \, \vec{j} - 4e^{3t} \vec{k}$

12. $\vec{r}(t) = e^{-t} \cos t \, \vec{i} + e^{-t} \sin t \, \vec{j} + \ln|t| \vec{k}$

13. $\vec{r}(t) = \vec{a} + t\vec{b} + t^2\vec{c}$

14. $\vec{r}(t) = t\vec{a} \wedge (\vec{b} + t\vec{c})$

15-16 ■ Déterminez le vecteur tangent unitaire $\vec{T}(t)$ au point correspondant à la valeur indiquée du paramètre t.

15. $\vec{r}(t) = t\vec{i} + 2 \sin t \, \vec{j} + 3 \cos t \, \vec{k}, \quad t = \pi/6$

16. $\vec{r}(t) = e^{2t} \cos t \, \vec{i} + e^{2t} \sin t \, \vec{j} + e^{2t} \vec{k}, \quad t = \pi/2$

17. Déterminez $\vec{r}\,'(t)$, $\vec{T}(1)$, $\vec{r}\,''(t)$ et $\vec{r}\,'(t) \wedge \vec{r}\,''(t)$ pour $\vec{r}(t) = (t, t^2, t^3)$.

18. Déterminez $\vec{T}(0)$, $\vec{r}\,''(0)$ et $\vec{r}\,'(t) \cdot \vec{r}\,''(t)$ pour $\vec{r}(t) = (e^{2t}, e^{-2t}, te^{2t})$.

19-22 ■ Écrivez des équations paramétriques de la droite tangente à la courbe d'équations paramétriques donnée au point spécifié.

19. $x = t, \ y = t^2, \ z = t^3; \quad (1, 1, 1)$

20. $x = 1 + 2t, \ y = 1 + t - t^2, \ z = 1 - t + t^2 - t^3;$
$(1, 1, 1)$

21. $x = t \cos 2\pi t, \ y = t \sin 2\pi t, \ z = 4t; \quad (0, \frac{1}{4}, 1)$

22. $x = \sin \pi t, \ y = \sqrt{t}, \ z = \cos \pi t; \quad (0, 1, -1)$

23-24 ■ Écrivez des équations paramétriques de la droite tangente à la courbe d'équations paramétriques donnée au point spécifié. Illustrez en dessinant la courbe et sa tangente dans la même fenêtre.

23. $x = t, \ y = \sqrt{2} \cos t, \ z = \sqrt{2} \sin t; \quad (\pi/4, 1, 1)$

24. $x = \cos t, \ y = 3e^{2t}, \ z = 3e^{-2t}; \quad (1, 3, 3)$

25. Vérifiez si la courbe est lisse.
a) $\vec{r}(t) = (t^3, t^4, t^5)$
b) $\vec{r}(t) = (t^3 + t, t^4, t^5)$
c) $\vec{r}(t) = (\cos^3 t, \sin^3 t)$

26. a) En quel point les tangentes à la courbe $\vec{r}(t) = (\sin \pi t, 2 \sin \pi t, \cos \pi t)$ aux points images de $t = 0$ et $t = 0,5$ se coupent-elles ?
b) Éclairez la situation par un dessin de la courbe et des deux tangentes.

27. Les courbes $\vec{r}_1(t) = (t, t^2, t^3)$ et $\vec{r}_2(t) = (\sin t, \sin 2t, t)$ se coupent à l'origine. Sous quel angle (au degré le plus proche) ?

28. En quel point les courbes $\vec{r}_1(t) = (t, 1 - t, 3 + t^2)$ et $\vec{r}_2(s) = (3 - s, s - 2, s^2)$ se coupent-elles ? Sous quel angle (au degré le plus proche) ?

29-34 ■ Calculez l'intégrale.

29. $\displaystyle\int_0^1 (t\vec{i} + t^2\vec{j} + t^3\vec{k}) \, dt$

30. $\displaystyle\int_1^2 [(1 + t^2)\vec{i} - 4t^4\vec{j} - (t^2 - 1)\vec{k}] \, dt$

31. $\displaystyle\int_0^{\pi/4} (\cos 2t\vec{i} + \sin 2t\vec{j} + t \sin t\vec{k}) \, dt$

32. $\displaystyle\int_1^4 \left(\sqrt{t} \, \vec{i} + te^{-t}\vec{j} + \dfrac{1}{t^2} \vec{k} \right) dt$

33. $\displaystyle\int (e^t\vec{i} + 2t\vec{j} + \ln t\vec{k}) \, dt$

34. $\displaystyle\int (\cos \pi t\vec{i} + \sin \pi t\vec{j} + t\vec{k}) \, dt$

35. Déterminez $\vec{r}(t)$ si $\vec{r}\,'(t) = t^2\vec{i} + 4t^3\vec{j} - t^2\vec{k}$ et $\vec{r}(0) = \vec{j}$.

36. Déterminez $\vec{r}(t)$ si $\vec{r}\,'(t) = \sin t\vec{i} - \cos t\vec{j} + 2t\vec{k}$ et $\vec{r}(0) = \vec{i} + \vec{j} + 2\vec{k}$.

37. Démontrez la formule 1 du théorème 3.

38. Démontrez la formule 3 du théorème 3.

39. Démontrez la formule 5 du théorème 3.

40. Démontrez la formule 6 du théorème 3.

41. Calculez $\dfrac{d}{dt}[\vec{u}(t) \cdot \vec{v}(t)]$, si $\vec{u}(t) = \vec{i} - 2t^2\vec{j} + 3t^3\vec{k}$ et $\vec{v}(t) = t\vec{i} + \cos t\vec{j} + \sin t\vec{k}$.

42. Calculez $\dfrac{d}{dt}[\vec{u}(t) \wedge \vec{v}(t)]$, si $\vec{u}$ et $\vec{v}$ sont les fonctions vectorielles de l'exercice 41.

43. Montrez que si $\vec{r}(t)$ est une fonction vectorielle telle que $\vec{r}\,''$ existe, alors
$$\frac{d}{dt}[\vec{r}(t) \wedge \vec{r}\,'(t)] = \vec{r}(t) \wedge \vec{r}\,''(t).$$

44. Trouvez une expression de $\dfrac{d}{dt}[\vec{u}(t) \cdot (\vec{v}(t) \wedge \vec{w}(t))]$.

45. Si $\vec{r}(t) \neq \vec{0}$, montrez que $\dfrac{d}{dt}\|\vec{r}(t)\| = \dfrac{1}{\|\vec{r}(t)\|}\vec{r}(t) \cdot \vec{r}\,'(t)$.

46. Démontrez qu'une courbe qui a la propriété que le vecteur position $\vec{r}(t)$ est toujours perpendiculaire au vecteur tangent $\vec{r}\,'(t)$ se trouve à la surface d'une sphère centrée à l'origine.

47. Démontrez que
$$\vec{u}\,'(t) = \vec{r}(t) \cdot [\vec{r}\,'(t) \wedge \vec{r}\,'''(t)]$$
si $\vec{u}(t) = \vec{r}(t) \cdot [\vec{r}\,'(t) \wedge \vec{r}\,''(t)]$.

10.3 La longueur d'un arc et la courbure •

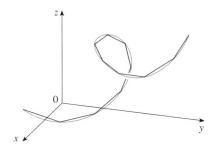

FIGURE 1
La longueur d'une courbe de l'espace
est la limite des longueurs des
polygones inscrits.

Dans la section 6.3, la longueur d'un arc de courbe plane d'équations paramétriques $x = f(t)$, $y = g(t)$, $a \leqslant t \leqslant b$ a été définie comme la limite des longueurs des polygones inscrits à cet arc et, dans le cas où f' et g' étaient continues, cette longueur était calculée par la formule

1 $$L = \int_a^b \sqrt{[f'(t)]^2 + [g'(t)]^2}\, dt = \int_a^b \sqrt{\left(\frac{dx}{dt}\right)^2 + \left(\frac{dy}{dt}\right)^2}\, dt.$$

La longueur d'une courbe de l'espace est définie exactement de la même manière (voyez la figure 1). On suppose que la courbe représente l'équation vectorielle $\vec{r}(t) = (f(t), g(t), h(t))$, $a \leqslant t \leqslant b$, ou, de façon équivalente, les équations paramétriques $x = f(t)$, $y = g(t)$, $z = h(t)$, où f', g' et h' sont continues. À condition d'avoir affaire à une courbe parcourue exactement une fois lorsque t va de a à b, on peut démontrer que sa longueur est donnée par la formule

2 $$L = \int_a^b \sqrt{[f'(t)]^2 + [g'(t)]^2 + [h'(t)]^2}\, dt$$
$$= \int_a^b \sqrt{\left(\frac{dx}{dt}\right)^2 + \left(\frac{dy}{dt}\right)^2 + \left(\frac{dz}{dt}\right)^2}\, dt$$

Il est à noter que les deux formules de la longueur d'un arc (1) et (2) peuvent être écrites sous l'unique forme plus compacte que voici

3 $$L = \int_a^b \|\vec{r}'(t)\|\, dt$$

parce que, pour les courbes planes $\vec{r}(t) = f(t)\vec{i} + g(t)\vec{j}$,

$$\|\vec{r}'(t)\| = \|f'(t)\vec{i} + g'(t)\vec{j}\| = \sqrt{[f'(t)]^2 + [g'(t)]^2}$$

et pour les courbes de l'espace $\vec{r}(t) = f(t)\vec{i} + g(t)\vec{j} + h(t)\vec{k}$,

$$\|\vec{r}'(t)\| = \|f'(t)\vec{i} + g'(t)\vec{j} + h'(t)\vec{k}\| = \sqrt{[f'(t)]^2 + [g'(t)]^2 + [h'(t)]^2}.$$

La figure 2 montre l'arc d'hélice dont la longueur est calculée dans l'exemple 1.

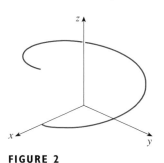

FIGURE 2

EXEMPLE 1 ■ Calculez la longueur d'un arc d'hélice circulaire d'équation vectorielle $\vec{r}(t) = \cos t\, \vec{i} + \sin t\, \vec{j} + t\, \vec{k}$ délimité par les points $(1, 0, 0)$ et $(1, 0, 2\pi)$.

SOLUTION Comme $\vec{r}'(t) = -\sin t\, \vec{i} + \cos t\, \vec{j} + \vec{k}$, on a

$$\|\vec{r}'(t)\| = \sqrt{(-\sin t)^2 + \cos^2 t + 1} = \sqrt{2}.$$

L'arc compris entre $(1, 0, 0)$ et $(1, 0, 2\pi)$ est parcouru lorsque le paramètre passe par toutes les valeurs de l'intervalle $[0, 2\pi]$. D'où la formule 3 donne

$$L = \int_0^{2\pi} \|\vec{r}'(t)\|\, dt = \int_0^{2\pi} \sqrt{2}\, dt = 2\sqrt{2}\,\pi.$$

Une même courbe C admet plus d'une fonction vectorielle pour la représenter. Par exemple, la cubique gauche

4
$$\vec{r}_1(t) = (t, t^2, t^3) \qquad 1 \leqslant t \leqslant 2$$

peut aussi être représentée par la fonction

5
$$\vec{r}_2(u) = (e^u, e^{2u}, e^{3u}) \qquad 0 \leqslant u \leqslant \ln 2,$$

où la relation entre les paramètres t et u est de façon évidente $t = e^u$. On dit que les équations 4 et 5 sont des **paramétrisations** de la courbe C. La longueur de C calculée par la formule 3 doit être la même, qu'on y introduise les équations 4 ou 5. De façon générale, il est démontré que le résultat de la formule 3 qui calcule la longueur d'une courbe quelconque lisse par morceaux ne dépend pas de la paramétrisation envisagée.

On suppose maintenant que C est une courbe lisse par morceaux représentée par la fonction vectorielle $\vec{r}(t) = f(t)\,\vec{i} + g(t)\,\vec{j} + h(t)\,\vec{k}$, $a \leqslant t \leqslant b$ et qu'au moins une des fonctions f, g, h est injective sur $]a, b[$. On appelle l'**abscisse curviligne** s la fonction

Il a été question des courbes lisses par morceaux à la page 712.

6
$$s(t) = \int_a^t \|\vec{r}\,'(u)\| du = \int_a^t \sqrt{\left(\frac{dx}{du}\right)^2 + \left(\frac{dy}{du}\right)^2 + \left(\frac{dz}{du}\right)^2}\, du.$$

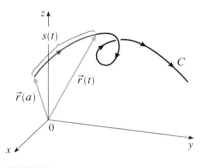

FIGURE 3

Ainsi, $s(t)$ vaut la longueur de l'arc d'extrémités $\vec{r}(a)$ et $\vec{r}(t)$ (voyez la figure 3). En dérivant les deux membres de l'équation 6 et en appliquant la première partie du Théorème fondamental du calcul intégral, on obtient

7
$$\frac{ds}{dt} = \|\vec{r}\,'(t)\|.$$

Il est souvent intéressant de choisir l'**abscisse curviligne comme paramétrisation** d'une courbe parce qu'ainsi la longueur d'un arc découle naturellement de la forme de la courbe et ne dépend pas d'un système de coordonnées particulier. Une courbe $\vec{r}(t)$ étant déjà donnée en termes d'un paramètre t, et si $s(t)$ est la fonction abscisse curviligne définie par l'équation 6, on peut exprimer t en fonction de s et substituer $t = t(s)$ dans la paramétrisation en t. De cette façon, la courbe est désormais paramétrisée par rapport à $s : \vec{r} = \vec{r}(t(s))$. Par exemple, si $s = 3$, $\vec{r}(t(3))$ est le vecteur position du point situé à 3 unités, mesurées sur la courbe, du point de départ.

EXEMPLE 2 ■ Reparamétrisez l'hélice $\vec{r}(t) = \cos t\,\vec{i} + \sin t\,\vec{j} + t\,\vec{k}$ par rapport à l'abscisse curviligne mesurée depuis le point $(1, 0, 0)$ et dans le sens des t croissants.

SOLUTION Le point $(1, 0, 0)$ est l'image de la valeur $t = 0$ du paramètre. Suite à l'exemple 1, on a
$$\frac{ds}{dt} = \|\vec{r}\,'(t)\| = \sqrt{2},$$
et de là $\quad s = s(t) = \int_0^t \|\vec{r}\,'(u)\| du = \int_0^t \sqrt{2}\, du = \sqrt{2}\, t.$

Par conséquent, $t = s/\sqrt{2}$ et la paramétrisation souhaitée est obtenue en substituant cette expression de t :
$$\vec{r}(t(s)) = \cos(s/\sqrt{2})\,\vec{i} + \sin(s/\sqrt{2})\,\vec{j} + (s/\sqrt{2})\,\vec{k}.$$

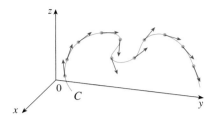

FIGURE 4
Les vecteurs tangents unitaires
en des points équidistants sur C

La courbure

Si C est une courbe lisse définie par la fonction vectorielle $\vec{r}$, alors $\vec{r}\,'(t) \neq \vec{0}$. Rappelez-vous que le vecteur tangent unitaire $\vec{T}(t)$ est donné par

$$\vec{T}(t) = \frac{\vec{r}\,'(t)}{\|\vec{r}\,'(t)\|},$$

et rend compte de la direction de la courbe. En lisant attentivement la figure 4, on peut observer que $\vec{T}(t)$ change très peu de direction là où la courbe est assez droite et très fortement là où la courbe s'infléchit ou se tord de façon plus aiguë.

La courbure de C en un point donné est une mesure de la vitesse à laquelle la courbe change de direction en ce point. Précisément, on la définit comme le taux de variation du vecteur tangent unitaire par rapport à l'abscisse curviligne. (On utilise l'abscisse curviligne de manière à ce que la courbure ne dépende pas de la paramétrisation.)

> **8 Définition** La **courbure** d'une courbe est
>
> $$\kappa = \left\| \frac{d\vec{T}}{ds} \right\|$$
>
> où $\vec{T}$ est le vecteur tangent unitaire.

Vu que la courbure est plus facile à calculer lorsqu'elle est exprimée par rapport au paramètre t plutôt que s, on fait appel à la Règle de dérivation des fonctions composées (formule 6 du théorème 3 dans la section 10.2) pour écrire

$$\frac{d\vec{T}}{dt} = \frac{d\vec{T}}{ds}\frac{ds}{dt} \qquad \text{et} \qquad \kappa = \left\| \frac{d\vec{T}}{ds} \right\| = \left\| \frac{d\vec{T}/dt}{ds/dt} \right\|.$$

Or, $ds/dt = \|\vec{r}\,'(t)\|$ selon l'équation 7. D'où

9
$$\kappa(t) = \frac{\|\vec{T}'(t)\|}{\|\vec{r}\,'(t)\|}$$

EXEMPLE 3 ■ Montrez que la courbure d'un cercle de rayon a vaut $1/a$.

SOLUTION On peut centrer le cercle à l'origine de manière à ce qu'il ait comme représentation paramétrique

$$\vec{r}(t) = a\cos t\,\vec{i} + a\sin t\,\vec{j}.$$

De là, $\vec{r}\,'(t) = -a\sin t\,\vec{i} + a\cos t\,\vec{j}$ et $\|\vec{r}\,'(t)\| = a$. Par conséquent,

$$\vec{T}(t) = \frac{\vec{r}\,'(t)}{\|\vec{r}\,'(t)\|} = -\sin t\,\vec{i} + \cos t\,\vec{j},$$

et

$$\vec{T}'(t) = -\cos t\,\vec{i} - \sin t\,\vec{j}.$$

Il s'ensuit $\|\vec{T}'(t)\| = 1$ et, suivant l'équation 9,

$$\kappa(t) = \frac{\|\vec{T}'(t)\|}{\|\vec{r}\,'(t)\|} = \frac{1}{a}.$$

Le résultat de l'exemple 3 confirme ce que l'intuition laisse prévoir, à savoir que la courbure des petits cercles est forte tandis que celle des grands cercles est faible. La définition même de la courbure montre que la courbure d'une droite vaut toujours 0 parce que le vecteur tangent est constant.

Même si la formule 9 permet de calculer la courbure dans tous les cas, il s'avère que la formule du théorème suivant est plus facile à mettre en œuvre.

---

[10] Théorème La courbure d'une courbe d'équation vectorielle $\vec{r}$ est donnée par

$$\kappa(t) = \frac{\|\vec{r}\,'(t) \wedge \vec{r}\,''(t)\|}{\|\vec{r}\,'(t)\|^3}.$$

Démonstration Comme $\vec{T} = \vec{r}\,'/\|\vec{r}\,'\|$ et $\|\vec{r}\,'\| = ds/dt$, on a

$$\vec{r}\,' = \|\vec{r}\,'\|\vec{T} = \frac{ds}{dt}\vec{T}.$$

La dérivée de $\vec{r}\,'$ s'obtient en appliquant la Règle de dérivation du produit (formule 3 du théorème 3, section 10.2) :

$$\vec{r}\,'' = \frac{d^2s}{dt^2}\vec{T} + \frac{ds}{dt}\vec{T}\,'.$$

Vu que $\vec{T} \wedge \vec{T} = \vec{0}$ (voyez la section 9.4), on a encore

$$\vec{r}\,' \wedge \vec{r}\,'' = \left(\frac{ds}{dt}\right)^2 (\vec{T} \wedge \vec{T}\,').$$

Maintenant $\|\vec{T}(t)\| = 1$ quel que soit t entraîne, selon l'exemple 5 de la section 10.2, que $\vec{T}$ et $\vec{T}\,'$ sont orthogonaux. Par conséquent, en appliquant la définition du produit vectoriel,

$$\|\vec{r}\,' \wedge \vec{r}\,''\| = \left(\frac{ds}{dt}\right)^2 \|\vec{T} \wedge \vec{T}\,'\| = \left(\frac{ds}{dt}\right)^2 \|\vec{T}\|\|\vec{T}\,'\| = \left(\frac{ds}{dt}\right)^2 \|\vec{T}\,'\|.$$

D'où

$$\|\vec{T}\,'\| = \frac{\|\vec{r}\,' \wedge \vec{r}\,''\|}{(ds/dt)^2} = \frac{\|\vec{r}\,' \wedge \vec{r}\,''\|}{\|\vec{r}\,'\|^2},$$

et finalement

$$\kappa = \frac{\|\vec{T}\,'\|}{\|\vec{r}\,'\|} = \frac{\|\vec{r}\,' \wedge \vec{r}\,''\|}{\|\vec{r}\,'\|^3}. \qquad ■$$

EXEMPLE 4 ■ Calculez la courbure de la cubique gauche $\vec{r}\,'tt) = (t, t^2, t^3)$ en un point quelconque et à l'origine.

SOLUTION On commence par caluler les différents vecteurs nécessaires :

$$\vec{r}\,'(t) = (1, 2t, 3t^2) \qquad \vec{r}\,''(t) = (0, 2, 6t)$$

$$\|\vec{r}\,'(t)\| = \sqrt{1 + 4t^2 + 9t^4}$$

$$\vec{r}\,'(t) \wedge \vec{r}\,''(t) = \begin{vmatrix} \vec{i} & \vec{j} & \vec{k} \\ 1 & 2t & 3t^2 \\ 0 & 2 & 6t \end{vmatrix} = 6t^2\vec{i} - 6t\vec{j} + 2\vec{k}$$

$$\|\vec{r}\,'(t) \wedge \vec{r}\,''(t)\| = \sqrt{36t^4 + 36t^2 + 4} = 2\sqrt{9t^4 + 9t^2 + 1}$$

Reste à appliquer la formule du théorème 10 :

$$\kappa(t) = \frac{\|\vec{r}\,'(t) \wedge \vec{r}\,''(t)\|}{\|\vec{r}\,'(t)\|^3} = \frac{2\sqrt{1 + 9t^2 + 9t^4}}{(1 + 4t^2 + 9t^4)^{3/2}}.$$

À l'origine, la courbure vaut $\kappa(0) = 2$.

Dans le cas particulier d'une courbe plane d'équation $y = f(x)$, on peut choisir x comme paramètre et écrire $\vec{r}(x) = x\vec{i} + f(x)\vec{j}$. Alors $\vec{r}\,'(x) = \vec{i} + f'(x)\vec{j}$ et $\vec{r}\,''(x) = f''(x)\vec{j}$. Comme $\vec{i} \wedge \vec{j} = \vec{k}$ et $\vec{j} \wedge \vec{j} = \vec{0}$, on a $\vec{r}\,'(x) \wedge \vec{r}\,''(x) = f''(x)\,\vec{k}$. On a aussi $\|\vec{r}\,'(x)\| = \sqrt{1 + [f'(x)]^2}$. La formule du théorème 1 fournit maintenant

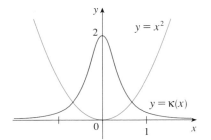

$$\kappa(x) = \frac{|f''(x)|}{[1 + (f'(x))^2]^{3/2}}$$

EXEMPLE 5 ■ Calculez la courbure de la parabole $y = x^2$ aux points $(0,0)$, $(1,1)$ et $(2,4)$.

SOLUTION Comme $y' = 2x$ et $y'' = 2$, la formule 11 donne immédiatement

$$\kappa(x) = \frac{|y''|}{[1 + (y')^2]^{3/2}} = \frac{2}{(1 + 4x^2)^{3/2}}.$$

En $(0,0)$, la courbure vaut $\kappa(0) = 2$. En $(1,1)$, elle vaut $\kappa(1) = 2/5^{3/2} \approx 0{,}18$. En $(2,4)$, elle vaut $\kappa(2) = 2/17^{3/2} \approx 0{,}03$. Observez à l'expression de $\kappa(x)$ ou au graphique de κ dans la figure 5 que $\kappa(x) \to 0$ lorsque $x \to \pm\infty$. Cela correspond bien au fait que la parabole se raidit de plus en plus lorsque $x \to \pm\infty$. ■

FIGURE 5
La parabole $y = x^2$ et sa fonction courbure

On peut penser au vecteur normal comme celui qui, en chaque point, indique la direction dans laquelle la courbe tourne.

■ Les vecteurs normaux et binormaux

En un point donné d'une courbe lisse de l'espace $\vec{r}(t)$, il y a beaucoup de vecteurs qui sont orthogonaux au vecteur tangent unitaire $\vec{T}(t)$. L'un de ceux-ci est le vecteur $\vec{T}'(t)$; en effet, étant donné que $\|\vec{T}(t)\| = 1$ pour tout t, il résulte de l'exemple 5 dans la section 10.2 que $\vec{T}(t) \cdot \vec{T}'(t) = 0$. Il est à noter que le vecteur $\vec{T}'(t)$ lui-même n'est pas unitaire. Mais si $\vec{r}\,'$ est aussi lisse, on peut définir le **vecteur normal unitaire principal** $\vec{N}(t)$ (ou simplement **normal unitaire**) par

$$\vec{N}(t) = \frac{\vec{T}'(t)}{\|\vec{T}'(t)\|}.$$

Enfin, on appelle **vecteur binormal** le vecteur $\vec{B}(t) = \vec{T}(t) \wedge \vec{N}(t)$. Il est perpendiculaire à la fois à $\vec{T}$ et à $\vec{N}$ et est unitaire (voyez la figure 6).

FIGURE 6

La figure 7 présente les vecteurs $\vec{T}$, $\vec{N}$ et $\vec{B}$ calculés dans l'exemple 6, en deux endroits de l'hélice. En général, les vecteurs $\vec{T}$, $\vec{N}$ et $\vec{B}$, issus des différents points d'une courbe, forment un ensemble de vecteurs orthogonaux, appelé **trièdre de Frenet**, qui se déplace le long de la courbe lorsque t varie. Ce trièdre joue un rôle important dans un domaine des mathématiques appelé la géométrie différentielle et dans les applicatios de celui-ci au mouvement des vaisseaux spatiaux.

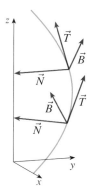

FIGURE 7

EXEMPLE 6 ■ Déterminez les vecteurs normaux et binormaux de l'hélice circulaire
$$\vec{r}(t) = \cos t\,\vec{i} + \sin t\,\vec{j} + t\,\vec{k}.$$

SOLUTION On calcule successivement les vecteurs nécessaires au calcul du vecteur normal unitaire :

$$\vec{r}'(t) = -\sin t\,\vec{i} + \cos t\,\vec{j} + \vec{k} \qquad \|\vec{r}'(t)\| = \sqrt{2}$$

$$\vec{T}(t) = \frac{\vec{r}'(t)}{\|\vec{r}'(t)\|} = \frac{1}{\sqrt{2}}(-\sin t\,\vec{i} + \cos t\,\vec{j} + \vec{k})$$

$$\vec{T}'(t) = \frac{1}{\sqrt{2}}(-\cos t\,\vec{i} - \sin t\,\vec{j}) \qquad \|\vec{T}'(t)\| = \frac{1}{\sqrt{2}}$$

$$\vec{N}(t) = \frac{\vec{T}'(t)}{\|\vec{T}'(t)\|} = -\cos t\,\vec{i} - \sin t\,\vec{j} = (-\cos t, -\sin t, 0)$$

Ceci montre que le vecteur normal en un point de l'hélice est horizontal et dirigé vers l'axe Oz. Le vecteur binormal est

$$\vec{B}(t) = \vec{T}(t) \wedge \vec{N}(t) = \frac{1}{\sqrt{2}}\begin{vmatrix} \vec{i} & \vec{j} & \vec{k} \\ -\sin t & \cos t & 1 \\ -\cos t & -\sin t & 0 \end{vmatrix} = \frac{1}{\sqrt{2}}(\sin t, -\cos t, 1).$$

Le plan déterminé par les vecteurs normal et binormal $\vec{N}$ et $\vec{B}$ en un point P d'une courbe C est appelé le plan **normal** de C en P. C'est tout simplement le plan de toutes les perpendiculaires au vecteur tangent $\vec{T}$. Le plan déterminé par les vecteurs $\vec{T}$ et $\vec{N}$ est appelé le **plan osculateur** de C en P. Ce terme est tiré du latin *osculum* qui signifie « baiser ». C'est le plan qui vient le plus près pour contenir la partie de la courbe proche de P. (Dans le cas d'une courbe plane, le plan osculateur est tout simplement le plan qui contient la courbe.)

Le cercle, contenu dans le plan osculateur de C en P, qui admet en P la même tangente que C, qui se trouve du côté concave de C (vers où $\vec{N}$ pointe) et dont le rayon est $\rho = 1/\kappa$ (l'inverse de la courbure) est appelé le **cercle osculateur** (ou **cercle de courbure**) de C en P. C'est le cercle qui décrit le mieux comment C se comporte au voisinage de P ; il partage avec C la tangente, la normale et la courbure en P.

La figure 8 montre l'hélice et le plan osculateur déterminé dans l'exemple 7.

FIGURE 8

EXEMPLE 7 ■ Déterminez les équations du plan normal et du plan osculateur de l'hélice de l'exemple 6 au point $P(0, 1, \pi/2)$.

SOLUTION Le plan normal en P est orthogonal au vecteur $\vec{r}'(\pi/2) = (-1, 0, 1)$. Son équation s'écrit donc

$$-1(x - 0) + 0(y - 1) + 1\left(z - \frac{\pi}{2}\right) = 0 \qquad \text{ou} \qquad z = x + \frac{\pi}{2}.$$

Le plan osculateur en P contient les vecteurs $\vec{T}$ et $\vec{N}$. Le vecteur $\vec{T} \wedge \vec{N} = \vec{B}$ lui est donc orthogonal. À la suite de l'exemple 6, on sait que

$$\vec{B}(t) = \frac{1}{\sqrt{2}}(\sin t, -\cos t, 1) \qquad \vec{B}\left(\frac{\pi}{2}\right) = \left(\frac{1}{\sqrt{2}}, 0, \frac{1}{\sqrt{2}}\right).$$

Le vecteur $(1, 0, 1)$, plus simple, est orthogonal au plan osculateur dont une équation est alors

$$1(x - 0) + 0(y - 1) + 1\left(z - \frac{\pi}{2}\right) = 0 \qquad \text{ou} \qquad z = -x + \frac{\pi}{2}.$$

EXEMPLE 8 ■ Définissez et représentez le cercle osculateur de la parabole $y = x^2$ à l'origine.

SOLUTION Suite à l'exemple 5, la courbure de la parabole à l'origine vaut $\kappa(0) = 2$. Le rayon du cercle osculateur à l'origine est donc $1/\kappa = \frac{1}{2}$ et son centre $(0, \frac{1}{2})$. Son équation s'écrit

$$x^2 + \left(y - \frac{1}{2}\right)^2 = \frac{1}{4}.$$

Pour le dessiner dans la figure 9, on fait appel à ses équations paramétriques :

$$x = \frac{1}{2}\cos t \qquad y = \frac{1}{2} + \frac{1}{2}\sin t.$$

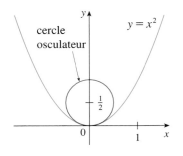

FIGURE 9

À titre récapitulatif, voici les formules des vecteurs tangent unitaire, normal unitaire et binormal ainsi que celle de la courbure.

$$\vec{T}(t) = \frac{\vec{r}'(t)}{\|\vec{r}'(t)\|} \qquad \vec{N}(t) = \frac{\vec{T}'(t)}{\|\vec{T}'(t)\|} \qquad \vec{B}(t) = \vec{T}(t) \wedge \vec{N}(t)$$

$$\kappa = \left\|\frac{d\vec{T}}{ds}\right\| = \frac{\|\vec{T}'(t)\|}{\|\vec{r}'(t)\|} = \frac{\|\vec{r}'(t) \wedge \vec{r}''(t)\|}{\|\vec{r}'(t)\|^3}$$

10.3 Exercices •

1-4 ■ Calculez la longueur de l'arc de courbe décrit.

1. $\vec{r}(t) = (2t, 3\sin t, 3\cos t), \quad a \leqslant t \leqslant b$

2. $\vec{r}(t) = (e^t, e^t\sin t, e^t\cos t), \quad 0 \leqslant t \leqslant 2\pi$

3. $\vec{r}(t) = 6t\vec{i} + 3\sqrt{2}\, t^2\vec{j} + 2t^3\vec{k}, \quad 0 \leqslant t \leqslant 1$

4. $\vec{r}(t) = t^2\vec{i} + 2t\vec{j} + \ln t\vec{k}, \quad 1 \leqslant t \leqslant e$

5. À l'aide de la Règle de Simpson avec $n = 10$, estimez la longueur de l'arc de la cubique gauche $x = t$, $y = t^2$, $z = t^3$ depuis l'origine jusqu'au point $(2, 4, 8)$.

6. Faites dessiner par un ordinateur la courbe d'équations paramétriques $x = \cos t$, $y = \sin 3t$, $z = \sin t$. Calculez la longueur totale de cette courbe avec une précision de 4 décimales.

7-9 ■ Donnez de la courbe une description paramétrique en fonction de l'abscisse curviligne à partir du point image de $t = 0$ dans le sens des t croissants.

7. $\vec{r}(t) = e^t\sin t\vec{i} + e^t\cos t\vec{j}$

8. $\vec{r}(t) = (1 + 2t)\vec{i} + (3 + t)\vec{j} - 5t\vec{k}$

9. $\vec{r}(t) = 3\sin t\vec{i} + 4t\vec{j} + 3\cos t\vec{k}$

10. Donnez de la courbe

$$\vec{r}(t) = \left(\frac{2}{t^2 + 1} - 1\right)\vec{i} + \frac{2t}{t^2 + 1}\vec{j}$$

une description paramétrique en fonction de l'abscisse curviligne à partir du point $(1, 0)$ dans le sens des t croissants. Mettez cette nouvelle paramétrisation sous sa forme la plus simple. Que pouvez-vous dire de la courbe ?

11-14 ■

a) Cherchez l'expression des vecteurs tangent unitaire et normal unitaire $\vec{T}(t)$ et $\vec{N}(t)$.

b) Calculez la courbure par la formule 9.

11. $\vec{r}(t) = (\sin 4t, 3t, \cos 4t)$

12. $\vec{r}(t) = (6t, 3\sqrt{2}\, t^2, 2t^3)$

13. $\vec{r}(t) = (\sqrt{2}\cos t, \sin t, \sin t)$

14. $\vec{r}(t) = (t^2, 2t, \ln t)$

15-17 ■ Calculez la courbure par la formule 10.

15. $\vec{r}(t) = \vec{i} + t\vec{j} + t^2\vec{k}$

16. $\vec{r}(t) = (t^2 + 2)\vec{i} + (t^2 - 4t)\vec{j} + 2t\vec{k}$

17. $\vec{r}(t) = \sin t\,\vec{i} + \cos t\,\vec{j} + \sin t\,\vec{k}$

18. Faites dessiner la courbe d'équations paramétriques
$$x = t \qquad y = 4t^{3/2} \qquad z = -t^2,$$
et calculez sa courbure au point $(1, 4, -1)$.

19-21 ■ Calculez la courbure par la formule 11.

19. $y = x^3$ **20.** $y = \sqrt{x}$

21. $y = \sin x$

22-23 ■ En quel point la courbe présente-t-elle une courbure maximale ? Que devient la courbure lorsque $x \to \infty$?

22. $y = \ln x$ **23.** $y = e^x$

24. Écrivez une équation d'une parabole de courbure 4 à l'origine.

25. a) La courbure de la courbe dessinée ci-dessous est-elle plus grande en P ou en Q ? Expliquez.
    b) Estimez la courbure en P et en Q en esquissant les cercles osculateurs en ces points.

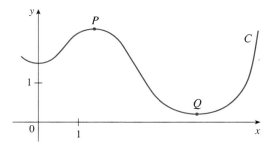

26-27 ■ Sur l'écran d'une calculatrice graphique ou d'un ordinateur, faites apparaître simultanément le graphique de la fonction et celui de la fonction courbure $\kappa(x)$. Le graphique de $\kappa(x)$ est-il ce que vous attendiez ?

26. $y = xe^{-x}$ **27.** $y = x^4$

28. Servez-vous du théorème 10 pour montrer que la courbure d'une courbe plane décrite par les équations paramétriques $x = f(t)$, $y = g(t)$ s'obtient par la formule
$$\kappa = \frac{|\dot{x}\ddot{y} - \dot{y}\ddot{x}|}{[\dot{x}^2 + \dot{y}^2]^{3/2}}$$
où les points désignent des dérivées par rapport à t.

29-30 ■ Calculez la courbure d'après la formule de l'exercice 28.

29. $x = t^3,\quad y = t^2$ **30.** $x = t \sin t,\quad y = t \cos t$

31-32 ■ Cherchez les vecteurs $\vec{T}$, $\vec{N}$ et $\vec{B}$ au point indiqué.

31. $\vec{r}(t) = (t^2, \frac{2}{3}t^3, t), \quad (1, \frac{2}{3}, 1)$

32. $\vec{r}(t) = (e^t, e^t \sin t, e^t \cos t), \quad (1, 0, 1)$

33-34 ■ Déterminez des équations du plan normal et du plan osculateur de la courbe au point donné.

33. $x = 2 \sin 3t,\ y = t,\ z = 2 \cos 3t; \quad (0, \pi, -2)$

34. $x = t,\ y = t^2,\ z = t^3; \quad (1, 1, 1)$

35. Écrivez les équations des cercles osculateurs de l'ellipse $9x^2 + 4y^2 = 36$ aux points $(2, 0)$ et $(0, 3)$. Avec une calculatrice graphique, montrez le dessin de l'ellipse et de ses deux cercles osculateurs dans une même fenêtre.

36. Écrivez les équations des cercles osculateurs de la parabole $y = \frac{1}{2}x^2$ aux points $(0, 0)$ et $(1, \frac{1}{2})$. Représentez graphiquement les cercles et la parabole.

37. En quel point de la courbe $x = t^3, y = 3t, z = t^4$ le plan normal est-il parallèle au plan $6x + 6y - 8z = 1$?

38. Y a-t-il un point sur la courbe de l'exercice 37 en lequel le plan osculateur est parallèle au plan $x + y + z = 1$? (*Remarque :* Vous avez besoin d'un logiciel de calcul symbolique pour dériver, pour simplifier et pour calculer un produit vectoriel.)

39. Montrez que la courbure κ est liée aux vecteurs tangent et normal par l'équation
$$\frac{d\vec{T}}{ds} = \kappa\vec{N}.$$

40. Démontrez que la courbure d'une courbe plane est égale à $\kappa = |d\phi/ds|$, où ϕ est l'angle entre $\vec{T}$ et $\vec{i}$, autrement dit l'angle d'inclinaison de la tangente.

41. a) Montrez que $d\vec{B}/ds$ est perpendiculaire à $\vec{B}$.
    b) Montrez que $d\vec{B}/ds$ est perpendiculaire à $\vec{T}$.
    c) Déduisez des parties a) et b) que $d\vec{B}/ds = -\tau(s)\vec{N}$ pour un certain nombre $\tau(s)$ appelé **torsion** de la courbe. (La torsion mesure combien une courbe se tord.)
    d) Démontrez que la torsion $\tau(s)$ d'une courbe plane est nulle.

42. Les formules suivantes, appelées formules de **Frenet-Serret**, sont fondamentales en géométrie différentielle :
1. $d\vec{T}/ds = \kappa\vec{N}$
2. $d\vec{N}/ds = -\kappa\vec{T} + \tau\vec{B}$
3. $d\vec{B}/ds = -\tau\vec{N}$

(La formule 1 est celle de l'exercice 39 et la formule 3 découle de l'exercice 41.) Servez-vous du fait que $\vec{N} = \vec{B} \wedge \vec{T}$ pour établir la formule 2 comme une conséquence des formules 1 et 3.

43. Exploitez les formules de Frenet-Serret pour démontrer chacun des énoncés suivants (Les primes désignent des dérivées par rapport à t. Démarrez comme dans la démonstration du théorème 10.)
    a) $\vec{r}'' = s''\vec{T} + \kappa(s')^2\vec{N}$
    b) $\vec{r}' \wedge \vec{r}'' = \kappa(s')^3\vec{B}$
    c) $\vec{r}''' = [s''' - \kappa^2(s')^3]\vec{T} + [3\kappa s's'' + \kappa'(s')^2]\vec{N} + \kappa\tau(s')^3\vec{B}$

d) $\tau = \dfrac{(\vec{r}\,' \wedge \vec{r}\,'') \cdot \vec{r}\,'''}{\|\vec{r}\,' \wedge \vec{r}\,''\|^2}$

44. Démontrez que la courbure et la torsion de l'hélice circulaire

$$\vec{r}(t) = (a\cos t, a\sin t, bt),$$

où a et b sont des constantes positives, sont constantes. [Utilisez le résultat de l'exercice 43d).]

45. La molécule de DNA a la forme d'une double hélice (voyez la figure 3 à la page 706). Le rayon de chaque hélice est d'environ 10 angströms (1 angström=10^{-8} cm). Chaque hélice monte d'environ 34 angströms à chaque tour complet et il y a environ $2,9 \times 10^8$ tours complets. Estimez la longueur de chaque hélice.

46. On considère le problème de projeter une voie de chemin de fer qui fasse une transition lisse avec des sections de voies existantes rectilignes. Une voie rectiligne le long de la partie négative de l'axe Ox doit être connectée avec une voie le long de la droite $y = 1$, à partir de $x = 1$.

a) Déterminez un polynôme $P = P(x)$ de degré 5 tel que la fonction définie par

$$F(x) = \begin{cases} 0 & \text{si } x \leq 0 \\ P(x) & \text{si } 0 < x < 1 \\ 1 & \text{si } x \geq 1 \end{cases}$$

soit continue, ait une pente continue et une courbure continue.

b) Tracez le graphique de F à l'aide d'une calculatrice graphique ou d'un ordinateur.

10.4 Le mouvement dans l'espace

Dans cette section, nous allons montrer comment les notions de vecteurs tangent et normal et la courbure sont utilisées pour étudier en physique, le mouvement d'un objet, y compris sa vitesse et son accélération, le long d'une courbe de l'espace.

En particulier, nous marchons sur les traces de Newton pour établir, selon ses méthodes, la première loi de Kepler relative au mouvement des planètes.

On suppose qu'un point matériel se meut dans l'espace de façon telle que son vecteur position au moment t est $\vec{r}(t)$. On remarque dans la figure 1 que, pour petites valeurs de h, le vecteur

1
$$\frac{\vec{r}(t + h) - \vec{r}(t)}{h}$$

est proche de la direction du point en mouvement sur la courbe $\vec{r}(t)$. Sa norme mesure la grandeur du vecteur déplacement par unité de temps. Le vecteur (1) fournit la vitesse moyenne sur une durée h et sa limite est le **vecteur vitesse** $\vec{v}(t)$ au moment t :

2
$$\vec{v}(t) = \lim_{h \to 0} \frac{\vec{r}(t + h) - \vec{r}(t)}{h} = \vec{r}\,'(t).$$

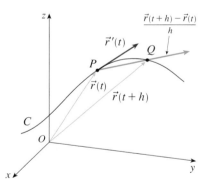

FIGURE 1

Le vecteur vitesse est donc aussi un vecteur tangent et sa direction est celle de la droite tangente.

La **vitesse scalaire** d'un point mobile au temps t est la norme du vecteur vitesse, $\|\vec{v}(t)\|$. C'est cohérent, puisque, de (2) et de l'équation 7 dans la section 10.3, il découle

$$\|\vec{v}(t)\| = \|\vec{r}\,'(t)\| = \frac{ds}{dt} = \text{taux de variation de la distance par rapport au temps}$$

Tout comme dans le cas du mouvement à une dimension, l'**accélération** du point est définie comme la dérivée de la vitesse :

$$\vec{a}(t) = \vec{v}\,' = \vec{r}\,''(t).$$

EXEMPLE 1 ■ Le vecteur position d'un objet en mouvement dans un plan est $\vec{r}(t) = t^3\,\vec{i} + t^2\vec{j}$, $t \geqslant 0$. Calculez sa vitesse, sa vitesse scalaire et son accélération au moment $t = 1$, et représentez graphiquement.

SOLUTION La vitesse et l'accélération sont respectivement

$$\vec{v}(t) = \vec{r}\,'(t) = 3t^2\,\vec{i} + 2t\vec{j},$$

$$\vec{a}(t) = \vec{r}\,''(t) = 6t\vec{i} + 2\vec{j},$$

et la vitesse scalaire vaut

$$\|\vec{v}(t)\| = \sqrt{(3t^2)^2 + (2t)^2} = \sqrt{9t^4 + 4t^2}.$$

Au moment $t = 1$, on a

$$\vec{v}(1) = 3\,\vec{i} + 2\vec{j} \qquad \vec{a}(1) = 6\,\vec{i} + 2\vec{j} \qquad \|\vec{v}(1)\| = \sqrt{13}.$$

La figure 2 montre ces vecteurs vitesse et accélération.

FIGURE 2

La figure 3 montre la trajectoire du point mobile de l'exemple 2, ainsi que les vecteurs vitesse et accélération quand $t = 1$.

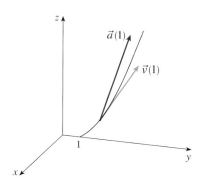

FIGURE 3

EXEMPLE 2 ■ Calculez la vitesse, l'accélération et la vitesse scalaire d'un point matériel dont le mouvement est décrit par le vecteur position $\vec{r}(t) = (t^2, e^t, te^t)$.

SOLUTION

$$\vec{v}(t) = \vec{r}\,'(t) = (2t, e^t, (1+t)e^t),$$

$$\vec{a}(t) = \vec{v}\,'(t) = (2, e^t, (2+t)e^t),$$

$$\|\vec{v}(t)\| = \sqrt{(4t^2 + e^{2t} + (1+t)^2 e^{2t}}.$$

Les intégrales vectorielles, introduites dans la section 10.2, permettent d'obtenir les vecteurs positions quand les vecteurs vitesse et accélération sont connus, comme dans l'exemple suivant.

EXEMPLE 3 ■ Un point matériel démarre du point $\vec{r}(0) = (1, 0, 0)$ avec une vitesse initiale $\vec{v}(0) = \vec{i} - \vec{j} + \vec{k}$. Son accélération est régie par l'expression $\vec{a}(t) = 4t\vec{i} + 6t\vec{j} + \vec{k}$. Cherchez un expression de sa vitesse et de sa position à tout moment t.

SOLUTION Puisque $\vec{a}(t) = \vec{v}\,'(t)$, on a

$$\vec{v}(t) = \int \vec{a}(t)\,dt = \int (4t\vec{i} + 6t\vec{j} + \vec{k})\,dt$$

$$= 2t^2\vec{i} + 3t^2\vec{j} + t\vec{k} + \vec{C}$$

Pour déterminer la valeur du vecteur constant $\vec{C}$, on se sert de la vitesse initiale $\vec{v}(0) = \vec{i} - \vec{j} + \vec{k}$. L'équation précédente donne $\vec{v}(0) = \vec{C}$, d'où $\vec{C} = \vec{i} - \vec{j} + \vec{k}$ et

$$\vec{v}(t) = 2t^2\vec{i} + 3t^2\vec{j} + t\vec{k} + \vec{i} - \vec{j} + \vec{k}$$

$$= (2t^2 + 1)\vec{i} + (3t^2 - 1)\vec{j} + (t + 1)\vec{k}$$

La trajectoire du point matériel a été dessinée dans la figure 4 à partir de l'expression de $\vec{r}(t)$ obtenue dans l'exemple 3, pour $0 \leqslant t \leqslant 3$.

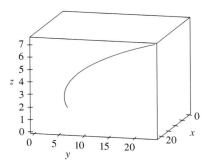

FIGURE 4

La vitesse angulaire de l'objet en mouvement, en position P, est $\omega = d\theta/dt$, où θ est l'angle indiqué dans la figure 5.

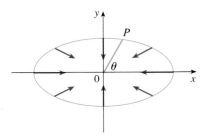

FIGURE 5

Puisque $\vec{v}(t) = \vec{r}\,'(t)$, on a

$$\vec{r}(t) = \int \vec{v}(t)\,dt$$

$$= \int \left[(2t^2 + 1)\vec{i} + (3t^2 - 1)\vec{j} + (t + 1)\vec{k} \right] dt$$

$$= \left(\frac{2t^3}{3} + t \right)\vec{i} + (t^3 - t)\vec{j} + \left(\frac{t^2}{2} + t \right)\vec{k} + \vec{D}$$

En posant $t = 0$, on trouve $\vec{D} = \vec{r}(0) = \vec{i}$, d'où

$$\vec{r}(t) = \left(\frac{2t^3}{3} + t + 1 \right)\vec{i} + (t^3 - t)\vec{j} + \left(\frac{t^2}{2} + t \right)\vec{k}.$$

En général, les intégrales vectorielles permettent de retrouver la vitesse à partir de l'accélération et la position à partir de la vitesse :

$$\vec{v}(t) = \vec{v}(t_0) + \int_{t_0}^{t} \vec{a}(u)\,du \qquad \vec{r}(t) = \vec{r}(t_0) + \int_{t_0}^{t} \vec{v}(u)\,du.$$

Si la force exercée sur un objet est connue, alors l'accélération peut être calculée grâce à la **deuxième loi de Newton relative au mouvement**. La version vectorielle de cette loi établit que si, à tout moment t, une force $\vec{F}(t)$ agit sur un objet de masse m en lui donnant une accélération $\vec{a}(t)$, alors

$$\vec{F}(t) = m\vec{a}(t).$$

EXEMPLE 4 ■ Le vecteur position d'un objet de masse m qui se meut sur une trajectoire elliptique avec une vitesse angulaire ω constante est $\vec{r}(t) = a\cos\omega t\,\vec{i} + b\sin\omega t\,\vec{j}$. Calculez la force qui agit sur l'objet et montrez qu'elle est dirigée vers l'origine.

SOLUTION
$$\vec{v}(t) = \vec{r}\,'(t) = -a\omega\sin\omega t\,\vec{i} + b\omega\cos\omega t\,\vec{j}$$
$$\vec{a}(t) = \vec{v}\,'(t) = -a\omega^2\cos\omega t\,\vec{i} - b\omega^2\sin\omega t\,\vec{j}.$$

Par conséquent, la deuxième loi de Newton mène à l'expression de la force

$$\vec{F}(t) = m\vec{a}(t) = -m\omega^2(a\cos\omega t\,\vec{i} + b\sin\omega t\,\vec{j}).$$

On remarque que $\vec{F}(t) = -m\omega^2\vec{r}(t)$, ce qui signifie que la force agit dans le sens opposé du vecteur position $\vec{r}(t)$, c'est-à-dire vers l'origine (voyez la figure 5). Une telle force est appelée une force *centripète* (qui tend à s'approcher du centre).

EXEMPLE 5 ■ Un projectile est tiré selon un angle d'élévation α et avec une vitesse initiale $\vec{v}_0$ (voyez la figure 6). Déterminez la fonction position $\vec{r}(t)$ du projectile, en supposant que la résistance de l'air est négligeable et que la seule force extérieure est la gravité. Quel angle α maximise la portée (la distance horizontale atteinte) ?

SOLUTION Les axes sont choisis de façon à ce que le projectile quitte l'origine. Puisque la force due à la pesanteur agit vers le bas, on a

$$\vec{F} = m\vec{a} = -mg\vec{j},$$

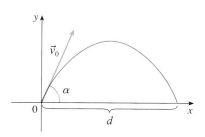

FIGURE 6

où $g = \|\vec{a}\| \approx 9{,}8 \text{ m/s}^2$. D'où

$$\vec{a} = -g\vec{j}.$$

Comme $\vec{v}\,'(t) = \vec{a}$, on a

$$\vec{v}(t) = -gt\vec{j} + \vec{C},$$

où $\vec{C} = \vec{v}(0) = \vec{v}_0$. De là,

$$\vec{r}\,'(t) = \vec{v}(t) = -gt\vec{j} + \vec{v}_0.$$

Une nouvelle intégration conduit à

$$\vec{r}(t) = -\frac{1}{2}gt^2\vec{j} + t\,\vec{v}_0 + \vec{D}.$$

Or, $\vec{D} = \vec{r}(0) = \vec{0}$, donc le vecteur position du projectile est donné par

3
$$\vec{r}(t) = -\frac{1}{2}gt^2\vec{j} + t\,\vec{v}_0.$$

Si $\|\vec{v}_0\| = v_0$ désigne la vitesse scalaire initiale du projectile, alors

$$\vec{v}_0 = v_0 \cos\alpha\,\vec{i} + v_0 \sin\alpha\,\vec{j},$$

et l'équation 3 se réécrit

$$\vec{r}(t) = (v_0 \cos\alpha)t\,\vec{i} + [(v_0 \sin\alpha)t - \frac{1}{2}gt^2]\vec{j}.$$

Les équations paramétriques de la trajectoire sont donc

4
$$x = (v_0 \cos\alpha)t \qquad y = (v_0 \sin\alpha)t - \frac{1}{2}gt^2.$$

La distance horizontale d est la valeur de x qui correspond à $y = 0$. Or, $y = 0$ lorsque $t = 0$ ou $t = (2v_0 \sin\alpha)/g$. Cette dernière valeur de t donne

$$d = x = (v_0 \cos\alpha)\frac{2v_0 \sin\alpha}{g} = \frac{v_0^2(2\sin\alpha\cos\alpha)}{g} = \frac{v_0^2\sin 2\alpha}{g}.$$

Clairement, d prend sa plus grande valeur lorsque $\sin 2\alpha = 1$ ou $\alpha = \pi/4$.

■ **Les composantes tangentielle et normale de l'accélération**

Lors de l'étude du mouvement d'un objet, il est souvent utile de distinguer deux composantes de l'accélération, celle selon la tangente et l'autre selon la normale. Si la vitesse scalaire est désignée par $v = \|\vec{v}\|$, alors

$$\vec{T}(t) = \frac{\vec{r}\,'(t)}{\|\vec{r}\,'(t)\|} = \frac{\vec{v}(t)}{\|\vec{v}(t)\|} = \frac{\vec{v}}{v},$$

de sorte que $\vec{v} = v\vec{T}$. La dérivation des deux membres de cette équation par rapport à t conduit à

5
$$\vec{a} = \vec{v}\,' = v'\vec{T} + v\vec{T}'.$$

On reprend l'expression de la courbure fournie par l'équation 9 de la section 10.3 :

6
$$\kappa = \frac{\|\vec{T}'\|}{\|\vec{r}'\|} = \frac{\|\vec{T}'\|}{v}$$

et on en tire $\|\vec{T}'\| = \kappa v$.

Le vecteur normal unitaire a été défini dans la section précédente comme $\vec{N} = \vec{T}'/\|\vec{T}'\|$, d'où, selon 6,

$$\vec{T}' = \|\vec{T}'\|\vec{N} = \kappa v \vec{N},$$

et l'équation 5 devient

7
$$\vec{a} = v'\vec{T} + \kappa v^2 \vec{N}.$$

En désignant par a_T et a_N respectivement les composantes tangentielle et normale de l'accélération, on a

$$\vec{a} = a_T \vec{T} + a_N \vec{N},$$

où

8
$$a_T = v' \qquad \text{et} \qquad a_N = \kappa v^2.$$

Cette résolution est illustrée dans la figure 7.

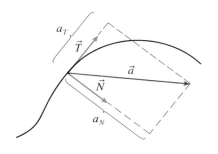

FIGURE 7

Mais quel est le sens de la formule 7 ? La première chose à remarquer est l'absence de $\vec{B}$. Quelle que soit la façon dont un objet se meut dans l'espace, son accélération se trouve toujours dans le plan de $\vec{T}$ et $\vec{N}$ (le plan osculateur). (Rappelez-vous que $\vec{T}$ indique le sens du mouvement et que $\vec{N}$ indique le sens dans lequel la courbe est en train de tourner.) Ensuite, on remarque que la composante normale de l'accélération est κv^2, la courbure multipliée par le carré de la vitesse scalaire. Cela se comprend, si l'on pense à ce qui arrive au passager d'une voiture lors d'un tournant en épingle à cheveux qui correspond à une forte courbure κ et donc à une importante composante de l'accélération perpendiculaire au mouvement : le passager est projeté sur la portière. Prendre un tournant à grande vitesse produit le même effet ; doubler la vitesse revient à quadrupler a_N.

Bien que la formule 8 donne des expressions des composantes tangentielle et normale de l'accélération, il est intéressant de connaître celles qui ne dépendent que de $\vec{r}$, $\vec{r}'$ et $\vec{r}''$. Pour y arriver, on prend le produit scalaire de $\vec{v} = v\vec{T}$ avec $\vec{a}$ selon son expression 7 :

$$
\begin{aligned}
\vec{v} \cdot \vec{a} &= v\vec{T} \cdot (v'\vec{T} + \kappa v^2 \vec{N}) \\
&= vv'\vec{T} \cdot \vec{T} + \kappa v^3 \vec{T} \cdot \vec{N} \\
&= vv' \qquad\qquad \text{(puisque } \vec{T} \cdot \vec{T} = 1 \text{ et } \vec{T} \cdot \vec{N} = 0\text{)}
\end{aligned}
$$

De là,

9
$$a_T = v' = \frac{\vec{v} \cdot \vec{a}}{v} = \frac{\vec{r}'(t) \cdot \vec{r}''(t)}{\|\vec{r}'(t)\|}.$$

Et pour a_N, on introduit la formule de la courbure issue du théorème 10 de la section 10.3 :

10
$$a_N = \kappa v^2 = \frac{\|\vec{r}'(t) \wedge \vec{r}''(t)\|}{\|\vec{r}'(t)\|^3} \|\vec{r}'(t)\|^2 = \frac{\|\vec{r}'(t) \wedge \vec{r}''(t)\|}{\|\vec{r}'(t)\|}.$$

EXEMPLE 6 ■ Un objet est animé d'un mouvement décrit par $\vec{r}(t) = (t^2, t^2, t^3)$. Déterminez les composantes tangentielle et normale de l'accélération.

SOLUTION

$$\vec{r}(t) = t^2\,\vec{i} + t^2\,\vec{j} + t^3\,\vec{k}$$

$$\vec{r}\,'(t) = 2t\,\vec{i} + 2t\,\vec{j} + 3t^2\,\vec{k}$$

$$\vec{r}\,''(t) = 2\,\vec{i} + 2\,\vec{j} + 6t\,\vec{k}$$

$$\|\vec{r}\,'(t)\| = \sqrt{8t^2 + 9t^4}.$$

De là, la composante tangentielle est, d'après 9,

$$a_T = \frac{\vec{r}\,'(t) \cdot \vec{r}\,''(t)}{\|\vec{r}\,'(t)\|} = \frac{8t + 18t^3}{\sqrt{8t^2 + 9t^4}}.$$

Comme

$$\vec{r}\,'(t) \wedge \vec{r}\,''(t) = \begin{vmatrix} \vec{i} & \vec{j} & \vec{k} \\ 2t & 2t & 3t^2 \\ 2 & 2 & 6t \end{vmatrix} = 6t^2\,\vec{i} - 6t^2\,\vec{j},$$

l'équation 10 donne la composante normale

$$a_N = \frac{\|\vec{r}\,'(t) \wedge \vec{r}\,''(t)\|}{\|\vec{r}\,'(t)\|} = \frac{6\sqrt{2}\,t^2}{\sqrt{8t^2 + 9t^4}}.$$

■ Les lois de Kepler sur le mouvement des planètes

Nous décrivons maintenant une des grandes performances du calcul différentiel et intégral, à savoir comment la matière de ce chapitre sert à établir les lois de Kepler sur le mouvement des planètes. Après avoir étudié pendant 20 ans les observations de l'astronome danois Tycho Brahe, le mathématicien et astronome allemand Johannes Kepler (1571-1630) énonça les trois lois suivantes.

Les lois de Kepler

1. Une planète tourne autour du Soleil selon une trajectoire elliptique dont le Soleil occupe un des foyers.

2. Le rayon vecteur allant du centre d'une planète au centre du Soleil balaye des aires égales en des temps égaux.

3. Le carré de la période de révolution d'une planète est proportionnel au cube du grand axe de son orbite.

Dans son livre *Principia Mathematica* de 1687, Isaac Newton démontra que ces lois étaient des conséquences de deux de ses propres lois, la seconde loi du mouvement et la loi de la gravitation universelle. Dans ce qui suit, nous allons démontrer la première loi de Kepler. Les autres sont laissées à titre d'exercices (avec des indications).

Comme la force gravitationnelle exercée par le Soleil sur une planète est beaucoup plus forte que les forces exercées par les autres corps célestes, on peut tranquillement ignorer tous les corps de l'univers à l'exception du Soleil et d'une planète qui tourne autour de lui. Le système de coordonnées est tel que le Soleil occupe l'origine et soit $\vec{r} = \vec{r}(t)$ le vecteur position de la planète, ($\vec{r}$ pourrait tout aussi bien être le vecteur position de la Lune ou d'un satellite qui tourne autour de la Terre ou d'une comète qui tourne autour d'une étoile). Le vecteur vitesse est $\vec{v} = \vec{r}\,'$ et le vecteur accélération est $\vec{a} = \vec{r}\,''$. Voici les deux lois de Newton qui seront utilisées :

$$\text{La deuxième loi du mouvement:} \qquad \vec{F} = m\vec{a}$$

$$\text{La loi de la gravitation:} \qquad \vec{F} = -\frac{GMm}{r^3}\vec{r} = -\frac{GMm}{r^2}\vec{u},$$

où $\vec{F}$ est la force gravitationnelle sur la planète, m et M les masses de la planète et du Soleil, G la constante gravitationnelle, $r = \|\vec{r}\|$ et $\vec{u} = (1/r)\vec{r}$ le vecteur unitaire dans la direction de $\vec{r}$.

On commence par montrer que la planète se meut dans un plan. En égalant les deux expressions de $\vec{F}$ dans les lois de Newton, il vient :

$$\vec{a} = -\frac{GM}{r^3}\vec{r},$$

et ainsi, $\vec{a}$ est parallèle à $\vec{r}$. Il s'ensuit que $\vec{r} \wedge \vec{a} = \vec{0}$. Grâce à la formule 5 du théorème 3 dans la section 10.2, on peut écrire

$$\frac{d}{dt}(\vec{r} \wedge \vec{v}) = \vec{r}\,' \wedge \vec{v} + \vec{r} \wedge \vec{v}\,'$$

$$= \vec{v} \wedge \vec{v} + \vec{r} \wedge \vec{a} = \vec{0} + \vec{0} = \vec{0}$$

Par conséquent,

$$\vec{r} \wedge \vec{v} = \vec{h}$$

où $\vec{h}$ est un vecteur constant. (On peut supposer que $\vec{h} \neq \vec{0}$; ce qui revient à supposer que $\vec{r}$ et $\vec{v}$ ne sont pas parallèles.) Quel que soit t donc, le vecteur $\vec{r} = \vec{r}(t)$ est perpendiculaire à $\vec{h}$ et de ce fait la planète se trouve toujours dans le plan qui passe par l'origine et perpendiculaire à $\vec{h}$. L'orbite de la planète est donc une courbe plane.

Pour démontrer la première loi de Kepler, on réécrit le vecteur $\vec{h}$ comme ceci :

$$\vec{h} = \vec{r} \wedge \vec{v} = \vec{r} \wedge \vec{r}\,' = r\vec{u} \wedge (r\vec{u})'$$

$$= r\vec{u} \wedge (r\vec{u}\,' + r'\vec{u}) = r^2(\vec{u} \wedge \vec{u}\,') + rr'(\vec{u} \wedge \vec{u})$$

$$= r^2(\vec{u} \wedge \vec{u}\,')$$

Alors,

$$\vec{a} \wedge \vec{h} = \frac{-GM}{r^2}\vec{u} \wedge (r^2\vec{u} \wedge \vec{u}\,') = -GM\vec{u} \wedge (\vec{u} \wedge \vec{u}\,')$$

$$= -GM[(\vec{u} \cdot \vec{u}\,')\vec{u} - (\vec{u} \cdot \vec{u})\vec{u}\,'] \qquad \text{(selon la formule 8 de la section 9.4)}$$

Or, $\vec{u} \cdot \vec{u} = \|\vec{u}\|^2 = 1$ et, puisque $\|\vec{u}(t)\| = 1$, $\vec{u} \cdot \vec{u}\,' = 0$ en vertu de l'exemple 5 de la section 10.2. De la dernière équation il reste

$$\vec{a} \wedge \vec{h} = GM\vec{u}\,',$$

et aussi

$$(\vec{v} \wedge \vec{h})' = \vec{v}\,' \wedge \vec{h} = \vec{a} \wedge \vec{h} = GM\vec{u}\,'.$$

L'intégration des deux membres de cette équation mène à

III $$\vec{v} \wedge \vec{h} = GM\vec{u} + \vec{c},$$

où $\vec{c}$ est un vecteur constant.

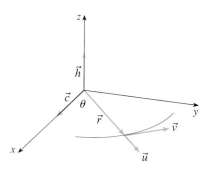

FIGURE 8

À ce point, il convient de choisir les axes de coordonnées de manière à ce que le vecteur de base $\vec{k}$ soit de même direction et de même sens que $\vec{h}$. Le mouvement de la planète a lieu alors dans le plan Oxy. On peut choisir les axes Ox et Oy de manière à ce que le vecteur $\vec{\imath}$ ait même direction et même sens que $\vec{c}$, comme dans la figure 8.

De cette façon, le couple (r, θ) constitue les coordonnées polaires de la position de la planète, si θ désigne l'angle compris entre $\vec{c}$ et $\vec{r}$. On calcule le produit scalaire suivant, à partir de l'équation 11,

$$\vec{r} \cdot (\vec{v} \wedge \vec{h}) = \vec{r} \cdot (GM\vec{u} + \vec{c}) = GM\vec{r} \cdot \vec{u} + \vec{r} \cdot \vec{c}$$

$$= GMr\,\vec{u} \cdot \vec{u} + \|\vec{r}\| \|\vec{c}\| \cos\theta = GMr + rc\cos\theta$$

où $c = \|\vec{c}\|$. De là,

$$r = \frac{\vec{r} \cdot (\vec{v} \wedge \vec{h})}{GM + c\cos\theta} = \frac{1}{GM}\frac{\vec{r} \cdot (\vec{v} \wedge \vec{h})}{1 + e\cos\theta}$$

où $e = c/(GM)$. Or,

$$\vec{r} \cdot (\vec{v} \wedge \vec{h}) = (\vec{r} \wedge \vec{v}) \cdot \vec{h} = \vec{h} \cdot \vec{h} = \|\vec{h}\|^2 = h^2,$$

si $h = \|\vec{h}\|$. Ainsi,

$$r = \frac{h^2/(GM)}{1 + e\cos\theta} = \frac{eh^2/c}{1 + e\cos\theta}.$$

En posant $d = h^2/c$, on arrive à l'équation

12
$$r = \frac{ed}{1 + e\cos\theta}.$$

Si vous avez lu l'annexe G, vous reconnaissez dans l'équation 12 l'équation polaire d'une conique dont le foyer est à l'origine et d'excentricité e (voyez aussi le problème 4 de la page A70). Sachant que l'orbite d'une planète est une courbe fermée, il ne peut s'agir que d'une ellipse.

Ceci achève la démonstration de la première loi de Kepler. Des indications sur comment démontrer les deux autres lois de Kepler sont données dans le Projet appliqué à la page 733.

L'objectif de ces démonstrations était d'insister sur le fait que les méthodes de ce chapitre sont de puissants outils aptes à décrire certaines des lois de la nature.

10.4 Exercices •

1. La table rassemble les coordonnées d'un point matériel qui se meut dans l'espace en suivant une courbe lisse.

   a) Calculez la vitesse moyenne sur les intervalles $[0, 1]$, $[0,5; 1]$, $[1, 2]$ et $[1; 1,5]$.

   b) Estimez la vitesse et la vitesse scalaire du point en $t = 1$.

t	0	0,5	1,0	1,5	2,0
x	2,7	3,5	4,5	5,9	7,3
y	9,8	7,2	6,0	6,4	7,8
z	3,7	3,3	3,0	2,8	2,7

2. La figure montre le mouvement d'un point matériel dont le vecteur position est $\vec{r}(t)$ au temps t.

a) Dessinez un vecteur qui représente la vitesse moyenne du point sur l'intervalle de temps $2 \leqslant t \leqslant 2,4$.

b) Dessinez un vecteur qui représente la vitesse moyenne sur l'intervalle de temps $1,5 \leqslant t \leqslant 2$.

c) Écrivez une expression du vecteur vitesse $\vec{v}(2)$.

d) Tracez approximativement le vecteur $\vec{v}(2)$ et estimez la vitesse scalaire du point en $t = 2$.

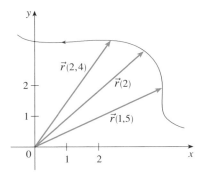

3-8 ■ Calculez la vitesse, l'accélération et la vitesse scalaire d'un point matériel dont la fonction position est donnée. Tracez la trajectoire suivie et représentez les vecteurs vitesse et accélération pour la valeur indiquée de t.

3. $\vec{r}(t) = (t^2 - 1, t)$, $t = 1$

4. $\vec{r}(t) = (\sqrt{t}, 1 - t)$, $t = 1$

5. $\vec{r}(t) = e^t\vec{i} + e^{-t}\vec{j}$, $t = 0$

6. $\vec{r}(t) = \sin t\vec{i} + 2\cos t\vec{j}$, $t = \pi/6$

7. $\vec{r}(t) = \sin t\vec{i} + t\vec{j} + \cos t\vec{k}$, $t = 0$

8. $\vec{r}(t) = t\vec{i} + t^2\vec{j} + t^3\vec{k}$, $t = 1$

9-10 ■ Calculez la vitesse, l'accélération et la vitesse scalaire d'un point matériel dont la fonction position est donnée.

9. $\vec{r}(t) = e^t(\cos t\vec{i} + \sin t\vec{j} + t\vec{k})$

10. $\vec{r}(t) = e^t\vec{i} + 2t\vec{j} + e^{-t}\vec{k}$

11-12 ■ Déterminez les vecteurs vitesse et position d'un point matériel dont on donne l'accélération ainsi que la vitesse et la position initiales.

11. $\vec{a}(t) = \vec{k}$, $\vec{v}(0) = \vec{i} - \vec{j}$ $\vec{r}(0) = \vec{0}$

12. $\vec{a}(t) = -10\vec{k}$, $\vec{v}(0) = \vec{i} + \vec{j} - \vec{k}$, $\vec{r}(0) = 2\vec{i} + 3\vec{j}$

13-14 ■

a) Déterminez le vecteur position d'un point matériel dont on donne l'accélération ainsi que les vitesse et position initiales.

b) Représentez la trajectoire à l'aide d'un ordinateur.

13. $\vec{a}(t) = \vec{i} + 2\vec{j} + 2t\vec{k}$, $\vec{v}(0) = \vec{0}$, $\vec{r}(0) = \vec{i} + \vec{k}$

14. $\vec{a}(t) = t\vec{i} + t^2\vec{j} + \cos 2t\vec{k}$, $\vec{v}(0) = \vec{i} + \vec{k}$, $\vec{r}(0) = \vec{j}$

15. Voici la fonction position d'un point matériel : $\vec{r}(t) = (t^2, 5t, t^2 - 16t)$. À quel moment la vitesse scalaire est-elle la plus faible ?

16. Quelle force faut-il appliquer pour qu'un objet de masse m ait comme fonction position $\vec{r}(t) = t^3\vec{i} + t^2\vec{j} + t^3\vec{k}$?

17. Une force de 20 N d'intensité agit directement vers le haut sur un objet de masse 4 kg déposé sur le plan Oxy. L'objet part de l'origine avec une vitesse initiale $\vec{v}(0) = \vec{i} - \vec{j}$. Déterminez sa fonction position et sa vitesse scalaire au moment t.

18. Démontrez que lorsqu'un point matériel se déplace avec une vitesse scalaire constante, alors son vecteur vitesse et son vecteur accélération sont orthogonaux.

19. Un obus est tiré avec une vitesse initiale de 500 m/s et un angle d'élévation de 30°. Déterminez a) sa portée, b) l'altitude maximale qu'il atteint et c) sa vitesse scalaire au moment de l'impact.

20. Refaites l'exercice 20 si l'obus est tiré d'un endroit situé à 200 m au-dessus du niveau du sol.

21. Une balle est lancée sous un angle de 45° vers le sol. Si la balle atterrit 90 m plus loin, quelle était sa vitesse scalaire initiale ?

22. Un révolver est capable de tirer une balle qui part à la vitesse de 120 m/s. Sous quel angle d'élévation faut-il tirer pour frapper un objet situé à 500 m ?

23. Démontrez que la trajectoire d'un projectile est bien une parabole, en éliminant le paramètre des équations 4.

24-27 ■ Calculez les composantes tangentielle et normale du vecteur accélération.

24. $\vec{r}(t) = (t^2 + 4)\vec{i} + (2t - 3)\vec{j}$

25. $\vec{r}(t) = (t - \sin t)\vec{i} + (1 - \cos t)\vec{j}$

26. $\vec{r}(t) = t\vec{i} + 4\sin t\vec{j} + 4\cos t\vec{k}$

27. $\vec{r}(t) = e^t\vec{i} + \sqrt{2}\,t\vec{j} + e^{-t}\vec{k}$

28. Lorsqu'une particule de masse m se déplace selon un vecteur position $\vec{r}(t)$, alors son **moment cinétique** est défini par $\vec{L}(t) = m\vec{r}(t) \wedge \vec{v}(t)$ et son moment de torsion par $\vec{\tau}(t) = m\vec{r}(t) \wedge \vec{a}(t)$. Démontrez que $\vec{L}'(t) = \vec{\tau}(t)$. Déduisez-en que si $\vec{\tau}(t) = \vec{0}$, quel que soit t, alors $\vec{L}(t)$ est constant. (Ce résultat s'appelle la loi de conservation du moment cinétique.)

29. La fonction position d'un vaisseau spatial est

$$\vec{r}(t) = (3 + t)\vec{i} + (2 + \ln t)\vec{j} + \left(7 - \frac{4}{t^2 + 1}\right)\vec{k}$$

et les coordonnées d'une station spatiale sont $(6, 4, 9)$. Le chef de la mission veut que le vaisseau spatial rejoigne la station spatiale. Quand faudra-t-il éteindre les moteurs ?

30. Une fusée, en train de brûler le carburant qui est à son bord pendant qu'elle se déplace dans l'espace, a une vitesse $\vec{v}(t)$ et une masse $m(t)$ au moment t. Si les gaz d'échappement s'en vont avec une vitesse $\vec{v}_e$ relative à la fusée, on peut déduire de la seconde loi de Newton que

$$m\frac{d\vec{v}}{dt} = \frac{dm}{dt}\vec{v}_e.$$

a) Montrez que $\vec{v}(t) = \vec{v}(0) - \ln\dfrac{m(0)}{m(t)}\vec{v}_e$.

b) Pour que, du repos, la fusée accélère en ligne droite jusqu'à une vitesse double de celle de ses gaz d'échappement, quelle part de sa masse initiale en carburant doit-elle avoir brûlé ?

Projet appliqué

Les lois de Kepler

Des masses de données dont il disposait sur les positions des planètes à des moments différents, Johann Kepler a tiré les trois lois suivantes sur le mouvement planétaire.

Les lois de Kepler

1. Une planète tourne autour du Soleil selon une trajectoire elliptique dont le Soleil occupe un des foyers.
2. Le rayon vecteur allant du centre d'une planète au centre du Soleil balaye des aires égales en des temps égaux.
3. Le carré de la période de révolution d'une planète est proportionnel au cube du grand axe de son orbite.

Kepler a formulé ces lois parce qu'elles correspondaient aux données astronomiques. Il ne fut pas capable de voir pourquoi elles étaient vraies, ni comment elles étaient liées entre elles. Mais Isaac Newton, dans ses *Principia Mathematica* en 1687, a démontré comment déduire les trois lois de Kepler de deux de ses propres lois, la deuxième loi du mouvement et la loi de la gravitation universelle. La section 10.4 a exposé la démontration de la première loi de Kepler en exploitant le calcul différentiel des fonctions vectorielles. Dans ce projet nous vous proposons une marche à suivre pour démontrer la deuxième et la troisième loi de Kepler et nous explorons quelques-unes de leurs conséquences.

1. Passez par les étapes suivantes pour prouver la deuxième loi de Kepler. Les notations sont les mêmes que dans la démonstration de la première loi dans la section 10.4. En particulier, utilisez des coordonnées polaires de manière que $\vec{r} = (r\cos\theta)\vec{i} + (r\sin\theta)\vec{j}$.

   a) Montrez que $\vec{h} = r^2\dfrac{dh}{dt}\vec{k}$.

   b) Déduisez-en que $r^2\dfrac{d\theta}{dt} = h$.

   c) Si $A = A(t)$ est l'aire balayée par le rayon vecteur $\vec{r} = \vec{r}(t)$ durant l'intervalle $[t_0, t]$, comme dans la figure, montrez que

   $$\frac{dA}{dt} = \frac{1}{2}r^2\frac{d\theta}{dt}.$$

   d) Déduisez que

   $$\frac{dA}{dt} = \frac{1}{2}h = \text{ constante.}$$

   Ce résultat signifie que la vitesse à laquelle A est balayée est constante, et prouve ainsi la seconde loi de Kepler.

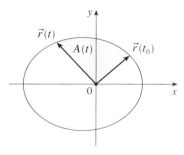

2. Soit T la période de révolution d'une planète autour du Soleil ; autrement dit, T est la durée d'une révolution elliptique complète. Les longueurs des grand et petit axes de l'ellipse sont désignés par $2a$ et $2b$.

a) Montrez que $T = 2\pi ab/h$, grâce à la partie d) du problème 1.

b) Montrez que $\dfrac{h^2}{GM} = ed = \dfrac{b^2}{a}$.

c) Démontrez que $T^2 = \dfrac{4\pi^2}{GM}a^3$, à l'aide des parties a) et b). Ceci démontre la troisième loi de Kepler. [Remarquez que la constante de proportionnalité $4\pi^2/(GM)$ ne dépend pas de la planète.]

3. La période de révolution de la Terre est à peu près égale à 365,25 jours. Ce résultat joint à la troisième loi de Kepler doit vous permettre de calculer la longueur du grand axe de l'orbite terrestre. Il faut connaître la masse du Soleil, $M = 1{,}99 \times 10^{30}$ kg et la constante de gravitation $G = 6{,}67 \times 10^{-11}$ N · m²/ kg².

4. Il est possible de placer un satellite sur une orbite autour de la Terre de manière à ce qu'il reste fixe au-dessus d'un certain endroit sur l'équateur. Calculez l'altitude que doit avoir un tel satellite. (Cette orbite est appelée l'orbite géosynchrone de Clarke, en souvenir de Arthur C. Clarke qui émit cette idée en premier en 1948. Le premier satellite de ce type, *Syncom II*, a été lancé en juillet 1963.)

10.5 Les surfaces paramétrées $\cdots\cdots\cdots\cdots\cdots\cdots\cdots\cdots\cdots$

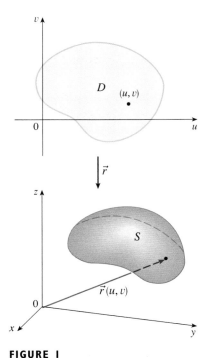

FIGURE 1
Une surface paramétrée

Les surfaces que nous avons rencontrées dans la section 9.6 représentaient des fonctions de deux variables. Ici, nous étudions des surfaces plus générales, appelées des *surfaces paramétrées*, avec le concours des fonctions vectorielles.

De même qu'une courbe de l'espace est décrite par une fonction vectorielle $\vec{r}(t)$ d'un paramètre t, une surface de l'espace est décrite par une fonction vectorielle $\vec{r}(u, v)$ de deux paramètres u et v. Nous supposons que

1 $$\vec{r}(u, v) = x(u, v)\,\vec{i} + y(u, v)\,\vec{j} + z(u, v)\,\vec{k}$$

est une fonction vectorielle définie sur une région D du plan Ouv. Ainsi, x, y et z, les fonctions composantes de $\vec{r}$ sont des fonctions des deux variables u et v dont le domaine de définition est D. L'ensemble des points (x, y, z) de $\mathbb{R}^3$ tels que

2 $$x = x(u, v) \qquad y = y(u, v) \qquad z = z(u, v)$$

et tels que (u, v) parcourt tout D est appelé une **surface paramétrée** S et les équations 2 sont appelées les **équations paramétriques** de S. Chaque fois que des valeurs sont attribuées à u et v, il y a un point image sur S ; tous les choix possibles mènent à la surface S. Autrement dit, la surface S est parcourue par le vecteur position $\vec{r}(u, v)$ lorsque (u, v) se meut à travers la région D (voyez la figure 1).

EXEMPLE 1 ■ Reconnaissez et dessinez la surface d'équation vectorielle

$$\vec{r}(u, v) = 2\cos u\,\vec{i} + v\vec{j} + 2\sin u\,\vec{k}$$

SOLUTION Les équations paramétriques de cette surface sont

$$x = 2\cos u \qquad y = v \qquad z = 2\sin u.$$

D'où, les coordonnées (x, y, z) de n'importe quel point de la surface vérifient

$$x^2 + z^2 = 4\cos^2 u + 4\sin^2 u = 4.$$

Cela signifie que les sections parallèles au plan Oxz (ou d'équation $y =$constante) sont des cercles de rayon 2. Puisque $y = v$ et qu'aucune restriction n'est faite sur v, la surface est un cylindre circulaire de rayon 2 dont l'axe est Oy (voyez la figure 2).

FIGURE 2

FIGURE 3

Dans l'exemple 1, aucune restriction n'affectait les paramètres u et v et de ce fait, la surface correspondante était le cylindre tout entier. Si nous restreignons par exemple le domaine de variation des paramètres à

$$0 \leqslant u \leqslant \pi/2 \qquad 0 \leqslant v \leqslant 3,$$

alors $x \geqslant 0$, $y \geqslant 0$ et la surface correspondante n'est plus qu'un quart du cylindre sur trois unités de longueur, comme il apparaît dans la figure 3.

Sur une surface paramétrée S représentée par une fonction vectorielle $\vec{r}(u, v)$, se distinguent deux familles de courbes, l'une caractérisée par u constant et l'autre par v constant. Si nous maintenons u constant en posant $u = u_0$, alors $\vec{r}(u_0, v)$ devient une fonction vectorielle à un seul paramètre v et définit une courbe C_1 tracée sur S (voyez la figure 4).

FIGURE 4

De même, si nous maintenons v constant en posant $v = v_0$, nous obtenons une courbe C_2 tracée sur S, représentée par $\vec{r}(u, v_0)$. Ces courbes constituent une **grille** . (Dans l'exemple 1, la grille correspondant à u constant est constituée de droites horizontales, tandis que la grille correspondant à v constant est formée de cercles.) Quand un ordinateur trace une surface paramétrée, il procède habituellement en traçant ces grilles, ainsi que le montre l'exemple suivant.

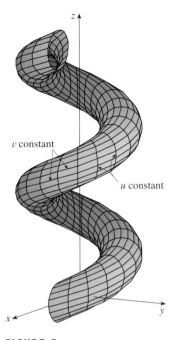

FIGURE 5

EXEMPLE 2 ■ Utilisez un logiciel de calcul symbolique pour dessiner le graphique de la surface

$$\vec{r}(u, v) = ((2 + \sin v) \cos u, (2 + \sin v) \sin u, u + \cos v).$$

Quelles sont les grilles issues de u constant ? De v constant ?

SOLUTION Nous faisons dessiner la portion de surface image du domaine de définition des paramètres $0 \leqslant u \leqslant 4\pi$, $0 \leqslant v \leqslant 2\pi$ (figure 5). Cette surface a l'air d'un tube en spirale. Pour reconnaître les grilles, nous écrivons les équations paramétriques correspondantes.

$$x = (2 + \sin v) \cos u, \qquad y = (2 + \sin v) \sin u \qquad z = u + \cos v.$$

Lorsque v est constant, $\sin v$ et $\cos v$ sont constants et les équations paramétriques ressemblent à celles de l'hélice de l'exemple 4 de la section 10.1. Les grilles correspondant à v constant sont donc les spirales de la figure 5. Par déduction, nous pensons que les grilles de paramètres u constant doivent être constituées des courbes qui ont l'air de cercles dans la figure. Cette supposition se confirme si nous observons que $u = u_0$ entraîne $z = u_0 + \cos v$, et de là que z varie entre $u_0 - 1$ et $u_0 + 1$. ■

Dans les exemples 1 et 2, l'équation vectorielle était donnée et il était demandé de dessiner la surface paramétrée correspondante. Dans les exemples suivants au contraire, le problème posé est plus ardu puisqu'il s'agit de déterminer l'équation vectorielle représentative d'une surface donnée. C'est le défi qui se posera dans les chapitres ultérieurs.

EXEMPLE 3 ■ Cherchez une représentation paramétrique de la sphère

$$x^2 + y^2 + z^2 = a^2.$$

SOLUTION Vu que la sphère a une équation particulièrement simple en coordonnées sphériques, $\rho = a$, on choisit les angles ϕ et θ des coordonnées sphériques comme paramètres (voyez la section 9.7). Si on substitue $\rho = a$ dans les équations de conversion des coordonnées sphériques vers les équations cartésiennes (équations 3 de la section 9.7), on obtient

$$x = a \sin \phi \cos \theta \qquad y = a \sin \phi \sin \theta \qquad z = a \cos \phi$$

comme équations paramétriques de la sphère. L'équation vectorielle qui en découle est

$$\vec{r}(\phi, \theta) = a \sin \phi \cos \theta \, \vec{i} + a \sin \phi \sin \theta \, \vec{j} + a \cos \phi \, \vec{k}.$$

On a $0 \leqslant \phi \leqslant \pi$ et $0 \leqslant \theta \leqslant 2\pi$, ce qui conduit au domaine de définition des paramètres, $D = [0, \pi] \times [0, 2\pi]$. La grille de paramètre ϕ constant est composée des cercles de latitude constante (y compris l'équateur). La grille de paramètre θ constant est constituée des méridiens (demi-cercles) qui relient le pôle sud au pôle nord. ■

Une des applications des surfaces paramétrées est le dessin par ordinateur. La figure 6 montre le résultat obtenu en essayant de faire dessiner la sphère $x^2 + y^2 + z^2 = 1$ par résolution de l'équation par rapport à z et tracé des deux demi-sphères inférieure et supérieure séparément. Une meilleure image est sans nul doute celle de la figure 7 qui résulte des équations paramétriques déduites à l'exemple 3.

FIGURE 6

FIGURE 7

EXEMPLE 4 ■ Cherchez une représentation paramétrique du cylindre

$$x^2 + y^2 = 4 \qquad 0 \leqslant z \leqslant 1.$$

SOLUTION Comme le cylindre a une représentation simple $r = 2$ en coordonnées cylindriques, on choisit comme paramètres θ et z des coordonnées cylindriques. De là, les coordonnées paramétriques du cylindre sont

$$x = 2\cos\theta \qquad y = 2\sin\theta \qquad z = z,$$

où $0 \leqslant \theta \leqslant 2\pi$ et $0 \leqslant z \leqslant 1$.

EXEMPLE 5 ■ Cherchez une fonction vectorielle qui représente le paraboloïde elliptique $z = x^2 + 2y^2$.

SOLUTION En considérant x et y comme paramètres, les équations paramétriques pourraient être

$$x = x \qquad y = y \qquad z = x^2 + 2y^2$$

et l'équation vectorielle

$$\vec{r}(x, y) = x\,\vec{i} + y\,\vec{j} + (x^2 + 2y^2)\,\vec{k}.$$

En général, une surface représentative d'une fonction de x et y, c'est-à-dire d'une fonction de la forme $z = f(x, y)$, peut toujours être vue comme une surface paramétrée en les paramètres x et y dont les équations paramétriques s'écrivent

$$x = x \qquad y = y \qquad z = f(x, y).$$

Une surface n'a pas qu'une seule description paramétrique. L'exemple suivant met en évidence deux paramétrisations d'un cône.

EXEMPLE 6 ■ Déterminez une paramétrisation de la surface $z = 2\sqrt{x^2 + y^2}$, c'est-à-dire de la moitié supérieure du cône $z^2 = 4x^2 + 4y^2$.

SOLUTION 1 Une première paramétrisation s'obtient en choisissant x et y comme paramètres :

$$x = x \qquad y = y \qquad z = 2\sqrt{x^2 + y^2}.$$

L'équation vectorielle est donc

$$\vec{r}(x, y) = x\,\vec{i} + y\,\vec{j} + 2\sqrt{x^2 + y^2}\,\vec{k}.$$

SOLUTION 2 Une autre paramétrisation s'obtient en choisissant comme paramètres les coordonnées polaires r et θ. Un point (x, y, z) du cône satisfait à $x = r\cos\theta$, $y = r\sin\theta$ et $z = 2\sqrt{x^2 + y^2} = 2r$. Une équation vectorielle du cône est donc aussi

$$\vec{r}(r, \theta) = r\cos\theta\,\vec{i} + r\sin\theta\,\vec{j} + 2r\,\vec{k},$$

où $r \geqslant 0$ et $0 \leqslant \theta \leqslant 2\pi$.

Les surfaces de révolution peuvent être décrites paramétriquement et dessinées par ordinateur. Prenons le cas de la surface S obtenue en faisant tourner la courbe $y = f(x)$, $a \leqslant x \leqslant b$ autour de l'axe Ox, où $f(x) \geqslant 0$. L'angle de rotation est désigné

Les deux représentations paramétriques des solutions 1 et 2 se valent, mais la deuxième convient mieux dans certaines situations. C'est le cas, par exemple, si seule la partie inférieure du cône, celle sous le plan $z = 1$, est concernée car il suffit alors de réduire le domaine de définition du paramètre à

$$0 \leqslant r \leqslant \frac{1}{2} \qquad 0 \leqslant \theta \leqslant 2\pi.$$

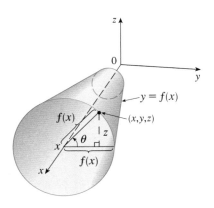

FIGURE 8

par θ comme vous pouvez le constater dans la figure 8. Si (x, y, z) est un point de S, alors

3 $$x = x \qquad y = f(x) \cos \theta \qquad z = f(x) \sin \theta.$$

Par conséquent, x et θ servent de paramètres et l'équation 3 est vue comme une description paramétrique de S. Le domaine de définition est $a \leqslant x \leqslant b, 0 \leqslant \theta \leqslant 2\pi$.

EXEMPLE 7 ■ On fait tourner autour de l'axe Ox la courbe $y = \sin x, 0 \leqslant x \leqslant 2\pi$. Écrivez des équations paramétriques pour cette surface de révolution et dessinez-la à l'aide de ces équations.

SOLUTION Suivant les équations 3, les équations paramétriques sont

$$x = x \qquad y = \sin x \cos \theta \qquad z = \sin x \sin \theta,$$

et le domaine de définition, $0 \leqslant x \leqslant 2\pi, 0 \leqslant \theta \leqslant 2\pi$. À l'aide d'un ordinateur qui représente cette fonction et en fait tourner l'image, on obtient le graphique de la figure 9.

FIGURE 9

10.5 Exercices ●

1-4 ■ Reconnaissez la surface d'équation vectorielle donnée.

1. $\vec{r}(u, v) = u \cos v \vec{i} + u \sin v \vec{j} + u^2 \vec{k}$

2. $\vec{r}(u, v) = u \vec{i} + v \vec{j} + (u + 2) \vec{k}$

3. $\vec{r}(x, \theta) = (x, \cos \theta, \sin \theta)$

4. $\vec{r}(x, \theta) = (x, x \cos \theta, x \sin \theta)$

5-8 ■ Faites dessiner par un ordinateur le graphique de la surface paramétrée. Faites-en une copie papier et surlignez la grille de paramètre u constant et celle de paramètre v constant.

5. $\vec{r}(u, v) = (u^2 + 1, v^3 + 1, u + v)$,
$-1 \leqslant u \leqslant 1, \ -1 \leqslant v \leqslant 1$

6. $\vec{r}(u, v) = (u + v, u^2, v^2), \ -1 \leqslant u \leqslant 1, \ -1 \leqslant v \leqslant 1$

7. $x = \cos u \sin 2v, \quad y = \sin u \sin 2v, \quad z = \sin v$

8. $x = u \sin u \cos v, \quad y = u \cos u \cos v, \quad z = u \sin v$

9-14 ■ Voici 6 équations et 6 graphiques (étiquetés I-VI). Mettez-les en correspondance et justifiez votre choix. Pour chaque grille, dites si c'est le paramètre u qui est constant ou le paramètre v.

9. $\vec{r}(u, v) = \cos v \vec{i} + \sin v \vec{j} + u \vec{k}$

10. $\vec{r}(u, v) = u \cos v \vec{i} + u \sin v \vec{j} + u \vec{k}$

11. $\vec{r}(u, v) = u \cos v \vec{i} + u \sin v \vec{j} + v \vec{k}$

12. $x = u^3, \quad y = u \sin v, \quad z = u \cos v$

13. $x = (u - \sin u) \cos v, \quad y = (1 - \cos u) \sin v, \quad z = u$

14. $x = (1 - u)(3 + \cos v) \cos 4\pi u$,
$y = (1 - u)(3 + \cos v) \sin 4\pi u$,
$z = 3u + (1 - u) \sin v$

I

II

III

IV

V

VI

15-22 ■ Déterminez une représentation paramétrique de la surface.

15. La moitié supérieure de l'ellipsoïde $3x^2 + 2y^2 + z^2 = 1$.

16. La partie de l'hyperboloïde $-x^2 - y^2 + z^2 = 1$ qui se trouve sous le rectangle $[-1, 1] \times [-3, 3]$.

17. La partie du paraboloïde elliptique $y = 6 - 3x^2 - 2z^2$ qui se trouve à droite du plan Oxz.

18. La partie du paraboloïde elliptique $x + y^2 + 2z^2 = 4$ qui se trouve en avant du plan $x = 0$.

19. La partie de la sphère $x^2 + y^2 + z^2 = 4$ qui surmonte le cône $z = \sqrt{x^2 + y^2}$.

20. La partie du cylindre $x^2 + z^2 = 1$ comprise entre les plans $y = -1$ et $y = 3$.

21. La partie du plan $z = 5$ qui se trouve à l'intérieur du cylindre $x^2 + y^2 = 16$.

22. La partie du plan $z = x + 3$ qui se trouve à l'intérieur du cylindre $x^2 + y^2 = 1$.

23. Déterminez des équations paramétriques de la surface obtenue par révolution de la courbe $y = e^{-x}$, $0 \leqslant x \leqslant 3$ autour de l'axe Ox et servez-vous en pour faire dessiner cette surface.

24. Déterminez des équations paramétriques de la surface obtenue par révolution de la courbe $x = 4y^2 - y^4$, $-2 \leqslant y \leqslant 2$ autour de l'axe Oy et servez-vous en pour faire dessiner cette surface.

25. a) Montrez que les équations paramétriques $x = a \sin u \cos v$, $y = b \sin u \sin v$, $z = c \cos u$, $0 \leqslant u \leqslant \pi$, $0 \leqslant v \leqslant 2\pi$ représente un ellipsoïde.

   b) Servez-vous des équations paramétriques de la partie a) pour faire dessiner l'ellipsoïde dans le cas $a = 1$, $b = 2$ et $c = 3$.

26. La surface d'équations paramétriques

$$x = 2 \cos \theta + r \cos(\theta/2)$$
$$y = 2 \sin \theta + r \cos(\theta/2)$$
$$z = r \sin(\theta/2)$$

où $-\frac{1}{2} \leqslant r \leqslant \frac{1}{2}$ et $0 \leqslant \theta \leqslant 2\pi$, est appelée un **ruban de Möbius**. Dessinez cette surface sous différents points de vue. Qu'a-t-elle d'inhabituel ?

27. a) Que devient le tube en spirale de l'exemple 2 (voyez la figure 5) si on remplace $\cos u$ par $\sin u$ et $\sin u$ par $\cos u$?

   b) Que se passe-t-il si on remplace $\cos u$ par $\cos 2u$ et $\sin u$ par $\sin 2u$?

28. a) Trouvez une représentation paramétrique du tore obtenu en faisant tourner autour de l'axe Oz le cercle du plan Oxz centré en $(b, 0, 0)$ et de rayon $a < b$. [*Suggestion :* Prenez comme paramètres les angles θ et α indiqués dans la figure.]

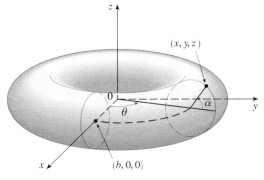

   b) Servez-vous des équations paramétriques pour faire dessiner le tore pour diverses valeurs de a et b.

Chapitre 10 Révision

───────────── • **CONTRÔLE DES CONCEPTS** • ─────────────

1. Qu'est-ce qu'une fonction vectorielle? Comment calcule-t-on sa dérivée et son intégrale?

2. Quel est le lien entre fonctions vectorielles et courbes de $\mathbb{R}^3$?

3. a) Qu'est-ce qu'une courbe lisse?
b) Comment déterminez-vous le vecteur tangent à une courbe lisse en un point? Comment déterminez-vous la tangente? Le vecteur tangent unitaire?

4. Si $\vec{u}$ et $\vec{v}$ sont des fonctions vectorielles dérivables, si c est un scalaire et f une fonction réelle, écrivez les règles de dérivation des fonctions vectorielles suivantes.

a) $\vec{u}(t) + \vec{v}(t)$ b) $c\vec{u}(t)$
c) $f(t)\vec{u}(t)$ d) $\vec{u}(t) \cdot \vec{v}(t)$
e) $\vec{u}(t) \wedge \vec{v}(t)$ f) $\vec{u}(f(t))$

5. Comment calculez-vous la longueur d'une courbe de l'espace donnée par une fonction vectorielle $\vec{r}(t)$?

6. a) Définissez la courbure.

b) Écrivez une formule de la courbure en termes de $\vec{r}'(t)$ et $\vec{T}'(t)$.

c) Écrivez une formule de la courbure en termes de $\vec{r}'(t)$ et $\vec{r}''(t)$.

d) Écrivez une formule de la courbure d'une courbe plane d'équation $y = f(x)$.

7. a) Écrivez les formules des vecteurs normal et binormal unitaires d'une courbe lisse de l'espace $\vec{r}(t)$.

b) Qu'appelle-t-on plan normal à une courbe en un point? Plan osculateur? Qu'entend-on par cercle osculateur?

8. a) Comment calculez-vous la vitesse, la vitesse scalaire et l'accélération d'un point matériel qui se déplace le long d'une courbe de l'espace?

b) Écrivez l'accélération en termes de ses composantes tangentielles et normales.

9. Énoncez les lois de Kepler.

10. Qu'est-ce qu'une surface paramétrée? Qu'est-ce qu'une grille?

───────────── ▲ **VRAI-FAUX** ▲ ─────────────

Dites si la proposition est vraie ou fausse. Si elle est vraie, expliquez pourquoi. Si elle est fausse, expliquez pourquoi et donnez un exemple qui contredit la proposition.

1. La courbe d'équation vectorielle

$$\vec{r}(t) = t^3\,\vec{i} + 2t^3\,\vec{j} + 3t^3\,\vec{k}$$

est une droite.

2. La courbe d'équation vectorielle

$$\vec{r}(t) = (t, t^3, t^5)$$

est lisse.

3. La courbe d'équation vectorielle

$$\vec{r}(t) = (\cos t, t^2, t^4)$$

est lisse.

4. La dérivée d'une fonction vectorielle est obtenue en dérivant chacune des composantes de la fonction.

5. Si $\vec{u}(t)$ et $\vec{v}(t)$ sont des fonctions vectorielles dérivables, alors

$$\frac{d}{dt}[\vec{u}(t) \wedge \vec{v}(t)] = \vec{u}'(t) \wedge \vec{v}'(t).$$

6. Si $\vec{r}(t)$ est une fonction vectorielle dérivable, alors

$$\frac{d}{dt}\|\vec{r}(t)\| = \|\vec{r}'(t)\|.$$

7. Si $\vec{T}(t)$ est le vecteur tangent unitaire d'une courbe lisse, alors la courbure est $\kappa = \|d\vec{T}/dt\|$.

8. Le vecteur binormal est $\vec{B}(t) = \vec{N}(t) \wedge \vec{T}(t)$.

9. Le cercle osculateur d'une courbe C en un point a même vecteur tangent, vecteur normal et courbure que C en ce point.

10. Des paramétrisations différentes d'une même courbe aboutissent à des vecteurs tangents identiques en un point donné d'une courbe.

───────────── ◆ **EXERCICES** ◆ ─────────────

1. a) Dessinez la courbe représentée par la fonction vectorielle

$$\vec{r}(t) = 2\vec{i} + \sin t\,\vec{j} + \cos t\,\vec{k}.$$

b) Calculez $\vec{r}'(t)$ et $\vec{r}''(t)$.

2. Soit $\vec{r}(t) = (t^3, \sqrt{t+2}, (\sin t)/t)$.
a) Déterminez le domaine de définition de $\vec{r}$.
b) Calculez $\lim_{t \to 0} \vec{r}(t)$.
c) Calculez $\vec{r}'(t)$.

3. Décrivez avec une fonction vectorielle la courbe d'intersection du cylindre $x^2 + y^2 = 16$ et le plan $x + z = 5$.

4. Déterminez des équations paramétriques de la droite tangente à la courbe $x = t^2$, $y = t^4$, $z = t^3$ au point $(1, 1, 1)$. Faites apparaître dans une même fenêtre la tangente et la courbe.

5. Calculez $\int_0^1 \vec{r}(t)dt$, si $\vec{r}(t) = (t + t^2)\,\vec{i} + (2 + t^3)\,\vec{j} + t^4\,\vec{k}$.

6. Soit C la courbe définie par $x = 2 - t^3$, $y = 2t - 1$, $z = \ln t$. Déterminez a) le point en lequel la courbe traverse le plan Oxz, b) des équations paramétriques de la droite tangente en $(1, 1, 0)$ et c) une équation du plan normal à C en $(1, 1, 0)$.

7. Par la Règle de Simpson avec $n = 4$, estimez la longueur de l'arc d'extrémités $(1, 4, 2)$ et $(2, 1, 17)$ de la courbe d'équations $x = \sqrt{t}$, $y = 4/t$, $z = t^2 + 1$.

8. Calculez la longueur de la courbe $\vec{r}(t) = (2t^{3/2}, \cos 2t, \sin 2t)$, $0 \leqslant t \leqslant 1$.

9. L'hélice $\vec{r}_1(t) = \cos t\,\vec{i} + \sin t\,\vec{j} + t\,\vec{k}$ rencontre la courbe $\vec{r}_2(t) = (1 + t)\,\vec{i} + t^2\,\vec{j} + t^3\,\vec{k}$ au point $(1, 0, 0)$. Calculez l'angle d'intersection de ces courbes.

10. Reparamétrisez la courbe $\vec{r}(t) = e^t\,\vec{i} + e^t \sin t\,\vec{j} + e^t \cos t\,\vec{k}$ par rapport à l'abscisse curviligne mesurée depuis le point $(1, 0, 1)$ dans le sens des t croissants.

11. Déterminez a) le vecteur tangent unitaire, b) le vecteur normal unitaire et c) la courbure de la courbe $\vec{r}(t) = (t^3/3, t^2/2, t)$.

12. Calculez la courbure de l'ellipse $x = 3 \cos t$, $y = 4 \sin t$ aux points $(3, 0)$ et $(0, 4)$.

13. Calculez la courbure de la courbe $y = x^4$ au point $(1, 1)$.

14. Déterminez une équation du cercle osculateur de la courbe $y = x^4 - x^2$ à l'origine. Dessinez la courbe et le cercle osculateur.

15. Déterminez une équation du plan osculateur de la courbe $x = \sin 2t$, $y = t$, $z = \cos 2t$ au point $(0, \pi, 1)$.

16. Voici la trajectoire C d'un point matériel caractérisée par un vecteur position $\vec{r}(t)$ au temps t.

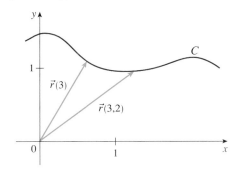

a) Dessinez un vecteur qui représente la vitesse moyenne du point sur l'intervalle de temps $0 \leqslant t \leqslant 3{,}2$.

b) Écrivez une expression de la vitesse $\vec{v}(3)$.

c) Écrivez une expression du vecteur tangent unitaire $\vec{T}(3)$ et représentez-le.

17. Le vecteur position d'un objet en mouvement est $\vec{r}(t) = 2\sqrt{2}t\,\vec{i} + e^{2t}\,\vec{j} + e^{-2t}\,\vec{k}$. Calculez la vitesse, la vitesse scalaire et l'accélération de l'objet.

18. Un mobile part de l'origine avec une vitesse initiale $\vec{i} + 2\vec{j} + \vec{k}$. Son accélération est $\vec{a}(t) = t\,\vec{i} + \vec{j} + t^2\,\vec{k}$. Quelle est sa fonction position ?

19. Un athlète effectue un lancer avec un angle de $45°$ sur l'horizontale à une vitesse initiale de 13,1 m/s. Le poids quitte sa main à 2,1 m au-dessus du sol.

a) Où est le poids 2 secondes plus tard ?

b) Jusqu'à quelle hauteur est-il allé ?

c) Où le poids est-il tombé ?

20. Déterminez les composantes normale et tangentielle du vecteur accélération d'un point matériel dont la fonction de position est $\vec{r}(t) = t\,\vec{i} + 2t\,\vec{j} + t^2\,\vec{k}$.

21. Donnez une représentation paramétrique de la partie de la sphère $x^2 + y^2 + z^2 = 4$ qui se trouve entre les plans $z = 1$ et $z = -1$.

22. Dessinez par ordinateur la surface d'équation vectorielle

$$\vec{r}(u, v) = ((1 - \cos u) \sin v, u, (u - \sin u) \cos v).$$

Imprimez cette surface sous un bon angle de vue et indiquez la grille des courbes de paramètre u constant et de paramètre v constant.

23. Un disque de rayon 1 tourne dans le sens contraire des aiguilles d'une montre à vitesse angulaire constante ω. Un point matériel part du centre du disque et se dirige vers le bord le long d'un rayon fixé de sorte que sa position au temps t, $t \geqslant 0$, est donnée par $\vec{r}(t) = t\vec{R}(t)$, où

$$\vec{R}(t) = \cos \omega t\,\vec{i} + \sin \omega t\,\vec{j}.$$

a) Montrez que la vitesse $\vec{v}$ du point est

$$\vec{v} = \cos \omega t\,\vec{i} + \sin \omega t\,\vec{j} + t\vec{v}_d,$$

où $\vec{v}_d = \vec{R}'(t)$ est la vitesse d'un point sur le bord du disque.

b) Montrez que l'accélération $\vec{a}$ du point est

$$\vec{a} = 2\vec{v}_d + t\vec{a}_d$$

où $\vec{a}_d = \vec{R}''(t)$ est l'accélération d'un point sur le bord du disque. Le terme supplémentaire $2\vec{v}_d$ est appelé l'accélération de *Coriolis* ; il est le résultat de l'interaction entre la rotation du disque et le mouvement du point. Cette accélération peut être physiquement ressentie en marchant en direction du bord d'un manège qui tourne.

c) Déterminez l'accélération de Coriolis d'une particule qui se meut sur un disque en rotation selon

$$\vec{r}(t) = e^{-t}\cos\omega t\,\vec{i} + e^{-t}\sin\omega t\,\vec{j}.$$

24. Calculez la courbure de la courbe décrite par les équations paramétriques

$$x = \int_0^t \sin\frac{1}{2}\pi\theta^2\,d\theta \qquad y = \int_0^t \cos\frac{1}{2}\pi\theta^2\,d\theta.$$

25. Lorsqu'on projette de raccorder des voies de chemin de fer rectilignes, il est important de prévoir que l'accélération du train doit être continue de manière à ce que la force de réaction exercée par le train sur les rails soit elle aussi continue. En raison des formules des composantes de l'accélération dans la section 10.4, il en sera ainsi si la courbure varie continûment.

a) Si des voies suivent la droite $y = 1$ pour $x \leqslant 0$ et $y = \sqrt{2} - x$ pour $x \geqslant 1/\sqrt{2}$, une manière logique de les raccorder est de choisir le trajet de la fonction $f(x) = \sqrt{1 - x^2}$, $0 < x < 1/\sqrt{2}$, qui n'est autre que l'arc de cercle, visible sur la figure. Cela semble à première vue raisonnable. Montrez que la fonction

$$F(x) = \begin{cases} 1 & \text{si } x \leqslant 0 \\ \sqrt{1 - x^2} & \text{si } 0 < x < 1/\sqrt{2} \\ \sqrt{2} - x & \text{si } x \geqslant 1/\sqrt{2} \end{cases}$$

est continue, a une pente continue, mais pas une courbure continue. De ce fait, f n'est pas une bonne courbe de raccord.

b) Déterminez un polynôme de degré 5 dont la courbe représentative serve de raccord entre les segments $y = 0$ pour $x \leqslant 0$ et $y = x$ pour $x \geqslant 1$. Un polynôme de degré quatre serait-il envisageable ? Employez une calculatrice graphique ou un ordinateur pour dessiner le graphique de la fonction de raccord et vérifiez si vous obtenez quelque chose comme dans la figure.

**Pleins feux
sur la résolution
de problèmes**

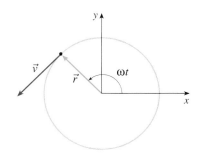

Figure relative au problème 1

1. Un point se meut à vitesse angulaire constante ω autour d'un cercle centré à l'origine et de rayon R. On dit que le point est animé d'un *mouvement circulaire uniforme.* On suppose que le mouvement s'effectue dans le sens contraire des aiguilles d'une montre et que le point se trouve en $(R, 0)$ au moment $t = 0$. Le vecteur position à un moment $t \geq 0$ a l'expression

$$\vec{r}(t) = R \cos \omega t \, \vec{i} + R \sin \omega t \, \vec{j}.$$

a) Cherchez l'expression du vecteur vitesse $\vec{v}$ et montrez que $\vec{v} \cdot \vec{r} = 0$. Tirez la conclusion que $\vec{v}$ est tangent au cercle et va dans le même sens que le mouvement.

b) Démontrez que la vitesse scalaire du point est la constante ωR. La *période* T du point est la durée d'une révolution complète. Vérifiez que

$$T = \frac{2\pi R}{\|\vec{v}\|} = \frac{2\pi}{\omega}.$$

c) Cherchez le vecteur accélération $\vec{a}$. Montrez qu'il est proportionnel à $\vec{r}$ et dirigé vers l'origine. Une accélération qui possède cette propriété est qualifiée de *centripète.* Montrez que la norme de l'accélération vaut $\|\vec{a}\| = R\omega^2$.

d) On suppose que le point matériel a une masse m. Montrez que l'intensité de la force $\vec{F}$ requise pour produire ce mouvement, appelée *force centripète* vaut

$$\|\vec{F}\| = \frac{m\|\vec{v}\|^2}{R}.$$

2. Lors d'un virage en arc de cercle (de rayon R) une autoroute est relevée d'un angle θ pour qu'une voiture puisse franchir ce tournant de façon sûre, sans déraper en l'absence de frottement entre la route et les pneus. En cas de fortes pluies ou de verglas, par exemple, ce frottement peut en effet devenir quasi nul. La vitesse scalaire maximale qu'une voiture peut faire sans déraper sur la courbe est notée v_R. On suppose qu'une voiture de masse m franchit la courbe à cette vitesse v_R. Deux forces agissent sur la voiture : une force verticale mg, due au poids de la voiture, et une force $\vec{F}$ exercée par la route, et normale à celle-ci (voyez la figure).

La composante verticale de $\vec{F}$ compense le poids de la voiture ; donc, $\|\vec{F}\| \cos \theta = mg$. La composante horizontale de $\vec{F}$ exerce une force centripète sur la voiture, de sorte que, en vertu de la seconde loi de Newton et de la partie d) du problème 1,

$$\|\vec{F}\| \sin \theta = \frac{mv_R^2}{R}.$$

a) Montrez que $v_R^2 = Rg \operatorname{tg} \theta$.

b) Calculez la vitesse maximale sur une route circulaire de 120 m de rayon relevée d'un angle de $12°$.

c) On suppose que les ingénieurs des ponts et chaussées veulent maintenir l'angle de $12°$, mais augmenter la vitesse maximale possible de 50%. Quel rayon doive-t-il imposer au virage ?

3. Un projectile est tiré depuis l'origine sous un angle d'élévation α et avec une vitesse initiale v_0. Nous avons montré dans l'exemple 5 de la section 10.4 que, sous l'hypothèse que la résistance de l'air est négligeable et que seule la force de pesanteur g agit sur le projectile, le vecteur position

est

$$\vec{r}(t) = (v_0 \cos \alpha)t\,\vec{i} + \left[(v_0 \sin \alpha)t - \tfrac{1}{2}gt^2\right]\vec{j}$$

Nous avons également calculé que la distance horizontale maximale du projectile est atteinte lorsque $\alpha = 45°$ et que, dans ce cas, la portée est $R = v_0^2/g$.

a) Sous quel angle le projectile devrait-il être tiré pour atteindre une hauteur maximale?

b) Fixez la vitesse initiale à v_0 et considérez la parabole $x^2 + 2Ry - R^2 = 0$, dont l'image est ci-dessous. Montrez que le projectile peut atteindre n'importe quelle cible sur ou à l'intérieur de la région délimitée par la parabole et l'axe Ox, et qu'aucune cible en dehors de cette région ne peut être atteinte.

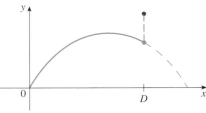

c) On suppose que le révolver présente un angle d'inclinaison α de manière à atteindre une cible suspendue à une hauteur h directement au-dessus d'un point à D unités. La cible est lâchée à l'instant où la balle est tirée. Montrez que la balle atteint toujours la cible, indépendemment de la vitesse v_0, pourvu que la balle ne touche pas le sol « avant » D.

4. Un projectile est tiré depuis l'origine sur un plan incliné vers le bas qui fait un angle θ avec l'horizontale. L'angle d'élévation du tir est noté α et la vitesse initiale du projectile v_0.

a) Déterminez le vecteur position du projectile et les équations paramétriques de la trajectoire en fonction du temps (Ne tenez pas compte de la résistance de l'air).

b) Déterminez l'angle d'élévation α qui maximise la portée (mesurée sur le plan incliné).

c) On suppose que le projectile est tiré au pied d'un plan incliné qui monte d'un angle θ par rapport à l'horizontale. Sous quel angle faut-il tirer pour maximiser la portée (mesurée sur le plan ascendant)?

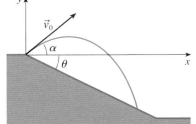

Figure relative au problème 4

5. Un projectile de masse m est tiré de l'origine sous un angle d'élévation α. Outre la gravité, la résistance de l'air exerce une force proportionnelle à la vitesse et opposée au mouvement. En application de la seconde loi de Newton, la force totale exercée sur le projectile satisfait alors à l'équation

1 $$m\frac{d^2\vec{R}}{dt^2} = -mg\vec{j} - k\frac{d\vec{R}}{dt},$$

où $\vec{R}$ est le vecteur position et $k > 0$ la constante de proportionnalité.

a) Montrez qu'une intégration de l'équation 1 conduit à l'équation

$$\frac{d\vec{R}}{dt} + \frac{k}{m}\vec{R} = v_0 - gt\vec{j},$$

où $\vec{v}_0 = \vec{v}(0) = \dfrac{d\vec{R}}{dt}(0)$.

b) Multipliez les deux membres de l'équation de la partie a) par $e^{(k/m)t}$ et montrez que le membre de gauche de l'équation est alors la dérivée du produit $e^{(k/m)t}\vec{R}(t)$. Intégrez enfin pour arriver à une expression du vecteur position $\vec{R}(t)$.

6. Explorez la forme de la surface d'équations paramétriques

$$x = \sin u \quad y = \sin v \quad z = \sin(u + v).$$

Commencez par dessiner la surface sous divers angles de vue. Expliquez l'allure des graphiques en identifiant les traces dans les plans horizontaux $z = 0$, $z = \pm 1$ et $z = \pm\frac{1}{2}$.

7. Une balle roule en bas d'une table à la vitesse de 60 cm/s. La table mesure 1 m de haut.
   a) En quel point la balle touche-t-elle le sol et quelle est sa vitesse scalaire au moment de l'impact?
   b) Que vaut l'angle θ entre la trajectoire de la balle et la verticale passant par le point d'impact (voyez la figure).

   c) La balle rebondit sous un même angle, mais perd 20 % de sa vitesse scalaire à cause de l'énergie absorbée par le choc. À quel endroit la balle retouche-t-elle le sol la deuxième fois ?

8. Un câble de rayon r et de longueur L est enroulé autour d'une bobine de rayon R sans chevauchement. Quelle est au minimum la partie de la bobine couverte par le câble enroulé ?

Les grandeurs physiques dépendent souvent de deux ou plusieurs variables. Nous étendons dans ce chapitre les notions de base du calcul différentiel et intégral à ces fonctions-là.

11

Les dérivées partielles

II.I Les fonctions de plusieurs variables •

Dans la section 9.6, nous avons étudié des fonctions de deux variables ainsi que leur représentation graphique. Ici, nous étudions des fonctions de deux variables ou plus sous quatre points de vue :

- ■ verbalement (en les décrivant avec des mots)
- ■ numériquement (en présentant un tableau de leurs valeurs)
- ■ visuellement (en montrant leur graphique ou leurs courbes de niveau)
- ■ algébriquement (en les définissant par une formule explicite)

Rappelons qu'une fonction f de deux variables est une règle qui assigne à chaque couple (x, y) de nombres réels de son domaine de définition un unique nombre réel, noté $f(x, y)$. Dans l'exemple 3 de la section 9.6, nous avons examiné les hauteurs des vagues h en haute mer comme une fonction principalement de la force v du vent et du temps t pendant lequel le vent souffle à cette vitesse. Nous y avons présenté, dans une table, des hauteurs observées qui représentent numériquement la fonction $h = f(v, t)$. La fonction de l'exemple suivant est aussi décrite verbalement et numériquement.

EXEMPLE I ■ Dans des régions où l'hiver est rude, l'*indice de refroidissement dû au vent* est utilisé pour rendre compte du froid réellement ressenti. Cet indice I est une température subjective qui dépend de la température réelle T et de la vitesse du vent v. Ainsi, I est une fonction de T et de v et nous pouvons écrire $I = f(T, v)$. La table que voici rassemble des valeurs de I enregistrées par l'Institut météorologique.

TABLE I Indice de refroidissement dû au vent comme une fonction de la température de l'air et de la vitesse du vent.

Vitesse du vent (km/h)

T \ v	6	10	20	30	40	50	60	70	80	90	100
20	20	18	16	14	13	13	12	12	12	12	12
16	16	14	11	9	7	7	6	6	5	5	5
12	12	9	5	3	1	0	0	−1	−1	−1	−1
8	8	5	0	−3	−5	−6	−7	−7	−8	−8	−8
4	4	0	−5	−8	−11	−12	−13	−14	−14	−14	−14
0	0	−4	−10	−14	−17	−18	−19	−20	−21	−21	−21
−4	−4	−8	−15	−20	−23	−25	−26	−27	−27	−27	−27
−8	−8	−13	−21	−25	−29	−31	−32	−33	−34	−34	−34
−12	−12	−17	−26	−31	−35	−37	−39	−40	−40	−40	−40
−16	−16	−22	−31	−37	−41	−43	−45	−46	−47	−47	−47
−20	−20	−26	−36	−43	−47	−49	−51	−52	−53	−53	−53

Température réelle (°C)

La table dit qu'une température de 4°C associée à un vent de 40 km/h est ressentie comme un froid de −11°C, sans vent. Donc,

$$f(4, 40) = -11.$$

TABLE 2

Année	P	L	K
1899	100	100	100
1900	101	105	107
1901	112	110	114
1902	122	117	122
1903	124	122	131
1904	122	121	138
1905	143	125	149
1906	152	134	163
1907	151	140	176
1908	126	123	185
1909	155	143	198
1910	159	147	208
1911	153	148	216
1912	177	155	226
1913	184	156	236
1914	169	152	244
1915	189	156	266
1916	225	183	298
1917	227	198	335
1918	223	201	366
1919	218	196	387
1920	231	194	407
1921	179	146	417
1922	240	161	431

EXEMPLE 2 ■ En 1928, Charles Cobb et Paul Douglas ont publié une étude dans laquelle apparaissait une modélisation de la croissance de l'économie américaine entre 1899 et 1922. Ils y avaient adopté une vue simplifiée de l'économie selon laquelle la quantité produite n'est fonction que de la quantité de travail réalisé et du montant des capitaux investis. Malgré que beaucoup d'autres facteurs affectent les performances économiques, leur modèle s'est avéré remarquablement précis. La fonction qu'ils ont employée pour modéliser la production était de la forme

1
$$P(L, K) = bL^{\alpha}K^{1-\alpha},$$

où P est la production totale (la valeur monétaire de tous les biens produits en un an), L la quantité de travail (le nombre total d'heures de travail prestées en un an) et K la quantité de capital investi (la valeur monétaire de toutes les machines, équipement et bâtiments). Nous expliquerons dans la section 11.3 en quoi la forme de l'équation 1 reflète certaines hypothèses économiques.

Les données économiques exploitées par Cobb et Douglas sont celles de la table 2 publiées par le gouvernement. Ils prirent délibérément l'année 1899 comme base, c'est-à-dire qu'ils attribuèrent le niveau 100 à chacun des facteurs et exprimèrent les valeurs des autres années en pourcentage de cette année-là. Cobb et Douglas utilisèrent le critère des moindres carrés pour ajuster leur modèle aux données de la table 2 et aboutirent à la fonction

2
$$P(L, K) = 1{,}01L^{0,75}K^{0,25}.$$

(Pour les détails, voyez l'exercice 41.)

Vérifions la précision de ce modèle en calculant par exemple la production des années 1910 et 1920 :

$$P(147, 208) = 1{,}01(147)^{0,75}(208)^{0,25} \approx 161{,}9$$
$$P(194, 407) = 1{,}01(194)^{0,75}(407)^{0,25} \approx 235{,}8$$

Ces valeurs sont assez proches des valeurs réelles 159 et 231.

La fonction de production (1) a été ultérieurement utilisée dans d'autres cadres, depuis la petite unité commerciale jusqu'aux phénomènes économiques globaux. Elle est connue comme la **fonction de production de Cobb-Douglas**.

Le domaine de définition de la fonction de production de l'exemple 2 est $\{(L, K) \,\|\, L \geqslant 0, K \geqslant 0\}$ parce que L et K, représentant le travail et le capital, ne peuvent pas prendre des valeurs négatives. Pour une fonction f donnée par une formule algébrique, rappelons que le domaine de définition se compose de tous les couples (x, y) pour lesquels l'expression de $f(x, y)$ donne lieu à un nombre réel bien défini.

EXEMPLE 3 ■ Déterminez le domaine de définition et l'ensemble image de

$$g(x, y) = \sqrt{9 - x^2 - y^2}.$$

SOLUTION Le domaine de définition de g est

$$D = \{(x, y) \,|\, 9 - x^2 - y^2 \geqslant 0\} = \{(x, y) \,|\, x^2 + y^2 \leqslant 9\},$$

c'est-à-dire le disque centré en $(0, 0)$ de rayon 3 (voyez la figure 1).

L'ensemble image de g est

$$\{z \,|\, z = \sqrt{9 - x^2 - y^2}, (x, y) \in D\}.$$

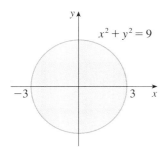

FIGURE 1

Domaine de définition
de $g(x, y) = \sqrt{9 - x^2 - y^2}$

Comme z est une racine carrée positive, $z \geqslant 0$. De plus,

$$9 - x^2 - y^2 \leqslant 9 \Rightarrow \sqrt{9 - x^2 - y^2} \leqslant 3.$$

D'où, l'ensemble image est

$$\{z \,\|\, 0 \leqslant z \leqslant 3\} = [0, 3].$$

■ **Représentations visuelles**

Une première manière de visualiser une fonction de deux variables est de se tourner vers sa représentation graphique. Rappelons de la section 9.6 que le graphique de f est une surface d'équation $z = f(x, y)$.

EXEMPLE 4 ■ Tracez le graphique de $g(x, y) = \sqrt{9 - x^2 - y^2}$.

SOLUTION L'équation du graphique est $z = \sqrt{9 - x^2 - y^2}$. En élevant au carré les deux membres de l'équation, nous obtenons $z^2 = 9 - x^2 - y^2$ ou $x^2 + y^2 + z^2 = 9$. Dans cette dernière expression, nous reconnaissons l'équation d'une sphère centrée à l'origine et de rayon 3. Mais, comme $z \geqslant 0$, le graphique de g n'est que la moitié supérieure de la sphère (voyez la figure 2).

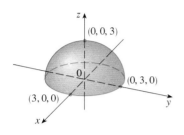

FIGURE 2
Graphique de $g(x, y) = \sqrt{9 - x^2 - y^2}$

EXEMPLE 5 ■ Dessinez par ordinateur le graphique de la fonction de production de Cobb-Douglas $P(L, K) = 1{,}01 L^{0{,}75} K^{0{,}25}$.

SOLUTION La figure 3 montre le graphique de P pour des valeurs de L et de K comprises entre 0 et 300. L'ordinateur a dessiné la surface en marquant les traces verticales. Sur ces traces, on peut constater que la valeur de la production P augmente dès que l'une ou l'autre des variables L ou K augmente, ainsi qu'on pouvait s'y attendre.

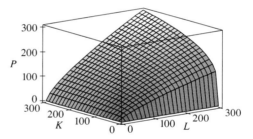

FIGURE 3

Une autre façon de visualiser des fonctions, empruntée aux cartographes, est un diagramme de courbes de niveau où des points d'élévation constante sont reliés pour former une *courbe de niveau*.

> **Définition** Les **courbes de niveau** d'une fonction f de deux variables sont les courbes d'équations $f(x, y) = k$, où k est une constante (de l'ensemble image de f).

Une courbe de niveau $f(x, y) = k$ est l'ensemble de tous les points en lesquels f prend une valeur donnée k. Autrement dit, elle montre où le graphique de f passe à l'altitude k.

La figure 4 sert à montrer la relation entre les courbes de niveau et les traces horizontales. La courbe de niveau $f(x, y) = k$ est le projeté dans le plan Oxy de la trace laissée par le graphique de f dans le plan horizontal $z = k$. Aussi, si vous dessinez quelques courbes de niveau d'une fonction et les regardez élevées jusqu'à la bonne hauteur dans la surface, vous pouvez mentalement reconstituer une image du graphique. La surface est raide où les courbes de niveau sont rapprochées. Elle est un peu plus plate là où elles sont plus distantes.

FIGURE 4

FIGURE 5

L'exemple le plus familier de courbes de niveau est celui des cartes topographiques des régions montagneuses, comme la carte de la figure 5. Les courbes de niveau sont des courbes d'altitude constante au-dessus du niveau de la mer. Si vous marchez à la verticale de ces courbes, vous ne montez ni ne descendez. Un autre exemple très commun est la fonction de température présentée ci-dessous. Les courbes de niveau dans ce contexte sont appelées des courbes **isothermales**. Elles joignent des points de même température. La figure 6 montre une carte météorologique du monde sur laquelle figurent des températures moyennes en janvier. Les isothermes sont les courbes qui séparent les zones de couleurs différentes.

FIGURE 6

Les températures mondiales moyennes
au niveau de la mer en degrés Celsius

FIGURE 7

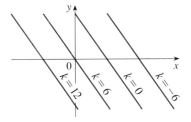

FIGURE 8
Carte de courbes de niveau
de $f(x, y) = 6 - 3x - 2y$

EXEMPLE 6 ■ Voici dans la figure 7 une carte de courbes de niveau d'une fonction f. Lisez sur cette carte les valeurs approximatives de $f(1, 3)$ et $f(4, 5)$.

SOLUTION Le point $(1, 3)$ se trouve quelque part entre les courbes de niveau $z = 70$ et $z = 80$. On estime que

$$f(1, 3) \approx 73.$$

De même, on estime que

$$f(4, 5) \approx 56.$$

EXEMPLE 7 ■ Dessinez les courbes de niveau de la fonction $f(x, y) = 6 - 3x - 2y$ pour les valeurs $k = -6, 0, 6, 12$.

SOLUTION L'équation des courbes de niveau est

$$6 - 3x - 2y = k \qquad \text{ou} \qquad 3x + 2y + (k - 6) = 0.$$

Il s'agit d'une famille de droites de pentes $-\frac{3}{2}$. Les quatre courbes de niveau $k = -6, 0, 6$ et 12 demandées sont $3x + 2y - 12 = 0$, $3x + 2y - 6 = 0$, $3x + 2y = 0$ et $3x + 2y + 6 = 0$. Elles sont dessinées dans la figure 8. Ces courbes de niveau sont parallèles et équidistantes parce que le graphique de f est un plan (voyez la figure 4 dans la section 9.6).

EXEMPLE 8 ■ Dessinez les courbes de niveau de la fonction

$$g(x, y) = \sqrt{9 - x^2 - y^2} \qquad \text{pour } k = 0, 1, 2, 3.$$

SOLUTION Les équations des courbes de niveau sont

$$\sqrt{9 - x^2 - y^2} = k \qquad \text{ou} \qquad x^2 + y^2 = 9 - k^2.$$

C'est une famille de cercles concentriques, centrés en $(0, 0)$ et de rayon $\sqrt{9 - k^2}$. Les cas $k = 0, 1, 2, 3$ sont représentés dans la figure 9. Essayez de visualiser ces courbes remontées au niveau voulu jusqu'à former une surface et comparez avec le graphique de g (une demi-sphère) dans la figure 2.

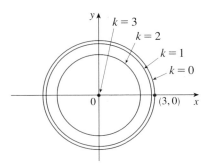

FIGURE 9
Carte de courbes de niveau
de $g(x, y) = \sqrt{9 - x^2 - y^2}$

EXEMPLE 9 ■ Dessinez quelques courbes de niveau de la fonction $h(x, y) = 4x^2 + y^2$.

SOLUTION Les courbes de niveau sont

$$4x^2 + y^2 = k \qquad \text{ou} \qquad \frac{x^2}{k/4} + \frac{y^2}{k} = 1.$$

Il s'agit, pour $k > 0$, d'une famille d'ellipses dont les demi-axes sont $\sqrt{k}/2$ et $\sqrt{k}$. La figure 10(a) montre un diagramme de courbes de niveau de h dessinée par ordinateur pour les niveaux $k = 0{,}25, 0{,}5, 0{,}75, \ldots, 4$. La figure 10(b) montre ces courbes de niveau élevées jusqu'au graphique de h (un paraboloïde elliptique) où elles deviennent des traces horizontales. La figure 10 met en évidence comment le graphique de h est recomposé à partir de ses courbes de niveau.

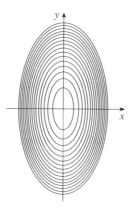

FIGURE 10
Le graphique de $h(x, y) = 4x^2 + y^2$ vu comme des courbes de niveau relevées.

(a) Carte de courbes de niveau

(b) Les traces horizontales sont des courbes de niveau relevées au niveau correspondant

EXEMPLE 10 ■ Représentez des courbes de niveau de la fonction de production de Cobb-Douglas de l'exemple 2.

SOLUTION C'est un ordinateur qui a tracé les courbes de niveau de la fonction de production de Cobb-Douglas

$$P(L, K) = 1{,}01 L^{0{,}75} K^{0{,}25}.$$

Chaque courbe de niveau porte le niveau de production P auquel elle correspond. Par exemple, la courbe de niveau marquée 140 se compose de toutes les valeurs de travail L et de capital investi K qui aboutissent à un niveau de production $P = 140$. On observe que, pour une valeur fixée de P, plus L croît, plus K décroît et réciproquement.

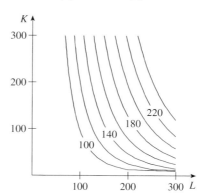

FIGURE 11

Un diagramme de courbes de niveau est à certains égards plus utile qu'un graphique. C'est certainement vrai dans l'exemple 10. (Comparez la figure 11 avec la figure 3.) C'est également vrai pour estimer des valeurs comme dans l'exemple 6.

La figure 12 de la page 754 montre quelques cartes de courbes de niveau engendrées par ordinateur à côté des graphiques eux aussi tracés par ordinateur.

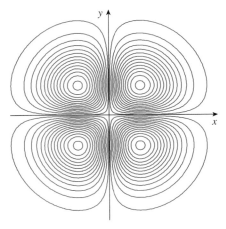

(a) Courbes de niveau de $f(x,y) = -xye^{-x^2-y^2}$

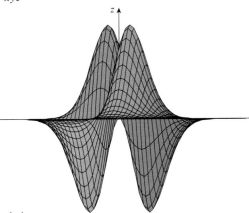

(b) Deux vues de $f(x,y) = -xye^{-x^2-y^2}$

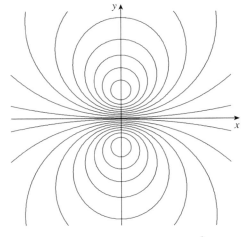

(c) Courbes de niveau de $f(x,y) = \dfrac{-3y}{x^2 + y^2 + 1}$

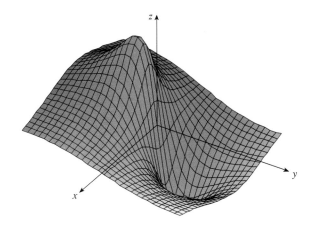

(d) $f(x,y) = \dfrac{-3y}{x^2 + y^2 + 1}$

FIGURE 12

Remarquez que les courbes de niveau de la partie (c) s'amassent près de l'origine. C'est dû au fait que le graphique de la partie (d) est très raide au voisinage de l'origine.

■ Les fonctions de trois variables ou plus

Une **fonction de trois variables** f est une règle qui assigne à chaque triplet ordonné (x, y, z) dans le domaine de définition $D \subset \mathbb{R}^3$ un unique nombre réel, noté $f(x, y, z)$. Par exemple, comme la température en un point de la Terre dépend de la longitude x, de la latitude y du point et du moment t, on peut écrire $T = f(x, y, t)$.

Il est très difficile de visualiser une fonction de trois variables par son graphique, vu que celui-ci devrait se trouver dans un espace à quatre dimensions. Néanmoins, examiner ses **surfaces de niveau** permet de comprendre un peu mieux le comportement de f. Ce sont les surfaces d'équations $f(x, y, z) = k$, où k est une constante. Tant que (x, y, z) se déplace sur une surface de niveau, la valeur de $f(x, y, z)$ reste inchangée.

EXEMPLE 11 ■ Déterminez le domaine de définition de f si

$$f(x, y, z) = \ln(z - y) + xy \sin z.$$

SOLUTION Comme l'expression de $f(x, y, z)$ est définie à condition que $z - y > 0$, le domaine de définition de f est

$$D = \{(x, y, z) \in \mathbb{R}^3 \mid z > y\}.$$

Ce domaine est le **demi-espace** fait de tous les points qui se trouvent au-dessus du plan $z = y$.

EXEMPLE 12 ■ Quelles sont les surfaces de niveau de la fonction

$$f(x, y, z) = x^2 + y^2 + z^2.$$

SOLUTION Les surfaces de niveau ont pour équation $x^2 + y^2 + z^2 = k$, où $k \geqslant 0$. Une telle équation représente une famille de sphères concentriques de rayon $\sqrt{k}$ (voyez la figure 13). Lorsque (x, y, z) se meut sur une quelconque de ces sphères centrées en O, la valeur de $f(x, y, z)$ reste la même.

On peut envisager des fonctions d'un nombre quelconque de variables. Une **fonction de n variables** est une règle qui assigne un nombre $z = f(x_1, x_2, \ldots, x_n)$ à un n-uple $(x_1, x_2, \ldots, x_n)$ de nombres réels. L'ensemble de ces n-uples est noté $\mathbb{R}^n$. Par exemple, si n ingrédients interviennent dans la fabrication d'un aliment, si c_i est le coût par unité de l'ingrédient i et si x_i est la quantité nécessaire du $i^{\text{ième}}$ ingrédient, alors la fonction de coût total C est une fonction des n variables $x_1, x_2, \ldots, x_n$:

3 $$C = f(x_1, x_2, \ldots, x_n) = c_1 x_1 + c_2 x_2 + \cdots c_n x_n.$$

La fonction f est une fonction à valeur réelle dont le domaine de définition est un sous-ensemble de $\mathbb{R}^n$. Nous allons parfois adopter la notation vectorielle pour écrire de telles fonctions sous une forme plus compacte : au lieu de $f(x_1, x_2, \ldots, x_n)$, nous écrirons

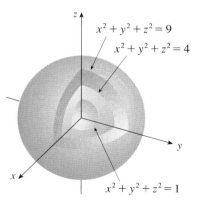

$x^2 + y^2 + z^2 = 9$
$x^2 + y^2 + z^2 = 4$
$x^2 + y^2 + z^2 = 1$

FIGURE 13

souvent $f(\vec{x})$ où $\vec{x} = (x_1, x_2, \ldots, x_n)$. Dans ces notations, la fonction de l'équation 3 s'écrit

$$f(\vec{x}) = \vec{c} \cdot \vec{x},$$

où $\vec{c} = (c_1, c_2, \ldots c_n)$ et $\vec{c} \cdot \vec{x}$ est le produit scalaire des vecteurs $\vec{c}$ et $\vec{x}$ de V_n.

En vue de la correspondance bijective entre points $(x_1, x_2, \ldots, x_n)$ de $\mathbb{R}^n$ et leur vecteurs positions $\vec{x} = (x_1, x_2, \ldots, x_n)$ de V_n, il y a trois façons de regarder une fonction f définie sur un sous-ensemble de $\mathbb{R}^n$:

1. comme une fonction de n variables réelles $x_1, x_2, \ldots, x_n$,

2. comme une fonction d'une seule variable, le point $(x_1, x_2, \ldots, x_n)$,

3. comme une fonction d'une seule variable, le vecteur $\vec{x} = (x_1, x_2, \ldots, x_n)$.

Chacun de ces points de vue a ses avantages, ainsi que nous le verrons plus tard.

11.1 Exercices

1. Nous avons considéré, dans l'exemple 1, la fonction $I = f(T, v)$ où I est l'indice de refroidissement dû au vent, T la température réelle et v la vitesse du vent. Elle est représentée numériquement par la table 1.

a) Combien vaut $f(8, 60)$? Quelle est la signification de ce nombre ?

b) Expliquez en mots le sens de la question « Pour quelle valeur de v est-ce que $f(-12, v) = -26$? » Répondez ensuite à la question.

c) Expliquez en mots le sens de la question « Pour quelle valeur de T est-ce que $f(T, 80) = -14$? » Répondez ensuite à la question.

d) Interprétez la fonction $I = f(-4, v)$. Décrivez le comportement de cette fonction.

e) Interprétez la fonction $I = f(T, 50)$. Décrivez le comportement de cette fonction.

2. L'*indice température-humidité* I est la température de l'air perçue alors que la température réelle est T et l'humidité relative h. Ainsi, $I = f(T, h)$. La table des valeurs de I que voici est un extrait des tables établies par les organismes internationaux responsables des conditions climatiques.

TABLE 3 La température apparente comme une fonction de la température et de l'humidité

Humidité relative (%)

T \ h	20	30	40	50	60	70
80	77	78	79	81	82	83
85	82	84	86	88	90	93
90	87	90	93	96	100	106
95	93	96	101	107	114	124
100	99	104	110	120	132	144

Température réelle (°F)

a) Combien vaut $f(95, 70)$? Quelle est la signification de ce nombre ?

b) Pour quelle valeur de h est-ce que $f(90, h) = 100$?

c) Pour quelle valeur de T est-ce que $f(T, 50) = 88$?

d) Interprétez les fonctions $I = f(80, h)$ et $I = f(100, h)$. Comparez le comportement de ces deux fonctions de h.

3. Vérifiez pour la fonction de production de Cobb-Douglas

$$P(L, K) = 1{,}01 L^{0,75} K^{0,25}$$

rencontrée dans l'exemple 2, que la production est doublée si les facteurs travail et capital sont doublés. Est-ce également vrai pour la fonction de production générale

$$P(L, K) = b L^\alpha K^{1-\alpha} ?$$

4. L'indice température-humidité I défini dans l'exercice 2 a été modélisé par un polynôme de degré 4 :

$$
\begin{aligned}
I(T, h) = {} & -42{,}379 + 2{,}04901523T \\
& + 10{,}14333127h - 0{,}22475541Th \\
& - 0{,}00683783T^2 - 0{,}05481717h^2 \\
& + 0{,}00122874T^2h + 0{,}00085282Th^2 \\
& - 0{,}00000199T^2h^2
\end{aligned}
$$

Vérifiez pour quelques valeurs de T et h que ce polynôme donne bien des valeurs proches de celles de la table 3. Préférez-vous la présentation numérique ou algébrique de cette fonction ?

5. Déterminez le domaine de définition et l'ensemble image de la fonction $f(x, y) = \sqrt{x - y}$.

6. Déterminez et représentez graphiquement le domaine de définition de la fonction

$$f(x, y) = \sqrt{4 - 2x^2 - y^2}.$$

7. Soit $f(x, y, z) = x^2 \ln(x - y + z)$.
 a) Calculez $f(3, 6, 4)$.
 b) Déterminez le domaine de définition de f.
 c) Déterminez l'ensemble image de f.
8. Soit $f(x, y, z) = 1/\sqrt{x^2 + y^2 + z^2 - 1}$.
 a) Calculez $f(1, 3, -4)$.
 b) Déterminez le domaine de définition de f.
 c) Déterminez l'ensemble image de f.
9. Voici un diagramme de courbes de niveau d'une fonction f. D'après cette carte, combien vaut $f(-3, 3)$ et $f(3, -2)$?

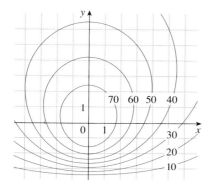

10. Voici deux graphiques de courbes de niveau. L'un est celui d'une fonction f dont la représentation graphique est un cône. L'autre concerne une fonction g représentée par un paraboloïde. Lequel est lequel et pourquoi ?

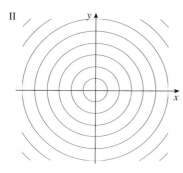

11. Situez les points A et B sur la carte du mont Lonesome (figure5). Décrivez le relief aux abords de A. Et aux abords de B.

12. Voici le graphique d'une fonction. Faites une esquisse des courbes de niveau de cette surface.

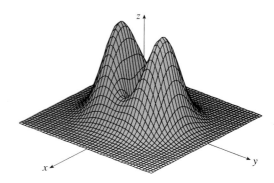

13-20 ■ Dressez un diagramme de quelques courbes de niveau de la fonction.

13. $f(x, y) = xy$
14. $f(x, y) = x^2 - y^2$
15. $f(x, y) = \dfrac{x}{y}$
16. $f(x, y) = \dfrac{x + y}{x - y}$
17. $f(x, y) = \sqrt{x + y}$
18. $f(x, y) = y - \cos x$
19. $f(x, y) = x - y^2$
20. $f(x, y) = e^{1/(x^2 + y^2)}$

21-22 ■ Dessinez les courbes de niveau et le graphique de la fonction et comparez-les.

21. $f(x, y) = x^2 + 9y^2$;
22. $f(x, y) = \sqrt{36 - 9x^2 - 4y^2}$.

23. En un point (x, y) d'une fine plaque de métal, situé dans le plan Oxy, la température est désignée par $T(x, y)$. Les courbes de niveau de T sont appelées des courbes *isothermales* parce qu'en tous les points de ces courbes la température est la même. Dessinez quelques isothermales si la fonction de température est donnée par

$$T(x, y) = 100/(1 + x^2 + 2y^2).$$

24. Si $V(x, y)$ désigne le potentiel électrique au point (x, y) du plan Oxy, les courbes de niveau de V s'appellent des *courbes équipotentielles* parce qu'en chacun de leurs points le potentiel électrique est le même. Dessinez quelques courbes équipotentielles si $V(x, y) = c/\sqrt{r^2 - x^2 - y^2}$, où c est une constante positive.

25-28 ■ Faites dessiner la fonction par ordinateur sur différents domaines de définition et sous divers angles de vue. Imprimez l'image qui, selon vous, donne la meilleure vue. Si votre logiciel produit aussi des courbes de niveau, faites la carte des courbes de niveau et comparez avec le graphique.

25. $f(x, y) = x^3 + y^3$
26. $f(x, y) = \sin(ye^{-x})$
27. $f(x, y) = xy^2 - x^3$ (selle de singe)
28. $f(x, y) = xy^3 - yx^3$ (selle de chien)

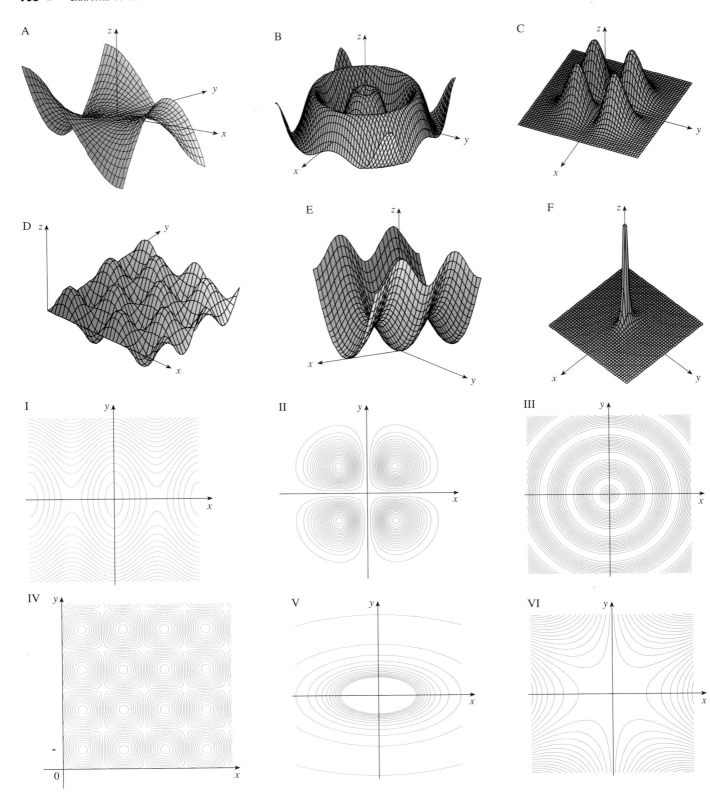

29-34 ■ Couplez la fonction a) avec son graphique (étiqueté A-F sur la page 758) et (b) avec sa carte de courbes de niveau (étiquetée I-VI). Justifiez vos choix.

29. $z = \sin \sqrt{x^2 + y^2}$ **30.** $z = x^2 y^2 e^{-x^2-y^2}$

31. $z = \dfrac{1}{x^2 + 4y^2}$ **32.** $z = x^3 - 3xy^2$

33. $z = \sin x \sin y$ **34.** $z = \sin^2 x + \frac{1}{4} y^2$

· · · · · · · · · · · · · · · · · · · ·

35-38 ■ Décrivez les surfaces de niveau des fonctions.

35. $f(x, y, z) = x + 3y + 5z$

36. $f(x, y, z) = x^2 + 3y^2 + 5z^2$

37. $f(x, y, z) = x^2 - y^2 + z^2$

38. $f(x, y, z) = x^2 - y^2$

· · · · · · · · · · · · · · · · · · · ·

39. Étudiez la famille des fonctions $f(x, y) = e^{cx^2+y^2}$ à l'aide d'un ordinateur. Comment la forme du graphique dépend-elle de c ?

40. Dessinez les fonctions $f(x, y) = \sqrt{x^2 + y^2}$, $f(x, y) = e^{\sqrt{x^2+y^2}}$, $f(x, y) = \ln \sqrt{x^2 + y^2}$, $f(x, y) = \sin \sqrt{x^2 + y^2}$ et $f(x, y) = 1/\sqrt{x^2 + y^2}$. En général, si g est une fonction d'une variable, comment le graphique de $f(x, y) = g(\sqrt{x^2 + y^2})$ s'obtient-il à partir du graphique de g ?

41. a) Montrez, en prenant le logarithme, que la fonction générale de Cobb-Douglas $P = bL^\alpha K^{1-\alpha}$ peut être exprimée comme

$$\ln \frac{P}{K} = \ln b + \alpha \ln \frac{L}{K}.$$

b) En posant $x = \ln(L/K)$ et $y = \ln(P/K)$, l'équation de la partie a) devient l'équation linéaire $y = \alpha x + \ln b$. Construisez une table des valeurs de $\ln(L/K)$ et $\ln(P/K)$ pour les années 1899-1922 à partir des valeurs de la table 2 (de l'exemple 2). Déterminez ensuite la droite des moindres carrés passant par les points $(\ln(L/K), \ln(P/K))$ à l'aide d'une calculatrice graphique ou d'un ordinateur (voyez la section 1.7).

c) Déduisez enfin la fonction de production de Cobb-Douglas $P(L, K) = 1{,}01 L^{0,75} K^{0,25}$.

11.2 Les limites et la continuité ·

Comparons le comportement des fonctions

$$f(x, y) = \frac{\sin(x^2 + y^2)}{x^2 + y^2} \qquad \text{et} \qquad g(x, y) = \frac{x^2 - y^2}{x^2 + y^2},$$

lorsque x et y tendent tous les deux vers 0 (et par conséquent le point (x, y) s'approche de l'origine).

Les tables 1 et 2 montrent les valeurs de $f(x, y)$ et $g(x, y)$, avec trois décimales correctes, en des points proches de l'origine. (Remarquez qu'aucune des deux fonctions n'est définie à l'origine.) Il semble que lorsque (x, y) s'approche de $(0, 0)$, les valeurs de $f(x, y)$ deviennent proches de 1 tandis que celle de $g(x, y)$ ne deviennent proches d'aucun nombre.

TABLE 1   Valeurs de $f(x, y)$

x \ y	$-1{,}0$	$-0{,}5$	$-0{,}2$	0	$0{,}2$	$0{,}5$	$1{,}0$
$-1{,}0$	0,455	0,759	0,829	0,841	0,829	0,759	0,455
$-0{,}5$	0,759	0,959	0,986	0,990	0,986	0,959	0,759
$-0{,}2$	0,829	0,986	0,999	1,000	0,999	0,986	0,829
0	0,841	0,990	1,000		1,000	0,990	0,841
$0{,}2$	0,829	0,986	0,999	1,000	0,999	0,986	0,829
$0{,}5$	0,759	0,959	0,986	0,990	0,986	0,959	0,759
$1{,}0$	0,455	0,759	0,829	0,841	0,829	0,759	0,455

TABLE 2   Valeurs de $g(x, y)$

x \ y	$-1{,}0$	$-0{,}5$	$-0{,}2$	0	$0{,}2$	$0{,}5$	$1{,}0$
$-1{,}0$	0,000	0,600	0,923	1,000	0,923	0,600	0,000
$-0{,}5$	$-0{,}600$	0,000	0,724	1,000	0,724	0,000	$-0{,}600$
$-0{,}2$	$-0{,}923$	$-0{,}724$	0,000	1,000	0,000	$-0{,}724$	$-0{,}923$
0	$-1{,}000$	$-1{,}000$	$-1{,}000$		$-1{,}000$	$-1{,}000$	$-1{,}000$
$0{,}2$	$-0{,}923$	$-0{,}724$	0,000	1,000	0,000	$-0{,}724$	$-0{,}923$
$0{,}5$	$-0{,}600$	0,000	0,724	1,000	0,724	0,000	$-0{,}600$
$1{,}0$	0,000	0,600	0,923	1,000	0,923	0,600	0,000

Il se fait que ces conjectures basées sur des observations numériques évidentes sont correctes et on écrit

$$\lim_{(x,y)\to(0,0)} \frac{\sin(x^2+y^2)}{x^2+y^2} = 1 \qquad \text{et} \qquad \lim_{(x,y)\to(0,0)} \frac{x^2-y^2}{x^2+y^2} \text{ n'existe pas.}$$

En général, on utilise la notation

$$\lim_{(x,y)\to(a,b)} f(x,y) = L$$

pour dire que les valeurs de $f(x,y)$ tendent vers le nombre L lorsque le point (x,y) tend vers le point (a,b) le long de n'importe quel chemin inclus dans le domaine de définition de f.

Une définition plus précise de la limite d'une fonction de deux variables est donnée dans l'annexe D.

---

1 Définition On écrit

$$\lim_{(x,y)\to(a,b)} f(x,y) = L,$$

et on dit que **la limite de** $f(x,y)$ **quand** (x,y) **tend vers** (a,b) **est** L si on peut rendre les valeurs de $f(x,y)$ aussi proches que l'on veut de L en choisissant (x,y) suffisamment proche du point (a,b), mais non égal à (a,b).

D'autres notations sont encore employées pour la limite de la définition 1,

$$\lim_{\substack{x\to a\\y\to b}} f(x,y) = L \qquad \text{et} \qquad f(x,y) \to L \text{ lorsque } (x,y) \to (a,b)$$

Dans le cas des fonctions d'une seule variable, quand x tendait vers a, il n'y avait que deux provenances possibles, soit la gauche, soit la droite. Et on se souvient qu'il a été dit au chapitre 2 que si $\lim_{x\to a^-} f(x) \neq \lim_{x\to a^+} f(x)$, alors $\lim_{x\to a} f(x)$ n'existe pas.

Dans le cas des fonctions de deux variables la situation est beaucoup moins simple parce que (x,y) peut s'approcher de (a,b) en provenance d'un nombre infini de directions et de toutes sortes de manières (voyez la figure 1), pourvu que (x,y) appartienne au domaine de définition de f.

La définition 1 affirme que la distance entre $f(x,y)$ et L peut être rendue arbitrairement petite en rendant la distance entre (x,y) et (a,b) suffisamment petite (mais non nulle). La définition ne porte que sur la *distance* entre (x,y) et (a,b). Elle ne dit rien sur la direction de l'approche. Par conséquent, si la limite existe, alors $f(x,y)$ doit tendre vers la même limite quelle que soit la manière selon laquelle (x,y) s'approche de (a,b). Il s'ensuit que $\lim_{(x,y)\to(a,b)} f(x,y)$ n'existe pas dès que l'on peut mettre en évidence deux chemins différents vers (a,b) le long desquels $f(x,y)$ a des limites différentes.

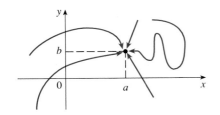

FIGURE 1

Si $f(x,y) \to L_1$ lorsque $(x,y) \to (a,b)$ le long d'un chemin C_1 et $f(x,y) \to L_2$ lorsque $(x,y) \to (a,b)$ le long d'un chemin C_2, avec $L_1 \neq L_2$, alors $\lim_{(x,y)\to(a,b)} f(x,y)$ n'existe pas.

EXEMPLE 1 ■ Démontrez que $\displaystyle\lim_{(x,y)\to(0,0)} \frac{x^2-y^2}{x^2+y^2}$ n'existe pas.

SOLUTION Soit $f(x,y) = (x^2-y^2)/(x^2+y^2)$. Sur l'axe Ox, on peut arriver à $(0,0)$ par des points de la forme $(x,0)$ et, sur ce chemin, $f(x,0) = x^2/x^2 = 1$, quel que soit $x \neq 0$. D'où

$$f(x,y) \to 1 \qquad \text{lorsque} \qquad (x,y) \to (0,0) \text{ le long de l'axe } Ox.$$

FIGURE 2

FIGURE 3

FIGURE 4

$$f(x, y) = \frac{xy}{x^2 + y^2}$$

La figure 5 montre le graphique de la fonction de l'exemple 3. Remarquez l'arête au-dessus de la parabole $x = y^2$.

FIGURE 5

Maintenant, on emprunte l'axe Oy pour arriver à $(0, 0)$. Là, $x = 0$ et $f(0, y) = -y^2/y^2 = -1$, quel que soit $y \neq 0$.

$$f(x, y) \to -1 \qquad \text{lorsque} \qquad (x, y) \to (0, 0) \text{ le long de l'axe } Oy.$$

(Voyez la figure 2.) Comme f a deux limites différentes sur deux droites différentes, la limite demandée n'existe pas, confirmation de la conjecture que nous avons faite sur la base d'évidences numériques, au début de cette section.

EXEMPLE 2 ■ Est-ce que $\displaystyle\lim_{(x,y)\to(0,0)} f(x, y)$ existe, si $f(x, y) = xy/(x^2 + y^2)$?

SOLUTION Quand $y = 0, f(x, 0) = 0/x^2 = 0$. D'où

$$f(x, y) \to 0 \qquad \text{lorsque} \qquad (x, y) \to (0, 0) \text{ le long de l'axe } Ox.$$

Quand $x = 0, f(0, y) = 0/y^2 = 0$. D'où

$$f(x, y) \to 0 \qquad \text{lorsque} \qquad (x, y) \to (0, 0) \text{ le long de l'axe } Oy.$$

Bien que les limites soient égales le long des axes, cela ne prouve pas que la limite demandée est 0. Approchons encore $(0, 0)$ le long d'une autre droite, $y = x$. Quel que soit $x \neq 0$,

$$f(x, x) = \frac{x^2}{x^2 + x^2} = \frac{1}{2}.$$

D'où

$$f(x, y) \to \frac{1}{2} \qquad \text{lorsque} \qquad (x, y) \to (0, 0) \text{ le long de } y = x.$$

(Voyez la figure 3.) Désormais, deux chemins différents conduisent à des limites différentes. La limite n'existe donc pas.

La figure 4 éclaire un tant soit peu l'exemple 2. La crête qui apparaît au-dessus de la droite $y = x$ reflète le fait que $f(x, y) = \frac{1}{2}$ pour tous les points (x, y) de cette droite sauf en $(0, 0)$.

EXEMPLE 3 ■ Est-ce que $\displaystyle\lim_{(x,y)\to(0,0)} f(x, y)$ existe, si $f(x, y) = xy^2/(x^2 + y^4)$?

SOLUTION Ayant à l'esprit la solution de l'exemple 2, essayons de gagner un peu de temps en faisant tendre (x, y) vers $(0, 0)$ le long de toutes les droites (non verticales) qui passent par l'origine, celles d'équation $y = mx$, où m est la pente. Sur ces chemins,

$$f(x, y) = f(x, mx) = \frac{x(mx)^2}{x^2 + (mx)^4} = \frac{m^2 x^3}{x^2 + m^4 x^4} = \frac{m^2 x}{1 + m^4 x^2}.$$

Ainsi,

$$f(x, y) \to 0 \qquad \text{lorsque} \qquad (x, y) \to (0, 0) \text{ le long de } y = mx.$$

Le long de toutes les droites non verticales passant par l'origine, f tend donc vers la même limite. Mais cela ne suffit pas à démontrer que la limite demandée vaut 0. En effet, faisons tendre (x, y) vers $(0, 0)$ le long de la parabole $x = y^2$:

$$f(x, y) = f(y^2, y) = \frac{y^2 \cdot y^2}{(y^2)^2 + y^4} = \frac{y^4}{2y^4} = \frac{1}{2}.$$

Ainsi,

$$f(x,y) \to \frac{1}{2} \qquad \text{lorsque} \qquad (x,y) \to (0,0) \text{ le long de } x = y^2.$$

Comme des chemins différents mènent à des limites différentes, la limite demandée n'existe pas.

Tournons-nous maintenant vers des limites qui *existent*. Comme c'était déjà le cas pour les fonctions d'une seule variable, le calcul des limites des fonctions de deux variables est grandement facilité par la mise en application des propriétés des limites. Les Lois des limites énumérées dans la section 2.3 s'étendent aux fonctions de deux variables. La limite d'une somme est la somme des limites, la limite d'un produit est le produit des limites, etc. Et en particulier, sont vrais les résultats suivants :

2 $$\lim_{(x,y)\to(a,b)} x = a \qquad \lim_{(x,y)\to(a,b)} y = b \qquad \lim_{(x,y)\to(a,b)} c = c.$$

Le théorème du sandwich subsiste également.

EXEMPLE 4 ■ Déterminez $\displaystyle\lim_{(x,y)\to(0,0)} \frac{3x^2y}{x^2+y^2}$ si cette limite existe.

SOLUTION Comme dans l'exemple 3, nous pourrions vérifier que la limite est 0 le long de toutes les droites qui passe par l'origine. Ceci ne prouve pas que la limite vaut 0, mais il se fait que les limites le long des paraboles $y = x^2$ et $x = y^2$ valent aussi 0. Aussi, nous commençons à suspecter que la limite existe et est égale à 0.

Pour le démontrer, nous évaluons la distance entre $f(x,y)$ et 0 :

$$\left| \frac{3x^2y}{x^2+y^2} - 0 \right| = \left| \frac{3x^2y}{x^2+y^2} \right| = \frac{3x^2|y|}{x^2+y^2}$$

Remarquons que $x^2 \leqslant x^2 + y^2$ parce que $y^2 \geqslant 0$. Ainsi,

$$\frac{x^2}{x^2+y^2} \leqslant 1.$$

D'où,

$$0 \leqslant \frac{3x^2|y|}{x^2+y^2} \leqslant 3|y|.$$

C'est le moment d'employer le théorème du sandwich. Comme

$$\lim_{(x,y)\to(0,0)} 0 = 0 \qquad \text{et} \qquad \lim_{(x,y)\to(0,0)} 3|y| = 0 \qquad \text{[par (2)]}$$

nous arrivons à la conclusion que

$$\lim_{(x,y)\to(0,0)} \frac{3x^2y}{x^2+y^2} = 0.$$

■ La continuité

Rappelez-vous qu'il était facile de calculer les limites des fonctions continues car il suffisait de substituer, conformément à la propriété de définition des fonctions continues $\lim_{x\to a} f(x) = f(a)$. La continuité des fonctions de deux variables est aussi définie par cette propriété de substitution.

> **3 Définition** Une fonction f de deux variables est dite **continue en** (a, b) si
> $$\lim_{(x,y) \to (a,b)} f(x, y) = f(a, b).$$
> On dit que f est **continue sur** D si f est continue en tout point (a, b) de D.

L'interprétation intuitive de la continuité est que si le point (x, y) change de peu, alors la valeur de $f(x, y)$ change aussi de peu. Cela signifie qu'une surface qui représente une fonction continue n'a ni trou, ni fracture.

Les propriétés des limites impliquent que les sommes, différences, produits et quotients de fonctions continues sont continues sur leur domaine. Appuyons-nous sur ce résultat pour donner quelques exemples de fonctions continues.

Une **fonction polynomiale de deux variables** (ou plus brièvement polynôme) est la somme de termes de la forme $cx^m y^n$, où c est une constante et où m et n sont des entiers positifs ou nuls. Une **fonction rationnelle** est un rapport de polynômes. Par exemple,

$$f(x, y) = x^4 + 5x^3 y^2 + 6xy^4 - 7y + 6,$$

est un polynôme, tandis que

$$g(x, y) = \frac{2xy + 1}{x^2 + y^2}$$

est une fonction rationnelle.

Les limites des formules (2) affirment que les fonctions $f(x, y) = x$, $g(x, y) = y$ et $h(x, y) = c$ sont continues. Or, n'importe quel polynôme peut être construit par multiplication et addition des simples fonctions f, g et h. Par conséquent, *tous les polynômes sont des fonctions continues sur $\mathbb{R}^2$*. Semblablement, toute fonction rationnelle, en tant que quotient de fonctions continues, est continue sur son domaine de définition.

EXEMPLE 5 ■ Calculez $\lim\limits_{(x,y) \to (1,2)} (x^2 y^3 - x^3 y^2 + 3x + 2y)$.

SOLUTION Vu que $f(x, y) = x^2 y^3 - x^3 y^2 + 3x + 2y$ est un polynôme, elle est continue partout et sa limite s'obtient par substitution directe :

$$\lim_{(x,y) \to (1,2)} (x^2 y^3 - x^3 y^2 + 3x + 2y) = 1^2 \cdot 2^3 - 1^3 \cdot 2^2 + 3 \cdot 1 + 2 \cdot 2 = 11. \qquad ■$$

EXEMPLE 6 ■ Où la fonction $f(x, y) = \dfrac{x^2 - y^2}{x^2 + y^2}$ est-elle continue ?

SOLUTION La fonction f est discontinue en $(0, 0)$ parce qu'elle n'y est pas définie. Mais pour le reste, étant une fonction rationnelle, f est continue sur tout son domaine de définition qui est l'ensemble $D = \{(x, y) \mid (x, y) \neq (0, 0)\}$. ■

EXEMPLE 7 ■ Soit

$$g(x, y) = \begin{cases} \dfrac{x^2 - y^2}{x^2 + y^2} & \text{si } (x, y) \neq (0, 0) \\ 0 & \text{si } (x, y) = (0, 0). \end{cases}$$

Ici, g est définie en $(0, 0)$ mais elle reste malgré tout discontinue en $(0, 0)$ parce que $\lim_{(x,y) \to (0,0)} g(x, y)$ n'existe pas (voyez l'exemple 1). ■

La figure 6 montre le graphique de la fonction continue de l'exemple 8.

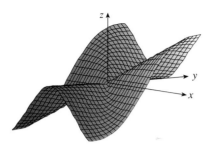

FIGURE 6

EXEMPLE 8 ■ Soit

$$f(x,y) = \begin{cases} \dfrac{3x^2y}{x^2+y^2} & \text{si } (x,y) \neq (0,0) \\[2mm] 0 & \text{si } (x,y) = (0,0). \end{cases}$$

Nous savons que f est continue pour $(x,y) \neq (0,0)$ puisqu'elle est une fonction rationnelle. De plus, de l'exemple 4, nous tenons que

$$\lim_{(x,y)\to(0,0)} f(x,y) = \lim_{(x,y)\to(0,0)} \frac{3x^2y}{x^2+y^2} = 0 = f(0,0).$$

Par conséquent, f est continue en $(0,0)$ et, de ce fait, continue sur tout $\mathbb{R}^2$. ■

De même que pour les fonctions d'une seule variable, la composition est une autre façon d'associer deux fonctions continues pour en obtenir une troisième. Il est possible de démontrer que si f est une fonction continue de deux variables et g une fonction continue d'une variable continue sur l'ensemble image de f, alors la fonction composée $h = g \circ f$ définie par $h(x,y) = g(f(x,y))$ est aussi une fonction continue.

EXEMPLE 9 ■ Où la fonction $h(x,y) = \text{Arctg}(y/x)$ est-elle continue ?

SOLUTION La fonction $f(x,y) = y/x$ est une fonction rationnelle et donc continue sauf sur la droite $x = 0$. La fonction $g(t) = \text{Arctg } t$ est continue partout. Dès lors, la fonction composée

$$g(f(x,y)) = \text{Arctg}(y/x) = h(x,y)$$

est continue sauf quand $x = 0$.

La fonction $h(x,y) = \text{Arctg}(y/x)$ est discontinue quand $x = 0$. La figure 7 permet de voir la fracture dans le graphique de h au-dessus de l'axe Oy. ■

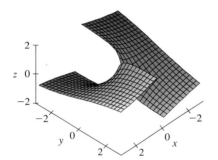

FIGURE 7
La fonction $h(x,y) = \text{Arctg}(y/x)$
est discontinue quand $x = 0$.

Tout ce qui a été dit et fait dans cette section est susceptible d'extension aux fonctions de plus de deux variables. La notation

$$\lim_{(x,y,z)\to(a,b,c)} f(x,y,z) = L$$

signifie que les valeurs de $f(x,y,z)$ tendent vers le nombre L lorsque le point (x,y,z) s'approche du point (a,b,c) le long de n'importe quel chemin pourvu qu'il soit dans le domaine de définition de f. La fonction f est continue en (a,b,c) lorsque

$$\lim_{(x,y,z)\to(a,b,c)} f(x,y,z) = f(a,b,c).$$

Par exemple, la fonction

$$f(x,y,z) = \frac{1}{x^2+y^2+z^2-1}$$

est une fonction rationnelle de trois variables. Elle est donc continue en tout point de $\mathbb{R}^3$, sauf là où $x^2+y^2+z^2 = 1$. Autrement dit, elle est discontinue sur la sphère centrée à l'origine de rayon 1.

11.2 Exercices

1. On suppose que $\lim_{(x,y)\to(3,1)} f(x,y) = 6$. Que pouvez-vous dire de la valeur de $f(3,1)$? Et si f est continue?

2. Pensez-vous que la fonction est continue ou discontinue et expliquez pourquoi.

a) La température extérieure comme fonction de la longitude, de la latitude et du temps.

b) L'altitude (par rapport au niveau de la mer) comme une fonction de la longitude, de la latitude et du temps.

c) Le coût d'une course en taxi comme une fonction de la distance parcourue et du temps.

3-4 ■ Conjecturez la valeur de la limite de $f(x,y)$ quand $(x,y) \to (0,0)$ sur la base d'une table de valeurs numériques de $f(x,y)$ pour (x,y) aux abords de l'origine. Ensuite, expliquez pourquoi votre conjecture est correcte.

3. $f(x,y) = \dfrac{x^2 y^3 + x^3 y^2 - 5}{2 - xy}$

4. $f(x,y) = \dfrac{2xy}{x^2 + 2y^2}$

5-18 ■ Calculez la limite, si elle existe, ou démontrez qu'elle n'existe pas.

5. $\lim_{(x,y)\to(2,3)} (x^2 y^2 - 2xy^5 + 3y)$

6. $\lim_{(x,y)\to(1,4)} e^{\sqrt{x+2y}}$

7. $\lim_{(x,y)\to(0,0)} \dfrac{x^2}{x^2 + y^2}$

8. $\lim_{(x,y)\to(0,0)} \dfrac{(x+y)^2}{x^2 + y^2}$

9. $\lim_{(x,y)\to(0,0)} \dfrac{8x^2 y^2}{x^4 + y^4}$

10. $\lim_{(x,y)\to(0,0)} \dfrac{x^3 + xy^2}{x^2 + y^2}$

11. $\lim_{(x,y)\to(0,0)} \dfrac{xy}{\sqrt{x^2 + y^2}}$

12. $\lim_{(x,y)\to(0,0)} \dfrac{xy + 1}{x^2 + y^2 + 1}$

13. $\lim_{(x,y)\to(0,0)} \dfrac{2x^2 y}{x^4 + y^2}$

14. $\lim_{(x,y)\to(0,0)} \dfrac{x^3 y^2}{x^2 + y^2}$

15. $\lim_{(x,y)\to(0,0)} \dfrac{x^2 + y^2}{\sqrt{x^2 + y^2 + 1} - 1}$

16. $\lim_{(x,y,z)\to(2,3,0)} [xe^z + \ln(2x - y)]$

17. $\lim_{(x,y,z)\to(0,0,0)} \dfrac{xy + yz^2 + xz^2}{x^2 + y^2 + z^4}$

18. $\lim_{(x,y,z)\to(0,0,0)} \dfrac{xy + yz + zx}{x^2 + y^2 + z^2}$

19-20 ■ Faites dessiner le graphique de la fonction par un ordinateur et au vu de ce graphique, expliquez pourquoi la limite n'existe pas.

19. $\lim_{(x,y)\to(0,0)} \dfrac{2x^2 + 3xy + 4y^2}{3x^2 + 5y^2}$

20. $\lim_{(x,y)\to(0,0)} \dfrac{xy^3}{x^2 + y^6}$

21-22 ■ Écrivez l'expression de $h(x,y) = g(f(x,y))$ et déterminez l'ensemble sur lequel h est continue.

21. $g(t) = t^2 + \sqrt{t}$, $f(x,y) = 2x + 3y - 6$

22. $g(z) = \sin z$, $f(x,y) = y \ln x$

23-24 ■ Dessinez par ordinateur la fonction et repérez où elle est discontinue. Tournez-vous ensuite vers la formule pour expliquer ce que vous avez observé.

23. $f(x,y) = e^{1/(x-y)}$

24. $f(x,y) = \dfrac{1}{1 - x^2 - y^2}$

25-32 ■ Déterminez le plus grand domaine sur lequel la fonction est continue.

25. $F(x,y) = \dfrac{1}{x^2 - y}$

26. $F(x,y) = \dfrac{x^6 + x^3 y^3 + y}{x^3 + y^3}$

27. $G(x,y) = e^{xy} \sin(x + y)$

28. $F(x,y) = \ln(2x + 3y)$

29. $f(x,y,z) = \dfrac{xyz}{x^2 + y^2 - z}$

30. $f(x,y,z) = x + y\sqrt{x + z}$

31. $f(x,y) = \begin{cases} \dfrac{x^2 y^3}{2x^2 + y^2} & \text{si } (x,y) \neq (0,0) \\ 1 & \text{si } (x,y) = (0,0) \end{cases}$

32. $f(x,y) = \begin{cases} \dfrac{xy}{x^2 + xy + y^2} & \text{si } (x,y) \neq (0,0) \\ 0 & \text{si } (x,y) = (0,0) \end{cases}$

33-34 ■ Déterminez la limite à l'aide des coordonnées polaires. [Remarquez que $r \to 0^+$ lorsque $(x,y) \to (0,0)$, si (r,θ) sont les coordonnées polaires du point (x,y) avec $r \geqslant 0$.]

33. $\lim_{(x,y)\to(0,0)} \dfrac{x^3 + y^3}{x^2 + y^2}$

34. $\lim_{(x,y)\to(0,0)} (x^2 + y^2) \ln(x^2 + y^2)$

35. Calculez à l'aide des coordonnées sphériques

$$\lim_{(x,y,z)\to(0,0,0)} \frac{xyz}{x^2 + y^2 + z^2}.$$

36. Au début de cette section, on a envisagé la fonction

$$f(x,y) = \frac{\sin(x^2 + y^2)}{x^2 + y^2}$$

et conjecturé, sur la base d'observations numériques, que $f(x,y) \to 1$ lorsque $(x,y) \to (0,0)$. Utilisez des coordonnées polaires pour confirmer la valeur de la limite. Ensuite, faites le graphique de la fonction.

11.3 Les dérivées partielles ●●●●●●●●●●●●●●●●●●●●●●●●●●●●●

Par une chaude journée, nous ressentons la température plus élevée qu'elle n'est en réalité à cause du degré d'humidité, en revanche, nous pensons que la température est plus basse que ne l'indique le thermomètre lorsque l'air est sec. Les services météorologiques ont conçu l'*indice chaleur* (appelé aussi indice température-humidité) pour refléter les effets conjugués de la température et de l'humidité. L'indice chaleur I désigne la température de l'air ressentie alors que la température réelle est T et l'humidité relative H. Ainsi, I est une fonction de T et de H, ce qui s'écrit $I = f(T, H)$. La table suivante est empruntée aux services météorologiques.

TABLE I Indice de chaleur I comme fonction de la chaleur et de l'humidité

Humidité relative (%)

T \ H	50	55	60	65	70	75	80	85	90
90	96	98	100	103	106	109	112	115	119
92	100	103	105	108	112	115	119	123	128
94	104	107	111	114	118	122	127	132	137
96	109	113	116	121	125	130	135	141	146
98	114	118	123	127	133	138	144	150	157
100	119	124	129	135	141	147	154	161	168

Température réelle (°F)

Si on ne regarde que la colonne surlignée de la table, qui correspond à une humidité relative $H = 70\%$, l'indice chaleur est vu comme une fonction de la seule variable T, H étant fixé. Écrivons $g(T) = f(T, 70)$. Cette fonction décrit comment évolue l'indice chaleur I lorsque la température réelle T augmente, sous une humidité relative de 70%. La dérivée de g quand $T = 96\,°F$ est le taux de variation de I par rapport à T quand $T = 96\,°F$:

$$g'(96) = \lim_{h \to 0} \frac{g(96 + h) - g(96)}{h} = \lim_{h \to 0} \frac{f(96 + h, 70) - f(96, 70)}{h}.$$

On peut avoir une idée de sa valeur en se servant des valeurs de la table 1 pour $h = 2$ et $h = -2$:

$$g'(96) \approx \frac{g(98) - g(96)}{2} = \frac{f(98, 70) - f(96, 70)}{2} = \frac{133 - 125}{2} = 4.$$

$$g'(96) \approx \frac{g(94) - g(96)}{-2} = \frac{f(94, 70) - f(96, 70)}{-2} = \frac{118 - 125}{-2} = 3,5.$$

On peut dire que $g'(96)$ vaut à peu près la moyenne de ces deux valeurs, à savoir 3,75. L'interprétation de ce nombre est que, quand la température réelle est de 96 °F et le degré d'humidité relative de 70 %, la température ressentie (l'indice chaleur) monte d'environ 3,75 °F à chaque degré supplémentaire de la température réelle !

Tournons-nous maintenant vers la ligne surlignée de la table 1, qui correspond à une température fixe de 96 °F. Les nombres de cette ligne sont les valeurs de la fonction $G(H) = f(96, H)$, qui décrit comment l'indice chaleur croît en fonction de l'augmentation de l'humidité relative H, la température réelle restant inchangée à $T = 96°$F. La dérivée de cette fonction quand $H = 70\%$ est le taux de variation de I par rapport à H quand $H = 70\%$:

$$G'(70) = \lim_{h \to 0} \frac{G(70 + h) - G(70)}{h} = \lim_{h \to 0} \frac{f(96, 70 + h) - f(96, 70)}{h}.$$

Deux valeurs approchées de $G'(70)$ sont calculées en prenant dans la table $h = 5$ et -5 :

$$G'(70) \approx \frac{G(75) - G(70)}{5} = \frac{f(96, 75) - f(96, 70)}{5} = \frac{130 - 125}{5} = 1.$$

$$G'(70) \approx \frac{G(65) - G(70)}{-5} = \frac{f(96, 65) - f(96, 70)}{-5} = \frac{121 - 125}{-5} = 0,8.$$

L'estimation retenue de $G'(70)$ est la moyenne des deux valeurs précédentes, à savoir 0,9. Cette valeur signifie que, quand la température est de 96 °F et le taux d'humidité relative de 70 %, l'indice chaleur augmente de 0,9 °F à chaque augmentation d'un pour cent de l'humidité.

Traitons du cas général où f est une fonction de deux variables x et y et où seule la variable x varie, y étant maintenue fixée à la valeur $y = b$. En réalité, nous sommes devant une fonction d'une seule variable x, à savoir $g(x) = f(x, b)$. Si g admet une dérivée en a, elle s'appelle la **dérivée partielle de** f **par rapport à** x **en** (a, b) et est notée $f'_x(a, b)$. Donc,

1

$$f'_x(a, b) = g'(a) \qquad \text{où} \qquad g(x) = f(x, b).$$

Or, d'après la définition de la dérivée,

$$g'(a) = \lim_{h \to 0} \frac{g(a + h) - g(a)}{h}.$$

D'où, l'expression 1 devient :

2

$$f'_x(a, b) = \lim_{h \to 0} \frac{f(a + h, b) - f(a, b)}{h}.$$

De même, la **dérivée partielle de** f **par rapport à** y **en** (a, b) et notée $f'_y(a, b)$ est obtenue en tenant x fixé ($x = a$) et en prenant la dérivée habituelle en b de la fonction $G(y) = f(a, y)$:

3

$$f'_y(a, b) = \lim_{h \to 0} \frac{f(a, b + h) - f(a, b)}{h}.$$

Dans ces notations de dérivée partielle, les taux de variation de l'indice chaleur I par rapport à la température réelle T et l'humidité relative H, quand $T = 96$ °F et $H = 70\%$ peuvent s'écrire :

$$f'_T(96, 70) \approx 3,75 \qquad f'_H(96, 70) \approx 0,9.$$

Dès le moment où le point (a, b) devient variable dans les équations 2 et 3, f'_x et f'_y deviennent des fonctions de deux variables.

> **4** Si f est une fonction de deux variables, ses **dérivées partielles** sont les fonctions f'_x et f'_y définies par
> $$f'_x(x, y) = \lim_{h \to 0} \frac{f(x + h, y) - f(x, y)}{h}.$$
> $$f'_y(x, y) = \lim_{h \to 0} \frac{f(x, y + h) - f(x, y)}{h}.$$

D'autres notations sont en usage pour les dérivées partielles. Par exemple, au lieu de f'_x, on rencontre f'_1 (pour spécifier que la dérivée concerne la première variable) ou $\partial f / \partial x$. Mais ici, $\partial f / \partial x$ ne peut pas être interprété comme un quotient de différentielles.

> **Notation des dérivées partielles**   Si $z = f(x, y)$, on écrit
> $$f'_x(x, y) = f'_x = \frac{\partial f}{\partial x}(x, y) = \frac{\partial z}{\partial x} = f'_1 = D_1 f = D_x f$$
> $$f'_y(x, y) = f'_y = \frac{\partial f}{\partial y}(x, y) = \frac{\partial z}{\partial y} = f'_2 = D_2 f = D_y f$$

Pour calculer des dérivées partielles, la seule chose dont il faut se souvenir est ce que dit l'équation 1, à savoir que la dérivée partielle par rapport à x n'est autre que la dérivée ordinaire de la fonction g d'une seule variable obtenue en tenant y fixé. La règle est donc la suivante ;

> **Règle de calcul des dérivées partielles de** $z = f(x, y)$
>
> **1.** Pour calculer f'_x, regarder y comme une constante et dériver $f(x, y)$ par rapport à x.
>
> **2.** Pour calculer f'_y, regarder x comme une constante et dériver $f(x, y)$ par rapport à y.

EXEMPLE 1 ■ Calculez $f'_x(2, 1)$ et $f'_y(2, 1)$ si $f(x, y) = x^3 + x^2 y^3 - 2y^2$.

SOLUTION En tenant y constante et en dérivant par rapport à x, on obtient
$$f'_x(x, y) = 3x^2 + 2xy^3,$$
et de là
$$f'_x(2, 1) = 3 \cdot 2^2 + 2 \cdot 2 \cdot 1^3 = 16.$$

En tenant x constante et en dérivant par rapport à y, on obtient
$$f'_y(x, y) = 3x^2 y^2 - 4y,$$
et de là
$$f'_y(2, 1) = 3 \cdot 2^2 \cdot 1^2 - 4 \cdot 1 = 8.$$

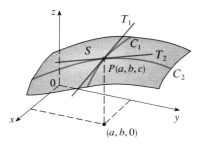

FIGURE I

Les dérivées partielles de f en (a, b) sont
les pentes des tangentes à C_1 et C_2.

L'interprétation géométrique des dérivées partielles passe forcément par la surface S représentative de f d'équation $z = f(x, y)$. Si $f(a, b) = c$, alors le point $P(a, b, c)$ se trouve sur S. Fixer $y = b$ revient à restreindre l'attention à la courbe C_1 selon laquelle le plan vertical $y = b$ coupe S. (Autrement dit, C_1 est la trace de S dans le plan $y = b$.) De même, le plan vertical $x = a$ coupe S selon la courbe C_2. Les deux courbes C_1 et C_2 passent par P (voyez la figure 1).

Remarquez que la courbe C_1 n'est autre que le graphique de la fonction $g(x) = f(x, b)$ et que la pente de la tangente T_1 en P est donnée par $g'(a) = f_x'(a, b)$. La courbe C_2 est le graphe de la fonction $G(y) = f(a, y)$ et la pente de la tangente T_2 en P est $G'(b) = f_y'(a, b)$.

Par conséquent, les dérivées partielles $f_x'(a, b)$ et $f_y'(a, b)$ peuvent être interprétées comme les pentes des tangentes en $P(a, b, c)$ aux traces C_1 et C_2 de S dans les plans $y = b$ et $x = a$.

Ainsi que nous l'avons dit dans l'exemple de l'indice chaleur, les dérivées partielles peuvent aussi être interprétées comme des taux de variation. Si $z = f(x, y)$, alors $\partial z / \partial x$ représente le taux de variation de z par rapport à x, quand y est fixée. De même, $\partial z / \partial y$ représente le taux de variation de z par rapport à y quand x est fixée.

EXEMPLE 2 ■ Soit $f(x, y) = 4 - x^2 - 2y^2$. Calculez $f_x'(1, 1)$ et $f_y'(1, 1)$ et interprétez ces nombres en tant que pentes.

SOLUTION On a

$$f_x'(x, y) = -2x \qquad f_y'(x, y) = -4y$$

$$f_x'(1, 1) = -2 \qquad f_y'(1, 1) = -4$$

Le graphique de f est le paraboloïde $z = 4 - x^2 - 2y^2$ et le plan vertical $y = 1$ le coupe suivant la parabole $z = 2 - x^2$, $y = 1$. (Cette courbe d'intersection est notée C_1 dans la figure 2, comme dans le paragraphe précédent.) La pente de la droite tangente à cette parabole au point $(1, 1, 1)$ vaut $f_x'(1, 1) = -2$. De même, la courbe C_2 selon laquelle le plan $x = 1$ coupe le paraboloïde est la parabole $z = 3 - 2y^2$, $x = 1$, et la pente de la tangente en $(1, 1, 1)$ est donnée par $f_y'(1, 1) = -4$ (voyez la figure 3).

FIGURE 2

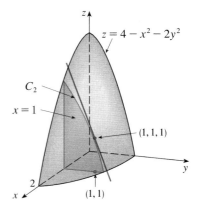

FIGURE 3

La figure 4 est un dessin fait par ordinateur de la figure 2. La partie (a) montre le plan $y = 1$ coupant la surface pour former la courbe C_1 et la partie (b) montre C_1 et T_1.

[Le dessin est commandé par les équations vectorielles $\vec{r}(t) = (t, 1, 2 - t^2)$ pour C_1 et $\vec{r}(t) = (1 + t, 1, 1 - 2t)$ pour T_1.] La figure 5 explicite la figure 3.

FIGURE 4   (a)   (b)

 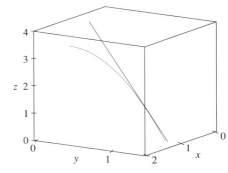

FIGURE 5

EXEMPLE 3 ■ Soit $f(x, y) = \sin\left(\dfrac{x}{1 + y}\right)$. Calculez $\dfrac{\partial f}{\partial x}$ et $\dfrac{\partial f}{\partial y}$.

SOLUTION On fait appel à la Règle de dérivation des fonctions composées à une seule variable et on arrive à :

$$\frac{\partial f}{\partial x} = \cos\left(\frac{x}{1 + y}\right) \cdot \frac{\partial}{\partial x}\left(\frac{x}{1 + y}\right) = \cos\left(\frac{x}{1 + y}\right) \cdot \frac{1}{1 + y}.$$

$$\frac{\partial f}{\partial y} = \cos\left(\frac{x}{1 + y}\right) \cdot \frac{\partial}{\partial y}\left(\frac{x}{1 + y}\right) = -\cos\left(\frac{x}{1 + y}\right) \cdot \frac{x}{(1 + y)^2}.$$

Certains ordinateurs sont capables de dessiner des fonctions définies implicitement par des équations à trois variables. C'est ainsi que la figure 6 montre le dessin de la surface définie par l'équation de l'exemple 4.

FIGURE 6

EXEMPLE 4 ■ Déterminez $\partial z / \partial x$ et $\partial z / \partial y$ si z est définie implicitement comme une fonction de x et y par l'équation

$$x^3 + y^3 + z^3 + 6xyz = 1.$$

SOLUTION Pour déterminez $\partial z / \partial x$, on dérive implicitement par rapport à x, attentif à traiter y comme une constante :

$$3x^2 + 3z^2 \frac{\partial z}{\partial x} + 6yz + 6xy \frac{\partial z}{\partial x} = 0.$$

La résolution de cette équation par rapport à $\partial z / \partial x$ conduit à :

$$\frac{\partial z}{\partial x} = -\frac{x^2 + 2yz}{z^2 + 2xy}.$$

Une dérivation implicite analogue par rapport à y donne :

$$\frac{\partial z}{\partial y} = -\frac{y^2 + 2xz}{z^2 + 2xy}.$$

■ Les fonctions de plus de deux variables

On peut aussi définir les dérivées partielles des fonctions de trois variables ou plus. Par exemple, si f est une fonction des trois variables x, y et z, sa dérivée partielle par rapport à x est définie par

$$f'_x(x,y,z) = \lim_{h \to 0} \frac{f(x+h,y,z) - f(x,y,z)}{h}$$

et elle est calculée en considérant y et z comme des constantes et en dérivant $f(x,y,z)$ par rapport à x. Si $w = f(x,y,z)$, alors $f'_x = \partial w / \partial x$ peut être interprétée comme le taux de variation de w par rapport à x quand y et z sont maintenues fixes. Par contre, ce nombre n'a pas d'interprétation géométrique parce que le graphique de f appartient à un espace de dimension quatre.

En général, si u est une fonction de n variables, $u = f(x_1, x_2, \ldots, x_n)$, sa dérivée partielle par rapport à sa $i^{\text{ième}}$ variable x_i est, par définition,

$$\frac{\partial u}{\partial x_i} = \lim_{h \to 0} \frac{f(x_1, \ldots, x_{i-1}, x_i + h, x_{i+1}, \ldots, x_n) - f(x_1, \ldots, x_i, \ldots, x_n)}{h},$$

et elle s'écrit aussi

$$\frac{\partial u}{\partial x_i} = \frac{\partial f}{\partial x} = f'_{x_i} = f'_i = D_i f.$$

EXEMPLE 5 ■ Calculez f'_x, f'_y et f'_z si $f(x,y,z) = e^{xy} \ln z$.

SOLUTION En tenant y et z constantes et en dérivant par rapport à x, on obtient

$$f'_x = ye^{xy} \ln z.$$

De même,

$$f'_y = xe^{xy} \ln z \qquad \text{et} \qquad f'_z = \frac{e^{xy}}{z}.$$

■ Les dérivées d'ordre supérieur

Si f est une fonction de deux variables, alors ses dérivées partielles sont aussi des fonctions de deux variables, qui ont à leur tour des dérivées partielles $(f'_x)'_x$, $(f'_x)'_y$, $(f'_y)'_x$ et $(f'_y)'_y$, appelées les **dérivées partielles secondes** de f. Si $z = f(x,y)$, voici les notations adoptées :

$$(f'_x)'_x = f''_{xx} = f_{11} = \frac{\partial}{\partial x}\left(\frac{\partial f}{\partial x}\right) = \frac{\partial^2 f}{\partial x^2} = \frac{\partial^2 z}{\partial x^2}$$

$$(f'_x)'_y = f''_{xy} = f_{12} = \frac{\partial}{\partial y}\left(\frac{\partial f}{\partial x}\right) = \frac{\partial^2 f}{\partial y \partial x} = \frac{\partial^2 z}{\partial y \partial x}$$

$$(f'_y)'_x = f''_{yx} = f_{21} = \frac{\partial}{\partial x}\left(\frac{\partial f}{\partial y}\right) = \frac{\partial^2 f}{\partial x \partial y} = \frac{\partial^2 z}{\partial x \partial y}$$

$$(f'_y)'_y = f''_{yy} = f_{22} = \frac{\partial}{\partial y}\left(\frac{\partial f}{\partial y}\right) = \frac{\partial^2 f}{\partial y^2} = \frac{\partial^2 z}{\partial y^2}$$

La notation f''_{xy} (ou $\partial^2 f / \partial y \partial x$) signifie que la dérivée se fait d'abord par rapport à x, puis par rapport à y, tandis que f''_{yx} désigne l'ordre inverse.

EXEMPLE 6 ■ Calculez les dérivées secondes partielles de

$$f(x, y) = x^3 + x^2 y^3 - 2y^2.$$

SOLUTION Dans l'exemple 1, on a déjà trouvé

$$f'_x(x, y) = 3x^2 + 2xy^3 \qquad f'_y(x, y) = 3x^2 y^2 - 4y.$$

De là,

$$f''_{xx} = \frac{\partial}{\partial x}(3x^2 + 2xy^3) = 6x + 2y^3$$

$$f''_{xy} = \frac{\partial}{\partial y}(3x^2 + 2xy^3) = 6xy^2$$

$$f''_{yx} = \frac{\partial}{\partial x}(3x^2 y^2 - 4y) = 6xy^2$$

$$f''_{yy} = \frac{\partial}{\partial y}(3x^2 y^2 - 4y) = 6x^2 y - 4$$

La figure 7 montre le graphique de la fonction f de l'exemple 6 ainsi que les graphiques de ses dérivées partielles première et seconde pour $-2 \leqslant x \leqslant 2$, $-2 \leqslant y \leqslant 2$. Remarquez que ces graphiques sont cohérents avec notre interprétation de f'_x et f'_y comme pentes des tangentes aux traces du graphique de f. Par exemple, si on parcourt le graphique de f depuis le point $(0, -2)$ vers les x positifs, f diminue de valeur, ce qui se voit aux valeurs négatives de f'_x. Vous pourriez comparer les graphiques de f''_{xy} et f''_{yx} à celui de f'_y pour reconnaître le lien.

f

f'_x

f'_y

f''_{xx}

$f''_{xy} = f''_{yx}$

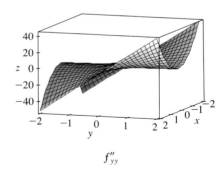

f''_{yy}

FIGURE 7

Vous aurez remarqué dans l'exemple 6 que les expressions de f''_{xy} et f''_{yx} sont égales. Ce n'est pas fortuit. Il s'avère que les dérivées partielles mixtes f''_{xy} et f''_{yx} sont égales pour la plupart des fonctions que l'on rencontre couramment. Le théorème suivant, qui porte le nom du mathématicien français Alexis Clairaut (1713-1765), énonce les conditions sous lesquelles il est certain que $f''_{xy} = f''_{yx}$. La démonstration figure dans l'annexe E.

Alexis Clairaut fut un enfant prodige en mathématiques. Ayant lu l'œuvre de l'Hospital sur l'analyse quand il avait dix ans, il présenta un article sur la géométrie à l'Académie française des Sciences, à peine âgé de treize ans. Clairaut publia à l'âge de 18 ans, *Recherches sur les courbes à double courbure*, le premier traité systématique de géométrie analytique à trois dimensions qui comprenait l'analyse des courbes de l'espace.

Théorème de Clairaut[1] On suppose que f est définie sur un disque D contenant le point (a, b). Si les fonctions f''_{xy} et f''_{yx} sont toutes les deux continues sur D, alors
$$f''_{xy}(a, b) = f''_{yx}(a, b).$$

On peut encore définir des dérivées partielles d'ordre 3 ou plus. Par exemple,

$$f'''_{xyy} = (f''_{xy})'_y = \frac{\partial}{\partial y}\left(\frac{\partial^2 f}{\partial y\,\partial x}\right) = \frac{\partial^3 f}{\partial y^2\,\partial x}$$

et si ces dérivées sont continues, on peut, en s'appuyant sur le théorème de Clairaut, démontrer que $f'''_{xyy} = f'''_{yxy} = f'''_{yyx}$.

EXEMPLE 7 ■ Calculez $f^{(4)}_{xxyz}$ si $f(x, y, z) = \sin(3x + yz)$.

SOLUTION

$$f'_x = 3\cos(3x + yz)$$

$$f''_{xx} = -9\sin(3x + yz)$$

$$f'''_{xxy} = -9z\cos(3x + yz)$$

$$f''''_{xxyz} = -9\cos(3x + yz) + 9yz\sin(3x + yz)$$

■ Les équations aux dérivées partielles

Les dérivées partielles interviennent dans des *équations aux dérivées partielles* qui traduisent certaines lois de la physique. Par exemple, l'équation aux dérivées partielles

$$\frac{\partial^2 u}{\partial x^2} + \frac{\partial^2 u}{\partial y^2} = 0,$$

est connue sous le nom d'**équation de Laplace**, en l'honneur du marquis Pierre de Laplace (1749-1827). Les solutions de cette équation sont les **fonctions harmoniques** qui jouent un rôle dans les problèmes de conduction de chaleur, d'écoulement des fluides et de potentiel électrique.

EXEMPLE 8 ■ Démontrez que la fonction $u(x, y) = e^x \sin y$ est une solution de l'équation de Laplace.

SOLUTION

$$u'_x = e^x \sin y \qquad u'_y = e^x \cos y$$

$$u''_{xx} = e^x \sin y \qquad u''_{yy} = -e^x \sin y$$

$$u''_{xx} + u''_{yy} = e^x \sin y - e^x \sin y = 0$$

Par conséquent, u satisfait à l'équation de Laplace.

L'**équation des ondes**

$$\frac{\partial^2 u}{\partial t^2} = a^2 \frac{\partial^2 u}{\partial x^2}$$

---

[1] NdT appelé aussi théorème de Schwarz.

FIGURE 8

décrit le mouvement ondulatoire, qu'il s'agisse d'une vague dans l'océan, d'une onde sonore, d'une onde lumineuse ou d'une onde qui voyage le long d'une corde vibrante. Par exemple, si $u(x, t)$ représente le déplacement de la corde d'un violon au moment t et à une distance x de l'une des extrémités de la corde (comme dans la figure 8), alors $u(x, t)$ satisfait à l'équation des ondes. La constante a dépend de la densité de la corde et de sa tension.

EXEMPLE 9 ■ Vérifiez que la fonction $u(x, t) = \sin(x - at)$ est une solution de l'équation des ondes.

SOLUTION

$$u'_x = \cos(x - at) \qquad u''_{xx} = -\sin(x - at)$$

$$u'_t = -a \cos(x - at) \qquad u''_{tt} = -a^2 \sin(x - at) = a^2 u''_{xx}$$

Aussi, u satisfait à l'équation des ondes.

■ La fonction de production de Cobb-Douglas

Nous avons décrit, dans l'exemple 2 de la section 11.1, le travail de modélisation accompli par Cobb et Douglas au sujet de la production totale P d'un système économique comme fonction de la main d'œuvre totale L et du capital investi K. Ici, nous recourons aux dérivées partielles pour expliquer comment la forme particulière de leur modèle provient de certaines hypothèses qu'ils ont faites à propos de l'économie.

Si la fonction de production est notée $P = P(L, K)$, la dérivée partielle $\partial P/\partial L$ indique le taux de variation de la production par rapport à la quantité de main d'œuvre. C'est ce que les économistes appellent la production marginale par rapport au travail ou la *productivité marginale du travail*. De même, la dérivée partielle $\partial P/\partial K$ indique le taux de variation de la production par rapport au capital et est appelée la *productivité marginale du capital*. En ces termes, les hypothèses faites par Cobb et Douglas s'énoncent comme suit.

- ■ Sans travail ou sans capital, pas de production.
- ■ La productivité marginale du travail est proportionnelle à la quantité produite par unité de travail.
- ■ La productivité marginale du capital est proportionnelle à la quantité produite par unité de capital.

Vu que la production par unité de travail est le rapport P/L, l'hypothèse 2 s'écrit

$$\frac{\partial P}{\partial L} = \alpha \frac{P}{L},$$

pour une certaine constante α. Au cas où K est constant $(K = K_0)$, l'équation aux dérivées partielles devient une équation différentielle ordinaire :

5
$$\frac{dP}{dL} = \alpha \frac{P}{L}.$$

Cette équation est à variables séparées et peut donc être résolue par les méthodes de la section 7.4 (voyez aussi l'exercice 59). Cela donne

6
$$P(L, K_0) = C_1(K_0) L^\alpha.$$

La constante C_1 a été écrite comme une fonction de K_0 car elle pourrait dépendre de la valeur K_0.

De même, l'hypothèse 3 s'écrit

$$\frac{\partial P}{\partial K} = \beta \frac{P}{K},$$

et la solution de cette équation différentielle est

7 $$P(L_0, K) = C_2(L_0)K^{\beta}.$$

En comparant les équations 6 et 7, on a

8 $$P(L, K) = bL^{\alpha}K^{\beta},$$

où b est une constante indépendante de K et L. L'hypothèse 1 implique $\alpha > 0$ et $\beta > 0$.

Observons ce qu'implique l'équation 8 au cas où capital et travail sont multipliés tous les deux par un facteur m :

$$P(mL, mK) = b(mL)^{\alpha}(mK)^{\beta} = m^{\alpha+\beta}bL^{\alpha}K^{\beta} = m^{\alpha+\beta}P(L, K).$$

Si $\alpha + \beta = 1$, alors $P(mL, mK) = mP(L, K)$, ce qui signifie que la production est elle-aussi multipliée par un facteur m. Voilà pourquoi Cobb et Douglas ont supposé $\alpha + \beta = 1$ et il s'ensuit que

$$P(L, K) = bL^{\alpha}K^{1-\alpha}.$$

Telle était la fonction de production de Cobb et Douglas que nous avons étudiée dans la section 11.1.

11.3 Exercices •

1. La température T en un lieu de l'hémisphère nord dépend de la longitude x, de la latitude y et du temps t. On peut donc écrire $T = f(x, y, t)$. On décide de mesurer le temps en heures à partir du début du mois de janvier.

a) Quelle est la signification des dérivées partielles $\partial T / \partial x$, $\partial T / \partial y$, $\partial T / \partial t$?

b) La ville d'Honolulu est située à 158° de longitude O et 21° de latitude N. Il est 9 h du matin le premier janvier et le vent souffle de l'air chaud du nord-est. L'air qui se déplace en direction du sud et de l'ouest est chaud tandis que l'air qui circule vers le nord et l'est est plus frais. Vous attendez-vous à ce que $f_x'(158; 21, 9)$, $f_y'(158; 21, 9)$, $f_t'(158; 21, 9)$ soient positifs ou négatifs ? Expliquez vos motifs.

2. Au début de cette section, il a été question de la fonction $I = f(T, H)$, où I est l'indice chaleur, T la température et H l'humidité relative. Estimez la valeur de $f_T'(92, 60)$ et $f_H'(92, 60)$ à partir de la table 1. Quelle est l'interprétation concrète de ces valeurs ?

3. L'indice de refroidissement dû au vent I représente la température ressentie alors que la température réelle vaut T et la vitesse du vent v. On peut donc écrire $I = f(T, v)$. La table des valeurs de I ci-contre provient des observations de l'institut météorologique.

Vitesse du vent (km/h)

T \ v	10	20	30	40	50
20	18	16	14	13	13
16	14	11	9	7	7
12	9	5	3	1	0
8	5	0	−3	−5	−6

Vitesse du vent (km/h)

T \ v	60	70	80	90	100
20	12	12	12	12	12
16	6	6	5	5	5
12	0	−1	−1	−1	−1
8	−7	−7	−8	−8	−8

Température réelle (°C)

a) Estimez la valeur de $f_T'(12, 20)$ et de $f_v'(12, 20)$. Quelle est l'interprétation concrète de ces valeurs ?

b) De façon générale, que pouvez-vous dire à propos des signes de $\partial I / \partial T$ et $\partial I / \partial v$?

c) Quelle semble être la valeur de la limite suivante

$$\lim_{v \to \infty} \frac{\partial I}{\partial v} ?$$

4. La hauteur des vagues h en haute mer dépend principalement de la force v du vent et du temps t pendant lequel le vent souffle à cette vitesse. Des valeurs de la fonction $h = f(v, t)$ sont rassemblées dans la table suivante.

Durée (en heures)

t v	5	10	15	20	30	40	50
10	2	2	2	2	2	2	2
15	4	4	5	5	5	5	5
20	5	7	8	8	9	9	9
30	9	13	16	17	18	19	19
40	14	21	25	28	31	33	33
50	19	29	36	40	45	48	50
60	24	37	47	54	62	67	69

Vitesse du vent (en nœuds)

a) Quelle signification ont les dérivées partielles $\partial h / \partial v$ et $\partial h / \partial t$?

b) Estimez les valeurs de $f_v'(40, 15)$ et $f_t'(40, 15)$. Quelle est l'interprétation concrète de ces valeurs ?

c) Quelle semble être la valeur de la limite suivante

$$\lim_{t \to \infty} \frac{\partial h}{\partial t} ?$$

5. Les surfaces suivantes, étiquetées a, b et c, sont les surfaces représentatives d'une fonction f et de ses dérivées partielles f_x' et f_y'. Associez à chaque surface sa fonction et justifiez vos choix.

6. Voici un diagramme de courbes de niveau d'une fonction f. D'après cette figure, estimez $f_x'(2, 1)$ et $f_y'(2, 1)$.

7. Soit $f(x, y) = 16 - 4x^2 - y^2$. Calculez $f_x'(1, 2)$ et $f_y'(1, 2)$ et interprétez ces nombres en tant que pente. Illustrez, avec une esquisse faite à la main ou avec un graphique réalisé par un ordinateur.

8. Soit $f(x, y) = \sqrt{4 - x^2 - 4y^2}$. Calculez $f_x'(1, 0)$ et $f_y'(1, 0)$ et interprétez ces nombres en tant que pente. Illustrez, avec une esquisse faite à la main ou avec un graphique réalisé par un ordinateur.

9-10 ■ Calculez f_x' et f_y' et représentez f, f_x' et f_y' sur des domaines et sous des points de vue qui vous permettent de voir les relations entre les graphiques.

9. $f(x, y) = x^2 + y^2 + x^2 y$

10. $f(x, y) = x e^{-x^2 - y^2}$

11-24 ■ Calculez les dérivées partielles premières de la fonction.

11. $f(x, y) = \dfrac{x - y}{x + y}$

12. $f(x, y) = x^y$

13. $f(u, v) = \text{Arctg}(u/v)$

14. $f(x, t) = e^{\sin(t/x)}$

15. $z = \ln(x + \sqrt{x^2 + y^2})$

16. $f(x, y) = \displaystyle\int_y^x \frac{e^t}{t} \, dt$

17. $f(x, y, z) = x^2 y z^3 + xy - z$

18. $f(x, y, z) = x\sqrt{yz}$

19. $u = z \sin \dfrac{y}{x + z}$

20. $u = x^{y/z}$

21. $f(x, y, z, t) = \dfrac{x - y}{z - t}$

22. $f(x, y, z, t) = xy^2 z^3 t^4$

23. $u = \sqrt{x_1^2 + x_2^2 + \cdots + x_n^2}$

24. $u = \sin(x_1 + 2x_2 + \cdots + nx_n)$

25-34 ■ Calculez les dérivées partielles demandées.

25. $f(x, y) = xe^{-y} + 3y$; $\dfrac{\partial f}{\partial y}(1, 0)$

26. $f(x, y) = \sqrt{2x + 3y}$; $f_y'(2, 4)$

27. $f(x, y) = \sin(y - x)$; $\dfrac{\partial f}{\partial x}(3, 3)$

28. $z = x\sqrt{y} - \dfrac{y}{\sqrt{x}}$; $\dfrac{\partial z}{\partial x}, \dfrac{\partial z}{\partial y}$

29. $xy + yz = xz$; $\dfrac{\partial z}{\partial x}, \dfrac{\partial z}{\partial y}$

30. $xyz = \cos(x + y + z)$; $\dfrac{\partial z}{\partial x}, \dfrac{\partial z}{\partial y}$

31. $x^2 + y^2 - z^2 = 2x(y + z)$; $\dfrac{\partial z}{\partial x}, \dfrac{\partial z}{\partial y}$

32. $xy^2z^3 + x^3y^2z = x + y + z$; $\dfrac{\partial z}{\partial x}, \dfrac{\partial z}{\partial y}$

33. $f(x, y, z) = xyz$; $f_y'(0, 1, 2)$

34. $f(x, y, z) = \sqrt{x^2 + y^2 + z^2}$; $f_z'(0, 3, 4)$

35-36 ■ Déterminez $f_x'(x, y)$ et $f_y'(x, y)$ par la définition (4) en termes de limites.

35. $f(x, y) = x^2 - xy + 2y^2$ **36.** $f(x, y) = \sqrt{3x - y}$

37-38 ■ Cherchez l'expression de $\partial z/\partial x$ et $\partial z/\partial y$.

37. a) $z = f(x) + g(y)$ b) $z = f(x + y)$

38. a) $z = f(x)g(y)$ b) $z = f(xy)$
c) $z = f(x/y)$

39-42 ■ Calculez l'expression de toutes le dérivées partielles secondes.

39. $f(x, y) = x^2y + x\sqrt{y}$

40. $f(x, y) = \sin(x + y) + \cos(x - y)$

41. $z = (x^2 + y^2)^{3/2}$ **42.** $z = \cos^2(5x + 2y)$

43-44 ■ Vérifiez la conclusion du théorème de Clairaut, à savoir $u_{xy}'' = u_{yx}''$

43. $u = x^5y^4 - 3x^2y^3 + 2x^2$ **44.** $u = \sin^2 x \cos y$

45-50 ■ Déterminez la dérivée partielle indiquée.

45. $f(x, y) = x^2y^3 - 2x^4y$; f_{xxx}'''

46. $f(x, y) = e^{xy^2}$; f_{xxy}'''

47. $f(x, y, z) = x^5 + x^4y^4z^3 + yz^2$; f_{xyz}'''

48. $f(x, y, z) = e^{xyz}$; f_{yzy}'''

49. $u = \ln(x + 2y^2 + 3z^3)$; $\dfrac{\partial^3 u}{\partial x \, \partial y \, \partial z}$

50. $u = x^a y^b z^c$; $\dfrac{\partial^6 u}{\partial x \, \partial y^2 \, \partial z^3}$

51. Utilisez la table des valeurs de $f(x, y)$ pour estimer les valeurs de $f_x'(3, 2)$, $f_x'(3; 2{,}2)$ et de $f_{xy}''(3, 2)$.

x \ y	1,8	2,0	2,2
2,5	12,5	10,2	9,3
3,0	18,1	17,5	15,9
3,5	20,0	22,4	26,1

52. Voici des courbes de niveau d'une fonction f. Dites si les dérivées partielles suivantes sont positives ou négatives au point P.

a) f_x' b) f_y' c) f_{xx}''
d) f_{xy}'' e) f_{yy}''

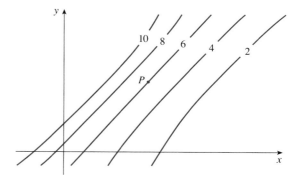

53. Vérifiez que la fonction $u = e^{-\alpha^2 k^2 t} \sin kx$ est une solution de l'équation de diffusion de la chaleur $u_t' = \alpha^2 u_{xx}''$.

54. Examinez si chacune des fonctions suivantes est une solution de l'équation de Laplace $u_{xx}'' + u_{yy}'' = 0$

a) $u = x^2 + y^2$
b) $u = x^2 - y^2$
c) $u = x^3 + 3xy^2$
d) $u = \ln\sqrt{x^2 + y^2}$
e) $u = e^{-x}\cos y - e^{-y}\cos x$

55. Vérifiez que la fonction $u = 1/\sqrt{x^2 + y^2 + z^2}$ est une solution de l'équation de Laplace de dimension trois $u_{xx}'' + u_{yy}'' + u_{zz}'' = 0$

56. Montrez que chacune des fonctions suivantes est une solution de l'équation des ondes $u_{tt}'' = a^2 u_{xx}''$.

a) $u = \sin(kx)\sin(akt)$
b) $u = t/(a^2t^2 - x^2)$
c) $u = (x - at)^6 + (x + at)^6$
d) $u = \sin(x - at) + \ln(x + at)$

57. Montrez que la fonction

$$u(x,t) = f(x+at) + g(x-at)$$

est une solution de l'équation des ondes donnée dans l'exercice 56, à condition que f et g soient des fonctions deux fois dérivables d'une seule variable.

58. Démontrez que la fonction de production de Cobb-Douglas $P = bL^\alpha K^\beta$ satisfait à l'équation

$$L\frac{\partial P}{\partial L} + K\frac{\partial P}{\partial K} = (\alpha + \beta)P$$

59. En résolvant l'équation différentielle

$$\frac{dP}{dL} = \alpha\frac{P}{L},$$

montrez que la fonction de production de Cobb-Douglas satisfait à $P(L, K_0) = C_1(K_0)L^\alpha$ (voyez l'équation 5).

60. La température en un point (x,y) d'une fine plaque de métal est donnée par $T(x,y) = 60/(1+x^2+y^2)$, où T est mesurée en °C et s et y en mètres. Déterminez le taux de variation de la température par rapport à la distance au point $(2,1)$ dans la direction a) de l'axe Ox et b) de l'axe Oy.

61. La résistance totale R produite par trois conducteurs, de résistance R_1, R_2 et R_3, connectés en parallèles dans un circuit électrique est donnée par la formule

$$\frac{1}{R} = \frac{1}{R_1} + \frac{1}{R_2} + \frac{1}{R_3}.$$

Calculez l'expression de $\partial R/\partial R_1$.

62. La loi des gaz relative à une masse fixée m d'un gaz parfait à température absolue T, pression P et volume V s'écrit $PV = mRT$, où R est la constante du gaz. Montrez que

$$\frac{\partial P}{\partial V}\frac{\partial V}{\partial T}\frac{\partial T}{\partial P} = -1.$$

63. L'énergie cinétique d'un corps de masse m et vitesse v est $K = \frac{1}{2}mv^2$. Démontrez que

$$\frac{\partial K}{\partial m}\frac{\partial^2 K}{\partial v^2} = K.$$

64. Calculez $\partial A/\partial a$, $\partial A/\partial b$, $\partial A/\partial c$ en dérivant implicitement la Loi des cosinus, sachant que a, b, c sont les côtés d'un triangle et A, B, C les angles opposés.

65. On vous a dit qu'il y avait une fonction f dont les dérivées partielles sont $f'_x(x,y) = x + 4y$ et $f'_y(x,y) = 3x - y$ et dont les dérivées partielles secondes sont continues. Le croyez-vous ?

66. L'intersection du paraboloïde $z = 6 - x - x^2 - 2y^2$ avec le plan $x = 1$ est une parabole. Déterminez des équations paramétriques de la tangente à cette parabole au point $(1, 2, -4)$. À l'aide d'un ordinateur, représentez le paraboloïde, la parabole et la droite tangente sur un même écran.

67. L'ellipsoïde $4x^2 + 2y^2 + z^2 = 16$ coupe le plan $y = 2$ selon une ellipse. Déterminez des équations paramétriques de la tangente à cette ellipse au point $(1, 2, 2)$.

68. Une étude sur la pénétration du froid a démontré que la température T au temps t (mesuré en jours) à une profondeur x (mesurée en pieds) pouvait être modélisée par la fonction

$$T(x,t) = T_0 + T_1 e^{-\lambda x}\sin(\omega t - \lambda x),$$

où $\omega = 2\pi/365$ et où λ est une constante positive.

a) Déterminez $\partial T/\partial x$. Quelle est la signification physique de cette grandeur ?

b) Déterminez $\partial T/\partial t$. Quelle est la signification physique de cette grandeur ?

c) Montrez que T satisfait à l'équation de la chaleur $T'_t = kT''_{xx}$ pour une certaine constante k.

d) Faites dessiner le graphique de $T(x,t)$, dans le cas où $\lambda = 0{,}2$, $T_0 = 0$ et $T_1 = 10$.

e) Quel est le sens physique du terme $-\lambda x$ dans l'expression $\sin(\omega t - \lambda x)$?

69. Calculez $f'_x(1,0)$ si $f(x,y) = x(x^2+y^2)^{-3/2}e^{\sin(x^2 y)}$. [Suggestion : Au lieu de calculer d'abord $f'_x(x,y)$, remarquez qu'il est plus facile d'utiliser l'équation 1 ou l'équation 2.]

70. Calculez $f'_x(0,0)$ pour $f(x,y) = \sqrt[3]{x^3+y^3}$.

71. Soit

$$f(x,y) = \begin{cases} \dfrac{x^3 y - xy^3}{x^2+y^2} & \text{si } (x,y) \neq (0,0) \\ 0 & \text{si } (x,y) = (0,0) \end{cases}$$

a) Dessinez f à l'aide d'un ordinateur.

b) Trouvez $f'_x(x,y)$ et $f'_y(x,y)$ pour $(x,y) \neq (0,0)$.

c) Calculez $f'_x(0,0)$ et $f'_y(0,0)$ à l'aide des équations 2 et 3.

d) Montrez que $f''_{xy}(0,0) = -1$ et $f''_{yx} = 1$.

e) Le résultat d) est-il en contradiction avec le théorème de Clairaut ? Illustrez votre réponse sur les graphiques de f''_{xy} et f''_{yx}.

11.4 Les plans tangents et les approximations linéaires • • • • • • • • •

Le fait qu'il devienne quasi impossible de distinguer la courbe représentative d'une fonction dérivable de sa tangente en un point lorsqu'on s'approche suffisamment près est l'un des faits les plus remarquables du calcul différentiel à une variable. C'est ce qui justifie l'approximation de la fonction par une fonction affine (voyez les sections 2.9 et 3.8). Ici, nous développons le fait analogue dans l'espace de dimension trois. Lorsqu'on zoome sur un point d'une surface représentative d'une fonction différentiable de deux variables, la surface devient semblable à un plan (son plan tangent) et on peut approximer la fonction par une fonction affine de deux variables.

■ Les plans tangents

Soit S une surface d'équation $z = f(x, y)$, où f est une fonction qui a des dérivées partielles premières continues et soit $P(x_0, y_0, z_0)$ un point sur S. On reprend les notations C_1 et C_2 de la section précédente pour désigner les intersections de S avec les plans verticaux $y = y_0$ et $x = x_0$. Le point P appartient à C_1 et à C_2. Soit T_1 et T_2 les tangentes aux courbes C_1 et C_2 en P. Le **plan tangent** à la surface S au point P est défini comme le plan qui contient les deux droites T_1 et T_2 (voyez la figure 1).

On verra dans la section 11.6 que la tangente à n'importe quelle autre courbe C tracée sur la surface et passant par P appartient aussi au plan tangent en P à S. Par conséquent, le plan tangent à S en P peut être vu comme le plan qui contient toutes les tangentes en P aux courbes tracées sur S et passant par P. C'est ainsi que le plan tangent est le plan qui approxime de plus près la surface S au voisinage du point P. Or, l'équation d'un plan qui passe par le point $P(x_0, y_0, z_0)$ est, d'après l'équation 6 de la section 9.5, de la forme

$$A(x - x_0) + B(y - y_0) + C(z - z_0) = 0.$$

Cette équation s'écrit encore, après division par C et changement évident de notation pour les nouveaux coefficients,

1
$$z - z_0 = a(x - x_0) + b(y - y_0).$$

Si l'équation 1 représente le plan tangent au point P, alors son intersection avec le plan $y = y_0$ doit être la tangente T_1. Poser $y = y_0$ dans l'équation 1 conduit à

$$z - z_0 = a(x - x_0) \qquad y = y_0,$$

où l'on reconnaît les équations (sous la forme point-pente) d'une droite de pente a. Or, la pente de T_1 est $f_x'(x_0, y_0)$, d'après l'interprétation de la dérivée partielle dans la section 11.3. D'où $a = f_x'(x_0, y_0)$.

Si, de même, on pose $x = x_0$ dans l'équation 1, on obtient $z - z_0 = b(y - y_0)$ qui doit représenter la tangente T_2. Ce qui entraîne $b = f_y'(x_0, y_0)$.

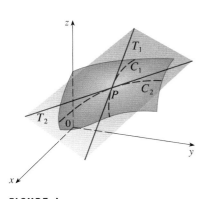

FIGURE 1

Notez la similitude entre l'équation du plan tangent et celle de la droite tangente

$$y - y_0 = f'(x_0)(x - x_0).$$

---

2 Soit f une fonction dont les dérivées partielles sont continues. Une équation du plan tangent à la surface $z = f(x, y)$ au point $P(x_0, y_0, z_0)$ est

$$z - z_0 = f_x'(x_0, y_0)(x - x_0) + f_y'(x_0, y_0)(y - y_0).$$

EXEMPLE 1 ■ Déterminez le plan tangent au paraboloïde elliptique $z = 2x^2 + y^2$ au point $(1, 1, 3)$.

SOLUTION Soit $f(x, y) = 2x^2 + y^2$. Alors

$$f_x'(x, y) = 4x \qquad f_y'(x, y) = 2y$$

$$f_x'(1, 1) = 4 \qquad f_y'(1, 1) = 2$$

L'équation du plan tangent en $(1, 1, 3)$ s'écrit, selon (2),

$$z - 3 = 4(x - 1) + 2(y - 1),$$

ou

$$z = 4x + 2y - 3.$$

La figure 2(a) exhibe le paraboloïde elliptique et son plan tangent en $(1, 1, 3)$, déterminé dans l'exemple 1. Les figures 2(b) et 2(c) sont des images rapprochées, la deuxième plus que la première, du point $(1, 1, 3)$, obtenues en restreignant le domaine sur lequel la fonction $f(x, y) = 2x^2 + y^2$ est considérée. Plus on regarde de près, plus la surface du paraboloïde semble plate et ressemble à son plan tangent.

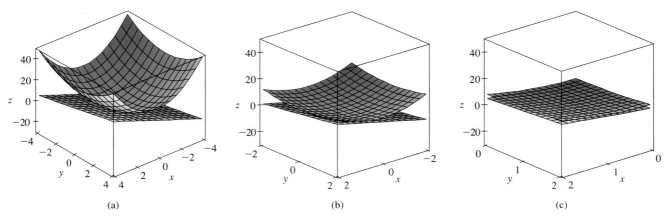

(a)   (b)   (c)

FIGURE 2   Plus on s'approche du point $(1,1,3)$, plus le paraboloïde elliptique $z = 2x^2 + y^2$ semble coïncider avec son plan tangent.

Cette impression est confirmée par la figure 3 qui montre des vues de plus en plus rapprochées du point $(1, 1)$ sur le diagramme des courbes de niveau de la fonction $f(x, y) = 2x^2 + y^2$. Plus on zoome, plus les courbes de niveau semblent former un réseau de droites parallèles équidistantes, ce qui est caractéristique d'un plan.

FIGURE 3
On regarde de plus en plus près le point $(1, 1)$ sur un diagramme de courbes de niveau de $f(x, y) = 2x^2 + y^2$

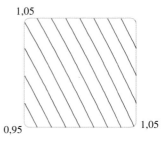

■ Les approximations du premier degré

On a trouvé dans l'exemple 1 qu'une équation du plan tangent à la surface représentative de la fonction $f(x, y) = 2x^2 + y^2$ au point $(1, 1, 3)$ était $z = 4x + 2y - 3$. Par conséquent, après les évidences visuelles des figures 2 et 3, la fonction du premier degré à deux variables

$$L(x, y) = 4x + 2y - 3$$

est une bonne approximation de $f(x, y)$ lorsque (x, y) est proche de $(1, 1)$. La fonction L

est appelée la *linéarisation* de f en $(1,1)$ et l'approximation

$$f(x,y) \approx 4x + 2y - 3$$

est appelée l'*approximation linéaire* ou *approximation par le plan tangent* de f en $(1,1)$.[2]

Par exemple, au point $(1,1;0,95)$, l'approximation linéaire donne

$$f(1,1;0,95) \approx 4(1,1) + 2(0,95) - 3 = 3,3,$$

valeur proche de la valeur exacte de la fonction $f(1,1;0,95) = 2(1,1)^2 + (0,95)^2 = 3,3225$. Mais, en un point plus éloigné de $(1,1)$, comme $(2,3)$, l'approximation n'est plus bonne : $L(2,3) = 11$ alors que $f(2,3) = 17$.

En général, une équation du plan tangent au graphique d'une fonction f de deux variables au point $(a,b,f(a,b))$ est, d'après (2),

$$z = f(a,b) + f'_x(a,b)(x - a) + f'_y(a,b)(y - b).$$

La fonction du premier degré dont la représentation graphique est ce plan tangent, à savoir,

3 $$L(x,y) = f(a,b) + f'_x(a,b)(x - a) + f'_y(a,b)(y - b),$$

est appelée la **linéarisation** de f en (a,b) et l'approximation

4 $$f(x,y) \approx f(a,b) + f'_x(a,b)(x - a) + f'_y(a,b)(y - b)$$

est appelée l'**approximation linéaire** ou **approximation par le plan tangent** de f en (a,b).

Pourtant, il faut bien admettre que, pour certaines fonctions, l'approximation linéaire (4) est mauvaise. La figure 4 propose une telle fonction ; son équation est

$$f(x,y) = \begin{cases} \dfrac{xy}{x^2 + y^2} & \text{si } (x,y) \neq (0,0) \\ 0 & \text{si } (x,y) = (0,0). \end{cases}$$

L'exercice 40 consiste à vérifier qu'elle a des dérivées partielles à l'origine, à savoir $f'_x(0,0) = 0$ et $f'_y(0,0) = 0$. L'approximation linéaire serait dans ce cas $f(x,y) \approx 0$. Or, $f(x,y) = \frac{1}{2}$ tout au long de la droite $x = y$. Une fonction de deux variables peut donc mal se comporter même lorsque ses dérivées partielles existent. C'est pour exclure de telle situation qu'on a besoin de passer à la notion de différentiabilité d'une fonction de deux variables.

Rappelez-vous que dans le cas d'une fonction d'une variable $y = f(x)$, lorsque x passe de a à $a + \Delta x$, l'accroissement de y est défini par

$$\Delta y = f(a + \Delta x) - f(a).$$

Par ailleurs, la définition de la dérivée affirme que

$$\lim_{\Delta x \to 0} \frac{\Delta y}{\Delta x} = f'(a).$$

En appelant ε la différence entre le quotient des différences et la dérivée, on a

$$\lim_{\Delta x \to 0} \varepsilon = \lim_{\Delta x \to 0} \left(\frac{\Delta y}{\Delta x} - f'(a) \right) = f'(a) - f'(a) = 0.$$

FIGURE 4

$f(x,y) = \dfrac{xy}{x^2 + y^2}$ si $(x,y) \neq (0,0)$,

$f(0,0) = 0$

---

[2] NdT Le terme *linéaire* est employé ici pour signifier que l'approximation est donnée par une fonction polynomiale de degré 1. Il serait plus juste de parler d'*approximation affine*, mais alors le terme *linéarisation* serait incongru.

Or,

$$\varepsilon = \frac{\Delta y}{\Delta x} - f'(a) \quad \Longrightarrow \quad \Delta y = f'(a)\Delta x + \varepsilon \Delta x.$$

D'où, pour une fonction dérivable f, on peut écrire

5 $$\Delta y = f'(a)\Delta x + \varepsilon \Delta x \text{ où } \varepsilon \to 0 \text{ lorsque } \Delta x \to 0.$$

On considère maintenant une fonction de deux variables $z = f(x, y)$ et on suppose que x passe de a à $a + \Delta x$ et y passe de b à $b + \Delta y$. L'**accroissement** correspondant de z est alors

6 $$\Delta z = f(a + \Delta x, b + \Delta y) - f(a, b).$$

Cet accroissement Δz représente donc la variation de la valeur de f quand (x, y) passe de (a, b) à $(a + \Delta x, b + \Delta y)$. Par analogie avec (5), on définit la différentiabilité d'une fonction de deux variables comme suit.

---

7 Définition Si $z = f(x, y)$, alors f est **différentiable**[3] en (a, b) si Δz peut être écrit sous la forme

$$\Delta z = f'_x(a, b)\Delta x + f'_y(a, b)\Delta y + \varepsilon_1 \Delta x + \varepsilon_2 \Delta y,$$

où ε_1 et $\varepsilon_2 \to 0$ lorsque $(\Delta x, \Delta y) \to (0, 0)$.

La définition 7 garantit que, dans la cas d'une fonction différentiable, l'approximation linéaire (4) est une bonne approximation quand (x, y) est proche de (a, b). En d'autres mots, le plan tangent modélise bien le graphique de f à proximité du point de tangence.

Vérifier la différentiabilité d'une fonction directement par la définition 7 est parfois difficile, mais heureusement la condition suffisante du théorème suivant vient pallier cette difficulté.

Le théorème 8 est démontré dans l'annexe E.

8 Théorème Si les dérivées partielles f'_x et f'_y existent à proximité de (a, b) et sont continues en (a, b), alors f est différentiable en (a, b).

EXEMPLE 2 ■ Démontrez que $f(x, y) = xe^{xy}$ est différentiable en $(1, 0)$ et déterminez sa linéarisation en ce point. Utilisez-la pour estimer la valeur $f(1,1; -0,1)$.

SOLUTION Les dérivées partielles sont

$$f'_x(x, y) = e^{xy} + xye^{xy} \qquad f'_y(x, y) = x^2 e^{xy}$$

$$f'_x(1, 0) = 1 \qquad\qquad f'_y(1, 0) = 1.$$

Comme les fonctions f'_x et f'_y sont continues, selon le théorème 8, f est différentiable. La linéarisation est

$$L(x, y) = f(1, 0) + f'_x(1, 0)(x - 1) + f'_y(1, 0)(y - 0)$$

$$= 1 + 1(x - 1) + 1 \cdot y = x + y$$

---

[3] NdT Pour les fonctions d'une seule variable, ce terme se confond avec dérivable.

La figure 5 montre les graphiques de la fonction f de l'exemple 2 et de sa linéarisation.

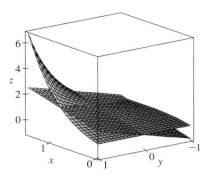

FIGURE 5

L'approximation linéaire correspondante est

$$xe^{xy} \approx x + y,$$

et donc, $f(1,1; -0,1) \approx 1,1 - 0,1 = 1$. Cette valeur est à comparer avec la valeur réelle $f(1,1; -0,1) = 1,1e^{-0,11} \approx 0,98542$.

EXEMPLE 3 ■ Au début de la section 11.3, il a été question de l'indice de chaleur I (température ressentie) comme fonction de la température T et de l'humidité relative H et de la table de valeurs extraites des observations effectuées par le service de météorologie nationale.

Humidité relative (%)

T \ H	50	55	60	65	70	75	80	85	90
90	96	98	100	103	106	109	112	115	119
92	100	103	105	108	112	115	119	123	128
94	104	107	111	114	118	122	127	132	137
96	109	113	116	121	125	130	135	141	146
98	114	118	123	127	133	138	144	150	157
100	119	124	129	135	141	147	154	161	168

Température réelle (°F)

Cherchez une approximation linéaire de l'indice de chaleur $I = f(T, H)$ quand T est proche de 96°F et H proche de 70 %. Utilisez-la pour estimer l'indice de chaleur quand la température est de 97°F et l'humidité relative de 72 %.

SOLUTION La table indique $f(96, 70) = 125$. Dans la section 11.3, on a, sur base de la table, estimé les valeurs $f_T'(96, 70) \approx 3,75$ et $f_H'(96, 70) \approx 0,9$. (Voyez les pages 766-767.) L'approximation linéaire qui en découle est

$$f(T, H) \approx f(96, 70) + f_T'(96, 70)(T - 96) + f_H'(96, 70)(H - 70)$$

$$\approx 125 + 3,75(T - 96) + 0,9(H - 70).$$

En particulier,

$$f(97, 72) \approx 125 + 3,75(1) + 0,9(2) = 130,55.$$

Par conséquent, quand $T = 97°F$ et $H = 72 \%$, l'indice de chaleur vaut

$$I \approx 131°F.$$

■ Les différentielles

Dans le cas d'une fonction d'une seule variable $y = f(x)$, la différentielle dx est définie comme une variable indépendante, c'est-à-dire que dx peut prendre n'importe quelle valeur réelle. La différentielle de y est ensuite définie par

9
$$dy = f'(x)dx.$$

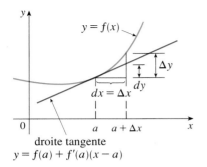

y = f(x)

Δy

dy

$dx = \Delta x$

0   a   a + \Delta x   x

droite tangente
$y = f(a) + f'(a)(x - a)$

FIGURE 6

(Voyez la section 3.8.) La figure 6 permet de comparer l'accroissement Δy et la différentielle dy : Δy est la quantité dont a varié l'ordonnée y sur la courbe, suite à la variation $dx = \Delta x$ de x, tandis que dy est la quantité dont a varié l'ordonnée sur la tangente.

Dans le cas d'une fonction de deux variables $z = f(x, y)$, les **différentielles** dx et dy sont définies comme des variables indépendantes, qui peuvent donc prendre n'importe quelles valeurs réelles. La **différentielle** dz, dite aussi la **différentielle totale**, est définie par

10
$$dz = f'_x(x, y)dx + f'_y(x, y)dy = \frac{\partial z}{\partial x}dx + \frac{\partial z}{\partial y}dy$$

(Comparez avec l'équation 9.) On écrit parfois df au lieu de dz.

En prenant $dx = \Delta x = x - a$ et $dy = \Delta y = y - b$ dans l'équation 10, la différentielle dz s'écrit

$$dz = f'_x(a, b)(x - a) + f'_y(a, b)(y - b).$$

L'approximation linéaire (4) s'exprime en termes de différentielle

$$f(x, y) \approx f(a, b) + dz.$$

La figure 7 est l'analogue à trois dimensions de la figure 6 et offre de comparer géométriquement dz et l'accroissement Δz : dz est la quantité dont a varié la cote sur le plan tangent, tandis que Δz est la quantité dont a varié la cote z sur la surface, suite au passage de (a, b) à $(a + \Delta x, b + \Delta y)$.

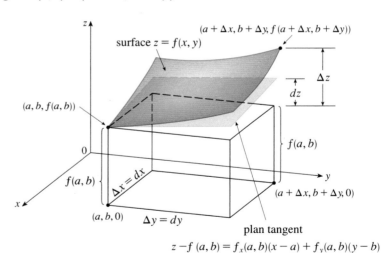

surface $z = f(x, y)$

$(a + \Delta x, b + \Delta y, f(a + \Delta x, b + \Delta y))$

Δz

dz

$(a, b, f(a, b))$

$f(a, b)$

$f(a, b)$

$\Delta x = dx$

$(a + \Delta x, b + \Delta y, 0)$

$(a, b, 0)$ $\Delta y = dy$

plan tangent

FIGURE 7 $z - f(a, b) = f_x(a, b)(x - a) + f_y(a, b)(y - b)$

EXEMPLE 4 ■

a) Quelle est l'expression de dz pour $z = f(x, y) = x^2 + 3xy - y^2$.

b) Comparez dz et Δz si x passe de 2 à 2,05 et y, de 3 à 2,96.

SOLUTION

a) Conformément à la définition 10,

$$dz = \frac{\partial z}{\partial x}dx + \frac{\partial z}{\partial y}dy = (2x + 3y)dx + (3x - 2y)dy.$$

dz est proche de Δz dans l'exemple 4 parce que le plan tangent est une bonne modélisation de la surface $z = x^2 + 3xy - y^2$ à proximité de $(2, 3, 13)$. (Voyez la figure 8.)

FIGURE 8

b) Les substitutions $x = 2$, $dx = \Delta x = 0{,}05$, $y = 3$ et $dy = \Delta y = -0{,}04$ conduisent à

$$dz = [2(2) + 3(3)]0{,}05 + [3(2) - 2(3)](-0{,}04)$$
$$= 0{,}65.$$

La variation de z est égale à

$$\Delta z = f(2{,}05, 2{,}96) - f(2, 3)$$
$$= [(2{,}05)^2 + 3(2{,}05)(2{,}96) - (2{,}96)^2] - [2^2 + 3(2)(3) - 3^2]$$
$$= 0{,}6449.$$

Notez que $\Delta z \approx dz$, mais dz est plus facile à calculer.

EXEMPLE 5 ■ Le rayon de la base d'un cône circulaire droit mesure 10 cm et la hauteur, 25 cm, avec une incertitude de 0,1 cm, sur chaque mesure. Estimez, à l'aide des différentielles, l'incertitude sur le volume du cône calculé sur ces valeurs.

SOLUTION Le volume V du cône de rayon de base r et de hauteur h est donné par la formule $V = \pi r^2 h/3$. La différentielle de V est donc

$$dV = \frac{\partial V}{\partial r}\,dr + \frac{\partial V}{\partial h}\,dh = \frac{2\pi rh}{3}\,dr + \frac{\pi r^2}{3}\,dh.$$

Comme l'erreur ne dépasse pas 0,1 cm, on a $|\Delta r| \leqslant 0{,}1$, $|\Delta h| \leqslant 0{,}1$. L'erreur sur le volume est maximale lorsque l'erreur sur le rayon r et l'erreur sur la hauteur h sont maximales. Aussi, on prend $dr = 0{,}1$ et $dh = 0{,}1$ en même temps que $r = 10$ et $h = 25$. Avec ces données,

$$dV = \frac{500\pi}{3}(0{,}1) + \frac{100\pi}{3}(0{,}1) = 20\pi.$$

L'erreur maximale du volume calculé est d'environ 20π cm$^3 \approx 63$ cm^3.

■ Les fonctions de trois variables ou plus

Toutes ces notions, que ce soit les approximations linéaires, la différentiabilité ou les différentielles, peuvent être définies de manière analogue pour les fonctions de plus de deux variables. Une fonction différentiable est définie par une expression semblable à celle de la définition 7. Pour ces fonctions, l'**approximation linéaire** est

$$f(x, y, z) \approx f(a, b, c) + f'_x(a, b, c)(x - a) + f'_y(a, b, c)(y - b) + f'_z(a, b, c)(z - c)$$

et la linéarisation $L(x, y, z)$ est le membre de droite de cette expression.

Si $w = f(x, y, z)$, alors l'**accroissement** de w est

$$\Delta w = f(x + \Delta x, y + \Delta y, z + \Delta z) - f(x, y, z).$$

La **différentielle** dw est définie en termes des différentielles dx, dy et dz des variables indépendantes par

$$dw = \frac{\partial w}{\partial x}\,dx + \frac{\partial w}{\partial y}\,dy + \frac{\partial w}{\partial z}\,dz.$$

EXEMPLE 6 ■ Un parallélipipède mesure 75 cm de long, 60 cm de large et 40 cm de haut. Chaque mesure est correcte à 0,2 cm près. À l'aide des différentielles, estimez la pire erreur que vous puissiez commettre en calculant le volume de ce parallélipipède.

SOLUTION Si x, y et z désignent les dimensions du parallélipipède, son volume est donné par la formule $V = xyz$ de sorte que

$$dV = \frac{\partial V}{\partial x}\, dx + \frac{\partial V}{\partial y}\, dy + \frac{\partial V}{\partial z}\, dz = yz\, dx + xz\, dy + xy\, dz.$$

Il est dit que $|\Delta x| \leqslant 0{,}2$, $|\Delta y| \leqslant 0{,}2$ et $|\Delta z| \leqslant 0{,}2$. Pour que l'erreur sur le volume soit maximale, on prend $dx = 0{,}2$, $dy = 0{,}2$ et $dz = 0{,}2$ en même temps que $x = 75$, $y = 60$ et $z = 40$:

$$\Delta V \approx dV = (60)(40)(0{,}2) + (75)(40)(0{,}2) + (75)(60)(0{,}2)$$
$$= 1980.$$

Une erreur d'à peine 0,2 cm dans la mesure de chaque côté peut conduire à une erreur de 1980 cm³ dans la mesure du volume. Cela peut paraître une erreur importante, mais en fait, ce n'est jamais qu'une erreur d'environ 1 % sur le volume. ■

■ Les plans tangents aux surfaces paramétrées

Les surfaces paramétrées ont été introduites dans la section 10.5. On est donc maintenant à la recherche du plan tangent à la surface S, paramétrée par une fonction vectorielle

$$\vec{r}(u, v) = x(u, v)\,\vec{i} + y(u, v)\,\vec{j} + z(u, v)\,\vec{k},$$

au point P_0, extrémité du vecteur position $\vec{r}(u_0, v_0)$. Si le paramètre u est tenu fixe, $u = u_0$, alors la fonction vectorielle $\vec{r}(u_0, v)$ n'est plus fonction que du seul paramètre v et représente une courbe C_1 tracée sur S (voyez la figure 9). La direction de la tangente à C_1 en P_0 est donnée par la dérivée partielle de $\vec{r}$ par rapport à v :

$$\vec{r}'_v = \frac{\partial x}{\partial v}(u_0, v_0)\vec{i} + \frac{\partial y}{\partial v}(u_0, v_0)\vec{j} + \frac{\partial z}{\partial v}(u_0, v_0)\vec{k}$$

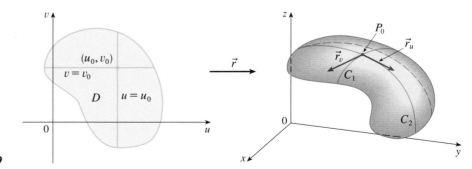

FIGURE 9

De même, si le paramètre v est tenu fixe, $v = v_0$, la fonction vectorielle $\vec{r}(u, v_0)$ représente une courbe C_2 tracée sur S et la direction de la tangente à C_2 en P_0 est donnée par la dérivée partielle de $\vec{r}$ par rapport à u

$$\vec{r}'_u = \frac{\partial x}{\partial u}(u_0, v_0)\vec{i} + \frac{\partial y}{\partial u}(u_0, v_0)\vec{j} + \frac{\partial z}{\partial u}(u_0, v_0)\vec{k}$$

Si $\vec{r}_u' \wedge \vec{r}_v'$ n'est pas le vecteur nul, la surface est dite **lisse** (elle ne présente pas de « coins »). Pour une surface lisse, le **plan tangent** est le plan qui contient les vecteurs tangents $\vec{r}_u'$ et $\vec{r}_v'$ et le vecteur $\vec{r}_u' \wedge \vec{r}_v'$ lui est orthogonal.

EXEMPLE 7 ■ Déterminez le plan tangent à la surface paramétrée par les équations $x = u^2$, $y = v^2$, $z = u + 2v$ au point $(1, 1, 3)$.

SOLUTION On commence par calculer les vecteurs tangents :

$$\vec{r}_u' = \frac{\partial x}{\partial u}\,\vec{i} + \frac{\partial y}{\partial u}\,\vec{j} + \frac{\partial z}{\partial u}\,\vec{k} = 2u\vec{i} + \vec{k}.$$

$$\vec{r}_v' = \frac{\partial x}{\partial v}\,\vec{i} + \frac{\partial y}{\partial v}\,\vec{j} + \frac{\partial z}{\partial v}\,\vec{k} = 2v\vec{j} + 2\vec{k}.$$

Ensuite, le vecteur normal,

$$\vec{r}_u' \wedge \vec{r}_v' = \begin{vmatrix} \vec{i} & \vec{j} & \vec{k} \\ 2u & 0 & 1 \\ 0 & 2v & 2 \end{vmatrix} = -2v\vec{i} - 4u\vec{j} + 4uv\vec{k}.$$

Comme le point $(1, 1, 3)$ est l'image des valeurs $u = 1$ et $v = 1$ des paramètres, le vecteur normal est

$$-2\vec{i} - 4\vec{j} + 4\vec{k}.$$

Le plan tangent en $(1, 1, 3)$ admet donc comme équation

$$-2(x - 1) - 4(y - 1) + 4(z - 3) = 0$$

ou

$$x + 2y - 2z + 3 = 0.$$

La figure 10 montre la surface de l'exemple 7 qui se coupe elle-même et le plan tangent en $(1, 1, 3)$

FIGURE 10

11.4 Exercices •

1. Écrivez une équation du plan tangent à la surface donnée au point spécifié.

1. $z = y^2 - x^2$, $(-4, 5, 9)$

2. $z = \sin(x + y)$, $(1, -1, 0)$

3. $z = \ln(2x + y)$, $(-1, 3, 0)$

4. $z = e^x \ln y$, $(3, 1, 0)$

5-6 ■ Servez-vous d'un ordinateur pour représenter la surface et le plan tangent au point donné. (Choisissez le domaine et l'angle de vue qui permettent de bien distinguer la surface et son plan tangent.) Ensuite, zoomez jusqu'à ce que la surface et le plan tangent semblent être confondus.

5. $z = xy$, $(-1, 2, -2)$ **6.** $z = \sqrt{x - y}$, $(5, 1, 2)$

7-8 ■ Dessinez le graphique de f et celui de son plan tangent au point donné. (Utilisez votre logiciel de calcul symbolique tant pour calculer les dérivées partielles que pour dessiner la surface et son plan tangent.) Zoomez ensuite jusqu'à ce que la surface et le plan tangent semblent devenir indiscernables.

7. $f(x, y) = e^{-(x^2+y^2)/15}(\sin^2 x + \cos^2 y)$, $(2, 3, f(2, 3))$

8. $f(x, y) = \dfrac{\sqrt{1 + 4x^2 + 4y^2}}{1 + x^4 + y^4}$, $(1, 1, 1)$

9-12 ■ Expliquez pourquoi la fonction est différentiable au point donné. Cherchez ensuite la linéarisation $L(x, y)$ de la fonction en ce point.

9. $f(x, y) = x\sqrt{y}$, $(1, 4)$ **10.** $f(x, y) = y \ln x$, $(2, 1)$

11. $f(x, y) = e^x \cos xy$, $(0, 0)$ **12.** $f(x, y) = x/y$, $(6, 3)$

13. Cherchez l'approximation linéaire de la fonction $f(x, y) = \sqrt{20 - x^2 - 7y^2}$ en $(2, 1)$ et utilisez-la pour calculer une valeur approchée de $f(1,95; 1,08)$.

14. Cherchez l'approximation linéaire de la fonction $f(x, y) = \ln(x - 3y)$ en $(7, 2)$ et utilisez-la pour calculer une valeur approchée de $f(6,9 ; 2,06)$. Illustrez par le dessin de f et du plan tangent.

15. Cherchez l'approximation linéaire de la fonction $f(x, y, z) = \sqrt{x^2 + y^2 + z^2}$ en $(3, 2, 6)$ et utilisez-la pour calculer une valeur approchée de $\sqrt{(3,02)^2 + (1,97)^2 + (5,99)^2}$.

16. La hauteur des vagues h dépendent principalement de la force v du vent (en nœuds) et du temps t (en heures) pendant lequel le vent souffle à cette vitesse. Des valeurs de la fonction $h = f(v, t)$ sont rassemblées dans un tableau.

Durée (en heures)

$\frac{t}{v}$	5	10	15	20	30	40	50
10	2	2	2	2	2	2	2
15	4	4	5	5	5	5	5
20	5	7	8	8	9	9	9
30	9	13	16	17	18	19	19
40	14	21	25	28	31	33	33
50	19	29	36	40	45	48	50
60	24	37	47	54	62	67	69

Vitesse du vent (en nœuds)

Basez-vous sur les valeurs du tableau pour écrire une approximation linéaire de la hauteur des vagues quand v est proche de 40 nœuds et t proche de 20 heures. Estimez ensuite la hauteur des vagues quand le vent souffle depuis 24 heures avec une force de 43 nœuds.

17. Servez-vous de la table de l'exemple 3 pour déterminer une approximation linéaire de la fonction indice de chaleur quand la température est de 95°F et l'humidité relative de 80 %. Estimez ensuite l'indice de chaleur quand la température est de 95°F et l'humidité relative de 78 %.

18. L'indice de refroidissement dû au vent I est une température subjective qui dépend de la température réelle T et de la vitesse du vent v de sorte que $I = f(T, v)$. La table que voici rassemble des valeurs de I enregistrées par l'Institut météorologique.

Vitesse du vent (km/h)

$\frac{v}{T}$	10	20	30	40	50
20	18	16	14	13	13
16	14	11	9	7	7
12	9	5	3	1	0
8	5	0	-3	-5	-6

Température réelle (°C)

Servez-vous de la table pour trouver une approximation linéaire de l'indice de refroidissement dû au vent quand T est proche de 16° et v proche de 30 km/h. Estimez ensuite la valeur de cet indice quand la température est de 14°C et la vitesse du vent de 27 km/h.

19-22 ■ Cherchez l'expression de la différentielle de la fonction.

19. $z = x^2 y^3$

20. $v = \ln(2x - 3y)$

21. $w = \ln \sqrt{x^2 + y^2 + z^2}$

22. $w = x \sin yz$

23. Comparez les valeurs de Δz et dz lorsque (x, y) passe de $(1, 2)$ à $(1,05 ; 2,1)$ dans la fonction $z = 5x^2 + y^2$.

24. Comparez les valeurs de Δz et dz lorsque (x, y) passe de $(3, -1)$ à $(2,96 ; -0,95)$ dans la fonction $z = x^2 - xy + 3y^2$.

25. Un rectangle mesure 30 cm de long et 24 cm de large. Chaque mesure est correcte à 0,1 cm près. À l'aide des différentielles, estimez la pire erreur que vous puissiez commettre en calculant l'aire de ce rectangle.

26. Les dimensions d'une boîte rectangulaire fermée sont 80 cm de long, 60 cm de large et 50 cm de haut. Chaque mesure est correcte à 0,2 cm près. À l'aide des différentielles, estimez la pire erreur que vous puissiez commettre en calculant la surface de cette boîte.

27. À l'aide des différentielles, estimez la quantité de métal d'une boîte de conserve fermée dont le diamètre de la base mesure 8 cm et la hauteur 12 cm. L'épaisseur du métal est de 0,04 cm.

28. À l'aide des différentielles, estimez la quantité de métal d'une boîte de forme cylindrique fermée dont le diamètre de la base mesure 4 cm et la hauteur 10 cm. L'épaisseur du métal de la paroi est de 0,05 cm et celle du fond et du couvercle, 0,1 cm.

29. Une bande de 7 cm de large est peinte autour d'un rectangle de 3 m sur 6 m. À l'aide des différentielles évaluez le nombre de centimètres carrés peints.

30. La pression, le volume et la température d'une mole de gaz idéal sont liés par l'équation $PV = 8,31T$, où P est mesuré en kilopascals, V en litres et T en kelvins. Utilisez les différentielles pour déterminer la variation approximative de la pression si le volume passe de 12 L à 12,3 L et la température de 310 K à 305 K.

31. La résistance totale R produite par trois conducteurs de résistance R_1, R_2 et R_3, connectés en parallèles dans un circuit électrique, est donnée par la formule

$$\frac{1}{R} = \frac{1}{R_1} + \frac{1}{R_2} + \frac{1}{R_3}.$$

Si les résistances, mesurées en ohms, sont $R_1 = 25\,\Omega$, $R_2 = 40\,\Omega$ et $R_3 = 50\,\Omega$ avec une erreur possible de 0,5 % dans chaque cas, estimez l'erreur maximale possible de la valeur calculée de R.

32. Quatre nombres positifs, inférieurs à 50, sont arrondis à la première décimale et ensuite multipliés entre eux. Quelle est l'erreur maximale que cet arrondi peut provoquer sur le produit ?

33-36 ■ Déterminez une équation du plan tangent à la surface paramétrée au point donné. Utilisez un ordinateur pour dessiner la surface et son plan tangent.

33. $x = u + v$, $y = 3u^2$, $z = u - v$; $(2, 3, 0)$

34. $x = u^2$, $y = u - v^2$, $z = v^2$; $(1, 0, 1)$

35. $\vec{r}(u, v) = uv\vec{i} + ue^v\vec{j} + ve^u\vec{k}$; $(0, 0, 0)$

36. $\vec{r}(u, v) = (u + v)\vec{i} + u\cos v\vec{j} + v\sin u\vec{k}$; $(1, 1, 0)$

. . . .

37-38 ■ Démontrez que la fonction est différentiable en déterminant les expressions de ε_1 et ε_2 qui satisfont à la définition 7.

37. $f(x, y) = x^2 + y^2$ **38.** $f(x, y) = xy - 5y^2$

. . . .

39. Démontrez qu'une fonction de deux variables différentiable en (a, b) y est continue. (*Suggestion* : Montrez que

$$\lim_{(\Delta x, \Delta y) \to (0,0)} f(a + \Delta x, b + \Delta y) = f(a, b).$$

40. La fonction

$$f(x, y) = \begin{cases} \dfrac{xy}{x^2 + y^2} & \text{si } (x, y) \neq (0, 0) \\ 0 & \text{si } (x, y) = (0, 0). \end{cases}$$

a été dessinée dans la figure 4. Démontrez que $f'_x(0, 0)$ et $f'_y(0, 0)$ existent toutes les deux, mais que f n'est pas différentiable en $(0, 0)$. [*Suggestion* : Servez-vous du résultat de l'exercice 39.]

11.5 La Règle de dérivation des fonctions composées • • • • • • • • • • • • • • • • • •

Il convient d'abord de rappeler cette règle dans le cas de la composition de deux fonctions d'une variable : si $y = f(x)$ et $x = g(t)$, où f et g sont des fonctions dérivables, alors y est indirectement une fonction dérivable de t et

1
$$\frac{dy}{dt} = \frac{dy}{dx}\frac{dx}{dt}.$$

Dans le cas des fonctions de plus d'une variable, la Règle de dérivation des fonctions composées comporte plusieurs versions, chacune d'elle expliquant comment calculer la ou les dérivées d'une fonction composée. La première version (théorème 2) se rapporte au cas où $z = f(x, y)$ et où x et y sont à leur tour des fonctions d'une variable t. C'est ainsi que z est indirectement une fonction de t, $z = f(g(t), h(t))$ et la Règle de dérivation des fonctions composées donne une formule de dérivation de z en tant que fonction de t. On suppose que f est différentiable (définition 7 de la section 11.4). Il suffit pour cela, rappelez-vous, que f'_x et f'_y soient continues.

> **2** **Règle de dérivation des fonctions composées (Cas 1)** On suppose que $z = f(x, y)$ est une fonction différentiable de x et y, où $x = g(t)$ et $y = h(t)$ sont toutes les deux des fonctions dérivables de t. Alors z est une fonction dérivable de t et
>
> $$\frac{dz}{dt} = \frac{\partial f}{\partial x}\frac{dx}{dt} + \frac{\partial f}{\partial y}\frac{dy}{dt}$$

Démonstration Lorsque t varie de Δt, x varie de Δx et y, de Δy. Ces variations provoquent à leur tour une variation Δz de z, et d'après la définition 7 de la section 11.4, on a

$$\Delta z = \frac{\partial f}{\partial x}\Delta x + \frac{\partial f}{\partial y}\Delta y + \varepsilon_1\Delta x + \varepsilon_2\Delta y$$

où $\varepsilon_1 \to 0$ et $\varepsilon_2 \to 0$ lorsque $(\Delta x, \Delta y) \to (0, 0)$. [Au cas où les fonctions ε_1 et ε_2 ne seraient pas définies en $(0, 0)$, on peut décider qu'elles valent 0 en $(0, 0)$.] On divise les deux membres de l'équation par Δt. Cela donne

$$\frac{\Delta z}{\Delta t} = \frac{\partial f}{\partial x}\frac{\Delta x}{\Delta t} + \frac{\partial f}{\partial y}\frac{\Delta y}{\Delta t} + \varepsilon_1 \frac{\Delta x}{\Delta t} + \varepsilon_2 \frac{\Delta y}{\Delta t}.$$

Si maintenant on fait tendre $\Delta t \to 0$, alors $\Delta x = g(t + \Delta t) - g(t) \to 0$ parce que g est dérivable et de là continue. De même, $\Delta y \to 0$. Il s'ensuit alors que $\varepsilon_1 \to 0$ et $\varepsilon_2 \to 0$. Ainsi,

$$\frac{dz}{dt} = \lim_{\Delta t \to 0} \frac{\Delta z}{\Delta t}$$

$$= \frac{\partial f}{\partial x}\lim_{\Delta t \to 0}\frac{\Delta x}{\Delta t} + \frac{\partial f}{\partial y}\lim_{\Delta t \to 0}\frac{\Delta y}{\Delta t} + \lim_{\Delta t \to 0}\varepsilon_1 \lim_{\Delta t \to 0}\frac{\Delta x}{\Delta t} + \lim_{\Delta t \to 0}\varepsilon_2 \lim_{\Delta t \to 0}\frac{\Delta y}{\Delta t}$$

$$= \frac{\partial f}{\partial x}\frac{dx}{dt} + \frac{\partial f}{\partial y}\frac{dy}{dt} + 0 \cdot \frac{dx}{dt} + 0 \cdot \frac{dy}{dt}$$

$$= \frac{\partial f}{\partial x}\frac{dx}{dt} + \frac{\partial f}{\partial y}\frac{dy}{dt}. \qquad ■$$

Vu qu'il est fréquent d'écrire $\partial z/\partial x$ au lieu de $\partial f/\partial x$, la Règle de dérivation des fonctions composées peut encore prendre la forme

$$\frac{dz}{dt} = \frac{\partial z}{\partial x}\frac{dx}{dt} + \frac{\partial z}{\partial y}\frac{dy}{dt}$$

Notez la ressemblance avec la définition de la différentielle :

$$dz = \frac{\partial z}{\partial x}dx + \frac{\partial z}{\partial y}dy.$$

EXEMPLE 1 ■ Calculez dz/dt en $t = 0$ pour $z = x^2 y + 3xy^4$, si $x = \sin 2t$ et $y = \cos t$.

SOLUTION La Règle de dérivation des fonctions composées dicte

$$\frac{dz}{dt} = \frac{\partial z}{\partial x}\frac{dx}{dt} + \frac{\partial z}{\partial y}\frac{dy}{dt}$$

$$= (2xy + 3y^4)(2\cos 2t) + (x^2 + 12xy^3)(-\sin t).$$

Il n'est pas nécessaire de substituer les expressions en t de x et y. Il suffit d'observer qu'en $t = 0$, $x = \sin 0 = 0$ et $y = \cos 0 = 1$. Dès lors,

$$\left.\frac{dz}{dt}\right|_{t=0} = (0 + 3)(2\cos 0) + (0 + 0)(-\sin 0) = 6.$$

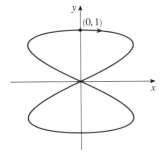

FIGURE 1
La courbe $x = \sin 2t$, $y = \cos t$

La dérivée de l'exemple 1 peut être interprétée comme la vitesse de variation z par rapport à t lorsque le point (x, y) se meut le long de la courbe C d'équations paramétriques $x = \sin 2t$, $y = \cos t$. (Voyez la figure 1.) En particulier, quand $t = 0$, le point (x, y) est $(0, 1)$ et $dz/dt = 6$. Telle est la vitesse de déplacement le long de C au point $(0, 1)$. Si, par exemple, $z = T(x, y) = x^2 y + 3xy^4$ représente la température au point (x, y), alors la fonction composée $z = T(\sin 2t, \cos t)$ représente la température aux points de C et la dérivée dz/dt est alors la vitesse à laquelle la température varie le long de C.

EXEMPLE 2 ■ La pression P (en kilopascals), le volume V (en litres) et la température T (en kelvins) d'une mole d'un gaz idéal sont liés par l'équation $PV = 8,31T$. Déterminez la vitesse à laquelle la pression change quand la température est 300 K et est en train d'augmenter à raison de 0,1 K/s et quand le volume est de 100 L et est en train de croître à raison de 0,2 L/s.

SOLUTION À l'instant considéré, $T = 300$, $dT/dt = 0,1$, $V = 100$ et $dV/dt = 0,2$. Or,

$$P = 8,31 \frac{T}{V}.$$

D'où, d'après la Règle de dérivation des fonctions composées,

$$\frac{dP}{dt} = \frac{\partial P}{\partial T} \frac{dT}{dt} + \frac{\partial P}{\partial V} \frac{dV}{dt} = \frac{8,31}{V} \frac{dT}{dt} - \frac{8,31T}{V^2} \frac{dV}{dt}$$

$$= \frac{8,31}{100}(0,1) - \frac{8,31(300)}{100^2}(0,2)$$

$$= -0,04155.$$

La pression est donc en train de diminuer d'environ 0,042 kPa/s.

On envisage maintenant la situation où $z = f(x, y)$, mais chacune des variables x et y est une fonction des variables s et t : $x = g(s, t)$, $y = h(s, t)$. Ainsi, z est indirectement une fonction de s et t et on cherche comment obtenir $\partial z / \partial s$ et $\partial z / \partial t$. Si on se souvient que, pour calculer $\partial z / \partial t$, la variable s est tenue constante et qu'on calcule la dérivée ordinaire de z par rapport à t, on applique le théorème 2 et on obtient

$$\frac{\partial z}{\partial t} = \frac{\partial z}{\partial x} \frac{\partial x}{\partial t} + \frac{\partial z}{\partial y} \frac{\partial y}{\partial t}.$$

Comme le même argument s'applique à $\partial z / \partial s$, on a ainsi démontré la version suivante de la Règle de dérivation des fonctions composées.

---

3 **Règle de dérivation des fonctions composées (Cas 2)** On suppose que $z = f(x, y)$ est une fonction différentiable de x et y, où $x = g(s, t)$ et $y = h(s, t)$ sont toutes les deux des fonctions différentiables de s et t. Alors

$$\frac{\partial z}{\partial s} = \frac{\partial z}{\partial x} \frac{\partial x}{\partial s} + \frac{\partial z}{\partial y} \frac{\partial y}{\partial s}$$

$$\frac{\partial z}{\partial t} = \frac{\partial z}{\partial x} \frac{\partial x}{\partial t} + \frac{\partial z}{\partial y} \frac{\partial y}{\partial t}$$

EXEMPLE 3 ■ Calculez $\partial z / \partial s$ et $\partial z / \partial t$ pour $z = e^x \sin y$ avec $x = st^2$ et $y = s^2 t$.

SOLUTION On applique le deuxième cas de la Règle de dérivation des fonctions composées :

$$\frac{\partial z}{\partial s} = \frac{\partial z}{\partial x} \frac{\partial x}{\partial s} + \frac{\partial z}{\partial y} \frac{\partial y}{\partial s} = (e^x \sin y)(t^2) + (e^x \cos y)(2st)$$

$$= t^2 e^{st^2} \sin(s^2 t) + 2st e^{st^2} \cos(s^2 t).$$

$$\frac{\partial z}{\partial t} = \frac{\partial z}{\partial x}\frac{\partial x}{\partial t} + \frac{\partial z}{\partial y}\frac{\partial y}{\partial t} = (e^x \sin y)(2st) + (e^x \cos y)(s^2)$$

$$= 2ste^{st^2}\sin(s^2t) + s^2e^{st^2}\cos(s^2t).$$

La Règle de dérivation des fonctions composées met en présence, dans cette deuxième situation, trois types de variables : les variables **indépendantes** s et t, les variables dites **intermédiaires** x et y et la variable **dépendante** z. Remarquez que, dans les formules du théorème 3, il y a un terme pour chaque variable intermédiaire et que celui-ci est de la forme du terme de la Règle de dérivation des fonctions composées 1 à une dimension.

Il est très utile, pour se souvenir de la Règle de dérivation des fonctions composées, de dessiner un **diagramme en arbre** comme celui de la figure 2. De la variable indépendante z partent deux branches vers les variables intermédiaires x et y pour indiquer que z est fonction de x et y. Ensuite, de x et y partent deux branches vers les variables indépendantes s et t. Le long de chaque branche est indiquée la dérivée partielle correspondante. La formule qui donne $\partial z / \partial s$ s'obtient en effectuant d'abord les produits des dérivées partielles le long de chaque chemin qui va de z à s et en additionnant ensuite ces produits :

$$\frac{\partial z}{\partial s} = \frac{\partial z}{\partial x}\frac{\partial x}{\partial s} + \frac{\partial z}{\partial y}\frac{\partial y}{\partial s}.$$

On détermine de même $\partial z / \partial t$ pour les chemins qui vont de z à t.

On envisage maintenant le cas général où une variable indépendante u est une fonction de n variables intermédiaires $x_1, \ldots, x_n$, chacune d'elles étant à son tour une fonction de m variables indépendantes $t_1, \ldots, t_m$. Il y aura donc n termes, un pour chaque variable intermédiaire. La démonstration est la même que celle du cas 1.

---

4 Règle de dérivation des fonctions composées (Cas général) On suppose que u est une fonction différentiable de n variables $x_1, x_2, \ldots, x_n$, et que chaque x_j est une fonction différentiable de m variables $t_1, t_2, \ldots, t_m$. Alors, u est une fonction de $t_1, t_2, \ldots, t_m$ et

$$\frac{\partial u}{\partial t_i} = \frac{\partial u}{\partial x_1}\frac{\partial x_1}{\partial t_i} + \frac{\partial u}{\partial x_2}\frac{\partial x_2}{\partial t_i} + \cdots + \frac{\partial u}{\partial x_n}\frac{\partial x_n}{\partial t_i}$$

pour chaque $i = 1, 2, \ldots, m$.

EXEMPLE 4 ■ Écrivez la Règle de dérivation des fonctions composées dans le cas où $w = f(x, y, z, t)$ et $x = x(u, v)$, $y = y(u, v)$, $z = z(u, v)$ et $t = t(u, v)$.

SOLUTION Il faut appliquer le théorème 4 avec $n = 4$ et $m = 2$. La figure 3 montre le diagramme en arbre. Bien que les dérivées ne soient pas écrites le long des branches, il est entendu que le long de la branche qui va de y à u, par exemple, c'est la dérivée partielle $\partial y / \partial u$ qui devrait s'y trouver. On peut ainsi aisément, à l'aide du diagramme en arbre, écrire les formules demandées :

$$\frac{\partial w}{\partial u} = \frac{\partial w}{\partial x}\frac{\partial x}{\partial u} + \frac{\partial w}{\partial y}\frac{\partial y}{\partial u} + \frac{\partial w}{\partial z}\frac{\partial z}{\partial u} + \frac{\partial w}{\partial t}\frac{\partial t}{\partial u}$$

$$\frac{\partial w}{\partial v} = \frac{\partial w}{\partial x}\frac{\partial x}{\partial v} + \frac{\partial w}{\partial y}\frac{\partial y}{\partial v} + \frac{\partial w}{\partial z}\frac{\partial z}{\partial v} + \frac{\partial w}{\partial t}\frac{\partial t}{\partial v}.$$

FIGURE 2

FIGURE 3

EXEMPLE 5 ■ Calculez la valeur de $\partial u/\partial s$ pour la fonction $u = x^4y + y^2z^3$ où $x = rse^t$, $y = rs^2e^{-t}$ et $z = r^2s \sin t$ quand $r = 2$, $s = 1$ et $t = 0$.

SOLUTION Grâce au diagramme en arbre de la figure 4, on a

$$\frac{\partial u}{\partial s} = \frac{\partial u}{\partial x}\frac{\partial x}{\partial s} + \frac{\partial u}{\partial y}\frac{\partial y}{\partial s} + \frac{\partial u}{\partial z}\frac{\partial z}{\partial s}$$

$$= (4x^3y)(re^t) + (x^4 + 2yz^3)(2rse^{-t}) + (3y^2z^2)(r^2 \sin t).$$

Quand $r = 2$, $s = 1$ et $t = 0$, on a $x = 2$, $y = 2$ et $z = 0$, de sorte que

$$\frac{\partial u}{\partial s} = (64)(2) + (16)(4) + (0)(0) = 192.$$

FIGURE 4

EXEMPLE 6 ■ Étant donné que $g(s, t) = f(s^2 - t^2, t^2 - s^2)$ et que f est différentiable, montrez que g vérifie l'équation

$$t\frac{\partial g}{\partial s} + s\frac{\partial g}{\partial t} = 0.$$

SOLUTION Soit $x = s^2 - t^2$ et $y = t^2 - s^2$. Alors, $g(s, t) = f(x, y)$ et la Règle de dérivation des fonctions composées donne

$$\frac{\partial g}{\partial s} = \frac{\partial f}{\partial x}\frac{\partial x}{\partial s} + \frac{\partial f}{\partial y}\frac{\partial y}{\partial s} = \frac{\partial f}{\partial x}(2s) + \frac{\partial f}{\partial y}(-2s).$$

$$\frac{\partial g}{\partial t} = \frac{\partial f}{\partial x}\frac{\partial x}{\partial t} + \frac{\partial f}{\partial y}\frac{\partial y}{\partial t} = \frac{\partial f}{\partial x}(-2t) + \frac{\partial f}{\partial y}(2t).$$

De là,

$$t\frac{\partial g}{\partial s} + s\frac{\partial g}{\partial t} = \left(2st\frac{\partial f}{\partial x} - 2st\frac{\partial f}{\partial y}\right) + \left(-2st\frac{\partial f}{\partial x} + 2st\frac{\partial f}{\partial y}\right) = 0.$$

EXEMPLE 7 ■ On suppose que $z = f(x, y)$ a des dérivées partielles secondes continues et que $x = r^2 + s^2$ et $y = 2rs$. Calculez a) $\partial z/\partial r$ et b) $\partial^2 z/\partial r^2$.

SOLUTION

a) La Règle de dérivation des fonctions composées donne

$$\frac{\partial z}{\partial r} = \frac{\partial z}{\partial x}\frac{\partial x}{\partial r} + \frac{\partial z}{\partial y}\frac{\partial y}{\partial r} = \frac{\partial z}{\partial x}(2r) + \frac{\partial z}{\partial y}(2s).$$

b) Pour dériver partiellement par rapport à r cette dernière expression, il faut recourir à la Règle de dérivation du produit

5

$$\frac{\partial^2 z}{\partial r^2} = \frac{\partial}{\partial r}\left(2r\frac{\partial z}{\partial x} + 2s\frac{\partial z}{\partial y}\right)$$

$$= 2\frac{\partial z}{\partial x} + 2r\frac{\partial}{\partial r}\left(\frac{\partial z}{\partial x}\right) + 2s\frac{\partial}{\partial r}\left(\frac{\partial z}{\partial y}\right)$$

Or, par la Règle de dérivation des fonctions composées, on a

$$\frac{\partial}{\partial r}\left(\frac{\partial z}{\partial x}\right) = \frac{\partial}{\partial x}\left(\frac{\partial z}{\partial x}\right)\frac{\partial x}{\partial r} + \frac{\partial}{\partial y}\left(\frac{\partial z}{\partial x}\right)\frac{\partial y}{\partial r}$$

$$= \frac{\partial^2 z}{\partial x^2}(2r) + \frac{\partial^2 z}{\partial y\,\partial x}(2s)$$

$$\frac{\partial}{\partial r}\left(\frac{\partial z}{\partial y}\right) = \frac{\partial}{\partial x}\left(\frac{\partial z}{\partial y}\right)\frac{\partial x}{\partial r} + \frac{\partial}{\partial y}\left(\frac{\partial z}{\partial y}\right)\frac{\partial y}{\partial r}$$

$$= \frac{\partial^2 z}{\partial x\,\partial y}(2r) + \frac{\partial^2 z}{\partial y^2}(2s).$$

Il reste maintenant à substituer ces expressions dans l'équation 5 et à tenir compte de l'égalité des dérivées partielles secondes mixtes. Il vient finalement

$$\frac{\partial^2 z}{\partial r^2} = 2\,\frac{\partial z}{\partial x} + 2r\left(2r\,\frac{\partial^2 z}{\partial x^2} + 2s\,\frac{\partial^2 z}{\partial y\,\partial x}\right) + 2s\left(2r\,\frac{\partial^2 z}{\partial x\,\partial y} + 2s\,\frac{\partial^2 z}{\partial y^2}\right)$$

$$= 2\,\frac{\partial z}{\partial x} + 4r^2\,\frac{\partial^2 z}{\partial x^2} + 8rs\,\frac{\partial^2 z}{\partial x\,\partial y} + 4s^2\,\frac{\partial^2 z}{\partial y^2}.$$

■ La dérivation implicite

Les processus de dérivation implicite, introduits dans les sections 3.6 et 11.3, peuvent être complétés à la faveur de la Règle de dérivation des fonctions composées. On suppose qu'une équation de la forme $F(x,y) = 0$ définit y comme une fonction dérivable de x, notée $y = f(x)$, où $F(x, f(x)) = 0$ quel que soit x dans le domaine de définition de f. Si F est différentiable, on peut appliquer le premier cas de la Règle de dérivation des fonctions composées pour dériver les deux membres de l'équation $F(x, y) = 0$ par rapport à x. Vu que x et y sont des fonctions de x, on obtient

$$\frac{\partial F}{\partial x}\frac{dx}{dx} + \frac{\partial F}{\partial y}\frac{dy}{dx} = 0.$$

Or, $dx/dx = 1$ et si $\partial F/\partial y \neq 0$, on peut résoudre par rapport à dy/dx et obtenir ainsi

6
$$\frac{dy}{dx} = -\frac{\dfrac{\partial F}{\partial x}}{\dfrac{\partial F}{\partial y}} = -\frac{F'_x}{F'_y}$$

Avant d'effectuer les calculs qui mènent à cette formule, il a fallu supposer que $F(x, y) = 0$ définissait implicitement y comme une fonction de x. Le **Théorème des fonctions implicites**, que l'on démontre dans des manuels plus avancés, énonce les conditions sous lesquelles cette hypothèse est vérifiée. Il affirme que si F est définie sur un disque ouvert contenant (a, b), où $F(a, b) = 0$, si $F'_y(a, b) \neq 0$ et si F'_x et F'_y sont continues sur le disque, alors l'équation $F(x, y) = 0$ définit y comme une fonction de x dans un voisinage de (a, b) et la dérivée de cette fonction est donnée par la formule 6.

EXEMPLE 8 ■ Calculez l'expression de y' si $x^3 + y^3 = 6xy$.

SOLUTION L'équation donnée peut s'écrire

$$F(x,y) = x^3 + y^3 - 6xy = 0,$$

et alors, par application de la formule 6,

$$\frac{dy}{dx} = -\frac{F_x'}{F_y'} = -\frac{3x^2 - 6y}{3y^2 - 6x} = -\frac{x^2 - 2y}{y^2 - 2x}.$$

La solution de l'exemple 8 est à comparer avec celle de l'exemple 2 dans la section 3.6.

On suppose maintenant que $z = f(x,y)$ est définie implicitement par une équation de la forme $F(x,y,z) = 0$. Cela signifie que $F(x,y,f(x,y)) = 0$ pour tout (x,y) dans le domaine de définition de f. Si F est différentiable et si f_x' et f_y' existent, alors la Règle de dérivation des fonctions composées, appliquée à l'équation $F(x,y,z) = 0$, aboutit au résultat que voici :

$$\frac{\partial F}{\partial x}\frac{\partial x}{\partial x} + \frac{\partial F}{\partial y}\frac{\partial y}{\partial x} + \frac{\partial F}{\partial z}\frac{\partial z}{\partial x} = 0.$$

Or,

$$\frac{\partial}{\partial x}(x) = 1 \qquad \text{et} \qquad \frac{\partial}{\partial x}(y) = 0.$$

D'où

$$\frac{\partial F}{\partial x} + \frac{\partial F}{\partial z}\frac{\partial z}{\partial x} = 0.$$

À condition que $\partial F/\partial z \neq 0$, on résout par rapport à $\partial z/\partial x$, ce qui conduit à la première formule 7. La deuxième formule, celle de $\partial z/\partial y$, s'obtient de manière analogue.

7
$$\frac{\partial z}{\partial x} = -\frac{\dfrac{\partial F}{\partial x}}{\dfrac{\partial F}{\partial z}} \qquad\qquad \frac{\partial z}{\partial y} = -\frac{\dfrac{\partial F}{\partial y}}{\dfrac{\partial F}{\partial z}}$$

Il faut à nouveau mentionner la version du **Théorème des fonctions implicites** qui précise les conditions sous lesquelles l'hypothèse initiale est vérifiée. Si F est définie sur une sphère contenant le point (a,b,c), où $F(a,b,c) = 0$, si $F_z'(a,b,c) \neq 0$, si F_x', F_y', F_z' sont des fonctions continues à l'intérieur de la sphère, alors l'équation $F(x,y,z) = 0$ définit z comme une fonction de x et y dans un voisinage du point (a,b,c) et les dérivées partielles de cette fonction sont données par les formules 7.

EXEMPLE 9 ■ Calculez $\dfrac{\partial z}{\partial x}$ et $\dfrac{\partial z}{\partial y}$ si $x^3 + y^3 + z^3 + 6xyz = 1$.

SOLUTION Soit $F(x,y,z) = x^3 + y^3 + z^3 + 6xyz - 1$. Alors, selon les équations 7, on a

$$\frac{\partial z}{\partial x} = -\frac{F_x'}{F_z'} = -\frac{3x^2 + 6yz}{3z^2 + 6xy} = -\frac{x^2 + 2yz}{z^2 + 2xy}.$$

La résolution de l'exemple 9 doit être rapprochée de celle de l'exemple 4 dans la section 11.3.

$$\frac{\partial z}{\partial y} = -\frac{F_y'}{F_z'} = -\frac{3y^2 + 6xz}{3z^2 + 6xy} = -\frac{y^2 + 2xz}{z^2 + 2xy}.$$

11.5 Exercices •

1-4 ■ Calculez dz/dt ou dw/dt à l'aide de la Règle de dérivation des fonctions composées.

1. $z = x^2 + y^2$, $x = t^3$, $y = 1 + t^2$

2. $z = xe^{x/y}$, $x = \cos t$, $y = e^{2t}$

3. $w = xy^2z^3$, $x = \sin t$, $y = \cos t$, $z = 1 + e^{2t}$

4. $w = \dfrac{x}{y} + \dfrac{y}{z}$, $x = \sqrt{t}$, $y = \cos 2t$, $z = e^{-3t}$

5-8 ■ Calculez $\partial z/\partial s$ et $\partial z/\partial t$ à l'aide de la Règle de dérivation des fonctions composées.

5. $z = x^2 \sin y$, $x = s^2 + t^2$, $y = 2st$

6. $z = \sin x \cos y$, $x = (s - t)^2$, $y = s^2 - t^2$

7. $z = x^2 - 3x^2y^3$, $x = se^t$, $y = se^{-t}$

8. $z = x \operatorname{Arc\,tg}(xy)$, $x = t^2$, $y = se^t$

9. Sachant que $z = f(x, y)$, où $x = g(t)$, $y = h(t)$, $g(3) = 2$, $g'(3) = 5$, $h(3) = 7$, $h'(3) = -4$, $f_x'(2, 7) = 6$ et $f_y'(2, 7) = -8$, calculez dz/dt quand $t = 3$.

10. Soit $W(s, t) = F(u(s, t), v(s, t))$, où $u(1, 0) = 2$, $u_s'(1, 0) = -2$, $u_t'(1, 0) = 6$, $v(1, 0) = 3$, $v_s'(1, 0) = 5$, $v_t'(1, 0) = 4$, $F_u'(2, 3) = -1$ et $F_v'(2, 3) = 10$. Calculez $W_s'(1, 0)$ et $W_t'(1, 0)$.

11-14 ■ Construisez un diagramme en arbre pour écrire la Règle de dérivation des fonctions composées relative au cas donné. On suppose que toutes les fonctions sont différentiables.

11. $u = f(x, y)$, où $x = x(r, s, t)$, $y = y(r, s, t)$

12. $w = f(x, y, z)$, où $x = x(t, u)$, $y = y(t, u)$, $z = z(t, u)$

13. $v = f(p, q, r)$, où $p = p(x, y, z)$, $q = q(x, y, z)$, $r = r(x, y, z)$

14. $u = f(s, t)$, où $s = s(w, x, y, z)$, $t = t(w, x, y, z)$

15-19 ■ Utilisez la Règle de dérivation des fonctions composées pour trouver les dérivées partielles demandées.

15. $w = x^2 + y^2 + z^2$, $x = st$, $y = s \cos t$, $z = s \sin t$;
$\dfrac{\partial w}{\partial s}$, $\dfrac{\partial w}{\partial t}$ quand $s = 1$, $t = 0$

16. $u = xy + yz + zx$, $x = st$, $y = e^{st}$, $z = t^2$;
$\dfrac{\partial u}{\partial s}$, $\dfrac{\partial u}{\partial t}$ quand $s = 0$, $t = 1$

17. $z = y^2 \operatorname{tg} x$, $x = t^2uv$, $y = u + tv^2$;
$\dfrac{\partial z}{\partial t}$, $\dfrac{\partial z}{\partial u}$, $\dfrac{\partial z}{\partial v}$ quand $t = 2$, $u = 1$, $v = 0$

18. $z = \dfrac{x}{y}$, $x = re^{st}$, $y = rse^t$;
$\dfrac{\partial z}{\partial r}$, $\dfrac{\partial z}{\partial s}$, $\dfrac{\partial z}{\partial t}$ quand $r = 1$, $s = 2$, $t = 0$

19. $u = \dfrac{x + y}{y + z}$, $x = p + r + t$, $y = p - r + t$,
$z = p + r - t$; $\dfrac{\partial u}{\partial p}$, $\dfrac{\partial u}{\partial r}$, $\dfrac{\partial u}{\partial t}$

20-22 ■ Servez-vous de l'équation 6 pour calculer dy/dx.

20. $y^5 + 3x^2y^2 + 5x^4 = 12$

21. $x^2 - xy + y^3 = 8$

22. $x \cos y + y \cos x = 1$

23-26 ■ Servez-vous des équations 7 pour calculer l'expression de $\partial z/\partial x$ et $\partial z/\partial y$.

23. $xy + yz - xz = 0$

24. $xyz = \cos(x + y + z)$

25. $xe^y + yz + ze^x = 0$

26. $xy^2z^3 + x^3y^2z = x + y + z$

27. La température en un point (x, y) est notée $T(x, y)$ et mesurée en degrés Celsius. Un insecte en train de ramper se trouve après t secondes en $x = \sqrt{1 + t}$, $y = 2 + \frac{1}{3}t$, où x et y sont mesurés en centimètres. La fonction température satisfait à $T_x'(2, 3) = 4$ et $T_y'(2, 3) = 3$. À quelle vitesse croît la température sur la trajectoire de l'insecte après 3 secondes ?

28. La production annuelle de blé B dépend de la température moyenne T et des précipitations R. Les scientifiques estiment que la température moyenne est en train de croître de 0,15 °C/an et que les précipitations diminuent à raison de 0,1 cm/an. Ils pensent aussi qu'aux niveaux de production actuels $\partial B/\partial T = -2$ et que $\partial B/\partial R = 8$.

a) Que signifient les signes de ces dérivées partielles ?

b) Estimez le taux actuel de variation de la production de blé dB/dt.

29. Voici un modèle pour la vitesse du son qui voyage à travers l'océan dans de l'eau salée à 35 parts par millième.

$$C = 1449{,}2 + 4{,}6T - 0{,}055T^2 + 0{,}00029T^3 + 0{,}016D$$

où C est la vitesse du son (en mètres par seconde), T la température (en degrés Celsius) et D la profondeur par rapport à la surface de l'océan (en mètres). Un plongeur sous-marin autonome entame une lente descente sous l'eau ; la profondeur et la température de l'eau environnante sont enregistrées au cours du temps et donnent lieu aux graphiques suivants. Estimez la vitesse de variation (par rapport au temps) de la vitesse du son dans les eaux visitées par le plongeur après 20 minutes de plongée. En quelles unités s'exprime-t-elle ?

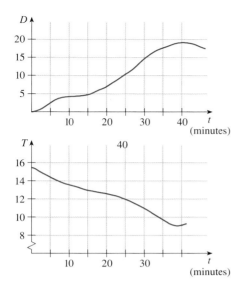

30. Le rayon d'un cylindre circulaire droit croît à la vitesse de 1,8 cm/s tandis que sa hauteur décroît à la vitesse de 2,5 cm/s. À quelle vitesse le volume du cône est-il en train de changer au moment où le rayon mesure 120 cm et la hauteur 140 cm ?

31. La longueur l, la largeur L et la hauteur h d'une boîte varient dans le temps. À un moment donné, les dimensions sont $l = 1$ m et $L = h = 2$ m et l et L croissent à raison de 2 m/s tandis que h diminue de 3 m/s. Déterminez le taux de variation des grandeurs suivantes, à cet instant.
a) Le volume.
b) La surface.
c) La longueur d'une diagonale.

32. La tension V dans un circuit électrique simple diminue lentement à mesure que s'épuise la pile. La résistance R augmente lentement à mesure que se réchauffe la résistance. Servez-vous de la loi d'Ohm $V = IR$ pour déterminer comment le courant I varie au moment où $R = 400\ \Omega, I = 0,08$ A, $dV/dt = -0,01$ V/s et $dR/dt = 0,03\ \Omega$/s.

33. La pression d'une mole d'un gaz idéal augmente de 0,05 kPa/s et la température augmente de 0,15 K/s. Utilisez l'équation de l'exemple 2 pour déterminer à quelle vitesse varie le volume lorsque la pression est de 20 kPa et la température de 320 K.

34. Une autoroute est orientée Nord Sud et une autre, Est Ouest. La voiture A roule sur la première, et la voiture B, sur la deuxième. Elles roulent en direction du croisement de ces deux autoroutes. À un moment donné, la voiture A est à 0,3 km du croisement et roule à 90 km/h tandis que la voiture B est à 0,4 km du croisement et roule à 80 km/h. À quelle vitesse la distance entre les deux voitures est-elle en train de changer à ce moment ?

35-38 ■ On suppose que toutes les fonctions données sont différentiables.

35. a) Calculez $\partial z/\partial r$ et $\partial z/\partial\theta$ si $z = f(x,y)$ où $x = r\cos\theta$ et $y = r\sin\theta$.

b) Démontrez que

$$\left(\frac{\partial z}{\partial x}\right)^2 + \left(\frac{\partial z}{\partial y}\right)^2 = \left(\frac{\partial z}{\partial r}\right)^2 + \frac{1}{r^2}\left(\frac{\partial z}{\partial\theta}\right)^2$$

36. Démontrez que

$$\left(\frac{\partial u}{\partial x}\right)^2 + \left(\frac{\partial u}{\partial y}\right)^2 = e^{-2s}\left[\left(\frac{\partial u}{\partial s}\right)^2 + \left(\frac{\partial u}{\partial t}\right)^2\right]$$

si $u = f(x,y)$ où $x = e^s\cos t$ et $y = e^s\sin t$.

37. Démontrez que $\dfrac{\partial z}{\partial x} + \dfrac{\partial z}{\partial y} = 0$ si $z = f(x - y)$.

38. Démontrez que

$$\left(\frac{\partial z}{\partial x}\right)^2 - \left(\frac{\partial z}{\partial y}\right)^2 = \frac{\partial z}{\partial s}\frac{\partial z}{\partial t}$$

si $z = f(x,y)$ où $x = s + t$ et $y = s - t$.

39-44 ■ On suppose que toutes les fonctions données ont des dérivées partielles secondes continues.

39. Démontrez que toute fonction de la forme $z = f(x + at) + g(x - at)$ est une solution de l'équation des ondes

$$\frac{\partial^2 z}{\partial t^2} = a^2\frac{\partial^2 z}{\partial x^2}.$$

[*Suggestion :* Poser $u = x + at, v = x - at$.]

40. Si $u = f(x,y)$ où $x = e^s\cos t$ et $y = e^s\sin t$, démontrez que

$$\frac{\partial^2 u}{\partial x^2} + \frac{\partial^2 u}{\partial y^2} = e^{-2s}\left[\frac{\partial^2 u}{\partial s^2} + \frac{\partial^2 u}{\partial t^2}\right].$$

41. Calculez $\partial^2 z/\partial r\partial s$, si $z = f(x,y)$ où $x = r^2 + s^2$ et $y = 2rs$. (Comparez avec l'exemple 7.)

42. Si $z = f(x,y)$ où $x = r\cos\theta$ et $y = r\sin\theta$, déterminez a) $\partial z/\partial r$, b) $\partial z/\partial\theta$ et c) $\partial^2 z/\partial r\partial\theta$.

43. Si $z = f(x,y)$ où $x = r\cos\theta$ et $y = r\sin\theta$, démontrez que

$$\frac{\partial^2 z}{\partial x^2} + \frac{\partial^2 z}{\partial y^2} = \frac{\partial^2 z}{\partial r^2} + \frac{1}{r^2}\frac{\partial^2 z}{\partial\theta^2} + \frac{1}{r}\frac{\partial z}{\partial r}.$$

44. Supposez que $z = f(x,y)$, où $x = g(s,t)$ et $y = h(s,t)$.
a) Démontrez que

$$\frac{\partial^2 z}{\partial t^2} = \frac{\partial^2 z}{\partial x^2}\left(\frac{\partial x}{\partial t}\right)^2 + 2\frac{\partial^2 z}{\partial x\,\partial y}\frac{\partial x}{\partial t}\frac{\partial y}{\partial t} + \frac{\partial^2 z}{\partial y^2}\left(\frac{\partial y}{\partial t}\right)^2$$
$$+ \frac{\partial z}{\partial x}\frac{\partial^2 x}{\partial t^2} + \frac{\partial z}{\partial y}\frac{\partial^2 y}{\partial t^2}$$

b) Cherchez une formule analogue pour $\partial^2 z/\partial s\partial t$.

45. On suppose que $F(x,y,z) = 0$ définit implicitement chacune des trois variables x, y et z en fonction des deux autres : $z = f(x,y)$, $y = g(x,z)$ et $x = h(y,z)$. Démontrez que

$$\frac{\partial z}{\partial x}\frac{\partial x}{\partial y}\frac{\partial y}{\partial z} = -1,$$

si F est différentiable et si F'_x, F'_y et F'_z sont non nulles.

11.6 Les dérivées dans une direction et le vecteur gradient · · · · · · · · · · · · · · · ·

La carte météorologique de la figure 1 montre un diagramme de courbes de niveau de la fonction température $T(x, y)$ sur les États de Californie et Névada à 15 h, le 10 octobre 1997. Les courbes de niveau, ou isothermes, relient les points de même température. La dérivée partielle T'_x en un endroit, tel que Reno, représente le taux de changement de la température par rapport à la distance si on se déplace vers l'est depuis Reno ; T'_y représente le taux de changement de la température si on se déplace vers le nord. Mais comment connaître le taux de changement de la température si on se déplace vers le sud-est, (vers Las Vegas), ou dans une autre direction ? Dans cette section, on va introduire un type de dérivée, appelée *dérivée dans une direction* qui permet de calculer le taux de changement d'une fonction de deux variables ou plus dans n'importe quelle direction.

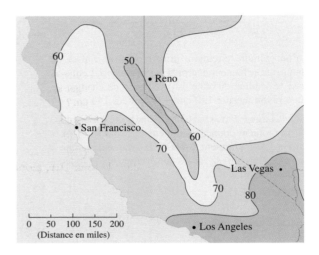

FIGURE 1

■ Les dérivées dans une direction

On se rappelle que si $z = f(x, y)$, les dérivées partielles f'_x et f'_y sont définies par

1

$$f_x(x_0, y_0) = \lim_{h \to 0} \frac{f(x_0 + h, y_0) - f(x_0, y_0)}{h}$$

$$f_y(x_0, y_0) = \lim_{h \to 0} \frac{f(x_0, y_0 + h) - f(x_0, y_0)}{h}$$

et représente les taux de changement de z dans les directions Ox et Oy, c'est-à-dire dans les directions des vecteurs $\vec{i}$ et $\vec{j}$.

On voudrait maintenant déterminer le taux de changement de z en (x_0, y_0) dans la direction d'un vecteur unitaire arbitraire $\vec{u} = (a, b)$ (voyez la figure 2). Pour cela, on considère la surface S d'équation $z = f(x, y)$ (le graphique de f) et on pose $z_0 = f(x_0, y_0)$. Le point $P(x_0, y_0, z_0)$ appartient à S. Le plan vertical qui passe par P et orienté dans la direction $\vec{u}$ coupe S selon une courbe C (voyez la figure 3). La pente de la tangente T à C en P est le taux de changement de z dans la direction $\vec{u}$.

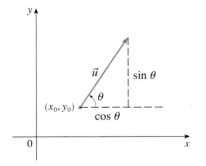

FIGURE 2
Un vecteur unitaire $\vec{u} = (a, b) = (\cos \theta, \sin \theta)$

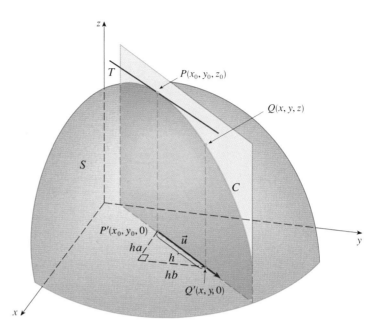

FIGURE 3

Si $Q(x, y, z)$ est un autre point de C et si P' et Q' sont les projections de P et Q dans le plan Oxy, alors le vecteur $\overrightarrow{P'Q'}$ est parallèle à $\vec{u}$, de sorte que

$$\overrightarrow{P'Q'} = h\vec{u} = (ha, hb),$$

pour un certain scalaire h. Par conséquent, $x - x_0 = ha$, $y - y_0 = hb$ et $x = x_0 + ha$, $y = y_0 + hb$. Il suit que

$$\frac{\Delta z}{h} = \frac{z - z_0}{h} = \frac{f(x_0 + ha, y_0 + hb) - f(x_0, y_0)}{h}.$$

Si on prend la limite quand $h \to 0$, on obtient le taux de changement de z (par rapport à la distance) dans la direction de $\vec{u}$, qui est appelé la dérivée de f dans la direction de $\vec{u}$.

---

2 Définition La **dérivée de** f **en** (x_0, y_0) **dans la direction du vecteur unitaire** $\vec{u} = (a, b)$ est

$$f_{\vec{u}}'(x_0, y_0) = \lim_{h \to 0} \frac{f(x_0 + ha, y_0 + hb) - f(x_0, y_0)}{h}$$

si cette limite existe.

La comparaison de la définition 2 avec les expressions 1 fait voir que dans le cas particulier où $\vec{u} = \vec{i} = (1, 0), f_{\vec{i}}' = f_x'$ et dans le cas particulier où $\vec{u} = \vec{j} = (0, 1)$, alors $f_{\vec{j}}' = f_y'$. Autrement dit, les dérivées partielles par rapport à x et à y ne sont que des cas particuliers de la dérivée dans une direction.

EXEMPLE 1 ■ Grâce à la carte météorologique de la figure 1, estimez la valeur de la dérivée de la fonction température à Reno dans la direction sud-est.

SOLUTION Le vecteur unitaire dans la direction sud-est est $\vec{u} = (\vec{i} - \vec{j})/\sqrt{2}$, mais on n'en a pas besoin. On commence par tracer une ligne qui passe par Reno dans la direction sud-est (voyez la figure 4).

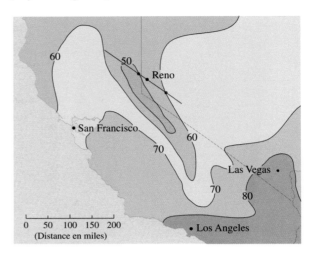

FIGURE 4

Le taux moyen de variation de la température entre les points où la ligne coupe les isothermes $T = 50$ et $T = 60$ sert d'approximation à la dérivée $T'_{\vec{u}}$. Au point situé au sud-est de Reno, $T = 60°F$ et au point situé au nord-ouest, $T = 50°$. Ces points semblent à une distance de 75 miles. Le taux de variation de la température dans la direction sud-est est donc

$$T'_{\vec{u}} \approx \frac{60 - 50}{75} = \frac{10}{75} \approx 0,13°F/mi.$$

Pour calculer la dérivée dans une direction d'une fonction définie par une formule, on emploie généralement le théorème que voici.

---

3 Théorème Si f est une fonction différentiable de x et y, alors f a une dérivée dans la direction de n'importe quel vecteur unitaire $\vec{u} = (a, b)$ et

$$f'_{\vec{u}}(x, y) = f'_x(x, y)a + f'_y(x, y)b.$$

Démonstration Si on désigne par g la fonction d'une seule variable h définie par

$$g(h) = f(x_0 + ha, y_0 + hb),$$

on a, suivant la définition d'une dérivée,

4
$$g'(0) = \lim_{h \to 0} \frac{g(h) - g(0)}{h} = \lim_{h \to 0} \frac{f(x_0 + ha, y_0 + hb) - f(x_0, y_0)}{h}$$

$$= f'_{\vec{u}}(x_0, y_0).$$

Par ailleurs, on peut écrire $g(h) = f(x, y)$ où $x = x_0 + ha$, $y = y_0 + hb$ et alors la Règle de dérivation des fonctions composées (théorème 2 de la section 11.5) donne

$$g'(h) = \frac{\partial f}{\partial x}\frac{dx}{dh} + \frac{\partial f}{\partial y}\frac{dy}{dh} = f_x'(x, y)a + f_y'(x, y)b.$$

En $h = 0$, $x = x_0$, $y = y_0$ et

5 $$g'(0) = f_x'(x_0, y_0)a + f_y'(x_0, y_0)b.$$

Il ne reste qu'à comparer les équations 4 et 5 pour obtenir

$$f_{\vec{u}}'(x_0, y_0) = f_x'(x_0, y_0)a + f_y'(x_0, y_0)b. \qquad \blacksquare$$

Si θ désigne l'angle que fait le vecteur unitaire $\vec{u}$ avec la partie positive de l'axe Ox (comme dans la figure 2), alors on peut écrire $\vec{u} = (\cos\theta, \sin\theta)$ et la formule du théorème 3 devient

6 $$f_{\vec{u}}'(x_0, y_0) = f_x'(x_0, y_0)\cos\theta + f_y'(x_0, y_0)\sin\theta.$$

La dérivée $f_{\vec{u}}'(1, 2)$ dans l'exemple 2 représente le taux de variation de z dans la direction de $\vec{u}$. C'est la pente de la tangente à la courbe d'intersection de la surface $z = x^3 - 3xy + 4y^2$ avec le plan vertical passant par $(1, 2, 0)$ et orienté selon $\vec{u}$, ainsi que le montre la figure 5.

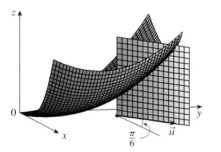

FIGURE 5

EXEMPLE 2 ■ Déterminez l'expression de la dérivée $f_{\vec{u}}'(x, y)$ si

$$f(x, y) = x^3 - 3xy + 4y^2,$$

et si $\vec{u}$ est le vecteur unitaire d'angle $\theta = \pi/6$. Que vaut $f_{\vec{u}}'(1, 2)$?

SOLUTION La formule 6 donne

$$f_{\vec{u}}'(x, y) = f_x'(x, y)\cos\frac{\pi}{6} + f_y'(x, y)\sin\frac{\pi}{6}$$

$$= (3x^2 - 3y)\frac{\sqrt{3}}{2} + (-3x + 8y)\tfrac{1}{2}$$

$$= \tfrac{1}{2}[3\sqrt{3}x^2 - 3x + (8 - 3\sqrt{3})y].$$

Par conséquent,

$$f_{\vec{u}}'(1, 2) = \tfrac{1}{2}[3\sqrt{3}(1)^2 - 3(1) + (8 - 3\sqrt{3})(2)] = \frac{13 - 3\sqrt{3}}{2}.$$

Le vecteur gradient

On remarque que la formule de la dérivée dans une direction du théorème 3 a la forme d'un produit scalaire de deux vecteurs :

7 $$f_{\vec{u}}'(x, y) = f_x'(x, y)a + f_y'(x, y)b$$

$$= (f_x'(x, y), f_y'(x, y)) \cdot (a, b)$$

$$= (f_x'(x, y), f_y'(x, y)) \cdot \vec{u}$$

Le premier vecteur de ce produit scalaire intervient non seulement dans le calcul des dérivées dans une direction, mais encore dans beaucoup d'autres situations. Aussi, on lui donne un nom particulier (le *gradient* de f) et une notation spéciale ($\overrightarrow{\text{grad}}\, f$ ou ∇f, qui est lu « del f »).

8 Définition Si f est une fonction de deux variables x et y, alors le **gradient** de f est la fonction vectorielle ∇f définie par

$$\nabla f(x,y) = (f'_x(x,y), f'_y(x,y)) = \frac{\partial f}{\partial x}\,\vec{i} + \frac{\partial f}{\partial y}\,\vec{j}.$$

EXEMPLE 3 ■ Si $f(x,y) = \sin x + e^{xy}$, alors

$$\nabla f(x,y) = (f'_x, f'_y) = (\cos x + ye^{xy}, xe^{xy})$$

et

$$\nabla f(0,1) = (2,0).$$

En termes de gradient, l'expression (7) de la dérivée dans une direction s'écrit

9
$$f'_{\vec{u}}(x,y) = \nabla f(x,y) \cdot \vec{u}.$$

Cette écriture fait voir la dérivée dans une direction $\vec{u}$ comme la projection scalaire du vecteur gradient sur $\vec{u}$.

EXEMPLE 4 ■ Déterminez la dérivée de la fonction $f(x,y) = x^2 y^3 - 4y$ au point $(2,-1)$ dans la direction du vecteur $\vec{v} = 2\,\vec{i} + 5\,\vec{j}$.

SOLUTION On calcule d'abord le vecteur gradient en $(2,-1)$:

$$\nabla f(x,y) = 2xy^3\,\vec{i} + (3x^2 y^2 - 4)\vec{j}.$$

$$\nabla f(2,-1) = -4\,\vec{i} + 8\,\vec{j}.$$

Remarquez que le vecteur $\vec{v}$ n'est pas unitaire, mais, puisque $\|\vec{v}\| = \sqrt{29}$, le vecteur unitaire parallèle à $\vec{v}$ est

$$\vec{u} = \frac{\vec{v}}{\|\vec{v}\|} = \frac{2}{\sqrt{29}}\,\vec{i} + \frac{5}{\sqrt{29}}\,\vec{j}.$$

Par suite, d'après l'équation 9, on a

$$f'_{\vec{u}}(2,-1) = \nabla f(2,-1) \cdot \vec{u} = (-4\vec{i} + 8\vec{j}) \cdot \left(\frac{2}{\sqrt{29}}\,\vec{i} + \frac{5}{\sqrt{29}}\,\vec{j}\right)$$

$$= \frac{-4 \cdot 2 + 8 \cdot 5}{\sqrt{29}} = \frac{32}{\sqrt{29}}.$$

La figure 6 met en évidence le vecteur gradient $\nabla f(2,-1)$ de l'exemple 4 au départ du point $(2,-1)$. Le vecteur $\vec{v}$, direction de la dérivée, est aussi tracé. Ces deux vecteurs sont superposés dans le même diagramme de courbes de niveau du graphique de f.

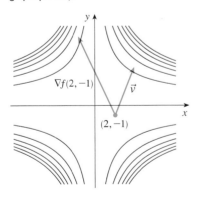

FIGURE 6

■ Les fonctions de trois variables

La dérivée dans une direction se définit de la même manière dans le cas des fonctions de trois variables. Elle peut à nouveau être interprétée comme le taux de variation de la fonction dans la direction du vecteur unitaire $\vec{u}$.

[10] Définition La **dérivée de** f **en** (x_0, y_0, z_0) **dans la direction d'un vecteur unitaire** $\vec{u} = (a, b, c)$ est

$$f'_{\vec{u}}(x_0, y_0, z_0) = \lim_{h \to 0} \frac{f(x_0 + ha, \, y_0 + hb, z_0 + hc) - f(x_0, y_0, z_0)}{h}$$

pourvu que cette limite existe.

En notation vectorielle, les deux définitions (2) et (10) des dérivées dans une direction peuvent être écrites sous une même forme plus compacte

[11]
$$f'_{\vec{u}}(\vec{x}_0) = \lim_{h \to 0} \frac{f(\vec{x}_0 + h\vec{u}) - f(\vec{x}_0)}{h}.$$

où $\vec{x}_0 = (x_0, y_0)$ si $n = 2$ et $\vec{x}_0 = (x_0, y_0, z_0)$ si $n = 3$. Cela semble tout à fait acceptable si on se souvient que l'équation vectorielle d'une droite qui passe par $\vec{x}_0$ et parallèle au vecteur $\vec{u}$ est donnée par $\vec{x} = \vec{x}_0 + t\vec{u}$ (voyez l'équation 1 de la section 9.5) et donc $f(\vec{x}_0 + h\vec{u})$ représente la valeur de f en un point de cette droite.

Sous l'hypothèse que f est différentiable et si $\vec{u} = (a, b, c)$, on est conduit, par la même méthode que celle qui a servi à démontrer le théorème 3, à

[12]
$$f'_{\vec{u}}(x, y, z) = f'_x(x, y, z)a + f'_y(x, y, z)b + f'_z(x, y, z)c.$$

Le **vecteur gradient** d'une fonction f de trois variables, noté ∇f ou $\overrightarrow{\text{grad}} f$, est

$$\nabla f(x, y, z) = (f'_x(x, y, z), f'_y(x, y, z), f'_z(x, y, z)),$$

ou, plus brièvement,

[13]
$$\nabla f = (f'_x, f'_y, f'_z) = \frac{\partial f}{\partial x} \vec{i} + \frac{\partial f}{\partial y} \vec{j} + \frac{\partial f}{\partial z} \vec{k}.$$

Tout comme pour les fonctions de deux variables, la formule 12 de la dérivée dans une direction peut être réécrite

[14]
$$f'_{\vec{u}}(x, y, z) = \nabla f(x, y, z) \cdot \vec{u}.$$

EXEMPLE 5 ■ Soit $f(x, y, z) = x \sin yz$. Déterminez a) le gradient de f et b) la dérivée de f en $(1, 3, 0)$ dans la direction de $\vec{v} = \vec{i} + 2\vec{j} - \vec{k}$.

SOLUTION

a) Le gradient de f est

$$\nabla f(x, y, z) = (f_x(x, y, z), \, f_y(x, y, z), \, f_z(x, y, z))$$

$$= (\sin yz, \, xz \cos yz, \, xy \cos yz).$$

b) En $(1, 3, 0)$, $\nabla f(1, 3, 0) = (0, 0, 3)$. Le vecteur unitaire de même direction et de même sens que $\vec{v} = \vec{i} + 2\vec{j} - \vec{k}$ est

$$\vec{u} = \frac{1}{\sqrt{6}}\,\vec{i} + \frac{2}{\sqrt{6}}\,\vec{j} - \frac{1}{\sqrt{6}}\,\vec{k}.$$

Dès lors, par l'équation 14,

$$f_{\vec{u}}'(1, 3, 0) = \nabla f(1, 3, 0) \cdot \vec{u}$$

$$= 3\vec{k} \cdot \left(\frac{1}{\sqrt{6}}\,\vec{i} + \frac{2}{\sqrt{6}}\,\vec{j} - \frac{1}{\sqrt{6}}\,\vec{k} \right)$$

$$= 3\left(-\frac{1}{\sqrt{6}} \right) = -\sqrt{\frac{3}{2}}.$$

■ Maximiser la dérivée dans une direction

Pour une fonction f de deux ou trois variables, on considère, en un point donné, ses dérivées dans toutes les directions possibles. Celles-ci donnent la vitesse de variation de f dans chacune de ces directions. On peut se demander dans quelle direction cette vitesse de variation est la plus grande ? La réponse figure dans le théorème suivant.

> **15 Théorème** On fait l'hypothèse que f est une fonction différentiable de deux ou trois variables. La valeur maximale de la dérivée dans une direction est $\|\nabla f(\vec{x})\|$ et elle est atteinte dans la direction et le sens du vecteur gradient $\nabla f(\vec{x})$.

Démonstration Des équations (9) ou (14), on a

$$f_{\vec{u}}' = \nabla f \cdot \vec{u} = \|\nabla f\|\,\|\vec{u}\| \cos\theta = \|\nabla f\| \cos\theta,$$

où θ est l'angle entre les vecteurs ∇f et $\vec{u}$. Le maximum de $\cos\theta$ vaut 1 et est atteint lorsque $\theta = 0$, c'est-à-dire lorsque $\vec{u}$ a même direction et même sens que ∇f. ■

FIGURE 7

C'est dans la direction du vecteur gradient $\nabla f(2, 0) = (1, 2)$ qu'en $(2, 0)$ la fonction de l'exemple 6 croît le plus vite. On remarque dans la figure 7 que ce vecteur semble être perpendiculaire à la courbe de niveau qui passe par $(2, 0)$. La figure 8 montre le graphique de f et le vecteur gradient.

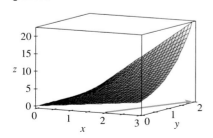

FIGURE 8

EXEMPLE 6 ■

a) Déterminez le taux de variation de f, définie par $f(x, y) = xe^y$, au point $P(2, 0)$ dans la direction de P à $Q(\frac{1}{2}, 2)$.

b) Dans quelle direction f varie-t-elle le plus vite ? Quelle est cette vitesse de variation maximale ?

SOLUTION

a) On commence par calculer le vecteur gradient :

$$\nabla f(x, y) = (f_x', f_y') = (e^y, xe^y).$$

$$\nabla f(2, 0) = (1, 2).$$

Le vecteur unitaire dans la direction de $\overrightarrow{PQ} = (-1,5 ; 2)$ est $\vec{u} = \left(-\frac{3}{5}, \frac{4}{5}\right)$. Le taux de variation de f dans la direction de P à Q est donc

$$f_{\vec{u}}'(2, 0) = \nabla f(2, 0) \cdot \vec{u} = (1, 2) \cdot \left(-\tfrac{3}{5}, \tfrac{4}{5}\right)$$

$$= 1\left(-\tfrac{3}{5}\right) + 2\left(\tfrac{4}{5}\right) = 1.$$

b) Conformément au théorème 15, f croît le plus vite dans la direction du gradient $\nabla f(2,0) = (1,2)$. Ce taux de variation maximum vaut

$$\|\nabla f(2,0)\| = \|(1,2)\| = \sqrt{5}.$$

EXEMPLE 7 ■ On suppose que la température en un point (x,y,z) de l'espace est donnée par $T(x,y,z) = 80/(1 + x^2 + 2y^2 + 3z^2)$, où T est mesurée en degrés Celsius et x, y et z en mètres. Dans quelle direction la température augmente-t-elle le plus vite au point $(1,1,-2)$? Calculez ce taux maximum d'accroissement.

SOLUTION L'expression du gradient de T est

$$\nabla T = \frac{\partial T}{\partial x}\,\vec{i} + \frac{\partial T}{\partial y}\,\vec{j} + \frac{\partial T}{\partial z}\,\vec{k}$$

$$= -\frac{160x}{(1 + x^2 + 2y^2 + 3z^2)^2}\,\vec{i} - \frac{320y}{(1 + x^2 + 2y^2 + 3z^2)^2}\,\vec{j} - \frac{480z}{(1 + x^2 + 2y^2 + 3z^2)^2}\,\vec{k}$$

$$= \frac{160}{(1 + x^2 + 2y^2 + 3z^2)^2}\,(-x\vec{i} - 2y\vec{j} - 3z\vec{k})$$

Au point $(1,1,-2)$, le vecteur gradient est

$$\nabla T(1,1,-2) = \tfrac{160}{256}(-\vec{i} - 2\vec{j} + 6\vec{k}) = \tfrac{5}{8}(-\vec{i} - 2\vec{j} + 6\vec{k})$$

Selon le théorème 15, la température augmente le plus vite dans la direction du vecteur gradient $\nabla T(1,1,-2) = \tfrac{5}{8}(-\vec{i} - 2\vec{j} + 6\vec{k})$ ou, de façon équivalente, dans la direction $-\vec{i} - 2\vec{j} + 6\vec{k}$ ou encore, celle du vecteur unitaire $(-\vec{i} - 2\vec{j} + 6\vec{k})/\sqrt{41}$. Le taux d'acroissement maximum est la norme du vecteur gradient :

$$\|\nabla T(1,1,-2)\| = \tfrac{5}{8}\|-\vec{i} - 2\vec{j} + 6\vec{k}\|$$

$$= \frac{5\sqrt{41}}{8}.$$

Par conséquent, la température augmente à la vitesse maximale de $5\sqrt{41}/8 \approx 4°$C/m.

■ Les plans tangents aux surfaces de niveau

Soit S une surface d'équation $F(x,y,z) = k$, c'est-à-dire un surface de niveau d'une fonction F de trois variables et soit $P(x_0,y_0,z_0)$ un point sur S. Soit encore C une courbe quelconque tracée sur la surface et passant par le point P. Rappelez-vous que, d'après la section 10.1, la courbe C est décrite par une fonction vectorielle continue $\vec{r}(t) = (x(t),y(t),z(t))$. Le point P est l'image de la valeur t_0 du paramètre, c'est-à-dire que $\vec{r}(t_0) = (x_0,y_0,z_0)$. Vu que C est tracée sur la surface S, chacun de ses points est un point de S ; les coordonnées $(x(t),y(t),z(t))$ doivent vérifier l'équation de S, à savoir

16 $$F(x(t),y(t),z(t)) = k.$$

Si x, y et z sont des fonctions dérivables de t et si F est une fonction différentiable, alors on peut dériver les deux membres de cette équation en faisant appel à la Règle de dérivation des fonctions composées :

17 $$\frac{\partial F}{\partial x}\frac{dx}{dt} + \frac{\partial F}{\partial y}\frac{dy}{dt} + \frac{\partial F}{\partial z}\frac{dz}{dt} = 0.$$

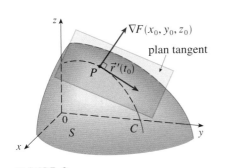

FIGURE 9

L'équation 17 peut s'écrire comme un produit scalaire si on y reconnaît les composantes du vecteur gradient $\nabla F = (F'_x, F'_y, F'_z)$ et celles du vecteur $\vec{r}'(t) = (x'(t), y'(t), z'(t))$:

$$\nabla F \cdot \vec{r}'(t) = 0.$$

En particulier, quand $t = t_0$, on a $\vec{r}(t_0) = (x_0, y_0, z_0)$ et donc

18
$$\nabla F(x_0, y_0, z_0) \cdot \vec{r}'(t_0) = 0.$$

L'équation 18 certifie que *le vecteur gradient en P,* $\nabla F(x_0, y_0, z_0)$, *est perpendiculaire au vecteur tangent* $\vec{r}'(t_0)$ *à n'importe quelle courbe C dessinée sur S et passant par P* (voyez la figure 9). Si $\nabla F(x_0, y_0, z_0) \neq \vec{0}$, il est dès lors naturel de définir le **plan tangent à la surface de niveau** $F(x, y, z) = k$ **en** $P(x_0, y_0, z_0)$ comme le plan passant par P et normal au vecteur $\nabla F(x_0, y_0, z_0)$. Faisant usage de la formule classique de l'équation d'un plan (formule 6 dans la section 9.5), on a comme équation de ce plan tangent

19 $\quad F'_x(x_0, y_0, z_0)(x - x_0) + F'_y(x_0, y_0, z_0)(y - y_0) + F'_z(x_0, y_0, z_0)(z - z_0) = 0$

La **droite normale** à S en P est la droite qui passe par P et perpendiculaire au plan tangent. La direction de cette normale est donc donnée par le vecteur gradient $\nabla F(x_0, y_0, z_0)$ et ses équations symétriques sont, selon la formule 3 dans la section 9.5,

20
$$\frac{x - x_0}{F'_x(x_0, y_0, z_0)} = \frac{y - y_0}{F'_y(x_0, y_0, z_0)} = \frac{z - z_0}{F'_z(x_0, y_0, z_0)}.$$

Dans le cas particulier où l'équation de la surface S se présente sous la forme $z = f(x, y)$ (c'est-à-dire que S est le graphique d'une fonction f de deux variables), on se ramène à la situation décrite précédemment en écrivant l'équation

$$F(x, y, z) = f(x, y) - z = 0,$$

et en regardant S comme une surface de niveau (avec $k = 0$) de F. Alors,

$$F'_x(x_0, y_0, z_0) = f'_x(x_0, y_0)$$

$$F'_y(x_0, y_0, z_0) = f'_y(x_0, y_0)$$

$$F'_z(x_0, y_0, z_0) = -1$$

et l'équation 19 devient

$$f'_x(x_0, y_0)(x - x_0) + f'_y(x_0, y_0)(y - y_0) - (z - z_0) = 0,$$

qui est équivalente à l'équation 2 de la section 11.4. La nouvelle définition, plus générale, d'un plan tangent est donc cohérente avec la définition relative au cas particulier de la section 11.4.

EXEMPLE 8 ■ Écrivez les équations du plan tangent et de la droite normale au point $(-2, 1, -3)$ de l'ellipsoïde

$$\frac{x^2}{4} + y^2 + \frac{z^2}{9} = 3.$$

La figure 10 montre l'ellipsoïde, le plan tangent et la normale de l'exemple 8.

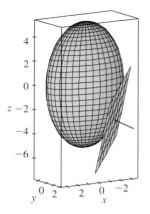

FIGURE 10

SOLUTION L'ellipsoïde est la surface de niveau (avec $k = 3$) de la fonction

$$F(x, y, z) = \frac{x^2}{4} + y^2 + \frac{z^2}{9}.$$

Par conséquent, on a

$$F'_x(x, y, z) = \frac{x}{2} \qquad F'_y(x, y, z) = 2y \qquad F'_z(x, y, z) = \frac{2z}{9}$$

$$F'_x(-2, 1, -3) = -1 \qquad F'_y(-2, 1, -3) = 2 \qquad F'_z(-2, 1, -3) = -\frac{2}{3}$$

La formule 19 fournit alors l'équation du plan tangent en $(-2, 1, -3)$:

$$-1(x + 2) + 2(y - 1) - \frac{2}{3}(z + 3) = 0,$$

qui se simplifie en $3x - 6y + 2z + 18 = 0$.

Selon la formule 20, des équations symétriques de la droite normale sont

$$\frac{x + 2}{-1} = \frac{y - 1}{2} = \frac{z + 3}{-\frac{2}{3}}.$$

■ **La signification du vecteur gradient**

Nous rapprochons maintenant les diverses situations dans lesquelles le vecteur gradient prend un sens. Nous considérons d'abord une fonction f de trois variables et un point $P(x_0, y_0, z_0)$ de son domaine de définition. D'une part, nous savons, par le théorème 15, que le vecteur gradient $\nabla F(x_0, y_0, z_0)$ indique la direction de la plus forte croissance de f. D'autre part, nous savons que $\nabla F(x_0, y_0, z_0)$ est orthogonal à la surface de niveau S de f passant par P. (Référez-vous à la figure 9.) Ces deux propriétés semblent intuitivement bien s'accorder : si, du point P, on se déplace sur la surface de niveau, la valeur de f ne change pas du tout, il est donc vraisemblable que c'est en quittant la surface perpendiculairement que f croît le plus.

Semblablement, nous considérons une fonction f de deux variables et un point $P(x_0, y_0)$ dans son domaine de définition. Le vecteur gradient $\nabla f(x_0, y_0)$ indique à nouveau la direction de la plus forte croissance de f. Aussi, en tenant un raisonnement analogue à celui tenu pour les plans tangents, on peut montrer que $\nabla f(x_0, y_0)$ est perpendiculaire à la courbe de niveau $f(x, y) = k$ qui passe par P. C'est tout aussi vraisemblable intuitivement puisque les valeurs de f reste inchangées si on se déplace le long de la courbe. (Voyez la figure 11.)

FIGURE 11

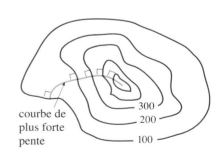

FIGURE 12

Si $f(x, y)$ représente l'altitude par rapport au niveau de la mer d'un point d'une montagne dont on a une carte topographique, alors une courbe de plus forte pente peut être tracée, comme dans la figure 12, en la menant perpendiculairement à chaque courbe de niveau qu'elle traverse. Vous pouvez observer que le tracé de la rivière

Lonesome dans la carte reproduite à la figure 5 de la section 11.1 suit la plus forte pente vers le bas.

Les logiciels de calculs algébriques sont pourvus de commandes pour tracer des vecteurs gradients. Chaque vecteur $\nabla f(a, b)$ est dessiné à partir du point (a, b). La figure 13 montre un tel diagramme (appelé *champ de gradient*) pour la fonction $f(x, y) = x^2 - y^2$ en surimpression au diagramme des courbes de niveau de f. Comme prévu, les vecteurs gradients pointent vers où « ça monte » et sont perpendiculaires aux courbes de niveau.

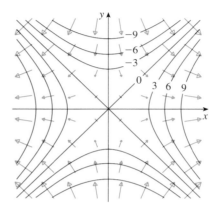

FIGURE 13

11.6 Exercices

1. Voici une carte de courbes de niveau de la pression barométrique (en millibars) à 7 h du matin, le 12 septembre 1960, au moment où l'ouragan Donna faisait rage. Estimez la valeur de la dérivée de la fonction pression à Raleigh, en Caroline du nord, dans la direction du centre de l'ouragan. En quelles unités s'exprime la dérivée dans une direction ?

2. Le diagramme de courbes de niveau que vous voyez dans la figure est celui de l'enneigement (en pieds) autour du lac de Michigan. Estimez la valeur de la dérivée de cette fonction enneigement à Muskegon dans la direction de Ludington. En quelles unités s'exprime-t-elle ?

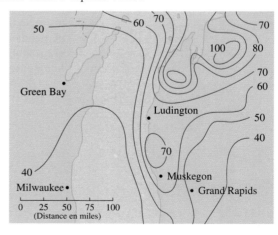

3-4 ■ Calculez la dérivée de f au point donné dans la direction indiquée par l'angle θ.

3. $f(x, y) = x^2 y^3 + 2x^4 y$, $(1, -2)$, $\theta = \pi/3$

4. $f(x, y) = \sin(x + 2y)$, $(4, -2)$, $\theta = 3\pi/4$

5-8 ■
   a) Déterminez les composantes du gradient de f.
   b) Calculez le gradient au point P.
   c) Calculez la vitesse de variation de f en P dans la direction du vecteur $\vec{u}$.

5. $f(x, y) = x^3 - 4x^2 y + y^2$, $P(0, -1)$, $\vec{u} = \left(\frac{3}{5}, \frac{4}{5}\right)$

6. $f(x, y) = e^x \sin y$, $P(1, \pi/4)$, $\vec{u} = \left(\frac{-1}{\sqrt{5}}, \frac{2}{\sqrt{5}}\right)$

7. $f(x, y, z) = xy^2 z^3$, $P(1, -2, 1)$, $\vec{u} = \left(\frac{1}{\sqrt{3}}, \frac{-1}{\sqrt{3}}, \frac{1}{\sqrt{3}}\right)$

8. $f(x, y, z) = xy + yz^2 + xz^3$, $P(2, 0, 3)$,
   $\vec{u} = \left(-\frac{2}{3}, -\frac{1}{3}, \frac{2}{3}\right)$

9-12 ■ Calculez la dérivée de la fonction au point donné dans la direction du vecteur $\vec{v}$.

9. $f(x, y) = \sqrt{x - y}$, $(5, 1)$, $\vec{v} = (12, 5)$

10. $f(x, y) = x/y$, $(6, -2)$, $\vec{v} = (-1, 3)$

11. $g(x, y, z) = x \operatorname{Arc\,tg}(y/z)$, $(1, 2, -2)$, $\vec{v} = \vec{i} + \vec{j} - \vec{k}$

12. $g(x, y, z) = z^3 - x^2 y$, $(1, 6, 2)$, $\vec{v} = 3\vec{i} + 4\vec{j} + 12\vec{k}$

13-16 ■ Calculez le taux de variation maximum de f au point donné et indiquez dans quelle direction il se produit.

13. $f(x, y) = xe^{-y} + 3y$, $(1, 0)$

14. $f(x, y) = \ln(x^2 + y^2)$, $(1, 2)$

15. $f(x, y, z) = x + y/z$, $(4, 3, -1)$

16. $f(x, y, z) = \dfrac{x}{y} + \dfrac{y}{z}$, $(4, 2, 1)$

17. a) Démontrez qu'une fonction différentiable décroît le plus rapidement en $\vec{x}$ dans le sens opposé à celui du gradient, c'est-à-dire dans le sens $-\nabla f(\vec{x})$.
   b) Servez-vous de ce résultat pour déterminer la direction dans laquelle la fonction $f(x, y) = x^4 y - x^2 y^3$ décroît le plus vite au point $(2, -3)$.

18. Dans quelles directions la dérivée de la fonction $f(x, y) = x^2 + \sin xy$ au point $(1, 0)$ vaut-elle 1 ?

19. La température T dans une boule métallique est inversement proportionnelle à la distance du centre de la boule, qu'on fait coïncider avec l'origine. La température au point $(1, 2, 2)$ est de $120°$.
   a) Déterminez à quelle vitesse varie T en $(1, 2, 2)$ dans la direction du point $(2, 1, 3)$.
   b) Démontrez qu'en n'importe quel point de la boule, la direction de la plus grande variation de température est donnée par un vecteur qui pointe vers l'origine.

20. La température en un point (x, y, z) est donnée par
$$T(x, y, z) = 200 e^{-x^2 - 3y^2 - 9z^2},$$
où T est mesurée en $°C$ et x, y et z en mètres.
   a) Déterminez le taux de variation de la température au point $P(2, -1, 2)$ dans la direction du point $(3, -3, 3)$.
   b) Dans quelle direction la température augmente-t-elle le plus au départ du point P ?
   c) Calculez ce taux maximum en P.

21. Sur une certaine région de l'espace, le potentiel électrique V est donné par
$$V(x, y, z) = 5x^2 - 3xy + xyz.$$
   a) À quelle vitesse varie le potentiel en $P(3, 4, 5)$ dans la direction du vecteur $\vec{v} = \vec{i} + \vec{j} - \vec{k}$?
   b) Dans quelle direction V varie-t-il le plus vite ?
   c) Quel est le taux maximum de variation de V en P ?

22. Imaginez que vous êtes en train d'escalader une montagne dont la forme est donnée par l'équation $z = 1000 - 0,01x^2 - 0,02y^2$ et que vous êtes arrivé au point de coordonnées $(60, 100, 764)$.
   a) Quelle direction allez-vous prendre en premier lieu pour atteindre le sommet le plus rapidement possible ?
   b) Si vous allez dans cette direction, quel est l'angle par rapport à l'horizontale que fait la pente que vous gravissez ?

23. Soit f une fonction de deux variables qui a des dérivées partielles continues. On considère les points $A(1, 3)$, $B(3, 3)$, $C(1, 7)$ et $D(6, 15)$. La dérivée de f en A dans la direction du vecteur $\overrightarrow{AB}$ vaut 3 et dans la direction du vecteur $\overrightarrow{AC}$, 26. Calculez la dérivée de f dans la direction du vecteur $\overrightarrow{AD}$.

24. Sur le diagramme de courbes de niveau donné, tracez les courbes de plus grande pente ascendante depuis P et depuis Q.

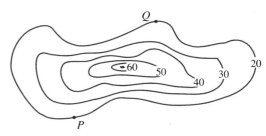

25. Démontrez que l'opérateur gradient d'une fonction possède la propriété donnée. On suppose que u et v sont des fonctions différentiables de x et y et que a et b sont des constantes.
   a) $\nabla(au + bv) = a\nabla u + b\nabla v$
   b) $\nabla(uv) = u\nabla v + v\nabla u$
   c) $\nabla\left(\dfrac{u}{v}\right) = \dfrac{v\nabla u - u\nabla v}{v^2}$
   d) $\nabla u^n = nu^{n-1} \nabla u$

26. Voici des courbes de niveau d'une fonction f. Tracez le vecteur gradient $\nabla f(4, 6)$. Expliquez comment vous choisissez la direction et la longueur de ce vecteur.

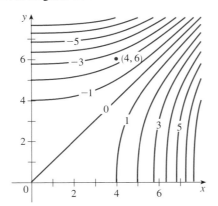

27-30 ■ Écrivez des équations a) du plan tangent et b) de la droite normale à la surface donnée au point spécifié.

27. $x^2 + y^2 - z^2 - 2xy + 4xz = 4$, $\quad (1, 0, 1)$

28. $x^2 - 2y^2 - 3z^2 + xyz = 4$, $\quad (3, -2, -1)$

29. $z + 1 = xe^y \cos z$, $\quad (1, 0, 0)$

30. $xe^{yz} = 1$, $\quad (1, 0, 5)$

31-32 ■ À l'aide d'un ordinateur, représentez la surface, le plan tangent et la droite normale dans une même fenêtre. Choisissez soigneusement le domaine de définition de manière à éviter les plans verticaux superflus. Choisissez l'angle sous lequel on a une bonne vue des trois objets.

31. $xy + yz + zx = 3$, $\quad (1, 1, 1)$

32. $xyz = 6$, $\quad (1, 2, 3)$

33. Soit $f(x, y) = x^2 + 4y^2$. Calculez le vecteur gradient $\nabla f(2, 1)$ et utilisez-le pour déterminez la tangente à la courbe de niveau $f(x, y) = 8$ au point $(2, 1)$. Dessinez la courbe de niveau, la tangente et le vecteur gradient.

34. Soit $g(x, y) = x - y^2$. Calculez le vecteur gradient $\nabla g(3, -1)$ et utilisez-le pour déterminez la tangente à la courbe de niveau $g(x, y) = 2$ au point $(3, -1)$. Dessinez la courbe de niveau, la tangente et le vecteur gradient.

35. Démontrez que l'équation du plan tangent à l'ellipsoïde $x^2/a^2 + y^2/b^2 + z^2/c^2 = 1$ au point (x_0, y_0, z_0) peut être écrite sous la forme

$$\frac{xx_0}{a^2} + \frac{yy_0}{b^2} + \frac{zz_0}{c^2} = 1.$$

36. En quels points de l'ellipsoïde $x^2 + 2y^2 + 3z^2 = 1$ le plan tangent est-il parallèle au plan $3x - y + 3z = 1$?

37. En quels points de l'hyperboloïde $x^2 - y^2 + 2z^2 = 1$ la droite normale est-elle parallèle à la droite qui joint les points $(3, -1, 0)$ et $(5, 3, 6)$?

38. Démontrez que l'ellipsoïde $3x^2 + 2y^2 + z^2 = 9$ et la sphère $x^2 + y^2 + z^2 - 8x - 6y - 8z + 24 = 0$ sont tangents au point $(1, 1, 2)$. (Cela signifie que le plan tangent en ce point est commun.)

39. Démontrez que n'importe quel plan tangent à la surface $\sqrt{x} + \sqrt{y} + \sqrt{z} = \sqrt{c}$ coupe les axes de coordonnées en des points dont la somme des coordonnées est une constante.

40. Démontrez que toute droite normale à la sphère $x^2 + y^2 + z^2 = r^2$ passe par le centre de la sphère.

41. Déterminez des équations paramétriques de la droite tangente à la courbe d'intersection du paraboloïde $z = x^2 + y^2$ et de l'ellipsoïde $4x^2 + y^2 + z^2 = 9$ au point $(-1, 1, 2)$.

42. a) Le plan $y + z = 3$ coupe le cylindre $x^2 + y^2 = 5$ selon une ellipse. Déterminez des équations paramétriques de la tangente à cette ellipse au point $(1, 2, 1)$.

b) À l'aide d'un ordinateur, représentez sur un même écran le cylindre, le plan et la tangente.

43. a) Deux surfaces sont dites **orthogonales** en un point d'intersection si leurs normales sont perpendiculaires en ce point. Démontrez que des surfaces d'équations $F(x, y, z) = 0$ et $G(x, y, z) = 0$ sont orthogonales en un point P tel que $\nabla F \neq \vec{0}$ et $\nabla G \neq \vec{0}$ si et seulement si

$$F'_x G'_x + F'_y G'_y + F'_z G'_z = 0$$

en P.

b) Servez-vous de la partie a) pour démontrer que les surfaces $z^2 = x^2 + y^2$ et $x^2 + y^2 + z^2 = r^2$ sont orthogonales en chacun de leurs points d'intersection. Essayez de voir pourquoi il en est ainsi, sans aucun calcul.

44. a) Démontrez que la fonction $f(x, y) = \sqrt[3]{xy}$ est continue à l'origine et que les dérivées partielles f'_x et f'_y y existent alors qu'aucune autre dérivée dans une direction n'existe.

b) Dessinez le graphique de f à proximité de l'origine à l'aide d'un ordinateur pour confirmer graphiquement la partie a).

45. On suppose connues les dérivées de $f(x, y)$ en un certain point dans deux directions non parallèles données par $\vec{u}$ et $\vec{v}$. Est-il possible de calculer ∇f en ce point ? Si oui, comment ?

46. Démontrez que si $z = f(x, y)$ est différentiable en $\vec{x}_0 = (x_0, y_0)$, alors

$$\lim_{\vec{x} \to \vec{x}_0} \frac{f(\vec{x}) - f(\vec{x}_0) - \nabla f(\vec{x}_0) \cdot (\vec{x} - \vec{x}_0)}{\| \vec{x} - \vec{x}_0 \|} = 0$$

[*Suggestion* : Utilisez directement la définition 7 de la section 11.4.]

11.7 Les valeurs extrêmes •••••••••••••••••••••••••••••••••••••

Ainsi que nous l'avons vu dans le chapitre 4, un des principaux usages des dérivées ordinaires est de détecter les valeurs extrêmes. Dans cette section, nous allons voir comment les dérivées partielles conduisent aux valeurs maximales et minimales des fonctions de deux variables. En particulier, dans l'exemple 6, nous allons voir comment maximiser le volume d'une boîte sans couvercle si la quantité de carton pour la fabriquer est fixée.

> **1 Définition** Une fonction f de deux variables présente un **maximum local** en (a, b) si $f(x, y) \leqslant f(a, b)$ lorsque (x, y) est à proximité de (a, b). [Plus précisément, $f(x, y) \leqslant f(a, b)$ pour tous les points (x, y) dans un certain disque centré en (a, b).] Le nombre $f(a, b)$ est la valeur du **maximum local**. Si $f(x, y) \geqslant f(a, b)$ lorsque (x, y) est proche de (a, b), alors $f(a, b)$ est la valeur du **minimum local**.

Au cas où les inégalités de la définition 1 ont lieu pour *tous* les points (x, y) du domaine de définition de f, alors f a un **maximum absolu** (ou un **minimum absolu**) en (a, b).

La figure 1 présente le graphique d'une fonction qui a plusieurs maxima et minima. Vous pouvez imaginer les maxima locaux comme des sommets de montagnes et les minima locaux comme des fonds de vallées.

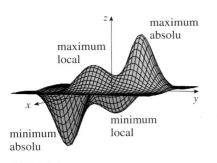

FIGURE 1

> **2 Théorème** Si f passe par un maximum ou un minimum local en (a, b) et si les dérivées partielles premières de f y existent, alors $f'_x(a, b) = 0$ et $f'_y(a, b) = 0$.

Démonstration Soit $g(x) = f(x, b)$. Si f passe par un maximum (ou un minimum) local en (a, b), alors g passe aussi par un maximum (ou un minimum) local en a et de ce fait, $g'(a) = 0$ en vertu du Théorème de Fermat (voyez le théorème 4 dans la section 4.2). Or, $g'(a) = f'_x(a, b)$ (voyez l'équation 1 dans la section 11.3) et donc, $f'_x(a, b) = 0$. De même, en appliquant le théorème de Fermat à la fonction $G(y) = f(a, y)$, on obtient $f'_y(a, b) = 0$. ■

Il est à noter, qu'en termes de gradient, la conclusion du théorème 2 s'écrit tout simplement $\nabla f(a, b) = \vec{0}$. En posant $f'_x(a, b) = 0$ et $f'_y(a, b) = 0$ dans l'équation d'un plan tangent (équation 2 dans la section 11.4), on arrive à $z = z_0$. Le théorème 2 a donc une interprétation géométrique : si le graphique de f admet un plan tangent en un point de maximum ou de minimum local, celui-ci est forcément horizontal.

Un point (a, b) est dit point **critique** (ou un *point stationnaire*) de f si $f'_x(a, b) = 0$ et $f'_y(a, b) = 0$, ou si l'une de ces dérivées n'existe pas. Le théorème 2 certifie donc que si f passe par un maximum ou un minimum local en (a, b), alors (a, b) est un point stationnaire de f. Toutefois, comme dans le cas des fonctions à une variable, tous les points stationnaires ne donnent pas lieu à des maxima ou des minima. En un point stationnaire, une fonction peut avoir un maximum local ou un minimum local ou aucun des deux.

EXEMPLE 1 ■ Soit $f(x, y) = x^2 + y^2 - 2x - 6y + 14$. Alors,

$$f'_x(x, y) = 2x - 2 \qquad f'_y(x, y) = 2y - 6.$$

FIGURE 2
$z = x^2 + y^2 - 2x - 6y + 14$

FIGURE 3
$z = y^2 - x^2$

Ces dérivées partielles sont nulles quand $x = 1$ et $y = 3$. Le seul point stationnaire est donc $(1, 3)$. En complétant le carré, on trouve que

$$f(x, y) = 4 + (x - 1)^2 + (y - 3)^2.$$

Vu que $(x - 1)^2 \geqslant 0$ et $(y - 3)^2 \geqslant 0$, $f(x, y) \geqslant 4$ quelles que soient les valeurs de x et y. Par conséquent, $f(1, 3) = 4$ est une valeur minimum locale, et même une valeur minimum absolue de f. La représentation graphique le confirme géométriquement : le graphique de f est le paraboloïde elliptique de sommet $(1, 3, 4)$ de la figure 2.

EXEMPLE 2 ■ Cherchez les valeurs extrêmes de $f(x, y) = y^2 - x^2$.

SOLUTION Puisque $f'_x = -2x$ et $f'_y = 2y$, le seul point critique est $(0, 0)$. Or, en des points de l'axe Ox, $y = 0$ et $f(x, 0) = -x^2 < 0$ (si $x \neq 0$) tandis qu'en des points de l'axe Oy, $x = 0$ et $f(0, y) = y^2 > 0$ (si $y \neq 0$). N'importe quel disque centré à l'origine contient des points en lesquels f prend aussi bien des valeurs strictement positives que strictement négatives. Par conséquent, $f(0, 0) = 0$ ne peut être une valeur extrême de f et f n'a pas de valeurs extrêmes.

L'exemple 2 illustre le fait qu'une fonction n'a pas nécessairement un maximum ou un minimum local en un point critique. La figure 3 permet de visualiser comment c'est possible. Le graphique de f est le paraboloïde hyperbolique $z = y^2 - x^2$, qui, à l'origine, admet un plan tangent horizontal ($z = 0$). Vous pouvez observer que $f(0, 0) = 0$ est un maximum dans la direction de l'axe Ox mais un minimum dans la direction de l'axe Oy. Au voisinage de l'origine, la surface représentative de f a la forme d'une selle et c'est la raison pour laquelle $(0, 0)$ est appelé un *point-selle* de f.

Il est nécessaire de pouvoir déterminer si une fonction a ou non une valeur extrême en un point stationnaire. Le test que voici répond à cette demande. Il est démontré dans l'annexe E et fait pendant au test de la dérivée seconde des fonctions d'une seule variable.

> **3 Le Test des dérivées secondes** On suppose que les dérivées partielles secondes de f sont continues sur un disque centré en (a, b) et que $f'_x(a, b) = 0$ et $f'_y(a, b) = 0$ [c'est-à-dire que (a, b) est un point critique de f]. Soit
> $$D = D(a, b) = f''_{xx}(a, b)f''_{yy}(a, b) - [f''_{xy}(a, b)]^2.$$
> a) Si $D > 0$ et $f''_{xx}(a, b) > 0$, alors $f(a, b)$ est un minimum local.
> b) Si $D > 0$ et $f''_{xx}(a, b) < 0$, alors $f(a, b)$ est un maximum local.
> c) Si $D < 0$, alors $f(a, b)$ n'est ni un maximum local, ni un minimum local.

REMARQUE I ● Dans le cas c), le point (a, b) est un **point-selle** de f et le graphique de f coupe son plan tangent en (a, b).

REMARQUE 2 ● Quand $D = 0$, le test n'est pas concluant : f peut avoir un maximum ou un minimum local en (a, b) ou (a, b) peut être un point-selle de f.

REMARQUE 3 ● La formule de D se retrouve facilement si elle est écrite sous la forme d'un déterminant

$$D = \begin{vmatrix} f''_{xx} & f''_{xy} \\ f''_{yx} & f''_{yy} \end{vmatrix} = f''_{xx}f''_{yy} - (f''_{xy})^2$$

EXEMPLE 3 ■ Recherchez les valeurs maximales et minimales et les points-selles de $f(x, y) = x^4 + y^4 - 4xy + 1$.

SOLUTION On localise d'abord les points stationnaires :

$$f'_x = 4x^3 - 4y \qquad f'_y = 4y^3 - 4x.$$

L'égalisation à 0 de ces dérivées partielles conduit au système d'équations

$$x^3 - y = 0 \qquad \text{et} \qquad y^3 - x = 0.$$

On résout ce système en substituant $y = x^3$ de la première équation dans la deuxième. Cela donne

$$0 = x^9 - x = x(x^8 - 1) = x(x^4 - 1)(x^4 + 1) = x(x^2 - 1)(x^2 + 1)(x^4 + 1).$$

Il y a donc trois racines : $x = 0, 1, -1$. Les trois points stationnaires sont $(0, 0)$, $(1, 1)$ et $(-1, -1)$.

On calcule maintenant les dérivées secondes partielles et $D(x, y)$:

$$f''_{xx} = 12x^2 \qquad f''_{xy} = -4 \qquad f''_{yy} = 12y^2$$

$$D(x, y) = f''_{xx} f''_{yy} - (f''_{xy})^2 = 144x^2 y^2 - 16.$$

Puisque $D(0, 0) = -16 < 0$, on peut dire que le point $(0, 0)$ est un point-selle par application du cas c) du Test des dérivées secondes. Puisque $D(1, 1) = 128 > 0$, et $f''_{xx}(1, 1) = 12 > 0$, on constate en vertu du cas a) du Test que $f(1, 1) = -1$ est un minimum local. Et de même, $D(-1, -1) = 128 > 0$ et $f''_{xx}(-1, -1) = 12 > 0$ entraînent que $f(-1, -1) = -1$ est aussi un minimum local.

Le graphique est celui de la figure 4.

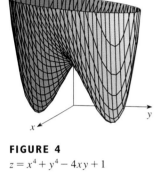

FIGURE 4
$z = x^4 + y^4 - 4xy + 1$

La figure 5 montre un diagramme de courbes de niveau de la fonction f de l'exemple 3. Les courbes de niveau près de $(1, 1)$ et de $(-1, -1)$ sont de forme ovale et indique que, quelle que soit la direction dans laquelle on s'éloigne de $(1, 1)$ ou de $(-1, -1)$, les valeurs de f augmentent. Les courbes de niveau près de $(0, 0)$ ont plutôt l'air d'hyperboles. Elles révèlent que quand on quitte l'origine (en laquelle f vaut 1), les valeurs de f décroissent dans certaines directions et croissent dans d'autres. Le diagramme de courbes de niveau laisse donc deviner la présence des minima et du point-selle identifiés dans l'exemple 3.

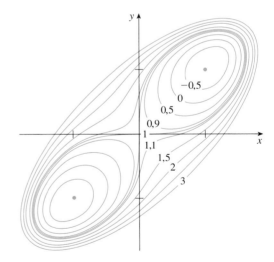

FIGURE 5

EXEMPLE 4 ■ Déterminez et classez les points stationnaires de la fonction

$$f(x, y) = 10x^2 y - 5x^2 - 4y^2 - x^4 - 2y^4.$$

Cherchez aussi le point le plus haut du graphique de f.

SOLUTION Les dérivées partielles d'ordre 1 sont

$$f'_x = 20xy - 10x - 4x^3 \qquad f'_y = 10x^2 - 8y - 8y^3.$$

Il faut donc résoudre les équations

4 $$2x(10y - 5 - 2x^2) = 0$$

5 $$5x^2 - 4y - 4y^3 = 0.$$

De l'équation 4, on tire que,

$$x = 0 \qquad \text{ou} \qquad 10y - 5 - 2x^2 = 0.$$

Dans le premier cas $(x = 0)$, l'équation 5 devient $-4y(1 + y^2) = 0$, de sorte que $y = 0$ et le point $(0, 0)$ est un point stationnaire.

Dans le second cas $(10y - 5 - 2x^2 = 0)$, on a

6 $$x^2 = 5y - 2,5,$$

et en substituant cela dans l'équation 5, on arrive à $25y - 12,5 - 4y - 4y^3 = 0$. Pour résoudre cette équation cubique

7 $$4y^3 - 21y + 12,5 = 0,$$

on fait tracer par une calculatrice graphique la courbe de la fonction

$$g(y) = 4y^3 - 21y + 12,5,$$

et, on constate, au vu de la figure 6, que l'équation 7 a trois racines. Le zoom permet de déterminer chacune d'elles avec 4 décimales :

$$y \approx -2,5452 \qquad y \approx 0,6468 \qquad y \approx 1,8984.$$

FIGURE 6

(On aurait pu aussi déterminer ces racines par la Méthode de Newton ou à l'aide d'un outil de recherche de racine.) L'équation 6 donne les valeurs de x correspondantes

$$x = \pm\sqrt{5y - 2,5}.$$

Pour $y \approx -2,5452$, il n'y a pas de valeur réelle correspondante de x. Pour $y \approx 0,6468$, $x \approx \pm 0,8567$. Pour $y \approx 1,8984$, $x \approx \pm 2,6442$. Au total, il y a donc 5 points stationnaires dont le caractère est analysé dans le cadre ci-après. Toutes les valeurs sont arrondies à 2 décimales.

Point critique	Valeur de f	f''_{xx}	D	Conclusion
$(0, 0)$	$0,00$	$-10,00$	$80,00$	maximum local
$(\pm 2,64 ; 1,90)$	$8,50$	$-55,93$	$2488,71$	maximum local
$(\pm 0,86 ; 0,65)$	$-1,48$	$-5,87$	$-187,64$	point-selle

Les figures 7 et 8 montrent la surface représentative de f sous deux angles de vue. Cette surface est ouverte vers le bas. [Cela pouvait se déduire de l'expression de $f(x, y)$: les termes dominants sont $-x^2 - 2y^4$ quand $|x|$ et $|y|$ sont grands.] La comparaison des valeurs de f en ses points de maximum local mène à décerner le titre de maximum absolu aux points $(\pm 2{,}64; 1{,}90; 8{,}5)$. Ce sont les points les plus hauts du graphique de f.

FIGURE 7

FIGURE 8

Les cinq points critiques de la fonction f de l'exemple 4 sont marqués en rouge dans le diagramme de courbes de niveau de f dans la figure 9.

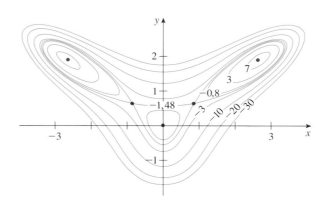

FIGURE 9

EXEMPLE 5 ■ Quelle est la plus courte distance du point $(1, 0, -2)$ au plan $x + 2y + z = 4$.

SOLUTION La distance de n'importe quel point (x, y, z) au point $(1, 0, -2)$ est donnée par

$$d = \sqrt{(x-1)^2 + y^2 + (z+2)^2},$$

mais si (x, y, z) appartient au plan $x + 2y + z = 4$, alors $z = 4 - x - 2y$ et de là, $d = \sqrt{(x-1)^2 + y^2 + (6 - x - 2y)^2}$. On peut rendre d minimal en rendant minimale l'expression plus simple

$$d^2 = f(x, y) = (x-1)^2 + y^2 + (6 - x - 2y)^2.$$

La résolution des équations

$$f'_x = 2(x-1) - 2(6 - x - 2y) = 4x + 4y - 14 = 0$$
$$f'_y = 2y - 4(6 - x - 2y) = 4x + 10y - 24 = 0$$

ne fournit qu'un seul point stationnaire, $\left(\frac{11}{6}, \frac{5}{3}\right)$. Comme $f''_{xx} = 4$, $f''_{xy} = 4$ et $f''_{yy} = 10$,

$D(x,y) = f''_{xx}f''_{yy} - (f''_{xy})^2 = 24 > 0$. D'après le Test de la dérivée seconde, $(\frac{11}{6}, \frac{5}{3})$ est un point de minimum local. On peut ajouter intuitivement qu'il s'agit d'un point de minimum absolu car il ne peut y avoir qu'un point sur un plan donné qui soit le plus proche de $(1, 0, -2)$. Cette distance minimale est calculée en posant $x = \frac{11}{6}$ et $y = \frac{5}{3}$ dans l'expression de d :

$$d = \sqrt{(x-1)^2 + y^2 + (6 - x - 2y)^2} = \sqrt{\left(\frac{5}{6}\right)^2 + \left(\frac{5}{3}\right)^2 + \left(\frac{5}{6}\right)^2} = \frac{5\sqrt{6}}{6}.$$

La plus courte distance de $(1, 0, -2)$ au plan $x + 2y + z = 4$ est égale à $5\sqrt{6}/6$. ■

EXEMPLE 6 ■ Il faut fabriquer une boîte rectangulaire sans couvercle avec 12 m² de carton. Quel est le volume maximum de cette boîte ?

SOLUTION On désigne par x, y et z respectivement la longueur, la largeur et la hauteur de la boîte (en mètres), comme sur la figure 10. Le volume est alors donné par

$$V = xyz.$$

Il peut être exprimé en fonction des deux variables x et y seulement en exploitant le fait que l'aire des quatre faces et du fond totalise 12 m² :

$$2xz + 2yz + xy = 12.$$

Pour cela, on résout par rapport à z : $z = (12 - xy)/[2(x + y)]$ et on introduit l'expression de z dans celle de V :

$$V = xy\frac{12 - xy}{2(x + y)} = \frac{12xy - x^2y^2}{2(x + y)}.$$

On calcule maintenant les dérivées partielles :

$$\frac{\partial V}{\partial x} = \frac{y^2(12 - 2xy - x^2)}{2(x + y)^2}, \qquad \frac{\partial V}{\partial y} = \frac{x^2(12 - 2xy - y^2)}{2(x + y)^2}.$$

Quand V est maximum, $\partial V/\partial x = \partial V/\partial y = 0$. Mais $x = 0$ ou $y = 0$ conduisent à $V = 0$. Donc, les équations à résoudre sont

$$12 - 2xy - x^2 = 0 \qquad 12 - 2xy - y^2 = 0.$$

Elles impliquent $x^2 = y^2$, ou, dans ce cas (x et y ne peuvent être que positives), $x = y$. Si on pose $x = y$ dans l'une ou l'autre des équations, on obtient $12 - 3x^2 = 0$, ce qui donne $x = 2$, $y = 2$ et $z = (12 - 2 \cdot 2)/[2(2 + 2)] = 1$.

On pourrait faire appel au Test de la dérivée seconde pour certifier qu'il s'agit bien d'un maximum local de V mais, plus simplement, il suffit de remarquer qu'intuitivement, vu le contexte physique du problème, il ne peut y avoir qu'un maximum absolu, qui se produit en un point stationnaire de V. Il a donc lieu quand $x = 2$, $y = 2$, et $z = 1$. Dans ce cas, $V = 2 \cdot 2 \cdot 1 = 4$. Le volume maximum de la boîte est donc 4 m³. ■

L'exemple 5 pourrait aussi être résolu vectoriellement. Comparez avec les méthodes de la section 9.5

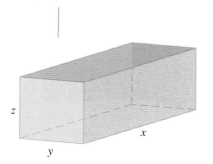

FIGURE 10

■ Maximum et minimum absolus

Le Théorème des valeurs extrêmes pour une fonction d'une variable certifie que si f est continue sur un intervalle fermé $[a, b]$, alors f atteint un minimum absolu et un maximum absolu. D'après la Méthode de l'intervalle fermé dans la section 4.2, on les trouve en calculant f non seulement aux points critiques, mais aussi aux extrémités a et b de l'intervalle.

(a) Des ensembles fermés

(b) Des ensembles non fermés

FIGURE 11

La situation est semblable pour les fonctions de deux variables. De même qu'un intervalle fermé contient ses extrémités, un **ensemble fermé** de $\mathbb{R}^2$ est celui qui contient ses points frontières. [Un point frontière de D est un point (a, b) tel que chaque disque centré en (a, b) contienne à la fois des points de D et des points hors de D.] Par exemple, le disque

$$D = \{(x, y) \mid x^2 + y^2 \leqslant 1\}$$

composé de tous les points à l'intérieur du cercle $x^2 + y^2 = 1$ ou sur celui-ci, est un ensemble fermé parce qu'il contient tous ses points frontières (qui sont les points du cercle $x^2 + y^2 = 1$). Qu'il vienne à manquer un seul point de la frontière et l'ensemble n'est plus fermé (voyez la figure 11).

Un **ensemble borné** de $\mathbb{R}^2$ est celui qui est contenu dans un certain disque. En d'autres mots, il est d'étendue finie. Maintenant, en termes d'ensembles fermés et bornés, on peut énoncer le théorème analogue pour les fonctions de deux variables au Théorème des Valeurs Extrêmes.

> **8 Théorème des valeurs extrêmes pour les fonctions de deux variables** Si f est continue sur un ensemble borné fermé D de $\mathbb{R}^2$, alors f atteint un maximum absolu $f(x_1, y_1)$ et un minimum absolu $f(x_2, y_2)$ en des points (x_1, y_1) et (x_2, y_2) de D.

Pour déterminer ces valeurs extrêmes dont l'existence est garantie par le Théorème 8, on remarque que, en vertu du Théorème 2, si f atteint une valeur extrême en (x_1, y_1), alors (x_1, y_1) est soit un point critique de f, soit un point de la frontière de D. On a donc l'extension suivante de la Méthode de l'intervalle fermé.

> **9** Pour déterminer les valeurs maximales et minimales *absolues* d'une fonction continue f sur un ensemble borné fermé D :
> **1.** calculez les valeurs de f aux points critiques de f dans D ;
> **2.** calculez les valeurs extrêmes de f sur la frontière de D ;
> **3.** la plus grande des valeurs issues des étapes 1 et 2 est la valeur maximale absolue ; la plus petite de ces valeurs est la valeur minimale absolue.

EXEMPLE 7 ■ Quelles sont les valeurs extrêmes absolues de la fonction $f(x, y) = x^2 - 2xy + 2y$ sur le rectangle $D = \{(x, y) \mid 0 \leqslant x \leqslant 3, 0 \leqslant y \leqslant 2\}$?

SOLUTION Que f ait un maximum absolu et un minimum absolu est garanti par le théorème 8, puisque f est continue et que D est un rectangle borné fermé. En suivant la première étape de la démarche indiquée dans (9), on cherche d'abord les points critiques. Ils sont obtenus en résolvant les équations

$$f'_x = 2x - 2y = 0 \qquad f'_y = -2x + 2 = 0.$$

Le seul point critique est $(1, 1)$ et la valeur que f y atteint est $f(1, 1) = 1$.

La deuxième étape consiste à examiner les valeurs que f prend sur la frontière de D, à savoir sur les quatre segments L_1, L_2, L_3 et L_4 de la figure 12. Sur $L_1, y = 0$ et donc

$$f(x, 0) = x^2 \qquad 0 \leqslant x \leqslant 3.$$

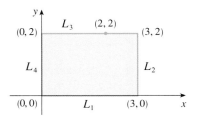

FIGURE 12

Comme il s'agit d'une fonction strictement croissante de x, son minimum est $f(0, 0) = 0$ et son maximum, $f(3, 0) = 9$. Sur L_2, on a $x = 3$ et

$$f(3, y) = 9 - 4y \qquad 0 \leqslant y \leqslant 2.$$

Comme il s'agit d'une fonction strictement décroissante de y, son maximum est $f(3, 0) = 9$ et son minimum $f(3, 2) = 1$. Sur L_3, on a $y = 2$ et

$$f(x, 2) = x^2 - 4x + 4 \qquad 0 \leqslant x \leqslant 3.$$

Par les méthodes du chapitre 4 ou plus simplement en observant que $f(x, 2) = (x - 2)^2$, on voit que le minimum de cette fonction est $f(2, 2) = 0$ et le maximum $f(0, 2) = 4$. Enfin, sur L_4, on a $x = 0$ et

$$f(0, y) = 2y \qquad 0 \leqslant y \leqslant 2$$

de sorte que le maximum est $f(0, 2) = 4$ et le minimum $f(0, 0) = 0$. En conclusion, sur la frontière, le minimum de f vaut 0 et le maximum 9.

Enfin, la troisième étape recommande de comparer ces valeurs avec la valeur $f(1, 1) = 1$ au point critique. Il en résulte que le maximum absolu de f sur D est $f(3, 0) = 9$ et le minimum absolu, $f(0, 0) = f(2, 2) = 0$. La figure 13 reproduit le graphique de f.

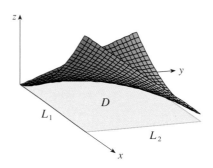

FIGURE 13

$f(x, y) = x^2 - 2xy + 2y$

11.7 Exercices

1. On suppose que $(1, 1)$ est un point critique d'une fonction f dont les dérivées secondes sont continues. Dans chaque cas, que pouvez-vous dire au sujet de f ?

   a) $f''_{xx}(1, 1) = 4 \quad f''_{xy}(1, 1) = 1 \quad f''_{yy}(1, 1) = 2$

   b) $f''_{xx}(1, 1) = 4 \quad f''_{xy}(1, 1) = 3 \quad f''_{yy}(1, 1) = 2$

2. On suppose que $(0, 2)$ est un point critique d'une fonction g dont les dérivées secondes sont continues. Dans chaque cas, que pouvez-vous dire au sujet de g ?

   a) $g''_{xx}(0, 2) = -1 \quad g''_{xy}(0, 2) = 6 \quad g''_{yy}(0, 2) = 1$

   b) $g''_{xx}(0, 2) = -1 \quad g''_{xy}(0, 2) = 2 \quad g''_{yy}(0, 2) = -8$

   c) $g''_{xx}(0, 2) = 4 \quad g''_{xy}(0, 2) = 6 \quad g''_{yy}(0, 2) = 9$

3-4 ■ Localisez à partir de la carte des courbes de niveau de la figure les points critiques de f et précisez pour chacun de ces points s'il s'agit d'un point-selle ou d'un maximum ou d'un minimum local. Expliquez votre raisonnement. Servez-vous ensuite du Test de la dérivée seconde pour confirmer vos prédictions.

3. $f(x, y) = 4 + x^3 + y^3 - 3xy$

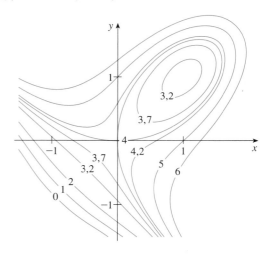

4. $f(x,y) = 3x - x^3 - 2y^2 + y^4$

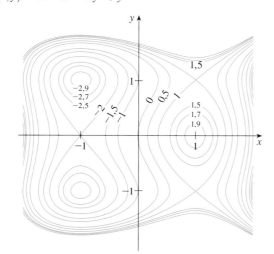

5-14 ■ Déterminez les valeurs maximales et minimales locales ainsi que les points-selles de la fonction. Si vous disposez d'un logiciel de dessin en trois dimensions, faites apparaître sous le meilleur angle de vue et sur le domaine de définition convenable le graphique de la fonction afin d'en voir tous les aspects importants.

5. $f(x,y) = x^2 + y^2 + 4x - 6y$

6. $f(x,y) = 2x^3 + xy^2 + 5x^2 + y^2$

7. $f(x,y) = x^2 + y^2 + x^2 y + 4$

8. $f(x,y) = y\sqrt{x} - y^2 - x + 6y$

9. $f(x,y) = xy - 2x - y$

10. $f(x,y) = xy(1 - x - y)$

11. $f(x,y) = e^x \cos y$

12. $f(x,y) = x^2 + y^2 + \dfrac{1}{x^2 y^2}$

13. $f(x,y) = x \sin y$

14. $f(x,y) = (2x - x^2)(2y - y^2)$

15-18 ■ Utilisez un graphique ou un diagramme de courbes de niveau pour estimer les valeurs maximales et minimales ainsi que les points-selles de la fonction. Ensuite, calculez ces valeurs avec précision à l'aide des outils du calcul différentiel.

15. $f(x,y) = 3x^2 y + y^3 - 3x^2 - 3y^2 + 2$

16. $f(x,y) = xye^{-x^2 - y^2}$

17. $f(x,y) = \sin x + \sin y + \sin(x + y)$,
$0 \leqslant x \leqslant 2\pi, \, 0 \leqslant y \leqslant 2\pi$

18. $f(x,y) = \sin x + \sin y + \cos(x + y)$,
$0 \leqslant x \leqslant \pi/4, \, 0 \leqslant y \leqslant \pi/4$

19-22 ■ Servez-vous d'un outil graphique comme dans l'exemple 4 (ou de la méthode de Newton ou d'un logiciel de calcul des racines) pour déterminer les points critiques de f avec une précision de 3 décimales. Ensuite, reconnaissez de quelle nature sont ces points critiques et déterminez le point le plus haut et le point le plus bas du graphique.

19. $f(x,y) = x^4 - 5x^2 + y^2 + 3x + 2$

20. $f(x,y) = 5 - 10xy - 4x^2 + 3y - y^4$

21. $f(x,y) = 2x + 4x^2 - y^2 + 2xy^2 - x^4 - y^4$

22. $f(x,y) = e^x + y^4 - x^3 + 4\cos y$

23-28 ■ Cherchez le maximum et le minimum absolu de f sur l'ensemble D.

23. $f(x,y) = 5 - 3x + 4y$, D est la région triangulaire fermée de sommets $(0,0)$, $(4,0)$ et $(4,5)$.

24. $f(x,y) = x^2 + 2xy + 3y^2$, D est la région triangulaire fermée de sommets $(-1,1)$, $(2,1)$ et $(-1,-2)$.

25. $f(x,y) = x^2 + y^2 + x^2 y + 4$, $D = \{(x,y) \mid |x| \leqslant 1, |y| \leqslant 1\}$.

26. $f(x,y) = y\sqrt{x} - y^2 - x + 6y$,
$D = \{(x,y) \mid 0 \leqslant x \leqslant 9, 0 \leqslant y \leqslant 5\}$.

27. $f(x,y) = 1 + xy - x - y$, D est la région bornée par la parabole $y = x^2$ et la droite $y = 4$.

28. $f(x,y) = 2x^2 + x + y^2 - 2$, $D = \{(x,y) \mid x^2 + y^2 \leqslant 4\}$.

29. Il n'est pas possible pour une fonction continue d'une variable d'avoir deux maxima locaux et pas de minimum local alors que c'est possible pour une fonction de deux variables. Montrez que la fonction

$$f(x,y) = -(x^2 - 1)^2 - (x^2 y - x - 1)^2$$

n'a que deux points critiques, et que ce sont tous les deux des maxima locaux. Ensuite, employez un ordinateur pour faire tracer un graphique sur un domaine de définition soigneusement choisi et sous un angle de vue qui permettent de voir comment c'est possible.

30. Lorsqu'une fonction d'une variable est continue sur un intervalle et n'a qu'un point critique, alors un maximum local est forcément un maximum absolu. Ceci n'est pas vrai pour les fonctions de deux variables. Montrez que la fonction

$$f(x,y) = 3xe^y - x^3 - e^{3y}$$

a exactement un point critique, que f a en ce point un maximum local qui n'est pas un maximum absolu. Ensuite, employez un ordinateur pour faire tracer un graphique sur un domaine de définition soigneusement choisi et sous un angle de vue qui permettent de voir comment c'est possible.

31. Déterminez la plus courte distance entre le point $(2, -2, 3)$ et le plan $6x + 4y - 3z = 2$.

32. Déterminez le point du plan $2x - y + z = 1$ qui est le plus proche du point $(-4, 1, 3)$.

33. Déterminez les points de la surface $z^2 = xy + 1$ qui sont les plus proches de l'origine.

34. Déterminez les points de la surface $x^2y^2z = 1$ qui sont les plus proches de l'origine.

35. Déterminez trois nombres positifs dont la somme vaut 100 et dont le produit est maximum.

36. Déterminez trois nombres positifs x, y et z dont la somme vaut 100 et tels que $x^ay^bz^c$ est maximum.

37. Calculez le volume du plus grand parallélipipède rectangle dont les arêtes sont parallèles aux axes de coordonnées qui puisse être inscrit dans l'ellipsoïde $9x^2 + 36y^2 + 4z^2 = 36$.

38. Résolvez le problème de l'exercice 37 pour un ellipsoïde général $x^2/a^2 + y^2/b^2 + z^2/c^2 = 1$.

39. Calculez le volume de la plus grande boîte rectangulaire du premier octant dont trois faces sont dans les plans de coordonnées et qui a un sommet dans le plan $x + 2y + 3z = 6$.

40. Déterminez les dimensions d'une boîte rectangulaire de volume maximum si la surface totale est fixée à $64\ \text{cm}^2$.

41. Sachant que la somme des longueurs des 12 arêtes d'une boîte rectangulaire est une constante c, quelles sont les dimensions qui lui donnent le volume maximum.

42. Si le fond d'un aquarium de volume fixé V est fait dans un matériau qui coûte cinq fois plus, par unité d'aire, que le verre, matériau des faces latérales, quelles sont les dimensions à donner à cet aquarium pour qu'il coûte le moins possible ?

43. Une boîte en carton sans couvercle doit avoir un volume de $32\,000\ \text{cm}^3$. Déterminez les dimensions qui minimisent la quantité de carton utilisée.

44. Trois allèles A, B et O déterminent les quatre groupes sanguins A (AA ou AO), B (BB ou BO), O (OO) et AB. La loi de Hardy-Weinberg établit que la proportion d'individus qui, dans une population, portent deux allèles différents est

$$P = 2pq + 2pr + 2rq,$$

où p, q et r sont les proportions de A, B et O dans la population. Utilisez le fait que $p + q + r = 1$ pour montrer que P vaut au plus 2/3.

45. On suppose qu'un chercheur a des raisons de croire que deux grandeurs x et y sont liées par une relation affine, c'est-à-dire de la forme $y = mx + b$, au moins approximativement, pour certaines valeurs de m et b. Le chercheur met au point une expérience et récolte des données sous la forme de points $(x_1, y_1), (x_2, y_2), \ldots, (x_n, y_n)$ et il en fait une représentation graphique. Il constate que les points ne sont pas exactement alignés et souhaite trouver les constantes m et b qui conviennent pour que la droite $y = mx + b$ s'ajuste le mieux possible aux points observés. (Voyez la figure.) Soit $d_i = y_i - (mx_i + b)$ l'écart vertical du point (x_i, y_i) par rapport à la droite. La **méthode des moindres carrés** est celle qui choisit m et b de sorte que la somme des carrés de ces déviations, $\sum_{i=1}^{n} d_i^2$, soit minimale. Démontrez que, selon cette méthode, la droite qui s'ajuste le mieux est obtenue quand

$$m \sum_{i=1}^{n} x_i + bn = \sum_{i=1}^{n} y_i$$

$$m \sum_{i=1}^{n} x_i^2 + b \sum_{i=1}^{n} x_i = \sum_{i=1}^{n} x_iy_i$$

La droite est donc déterminée si l'on résout ces deux équations en m et b. (Voyez la section 1.7 pour une étude plus avancée et des applications de la méthode des moindres carrés.)

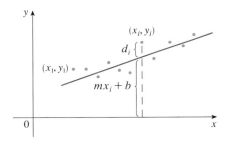

46. Recherchez une équation du plan qui, passant par le point $(1, 2, 3)$, découpe le plus petit volume du premier octant.

Projet appliqué ────────────────

Dresser les plans d'une benne à ordures

Dans ce projet, nous choisissons une benne à ordures afin d'en étudier la forme et le procédé de construction. Ensuite, nous essayons de déterminer les dimensions d'un conteneur de même type dont le coût de fabrication soit le plus faible possible.

1. Repérez dans votre environnement un conteneur à déchets. Relevez soigneusement et décrivez tous les détails de sa fabrication, et calculez son volume. Ajoutez un croquis du conteneur.

2. Tout en gardant la forme générale et le même type de construction, déterminez les dimensions qu'un tel conteneur de même volume devrait avoir pour coûter le moins possible. Utilisez les hypothèses suivantes dans votre étude :

■ Les parois avant et arrière sont en feuilles d'acier de 0,25 cm, qui coûtent 7 euros le mètre carré (y compris les coupes ou courbures).

■ Le fond est en feuilles d'acier de 0,35 cm, qui coûtent 10 euros le mètre carré.

■ Les couvercles coûtent environ 50 euros pièce, indépendemment de leur dimension.

■ Les soudures coûtent approximativement 0,6 euro par mètre, matériel et main-d'œuvre compris.

Justifiez toute autre supposition ou simplification adoptée à propos des détails de construction.

3. Décrivez en quoi vos suppositions ou simplifications peuvent affecter le résultat final.

4. Si vous étiez appelé en tant que consultant dans cette étude, quelle serait votre conclusion ? Votre recommandation serait-elle de changer la forme du conteneur ? Et si oui, décrivez quelles seraient les économies réalisées ?

 Sujet à découvrir

Approximations quadratiques et points critiques

Le polynôme de Taylor qui approxime les fonctions d'une variable que nous avons étudié au chapitre 8 est susceptible d'être étendu aux fonctions de deux variables ou plus. Nous examinons ici les approximations quadratiques des fonctions de deux variables et en tirons parti pour éclairer le Test des dérivées secondes qui classe les points critiques.

Dans la section 11.4, il a été question de la linéarisation d'une fonction f de deux variables au point (a, b) :

$$L(x, y) = f(a, b) + f'_x(a, b)(x - a) + f'_y(a, b)(y - b).$$

Rappelez-vous que la représentation graphique de L est le plan tangent à la surface $z = f(x, y)$ en $(a, b, f(a, b))$ et que l'approximation du premier degré correspondante est $f(x, y) \approx L(x, y)$. La linéarisation L est aussi appelée le **polynôme de Taylor de degré 1** de f en (a, b).

1. Si f admet des dérivées secondes partielles continues en (a, b), alors le **polynôme de Taylor du second degré** de f en (a, b) est

$$Q(x, y) = f(a, b) + f'_x(a, b)(x - a) + f'_y(a, b)(y - b)$$
$$+ \tfrac{1}{2} f''_{xx}(a, b)(x - a)^2 + f''_{xy}(a, b)(x - a)(y - b) + \tfrac{1}{2} f''_{yy}(a, b)(y - b)^2$$

et l'approximation $f(x, y) \approx Q(x, y)$ est appelée **l'approximation quadratique** de f en (a, b). Vérifiez que Q a les mêmes dérivées partielles premières et secondes que f en (a, b).

2. a) Écrivez les polynômes de Taylor L de degré 1 et Q de degré 2 de $f(x, y) = e^{-x^2 - y^2}$ en $(0, 0)$.

b) Représentez f, L et Q. Commentez la façon dont L et Q modélisent f.

3. a) Écrivez les polynômes de Taylor L de degré 1 et Q de degré 2 de $f(x, y) = xe^y$ en $(1, 0)$.

b) Comparez les valeurs de L, Q et f en $(0,9; 0,1)$.

c) Représentez f, L et Q. Commentez la façon dont L et Q modélisent f.

4. Dans ce problème, nous analysons le comportement du polynôme $f(x,y) = ax^2 + bxy + cy^2$ (sans le Test des dérivées secondes) pour reconnaître le graphique d'un paraboloïde.

a) Montrez, en complétant le carré, que si $a \neq 0$, alors

$$f(x,y) = ax^2 + bxy + cy^2 = a\left[\left(x + \frac{b}{2a}y\right)^2 + \left(\frac{4ac - b^2}{4a^2}\right)y^2\right]$$

b) Soit $D = 4ac - b^2$. Démontrez que si $D > 0$ et $a > 0$, alors f présente un minimum local en $(0,0)$.

c) Démontrez que si $D > 0$ et $a < 0$, alors f présente un maximum local en $(0,0)$.

d) Démontrez que si $D < 0$, alors $(0,0)$ est un point-selle.

5. a) On suppose que f est une fonction quelconque qui a des dérivées partielles secondes continues, que $f(0,0) = 0$ et que $(0,0)$ est un point critique de f. Écrivez le polynôme de Taylor du deuxième degré Q de f en $(0,0)$.

b) Suite au problème 4, que pouvez-vous dire à propos de Q?

c) Compte tenu de l'approximation quadratique $f(x,y) \approx Q(x,y)$, qu'est-ce que la partie b) suggère à propos de f?

11.8 Les multiplicateurs de Lagrange

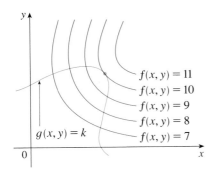

FIGURE 1

L'exemple 6 de la section 11.7 posait le problème de maximiser une fonction volume $V = xyz$ soumise à la contrainte $2xz + 2yz + xy = 12$, qui traduisait une condition annexe sur la surface, à savoir mesurer 12 m². Dans cette section, nous présentons la méthode de Lagrange pour maximiser ou minimiser une fonction générale $f(x,y,z)$ sujette à une contrainte (ou condition annexe) de la forme $g(x,y,z) = k$.

Comme il est plus facile d'expliquer la méthode de Lagrange d'un point de vue géométrique pour des fonctions de deux variables, nous commençons par essayer de trouver les valeurs extrêmes de $f(x,y)$ soumise à une contrainte de la forme $g(x,y) = k$. En d'autres mots, nous sommes à la recherche des valeurs extrêmes par lesquelles passerait $f(x,y)$ quand le point (x,y) est limité à ne prendre que les valeurs de la courbe de niveau $g(x,y) = k$. La figure 1 montre cette courbe en même temps que plusieurs courbes de niveau de f, celles d'équations $f(x,y) = c$ pour $c = 7, 8, 9, 10$ et 11. Maximiser $f(x,y)$ sous la contrainte $g(x,y) = k$ revient à trouver la plus grande valeur de c telle que la courbe de niveau $f(x,y) = c$ coupe $g(x,y) = k$. Il est visible dans la figure 1 que cela se produit lorsque ces courbes se touchent tout juste l'une l'autre, c'est-à-dire quand elles ont une tangente en commun. (Sinon, les valeurs de c pourraient encore être majorées.) Et en un point (x_0, y_0) où elles se touchent, elles ont la même droite normale. Les vecteurs gradients sont donc parallèles, ce qui s'écrit $\nabla f(x_0, y_0) = \lambda \nabla g(x_0, y_0)$ pour un certain scalaire λ.

Ce type d'argumentation s'applique aussi au problème de trouver les valeurs extrêmes de $f(x,y,z)$ soumise à la contrainte $g(x,y,z) = k$. Le point (x,y,z) ne peut varier que sur la surface de niveau S d'équation $g(x,y,z) = k$. Aux courbes de niveau de la figure 1 viennent se substituer dans cette situation-ci des surfaces de niveau $f(x,y,z) = c$ et si le maximum de f est $f(x_0, y_0, z_0) = c$, alors la surface de niveau $f(x,y,z) = c$ est tangente à la surface de niveau $g(x,y,z) = k$. En ce point, les vecteurs gradients correspondants sont parallèles.

Ce raisonnement intuitif se précise comme suit. Supposons qu'une valeur extrême de f se produise au point $P(x_0, y_0, z_0)$ de S et soit C une courbe quelconque, décrite vectoriellement par $\vec{r}(t) = (x(t), y(t), z(t))$, tracée sur S et passant par P. Le point P est l'image de la valeur t_0 du paramètre : $\vec{r}(t_0) = (x_0, y_0, z_0)$. Alors, la fonction composée $h(t) = f(x(t), y(t), z(t))$ représente les valeurs prises par la fonction f le long de la courbe C. Comme f passe par une valeur extrême en (x_0, y_0, z_0), h passe par une valeur extrême en t_0. De ce fait, $h'(t_0) = 0$. Or, si f est différentiable, h' se calcule par la Règle de dérivation des fonctions composées :

$$0 = h'(t_0) = f'_x(x_0, y_0, z_0)x'(t_0) + f'_y(x_0, y_0, z_0)y'(t_0) + f'_z(x_0, y_0, z_0)z'(t_0)$$
$$= \nabla f(x_0, y_0, z_0) \cdot \vec{r}\,'(t_0).$$

Ceci montre que le vecteur gradient $\nabla f(x_0, y_0, z_0)$ est orthogonal au vecteur tangent $\vec{r}\,'(t_0)$ à chacune des courbes C. Or, nous savons depuis la section 11.6 que le vecteur gradient de g, $\nabla g(x_0, y_0, z_0)$, est lui aussi orthogonal à $\vec{r}\,'(t_0)$ (voyez l'équation 18 dans la section 11.6). Il en résulte que les deux vecteurs gradients $\nabla f(x_0, y_0, z_0)$ et $\nabla g(x_0, y_0, z_0)$ sont forcément parallèles. Dès lors, si $\nabla g(x_0, y_0, z_0) \neq \vec{0}$, il existe un nombre λ tel que

[1]
$$\boxed{\nabla f(x_0, y_0, z_0) = \lambda \nabla g(x_0, y_0, z_0).}$$

Le nombre λ dans l'expression 1 est appelé un **multiplicateur de Lagrange**. La marche à suivre basée sur l'équation 1 est la suivante :

> **Méthode des multiplicateurs de Lagrange**   Pour déterminer les valeurs maximales et minimales de $f(x, y, z)$ soumises à la contrainte $g(x, y, z) = k$ (à supposer qu'elles existent) :
> a) Cherchez toutes les valeurs de x, y, z et λ telles que
> $$\nabla f(x, y, z) = \lambda \nabla g(x, y, z)$$
> et
> $$g(x, y, z) = k.$$
> b) Calculez la valeur de f en tous les points (x, y, z) repérés à l'étape a). La plus grande de ces valeurs est le maximum de f ; la plus petite est le minimum de f.

Lorsqu'on écrit l'équation vectorielle $\nabla f(x, y, z) = \lambda \nabla g(x, y, z)$ en composantes, les équations de l'étape a) deviennent

$$f'_x = \lambda g'_x \qquad f'_y = \lambda g'_y \qquad f'_z = \lambda g'_z \qquad g(x, y, z) = k.$$

C'est un système de quatre équations en les quatre inconnues x, y, z et λ, mais il n'est pas nécessaire d'obtenir explicitement l'expression de λ.

Pour les fonctions de deux variables, la méthode des multiplicateurs de Lagrange est semblable. Pour déterminer les valeurs maximales et minimales de $f(x, y)$ soumises à la contrainte $g(x, y) = k$, on cherche toutes les valeurs de x, y et λ telles que $\nabla f(x, y) = \lambda \nabla g(x, y)$ et $g(x, y) = k$. Ce qui revient à résoudre un système de trois équations à trois inconnues :

$$f'_x = \lambda g'_x \qquad f'_y = \lambda g'_y \qquad g(x, y) = k.$$

La première illustration consiste à reprendre le problème posé à l'exemple 6 de la section 11.7.

Les multiplicateurs de Lagrange doivent leur appellation au mathématicien franco-italien Joseph-Louis Lagrange (1736-1813). Pour une brève biographie voyez à la page 284.

Lors de la déduction de la méthode de Lagrange, il a été supposé que $\nabla g \neq \vec{0}$. Vous pouvez vérifier dans chacun des exemples que $\nabla g \neq \vec{0}$ en tous les points où $g(x, y, z) = k$.

EXEMPLE 1 ■ Une boîte rectangulaire sans couvercle est faite avec 12 m^2 de carton. Quelle est la boîte de plus grand volume ?

SOLUTION Comme dans l'exemple 6 de la section 11.7, on pose x, y et z respectivement la longueur, la largeur et la hauteur de la boîte, exprimées en mètres. Il s'agit alors de maximiser

$$V = xyz$$

sous la contrainte

$$g(x, y, z) = 2xz + 2yz + xy = 12.$$

Selon la méthode des multiplicateurs de Lagrange, on recherche les valeurs de x, y, z et λ telles que $\nabla f = \lambda \nabla g$ et $g(x, y, z) = 12$. Ce qui conduit aux équations

$$V'_x = \lambda g'_x \qquad V'_y = \lambda g'_y \qquad V'_z = \lambda g'_z \qquad 2xz + 2yz + xy = 12,$$

qui s'écrivent explicitement

2 $$yz = \lambda(2z + y)$$

3 $$xz = \lambda(2z + x)$$

4 $$xy = \lambda(2x + 2y)$$

5 $$2xz + 2yz + xy = 12.$$

Il n'y a pas de méthode générale pour résoudre un système d'équations. Parfois cela demande un peu d'adresse. Dans le cas présent, vous pouvez remarquer qu'en multipliant (2) par x, (3) par y et (4) par z, les membres de gauche de ces équations deviennent identiques. On a ainsi

6 $$xyz = \lambda(2xz + xy)$$

7 $$xyz = \lambda(2yz + xy)$$

8 $$xyz = \lambda(2xz + 2yz).$$

On observe que $\lambda \neq 0$, car si c'était le cas, cela impliquerait $yz = xz = xy = 0$ en raison de (2), (3) et (4) et cela contredirait (5). Par conséquent, (6) et (7) entraînent

$$2xz + xy = 2yz + xy,$$

ce qui donne $xz = yz$. Comme $z \neq 0$ (car sinon, cela voudrait dire que $V = 0$), la dernière équation implique $x = y$. Maintenant, (7) et (8) entraînent

$$2yz + xy = 2xz + 2yz,$$

ce qui donne $2xz = xy$, et ainsi (puisque $x \neq 0$) $y = 2z$. En substituant $x = y = 2z$ dans (5), on arrive à

$$4z^2 + 4z^2 + 4z^2 = 12.$$

Et comme x, y et z sont positifs, cela donne finalement $z = 1$, $x = 2$ et $y = 2$ comme précédemment.

EXEMPLE 2 ■ Déterminez les valeurs extrêmes de la fonction $f(x,y) = x^2 + 2y^2$ sur le cercle $x^2 + y^2 = 1$.

SOLUTION Il est demandé de chercher les valeurs extrêmes de f sous la contrainte $g(x,y) = x^2 + y^2 = 1$. Conformément à la méthode des multiplicateurs de Lagrange, on résout les équations $\nabla f = \lambda \nabla g$, $g(x,y) = 1$, qui s'écrivent

$$f'_x = \lambda g'_x \qquad f'_y = \lambda g'_y \qquad g(x,y) = 1,$$

ou encore

9 $$2x = 2x\lambda$$

10 $$4y = 2y\lambda$$

11 $$x^2 + y^2 = 1.$$

De (9), découlent $x = 0$ ou $\lambda = 1$. Quand $x = 0$, alors (11) conduit à $y = \pm 1$. Quand $\lambda = 1$, alors $y = 0$ à cause de (10) et de là, $x = \pm 1$ grâce à (11). En résumé, f pourrait avoir des valeurs extrêmes aux points $(0,1)$, $(0,-1)$, $(1,0)$ et $(-1,0)$. Les valeurs prises par f en chacun de ces points sont

$$f(0,1) = 2 \qquad f(0,-1) = 2 \qquad f(1,0) = 1 \qquad f(-1,0) = 1.$$

Par conséquent, le maximum de f sur le cercle $x^2 + y^2 = 1$ est $f(0,\pm 1) = 2$ et le minimum $f(\pm 1, 0) = 1$. La figure 2 permet de vérifier que ces valeurs sont vraisemblables.

Géométriquement parlant, l'exemple 2 demande les points les plus hauts et les plus bas de la courbe C dans la figure 2 qui se trouve sur le paraboloïde $z = x^2 + 2y^2$ et directement à la verticale du cercle $x^2 + y^2 = 1$.

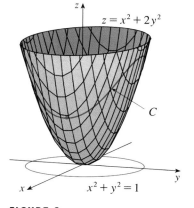

FIGURE 2

La géométrie qui se cache sous l'exploitation des multiplicateurs de Lagrange dans l'exemple 2 est mise à nu dans la figure 3. Les valeurs extrêmes de $f(x,y) = x^2 + 2y^2$ correspondent aux courbes de niveau qui touchent le cercle $x^2 + y^2 = 1$.

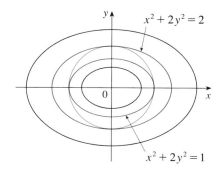

FIGURE 3

EXEMPLE 3 ■ Quelles sont les valeurs extrêmes de $f(x,y) = x^2 + 2y^2$ sur le disque $x^2 + y^2 \leqslant 1$?

SOLUTION Fidèle à la démarche décrite en (9) de la section 11.7, on compare les valeurs de f aux points critiques avec les valeurs de f sur la frontière. Vu que $f'_x = 2x$ et $f'_y = 4y$, le seul point critique est $(0,0)$. On met côte à côte la valeur de f en ce point et les valeurs extrêmes de f sur la frontière tels qu'elles ont été obtenues à l'exemple 2 :

$$f(0,0) = 0 \qquad f(\pm 1, 0) = 1 \qquad f(0, \pm 1) = 2.$$

Il s'ensuit que le maximum de f sur le disque $x^2 + y^2 \leqslant 1$ est $f(0, \pm 1) = 2$ et le minimum $f(0,0) = 0$.

EXEMPLE 4 ■ Quels sont les points de la sphère $x^2 + y^2 + z^2 = 4$ les plus proches et les plus éloignés du point $(3, 1, -1)$?

SOLUTION La distance qui sépare le point $(3, 1, -1)$ d'un point (x, y, z) quelconque est donnée par

$$d = \sqrt{(x-3)^2 + (y-1)^2 + (z+1)^2},$$

Pour simplifier les calculs algébriques, on préfère maximiser ou minimiser le carré de cette distance :

$$d^2 = f(x, y, z) = (x-3)^2 + (y-1)^2 + (z+1)^2.$$

La contrainte est que le point (x, y, z) doit appartenir à la sphère, c'est-à-dire

$$g(x, y, z) = x^2 + y^2 + z^2 = 4.$$

Suivant la méthode des multiplicateurs de Lagrange, on résout $\nabla f = \lambda \nabla g, g = 4$. Cela donne

12
$$2(x-3) = 2x\lambda$$

13
$$2(y-1) = 2y\lambda$$

14
$$2(z+1) = 2z\lambda$$

15
$$x^2 + y^2 + z^2 = 4.$$

La façon la plus simple de procéder est de résoudre (12), (13) et (14) par rapport à x, y et z en fonction de λ et de substituer les expressions ainsi obtenues dans (15). De (12), il vient

$$x - 3 = x\lambda \qquad \text{ou} \qquad x(1-\lambda) = 3 \qquad \text{ou} \qquad x = \frac{3}{1-\lambda}.$$

[Remarquez que $1 - \lambda \neq 0$ parce que $\lambda = 1$ est impossible à cause de (12).] De même, (13) et (14) donnent

$$y = \frac{1}{1-\lambda} \qquad z = -\frac{1}{1-\lambda}.$$

La substitution dans (15) fournit

$$\frac{3^2}{(1-\lambda)^2} + \frac{1^2}{(1-\lambda)^2} + \frac{(-1)^2}{(1-\lambda)^2} = 4.$$

D'où successivement, $(1-\lambda)^2 = \frac{11}{4}$, $1 - \lambda = \pm\sqrt{11}/2$,

$$\lambda = 1 \pm \frac{\sqrt{11}}{2}.$$

À ces valeurs de λ correspondent les points (x, y, z) suivants :

$$\left(\frac{6}{\sqrt{11}}, \frac{2}{\sqrt{11}}, \frac{-2}{\sqrt{11}}\right) \qquad \text{et} \qquad \left(-\frac{6}{\sqrt{11}}, -\frac{2}{\sqrt{11}}, \frac{2}{\sqrt{11}}\right).$$

Il est facile de voir que c'est au premier de ces points que f a une plus petite valeur. Le point le plus proche est donc $(6/\sqrt{11}, 2\sqrt{11}, -2\sqrt{11})$ et le plus éloigné $(-6/\sqrt{11}, -2\sqrt{11}, 2\sqrt{11})$.

La figure 4 montre la sphère et le point le plus proche P. Voyez-vous comment déterminer les coordonnées de P sans l'aide du calcul différentiel ?

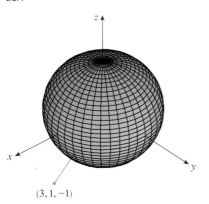

$(3, 1, -1)$

FIGURE 4

■ Deux contraintes

On veut maintenant déterminer les valeurs maximales et minimales de $f(x, y, z)$ lorsque (x, y, z) est soumis à deux contraintes $g(x, y, z) = k$ et $h(x, y, z) = c$. Géométriquement, cela revient à chercher les valeurs extrêmes de f lorsque (x, y, z) se trouve sur la courbe intersection des surfaces de niveau $g(x, y, z) = k$ et $h(x, y, z) = c$. Il est possible de montrer que si une valeur extrême se produit en (x_0, y_0, z_0), alors le vecteur gradient $\nabla f(x_0, y_0, z_0)$ appartient au plan déterminé par les vecteurs $\nabla g(x_0, y_0, z_0)$ et $\nabla h(x_0, y_0, z_0)$. (On suppose que ces vecteurs ne sont pas parallèles.) Il existe donc des nombres λ et μ (appelés des multiplicateurs de Lagrange) tels que

16
$$\nabla f(x_0, y_0, z_0) = \lambda \nabla g(x_0, y_0, z_0) + \mu \nabla h(x_0, y_0, z_0).$$

Dans ce cas, la méthode de Lagrange consiste à chercher les valeurs extrêmes en résolvant un système de cinq équations en les cinq inconnues x, y, z, λ et μ. Ces cinq équations sont celles que l'on obtient en développant (16) en ses composantes et en ajoutant les équations des contraintes :

$$f'_x = \lambda g'_x + \mu h'_x$$

$$f'_y = \lambda g'_y + \mu h'_y$$

$$f'_z = \lambda g'_z + \mu h'_z$$

$$g(x, y, z) = k$$

$$h(x, y, z) = c$$

EXEMPLE 5 ■ Déterminez la valeur maximale de $f(x, y, z) = x + 2y + 3z$ sur la courbe d'intersection du plan $x - y + z = 1$ et du cylindre $x^2 + y^2 = 1$.

SOLUTION Il s'agit de chercher le maximum de la fonction $f(x, y, z) = x + 2y + 3z$ sous les contraintes $g(x, y, z) = x - y + z = 1$ et $h(x, y, z) = x^2 + y^2 = 1$. Comme la condition de Lagrange est $\nabla f = \lambda \nabla g + \mu \nabla h$, on a à résoudre les équations

17
$$1 = \lambda + 2x\mu$$

18
$$2 = -\lambda + 2y\mu$$

19
$$3 = \lambda$$

20
$$x - y + z = 1$$

21
$$x^2 + y^2 = 1$$

En introduisant $\lambda = 3$ [de (19)] dans (17), on a $2x\mu = -2$, ou $x = -1/\mu$. De même, (18) donne $y = 5/(2\mu)$. La substitution de ces expressions de x et y dans (21) conduit à

$$\frac{1}{\mu^2} + \frac{25}{4\mu^2} = 1,$$

de sorte que $\mu^2 = \frac{29}{4}$, $\mu = \pm\sqrt{29}/2$. Ensuite, $x = \mp 2/\sqrt{29}$, $y = \pm 5/\sqrt{29}$, et, de (20),

Le cylindre $x^2 + y^2 = 1$ coupe le plan $x - y + z = 1$ selon une ellipse (Figure 5). L'exemple 5 demande le maximum de f quand (x, y, z) est limité à l'ellipse.

FIGURE 5

$z = 1 - x + y = 1 \pm 7/\sqrt{29}$. Les valeurs correspondantes de f sont

$$\mp \frac{2}{\sqrt{29}} + 2\left(\pm \frac{5}{\sqrt{29}}\right) + 3\left(1 \pm \frac{7}{\sqrt{29}}\right) = 3 \pm \sqrt{29}.$$

Le maximum de f sur la courbe donnée est finalement $3 + \sqrt{29}$.

11.8 Exercices

1. Voici représentés le diagramme des courbes de niveau de f et une courbe d'équation $g(x,y) = 8$. Estimez les valeurs maximale et minimale de f soumise à la contrainte $g(x,y) = 8$. Expliquez votre raisonnement.

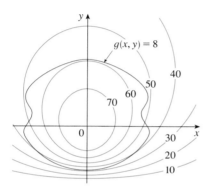

2. a) Avec une calculatrice graphique ou un ordinateur, dessinez le cercle $x^2 + y^2 = 1$. Sur le même écran représentez plusieurs courbes de la forme $x^2 + y = c$ jusqu'à ce que vous en trouviez deux qui touchent juste le cercle. Quelle est l'interprétation des valeurs de c pour ces deux courbes ?

b) Calculez par la méthode des multiplicateurs de Lagrange les valeurs extrêmes de $f(x,y) = x^2 + y$ sous la contrainte $x^2 + y^2 = 1$. Comparez ces réponses avec celles de la partie a).

3-17 ■ Calculez par la méthode des multiplicateurs de Lagrange les valeurs extrêmes de la fonction sous la (ou les) contrainte(s) donnée(s).

3. $f(x,y) = x^2 - y^2$; $x^2 + y^2 = 1$

4. $f(x,y) = 2x + y$; $x^2 + 4y^2 = 1$

5. $f(x,y) = xy$; $9x^2 + y^2 = 4$

6. $f(x,y) = x^2 + y^2$; $x^4 + y^4 = 1$

7. $f(x,y,z) = x + 3y + 5z$; $x^2 + y^2 + z^2 = 1$

8. $f(x,y,z) = x - y + 3z$; $x^2 + y^2 + 4z^2 = 4$

9. $f(x,y,z) = xyz$; $x^2 + 2y^2 + 3z^2 = 6$

10. $f(x,y,z) = x^2y^2z^2$; $x^2 + y^2 + z^2 = 1$

11. $f(x,y,z) = x^2 + y^2 + z^2$; $x^4 + y^4 + z^4 = 1$

12. $f(x,y,z) = x^4 + y^4 + z^4$; $x^2 + y^2 + z^2 = 1$

13. $f(x,y,z,t) = x + y + z + t$; $x^2 + y^2 + z^2 + t^2 = 1$

14. $f(x_1, x_2, \ldots, x_n) = x_1 + x_2 + \cdots + x_n$; $x_1^2 + x_2^2 + \cdots + x_n^2 = 1$

15. $f(x,y,z) = x + 2y$; $x + y + z = 1$, $y^2 + z^2 = 4$

16. $f(x,y,z) = 3x - y - 3z$; $x + y - z = 0$, $x^2 + 2z^2 = 1$

17. $f(x,y,z) = yz + xy$; $xy = 1$, $y^2 + z^2 = 1$

18-19 ■ Déterminez les valeurs extrêmes de f sur la région décrite par l'inégalité.

18. $f(x,y) = 2x^2 + 3y^2 - 4x - 5$, $x^2 + y^2 \le 16$

19. $f(x,y) = e^{-xy}$, $x^2 + 4y^2 \le 1$

20. a) Si votre logiciel de calcul formel trace des courbes décrites implicitement, utilisez-le pour situer graphiquement le maximum et le minimum de $f(x,y) = x^3 + y^3 + 3xy$ sous la contrainte $(x-3)^2 + (y-3)^2 = 9$.

b) Résolvez le problème de la partie a) par les multiplicateurs de Lagrange. Effectuez la résolution numérique des équations à l'aide de votre logiciel de calcul formel. Comparez vos réponses avec celles de la partie a).

21. La production totale P d'un certain produit est fonction de la main d'œuvre totale L et du capital investi K. On a vu dans les sections 11.1 et 11.3 comment le modèle de Cobb-Douglas $P = bL^\alpha K^{1-\alpha}$ découle de certaines hypothèses économiques, où b et α sont des constantes positives et $\alpha < 1$. Si m désigne le coût unitaire du travail et n celui du capital, et si la société a un budget limité à p euros, le problème se pose de produire le plus possible sous cette contrainte de budget $mL + nK = p$. Montrez que la production est maximale quand

$$L = \frac{\alpha p}{m} \qquad \text{et} \qquad K = \frac{(1-\alpha)p}{n}.$$

22. Dans le même cadre que celui de l'exercice 21, on suppose maintenant que la production est fixée à $bL^\alpha K^{1-\alpha} = Q$ où Q est une constante. Quelles sont les valeurs de L et K qui vont diminuer le plus la fonction de coût $C(L,K) = mL + nK$?

23. Démontrez par la méthode des multiplicateurs de Lagrange que, de tous les rectangles de périmère p fixé, c'est le carré qui a la plus grande aire.

24. Démontrez par la méthode des multiplicateurs de Lagrange que, de tous les triangles de périmère p fixé, c'est le triangle équilatéral qui a la plus grande aire. [*Suggestion :* Utilisez la formule de Héron de l'aire : $A = \sqrt{s(s-x)(s-y)(s-z)}$ où $s = p/2$ et x, y, z sont les longueurs des côtés.]

25-35 ■ Employez la méthode de Lagrange pour résoudre différemment l'exercice indiqué de la section 11.7.

25. Exercice 31   **26.** Exercice 32

27. Exercice 33   **28.** Exercice 34

29. Exercice 35   **30.** Exercice 36

31. Exercice 37   **32.** Exercice 38

33. Exercice 39   **34.** Exercice 40

35. Exercice 41

36. Déterminez les volumes maximal et minimal d'une boîte rectangulaire dont la surface mesure 1500 cm² et la somme des longueurs des arêtes, 200 cm.

37. Le plan $x + y + 2z = 2$ coupe le paraboloïde $z = x^2 + y^2$ selon une ellipse. Déterminez les points de cette ellipse qui sont le plus proche et le plus éloigné de l'origine.

38. a) Rendez $\sum_{i=1}^{n} x_i y_i$ maximum sous les contraintes $\sum_{i=1}^{n} x_i^2 = 1$ et $\sum_{i=1}^{n} y_i^2 = 1$.

b) Posez
$$x_i = \frac{a_i}{\sqrt{\sum a_i^2}} \qquad \text{et} \qquad y_i = \frac{b_i}{\sqrt{\sum b_i^2}},$$

pour montrer que
$$\sum a_i b_i \leq \sqrt{\sum a_i^2} \sqrt{\sum b_i^2},$$

quels que soient les nombres $a_1, \ldots, a_n$, $b_1, \ldots, b_n$. Cette inégalité est connue sous le nom d'inégalité de Cauchy-Schwarz.

Projet appliqué

La science des fusées

Beaucoup de fusées, telle la fusée Pegasus XL utilisée fréquemment pour mettre en orbite des satellites et la fusée Saturn V qui a porté le premier homme sur la lune, utilisent trois étages dans leur montée vers l'espace. Le premier étage, plus grand que les autres, fournit la première poussée. Cet étage est largué dès que le carburant est épuisé, de façon à réduire le poids de la fusée. Les étages suivants fonctionnent de la même manière et mettent la charge utile en orbite autour de la Terre. (Avec cette technique, il faut au minimum deux étages pour parvenir à atteindre la vitesse suffisante, et l'utilisation de trois étages est manifestement un bon compromis entre le coût et la performance.) Notre but est de calculer les masses respectives des trois étages en minimisant la masse totale tout en atteignant la vitesse désirée.

Pour une fusée à un seul étage, à consommation de carburant constante, voici le modèle de la variation de vitesse découlant de l'accélération de la fusée :

$$\Delta V = -c \ln\left(1 - \frac{(1-S)M_r}{P + M_r}\right),$$

où M_r est la masse de la fusée moteur comprenant le carburant initial, P la masse de la charge utile, S un facteur déterminé par la structure de la fusée (plus précisément, il s'agit du rapport entre la masse de la fusée sans carburant et la masse totale de la fusée plus la charge utile), et c la vitesse (constante) des gaz de combustion par rapport à la fusée.

Considérons une fusée de trois étages et une charge utile de masse A. Négligeons les forces extérieures et supposons que c et S sont constants pour chaque étage. Si M_i est la masse du $i^{\text{ème}}$ étage, nous commençons par analyser la fusée comme ayant une masse M_1 et une charge utile de masse $M_2 + M_3 + A$; les deuxième et troisième étages seront traités de la même façon.

1. Montrez que la vitesse acquise après le largage des trois étages est donnée par :

$$v_f = c\left[\ln\left(\frac{M_1 + M_2 + M_3 + A}{SM_1 + M_2 + M_3 + A}\right) + \ln\left(\frac{M_2 + M_3 + A}{SM_2 + M_3 + A}\right) + \ln\left(\frac{M_3 + A}{SM_3 + A}\right)\right]$$

2. On souhaite rendre la plus faible possible la masse totale $M = M_1 + M_2 + M_3$ de la fusée moteur tout en veillant à ce que la vitesse souhaitée v_f du problème 1 soit atteinte. La méthode des multiplicateurs de Lagrange est celle qui convient ici, mais il est difficile de l'appliquer vu les expressions en jeu. Pour simplifier, on définit des variables N_i telles que l'équation de la contrainte puisse s'écrire $v_f = c(\ln N_1 + \ln N_2 + \ln N_3)$. Vu qu'il est maintenant malaisé d'exprimer M en termes de N_i, on souhaite se servir d'une fonction plus simple qui serait minimale en même temps. Montrez que

$$\frac{M_1 + M_2 + M_3 + A}{M_2 + M_3 + A} = \frac{(1 - S)N_1}{1 - SN_1}$$

$$\frac{M_2 + M_3 + A}{M_3 + A} = \frac{(1 - S)N_2}{1 - SN_2}$$

$$\frac{M_3 + A}{A} = \frac{(1 - S)N_3}{1 - SN_3}$$

et concluez que

$$\frac{M + A}{A} = \frac{(1 - S)^3 N_1 N_2 N_3}{(1 - SN_1)(1 - SN_2)(1 - SN_3)}$$

3. Vérifiez que $\ln((M + A)/A)$ atteint un minimum en même temps que M ; servez-vous des multiplicateurs de Lagrange et des résultats du problème 2 pour déterminer des expressions des valeurs de N_i où se produisent le minimum sous la contrainte $v_f = c(\ln N_1 + \ln N_2 + \ln N_3)$. (*Remarque* : Les propriétés des logarithmes contribuent à simplifier les expressions.)

4. Trouvez une expression de la valeur minimale de M en fonction de v_f.

5. Pour qu'une fusée à trois étages mette une charge utile en orbite à 160 km au-dessus de la surface de la terre, il faut atteindre une vitesse finale d'environ 28 100 km/h. Supposons que chaque étage est construit avec un facteur structurel $S = 0{,}2$ et une vitesse de gaz de combustion $c = 9600$ km/h.

a) Trouvez le minimum de la masse totale M en fonction de A.

b) Trouvez la masse de chaque étage en fonction de A (ils ne sont pas de même taille).

6. La vitesse finale nécessaire à la même fusée pour échapper à la gravitation terrestre est d'environ 397 400 km/h. Trouvez la masse de chaque étage qui minimise la masse totale de la fusée et lui permette de lancer une sonde de 240 kg dans l'espace.

Projet appliqué

Optimisation d'une centrale hydroélectrique

Une grande usine de papeterie, installée à Millinocket dans le Maine (États-Unis), exploite une centrale hydroélectrique sur la rivière Penobscot. À partir d'un barrage, l'eau est canalisée vers la centrale. Le débit varie en fonction des conditions extérieures.

La centrale dispose de trois turbines hydroélectriques, et chaque turbine a une fonction de puissance (unique et connue) qui donne la puissance électrique générée en fonction du débit d'eau qui actionne la turbine. L'eau peut être partagée différemment entre les turbines, et l'objectif est de calculer la répartition de l'eau qui maximise la production totale d'énergie, quelle que soit la quantité d'eau disponible.

Les observations expérimentales et l'*équation de Bernoulli* ont permis d'établir les modèles quadratiques de la production d'énergie de chaque turbine, ainsi que les débits d'eau autorisés pour chaque turbine :

$$KW_1 = (-18,89 + 0,1277Q_1 - 4,08 \cdot 10^{-5}Q_1^2)(170 - 1,6 \cdot 10^{-6}Q_T^2)$$

$$KW_2 = (-24,51 + 0,1358Q_2 - 4,69 \cdot 10^{-5}Q_2^2)(170 - 1,6 \cdot 10^{-6}Q_T^2)$$

$$KW_3 = (-27,02 + 0,1380Q_3 - 3,84 \cdot 10^{-5}Q_3^2)(170 - 1,6 \cdot 10^{-6}Q_T^2)$$

$$250 \leq Q_1 \leq 1110, \quad 250 \leq Q_2 \leq 1110, \quad 250 \leq Q_3 \leq 1225$$

où

$Q_i = $ le débit d'eau pour la $i^{\text{ème}}$ turbine en mètres cubes par seconde,

$KW_i = $ la puissance générée par la $i^{\text{ème}}$ turbine en kilowatts,

$Q_T = $ le débit d'eau disponible pour la centrale en mètres cubes par seconde.

1. Dans l'hypothèse où les trois turbines sont utilisées en même temps, on souhaite calculer les débits Q_i de chaque turbine qui correspondent à la production d'un maximum d'énergie, compte tenu des limites de quantité d'eau par turbine et du fait que la somme de ces quantités doit être égale au débit total Q_T. Par conséquent, on utilise les multiplicateurs de Lagrange pour calculer les quantités individuelles (en fonction de Q_T) qui maximisent la production d'énergie totale $KW_1 + KW_2 + KW_3$, avec les contraintes $Q_1 + Q_2 + Q_3 = Q_T$ et les restrictions sur chaque Q_i.

2. Pour quelles valeurs de Q_T votre résultat est-il valable ?

3. Calculez la répartition d'eau entre les turbines pour un débit entrant de 70 mètres cubes par seconde et vérifiez (en faisant les calculs pour des répartitions proches) qu'il s'agit bien d'un maximum.

4. Jusqu'à présent nous avons supposé que les trois turbines fonctionnaient en même temps ; serait-il possible, et dans quelles conditions, de produire plus de puissance en utilisant une seule turbine ? Faire un graphique des trois fonctions de puissance et, à partir de ce graphique, décidez si un débit de 28 m³/s doit être réparti entre trois turbines ou alimenter une seule (et laquelle). Et si le débit est de 17 m³/s ?

5. Il pourrait être préférable, pour certains débits, d'utiliser deux turbines. Si le débit est de 43 m³/s, quelles turbines recommanderiez-vous d'utiliser ? A l'aide des multiplicateurs de Lagrange, calculez comment le débit doit être partagé entre les deux turbines pour maximiser l'énergie produite. L'utilisation de deux turbines est-elle plus efficace pour ce débit, que de les utiliser toutes les trois ?

6. Que faudrait-il recommander à l'entreprise si le débit est de 96 m³/s ?

Chapitre 11 Révision

● CONTRÔLE DES CONCEPTS ●

1. a) Qu'est-ce qu'une fonction de deux variables ?

   b) Décrivez deux façons de visualiser une fonction de deux variables. Comment sont-elles liées entre elles ?

2. Qu'est-ce qu'une fonction de trois variables ? Comment peut-on visualiser une telle fonction ?

3. Que signifie
$$\lim_{(x,y) \to (a,b)} f(x,y) = L?$$

Comment montrer qu'une telle limite n'existe pas ?

4. a) Que veut dire que f est continue en (a,b) ?

   b) Si f est continue sur $\mathbb{R}^2$, que pouvez-vous dire de sa représentation graphique ?

5. a) Écrivez des expressions sous forme de limite des dérivées partielles $f'_x(a,b)$ et $f'_y(a,b)$.

b) Quelle est l'interprétation géométrique de $f_x'(a,b)$ et $f_y'(a,b)$? Comment les interprétez-vous en termes de taux de variation ?

c) Connaissant la formule de $f(x,y)$, comment calculez-vous f_x' et f_y' ?

6. Qu'affirme le théorème de Clairaut ?

7. Quelle est l'équation du plan tangent à chacun des types de surface ?

a) Une représentation graphique d'une fonction de deux variables $z = f(x,y)$.

b) Une surface de niveau d'une fonction de trois variables $F(x,y,z) = k$.

c) Une surface décrite paramétriquement par une fonction vectorielle $\vec{r}(u,v)$.

8. Qu'est-ce que la linéarisation de f en (a,b) ? Quelle est l'approximation linéaire correspondante ? Quelle est l'interprétation géométrique de l'approximation linéaire ?

9. a) Qu'entend-on par f est différentiable en (a,b) ?

b) Comment vérifie-t-on habituellement que f est différentiable ?

10. Que sont les différentielles dx, dy et dz pour $z = f(x,y)$?

11. Énoncez la Règle de dérivation des fonctions composées dans le cas où $z = f(x,y)$ et x et y sont des fonctions d'une seule variable. Et si x et y sont des fonctions de deux variables ?

12. Si c'est par une équation implicite de la forme $F(x,y,z) = 0$ que z est définie comme une fonction de x et y, comment calculez-vous $\partial z/\partial x$ et $\partial z/\partial y$?

13. a) Écrivez l'expression en termes de limite de la dérivée de f en (x_0, y_0) dans la direction du vecteur unité $\vec{u} = (a, b)$. Quelle en est l'interprétation en tant que taux de variation ? Quelle en est l'interprétation géométrique ?

b) Dans le cas où f est différentiable, écrivez une expression de $f_{\vec{u}}'(x_0, y_0)$ en termes de f_x' et f_y'.

14. a) Définissez le vecteur gradient ∇f d'une fonction f de deux ou de trois variables.

b) Exprimez $f_{\vec{u}}'$ en fonction de ∇f.

c) Quelle est la signification géométrique du gradient ?

15. Expliquez les énoncés suivants :

a) f a un maximum local en (a, b).

b) f a un maximum absolu en (a, b).

c) f a un minimum local en (a, b).

d) f a un minimum absolu en (a, b).

e) f a un point-selle en (a, b).

16. a) Si en (a, b) f présente un maximum local, que pouvez-vous dire de ses dérivées partielles en (a, b) ?

b) Qu'est-ce qu'un point critique de f ?

17. Énoncez le Test de la dérivée seconde.

18. a) Qu'est-ce qu'un ensemble fermé de $\mathbb{R}^2$? Qu'est-ce qu'un ensemble borné ?

b) Énoncez le Théorème des valeurs extrêmes pour les fonctions de deux variables ?

c) Comment repère-t-on les valeurs dont le Théorème des valeurs extrêmes garantit l'existence ?

19. Expliquez comment fonctionne la méthode des multiplicateurs de Lagrange pour trouver les valeurs extrêmes de $f(x, y, z)$ sous la contrainte $g(x, y, z) = k$. Et s'il y a une seconde contrainte $h(x, y, z) = c$?

▲ **VRAI-FAUX** ▲

Dites si la proposition est vraie ou fausse. Si elle est vraie, expliquez pourquoi. Si elle est fausse, expliquez pourquoi et donnez un exemple qui contredit la proposition.

1. $f_y'(a,b) = \lim\limits_{y \to b} \dfrac{f(a,y) - f(a,b)}{y - b}$.

2. Il existe une fonction f qui a des dérivées secondes partielles continues et telle que $f_x'(x,y) = x + y^2$ et $f_y'(x,y) = x - y^2$.

3. $f_{xy}'' = \dfrac{\partial^2 f}{\partial x \partial y}$

4. $f_k'(x,y,z) = f_z'(x,y,z)$

5. Lorsque $f(x,y) \to L$ pour $(x,y) \to (a,b)$ le long de toutes les droites passant par (a,b), alors $\lim_{(x,y) \to (a,b)} f(x,y) = L$.

6. f est différentiable en (a,b) dès que $f_x'(a,b)$ et $f_y'(a,b)$ existent toutes les deux.

7. Si f admet un minimum local en (a,b) et si f est différentiable en (a,b), alors $\nabla f(a,b) = \vec{0}$.

8. $\lim\limits_{(x,y) \to (1,1)} \dfrac{x - y}{x^2 - y^2} = \lim\limits_{(x,y) \to (1,1)} \dfrac{1}{x + y} = \dfrac{1}{2}$.

9. Si $f(x,y) = \ln y$, alors $\nabla f(x,y) = 1/y$.

10. Le point $(2,1)$ est un point-selle de f si $(2,1)$ est un point critique et si

$$f_{xx}''(2,1) f_{yy}''(2,1) < [f_{xy}''(2,1)]^2.$$

11. Si $f(x,y) = \sin x + \sin y$, alors $-\sqrt{2} \leqslant f_{\vec{u}}'(x,y) \leqslant \sqrt{2}$.

12. Si $f(x,y)$ admet deux maxima locaux, alors f admet aussi un minimum local.

◆ EXERCICES ◆

1-2 ■ Déterminez et tracez le domaine de définition de la fonction.

1. $f(x, y) = \text{Arcsin}\, x + \text{Arctg}\, y$ **2.** $f(x, y, z) = \sqrt{z - x^2 - y^2}$

3-4 ■ Représentez graphiquement la fonction.

3. $f(x, y) = 1 - x^2 - y^2$ **4.** $f(x, y) = \sqrt{x^2 + y^2 - 1}$

5-6 ■ Tracez quelques courbes de niveau de la fonction.

5. $f(x, y) = e^{-(x^2+y^2)}$ **6.** $f(x, y) = x^2 + 4y$

7-8 ■ Calculez la limite ou montrez qu'elle n'existe pas.

7. $\displaystyle\lim_{(x,y)\to(1,1)} \frac{2xy}{x^2 + 2y^2}$ **8.** $\displaystyle\lim_{(x,y)\to(0,0)} \frac{2xy}{x^2 + 2y^2}$

9. Une plaque métallique, située dans le plan Oxy, occupe le rectangle $0 \leqslant x \leqslant 10$, $0 \leqslant y \leqslant 8$, où x et y sont mesurés en mètres. La température au point (x, y), mesuré en degrés Celsius, est désignée par $T(x, y)$. Les températures en des points régulièrement espacés ont été mesurées et rassemblées dans la table.

x \ y	0	2	4	6	8
0	30	38	45	51	55
2	52	56	60	62	61
4	78	74	72	68	66
6	98	87	80	75	71
8	96	90	86	80	75
10	92	92	91	87	78

a) Estimez les valeurs des dérivées partielles $T'_x(6, 4)$ et $T'_y(6, 4)$. En quelles unités s'expriment-elles ?

b) Estimez la valeur de $T'_{\vec{u}}(6, 4)$, où $\vec{u} = (\vec{i} + \vec{j})/\sqrt{2}$. Interprétez votre résultat.

c) Estimez la valeur de $T''_{xy}(6, 4)$.

10. Écrivez une approximation linéaire de la fonction température $T(x, y)$ de l'exercice 9 à proximité du point $(6, 4)$. Quelle valeur approchée de la température fournit-elle au point $(5 ; 3,8)$?

11-15 ■ Calculez l'expression des dérivées partielles premières.

11. $f(x, y) = 3x^4 - x\sqrt{y}$ **12.** $g(x, y) = \dfrac{x}{\sqrt{x + 2y}}$

13. $f(s, t) = e^{2s}\cos \pi t$ **14.** $g(r, s) = r\sin\sqrt{r^2 + s^2}$

15. $f(x, y, z) = xy^z$

16. Le son se propage dans l'eau de mer à une vitesse qui dépend de la température, de la teneur en sel et de la pression. Elle a été modélisée par la fonction

$$C = 1449{,}2 + 4{,}6T - 0{,}055T^2 + 0{,}00029T^3 + (1{,}34 - 0{,}01T)(S - 35) + 0{,}016D$$

où C est exprimée en mètres par seconde, où T désigne la température en degrés Celsius, S la teneur en sel (la concentration en sel s'exprime en parts par millième ou nombre de grammes de solide dissout par 1000 g d'eau) et où D est la profondeur par rapport à la surface de la mer (en mètres). Calculez $\partial C/\partial T$, $\partial C/\partial S$ et $\partial C/\partial D$ quand $T = 10°\text{C}$, $S = 35$ parts par millième et $D = 100$ m. Expliquez la signification de ces différentes dérivées partielles.

17-20 ■ Calculez l'expression de toutes les dérivées partielles secondes de f.

17. $f(x, y) = x^2y^3 - 2x^4 + y^2$

18. $f(x, y) = x^3\ln(x - y)$

19. $f(x, y, z) = xy^2z^3$ **20.** $f(x, y, z) = xe^y\cos z$

21. Démontrez que $\dfrac{x}{y}\dfrac{\partial u}{\partial x} + \dfrac{1}{\ln x}\dfrac{\partial u}{\partial y} = 2u$, si $u = x^y$.

22. Démontrez que

$$\frac{\partial^2 \rho}{\partial x^2} + \frac{\partial^2 \rho}{\partial y^2} + \frac{\partial^2 \rho}{\partial z^2} = \frac{2}{\rho}$$

si $\rho = \sqrt{x^2 + y^2 + z^2}$.

23-27 ■ Écrivez une équation du plan tangent à la surface donnée au point spécifié.

23. $z = x^2 + y^2 + 4y$, $(0, 1, 5)$

24. $z = xe^y$, $(1, 0, 1)$

25. $xy^2z^3 = 12$, $(3, 2, 1)$

26. $x^2 + y^2 + z^2 = 29$, $(2, 3, 4)$

27. $\vec{r}(u, v) = v^2\vec{i} - uv\vec{j} + u^2\vec{k}$, $(4, -2, 1)$

28. À l'aide d'un ordinateur, dessinez la surface $z = x^3 + 2xy$, son plan tangent et la droite normale en $(1, 2, 5)$ dans un même écran. Choisissez convenablement le domaine de définition et le point de vue afin de bien voir les trois objets.

29. En quels points de la sphère $x^2 + y^2 + z^2 = 1$ le plan tangent est-il parallèle au plan $2x + y - 3z = 2$?

30. Calculez l'expression de dz si $z = x^2\text{Arctg}\, y$.

31. Cherchez l'approximation linéaire de la fonction $f(x, y, z) = x^3\sqrt{y^2 + z^2}$ au point $(2, 3, 4)$ et calculez la valeur approximative qu'elle donne du nombre $(1{,}98)^3\sqrt{(3{,}01)^2 + (3{,}97)^2}$.

32. Les deux côtés de l'angle droit d'un triangle rectangle mesurent 5 m et 12 m respectivement à 0,2 cm près pour chacun. Grâce aux différentielles, estimez l'erreur maximale que cette imprécision dans la mesure peut entraîner a) sur l'aire du triangle et b) sur la longueur de l'hypoténuse.

33. Calculez, par la Règle de dérivation des fonctions composées, dw/dt, si $w = \sqrt{x} + y^2/z$, $x = e^{2t}$, $y = t^3 + 4t$ et $z = t^2 - 4$.

34. Calculez, par la Règle de dérivation des fonctions composées, $\partial z/\partial u$ et $\partial z/\partial v$, si $z = \cos xy + y \cos x$, $x = u^2 + v$ et $y = u - v^2$.

35. On suppose que $z = f(x, y)$, $x = g(s, t)$, $y = h(s, t)$, $g(1, 2) = 3$, $g'_s(1, 2) = -1$, $g'_t(1, 2) = 4$, $h(1, 2) = 6$, $h'_s(1, 2) = -5$, $h'_t(1, 2) = 10$, $f'_x(3, 6) = 7$ et $f'_y(3, 6) = 8$. Calculez $\partial z/\partial s$ et $\partial z/\partial t$ quand $s = 1$ et $t = 2$.

36. Aidez-vous d'un diagramme en arbre pour écrire la formule de la dérivée des fonctions composées dans le cas où $w = f(t, u, v)$, $t = t(p, q, r, s)$, $u = u(p, q, r, s)$, $v = v(p, q, r, s)$ sont toutes des fonctions différentiables.

37. Démontrez que

$$y \frac{\partial z}{\partial x} + x \frac{\partial z}{\partial y} = x$$

si $z = y + f(x^2 - y^2)$.

38. La longueur x d'un côté d'un triangle augmente à raison de 3 cm/s, la longueur y d'un autre côté diminue de 2 cm/s et l'angle θ que ces côtés font entre eux s'ouvre de 0,05 rad/s. À quelle vitesse varie l'aire du triangle quand $x = 40$ cm, $y = 50$ cm et $\theta = \pi/6$?

39. Démontrez que

$$x^2 \frac{\partial^2 z}{\partial x^2} - y^2 \frac{\partial^2 z}{\partial y^2} = -4uv \frac{\partial^2 z}{\partial u \, \partial v} + 2v \frac{\partial z}{\partial v}$$

si $z = f(u, v)$, avec $u = xy$, $v = y/x$ et si f a des dérivées secondes partielles continues.

40. Calculez $\dfrac{\partial z}{\partial x}$ et $\dfrac{\partial z}{\partial y}$, si $yz^4 + x^2z^3 = e^{xyz}$.

41. Quel est le gradient de la fonction $f(x, y, z) = z^2 e^{x\sqrt{y}}$?

42. a) Quand la dérivée de f dans une direction est-elle maximale ?
   b) Quand est-elle minimale ?
   c) Quand est-elle nulle ?
   d) Quand vaut-elle la moitié de sa valeur maximale ?

43-44 ■ Déterminez la dérivée de f au point donné dans la direction indiquée.

43. $f(x, y) = 2\sqrt{x} - y^2$, $(1, 5)$, dans la direction du point $(4, 1)$.

44. $f(x, y, z) = x^2y + x\sqrt{1 + z}$, $(1, 2, 3)$, dans la direction de $\vec{v} = 2\vec{i} + \vec{j} - 2\vec{k}$.

45. Déterminez le taux maximal de variation de $f(x, y) = x^2y + \sqrt{y}$ au point $(2, 1)$. Dans quelle direction se produit-il ?

46. Dans quelle direction $f(x, y, z) = ze^{xy}$ croît-elle le plus vite au point $(0, 1, 2)$. Que vaut cette vitesse maximale d'accroissement ?

47. La figure montre les courbes de niveau de la vitesse du vent (en nœuds) pendant l'ouragan Andrew, le 24 août 1992. Grâce à cette carte, estimez la valeur de la dérivée de la vitesse du vent à

Homestead, Floride, dans la direction du centre de l'ouragan.

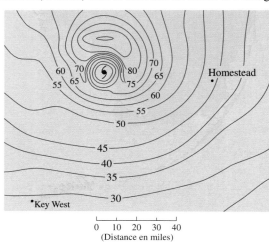

48. Déterminez des équations paramétriques de la droite tangente au point $(-2, 2, 4)$ à la courbe d'intersection de la surface $z = 2x^2 - y^2$ avec le plan $z = 4$.

49-52 ■ Localisez les valeurs maximales et minimales ainsi que les points-selles de la fonction. Si vous disposez d'un grapheur à trois dimensions, dessinez le graphique de la fonction sur un domaine et sous un angle de vue qui fassent apparaître tous les faits marquants de la fonction.

49. $f(x, y) = x^2 - xy + y^2 + 9x - 6y + 10$

50. $f(x, y) = x^3 - 6xy + 8y^3$

51. $f(x, y) = 3xy - x^2y - xy^2$

52. $f(x, y) = (x^2 + y)e^{y/2}$

53-54 ■ Déterminez les valeurs maximale et minimale de f sur l'ensemble D.

53. $f(x, y) = 4xy^2 - x^2y^2 - xy^3$; D est la région triangulaire fermée du plan Oxy de sommets $(0, 0)$, $(0, 6)$ et $(6, 0)$.

54. $f(x, y) = e^{-x^2-y^2}(x^2 + 2y^2)$; D est le disque $x^2 + y^2 \leqslant 4$.

55. Utilisez un graphique et/ou un diagramme de courbes de niveau pour estimer les valeurs maximales et minimales ainsi que les points-selles de $f(x, y) = x^3 - 3x + y^4 - 2y^2$. Ensuite, calculez ces valeurs avec précision à l'aide des outils du calcul différentiel.

56. Servez-vous d'un outil graphique (ou de la méthode de Newton ou d'un logiciel de calcul des racines) pour déterminer les points critiques de $f(x, y) = 12 + 10y - 2x^2 - 8xy - y^4$ avec une précision de 3 décimales. Ensuite, reconnaissez de quelle nature sont ces points critiques et déterminez le point le plus haut du graphique.

57-60 ■ Déterminez par la méthode des multiplicateurs de Lagrange les valeurs extrêmes de f sous la (ou les) contrainte(s).

57. $f(x, y) = x^2 y;\quad x^2 + y^2 = 1$

58. $f(x, y) = \dfrac{1}{x} + \dfrac{1}{y};\quad \dfrac{1}{x^2} + \dfrac{1}{y^2} = 1$

59. $f(x, y, z) = x + y + z;\quad \dfrac{1}{x} + \dfrac{1}{y} + \dfrac{1}{z} = 1$

60. $f(x, y, z) = x^2 + 2y^2 + 3z^2;$
$x + y + z = 1,\quad x - y + 2z = 2$

61. Quels sont les points de la surface $xy^2 z^3 = 2$ les plus proches de l'origine ?

62. Seuls sont admis comme colis postaux les colis de forme rectangulaire dont la somme de la longueur et du périmètre d'une section perpendiculaire à la longueur ne dépasse pas 2 m. Déterminez les dimensions du colis de volume maximum qui soit admis comme colis postal.

63. On construit un pentagone en plaçant un triangle isocèle sur un rectangle, comme le montre la figure. Si le périmètre P du pentagone est fixé, déterminez les longueurs des côtés du pentagone qui maximise son aire.

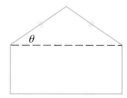

64. Un point matériel de masse m se meut sur la surface $z = f(x, y)$. Soit $x = x(t)$, $y = y(t)$ les coordonnées du point au moment t.

a) Calculez le vecteur vitesse $\vec{v}$ et l'énergie cinétique $K = \frac{1}{2} m \|\vec{v}\|^2$ du point matériel.

b) Déterminez le vecteur accélération $\vec{a}$.

c) Soit $z = x^2 + y^2$ et $x(t) = t \cos t$, $y(t) = t \sin t$. Déterminez le vecteur vitesse, l'énergie cinétique et le vecteur accélération.

**Pleins feux
sur la résolution
de problèmes**

1. Un rectangle de longueur L et de largeur l est découpé en quatre rectangles plus petits par deux droites parallèles aux côtés. Cherchez le maximum et le minimum de la somme des carrés des aires de ces plus petits rectangles.

2. Le plan $x + y + z = 24$ coupe le paraboloïde $z = x^2 + y^2$ selon une ellipse. Quel est le point le plus haut et le point le plus bas de l'ellipse ?

3. On suppose que f est une fonction différentiable d'une variable. Démontrez que tous les plans tangents à la surface $z = xf(y/x)$ se coupent en un même point.

4. Les biologistes de la mer ont remarqué que quand un requin détecte la présence de sang dans l'eau, il se met à nager vers là où la concentration de sang augmente le plus rapidement. Basée sur certains tests effectués en mer, la concentration de sang (en parts par million) en un point $P(x, y)$ sur la surface est approximée par

$$C(x, y) = e^{-(x^2 + 2y^2)/10^4},$$

où x et y sont mesurés en mètres dans un système de coordonnées rectangulaires dont la source du sang occupe l'origine.

a) Identifiez les courbes de niveau de la fonction concentration et dessinez quelques membres de cette famille ainsi qu'une trajectoire suivie par le requin en direction de la source.

b) On suppose qu'un requin est en (x_0, y_0) quand il détecte la présence de sang dans l'eau. Écrivez une équation de la trajectoire en établissant une équation différentielle et en la résolvant.

5. Un long morceau de métal galvanisé de w cm de large doit être plié de façon à former une gouttière. La figure 5 montre une section en forme de trapèze ouvert.

Figure relative au problème 5

a) Déterminez les dimensions qui rendent le flux maximum ; c'est-à-dire qui maximise l'aire de la section.

b) Une section en forme de demi-cercle serait-elle meilleure qu'une section de forme trapézique ?

6. a) La méthode de Newton de calcul approché d'une racine d'une équation $f(x) = 0$ (voyez la section 4.8) peut être adaptée au calcul approché d'une solution d'un système d'équations $f(x, y) = 0$ et $g(x, y) = 0$. Les surfaces $z = f(x, y)$ et $z = g(x, y)$ se coupent selon une courbe qui perce le plan Oxy au point (r, s), solution du système. Si (x_1, y_1) est une première approximation, alors les plans tangents aux surfaces en (x_1, y_1) se coupe selon une droite qui perce le plan Oxy en un point (x_2, y_2), qui devrait être plus proche de (r, s) que la première approximation. (Comparez avec la figure 2 de la section 4.8.) Démontrez que

$$x_2 = x_1 - \frac{fg'_y - f'_y g}{f'_x g'_y - f'_y g'_x} \qquad \text{et} \qquad y_2 = y_1 - \frac{f'_x g - fg'_x}{f'_x g'_y - f'_y g'_x},$$

où f, g et leurs dérivées partielles sont calculées en (x_1, y_1). En itérant ces calculs, on obtient une suite d'approximations (x_n, y_n).

b) Par cette méthode de Newton étendue, calculez avec une précision de 4 décimales, les points d'intersection des courbes $x^2 + y^2 = 4$ et $\sin y = x$.

7. a) Démontrez que l'équation de Laplace

$$\frac{\partial^2 u}{\partial x^2} + \frac{\partial^2 u}{\partial y^2} + \frac{\partial^2 u}{\partial z^2} = 0$$

s'écrit en coordonnées cylindriques

$$\frac{\partial^2 u}{\partial r^2} + \frac{1}{r}\frac{\partial u}{\partial r} + \frac{1}{r^2}\frac{\partial^2 u}{\partial \theta^2} + \frac{\partial^2 u}{\partial z^2} = 0$$

b) Et en coordonnées sphériques

$$\frac{\partial^2 u}{\partial \rho^2} + \frac{2}{\rho} \frac{\partial u}{\partial \rho} + \frac{\text{cotg}\,\phi}{\rho^2} \frac{\partial u}{\partial \phi} + \frac{1}{\rho^2} \frac{\partial^2 u}{\partial \phi^2} + \frac{1}{\rho^2 \sin^2 \phi} \frac{\partial^2 u}{\partial \theta^2} = 0$$

8. Pour quelles valeurs du nombre r, la fonction

$$f(x, y, z) = \begin{cases} \dfrac{(x + y + z)^r}{x^2 + y^2 + z^2} & \text{si } (x, y, z) \neq (0, 0, 0) \\ 0 & \text{si } (x, y, z) = (0, 0, 0) \end{cases}$$

est-elle continue sur $\mathbb{R}^3$?

9. Comment choisir les valeurs de a et b pour que l'ellipse $x^2/a^2 + y^2/b^2 = 1$ enferme le cercle $x^2 + y^2 = 2y$ et ait l'aire la plus petite possible ?

10. Parmi les plans qui sont tangents à la surface $xy^2z^2 = 1$, lesquels sont les plus éloignés de l'origine ?

La notion d'intégrale définie est étendue dans ce chapitre à l'intégrale double et triple des fonctions de deux et trois variables. Ces notions sont ensuite exploitées pour calculer des volumes, des aires de surfaces, des masses et des centres de gravité de régions plus générales que celles que nous avons pu envisager au chapitre 6. Enfin, les intégrales doubles servent encore à calculer des probabilités dans le cas où deux variables aléatoires sont en jeu.

12

Les intégrales multiples

12.1 Les intégrales doubles sur des rectangles • • • • • • • • • • • • • • • • • • •

De la même façon qu'en essayant de résoudre un problème d'aire, nous avons été conduit à l'intégrale définie, nous cherchons ici à résoudre un problème de volume qui va nous conduire à la définition de l'intégrale double.

■ Révision de l'intégrale définie

Rappelons d'abord les éléments de base à propos des intégrales définies des fonctions d'une seule variable. Pour $f(x)$ définie sur l'intervalle $[a, b]$, on commence par subdiviser l'intervalle en n sous-intervalles $[x_{i-1}, x_i]$ de même longueur $\Delta x = (b - a)/n$ et on choisit des points x_i^* dans ces sous-intervalles. Ensuite, on construit la somme de Riemann

1
$$\sum_{i=1}^{n} f(x_i^*)\Delta x$$

et on en prend la limite lorsque n tend vers l'infini pour arriver à l'intégrale définie de f depuis a jusqu'à b :

2
$$\int_a^b f(x)dx = \lim_{n\to\infty} \sum_{i=1}^{n} f(x_i^*)\Delta x.$$

Dans le cas particulier où $f(x) \geqslant 0$, la somme de Riemann peut être interprétée comme la somme des aires des rectangles d'approximation de la figure 1, et $\int_a^b f(x)dx$ représente l'aire sous la courbe depuis a jusqu'à b.

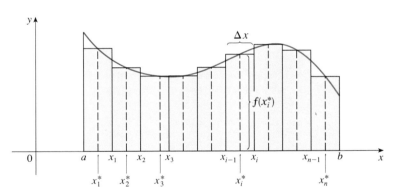

FIGURE 1

■ Des volumes et des intégrales doubles

Pareillement, on considère une fonction de deux variables définie sur un rectangle fermé

$$R = [a, b] \times [c, d] = \{(x, y) \in \mathbb{R}^2 \mid a \leqslant x \leqslant b, c \leqslant y \leqslant d\}$$

et on suppose que $f(x, y) \geqslant 0$. La représentation graphique de f est une surface d'équation $z = f(x, y)$. Soit S le solide dressé sur R et coiffé par le graphique de f, c'est-à-dire,

$$S = \{(x, y, z) \in \mathbb{R}^3 \mid 0 \leqslant z \leqslant f(x, y), (x, y) \in R\}.$$

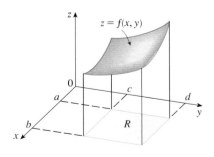

FIGURE 2

(Voyez la figure 2.) L'objectif est de calculer le volume de S.

La première étape consiste à diviser le rectangle R en sous-rectangles. Pour cela, on divise l'intervalle $[a, b]$ en m sous-intervalles $[x_{i-1}, x_i]$ d'égale longueur $\Delta x = (b - a)/m$ et l'intervalle $[c, d]$ en n sous-intervalles $[y_{j-1}, y_j]$ d'égale longueur $\Delta y = (d - c)/n$. Les sous-rectangles

$$R_{ij} = [x_{i-1}, x_i] \times [y_{j-1}, y_j] = \{(x, y) \mid x_{i-1} \leqslant x \leqslant x_i, y_{j-1} \leqslant y \leqslant y_j\}$$

de la figure 3 apparaissent dès qu'on trace des parallèles aux axes par les points de subdivision des intervalles. Leur aire vaut $\Delta x \Delta y$.

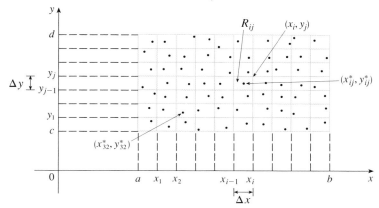

FIGURE 3
Division de R en sous-rectangles

Si (x_{ij}^*, y_{ij}^*) désigne le point choisi arbitrairement dans chaque R_{ij}, alors la portion de S qui se dresse sur chaque R_{ij} n'est pas loin d'avoir le même volume que le parallélipipède (la « colonne ») de base R_{ij} et de hauteur $f(x_{ij}^*, y_{ij}^*)$, comme le montre la figure 4. (Comparez avec la figure 1.) Le volume de ce parallélipipède est égal au produit de la hauteur par l'aire du rectangle de base :

$$f(x_{ij}^*, y_{ij}^*) \Delta A.$$

En tenant compte de cette façon de chaque sous-rectangle et en additionnant les volumes des « colonnes » correspondantes, on obtient une valeur approchée du volume total de S :

3
$$V \approx \sum_{i=1}^{m} \sum_{j=1}^{n} f(x_{ij}^*, y_{ij}^*) \, \Delta A$$

(Voyez la figure 5.) Cette double somme signifie que f est calculée en chaque point choisi arbitrairement, que cette valeur de f est ensuite multipliée par l'aire du sous-rectangle et qu'enfin ces produits sont additionnés.

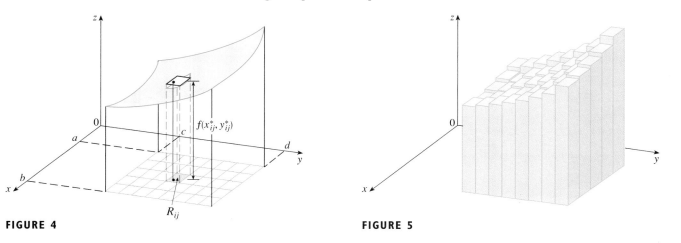

FIGURE 4

FIGURE 5

Intuitivement, il semble évident que plus m et n sont grands, meilleure est l'approximation donnée par (3) et donc nous pouvons nous attendre à ce que

4
$$V = \lim_{m,n \to \infty} \sum_{i=1}^{m} \sum_{j=1}^{n} f(x_{ij}^*, y_{ij}^*) \Delta A.$$

L'expression 4 sert de définition du **volume** du solide S situé sous le graphique de f et reposant sur le rectangle R. (Il est possible de montrer que cette définition est cohérente avec notre formule du volume dans la section 6.2.)

Des limites comme celles de l'équation 4 se présentent fréquemment, pas seulement lorsqu'il s'agit de calculer des volumes, mais dans toutes sortes d'autres situations–ainsi que nous le verrons dans la section 12.5–même quand f n'est pas une fonction positive. Aussi, nous adoptons la définition suivante.

La similitude entre la définition 5 et la définition de l'intégrale simple de l'équation 2 est remarquable.

> **5 Définition**   L'**intégrale double** de f sur le rectangle R est
>
> $$\iint_R f(x,y)\, dA = \lim_{m,n \to \infty} \sum_{i=1}^{m} \sum_{j=1}^{n} f(x_{ij}^*, y_{ij}^*)\, \Delta A$$
>
> pourvu que cette limite existe.

Il est démontré que la limite dont il est question dans la définition 5 existe pour toutes les fonctions continues. (Elle existe même pour certaines fonctions discontinues tant qu'elles se comportent « raisonnablement ».)

Le point (x_{ij}^*, y_{ij}^*) au choix peut être n'importe quel point du rectangle R_{ij}, mais l'expression de l'intégrale double a l'air plus simple si ce point est le coin supérieur droit du sous-rectangle (autrement dit si $(x_{ij}^*, y_{ij}^*) = (x_i, y_j)$, voyez la figure 3) :

6
$$\iint_R f(x,y)\, dA = \lim_{m,n \to \infty} \sum_{i=1}^{m} \sum_{j=1}^{n} f(x_i, y_j)\, \Delta A$$

En comparant les définitions 4 et 5, on remarque qu'un volume peut être écrit comme une intégrale double :

> Si $f(x,y) \geqslant 0$, alors le volume V du solide dressé sur le rectangle R et fermé par la surface $z = f(x,y)$ est égal à
>
> $$V = \iint_R f(x,y)\, dA$$

La somme de la définition 5

$$\sum_{i=1}^{m} \sum_{j=1}^{n} f(x_{ij}^*, y_{ij}^*)\, \Delta A$$

s'appelle une **double somme de Riemann** et sert de valeur approchée de l'intégrale double. [Notez la similitude avec la somme de Riemann de (1) pour une fonction d'une

FIGURE 6

FIGURE 7

seule variable.] Au cas où f est *positive*, alors la double somme de Riemann représente la somme des volumes des colonnes, comme dans la figure 5, et peut être vue comme une approximation du volume sous le graphique de f.

EXEMPLE 1 ■ Évaluez le volume du solide qui repose sur le carré $R = [0, 2] \times [0, 2]$ et fermé par la surface du paraboloïde elliptique $z = 16 - x^2 - 2y^2$. Divisez R en quatre carrés égaux et prenez le coin supérieur droit comme point au choix dans chaque carré R_{ij}. Faites un croquis du solide et des parallélipipèdes rectangles d'approximation.

SOLUTION La figure 6 montre les carrés. Le paraboloïde est le graphique de $f(x, y) = 16 - x^2 - 2y^2$ et chaque carré mesure 1 unité carrée. Le volume vaut approximativement la somme de Riemann avec $m = n = 2$:

$$V \approx \sum_{i=1}^{2} \sum_{j=1}^{2} f(x_i, y_j) \, \Delta A$$

$$= f(1, 1) \, \Delta A + f(1, 2) \, \Delta A + f(2, 1) \, \Delta A + f(2, 2) \, \Delta A$$

$$= 13(1) + 7(1) + 10(1) + 4(1) = 34.$$

C'est le volume total des parallélipipèdes rectangles d'approximation de la figure 7.

La valeur approximative du volume de l'exemple 1 peut être améliorée si l'on augmente le nombre de carrés. La figure 8 montre comment progressivement, en considérant 16, 64 et 256 carrés, l'ensemble des colonnes commence à ressembler au solide réel et les approximations correspondantes à devenir plus précises. Dans la section suivante, on sera capable de montrer que le volume exact vaut 48 unités cubes.

(a) $m = n = 4$, $V \approx 41,5$ (b) $m = n = 8$, $V \approx 44,875$ (c) $m = n = 16$, $V \approx 46,46875$

FIGURE 8 Les approximations en forme de sommes de Riemann du volume sous $z = 16 - x^2 - 2y^2$ deviennent plus précises lorsque m et n augmentent.

EXEMPLE 2 ■ Calculez l'intégrale

$$\iint_R \sqrt{1 - x^2} \, dA$$

si $R = \{(x, y) \mid -1 \leqslant x \leqslant 1, -2 \leqslant y \leqslant 2\}$.

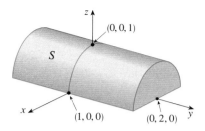

FIGURE 9

SOLUTION Il serait vraiment difficile de calculer cette intégrale à partir des sommes de Riemann de la définition 2, mais, vu que $\sqrt{1 - x^2} \geq 0$, on peut l'interpréter comme un volume et en calculer ainsi la valeur. Si $z = \sqrt{1 - x^2}$, alors $x^2 + z^2 = 1$ et $z \geq 0$. L'intégrale double représente donc le volume du solide situé sous le cylindre circulaire $x^2 + z^2 = 1$ et sur le rectangle R (voyez la figure 9). Le volume de S vaut le produit du demi-cercle de rayon 1 par la longueur du cylindre. D'où

$$\iint_R \sqrt{1 - x^2}\, dA = \tfrac{1}{2}\pi(1)^2 \times 4 = 2\pi.$$

■ La Méthode du point médian

Les méthodes de calcul approché des intégrales simples (la Méthode du point médian, la Méthode des trapèzes, la Méthode de Simpson) ont chacune leur homologue pour les intégrales doubles. Nous n'envisageons ici que la Méthode du point médian pour les intégrales doubles. Cela signifie que, pour approcher l'intégrale double, nous construisons une double somme de Riemann sur les points aux choix $(x_{ij}^*, y_{ij}^*) = (\bar{x}_i, \bar{y}_j)$ de R_{ij}. En d'autres mots, $\bar{x}_i$ est le point médian de $[x_{i-1}, x_i]$ et $\bar{y}_j$ le point médian de $[y_{j-1}, y_j]$.

Méthode du point médian pour les intégrales doubles

$$\iint_R f(x, y)\, dA \approx \sum_{i=1}^{m} \sum_{j=1}^{n} f(\bar{x}_i, \bar{y}_j)\, \Delta A$$

où $\bar{x}_i$ est le point médian de $[x_{i-1}, x_i]$ et $\bar{y}_j$ le point médian de $[y_{j-1}, y_j]$.

EXEMPLE 3 ■ 3 Calculez la valeur approchée de l'intégrale $\iint_R (x - 3y^2)\, dA$ où $R = \{(x, y) \mid 0 \leq x \leq 2, 1 \leq y \leq 2\}$ que fournit la Méthode du point médian avec $m = n = 2$.

SOLUTION Afin de mettre en œuvre la Méthode du point médian avec $m = n = 2$, on calcule $f(x, y) = x - 3y^2$ aux centres des quatre rectangles de la figure 10. On a besoin de $\bar{x}_1 = \tfrac{1}{2}, \bar{x}_2 = \tfrac{3}{2}, \bar{y}_1 = \tfrac{5}{4}, \bar{y}_2 = \tfrac{7}{4}$. Chaque sous-rectangle mesure $\Delta A = \tfrac{1}{2}$. D'où,

$$\iint_R (x - 3y^2)\, dA \approx \sum_{i=1}^{2} \sum_{j=1}^{2} f(\bar{x}_i, \bar{y}_j)\, \Delta A$$

$$= f(\bar{x}_1, \bar{y}_1)\, \Delta A + f(\bar{x}_1, \bar{y}_2)\, \Delta A + f(\bar{x}_2, \bar{y}_1)\, \Delta A + f(\bar{x}_2, \bar{y}_2)\, \Delta A$$

$$= f\left(\tfrac{1}{2}, \tfrac{5}{4}\right) \Delta A + f\left(\tfrac{1}{2}, \tfrac{7}{4}\right) \Delta A + f\left(\tfrac{3}{2}, \tfrac{5}{4}\right) \Delta A + f\left(\tfrac{3}{2}, \tfrac{7}{4}\right) \Delta A$$

$$= \left(-\tfrac{67}{16}\right)\tfrac{1}{2} + \left(-\tfrac{139}{16}\right)\tfrac{1}{2} + \left(-\tfrac{51}{16}\right)\tfrac{1}{2} + \left(-\tfrac{123}{16}\right)\tfrac{1}{2}$$

$$= -\tfrac{95}{8} = -11{,}875.$$

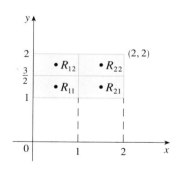

FIGURE 10

Finalement,

$$\iint_R (x - 3y^2)\, dA \approx -11{,}875.$$

Nombre de sous-rectangles	Approximations fournies par la Méthode du point médian
1	$-11,5000$
4	$-11,8750$
16	$-11,9687$
64	$-11,9922$
256	$-11,9980$
1024	$-11,9995$

REMARQUE ● Nous allons développer une méthode efficace de calcul des intégrales doubles dans la section suivante et obtenir ainsi la valeur exacte de l'intégrale de l'exemple 3 qui est -12. (Rappelez-vous que l'interprétation d'une intégrale double comme un volume n'est valable que si l'intégrande f est une fonction *positive*. Comme l'intégrande de l'exemple 3 n'est pas une fonction positive, son intégrale ne représente pas un volume. Dans les exemples 2 et 3 de la section 12.2, nous étudierons comment interpréter des intégrales de fonctions qui ne sont pas toujours positives en termes de volumes.) En découpant plusieurs fois de suite chaque sous-rectangle de la figure 10 en quatre plus petits de même forme, on obtient les approximations fournies par la Méthode du point médian qui sont rassemblées dans le tableau de la marge. Vous observez immédiatement la convergence de ces valeurs vers la valeur exacte annoncée de l'intégrale double, -12.

■ **La valeur moyenne**

Il est bon de rappeler la valeur moyenne d'une fonction f d'une seule variable définie sur un intervalle $[a, b]$, telle qu'elle a été définie à la section 6.4 :

$$f_{\mathrm{moy}} = \frac{1}{b-a} \int_a^b f(x)dx.$$

De façon semblable, on définit la **valeur moyenne** d'une fonction f de deux variables définie sur un rectangle R :

$$f_{\mathrm{moy}} = \frac{1}{A(R)} \iint_R f(x, y)dA,$$

où $A(R)$ est l'aire de R.

Dans le cas où $f(x, y) \geqslant 0$, l'équation

$$A(R) \times f_{\mathrm{moy}} = \iint_R f(x, y)dA,$$

dit que le parallélipipède de base R et de hauteur f_{moy} a le même volume que le solide sous le graphique de f. [Si $z = f(x, y)$ décrit le relief d'une région montagneuse et si vous rasez tout ce qui dépasse le niveau f_{moy}, vous aurez juste de quoi remplir les vallées pour que la région devienne plate. Voyez la figure 11.]

FIGURE 11

EXEMPLE 4 ■ Le diagramme de courbes de niveau de la figure 12 se rapporte à l'état d'enneigement (en pouces) du Colorado le 24 décembre 1982. (Le Colorado a la forme d'un rectangle qui mesure 388 miles d'ouest en est et 276 miles du sud au nord.) Sur la base de ce diagramme, estimez la moyenne des chutes de neige sur l'ensemble du Colorado.

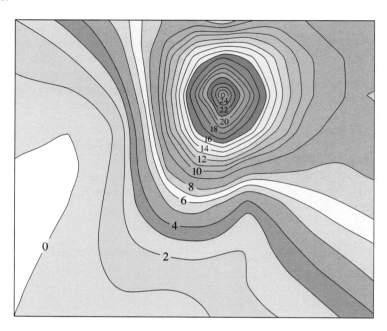

FIGURE 12

SOLUTION On place l'origine dans le coin sud-ouest du Colorado. Alors, $0 \leqslant x \leqslant 388$, $0 \leqslant y \leqslant 276$ et $f(x,y)$ représente la hauteur (en pouces) de neige tombée en un point situé à x miles vers l'est et y miles vers le nord de l'origine. Si R est le rectangle qui représente le Colorado, alors la moyenne des chutes de neige a été, le 24 décembre 1982,

$$f_{\text{moy}} = \frac{1}{A(R)} \iint_R f(x,y)\, dA = \frac{1}{388 \cdot 276} \int_0^{276} \int_0^{388} f(x,y)\, dx\, dy$$

Le calcul d'une valeur approchée de cette intégrale double se fait par la Méthode du point médian avec $m = n = 4$. On divise donc R en 16 sous-rectangles de même aire ; ce sont ceux de la figure 13. L'aire de chaque sous-rectangle est

$$\Delta A = \Delta x \Delta y = \frac{388}{4} \cdot \frac{276}{4} = 97 \cdot 69 = 6693 \text{ mi}^2.$$

Les valeurs de f au centre de chaque sous-rectangle sont lues sur la carte des courbes de niveau et cela donne

$$\int_0^{276} \int_0^{388} f(x,y)\, dx\, dy \approx \sum_{i=1}^{4} \sum_{j=1}^{4} f(\bar{x}_i, \bar{y}_j)\, \Delta A$$

$$\approx \Delta A[0,4 + 1,2 + 1,8 + 3,9 + 0 + 3,9 + 4,0 + 6,5$$
$$+\ 0,1 + 6,1 + 16,5 + 8,8 + 1,8 + 8,0 + 16,2 + 9,4]$$

$$=(6693)(88,6).$$

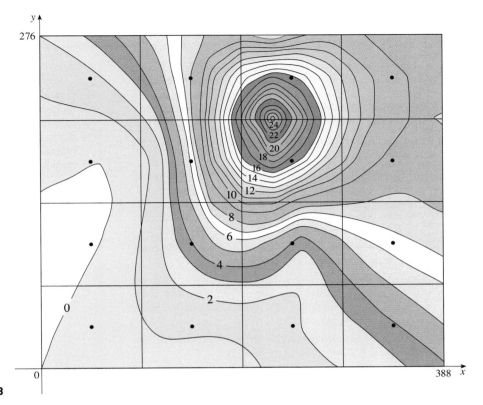

FIGURE 13

Par conséquent,

$$f_{\text{moy}} \approx \frac{(6693)(88,6)}{(388)(276)} \approx 5,5.$$

Le 24 décembre 1982, il est tombé en moyenne 5,5 pouces de neige sur le Colorado.

■ Les propriétés de l'intégrale double

Nous énumérons ici trois propriétés des intégrales doubles qui peuvent être démontrées de la même manière que dans les sections 5.2 et 5.4. On suppose que toutes les intégrales existent. Les propriétés 7 et 8 justifient l'attribut de *linéarité* de l'intégrale.

Les intégrales doubles se comportent de cette façon parce que les doubles sommes qui les définissent se comportent de cette façon.

7
$$\iint\limits_R [\, f(x, y) + g(x, y)\,]\, dA = \iint\limits_R f(x, y)\, dA \,+\, \iint\limits_R g(x, y)\, dA.$$

8
$$\iint\limits_R cf(x, y)\, dA = c \iint\limits_R f(x, y)\, dA \qquad \text{où } c \text{ est une constante.}$$

Si $f(x, y) \geqslant g(x, y)$ pour tout (x, y) de R, alors

9
$$\iint\limits_R f(x, y)\, dA \geqslant \iint\limits_R g(x, y)\, dA.$$

12.1 Exercices

1. Calculez des approximations de $\iint_R (x - 3y^2)dA$ en vous servant des mêmes sous-rectangles qu'à l'exemple 3, mais en prenant les points aux choix a) au coin supérieur gauche, b) au coin supérieur droit, c) au coin inférieur gauche et d) au coin inférieur droit de chaque sous-rectangle.

2. Appliquez la Méthode du point médian pour calculer approximativement le volume de l'exemple 1.

3. a) Pour estimer le volume du solide coiffé par la surface $z = x^2 + 4y$ et reposant sur le rectangle $R = \{(x,y)\mid 0 \leqslant x \leqslant 2, 0 \leqslant y \leqslant 3\}$, utilisez une somme de Riemann avec $m = 2$, $n = 3$ et prenez le point au choix dans le coin supérieur droit de chaque sous-rectangle.

b) Quelle estimation obtenez-vous par la Méthode du point médian ?

4. Calculez une valeur approchée de $\iint_R (2x + x^2 y)dA$ où $R = [-2, 2] \times [-1, 1]$, par une somme de Riemann avec $m = n = 4$. Prenez les points aux choix aux coins inférieurs gauches des sous-rectangles.

5. Voici une table de valeurs prises par une fonction $f(x,y)$ définie sur $R = [1, 3] \times [0, 4]$.

a) Estimez $\iint_R f(x,y)dA$ par la Méthode du point médian avec $m = n = 2$.

b) Estimez l'intégrale double avec $m = n = 4$ en prenant les points les plus éloignés de l'origine comme points aux choix.

x \ y	0	1	2	3	4
1,0	2	0	-3	-6	-5
1,5	3	1	-4	-8	-6
2,0	4	3	0	-5	-8
2,5	5	5	3	-1	-4
3,0	7	8	6	3	0

6. Une piscine de 20 m sur 30 m est remplie d'eau. La profondeur est mesurée tous les 5 m à partir d'un coin de la piscine et reportée dans la table. Estimez le volume d'eau.

	0	5	10	15	20	25	30
0	2	3	4	6	7	8	8
5	2	3	4	7	8	10	8
10	2	4	6	8	10	12	10
15	2	3	4	5	6	8	7
20	2	2	2	2	3	4	4

7. Soit V le volume du solide situé sous le graphique de $f(x,y) = \sqrt{52 - x^2 - y^2}$ et sur le rectangle construit sur les segments $[2, 4]$ et $[2, 6]$. Le rectangle R est divisé en sous-rectangles par les droites $x = 3$ et $y = 4$. Soit L et U les sommes de Riemann calculées sur les coins inférieurs gauches et les coins supérieurs droits respectivement. Sans calculer les nombres V, L et U, ordonnez-les de façon croissante et expliquez votre raisonnement.

8. La figure montre des courbes de niveau d'une fonction f dans le carré $R = [0, 1] \times [0, 1]$. Utilisez cette figure pour estimer à l'entier le plus proche $\iint_R f(x,y)dA$.

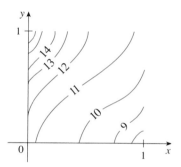

9. Voici une carte de courbes de niveau d'une fonction f sur le carré $R = [0, 4] \times [0, 4]$. À l'aide de la Méthode du point médian avec $m = n = 2$, estimez la valeur de $\iint_R f(x,y)dA$.

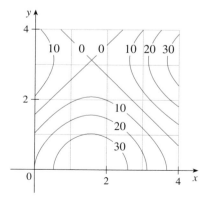

10. Le diagramme de courbes de niveau se rapporte aux températures, en degrés Fahrenheit, à 15 h, le premier mai 1996 au Colorado. Calculez la température moyenne à ce moment au Colorado.

FIGURE RELATIVE À L'EXERCICE 10

11. Calculez la valeur de $\iint_R (4 - 2y)dA$ où $R = [0, 1] \times [0, 1]$, en l'interprétant comme un volume.

12. L'intégrale $\iint_R \sqrt{9 - y^2}dA$, où $R = [0, 4] \times [0, 2]$, représente le volume d'un solide. Dessinez-le.

13. Estimez $\iint_R e^{-x^2 - y^2}dA$, où $R = [0, 1] \times [0, 1]$, à l'aide d'une calculatrice programmable ou d'un ordinateur (ou de la commande somme d'un logiciel de calcul formel). Utilisez la Méthode du point médian sur le carré initial divisé en 4, 16, 64, 256 et 1024 sous-carrés.

14. Répétez l'exercice 13 pour l'intégrale $\iint_R \cos(x^4 + y^4)dA$.

15. Démontrez que

$$\iint_R kdA = k(b - a)(d - c)$$

si f est une fonction constante $f(x, y) = k$ et $R = [a, b] \times [c, d]$.

16. Démontrez que

$$0 \leqslant \iint_R \sin(x + y)dA \leqslant 1,$$

si $R = [0, 1] \times [0, 1]$.

12.2 Les intégrales itérées ●

Déjà le calcul, à partir de la définition, des intégrales simples était difficile, mais le Théorème de calcul de l'intégrale définie (première partie du Théorème fondamental du calcul intégral) était venu pallier cette difficulté. Il n'est donc pas étonnant que le calcul de l'intégrale double soit encore plus difficile, mais nous allons justement voir dans cette section comment exprimer une intégrale double comme une intégrale itérée, de manière à ramener ce calcul à celui de deux intégrales simples.

On suppose que f est une fonction de deux variables continues sur le rectangle $R = [a, b] \times [c, d]$. La notation $\int_c^d f(x, y)dy$ est employée pour signifier que x est maintenue fixe et que $f(x, y)$ est intégrée par rapport à y depuis $y = c$ jusqu'à $y = d$. Cette procédure est appelée *intégration partielle par rapport à y*. (Notez la similitude avec la dérivation partielle.) Comme, à ce stade, $\int_c^d f(x, y)dy$ est un nombre qui dépend de la valeur de x, il définit une fonction de x :

$$A(x) = \int_c^d f(x, y)dy.$$

En intégrant maintenant la fonction A par rapport à x depuis $x = a$ jusqu'à $x = b$, on obtient

1 $$\int_a^b A(x)dx = \int_a^b \left[\int_c^d f(x, y)dy \right] dx.$$

L'intégrale du membre de droite de l'équation 1 est appelée une **intégrale itérée**. Les crochets ne sont pas indispensables.

Donc,

2
$$\int_a^b \int_c^d f(x,y)\,dy\,dx = \int_a^b \left[\int_c^d f(x,y)\,dy \right] dx$$

signifie qu'il faut d'abord intégrer par rapport à y depuis $y = c$ jusqu'à $y = d$, et ensuite par rapport à x depuis $x = a$ jusqu'à $x = b$.

De même, l'intégrale itérée

3
$$\int_c^d \int_a^b f(x,y)\,dx\,dy = \int_c^d \left[\int_a^b f(x,y)\,dx \right] dy$$

signifie qu'il faut d'abord intégrer par rapport à x (tenant y fixé) depuis $x = a$ jusqu'à $x = b$, et ensuite par rapport à y depuis $y = c$ jusqu'à $y = d$. Remarquez que, tant dans l'expression 2 que dans l'expression 3, on travaille à partir de l'intérieur.

EXEMPLE 1 ■ Calculez les intégrales itérées

a) $\displaystyle\int_0^3 \int_1^2 x^2 y\,dy\,dx$ b) $\displaystyle\int_1^2 \int_0^3 x^2 y\,dx\,dy$.

SOLUTION

a) En considérant x comme une constante, on obtient

$$\int_1^2 x^2 y\,dy = \left[x^2 \frac{y^2}{2} \right]_{y=1}^{y=2}$$
$$= x^2 \left(\frac{2^2}{2} \right) - x^2 \left(\frac{1^2}{2} \right) = \tfrac{3}{2} x^2.$$

La fonction A dont il était question dans l'explication ci-dessus est donc $A(x) = \tfrac{3}{2} x^2$ dans cet exemple. On intègre maintenant cette fonction depuis 0 jusqu'à 3 :

$$\int_0^3 \int_1^2 x^2 y\,dy\,dx = \int_0^3 \left[\int_1^2 x^2 y\,dy \right] dx$$
$$= \int_0^3 \tfrac{3}{2} x^2\,dx = \frac{x^3}{2} \Bigg]_0^3 = \frac{27}{2}.$$

b) Ici, on intègre d'abord par rapport à x :

$$\int_1^2 \int_0^3 x^2 y\,dx\,dy = \int_1^2 \left[\int_0^3 x^2 y\,dx \right] dy = \int_1^2 \left[\frac{x^3}{3} y \right]_{x=0}^{x=3} dy$$
$$= \int_1^2 9y\,dy = 9\frac{y^2}{2} \Bigg]_1^2 = \frac{27}{2}.$$

Vous aurez certainement remarqué que la réponse est la même dans l'exemple 1, qu'on intègre par rapport à x ou à y d'abord. Il s'avère que (voyez le théorème 4) que les deux intégrales itérées des équations 2 et 3 sont toujours égales ; autrement dit, l'ordre d'intégration n'a pas d'importance. (C'est analogue au Théorème de Clairaut sur l'égalité des dérivées partielles mixtes.)

Le théorème suivant énonce la méthode pratique de calcul d'une intégrale double par une intégrale itérée (dans un ordre ou dans l'autre).

Le théorème 4 porte le nom du mathématicien italien Guido Fubini (1879-1943), qui démontra une version très générale de ce théorème en 1907. La version pour les fonctions continues était déjà connue du mathématicien français Augustin-Louis Cauchy presqu'un siècle plus tôt.

4 Théorème de Fubini   Si f est continue sur le rectangle $R = \{(x, y) \mid a \leqslant x \leqslant b, c \leqslant y \leqslant d\}$, alors

$$\iint_R f(x, y)\, dA = \int_a^b \int_c^d f(x, y)\, dy\, dx = \int_c^d \int_a^b f(x, y)\, dx\, dy.$$

Plus généralement, cet énoncé est vrai si on suppose seulement que f est bornée sur R, que f est discontinue seulement en un nombre fini de courbes lisses et que les intégrales itérées existent.

La démonstration du théorème de Fubini est trop difficile pour l'inclure dans un traité comme celui-ci, mais on peut au moins l'expliquer intuitivement dans le cas où $f(x, y) \geqslant 0$. Dans ce cas en effet, l'intégrale double $\iint_R f(x,y)dA$ est interprétée comme le volume V du solide S qui se dresse sur R jusqu'à la surface $z = f(x, y)$. Or, au chapitre 6, on a utilisé une autre formule pour le volume, à savoir,

$$V = \int_a^b A(x)dx,$$

où $A(x)$ est l'aire de la section de S par le plan perpendiculaire à l'axe Ox en l'abscisse x. La figure 1 met en évidence que $A(x)$ est l'aire d'une région délimitée par la courbe C d'équation $z = f(x, y)$ où x est maintenu constant, pour $c \leqslant y \leqslant d$. Par conséquent,

$$A(x) = \int_c^d f(x, y)dy$$

et

$$\iint_R f(x, y)dA = V = \int_a^b A(x)dx = \int_a^b \int_c^d f(x, y)dydx.$$

Le même raisonnement, tenu à propos des sections perpendiculaires à l'axe Oy, comme dans la figure 2, montre que

$$\iint_R f(x, y)dA = \int_c^d \int_a^b f(x, y)dxdy.$$

FIGURE 1

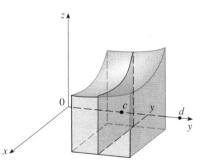

FIGURE 2

EXEMPLE 2 ■ Calculez l'intégrale double $\iint_R (x - 3y^2)dA$, où $R = \{(x, y) \mid 0 \leqslant x \leqslant 2, 1 \leqslant y \leqslant 2\}$. (Comparez avec l'exemple 3 de la section 12.1.)

SOLUTION Le Théorème de Fubini conduit à

$$\iint_R (x - 3y^2)\, dA = \int_0^2 \int_1^2 (x - 3y^2)\, dy\, dx$$

$$= \int_0^2 \left[xy - y^3 \right]_{y=1}^{y=2} dx$$

$$= \int_0^2 (x - 7)\, dx = \frac{x^2}{2} - 7x \bigg]_0^2 = -12.$$

La réponse de l'exemple 2 est négative; ce n'est pas faux cependant. Comme la fonction f de cet exemple n'est pas une fonction positive, l'intégrale ne représente pas un volume. On voit même sur la figure 3 que la fonction est négative sur le rectangle R; il en résulte que la valeur de l'intégrale est l'opposé du volume du solide qui se trouve *sous* R et *au-dessus* du graphique de f.

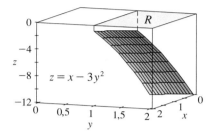

FIGURE 3

Lorsqu'une fonction f prend à la fois des valeurs positives et négatives, $\iint_R f(x,y)dA$ est une différence de volumes : $V_1 - V_2$, où V_1 est le volume au-dessus de R et sous le graphique de f et V_2, le volume sous R et au-dessus du graphique. Que l'intégrale de l'exemple 3 vale 0 signifie que les deux volumes V_1 et V_2 sont égaux. (Voyez la figure 4.)

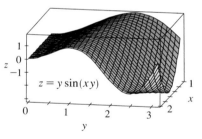

FIGURE 4

SOLUTION 2 Par le Théorème de Fubini, mais en intégrant cette fois par rapport à x, on obtient

$$\iint_R (x - 3y^2)\, dA = \int_1^2 \int_0^2 (x - 3y^2)\, dx\, dy$$

$$= \int_1^2 \left[\frac{x^2}{2} - 3xy^2 \right]_{x=0}^{x=2} dy$$

$$= \int_1^2 (2 - 6y^2)\, dy = 2y - 2y^3 \Big]_1^2 = -12.$$

EXEMPLE 3 ■ Calculez $\iint_R y\sin(xy)dA$, où $R = [1,2] \times [0,\pi]$.

SOLUTION 1 En intégrant d'abord par rapport à x, on a

$$\iint_R y\sin(xy)\, dA = \int_0^\pi \int_1^2 y\sin(xy)\, dx\, dy$$

$$= \int_0^\pi \left[-\cos(xy) \right]_{x=1}^{x=2} dy$$

$$= \int_0^\pi (-\cos 2y + \cos y)\, dy$$

$$= -\tfrac{1}{2}\sin 2y + \sin y \Big]_0^\pi = 0.$$

SOLUTION 2 Si on intervertit l'ordre d'intégration, on a

$$\iint_R y\sin(xy)dA = \int_1^2 \int_0^\pi y\sin(xy)dydx.$$

Pour calculer l'intégrale intérieure, on emploie la méthode d'intégration par parties avec

$$u = y \qquad dv = \sin(xy)\, dy$$

$$du = dy \qquad v = -\frac{\cos(xy)}{x}$$

et ainsi

$$\int_0^\pi y\sin(xy)\, dy = -\frac{y\cos(xy)}{x} \Bigg]_{y=0}^{y=\pi} + \frac{1}{x}\int_0^\pi \cos(xy)\, dy$$

$$= -\frac{\pi\cos\pi x}{x} + \frac{1}{x^2}\Big[\sin(xy)\Big]_{y=0}^{y=\pi}$$

$$= -\frac{\pi\cos\pi x}{x} + \frac{\sin\pi x}{x^2}.$$

L'intégration du premier terme exige à nouveau de procéder par parties avec $u = -1/x$, $dv = \pi\cos\pi x dx$, d'où $du = dx/x^2$, $v = \sin\pi x$ et

$$\int \left(-\frac{\pi\cos\pi x}{x} \right) dx = -\frac{\sin\pi x}{x} - \int \frac{\sin\pi x}{x^2}\, dx.$$

Par conséquent,

$$\int \left(-\frac{\pi\cos\pi x}{x} + \frac{\sin\pi x}{x^2} \right) dx = -\frac{\sin\pi x}{x},$$

Dans l'exemple 2, les solutions 1 et 2 sont aussi directes l'une que l'autre, mais dans l'exemple 3, la première solution est baucoup plus simple que la seconde. Il est donc sage, lors du calcul d'intégrales doubles, de choisir l'ordre d'intégration qui conduit aux intégrales les plus simples.

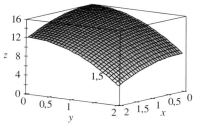

FIGURE 5

et ainsi

$$\int_1^2 \int_0^\pi y \sin(xy)\, dy\, dx = \left[-\frac{\sin \pi x}{x} \right]_1^2$$

$$= -\frac{\sin 2\pi}{2} + \sin \pi = 0.$$

EXEMPLE 4 ■ Calculez la mesure du volume délimité par le paraboloïde elliptique $x^2 + 2y^2 + z = 16$, les plans $x = 2$ et $y = 2$ et les plans de coordonnées.

SOLUTION On observe pour commencer qu'il s'agit du solide qui se trouve sous la surface $z = 16 - x^2 - 2y^2$ et au-dessus du carré $R = [0, 2] \times [0, 2]$ (voyez la figure 5). C'est le même que celui de l'exemple 1 dans la section 12.1, sauf que maintenant le calcul de l'intégrale se fait par le Théorème de Fubini. Il vient

$$V = \iint_R (16 - x^2 - 2y^2)\, dA = \int_0^2 \int_0^2 (16 - x^2 - 2y^2)\, dx\, dy$$

$$= \int_0^2 \left[16x - \frac{x^3}{3} - 2y^2 x \right]_{x=0}^{x=2} dy$$

$$= \int_0^2 \left(\tfrac{88}{3} - 4y^2 \right) dy = \left[\tfrac{88}{3}y - \tfrac{4}{3}y^3 \right]_0^2 = 48.$$

Il faut mentionner un cas où l'intégrale double de f se ramène à une forme particulièrement simple, c'est celui où l'expression de f peut être factorisée en un produit d'une fonction de x seulement et d'une fonction de y seulement. Plus précisément, soit $f(x, y) = g(x)h(y)$ et $R = [a, b] \times [c, d]$. Alors le Théorème de Fubini conduit à

$$\iint_R f(x, y)\, dA = \int_c^d \int_a^b g(x)\, h(y)\, dx\, dy = \int_c^d \left[\int_a^b g(x)h(y)\, dx \right] dy.$$

Comme dans l'intégrale intérieure, y est une constante, $h(y)$ aussi et on peut écrire

$$\int_c^d \left[\int_a^b g(x)h(y)\, dx \right] dy = \int_c^d \left[h(y) \left(\int_a^b g(x)\, dx \right) \right] dy$$

$$= \int_a^b g(x)\, dx \int_c^d h(y)\, dy,$$

Étant donné que la fonction $f(x, y) = \sin x \cos y$ de l'exemple 5 est positive sur R, l'intégrale représente le volume du solide qui se trouve au-dessus de R et sous le graphique de f, comme le montre la figure 6.

FIGURE 6

puisque $\int_a^b g(x)\, dx$ est une constante. Dans ce cas, l'intégrale double de f se réduit à un produit de deux intégrales simples :

$$\boxed{\iint_R g(x)h(y)\, dA = \int_a^b g(x)\, dx \int_c^d h(y)\, dy \qquad \text{où } R = [a, b] \times [c, d]}$$

EXEMPLE 5 ■ Si $R = [0, \pi/2] \times [0, \pi/2]$, alors

$$\iint_R \sin x \cos y\, dA = \int_0^{\pi/2} \sin x\, dx \int_0^{\pi/2} \cos y\, dy$$

$$= \left[-\cos x \right]_0^{\pi/2} \left[\sin y \right]_0^{\pi/2}$$

$$= 1 \cdot 1 = 1.$$

12.2 Exercices ●

1-2 ■ Calculez $\int_0^2 f(x,y)\,dy$ et $\int_0^1 f(x,y)\,dx$.

1. $f(x,y) = 2xy - 3x^2$

2. $f(x,y) = \dfrac{x}{y^2 + 1}$

3-8 ■ Calculez l'intégrale itérée.

3. $\displaystyle\int_0^4 \int_0^2 x\sqrt{y}\,dx\,dy$

4. $\displaystyle\int_0^{\pi/2} \int_0^{\pi/2} \sin(x+y)\,dy\,dx$

5. $\displaystyle\int_{-1}^1 \int_0^1 (x^3 y^3 + 3xy^2)\,dy\,dx$

6. $\displaystyle\int_1^2 \int_0^1 (x+y)^{-2}\,dx\,dy$

7. $\displaystyle\int_0^{\ln 2} \int_0^{\ln 5} e^{2x-y}\,dx\,dy$

8. $\displaystyle\int_0^1 \int_0^1 \frac{xy}{\sqrt{x^2 + y^2 + 1}}\,dy\,dx$

9-14 ■ Calculez l'intégrale double.

9. $\displaystyle\iint_R (2y^2 - 3xy^3)\,dA$,

$R = \{(x,y)\,|\,1 \leqslant x \leqslant 2,\ 0 \leqslant y \leqslant 3\}$

10. $\displaystyle\iint_R \left(xy^2 + \frac{y}{x}\right)dA$,

$R = \{(x,y)\,|\,2 \leqslant x \leqslant 3,\ -1 \leqslant y \leqslant 0\}$

11. $\displaystyle\iint_R x\sin y\,dA$, $R = \{(x,y)\,|\,1 \leqslant x \leqslant 4,\ 0 \leqslant y \leqslant \pi/6\}$

12. $\displaystyle\iint_R \frac{1+x}{1+y}\,dA$, $R = \{(x,y)\,|\,-1 \leqslant x \leqslant 2,\ 0 \leqslant y \leqslant 1\}$

13. $\displaystyle\iint_R x\sin(x+y)\,dA$, $R = [0,\pi/6] \times [0,\pi/3]$

14. $\displaystyle\iint_R xe^{xy}\,dA$, $R = [0,1] \times [0,1]$

15-16 ■ Esquissez le solide dont le volume est calculé par l'intégrale itérée.

15. $\displaystyle\int_0^1 \int_0^1 (4 - x - 2y)\,dx\,dy$

16. $\displaystyle\int_0^1 \int_0^1 (2 - x^2 - y^2)\,dy\,dx$

17. Calculez le volume du solide qui se trouve sous le plan $z = 2x + 5y + 1$ et au-dessus du rectangle $\{(x,y)\,|\,-1 \leqslant x \leqslant 0,\ 1 \leqslant y \leqslant 4\}$.

18. Calculez le volume du solide dressé sur le rectangle $R = [-2,2] \times [-3,3]$ et coiffé par le paraboloïde circulaire $z = x^2 + y^2$.

19. Calculez le volume du solide dressé sur le rectangle $R = [-1,1] \times [-2,2]$ et coiffé par le paraboloïde elliptique $x^2/4 + y^2/9 + z = 1$.

20. Calculez le volume du solide délimité inférieurement par le rectangle $R = [-1,1] \times [1,3]$ et supérieurement par le paraboloïde hyperbolique $z = y^2 - x^2$.

21. Calculez le volume du solide délimité par la surface $z = x\sqrt{x^2 + y}$ et les plans $x = 0$, $x = 1$, $y = 0$, $y = 1$ et $z = 0$.

22. Calculez le volume du solide enfermé dans le paraboloïde elliptique $z = 1 + (x-1)^2 + 4y^2$, les plans $x = 3$ et $y = 2$ ainsi que les plans de coordonnées.

23. Calculez le volume du solide du premier quadrant compris dans le cylindre $z = 9 - y^2$ et le plan $x = 2$.

24. a) Calculez le volume du solide borné par la surface $z = 6 - xy$ et les plans $x = 2$, $x = -2$, $y = 0$, $y = 3$ et $z = 0$.

   b) Faites dessiner le solide par un ordinateur.

LCS 25. À l'aide d'un logiciel de calcul symbolique, calculez la valeur exacte de l'intégrale $\iint_R x^5 y^3 e^{xy}\,dA$, où $R = [0,1] \times [0,1]$. Faites ensuite dessiner le solide dont l'intégrale double calcule le volume.

LCS 26. Représentez le solide compris entre les surfaces $z = e^{-x^2}\cos(x^2 + y^2)$ et $z = 2 - x^2 - y^2$ pour $|x| \leqslant 1$, $|y| \leqslant 1$. Calculez le volume de ce solide avec quatre décimales correctes, à l'aide d'un logiciel de calcul formel.

27-28 ■ Déterminez la valeur moyenne de f sur le rectangle donné.

27. $f(x,y) = x^2 y$, les sommets de R sont $(-1,0)$, $(-1,5)$, $(1,5)$, $(1,0)$.

28. $f(x,y) = x\sin xy$, $R = [0,\pi/2] \times [0,1]$.

LCS 29. Utilisez votre logiciel spécialisé pour calculer les intégrales itérées

$$\int_0^1 \int_0^1 \frac{x-y}{(x+y)^3}\,dy\,dx \qquad \text{et} \qquad \int_0^1 \int_0^1 \frac{x-y}{(x+y)^3}\,dx\,dy.$$

Les réponses sont-elles en contradiction avec le Théorème de Fubini ? Expliquez ce qui se passe.

30. a) En quoi les Théorèmes de Clairaut et de Fubini se ressemblent-ils ?

   b) Soit $f(x,y)$ une fonction continue sur $[a,b] \times [c,d]$ et

$$g(x,y) = \int_a^x \int_c^y f(s,t)\,dt\,ds,$$

   pour $a < x < b$, $c < y < d$. Démontrez que $g''_{xy} = g''_{yx} = f(x,y)$.

12.3 Les intégrales doubles sur des domaines généraux ● ● ● ● ● ● ● ● ● ● ● ● ● ●

FIGURE 1

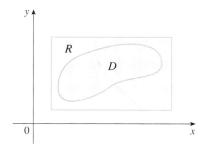

FIGURE 2

Le domaine d'intégration d'une intégrale simple est toujours un intervalle. Mais pour les intégrales doubles, on peut vouloir intégrer sur des domaines autres qu'un rectangle, de forme plus générale, comme celle de D qui est dans la figure 1 par exemple. On suppose que D est borné, ce qui veut dire que D peut être enfermé dans un domaine rectangulaire R, comme dans la figure 2. On définit alors une nouvelle fonction F définie sur R par

1
$$F(x, y) = \begin{cases} f(x, y) & \text{si } (x, y) \text{ appartient à } D \\ 0 & \text{si } (x, y) \text{ appartient à } R \text{ mais pas à } D \end{cases}$$

Sous l'hypothèse que l'intégrale double de F existe sur R, on définit alors l'**intégrale double de f sur** D par

2
$$\iint_D f(x,y)dA = \iint_R F(x,y)dA \qquad \text{où } F \text{ est définie par l'expression 1.}$$

La définition 2 a du sens parce que R est un rectangle et que $\iint_R F(x,y)dA$ vient d'être défini dans la section 12.1. Le détour adopté semble acceptable vu que $F(x,y) = 0$ lorsque (x, y) se trouve en dehors de D et ne contribue donc pour rien dans la valeur de l'intégrale. De plus, le rectangle employé n'a pas d'importance pourvu qu'il contienne D.

Dans le cas où $f(x,y) \geqslant 0$, on peut toujours interpréter $\iint_D f(x,y)dA$ comme le volume du solide qui s'élève au-dessus de D et couvert par la surface $z = f(x,y)$ (le graphique de f). En comparant les graphiques de f et F dans les figures 3 et 4 et en ayant à l'esprit que $\iint_R F(x,y)dA$ représente le volume sous le graphique de F, vous admettrez que c'est raisonnable.

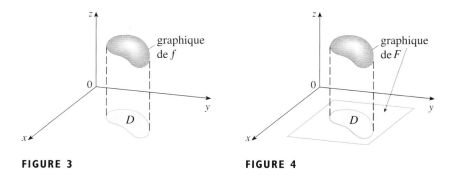

FIGURE 3   **FIGURE 4**

La figure 4 montre aussi que fort probablement F a des discontinuités sur la frontière de D. Néanmoins, si f est continue sur D et si la frontière de D se comporte « bien » (dans un sens qui dépasse le niveau de cet ouvrage), il peut être montré que $\iint_R F(x,y)dA$ existe et partant, que $\iint_D f(x,y)dA$ existe aussi. C'est le cas en particulier pour les types suivants de domaine.

Un domaine plan D est dit de **type I** s'il est délimité par les graphes de deux fonctions continues de x, c'est-à-dire

$$D = \{(x,y) \mid a \leqslant x \leqslant b, g_1(x) \leqslant y \leqslant g_2(x)\},$$

où g_1 et g_2 sont continues sur $[a, b]$. La figure 5 présente quelques exemples de domaines de type I.

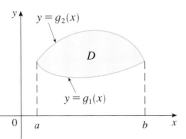

FIGURE 5 Quelques domaines de type I

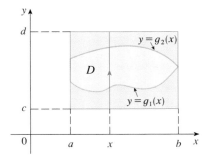

FIGURE 6

En vue du calcul de $\iint_D f(x, y)\,dA$ où D est un domaine de type I, on choisit un rectangle $R = [a, b] \times [c, d]$ qui contient D, comme dans la figure 6, et on pose F comme dans la défintion 1 ; c'est-à-dire, F coïncide avec f sur D et F vaut 0 en dehors de D. Alors, par le théorème de Fubini,

$$\iint_D f(x, y)\,dA = \iint_R F(x, y)\,dA = \int_a^b \int_c^d F(x, y)\,dy\,dx.$$

Observez que $F(x, y) = 0$ lorsque $y < g_1(x)$ ou $y > g_2(x)$ puisque (x, y) est en dehors de D. Par conséquent,

$$\int_c^d F(x, y)\,dy = \int_{g_1(x)}^{g_2(x)} F(x, y)\,dy = \int_{g_1(x)}^{g_2(x)} f(x, y)\,dy,$$

puisque $F(x, y) = f(x, y)$ quand $g_1(x) \leqslant y \leqslant g_2(x)$. Ainsi, on a la formule suivante qui permet de calculer l'intégrale double comme une intégrale itérée.

---

3 Si f est une fonction continue sur un domaine D de type I tel que

$$D = \{(x, y) \mid a \leqslant x \leqslant b, g_1(x) \leqslant y \leqslant g_2(x)\},$$

alors

$$\iint_D f(x, y)\,dA = \int_a^b \int_{g_1(x)}^{g_2(x)} f(x, y)\,dy\,dx.$$

L'intégrale du membre de droite de (3) est une intégrale itérée semblable à celles qu'on a rencontrées dans la section précédente, sauf que, dans l'intégrale intérieure, x doit être traitée comme une constante, pas seulement dans $f(x, y)$, mais aussi dans les bornes d'intégration $g_1(x)$ et $g_2(x)$.

Il y a bien sûr aussi des domaines **de type II** qui sont décrits par

4 $$D = \{(x, y) \mid c \leqslant y \leqslant d, h_1(y) \leqslant x \leqslant h_2(y)\},$$

où h_1 et h_2 sont continues. La figure 7 présente deux tels domaines.

FIGURE 7
Quelques domaines
de type II

En procédant de la même façon que pour établir (3), on peut montrer que

5
$$\iint_D f(x,y)dA = \int_c^d \int_{h_1(y)}^{h_2(y)} f(x,y)dx\,dy.$$

où D est un domaine de type II décrit par l'expression 4.

EXEMPLE 1 ■ Si D est le domaine délimité par les paraboles $y = 2x^2$ et $y = 1 + x^2$, calculez $\iint_D (x + 2y)dA$.

SOLUTION Les paraboles se coupent quand $2x^2 = 1 + x^2$, ou $x^2 = 1$, ou $x = \pm 1$. La figure 8 montre que le domaine D est de type I et non de type II. Il est décrit par

$$D = \{(x,y) \mid -1 \leqslant x \leqslant 1, 2x^2 \leqslant y \leqslant 1 + x^2\}.$$

La frontière inférieure étant $y = 2x^2$ et la frontière supérieure $y = 1 + x^2$, l'équation 3 donne

$$\iint_D (x + 2y)\, dA = \int_{-1}^1 \int_{2x^2}^{1+x^2} (x + 2y)\, dy\, dx$$

$$= \int_{-1}^1 \left[xy + y^2\right]_{y=2x^2}^{y=1+x^2} dx$$

$$= \int_{-1}^1 \left[x(1 + x^2) + (1 + x^2)^2 - x(2x^2) - (2x^2)^2\right] dx$$

$$= \int_{-1}^1 (-3x^4 - x^3 + 2x^2 + x + 1)\, dx$$

$$= -3\frac{x^5}{5} - \frac{x^4}{4} + 2\frac{x^3}{3} + \frac{x^2}{2} + x\Bigg]_{-1}^1 = \frac{32}{15}.$$

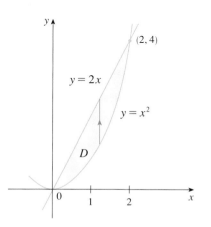

FIGURE 8

FIGURE 9

D est un domaine de type I

REMARQUE ● Pour établir une intégrale double comme dans l'exemple 1, il est essentiel de faire un dessin. Il est souvent utile de tracer une flèche verticale, comme dans la figure 8. Les limites d'intégration de l'intégrale *intérieure* se lisent alors sur le dessin : la flèche part de la frontière inférieure $y = g_1(x)$, qui est la borne inférieure de l'intégrale, et se termine à la frontière supérieure $y = g_2(x)$, qui est la borne supérieure de l'intégrale. Dans le cas des domaines de type II, les flèches sont horizontales et vont de la frontière gauche jusqu'à la frontière droite.

EXEMPLE 2 ■ Calculez le volume du solide qui s'élève sur le domaine D du plan Oxy délimitée par la droite $y = 2x$ et la parabole $y = x^2$, et couverte par le paraboloïde $z = x^2 + y^2$.

SOLUTION Au vu de la figure 9, le domaine D est de type I et il est décrit par

$$D = \{(x,y) \mid 0 \leqslant x \leqslant 2, x^2 \leqslant y \leqslant 2x\}.$$

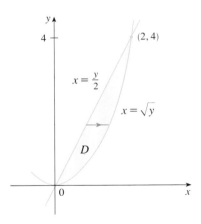

FIGURE 10

D est un domaine de type II

La figure 11 montre le solide dont le volume est calculé dans l'exemple 2. Il se trouve au-dessus du plan Oxy, sous le paraboloïde $z = x^2 + y^2$ et entre le plan $y = 2x$ et le cylindre parabolique $y = x^2$.

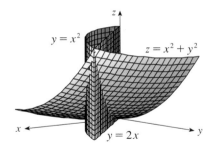

FIGURE 11

De là, le volume sous $z = x^2 + y^2$ est calculé par

$$V = \iint_D (x^2 + y^2)\, dA = \int_0^2 \int_{x^2}^{2x} (x^2 + y^2)\, dy\, dx$$

$$= \int_0^2 \left[x^2 y + \frac{y^3}{3} \right]_{y=x^2}^{y=2x} dx = \int_0^2 \left[x^2(2x) + \frac{(2x)^3}{3} - x^2 x^2 - \frac{(x^2)^3}{3} \right] dx$$

$$= \int_0^2 \left(-\frac{x^6}{3} - x^4 + \frac{14x^3}{3} \right) dx = -\frac{x^7}{21} - \frac{x^5}{5} + \frac{7x^4}{6} \Bigg]_0^2 = \frac{216}{35}.$$

SOLUTION 2   Au vu de la figure 10, le domaine D peut être décrit comme de type II,

$$D = \{(x,y) \mid 0 \leqslant y \leqslant 4, \frac{y}{2} \leqslant x \leqslant \sqrt{y}.\}$$

De là, le volume sous $z = x^2 + y^2$ se calcule aussi par

$$V = \iint_D (x^2 + y^2)\, dA = \int_0^4 \int_{y/2}^{\sqrt{y}} (x^2 + y^2)\, dx\, dy$$

$$= \int_0^4 \left[\frac{x^3}{3} + y^2 x \right]_{x=y/2}^{x=\sqrt{y}} dy = \int_0^4 \left(\frac{y^{3/2}}{3} + y^{5/2} - \frac{y^3}{24} - \frac{y^3}{2} \right) dy$$

$$= \tfrac{2}{15} y^{5/2} + \tfrac{2}{7} y^{7/2} - \tfrac{13}{96} y^4 \Big]_0^4 = \tfrac{216}{35}.$$

EXEMPLE 3 ■ Calculez $\iint_D xy\, dA$ où D est le domaine borné par la droite $y = x - 1$ et la parabole $y^2 = 2x + 6$.

SOLUTION   Le domaine D est représenté dans la figure 12. Il est à la fois de type I et de type II, mais sa description en tant que type I est plus compliquée qu'en tant que type II, parce que sa frontière inférieure se compose de deux morceaux. On préfère donc le décrire comme un domaine de type II :

$$D = \left\{ (x,y) \,\middle|\, -2 \leqslant y \leqslant 4, \frac{y^2}{2} - 3 \leqslant x \leqslant y + 1. \right\}$$

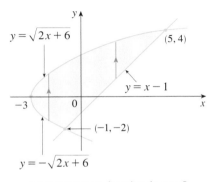

FIGURE 12   (a) D comme un domaine de type I   (b) D comme un domaine de type II

Alors (5) conduit à

$$\iint_D xy\,dA = \int_{-2}^{4}\int_{y^2/2-3}^{y+1} xy\,dx\,dy = \int_{-2}^{4}\left[\frac{x^2}{2}y\right]_{x=y^2/2-3}^{x=y+1} dy$$

$$= \frac{1}{2}\int_{-2}^{4} y\left[(y+1)^2 - \left(\frac{y^2}{2}-3\right)^2\right] dy$$

$$= \frac{1}{2}\int_{-2}^{4}\left(-\frac{y^5}{4} + 4y^3 + 2y^2 - 8y\right) dy$$

$$= \frac{1}{2}\left[-\frac{y^6}{24} + y^4 + 2\frac{y^3}{3} - 4y^2\right]_{-2}^{4} = 36.$$

Eu égard à la description de D comme un domaine de type I [figure 12(a)], on aurait eu à calculer

$$\iint_D xy\,dA = \int_{-3}^{-1}\int_{-\sqrt{2x+6}}^{\sqrt{2x+6}} xy\,dy\,dx + \int_{-1}^{5}\int_{x-1}^{\sqrt{2x+6}} xy\,dy\,dx,$$

ce qui aurait demandé beaucoup plus de travail.

EXEMPLE 4 ■ Calculez le volume du tétraèdre formé par les plans $x + 2y + z = 2$, $x = 2y$, $x = 0$ et $z = 0$.

SOLUTION Devant une question comme celle-ci, il est prudent de faire deux dessins, celui du solide à trois dimensions et celui du domaine plan D sur lequel il repose. La figure 13 montre le tétraèdre T borné par les plans de coordonnées $x = 0, z = 0$, le plan vertical $x = 2y$ et le plan $x + 2y + z = 2$. Puisque le plan $x + 2y + z = 2$ coupe le plan Oxy (d'équation $z = 0$) suivant la droite $x + 2y = 2$, on voit que T repose sur le domaine triangulaire D du plan Oxy borné par les droites $x = 2y$, $x + 2y = 2$ et $x = 0$ (voyez la figure 14).

Comme l'équation du plan $x + 2y + z = 2$ s'écrit aussi $z = 2 - x - 2y$, le volume désiré se trouve sous le graphique de $z = 2 - x - 2y$ et au-dessus de

$$D = \left\{(x,y)\,|\,0 \leqslant x \leqslant 1, \frac{x}{2} \leqslant y \leqslant 1 - \frac{x}{2}.\right\}$$

Par conséquent

$$V = \iint_D (2 - x - 2y)\,dA = \int_0^1\int_{x/2}^{1-x/2} (2 - x - 2y)\,dy\,dx$$

$$= \int_0^1\left[2y - xy - y^2\right]_{y=x/2}^{y=1-x/2} dx$$

$$= \int_0^1\left[2 - x - x\left(1 - \frac{x}{2}\right) - \left(1 - \frac{x}{2}\right)^2 - x + \frac{x^2}{2} + \frac{x^2}{4}\right] dx$$

$$= \int_0^1 (x^2 - 2x + 1)\,dx = \frac{x^3}{3} - x^2 + x\bigg]_0^1 = \frac{1}{3}.$$

FIGURE 13

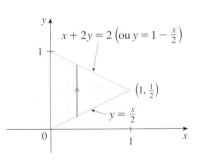

FIGURE 14

EXEMPLE 5 ■ Calculez l'intégrale itérée $\int_0^1\int_x^1 \sin(y^2)\,dy\,dx$.

SOLUTION Telle que cette intégrale double se présente, la première intégrale simple à calculer est $\int \sin(y^2)\,dy$. Celle-ci n'est pas possible en termes finis (voyez la fin de la

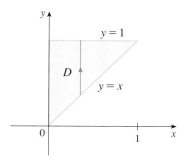

FIGURE 15

D comme un domaine de type I

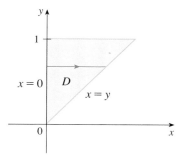

FIGURE 16

D comme un domaine de type II

section 5.7). La seule chose à faire est d'essayer de changer l'ordre d'intégration. Pour cela, on exprime d'abord l'intégrale itérée comme une intégrale double. La formule (3) lue de droite à gauche donne

$$\int_0^1 \int_x^1 \sin(y^2)\,dy\,dx = \iint_D \sin(y^2)\,dA,$$

où $D = \{(x, y) \mid 0 \leqslant x \leqslant 1, x \leqslant y \leqslant 1\}$.

Ce domaine D est dessiné dans la figure 15. Dans la figure 16, on voit qu'il peut aussi être décrit d'une autre façon

$$D = \{(x, y) \mid 0 \leqslant y \leqslant 1, 0 \leqslant x \leqslant y\}.$$

Selon cette description-ci, c'est la formule (5) qui conduit à écrire l'intégrale double comme une intégrale itérée dans l'ordre inverse :

$$\int_0^1 \int_x^1 \sin(y^2)\,dy\,dx = \iint_D \sin(y^2)\,dA$$

$$= \int_0^1 \int_0^y \sin(y^2)\,dx\,dy = \int_0^1 \left[x\sin(y^2)\right]_{x=0}^{x=y}\,dy$$

$$= \int_0^1 y\sin(y^2)\,dy = -\tfrac{1}{2}\cos(y^2)\Big]_0^1$$

$$= \tfrac{1}{2}(1 - \cos 1).$$

Les propriétés des intégrales doubles

On suppose que toutes les intégrales existent. Les trois premières propriétés des intégrales doubles sur un domaine D découlent immédiatement de la définition 2 et des propriétés 7, 8 et 9 de la section 12.1.

6
$$\iint_D [f(x, y) + g(x, y)]\,dA = \iint_D f(x, y)\,dA + \iint_D g(x, y)\,dA.$$

7
$$\iint_D cf(x, y)\,dA = c \iint_D f(x, y)\,dA.$$

Si $f(x, y) \geqslant g(x, y)$ pour tout (x, y) dans D, alors

8
$$\iint_D f(x, y)\,dA \geqslant \iint_D g(x, y)\,dA.$$

La propriété suivante des intégrales doubles est analogue à la propriété relative aux intégrales simples qui s'écrit $\int_a^b f(x)\,dx = \int_a^c f(x)\,dx + \int_c^d f(x)\,dx$.

Si $D = D_1 \cup D_2$, sans que D_1 ne chevauche D_2 sauf peut-être sur leur frontière (voyez la figure 17), alors

9
$$\iint_D f(x, y)\,dA = \iint_{D_1} f(x, y)\,dA + \iint_{D_2} f(x, y)\,dA.$$

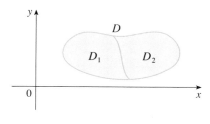

FIGURE 17

La propriété 9 est mise à contribution pour calculer des intégrales doubles sur des domaines D qui n'entrent dans aucune des deux catégories de type I ou de type II, car elle permet d'envisager le domaine comme une union de domaines de type I ou II. La figure 18 illustre cette décomposition du domaine D. (Voyez aussi les exercices 37 et 38.)

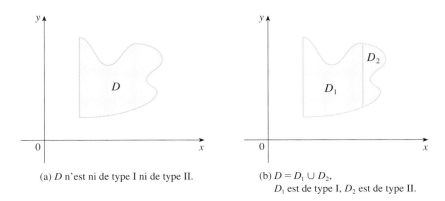

(a) D n'est ni de type I ni de type II.

(b) $D = D_1 \cup D_2$,
D_1 est de type I, D_2 est de type II.

FIGURE 18

La propriété suivante affirme que l'intégrale double de la fonction constante $f(x,y) = 1$ sur un domaine D donne l'aire de celui-ci :

10
$$\iint_D 1\, dA = A(D)$$

Par exemple, si D est de type I et si $f(x,y) = 1$ dans la formule 3, on obtient

$$\iint_D 1\, dA = \int_a^b \int_{g_1(x)}^{g_2(x)} 1\, dy\, dx = \int_a^b [g_2(x) - g_1(x)]dx = A(D),$$

conformément à l'équation 2 de la section 6.1.

Enfin, la combinaison des propriétés 7, 8 et 10 conduit à la propriété suivante (voyez l'exercice 41).

11 Si $m \leqslant f(x,y) \leqslant M$ pour tout (x,y) dans D, alors

$$m\, A(D) \leqslant \iint_D f(x,y)dA \leqslant M\, A(D).$$

EXEMPLE 6 ■ Servez-vous de la propriété 11 pour évaluer l'intégrale $\iint_D e^{\sin x \cos y} dA$, où D est le disque centré à l'origine de rayon 2.

SOLUTION Comme $-1 \leqslant \sin x \leqslant 1$ et $-1 \leqslant \cos y \leqslant 1$, $-1 \leqslant \sin x \cos y \leqslant 1$ et de là,

$$e^{-1} \leqslant e^{\sin x \cos y} \leqslant e^1 = e.$$

La propriété 11, avec $m = e^{-1} = 1/e$, $M = e$ et $A(D) = \pi(2)^2$, conduit à

$$\frac{4\pi}{e} \leqslant \iint_D e^{\sin x \cos y} dA \leqslant 4\pi e.$$

12.3 Exercices ● ● ● ● ● ● ● ● ● ● ● ● ● ● ● ● ● ●

1-4 ■ Calculez l'intégrale itérée.

1. $\int_0^1 \int_0^y x \, dx \, dy$

2. $\int_0^1 \int_0^y y \, dx \, dy$

3. $\int_0^1 \int_0^x \sin(x^2) \, dy \, dx$

4. $\int_0^1 \int_{1-x}^{1+x} (2x - 3y^2) \, dy \, dx$

5-12 ■ Calculez l'intégrale double.

5. $\iint_D xy \, dA$, $\quad D = \{(x, y) \mid 0 \le x \le 1, \, x^2 \le y \le \sqrt{x}\}$

6. $\iint_D (x - 2y) \, dA$,
$D = \{(x, y) \mid 1 \le x \le 3, \, 1 + x \le y \le 2x\}$

7. $\iint_D e^{x/y} \, dA$, $\quad D = \{(x, y) \mid 1 \le y \le 2, \, y \le x \le y^3\}$

8. $\iint_D \frac{1}{x} \, dA$, $\quad D = \{(x, y) \mid 1 \le y \le e, \, y^2 \le x \le y^4\}$

9. $\iint_D x \cos y \, dA$, D est borné par $y = 0$, $y = x^2$, $x = 1$.

10. $\iint 4y^3 \, dA$, D est borné par $y = x - 6$, $y^2 = x$.

11. $\iint_D xy \, dA$, D est le premier quadrant du disque centré à l'origine de rayon 1.

12. $\iint_D ye^x \, dA$, D est le domaine triangulaire de sommets $(0, 0)$, $(2, 4)$, $(6, 0)$.

13-20 ■ Calculez le volume du solide décrit.

13. Sous le paraboloïde $z = x^2 + y^2$ et sur le domaine délimité par $y = x^2$ et $x = y^2$.

14. Sous le paraboloïde $z = 3x^2 + y^2$ et sur le domaine borné par $y = x$ et $x = y^2 - y$.

15. Sous la surface $z = xy$ et sur le triangle de sommets $(1, 1)$, $(4, 1)$, $(1, 2)$.

16. Compris entre le paraboloïde $z = x^2 + y^2 + 4$ et les plans $x = 0$, $y = 0$, $z = 0$, $x + y = 1$.

17. Borné par les plans $x = 0$, $y = 0$, $z = 0$ et $x + y + z = 1$.

18. Borné par le cylindre $y^2 + z^2 = 4$ et les plans $x = 2y$, $x = 0$, $z = 0$ dans le premier octant.

19. Borné par le cylindre $x^2 + y^2 = 1$ et les plans $y = z$, $x = 0$, $z = 0$ dans le premier octant.

20. Borné par les cylindres $x^2 + y^2 = r^2$ et $y^2 + z^2 = r^2$.

21. Servez-vous d'un outil graphique pour localiser grossièrement les abscisses des points d'intersection des courbes $y = x^4$ et $y = 3x - x^2$. Calculez $\iint_D x \, dA$ où D est le domaine délimité par ces courbes.

22. Calculez de façon approchée le volume du solide du premier octant borné par les plans $y = x$, $z = 0$ et $z = x$ et par le cylindre $y = \cos x$. (Utilisez un outil graphique pour estimer les points d'intersection.)

23-24 ■ Calculez la valeur exacte du volume du solide à l'aide d'un logiciel de calcul formel.

23. Sous la surface $z = x^3 y^4 + xy^2$ et au-dessus du domaine borné par les courbes $y = x^3 - x$ et $y = x^2 + x$ pour $x \ge 0$.

24. Entre les paraboloïdes $z = 2x^2 + y^2$ et $z = 8 - x^2 - 2y^2$ et à l'intérieur du cylindre $x^2 + y^2 = 1$.

25-30 ■ Faites un croquis du domaine d'intégration et changez l'ordre d'intégration.

25. $\int_0^1 \int_0^x f(x, y) \, dy \, dx$

26. $\int_0^{\pi/2} \int_0^{\sin x} f(x, y) \, dy \, dx$

27. $\int_1^2 \int_0^{\ln x} f(x, y) \, dy \, dx$

28. $\int_0^1 \int_{y^2}^{2-y} f(x, y) \, dx \, dy$

29. $\int_0^4 \int_{y/2}^2 f(x, y) \, dx \, dy$

30. $\int_0^1 \int_{\text{Arc tg} x}^{\pi/4} f(x, y) \, dy \, dx$

31-36 ■ Calculez l'intégrale après avoir interverti l'ordre d'intégration.

31. $\int_0^1 \int_{3y}^3 e^{x^2} \, dx \, dy$

32. $\int_0^1 \int_{\sqrt{y}}^1 \sqrt{x^3 + 1} \, dx \, dy$

33. $\int_0^3 \int_{y^2}^9 y \cos(x^2) \, dx \, dy$

34. $\int_0^1 \int_{x^2}^1 x^3 \sin(y^3) \, dy \, dx$

35. $\int_0^1 \int_{\arcsin y}^{\pi/2} \cos x \sqrt{1 + \cos^2 x} \, dx \, dy$

36. $\int_0^8 \int_{\sqrt[3]{y}}^2 e^{x^4} \, dx \, dy$

37-38 ■ Exprimez D comme une union de domaines de type I ou II et calculez l'intégrale.

37. $\iint\limits_{D} x^2 \, dA$

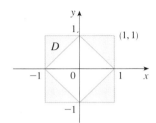

38. $\iint\limits_{D} xy \, dA$

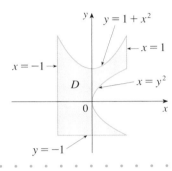

39-40 ■ Servez-vous de la propriété 11 pour estimer la valeur de l'intégrale.

39. $\iint_D \sqrt{x^3 + y^3} \, dA$, $D = [0, 1] \times [0, 1]$

40. $\iint_D e^{x^2 + y^2} \, dA$, D est le disque centré à l'origine et de rayon $1/2$.

41. Démontrez la propriété 11.

42. Une intégrale double sur D se calcule par la somme des intégrales itérées suivantes :

$$\iint_D f(x, y) \, dA = \int_0^1 \int_0^{2y} f(x, y) \, dx \, dy + \int_1^3 \int_0^{3-y} f(x, y) \, dx \, dy.$$

Dessinez le domaine D et exprimez l'intégrale double comme une intégrale itérée dans l'ordre inverse.

43. Calculez $\iint_D (x^2 \text{tg } x + y^3 + 4) \, dA$, où $D = \{(x, y) \mid x^2 + y^2 \leq 2\}$. [*Suggestion :* Exploitez le fait que D est symétrique par rapport aux deux axes.]

44. Utilisez la symétrie pour calculez $\iint_D (2 - 3x + 4y) \, dA$, où D est le domaine borné par le carré de sommets $(\pm 5, 0)$ et $(0, \pm 5)$.

45. Cherchez la valeur de $\iint_D \sqrt{1 - x^2 - y^2} \, dA$, où D est le disque $x^2 + y^2 \leq 1$, en reconnaissant l'intégrale comme le volume d'un solide.

LCS 46. Représentez le solide borné par le plan $x + y + z = 1$ et le paraboloïde $z = 4 - x^2 - y^2$ et calculez la valeur exacte de son volume. (Aidez-vous d'un logiciel de calcul formel pour exécuter le graphique, pour déterminer les équations de la frontière du domaine d'intégration et pour calculer l'intégrale double.)

12.4 Les intégrales doubles en coordonnées polaires ●●●●●●●●●●●●●●●●

Voyez l'annexe G pour la définition des coordonnées polaires.

On souhaite calculer une intégrale double $\iint_R f(x, y) \, dA$, où R est une région comme celles que présente la figure 1. Dans les deux cas, la description de R en coordonnées rectangulaires est compliquée alors qu'en coordonnées polaires, elle serait simple.

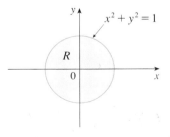

FIGURE 1   (a) $R = \{(r, \theta) \mid 0 \leq r \leq 1, 0 \leq \theta \leq 2\pi\}$ (b) $R = \{(r, \theta) \mid 1 \leq r \leq 2, 0 \leq \theta \leq \pi\}$

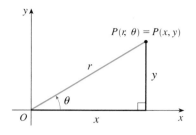

FIGURE 2

La figure 2 rappelle comment les coordonnées polaires (r, θ) sont liées aux coordonnées rectangulaires (x, y) :

$$r^2 = x^2 + y^2 \qquad x = r\cos\theta \qquad y = r\sin\theta.$$

Les régions de la figure 1 sont des cas particuliers de **rectangle polaire**, défini par :

$$R = \{(r, \theta) \mid a \leqslant r \leqslant b, \alpha \leqslant \theta \leqslant \beta\},$$

et représenté dans la figure 3. En vue de calculer $\iint_R f(x, y)\,dA$, où R est un rectangle polaire, on divise l'intervalle $[a, b]$ en m sous-intervalles $[r_{i-1}, r_i]$ d'égale largeur $\Delta r = (b - a)/m$ et on divise l'intervalle $[\alpha, \beta]$ en n sous-intervalles $[\theta_{j-1}, \theta_j]$ d'égale largeur $\Delta\theta = (\beta - \alpha)/n$. Alors, les cercles $r = r_i$ et les rayons $\theta = \theta_j$ divisent le rectangle polaire R en sous-rectangles polaires que l'on peut voir dans la figure 4.

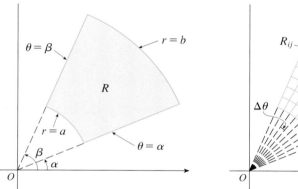

FIGURE 3 Un rectangle polaire   **FIGURE 4** R divisé en sous-rectangles polaires

Les coordonnées polaires du « centre » du sous-rectangle polaire

$$R_{ij} = \{(r, \theta) \mid r_{i-1} \leqslant r \leqslant r_i, \theta_{j-1} \leqslant \theta \leqslant \theta_j\},$$

sont

$$r_i^* = \frac{1}{2}(r_{i-1} + r_i) \qquad \theta_j^* = \frac{1}{2}(\theta_{j-1} + \theta_j).$$

Connaissant la formule de l'aire d'un secteur circulaire de rayon r et d'angle au centre θ, à savoir $\frac{1}{2}r^2\theta$, on peut calculer l'aire d'un R_{ij}, qui n'est que la différence de deux tels secteurs, d'angle central commun $\Delta\theta = \theta_j - \theta_{j-1}$,

$$\begin{aligned}
\Delta A_i &= \tfrac{1}{2}r_i^2\,\Delta\theta - \tfrac{1}{2}r_{i-1}^2\,\Delta\theta \\
&= \tfrac{1}{2}(r_i^2 - r_{i-1}^2)\,\Delta\theta \\
&= \tfrac{1}{2}(r_i + r_{i-1})(r_i - r_{i-1})\,\Delta\theta \\
&= r_i^*\,\Delta r\,\Delta\theta
\end{aligned}$$

Bien que l'intégrale double $\iint_R f(x, y)\,dA$ ait été définie sur des rectangles ordinaires, il est possible de démontrer que, pour des fonctions continues f, on obtient la même réponse sur des rectangles polaires. Comme les coordonnées rectangulaires du centre de R_{ij} sont $(r_i^*\cos\theta_j^*, r_i^*\sin\theta_j^*)$, une somme de Riemann représentative est

■
$$\sum_{i=1}^{m}\sum_{j=1}^{n} f(r_i^*\cos\theta_j^*, r_i^*\sin\theta_j^*)\,\Delta A_i = \sum_{i=1}^{m}\sum_{j=1}^{n} f(r_i^*\cos\theta_j^*, r_i^*\sin\theta_j^*)\,r_i^*\,\Delta r\,\Delta\theta$$

En posant $g(r,\theta) = rf(r\cos\theta, r\sin\theta)$, la somme de Riemann de l'expression 1 peut s'écrire

$$\sum_{i=1}^{m}\sum_{j=1}^{n} g(r_i^*, \theta_j^*)\Delta r\,\Delta\theta,$$

ce qui est une somme de Riemann de l'intégrale double

$$\int_{\alpha}^{\beta}\int_{a}^{b} g(r,\theta)\,dr\,d\theta.$$

Par conséquent,

$$\iint_R f(x,y)\,dA = \lim_{m,n\to\infty}\sum_{i=1}^{m}\sum_{j=1}^{n} f(r_i^*\cos\theta_j^*, r_i^*\sin\theta_j^*)\,\Delta A_i$$

$$= \lim_{m,n\to\infty}\sum_{i=1}^{m}\sum_{j=1}^{n} g(r_i^*, \theta_j^*)\,\Delta r\,\Delta\theta$$

$$= \int_{\alpha}^{\beta}\int_{a}^{b} g(r,\theta)\,dr\,d\theta$$

$$= \int_{\alpha}^{\beta}\int_{a}^{b} f(r\cos\theta, r\sin\theta)\,r\,dr\,d\theta.$$

> **2** **Passage aux coordonnées polaires dans une intégrale double** Si f est continue sur un rectangle polaire R donné par $0 \leqslant a \leqslant r \leqslant b$, $\alpha \leqslant \theta \leqslant \beta$, où $0 \leqslant \beta - \alpha \leqslant 2\pi$, alors
>
> $$\iint_R f(x,y)\,dA = \int_{\alpha}^{\beta}\int_{a}^{b} f(r\cos\theta, r\sin\theta)\,r\,dr\,d\theta.$$

La formule (2) établit que pour passer des coordonnées rectangulaires aux coordonnées polaires, il faut effectuer les substitutions $x = r\cos\theta$, $y = r\sin\theta$, mettre les bornes convenables d'intégration relatives à r et θ et remplacer dA par $r\,dr\,d\theta$. Prenez garde de ne pas oublier le facteur supplémentaire r dans le membre de droite de la formule 2. La figure 5 est une aide mnémotechnique de la formule 2 ; elle montre un rectangle polaire « infinitésimal » dont le produit des dimensions $r\,d\theta$ et dr fournit l'« aire » $dA = r\,dr\,d\theta$.

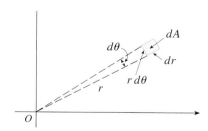

FIGURE 5

EXEMPLE 1 ■ Calculez $\iint_R (3x + 4y^2)\,dA$, où R est la région du demi-plan supérieur comprise entre les cercles $x^2 + y^2 = 1$ et $x^2 + y^2 = 4$.

SOLUTION La région R est décrite par

$$R = \{(x,y)\,|\,y \geqslant 0,\, 1 \leqslant x^2 + y^2 \leqslant 4\}.$$

C'est le demi-anneau de la figure 1(b) qui, en coordonnées polaires, est décrit par $1 \leqslant r \leqslant 2$, $0 \leqslant \theta \leqslant \pi$. Par conséquent, conformément à la formule 2,

$$\iint_R (3x + 4y^2)\,dA = \int_0^\pi \int_1^2 (3r\cos\theta + 4r^2\sin^2\theta)\,r\,dr\,d\theta$$

$$= \int_0^\pi \int_1^2 (3r^2\cos\theta + 4r^3\sin^2\theta)\,dr\,d\theta$$

$$= \int_0^\pi \left[r^3\cos\theta + r^4\sin^2\theta\right]_{r=1}^{r=2}\,d\theta$$

$$= \int_0^\pi (7\cos\theta + 15\sin^2\theta)\,d\theta$$

$$= \int_0^\pi \left[7\cos\theta + \tfrac{15}{2}(1 - \cos 2\theta)\right]d\theta$$

$$= 7\sin\theta + \frac{15\theta}{2} - \frac{15}{4}\sin 2\theta \bigg]_0^\pi = \frac{15\pi}{2}.$$

On emploie ici la formule 17b de l'annexe C :

$$\sin^2\theta = \frac{1}{2}(1 - \cos 2\theta).$$

On aurait aussi pu faire appel à la formule 63 des tables d'intégrales :

$$\int \sin^2 u\,du = \frac{1}{2}u - \frac{1}{4}\sin 2u + C.$$

EXEMPLE 2 ■ Déterminez le volume du solide délimité par le plan $z = 0$ et le paraboloïde $z = 1 - x^2 - y^2$.

SOLUTION En posant $z = 0$ dans l'équation du paraboloïde, on obtient $x^2 + y^2 = 1$. Le plan coupe donc le paraboloïde selon le cercle $x^2 + y^2 = 1$ et le solide repose donc sur le disque circulaire D défini par $x^2 + y^2 \leqslant 1$ [voyez les figures 6 et 1(a)]. En coordonnées polaires, D est décrit par $0 \leqslant r \leqslant 1$, $0 \leqslant \theta \leqslant 2\pi$. Comme $1 - x^2 - y^2 = 1 - r^2$, le volume est calculé par

$$V = \iint_D (1 - x^2 - y^2)\,dA = \int_0^{2\pi} \int_0^1 (1 - r^2)\,r\,dr\,d\theta$$

$$= \int_0^{2\pi} d\theta \int_0^1 (r - r^3)\,dr = 2\pi\left[\frac{r^2}{2} - \frac{r^4}{4}\right]_0^1 = \frac{\pi}{2}.$$

En coordonnées rectangulaires, il aurait fallu calculer

$$V = \iint_D (1 - x^2 - y^2)\,dA = \int_{-1}^1 \int_{-\sqrt{1-x^2}}^{\sqrt{1-x^2}} (1 - x^2 - y^2)\,dy\,dx,$$

ce qui n'est pas facile car y sont impliquées les intégrales suivantes

$$\int \sqrt{1 - x^2}\,dx \qquad \int x^2\sqrt{1 - x^2}\,dx \qquad \int (1 - x^2)^{3/2}dx.$$

FIGURE 6

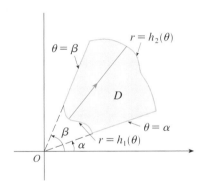

FIGURE 7

$D = \{(r, \theta) \mid \alpha \leqslant \theta \leqslant \beta, h_1(\theta) \leqslant r \leqslant h_2(\theta)\}$

Ce qui a été fait jusqu'ici peut être étendu à des types de domaine plus compliqués, comme celui de la figure 7. Il est semblable aux domaines de type II envisagés dans la section 12.3. En effet, en combinant la formule 2 de cette section avec la formule 5 de la section 12.3, on obtient la formule suivante.

---

3 Si f est continue sur un domaine polaire de la forme
$$D = \{(r, \theta) \mid \alpha \leqslant \theta \leqslant \beta, h_1(\theta) \leqslant r \leqslant h_2(\theta)\},$$
alors
$$\iint_D f(x, y)\, dA = \int_\alpha^\beta \int_{h_1(\theta)}^{h_2(\theta)} f(r\cos\theta, r\sin\theta)\, r\, dr\, d\theta.$$

En particulier, en posant $f(x, y) = 1$, $h_1(\theta) = 0$ et $h_2(\theta) = h(\theta)$ dans cette formule, on voit que l'aire de la région D bornée par $\theta = \alpha$, $\theta = \beta$ et $r = h(\theta)$ est égale à

$$A(D) = \iint_D 1\, dA = \int_\alpha^\beta \int_0^{h(\theta)} r\, dr\, d\theta$$

$$= \int_\alpha^\beta \left[\frac{r^2}{2}\right]_0^{h(\theta)} d\theta = \int_\alpha^\beta \tfrac{1}{2}[h(\theta)]^2\, d\theta$$

en accord avec la formule 3 dans l'annexe G.2.

EXEMPLE 3 ■ Calculez le volume du solide qui est fermé supérieurement par le paraboloïde $z = x^2 + y^2$, inférieurement par le plan Oxy et latéralement par la paroi du cylindre $x^2 + y^2 = 2x$.

SOLUTION Le solide repose donc sur le disque D dont la frontière est le cercle $x^2 + y^2 = 2x$ ou

$$(x - 1)^2 + y^2 = 1$$

(voyez les figures 8 et 9). Comme $x^2 + y^2 = r^2$ et $x = r\cos\theta$, l'équation de ce cercle, en coordonnées polaires, est $r^2 = 2r\cos\theta$, ou $r = 2\cos\theta$. Le disque est maintenant décrit par

$$D = \left\{(r, \theta) \,\middle|\, -\frac{\pi}{2} \leqslant \theta \leqslant \frac{\pi}{2}, 0 \leqslant r \leqslant 2\cos\theta\right\},$$

et, d'après la formule 3, on a

$$V = \iint_D (x^2 + y^2)\, dA = \int_{-\pi/2}^{\pi/2} \int_0^{2\cos\theta} r^2 r\, dr\, d\theta$$

$$= \int_{-\pi/2}^{\pi/2} \left[\frac{r^4}{4}\right]_0^{2\cos\theta} d\theta = 4 \int_{-\pi/2}^{\pi/2} \cos^4\theta\, d\theta$$

$$= 8 \int_0^{\pi/2} \cos^4\theta\, d\theta.$$

FIGURE 8

FIGURE 9

(Figure 8) $(x - 1)^2 + y^2 = 1$ (ou $r = 2\cos\theta$); D

La formule 74 de la Table d'intégrales avec $n = 4$ permet de poursuivre ainsi :

$$V = 8 \int_0^{\pi/2} \cos^4\theta \, d\theta = 8\left(\frac{1}{4} \cos^3\theta \sin\theta \Big]_0^{\pi/2} + \frac{3}{4} \int_0^{\pi/2} \cos^2\theta \, d\theta \right)$$

$$= 6 \int_0^{\pi/2} \cos^2\theta \, d\theta.$$

Enfin, la formule 64 de la table achève les calculs comme suit :

$$V = 6 \int_0^{\pi/2} \cos^2\theta \, d\theta = 6\left[\frac{1}{2}\theta + \frac{1}{4} \sin 2\theta \right]_0^{\pi/2}$$

$$= 6 \cdot \frac{1}{2} \cdot \frac{\pi}{2} = \frac{3\pi}{2}.$$

12.4 Exercices

1-6 ■ Pour chaque région R, décidez s'il vaut mieux travailler en coordonnées rectangulaires ou polaires et écrivez $\iint_R f(x,y) dA$ sous la forme d'une intégrale itérée. Il est supposé que f est une fonction quelconque continue sur R.

1.

2.

3.

4.

5.

6.
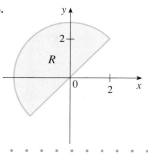

7-12 ■ Calculez l'intégrale en passant aux coordonnées polaires.

7. $\iint_R x \, dA$, où R est le disque centré à l'origine et de rayon 5.

8. $\iint_R y \, dA$ où R est la région du premier quadrant bornée par le cercle $x^2 + y^2 = 9$ et les droites $y = x$ et $y = 0$.

9. $\iint_R xy \, dA$ où R est la région du premier quadrant comprise entre les cercles $x^2 + y^2 = 4$ et $x^2 + y^2 = 25$.

10. $\iint_R \sin(x^2 + y^2) dA$, où R est l'anneau $1 \leqslant x^2 + y^2 \leqslant 16$.

11. $\iint_D 1/\sqrt{x^2 + y^2} \, dA$, où D est le domaine qui se trouve à l'intérieur de la cardioïde $r = 1 + \sin\theta$ et à l'extérieur du cercle $r = 1$.

12. $\iint_D x \, dA$, où D est le domaine du premier quadrant comprise entre les cercles $x^2 + y^2 = 4$ et $x^2 + y^2 = 2x$.

13-19 ■ Employez les coordonnées polaires pour calculer le volume du solide décrit.

13. Sous le paraboloïde $z = x^2 + y^2$ et sur le disque $x^2 + y^2 \leqslant 9$.

14. Sous le cône $z = \sqrt{x^2 + y^2}$ et sur l'anneau $4 \leqslant x^2 + y^2 \leqslant 25$.

15. Une sphère de rayon a.

16. Borné par le paraboloïde $z = 10 - 3x^2 - 3y^2$ et le plan $z = 4$.

17. Au-dessus du cône $z = \sqrt{x^2 + y^2}$ et sous la sphère $x^2 + y^2 + z^2 = 1$.

18. Borné par les paraboloïdes $z = 3x^2 + 3y^2$ et $z = 4 - x^2 - y^2$.

19. À l'intérieur du cylindre $x^2 + y^2 = 4$ et de l'ellipsoïde $4x^2 + 4y^2 + z^2 = 64$.

- -

20. a) On fore un trou cylindrique de rayon r_1 dans une sphère de rayon r_2, en passant par le centre. Déterminez le volume du solide annulaire qui en résulte.

  b) Exprimez le volume de la partie a) en termes de la hauteur h de l'anneau. Remarquez que le volume ne dépend que de h, et non de r_1 et r_2.

21-22 ■ Calculez par une intégrale double l'aire de la région.

21. Un feuille de la rosace à quatre feuilles $r = \cos 2\theta$.

22. La région enfermée dans la cardioïde $r = 1 - \sin\theta$.

- -

23-26 ■ Calculez l'intégrale itérée en passant aux coordonnées polaires.

23. $\displaystyle\int_0^1 \int_0^{\sqrt{1-x^2}} e^{x^2+y^2} \, dy \, dx$

24. $\displaystyle\int_{-a}^a \int_0^{\sqrt{a^2-y^2}} (x^2 + y^2)^{3/2} \, dx \, dy$

25. $\displaystyle\int_0^2 \int_{-\sqrt{4-y^2}}^{\sqrt{4-y^2}} x^2 y^2 \, dx \, dy$ **26.** $\displaystyle\int_0^2 \int_0^{\sqrt{2x-x^2}} \sqrt{x^2 + y^2} \, dy \, dx$

- -

27. Une piscine de forme circulaire a un diamètre de 12 m. La profondeur est constante d'est en ouest, mais croît linéairement de 60 cm au sud jusqu'à 2 m au nord. Calculez le volume d'eau de la piscine.

28. Un arroseur de jardin distribue de l'eau tout autour de lui dans un rayon de 30 m. Il fournit de l'eau jusqu'à une profondeur de e^{-r} m par heure à une distance de r m.

  a) Quelle est la quantité totale d'eau distribuée par l'arroseur chaque heure dans une région circulaire autour de lui, de rayon R ?

  b) Déterminez une expression de la quantité moyenne d'eau distribuée par heure et par mètre carré dans la région circulaire de rayon R.

29. Ramenez la somme à une seule intégrale double, grâce aux coordonnées polaires. Ensuite calculez-la.

$$\int_{1/\sqrt{2}}^1 \int_{\sqrt{1-x^2}}^x xy \, dy \, dx + \int_1^{\sqrt{2}} \int_0^x xy \, dy \, dx + \int_{\sqrt{2}}^2 \int_0^{\sqrt{4-x^2}} xy \, dy \, dx$$

30. a) On définit l'intégrale impropre (sur tout le plan $\mathbb{R}^2$)

$$I = \iint_{\mathbb{R}^2} e^{-(x^2+y^2)} \, dA = \int_{-\infty}^{\infty} \int_{-\infty}^{\infty} e^{-(x^2+y^2)} \, dy \, dx$$

$$= \lim_{a \to \infty} \iint_{D_a} e^{-(x^2+y^2)} \, dA$$

où D_a est le disque de rayon a centré à l'origine. Démontrez que

$$\int_{-\infty}^{\infty} \int_{-\infty}^{\infty} e^{-(x^2+y^2)} \, dA = \pi$$

  b) Une définition équivalente de l'intégrale impropre de la partie a) est aussi

$$\iint_{\mathbb{R}^2} e^{-(x^2+y^2)} \, dA = \lim_{a \to \infty} \iint_{S_a} e^{-(x^2+y^2)} \, dA$$

où S_a est le carré de sommets $(\pm a, \pm a)$. Servez-vous de cette définition pour montrer que

$$\int_{-\infty}^{\infty} e^{-x^2} \, dx \int_{-\infty}^{\infty} e^{-y^2} \, dy = \pi.$$

  c) Déduisez que

$$\int_{-\infty}^{\infty} e^{-x^2} \, dx = \sqrt{\pi}.$$

  d) Par le changement de variable $t = \sqrt{2}x$, démontrez que

$$\int_{-\infty}^{\infty} e^{-x^2/2} \, dx = \sqrt{2\pi}.$$

(Ceci est un résultat fondamental en probabilités et statistiques.)

31. Calculez les intégrales suivantes, à partir du résultat de l'exercice 30 c).

  a) $\displaystyle\int_0^{\infty} x^2 e^{-x^2} \, dx$ **b)** $\displaystyle\int_0^{\infty} \sqrt{x} e^{-x} \, dx$

12.5 Des applications des intégrales doubles • • • • • • • • • • • • • • • • • • •

Calculer des volumes, telle est l'application de l'intégrale double que nous avons rencontrée jusqu'ici. Une autre application géométrique consiste à calculer des aires de surfaces et ce sera l'objet de la section suivante. Dans cette section-ci, nous explorons des applications du domaine de la physique, comme le calcul des masses, des charges électriques et des moments d'inertie. Nous verrons que ces notions propres à la physique sont importantes également lorsqu'elles sont appliquées aux fonctions de densité de probabilité de deux variables aléatoires.

FIGURE 1

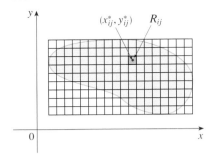

FIGURE 2

■ Des densités et des masses

Au chapitre 6, on a été capable de calculer avec des intégrales simples des moments et des centres de masse d'une fine plaque de métal de densité constante. Mais maintenant, armé des intégrales doubles, on peut envisager une plaque de métal de densité variable. On suppose que la plaque de métal occupe une région D du plan Oxy et que sa **densité** (en unités de masse par unité carrée) en un point (x, y) de D est donnée par $\rho(x, y)$, où ρ est une fonction continue de D. Cela signifie que

$$\rho(x, y) = \lim \frac{\Delta m}{\Delta A}$$

où Δm et ΔA sont la masse et l'aire d'un petit rectangle qui contient (x, y), la limite étant prise pour les dimensions du rectangle tendant vers 0 (voyez la figure 1).

En vue de déterminer la masse totale de la plaque de métal, on divise un rectangle R contenant D en sous-rectangles R_{ij} de même taille (comme dans la figure 2) et on considère $\rho(x, y)$ comme valant 0 en dehors de D. La masse de la partie de la plaque de métal qui occupe le sous-rectangle R_{ij} vaut approximativement $\rho(x_{ij}^*, y_{ij}^*)\Delta A$, où (x_{ij}^*, y_{ij}^*) est un point arbitrairement choisi dans R_{ij} et où ΔA est l'aire de R_{ij}. En additionnant toutes ces masses, on arrive à une approximation de la masse totale :

$$m \approx \sum_{i=1}^{k} \sum_{j=1}^{l} \rho(x_{ij}^*, y_{ij}^*)\Delta A.$$

On obtient maintenant la masse m totale de la plaque de métal, comme la valeur limite de ces approximations, lorsque le nombre de sous-rectangles augmente sans borne :

$$\boxed{\quad m = \lim_{k,l \to \infty} \sum_{i=1}^{k} \sum_{j=1}^{l} \rho(x_{ij}^*, y_{ij}^*)\Delta A = \iint_D \rho(x, y)\,dA. \quad}$$

1

Les physiciens considèrent encore d'autres densités qui peuvent être traitées de la même manière. Par exemple, si une charge électrique est répartie sur une région D et si la densité de charge (en unités par unités carrées) est donnée par $\sigma(x, y)$ en un point (x, y) de D, alors la charge totale Q est calculée par

2
$$Q = \iint_D \sigma(x, y)\,dA.$$

EXEMPLE 1 ■ Une charge est distribuée sur le domaine triangulaire D de la figure 3 de telle sorte que la densité de charge en (x, y) est $\sigma(x, y) = xy$, mesurée en coulombs par mètre carré (C/m^2). Calculez la charge totale.

SOLUTION Suite à l'équation 2 et au vu de la figure 3, on a

$$Q = \iint_D \sigma(x, y)\,dA = \int_0^1 \int_{1-x}^1 xy\,dy\,dx$$

$$= \int_0^1 \left[x\frac{y^2}{2} \right]_{y=1-x}^{y=1} dx = \int_0^1 \frac{x}{2}[1^2 - (1-x)^2]\,dx$$

$$= \tfrac{1}{2} \int_0^1 (2x^2 - x^3)\,dx = \frac{1}{2}\left[\frac{2x^3}{3} - \frac{x^4}{4} \right]_0^1 = \frac{5}{24}.$$

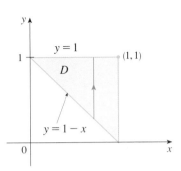

FIGURE 3

La charge totale est donc de $\frac{5}{24}$ C.

■ Des moments et des centres de masse

On cherche maintenant le centre de masse d'une plaque de métal qui occupe une région D et dont la densité au point (x, y) est donnée par $\rho(x, y)$. Souvenez-vous que le moment d'une particule par rapport à un axe a été défini, dans la section 6.5, comme le produit de sa masse par la distance à cet axe. On divise D en sous-rectangles comme dans la figure 2. Comme la masse de R_{ij} est approchée par $\rho(x_{ij}^*, y_{ij}^*)\Delta A$, le moment de R_{ij} par rapport à l'axe Ox vaut à peu près

$$[\rho(x_{ij}^*, y_{ij}^*)\Delta A]y_{ij}^*.$$

Le **moment** de la plaque de métal entière **par rapport à l'axe Ox** s'obtient alors en additionnant ces quantités et en prenant la limite lorsque le nombre de sous-rectangles devient infiniment grand :

3
$$M_x = \lim_{k,l \to \infty} \sum_{i=1}^{k} \sum_{j=1}^{l} y_{ij}^* \rho(x_{ij}^*, y_{ij}^*)\Delta A = \iint_D y\rho(x, y)dA.$$

De même, le **moment par rapport à l'axe Oy** est

4
$$M_y = \lim_{k,l \to \infty} \sum_{i=1}^{k} \sum_{j=1}^{l} x_{ij}^* \rho(x_{ij}^*, y_{ij}^*)\Delta A = \iint_D x\rho(x, y)dA.$$

Comme précédemment, on définit le centre de masse comme le point $(\bar{x}, \bar{y})$ dont les coordonnées satisfont à $m\bar{x} = M_y$ et $m\bar{y} = M_x$. Physiquement, cela signifie que la plaque de métal se comporte comme si toute sa masse était concentrée en son centre de masse. Par exemple, elle est en équilibre lorsqu'elle repose sur son centre de masse. (Voyez la figure 7 dans la section 6.5.)

5 Les coordonnées $(\bar{x}, \bar{y})$ du centre de masse d'une plaque de métal qui occupe la région D et dont la densité est donnée par la fonction $\rho(x, y)$ sont

$$\bar{x} = \frac{M_y}{m} = \frac{1}{m} = \iint_D x\rho(x, y)dA \qquad \bar{y} = \frac{M_x}{m} = \frac{1}{m} = \iint_D y\rho(x, y)dA$$

où la masse m est donnée par

$$m = \iint_D \rho(x, y)dA$$

EXEMPLE 2 ■ Déterminez la masse et le centre de masse d'une fine plaque de métal triangulaire dont les sommets sont en $(0, 0)$, $(1, 0)$ et $(0, 2)$, sachant que la fonction de densité est $\rho(x, y) = 1 + 3x + y$.

SOLUTION Le triangle est tracé dans la figure 4. (L'équation de la frontière supérieure est $y = 2 - 2x$.) La masse de la plaque de métal est

$$
\begin{aligned}
m &= \iint_D \rho(x, y)dA = \int_0^1 \int_0^{2-2x} (1 + 3x + y)\,dy\,dx \\
&= \int_0^1 \left[y + 3xy + \frac{y^2}{2} \right]_{y=0}^{y=2-2x} dx \\
&= 4 \int_0^1 (1 - x^2)\,dx = 4\left[x - \frac{x^3}{3} \right]_0^1 = \frac{8}{3}.
\end{aligned}
$$

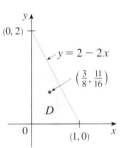

FIGURE 4

Les formules (5) donnent ensuite

$$\bar{x} = \frac{1}{m} \iint_D x\rho(x, y)\, dA = \tfrac{3}{8} \int_0^1 \int_0^{2-2x} (x + 3x^2 + xy)\, dy\, dx$$

$$= \tfrac{3}{8} \int_0^1 \left[xy + 3x^2 y + x\frac{y^2}{2} \right]_{y=0}^{y=2-2x} dx$$

$$= \tfrac{3}{2} \int_0^1 (x - x^3)\, dx = \left[\frac{x^2}{2} - \frac{x^4}{4} \right]_0^1 = \frac{3}{8}$$

$$\bar{y} = \frac{1}{m} \iint_D y\rho(x, y)\, dA = \tfrac{3}{8} \int_0^1 \int_0^{2-2x} (y + 3xy + y^2)\, dy\, dx$$

$$= \tfrac{3}{8} \int_0^1 \left[\frac{y^2}{2} + 3x\frac{y^2}{2} + \frac{y^3}{3} \right]_{y=0}^{y=2-2x} dx$$

$$= \tfrac{1}{4} \int_0^1 (7 - 9x - 3x^2 + 5x^3)\, dx$$

$$= \frac{1}{4} \left[7x - 9\frac{x^2}{2} - x^3 + 5\frac{x^4}{4} \right]_0^1 = \frac{11}{16}.$$

Les coordonnées du centre de masse sont donc $\left(\frac{3}{8}, \frac{11}{16}\right)$. ■

EXEMPLE 3 ■ La densité en un point quelconque d'une plaque de métal semi-circulaire est proportionnelle à la distance de ce point par rapport au centre du cercle. Déterminez le centre de masse de la plaque de métal.

SOLUTION La plaque de métal occupe la moitié supérieure du cercle $x^2 + y^2 = a^2$ (voyez la figure 5). La distance d'un point (x, y) au centre du cercle est donnée par $\sqrt{x^2 + y^2}$. Dès lors, la fonction de densité est de la forme

$$\rho(x, y) = K\sqrt{x^2 + y^2},$$

où K est une certaine constante. Tant la fonction de densité que la forme de la plaque de métal incitent à passer aux coordonnées polaires. Alors $\sqrt{x^2 + y^2} = r$ et la région D est décrite par $0 \leqslant r \leqslant a$, $0 \leqslant \theta \leqslant \pi$. D'où, la masse de la plaque de métal est donnée par

$$m = \iint_D \rho(x, y)\, dA = \iint_D K\sqrt{x^2 + y^2}\, dA$$

$$= \int_0^\pi \int_0^a (Kr)r\, dr\, d\theta = K \int_0^\pi d\theta \int_0^a r^2\, dr$$

$$= K\pi \frac{r^3}{3} \Big]_0^a = \frac{K\pi a^3}{3}.$$

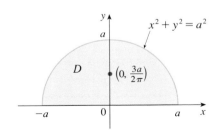

FIGURE 5

Comme la plaque de métal et la fonction de densité sont symétriques par rapport à l'axe Oy, le centre de masse se trouve forcément sur cet axe, autrement dit, $\bar{x} = 0$. L'ordonnée, quant à elle, est calculée par

$$\bar{y} = \frac{1}{m} \iint_D y\rho(x, y)\, dA$$

$$= \frac{3}{K\pi a^3} \int_0^\pi \int_0^a r\sin\theta\,(Kr)r\, dr\, d\theta$$

$$= \frac{3}{\pi a^3} \int_0^\pi \sin\theta \, d\theta \int_0^a r^3 \, dr$$

$$= \frac{3}{\pi a^3} \left[-\cos\theta \right]_0^\pi \left[\frac{r^4}{4} \right]_0^a$$

$$= \frac{3}{\pi a^3} \frac{2a^4}{4} = \frac{3a}{2\pi}.$$

Par conséquent, le centre de masse se situe au point $(0, 3a/(2\pi))$.

Comparez l'endroit où se trouve le centre de masse dans l'exemple 3 avec celui où se trouvait, dans l'exemple 6 de la section 6.5, le centre de masse d'une plaque de métal de même forme et de densité uniforme. Il se trouvait au point $(0, 4a/(3\pi))$.

■ Le moment d'inertie

Le **moment d'inertie** (appelé aussi **second moment**) d'une masse ponctuelle m par rapport à un axe est défini par mr^2, où r est la distance entre la masse ponctuelle et l'axe. On étend cette notion à une plaque de métal qui occupe une région D et dont la densité en (x, y) est donnée par $\rho(x, y)$ en procédant de la même façon que pour les moments ordinaires. On divise D en petits rectangles, on calcule une valeur approchée du moment d'inertie de chaque sous-rectangle par rapport à l'axe Ox et on prend la limite de la somme lorsque le nombre de sous-rectangles devient infiniment grand. Le résultat est le **moment d'inertie** de la plaque de métal **par rapport à l'axe Ox** :

6
$$I_x = \lim_{k,l \to \infty} \sum_{i=1}^k \sum_{j=1}^l (y_{ij}^*)^2 \rho(x_{ij}^*, y_{ij}^*) \Delta A = \iint_D y^2 \rho(x, y) \, dA.$$

De même, le **moment d'inertie par rapport à l'axe Oy** est

7
$$I_y = \lim_{k,l \to \infty} \sum_{i=1}^k \sum_{j=1}^l (x_{ij}^*)^2 \rho(x_{ij}^*, y_{ij}^*) \Delta A = \iint_D x^2 \rho(x, y) \, dA.$$

Il est aussi intéressant de considérer le **moment d'inertie par rapport à l'origine**, encore appelé **moment polaire d'inertie** :

8
$$I_0 = \lim_{k,l \to \infty} \sum_{i=1}^k \sum_{j=1}^l [(x_{ij}^*)^2 + (y_{ij}^*)^2] \rho(x_{ij}^*, y_{ij}^*) \Delta A = \iint_D (x^2 + y^2) \rho(x, y) \, dA.$$

Notez que $I_0 = I_x + I_y$.

EXEMPLE 4 ■ Calculez les moments d'inertie I_x, I_y et I_0 d'un disque homogène D de densité $\rho(x, y) = \rho$, centré à l'origine et de rayon a.

SOLUTION La frontière du disque D est le cercle $x^2 + y^2 = a^2$ et, en coordonnées polaires, D est décrit par $0 \leqslant \theta \leqslant 2\pi$, $0 \leqslant r \leqslant a$. On calcule d'abord I_0 :

$$I_0 = \iint_D (x^2 + y^2) \rho \, dA = \rho \int_0^{2\pi} \int_0^a r^2 r \, dr \, d\theta$$

$$= \rho \int_0^{2\pi} d\theta \int_0^a r^3 \, dr = 2\pi\rho \left[\frac{r^4}{4} \right]_0^a = \frac{\pi\rho a^4}{2}.$$

Au lieu de calculer I_x et I_y directement, on se sert du fait que $I_x + I_y = I_0$ et que $I_x = I_$
(à cause de la symétrie du problème). D'où

$$I_x = I_y = \frac{I_0}{2} = \frac{\pi \rho a^4}{4}.$$

Comme la masse du disque de l'exemple 4 vaut

$$m = \text{densité} \times \text{ aire} = \rho(\pi a^2),$$

le moment d'inertie par rapport à l'origine (à l'instar d'une roue autour de son essieu
peut s'écrire

$$I_0 = \frac{1}{2} m a^2.$$

Ainsi, si on augmente la masse ou le rayon du disque, on augmente du même coup l
moment d'inertie. En général, le moment d'inertie joue le même rôle que la masse dan
le mouvement linéaire. Le moment d'inertie est ce qui s'oppose à la mise en route ou
l'arrêt de la rotation d'une roue, exactement comme la masse d'une voiture ren
difficile la mise en mouvement de la voiture ou son arrêt.

■ Probabilité

Dans la section 6.7, on a envisagé la *fonction de densité de probabilité f* d'une variabl
aléatoire continue X. Cela suppose que $f(x) \geqslant 0$ pour tout x, que $\int_{-\infty}^{\infty} f(x)dx = 1$
que la probabilité que X se trouve entre a et b est obtenue en intégrant f depuis
jusqu'à b :

$$P(a \leqslant X \leqslant b) = \int_a^b f(x)dx.$$

On considère maintenant une paire de variables aléatoires continues X et Y, telle le
durées de vie de deux composantes d'une machine ou la taille et le poids d'un adulte d
sexe féminin choisi au hasard. La **fonction de densité conjointe** de X et Y est ur
fonction f de deux variables telle que la probabilité pour que (X, Y) se trouve dans u
domaine D est

$$P((X, Y) \in D) = \iint_D f(x,y)dA.$$

En particulier, si la région est un rectangle, la probabilité que X se trouve entre a et b
Y entre c et d est

$$P(a \leqslant X \leqslant b, c \leqslant Y \leqslant d) = \int_a^b \int_c^d f(x,y)dy\,dx$$

(Voyez la figure 6.)

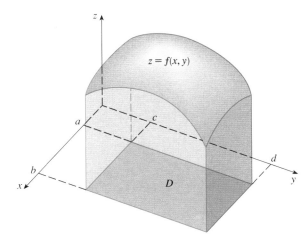

FIGURE 6 La probabilité que X se trouve entre a et b et Y entre c et d est le volume qui se trouve au-dessus du rectangle $D = [a, b] \times [c, d]$ et sous le graphique de la fonction de densité conjointe.

Parce que des probabilités ne sont jamais négatives et sont mesurées sur une échelle de 0 à 1, la fonction de densité conjointe jouit des propriétés suivantes :

$$f(x, y) \geqslant 0 \qquad \iint_{\mathbb{R}^2} f(x, y) dA = 1.$$

Comme dans l'exercice 30 de la section 12.4, l'intégrale double sur $\mathbb{R}^2$ est une intégrale impropre définie comme la limite des intégrales doubles sur des cercles ou des carrés et on peut écrire

$$\iint_{\mathbb{R}^2} f(x, y) dA = \int_{-\infty}^{\infty} \int_{-\infty}^{\infty} f(x, y) dx \, dy = 1.$$

EXEMPLE 5 ■ Déterminez la valeur de la constante C si f, définie par

$$f(x, y) = \begin{cases} C(x + 2y) & \text{si } 0 \leqslant x \leqslant 10, 0 \leqslant y \leqslant 10 \\ 0 & \text{sinon,} \end{cases}$$

est la fonction de densité conjointe de X et Y. Ensuite, calculez $P(X \leqslant 7, Y \geqslant 2)$.

SOLUTION La valeur de C doit être telle que l'intégrale double de f est égale à 1. Vu que $f(x, y) = 0$ en dehors du rectangle $[0, 10] \times [0, 10]$, on a

$$\int_{-\infty}^{\infty} \int_{-\infty}^{\infty} f(x, y) \, dy \, dx = \int_{0}^{10} \int_{0}^{10} C(x + 2y) \, dy \, dx = C \int_{0}^{10} \left[xy + y^2 \right]_{y=0}^{y=10} dx$$

$$= C \int_{0}^{10} (10x + 100) \, dx = 1500C.$$

Dès lors, $1500C = 1$ ou $C = \frac{1}{1500}$.

On calcule maintenant la probabilité que X soit au plus égale à 7 et Y au moins égale à 2 :

$$P(X \leqslant 7, Y \geqslant 2) = \int_{-\infty}^{7} \int_{2}^{\infty} f(x, y)\, dy\, dx = \int_{0}^{7} \int_{2}^{10} \tfrac{1}{1500}(x + 2y)\, dy\, dx$$

$$= \frac{1}{1500} \int_{0}^{7} \left[xy + y^2\right]_{y=2}^{y=10} dx = \frac{1}{1500} \int_{0}^{7} (8x + 96)\, dx$$

$$= \frac{868}{1500} \approx 0{,}5787.$$

On envisage une variable aléatoire X dont la fonction de densité de probabilité est $f_1(x)$ et une variable aléatoire Y dont le fonction de densité de probabilité est $f_2(y)$. Les variables X et Y sont dites **indépendantes** si leur fonction de densité conjointe est le produit de leurs fonctions de densité respectives :

$$f(x, y) = f_1(x) f_2(y).$$

Dans la section 6.7, on a modélisé des temps d'attente par des fonctions de densité exponentielle

$$f(t) = \begin{cases} 0 & \text{si } t < 0 \\ \mu^{-1} e^{-t/\mu} & \text{si } t \geqslant 0, \end{cases}$$

où μ est le temps d'attente moyen. L'exemple suivant présente une situation où il y a deux temps d'attente indépendants.

EXEMPLE 6 ■ Le directeur d'un cinéma constate que le temps d'attente moyen pour obtenir un ticket est de 10 minutes et pour obtenir une boisson fraîche de 5 minutes. En supposant que ces temps d'attente sont indépendants, calculez la probabilité qu'un spectateur attende au total moins de 20 minutes avant de prendre place.

SOLUTION Les temps d'attente X et Y sont modélisés par des fonctions de densité de probabilité individuelles de type exponentiel

$$f_1(x) = \begin{cases} 0 & \text{si } x < 0 \\ \tfrac{1}{10} e^{-x/10} & \text{si } x \geqslant 0, \end{cases} \qquad f_2(y) = \begin{cases} 0 & \text{si } y < 0 \\ \tfrac{1}{5} e^{-y/5} & \text{si } y \geqslant 0. \end{cases}$$

Comme X et Y sont indépendantes, la fonction de densité de probabilité conjointe est le produit

$$f(x, y) = f_1(x) f_2(y) = \begin{cases} \tfrac{1}{50} e^{-x/10} e^{-y/5} & \text{si } x \geqslant 0, y \geqslant 0 \\ 0 & \text{sinon.} \end{cases}$$

On demande la probabilté que $X + Y < 20$:

$$P(X + Y < 20) = P((X, Y) \in D)$$

où D est la région triangulaire qu'on peut voir dans la figure 7. Ainsi,

$$P(X + Y < 20) = \iint_D f(x, y)\, dA = \int_0^{20} \int_0^{20-x} \tfrac{1}{50} e^{-x/10} e^{-y/5}\, dy\, dx$$

$$= \frac{1}{50} \int_0^{20} \left[e^{-x/10}(-5) e^{-y/5}\right]_{y=0}^{y=20-x} dx$$

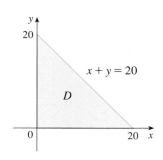

FIGURE 7

$$= \frac{1}{10} \int_0^{20} e^{-x/10}(1 - e^{(x-20)/5}) \, dx$$

$$= \frac{1}{10} \int_0^{20} (e^{-x/10} - e^{-4}e^{x/10}) \, dx = 1 + e^{-4} - 2e^{-2} \approx 0{,}7476.$$

Environ 75 % des spectateurs attendent moins de 20 minutes avant de s'asseoir.

■ L'espérance mathématique

On sait déjà, depuis la section 6.7, que si X est une variable aléatoire de densité de probabilité f, alors sa *moyenne* est

$$\mu = \int_{-\infty}^{\infty} x f(x) \, dx.$$

Maintenant, si X et Y sont des variables aléatoires de densité de probabilité f, on définit l'**espérance mathématique** de X et l'**espérance mathématique** de Y, comme étant

$$\boxed{9} \qquad \mu_1 = \iint_{\mathbb{R}^2} x f(x, y) \, dA \qquad \mu_2 = \iint_{\mathbb{R}^2} y f(x, y) \, dA$$

La ressemblance entre les expressions de μ_1 et μ_2 dans (9) et celles des moments M_x et M_y de la plaque de métal de densité ρ dans les équations (3) et (4) est remarquable. On peut, en effet, penser à une probabilité comme à une masse distribuée de façon continue. On calcule une probabilité comme on calcule une masse –en intégrant une fonction de densité. Et dû au fait que le total de la « masse probabilité » vaut 1, les expressions de $\bar{x}$ et $\bar{y}$ dans (5) montrent qu'on peut voir les espérances mathématiques μ_1 de X et μ_2 de Y comme les coordonnées du « centre de masse » de la distribution de probabilité.

L'exemple suivant traite des distributions normales. Comme dans la section 6.7, une variable aléatoire est *distribuée normalement* si sa fonction de densité de probabilité est de la forme

$$f(x) = \frac{1}{\sigma\sqrt{2\pi}} e^{-(x-\mu)^2/(2\sigma^2)}$$

où μ est la moyenne et σ l'écart-type.

EXEMPLE 7 ■ Une usine fabrique des roulements (de forme cylindrique) qui mesure 4 cm de diamètre et 6 cm de long. En fait, les diamètres X sont normalement distribués de moyenne 4 cm et d'écart-type 0,01 cm tandis que les longueurs Y sont normalement distribuées de moyenne 6 cm et d'écart-type 0,01 cm. Écrivez la fonction de densité conjointe et faites-en le graphique, sous l'hypothèse que X et Y sont indépendantes. Déterminez la probabilité qu'un roulement choisi au hasard dans la ligne de production ait une longueur ou un diamètre qui diffèrent de la moyenne de plus de 0,02 cm.

SOLUTION On sait que X et Y sont normalement distribuées avec $\mu_1 = 4$, $\mu_2 = 6$ et $\sigma_1 = \sigma_2 = 0{,}01$. Les fonctions de densité de X et Y sont donc

$$f_1(x) = \frac{1}{0{,}01\sqrt{2\pi}} e^{-(x-4)^2/0{,}0002} \qquad f_2(y) = \frac{1}{0{,}01\sqrt{2\pi}} e^{-(y-6)^2/0{,}0002}.$$

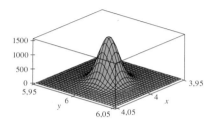

FIGURE 8
Graphique de la fonction de densité
conjointe normale bivariée de l'exemple 7

Les variables X et Y étant indépendantes, la fonction de densité conjointe est le produit

$$f(x, y) = f_1(x)f_2(y) = \frac{1}{0,0002\pi} e^{-(x-4)^2/0,0002} e^{-(y-6)^2/0,0002}$$

$$= \frac{5000}{\pi} e^{-5000[(x-4)^2+(y-6)^2]}.$$

La figure 8 montre une image de cette fonction.

On calcule d'abord la probabilité que les deux variables X et Y diffèrent de leur moyenne de moins de 0,02 cm. Confiant à une calculatrice ou à un ordinateur le soin de calculer l'intégrale, on obtient

$$P(3,98 < X < 4,02; 5,98 < Y < 6,02) = \int_{3,98}^{4,02} \int_{5,98}^{6,02} f(x, y) \, dy \, dx$$

$$= \frac{5000}{\pi} \int_{3,98}^{4,02} \int_{5,98}^{6,02} e^{-5000[(x-4)^2+(y-6)^2]} \, dy \, dx$$

$$\approx 0,91.$$

La probabilité que soit X, soit Y diffèrent de sa moyenne de plus de 0,02 cm vaut approximativement

$$1 - 0,91 = 0,09.$$

12.5 Exercices •

1. Une charge électrique est distribuée sur le rectangle $0 \leqslant x \leqslant 2, 1 \leqslant y \leqslant 2$ selon une densité en (x, y) donnée par $\sigma(x, y) = x^2 + 3y^2$ (mesurée en coulombs par mètre carré). Calculez la charge totale sur le rectangle.

2. Une charge électrique est distribuée sur le disque unitaire $x^2 + y^2 \leqslant 1$ selon une densité en (x, y) donnée par $\sigma(x, y) = 1 + x^2 + y^2$ (mesurée en coulombs par mètre carré). Calculez la charge totale sur le disque.

3-8 ■ Calculez la masse et le centre de masse de la plaque de métal qui occupe le domaine D et dont la fonction de densité est la fonction ρ donnée.

3. D est la région du premier quadrant bornée par la parabole $y = x^2$ et la droite $y = 1$; $\rho(x, y) = xy$.

4. $D = \{(x, y) \mid 0 \leqslant x \leqslant 2, 0 \leqslant y \leqslant 3\}$; $\rho(x, y) = y$.

5. D est la région triangulaire de sommets $(0, 0)$, $(2, 1)$, $(0, 3)$; $\rho(x, y) = x + y$.

6. D est délimitée par la parabole $y = 9 - x^2$ et l'axe Ox ; $\rho(x, y) = y$.

7. D est bornée par la parabole $x = y^2$ et la droite $y = x - 2$; $\rho(x, y) = 3$.

8. $D = \{(x, y) \mid 0 \leqslant y \leqslant \cos x, 0 \leqslant x \leqslant \pi/2\}$; $\rho(x, y) = x$.

9. Une plaque de métal occupe un quart de disque de rayon 1 dans le premier quadrant. Déterminez son centre de masse si la densité en chaque point est proportionnelle à la distance qui le sépare de l'axe Ox.

10. Calculez les coordonnées du centre de masse de la plaque de métal de l'exercice 9 si la densité en un point quelconque est proportionnelle au carré de la distance par rapport à l'origine.

11. Déterminez le centre de masse d'une plaque de métal dont la forme est un triangle isocèle rectangle dont les deux cotés égaux mesurent a, si la densité en un point est proportionnelle au carré de la distance par rapport au sommet opposé à l'hypoténuse.

12. Une plaque de métal a la forme de la région intérieure au cercle $x^2 + y^2 = 2y$, mais extérieure au cercle $x^2 + y^2 = 1$. Déterminez le centre de masse si la densité en un point est inversement proportionnelle à sa distance par rapport à l'origine.

13. Calculez les moments d'inertie I_x, I_y, I_0 de la plaque de métal de l'exercice 3.

14. Calculez les moments d'inertie I_x, I_y, I_0 de la plaque de métal de l'exercice 10.

15. Calculez les moments d'inertie I_x, I_y, I_0 de la plaque de métal de l'exercice 7.

16. On considère une pale de ventilateur carrée de côté 2, dont le coin inférieur gauche est placé à l'origine. Si la densité de la pale est $\rho(x, y) = 1 + 0{,}1x$, est-il plus difficile de faire tourner la pale autour de l'axe Ox ou de l'axe Oy ?

17. La fonction de densité conjointe d'une paire de variables aléatoires X et Y est

$$f(x, y) = \begin{cases} Cx(1 + y) & \text{si } 0 \leqslant x \leqslant 1, 0 \leqslant y \leqslant 2 \\ 0 & \text{sinon.} \end{cases}$$

a) Déterminez la valeur de la constante C.
b) Calculez $P(X \leqslant 1, Y \leqslant 1)$.
c) Calculez $P(X + Y \leqslant 1)$.

18. a) Vérifiez que

$$f(x, y) = \begin{cases} 4xy & \text{si } 0 \leqslant x \leqslant 1, 0 \leqslant y \leqslant 1 \\ 0 & \text{sinon,} \end{cases}$$

est une fonction de densité conjointe.
b) Si X et Y sont des variables aléatoires dont la fonction de densité conjointe est la fonction f de la partie a), calculez
  ■ $P(X \geqslant \frac{1}{2})$ ■ $P(X \geqslant \frac{1}{2}, Y \leqslant \frac{1}{2})$.
c) Calculez l'espérance mathématique de X et Y.

19. On suppose que X et Y sont des variables aléatoires dont la fonction de densité conjointe est

$$f(x, y) = \begin{cases} 0{,}1e^{-(0{,}5x+0{,}2y)} & \text{si } x \geqslant 0, y \geqslant 0 \\ 0 & \text{sinon.} \end{cases}$$

a) Vérifiez que f est bien une fonction de densité conjointe.
b) Calculez les probabilités suivantes
  ■ $P(X \geqslant 1)$ ■ $P(X \leqslant 2, Y \leqslant 4)$.
c) Calculez l'espérance mathématique de X et Y.

20. a) Un lustre a deux ampoules dont la durée moyenne de vie est de 1000 heures. À supposer qu'on puisse modéliser la probabilité de défaillance de ces ampoules par une fonction de densité exponentielle, de moyenne $\mu = 1000$, déterminez la probabilité que les deux ampoules s'éteignent avant 1000 heures.
b) Un autre lustre n'a qu'une ampoule du même type que dans la partie a). Si une ampoule s'éteint et est remplacée par une autre de même type, calculez la probabilité que les deux ampoules durent moins de 1000 heures.

LCS **21.** On suppose que X et Y sont des variables aléatoires indépendantes, X est normalement distribué de moyenne 45 et d'écart-type 0,5 tandis que Y est normalement distribué de moyenne 20 et d'écart-type 0,1. Calculez $P(40 \leqslant X \leqslant 50, 20 \leqslant Y \leqslant 25)$.

22. Xavier et Yolande sont en classe jusqu'à midi et ils conviennent de se rencontrer chaque jour après la classe. Ils arrivent à la cafétéria indépendamment. Soit X le moment où arrive Xavier (en minutes après midi) et Y le moment où arrive Yolande. Les fonctions de densité respectives sont

$$f_1(x) = \begin{cases} e^{-x} & \text{si } x \geqslant 0 \\ 0 & \text{si } x < 0, \end{cases} \qquad f_2(y) = \begin{cases} \frac{1}{50}y & \text{si } 0 \leqslant y \leqslant 10 \\ 0 & \text{sinon.} \end{cases}$$

(Xavier arrive peu de temps après midi et a tendance à être ponctuel. Yolande arrive toujours à 12 h10 et a tendance à être plutôt en retard.) Au moment où Yolande arrive, elle est prête à attendre une demi-heure, mais Xavier, lui, n'attend pas. Calculez la probabilité qu'ils ont de se rencontrer.

23. Lorsqu'on étudie la propagation d'une épidémie, on suppose que la probabilité qu'un individu infecté contamine un individu sain est une fonction de la distance entre eux. On considère une ville circulaire de 10 km de rayon dans laquelle la population est uniformément distribuée. Pour un individu sain situé en un point fixe $A(x_0, y_0)$, on suppose que la fonction de probabilité est donnée par

$$f(P) = \frac{1}{20}[20 - d(P, A)],$$

où $d(P, A)$ désigne la distance entre P et A.

a) On suppose que l'exposition d'une personne à la maladie est la somme des probabilités d'attraper la maladie de tous les membres de la population. On suppose aussi que la population malade est uniformément répartie dans la ville, à raison de k personnes malades au kilomètre carré. Établissez une intégrale double qui représente l'exposition d'une personne qui réside en A.

b) Calculez l'intégrale dans le cas d'une personne A qui vit au centre de la ville et d'une autre qui vit au bord de la ville. Où vaut-il mieux habiter ?

12.6 Des aires de surface •

Dans cette section, nous voyons comment calculer l'aire d'une portion de surface en utilisant une intégrale double. Nous commençons par mettre au point une formule de calcul de l'aire d'une surface décrite par des équations paramétriques et ensuite, comme cas particulier, nous déduisons une formule de calcul de l'aire d'une surface présentée comme le graphique d'une fonction de deux variables.

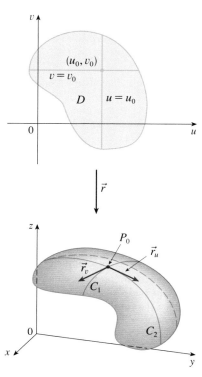

FIGURE 1

Il convient de rappeler qu'une surface paramétrée S est définie (voyez la section 10.5) par une fonction vectorielle de deux paramètres

1
$$\vec{r}(u, v) = x(u, v)\,\vec{i} + y(u, v)\,\vec{j} + z(u, v)\,\vec{k},$$

ou, de façon équivalente, par les équations paramétriques

$$x = x(u, v) \qquad y = y(u, v) \qquad z = z(u, v),$$

où (u, v) parcourt un domaine D du plan Ouv.

L'aire de S va être obtenue en divisant S en parcelles, puis en évaluant l'aire de chaque parcelle par l'aire d'un morceau du plan tangent. Il est donc nécessaire de rappeler comment s'écrit l'équation du plan tangent à une surface paramétrée (voyez la section 11.4).

Soit P_0 un point de S extrémité du vecteur position $\vec{r}(u_0, v_0)$. En posant $u = u_0$, $\vec{r}(u_0, v)$ devient une fonction vectorielle du seul paramètre v et définit une courbe paramétrée C_1 tracée sur S (voyez la figure 1). Le vecteur tangent à C_1 en P_0 est obtenu par la dérivée partielle de $\vec{r}$ par rapport à v :

2
$$\frac{\partial \vec{r}}{\partial v} = \frac{\partial x}{\partial v}(u_0, v_0)\,\vec{i} + \frac{\partial y}{\partial v}(u_0, v_0)\,\vec{j} + \frac{\partial z}{\partial v}(u_0, v_0)\,\vec{k}.$$

De même, en tenant v constante, $v = v_0$, on obtient une courbe paramétrée C_2 tracée sur S et décrite par $\vec{r}(u, v_0)$. Son vecteur tangent en P_0 est

3
$$\frac{\partial \vec{r}}{\partial u} = \frac{\partial x}{\partial u}(u_0, v_0)\,\vec{i} + \frac{\partial y}{\partial u}(u_0, v_0)\,\vec{j} + \frac{\partial z}{\partial u}(u_0, v_0)\,\vec{k}.$$

Si le **vecteur normal** $\frac{\partial \vec{r}}{\partial u} \wedge \frac{\partial \vec{r}}{\partial v}$ n'est pas le vecteur nul, alors la surface est lisse. (Elle n'a pas de « coins ».) Le plan tangent à S en P_0 existe et son équation s'écrit comme d'habitude à partir du vecteur normal.

On met au point maintenant l'aire d'une surface paramétrée générale donnée par l'équation 1. On commence, pour que ce soit plus simple, par une surface dont le domaine D des paramètres est un rectangle, et on divise celui-ci en sous-rectangles R_{ij}. On choisit (u_i^*, v_j^*) au sommet inférieur gauche de R_{ij} (voyez la figure 2). La portion de surface S_{ij} de la surface S qui domine R_{ij} s'appelle un élément d'aire, et contient le point P_{ij} extrémité du vecteur position $\vec{r}(u_i^*, v_j^*)$ en l'un de ses coins. Soit

$$\frac{\partial \vec{r}^*}{\partial u} = \frac{\partial \vec{r}}{\partial u}(u_i^*, v_j^*) \qquad \text{et} \qquad \frac{\partial \vec{r}^*}{\partial v} = \frac{\partial \vec{r}^*}{\partial v}(u_i^*, v_j^*)$$

les vecteurs tangents en P_{ij} tels qu'ils sont donnés par les formules 3 et 2.

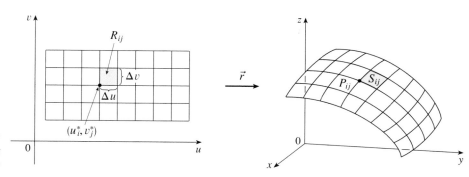

FIGURE 2
L'image du sous-rectangle R_{ij}
est l'élément S_{ij}.

La figure 3(a) met en évidence le fait que les deux côtés de l'élément d'aire qui se rencontrent en P_{ij} peuvent être approchés par des vecteurs. Ces vecteurs, à leur tour, peuvent être approchés par les vecteurs $\Delta u \frac{\partial \vec{r}^*}{\partial u}$ et $\Delta v \frac{\partial \vec{r}^*}{\partial v}$, parce que des dérivées partielles peuvent être approchées par des quotients de différences. C'est ainsi que S_{ij} est à peu près de même aire que le parallélogramme construit sur les vecteurs $\Delta u \frac{\partial \vec{r}^*}{\partial u}$ et $\Delta v \frac{\partial \vec{r}^*}{\partial v}$.

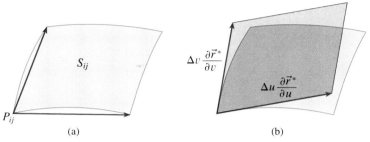

FIGURE 3
Un élément d'aire remplacé par un parallélogramme

(a)   (b)

Le parallélogramme que montre la figure 3(b) se trouve dans le plan tangent à S en P_{ij}. L'aire de ce parallélogrammme est égale à

$$\left\| \left(\Delta u \frac{\partial \vec{r}^*}{\partial u} \right) \wedge \left(\Delta v \frac{\partial \vec{r}^*}{\partial v} \right) \right\| = \left\| \frac{\partial \vec{r}^*}{\partial u} \wedge \frac{\partial \vec{r}^*}{\partial v} \right\| \Delta u \Delta v,$$

et de là, une approximation de S est fournie par la somme

$$\sum_{i=1}^{m} \sum_{j=1}^{n} \left\| \frac{\partial \vec{r}^*}{\partial u} \wedge \frac{\partial \vec{r}^*}{\partial v} \right\| \Delta u \Delta v.$$

Notre intuition nous dit que cette approximation est d'autant meilleure que le nombre de sous-rectangles est grand, et nous reconnaissons ainsi une somme de Riemann pour l'intégrale double

$$\iint_D \left\| \frac{\partial \vec{r}}{\partial u} \wedge \frac{\partial \vec{r}}{\partial v} \right\| du\, dv.$$

Voilà qui prépare à la définition suivante.

> **4 Définition**   Si une surface paramétrée lisse S est donnée par l'équation
>
> $$\vec{r}(u, v) = x(u, v)\, \vec{i} + y(u, v)\vec{j} + z(u, v)\, \vec{k}, \qquad (u, v) \in D$$
>
> et si S est couverte une seule fois lorsque (u, v) parcourt le domaine D, alors l'**aire de la surface** S est le nombre
>
> $$A(S) = \iint_D \left\| \frac{\partial \vec{r}}{\partial u} \wedge \frac{\partial \vec{r}}{\partial v} \right\| dA,$$
>
> où
>
> $$\frac{\partial \vec{r}}{\partial u} = \frac{\partial x}{\partial u}\, \vec{i} + \frac{\partial y}{\partial u}\, \vec{j} + \frac{\partial z}{\partial u}\, \vec{k} \qquad \frac{\partial \vec{r}}{\partial v} = \frac{\partial x}{\partial v}\, \vec{i} + \frac{\partial y}{\partial v}\, \vec{j} + \frac{\partial z}{\partial v}\, \vec{k}.$$

EXEMPLE I ■ Calculez l'aire d'une sphère de rayon a.

SOLUTION La représentation paramétrique d'une sphère a été écrite dans l'exemple 3 de la section 10.5

$$x = a \sin \phi \cos \theta \qquad y = a \sin \phi \sin \theta \qquad z = a \cos \phi$$

où le domaine de définition des paramètres est

$$D = \{ (\phi, \theta) \,|\, 0 \leqslant \phi \leqslant \pi, 0 \leqslant \theta \leqslant 2\pi \}.$$

On commence par calculer le produit vectoriel des vecteurs tangents :

$$\frac{\partial \vec{r}}{\partial \phi} \wedge \frac{\partial \vec{r}}{\partial \theta} = \begin{vmatrix} \vec{i} & \vec{j} & \vec{k} \\ \dfrac{\partial x}{\partial \phi} & \dfrac{\partial y}{\partial \phi} & \dfrac{\partial z}{\partial \phi} \\ \dfrac{\partial x}{\partial \theta} & \dfrac{\partial y}{\partial \theta} & \dfrac{\partial z}{\partial \theta} \end{vmatrix} = \begin{vmatrix} \vec{i} & \vec{j} & \vec{k} \\ a\cos\phi\cos\theta & a\cos\phi\sin\theta & -a\sin\phi \\ -a\sin\phi\sin\theta & a\sin\phi\cos\theta & 0 \end{vmatrix}$$

$$= a^2\sin^2\phi\cos\theta\,\vec{i} + a^2\sin^2\phi\sin\theta\,\vec{j} + a^2\sin\phi\cos\phi\,\vec{k}.$$

Ensuite, sa norme

$$\left\| \frac{\partial \vec{r}}{\partial \phi} \wedge \frac{\partial \vec{r}}{\partial \theta} \right\| = \sqrt{a^4\sin^4\phi\cos^2\theta + a^4\sin^4\phi\sin^2\theta + a^4\sin^2\phi\cos^2\phi}$$

$$= \sqrt{a^4\sin^4\phi + a^4\sin^2\phi\cos^2\phi} = a^2\sqrt{\sin^2\phi} = a^2\sin\phi,$$

puisque $\sin\phi \geqslant 0$ lorsque $0 \leqslant \phi \leqslant \pi$. Finalement, selon la définition 4, l'aire de la sphère est égale à

$$A = \iint_D \left\| \frac{\partial \vec{r}}{\partial \phi} \wedge \frac{\partial \vec{r}}{\partial \theta} \right\| dA = \int_0^{2\pi} \int_0^{\pi} a^2\sin\phi\, d\phi\, d\theta$$

$$= a^2 \int_0^{2\pi} d\theta \int_0^{\pi} \sin\phi\, d\phi = a^2(2\pi)2 = 4\pi a^2.$$

■ Aire de la surface représentative d'une fonction de deux variables

Dans le cas particulier d'une surface S d'équation $z = f(x,y)$, où (x,y) se trouve dans D et où f a des dérivées partielles continues, on prend x et y comme paramètres. Les équations paramétriques sont

$$x = x \qquad y = y \qquad z = f(x,y),$$

et de là

$$\frac{\partial \vec{r}}{\partial x} = \vec{i} + \left(\frac{\partial f}{\partial x}\right)\vec{k} \qquad \frac{\partial \vec{r}}{\partial y} = \vec{j} + \left(\frac{\partial f}{\partial y}\right)\vec{k}.$$

Dès lors,

5
$$\frac{\partial \vec{r}}{\partial x} \wedge \frac{\partial \vec{r}}{\partial y} = \begin{vmatrix} \vec{i} & \vec{j} & \vec{k} \\ 1 & 0 & \dfrac{\partial f}{\partial x} \\ 0 & 1 & \dfrac{\partial f}{\partial y} \end{vmatrix} = -\frac{\partial f}{\partial x}\vec{i} - \frac{\partial f}{\partial y}\vec{j} + \vec{k}.$$

La formule de l'aire de la surface dans la définition 4 devient

La ressemblance entre la formule d'aire de la surface et la formule de la longueur d'un arc

$$L = \int_a^b \sqrt{1 + \left(\frac{dy}{dx}\right)^2}\, dx$$

à la section 6.3 est flagrante.

6
$$A(S) = \iint_D \sqrt{1 + \left(\frac{\partial z}{\partial x}\right)^2 + \left(\frac{\partial z}{\partial y}\right)^2}\, dA$$

EXEMPLE 2 ■ Calculez l'aire de la portion du paraboloïde $z = x^2 + y^2$ qui se trouve sous le plan $z = 9$.

SOLUTION Le plan coupe le paraboloïde selon le cercle $x^2 + y^2 = 9, z = 9$. Par conséquent, la surface considérée se trouve au-dessus du disque D centré à l'origine

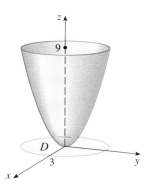

FIGURE 4

et de rayon 3 (voyez la figure 4). D'après la formule 6, on a

$$A = \iint_D \sqrt{1 + \left(\frac{\partial z}{\partial x}\right)^2 + \left(\frac{\partial z}{\partial y}\right)^2} \, dA = \iint_D \sqrt{1 + (2x)^2 + (2y)^2} \, dA$$

$$= \iint_D \sqrt{1 + 4(x^2 + y^2)} \, dA.$$

Le calcul s'effectue plus aisément en coordonnées polaires :

$$A = \int_0^{2\pi} \int_0^3 \sqrt{1 + 4r^2} \; r \, dr \, d\theta = \int_0^{2\pi} d\theta \int_0^3 r \sqrt{1 + 4r^2} \, dr$$

$$= 2\pi(\tfrac{1}{8})\tfrac{2}{3}(1 + 4r^2)^{3/2}\big]_0^3 = \frac{\pi}{6}(37\sqrt{37} - 1).$$

Parmi les surfaces, celles dites **de révolution** sont plus courantes. Elles sont engendrées, par exemple, par la rotation autour de l'axe Ox de la courbe $y = f(x), a \leqslant x \leqslant b$, où $f(x) \geqslant 0$ et f' continue. À l'exercice 15, il est demandé d'employer une représentation paramétrique de S et la définition 4 pour démontrer la formule que voici de l'aire d'une surface de révolution :

7
$$A = 2\pi \int_a^b f(x)\sqrt{1 + [f'(x)]^2} \, dx.$$

12.6 Exercices

1-9 ■ Calculez l'aire de la surface décrite.

1. La portion du plan $x + 2y + z = 4$ à l'intérieur du cylindre $x^2 + y^2 = 4$.

2. La portion de la surface $z = x + y^2$ au-dessus du triangle de sommets $(0,0)$, $(1,1)$, $(0,1)$.

3. La portion du paraboloïde hyperbolique $z = y^2 - x^2$ qui se trouve entre les cylindres $x^2 + y^2 = 1$ et $x^2 + y^2 = 4$.

4. Le morceau du paraboloïde $x = y^2 + z^2$ délimité par la paroi du cylindre $y^2 + z^2 = 9$.

5. Le morceau de la surface $y = 4x + z^2$ compris entre les plans $x = 0$, $x = 1$, $z = 0$, $z = 1$.

6. Le morceau du cylindre $x^2 + z^2 = a^2$ délimité par la paroi du cylindre $x^2 + y^2 = a^2$.

7. Le fragment de la sphère $x^2 + y^2 + z^2 = a^2$ que découpe le cylindre $x^2 + y^2 = ax$.

8. L'hélicoïde (ou rampe en spirale) d'équation vectorielle $\vec{r}(u,v) = u\cos v\,\vec{i} + u\sin v\,\vec{j} + v\,\vec{k}$, $0 \leqslant u \leqslant 1$, $0 \leqslant v \leqslant \pi$.

9. La surface d'équations paramétriques $x = uv, y = u + v, z = u - v, u^2 + v^2 \leqslant 1$.

10. Calculez la mesure à quatre décimales de l'aire du morceau de la surface $z = (1 + x^2)/(1 + y^2)$ qui se trouve au-dessus du carré $|x| + |y| \leqslant 1$. Illustrez en représentant cette portion de surface.

11. a) Calculez, par la Méthode du point médian pour intégrales doubles avec 4 carrés, une valeur approchée de l'aire du paraboloïde $z = x^2 + y^2$ qui surmonte le carré $[0, 1] \times [0, 1]$.

b) À l'aide d'un logiciel de calcul formel, calculez l'aire de la partie a) avec quatre décimales et comparez à la réponse de la partie a).

12. a) Établissez (sans la calculer) une intégrale double qui donne l'aire de la surface d'équations paramétriques $x = au\cos v$, $y = bu\sin v$, $z = u^2$, $0 \leqslant u \leqslant 2$, $0 \leqslant v \leqslant 2\pi$.

b) Éliminez les paramètres pour montrer qu'il s'agit d'un paraboloïde elliptique et établissez une autre intégrale double qui calcule cette aire.

c) Dessinez la surface, à partir des équations paramétriques de la partie a), dans le cas $a = 2$ et $b = 3$.

d) Faites calculer par votre logiciel de calcul formel l'aire exacte à quatre décimales de la surface dans le cas $a = 2$ et $b = 3$.

13. a) Montrez que les équations paramétriques $x = a\sin u\cos v$, $y = b\sin u\sin v$, $z = c\cos u$, $0 \leqslant u \leqslant \pi$, $0 \leqslant v \leqslant 2\pi$ représente un ellipsoïde.

b) Dessinez la surface, à partir des équations paramétriques de la partie a), dans le cas $a = 1$, $b = 2$ et $c = 3$.

c) Établissez (sans la calculer) une intégrale double qui donne l'aire de la surface de l'ellipsoïde de la partie b).

14. a) Montrez que les équations paramétriques $x = a\,\text{ch}\,u\cos v$, $y = b\,\text{ch}\,u\sin v, z = c\,\text{sh}\,u$, représente un hyperboloïde à une nappe.

b) Dessinez la surface, à partir des équations paramétriques de la partie a), dans le cas $a = 1$, $b = 2$ et $c = 3$.

c) Établissez (sans la calculer) une intégrale double qui donne l'aire de la surface de l'hyperboloïde de la partie b) qui se trouve entre les plans $z = -3$ et $z = 3$.

15. Démontrez la formule 7, à partir de la définition 4 et des équations paramétriques d'une surface de révolution (voyez les équations 3 de la section 10.5).

16-17 ■ Employez la formule 7 pour calculer l'aire de la surface obtenue en faisant tourner l'arc de courbe donné autour de l'axe Ox.

16. $y = x^3$, $0 \leqslant x \leqslant 2$

17. $y = \sqrt{x}$, $4 \leqslant x \leqslant 9$

18. La figure montre le tore obtenu en faisant tourner autour de l'axe Oz le cercle du plan Oxz centré en $(b, 0, 0)$ et de rayon $a < b$. Des équations paramétriques du tore sont

$$x = b\cos\theta + a\cos\alpha\cos\theta$$
$$y = b\sin\theta + a\cos\alpha\sin\theta$$
$$z = a\sin\alpha$$

où θ et α sont les angles indiqués sur la figure. Calculez l'aire de la surface du tore.

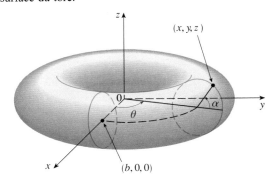

12.7 Les intégrales triples

Tout comme on a défini des intégrales simples pour des fonctions d'une seule variable et des intégrales doubles pour des fonctions de deux variables, on peut définir des intégrales triples pour des fonctions de trois variables. Pour commencer, on traite le cas le plus simple, celui où f est définie sur un parallélipipède rectangle :

$$B = \{(x, y, z) \mid a \leqslant x \leqslant b, c \leqslant y \leqslant d, r \leqslant z \leqslant s\}.$$

La première étape est de diviser B en sous-parallélipipèdes. Cela se fait en divisant l'intervalle $[a, b]$ en l sous-intervalles $[x_{i-1}, x_i]$ d'égale largeur Δx, l'intervalle $[c, d]$ en m sous-intervalles d'égale largeur Δy et l'intervalle $[r, s]$ en n sous-intervalles d'égale largeur Δz. Les plans passant par ces points de subdivision et parallèles aux plans de coordonnées produisent une division de B en lmn sous-parallélipipèdes

$$B_{ijk} = [x_{i-1}, x_i] \times [y_{j-1}, y_j] \times [z_{k-1}, z_k]$$

qui sont visibles dans la figure 1. Le volume de chaque B_{ijk} vaut $\Delta V = \Delta x \Delta y \Delta z$.

FIGURE 1

Ensuite, on forme la **triple somme de Riemann**

2
$$\sum_{i=1}^{l} \sum_{j=1}^{m} \sum_{k=1}^{n} f(x_{ijk}^*, y_{ijk}^*, z_{ijk}^*) \Delta V$$

où le point $(x_{ijk}^*, y_{ijk}^*, z_{ijk}^*)$ est choisi arbitrairement dans B_{ijk}. Par analogie avec la définition d'une intégrale double (page 842), on définit l'intégrale triple comme la limite des triples sommes de Riemann de l'expression (2).

---

3 Définition   L'**intégrale triple** de f sur le parallélipipède B est

$$\iiint_B f(x,y,z) \Delta V = \lim_{l,m,n \to \infty} \sum_{i=1}^{l} \sum_{j=1}^{m} \sum_{k=1}^{n} f(x_{ijk}^*, y_{ijk}^*, z_{ijk}^*) \Delta V$$

pourvu que la limite existe.

À nouveau, l'intégrale triple existe toujours pour les fonctions continues. Le point au choix peut être n'importe où dans l'élément de volume B_{ijk}, mais s'il est au point (x_i, y_j, z_k), l'expression de l'intégrale triple semble plus simple :

$$\iiint_B f(x,y,z) \Delta V = \lim_{l,m,n \to \infty} \sum_{i=1}^{l} \sum_{j=1}^{m} \sum_{k=1}^{n} f(x_i, y_j, z_k) \Delta V$$

Le calcul de ces intégrales triples s'effectue, comme dans le cas des intégrales doubles, en les exprimant sous la forme d'intégrales itérées comme suit.

---

4 Théorème de Fubini pour les intégrales triples   Si f est une fonction continue sur le parallélipipède rectangle $B = [a,b] \times [c,d] \times [r,s]$, alors

$$\iiint_B f(x,y,z) dV = \int_r^s \int_c^d \int_a^b f(x,y,z) dx\, dy\, dz.$$

L'intégrale itérée du membre de droite du Théorème de Fubini signifie qu'on intègre d'abord par rapport à x (tenant y et z fixés), ensuite on intègre par rapport à y (tenant z fixé) et finalement on intègre par rapport à z. Il y a cinq autres ordres possibles d'intégration, qui tous donnent la même valeur. Par exemple, on peut intégrer par rapport à y d'abord, puis à z et enfin à x :

$$\iiint_B f(x,y,z) dV = \int_a^b \int_r^s \int_c^d f(x,y,z) dy\, dz\, dx.$$

EXEMPLE 1   ■ Calculez l'intégrale triple $\iiint_B xyz^2 dV$, où B est le parallélipipède rectangle décrit par

$$B = \{(x,y,z) \mid 0 \leqslant x \leqslant 1, -1 \leqslant y \leqslant 2, 0 \leqslant z \leqslant 3\}.$$

SOLUTION On peut retenir n'importe lequel des 6 ordres d'intégration. Si on choisit d'intégrer d'abord par rapport à x, puis à y et enfin à z, les calculs s'effectuent comme suit :

$$\iiint_B xyz^2 \, dV = \int_0^3 \int_{-1}^2 \int_0^1 xyz^2 \, dx \, dy \, dz = \int_0^3 \int_{-1}^2 \left[\frac{x^2 yz^2}{2} \right]_{x=0}^{x=1} dy \, dz$$

$$= \int_0^3 \int_{-1}^2 \frac{yz^2}{2} \, dy \, dz = \int_0^3 \left[\frac{y^2 z^2}{4} \right]_{y=-1}^{y=2} dz$$

$$= \int_0^3 \frac{3z^2}{4} \, dz = \frac{z^3}{4} \Big]_0^3 = \frac{27}{4}.$$

On définit maintenant l'**intégrale triple sur un domaine général** E de l'espace à trois dimensions (un solide). Cela se fait d'une manière fort semblable à celle qui a prévalu pour l'intégrale double. On enferme E dans un parallélipipède rectangle B comme celui décrit en (1). Puis on définit une fonction F qui coïncide avec f sur E, mais est nulle en tout point de B en dehors de E. Par définition,

$$\iiint_E f(x,y,z) dV = \iiint_B F(x,y,z) dV.$$

Cette dernière intégrale existe si f est continue et si la frontière de E est « raisonnablement configurée ». L'intégrale triple jouit des mêmes propriétés que l'intégrale double (propriétés 6-9 de la section 12.3).

On se limitera aux fonctions continues et à des régions d'un type simple. Une région solide E est dite de **type 1** si elle est fermée par les surfaces représentatives de deux fonctions de x et y, autrement dit

5
$$E = \{ (x,y,z) \mid (x,y) \in D, \phi_1(x,y) \leqslant z \leqslant \phi_2(x,y) \},$$

où D est la projection de E sur le plan Oxy, comme le montre la figure 2. La frontière supérieure du solide E est la surface d'équation $z = \phi_2(x,y)$ tandis que la frontière inférieure est la surface $z = \phi_1(x,y)$.

Par le même genre de raisonnement que celui tenu pour arriver à l'expression (3) dans la section 12.3, on peut montrer que, si E est une région de type 1 décrite par (5), alors

6
$$\iiint_E f(x,y,z) \, dV = \iint_D \left[\int_{\phi_1(x,y)}^{\phi_2(x,y)} f(x,y,z) \, dz \right] dA$$

L'intégrale intérieure du membre de droite de l'équation 6 est effectuée par rapport à z pendant que x et y sont tenues constantes, et par là même aussi $\phi_1(x,y)$ et $\phi_2(x,y)$.

En particulier, si la projection D de E sur le plan Oxy est une région plane de type I (comme dans la figure 3), alors

$$E = \{ (x,y,z) \mid a \leqslant x \leqslant b, g_1(x) \leqslant y \leqslant g_2(x), \phi_1(x,y) \leqslant z \leqslant \phi_2(x,y) \},$$

et l'expression 6 devient

7
$$\iiint_E f(x,y,z) \, dV = \int_a^b \int_{g_1(x)}^{g_2(x)} \int_{\phi_1(x,y)}^{\phi_2(x,y)} f(x,y,z) \, dz \, dy \, dx$$

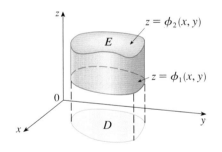

FIGURE 2
Une région solide de type 1

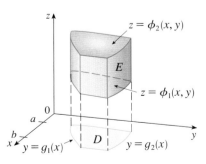

FIGURE 3
Une région solide de type 1

FIGURE 4

Une autre région solide de type 1

FIGURE 5

FIGURE 6

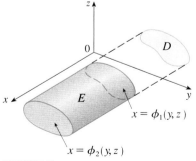

FIGURE 7

Une région de type 2

Par contre, si D est une région plane de type II (comme dans la figure 4), alors

$$E = \{(x,y,z) \mid c \leqslant y \leqslant d, h_1(y) \leqslant x \leqslant h_2(y), \phi_1(x,y) \leqslant z \leqslant \phi_2(x,y)\},$$

et l'expression 6 devient

8
$$\iiint_E f(x,y,z)\, dV = \int_c^d \int_{h_1(y)}^{h_2(y)} \int_{\phi_1(x,y)}^{\phi_2(x,y)} f(x,y,z)\, dz\, dx\, dy$$

EXEMPLE 2 ■ Calculez $\iiint_E z\, dV$, où E est le tétraèdre que forment les quatre plans $x = 0$, $y = 0$, $z = 0$ et $x + y + z = 1$.

SOLUTION Pour bien faire, avant d'établir une intégrale triple, il faut avoir dessiné deux graphiques, un de la région solide E (voyez la figure 5) et un de la projection de E sur le plan Oxy (voyez la figure 6). Comme la frontière inférieure du tétraèdre est le plan $z = 0$ tandis que la frontière supérieure est le plan $x + y + z = 1$ (ou $z = 1 - x - y$), on aura $\phi_1(x,y) = 0$ et $\phi_2(x,y) = 1 - x - y$ dans la formule 7. Par ailleurs, le plan $x + y + z = 1$ coupe le plan $z = 0$ selon la droite $x + y = 1$ ou $(y = 1 - x)$. La projection de E est le triangle visible dans la figure 6 et

9
$$E = \{(x,y,z) \mid 0 \leqslant x \leqslant 1, 0 \leqslant y \leqslant 1 - x, 0 \leqslant z \leqslant 1 - x - y\}.$$

Cette description de E comme une région solide de type 1 conduit aux calculs suivants de l'intégrale :

$$\iiint_E z\, dV = \int_0^1 \int_0^{1-x} \int_0^{1-x-y} z\, dz\, dy\, dx$$

$$= \int_0^1 \int_0^{1-x} \left[\frac{z^2}{2} \right]_{z=0}^{z=1-x-y} dy\, dx$$

$$= \frac{1}{2} \int_0^1 \int_0^{1-x} (1 - x - y)^2\, dy\, dx$$

$$= \frac{1}{2} \int_0^1 \left[-\frac{(1 - x - y)^3}{3} \right]_{y=0}^{y=1-x} dx$$

$$= \frac{1}{6} \int_0^1 (1 - x)^3\, dx = \frac{1}{6} \left[-\frac{(1 - x)^4}{4} \right]_0^1 = \frac{1}{24}.$$

Une région solide **de type 2** est de la forme

$$E = \{(x,y,z) \mid (y,z) \in D, \phi_1(y,z) \leqslant x \leqslant \phi_2(y,z)\},$$

où, cette fois, D est la projection de E sur le plan Oyz (voyez la figure 7). L'équation de la face arrière est $x = \phi_1(y,z)$, celle de la face avant $x = \phi_2(y,z)$ et

10
$$\iiint_E f(x,y,z)\, dV = \iint_D \left[\int_{\phi_1(y,z)}^{\phi_2(y,z)} f(x,y,z)\, dx \right] dA.$$

Enfin, une région solide de **type 3** est de la forme

$$E = \{(x,y,z) \mid (x,z) \in D, \phi_1(x,z) \leqslant y \leqslant \phi_2(x,z)\},$$

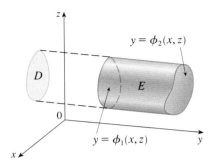

FIGURE 8
Une région de type 3

où D est la projection de E sur le plan Oxz, $y = \phi_1(x,z)$ la face de gauche et $y = \phi_2(x,z)$ la face de droite (voyez la figure 8). Pour ce type de région, on a

⑪
$$\iiint_E f(x,y,z)\,dV = \iint_D \left[\int_{\phi_1(x,z)}^{\phi_2(x,z)} f(x,y,z)\,dy \right] dA$$

Les expressions 10 et 11 sont susceptibles d'être explicitées de deux manières différentes selon que la projection de D est un domaine plan de type I ou II (correspondant aux expressions 7 et 8).

EXEMPLE 3 ■ Calculez $\iiint_E \sqrt{x^2 + z^2}\,dV$, où E est le solide borné par le paraboloïde $y = x^2 + z^2$ et le plan $y = 4$.

SOLUTION Le solide E est représenté dans la figure 9. Si on le voit comme un solide de type 1, il faut regarder sa projection D_1 sur le plan Oxy qui a la forme du segment de parabole de la figure 10. (La trace de $y = x^2 + z^2$ dans le plan $z = 0$ est la parabole $y = x^2$.)

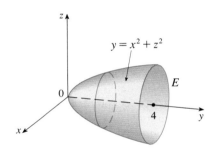

FIGURE 9 Le domaine de l'intégration

FIGURE 10 La projection sur le plan Oxy

Comme de $y = x^2 + z^2$, il suit que $z = \pm\sqrt{y - x^2}$, la surface frontière inférieure est $z = -\sqrt{y - x^2}$ et la surface frontière supérieure, $z = \sqrt{y - x^2}$. De ces considérations découle une description de E comme une région de type 1

$$E = \{(x,y,z)\mid -2 \leqslant x \leqslant 2, x^2 \leqslant y \leqslant 4, -\sqrt{y - x^2} \leqslant z \leqslant \sqrt{y - x^2}\},$$

et une expression de l'intégrale sous forme d'intégrale itérée

$$\iiint_E \sqrt{x^2 + z^2}\,dV = \int_{-2}^{2} \int_{x^2}^{4} \int_{-\sqrt{y-x^2}}^{\sqrt{y-x^2}} \sqrt{x^2 + z^2}\,dz\,dy\,dx.$$

Bien que cette expression soit correcte, il semble bien difficile d'en entamer le calcul. Le domaine d'intégration E pourrait être vu comme une région de type 3. En tant que telle, sa projection D_3 sur le plan Oxz serait le disque $x^2 + z^2 \leqslant 4$, montré dans la figure 11.

De ce point de vue, la frontière gauche de E serait le paraboloïde $y = x^2 + z^2$ et la frontière droite, le plan $y = 4$. D'où $\phi_1(x,z) = x^2 + z^2$ et $\phi_2(x,z) = 4$ dans l'expression 11 et on aurait

$$\iiint_E \sqrt{x^2 + z^2}\,dV = \iint_{D_3} \left[\int_{x^2+z^2}^{4} \sqrt{x^2 + z^2}\,dy \right] dA$$

$$= \iint_{D_3} (4 - x^2 - z^2)\sqrt{x^2 + z^2}\,dA$$

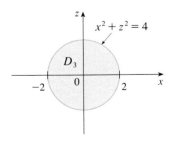

FIGURE 11
Projection sur le plan Oxz

Bien que cette intégrale double puisse être écrite comme l'intégrale itérée

$$\int_{-2}^{2} \int_{-\sqrt{4-x^2}}^{\sqrt{4-x^2}} (4 - x^2 - z^2)\sqrt{x^2 + z^2}\, dz\, dx,$$

il est plus facile de passer aux coordonnées polaires dans le plan Oxz : $x = r\cos\theta$, $z = r\sin\theta$. Cela donne

$$\iiint_E \sqrt{x^2 + z^2}\, dV = \iint_{D_3} (4 - x^2 - z^2)\sqrt{x^2 + z^2}\, dA$$

$$= \int_0^{2\pi} \int_0^2 (4 - r^2)r\, r\, dr\, d\theta = \int_0^{2\pi} d\theta \int_0^2 (4r^2 - r^4)\, dr$$

$$= 2\pi\left[\frac{4r^3}{3} - \frac{r^5}{5}\right]_0^2 = \frac{128\pi}{15}.$$

> **⊘** L'étape la plus difficile dans le calcul d'une intégrale triple est d'écrire une expression qui tienne compte du domaine d'intégration (comme l'expression 9 dans l'exemple 2). Rappelons que les bornes d'intégration de l'intégrale intérieure contiennent au plus deux variables, que les bornes d'intégration de l'intégrale centrale contiennent au plus une variable et que les bornes d'intégration de l'intégrale extérieure doivent être des constantes.

■ Des applications des intégrales triples

On se souvient que si $f(x) \geqslant 0$, l'intégrale simple $\int_a^b f(x)dx$ représente l'aire sous la courbe $y = f(x)$ depuis a jusqu'à b, et que si $f(x, y) \geqslant 0$, l'intégrale double $\iint_D f(x, y)dA$ représente le volume sous la surface $z = f(x, y)$ au-dessus de D. L'interprétation analogue de l'intégrale triple $\iiint_E f(x, y, z)dV$, quand $f(x, y, z) \geqslant 0$, n'est pas très utile parce qu'il s'agirait d'un « hypervolume » d'un objet de dimension 4, impossible à visualiser. (Il faut être bien conscient que E n'est que le *domaine* d'intégration de la fonction f ; le graphique de f appartient à un espace de dimension quatre.) Néanmoins, l'intégrale triple $\iiint_E f(x, y, z)dV$ possède diverses interprétations dans différentes situations en physique, selon l'interprétation de $f(x, y, z)$ et de x, y et z.

On commence par le cas particulier où $f(x, y, z) = 1$ quel que soit (x, y, z) dans E. L'intégrale triple représente alors le volume de E :

12
$$V(E) = \iiint_E dV.$$

Cela se vérifie, dans le cas d'une région de type 1, en posant $f(x, y, z) = 1$ dans la formule 6 :

$$\iiint_E 1\, dV = \iint_D \left[\int_{\phi_1(x,y)}^{\phi_2(x,y)} dz\right] dA = \iint_D [\phi_2(x, y) - \phi_1(x, y)]\, dA$$

cette dernière intégrale donnant, d'après la section 12.3, le volume du solide compris entre les surfaces $z = \phi_1(x, y)$ et $z = \phi_2(x, y)$.

FIGURE 12

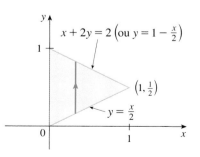

FIGURE 13

EXEMPLE 4 ■ Calculez, par une intégrale triple, le volume du tétraèdre T formé par les plans $x + 2y + z = 2$, $x = 2y$, $x = 0$ et $z = 0$.

SOLUTION Les figures 12 et 13 montrent le tétraèdre et sa projection D sur le plan Oxy. La frontière inférieure de T est le plan $z = 0$ et la frontière supérieure, le plan

$x + 2y + z = 2$, ou, $z = 2 - x - 2y$. De là, on a

$$V(T) = \iiint_T dV = \int_0^1 \int_{x/2}^{1-x/2} \int_0^{2-x-2y} dz\, dy\, dx$$

$$= \int_0^1 \int_{x/2}^{1-x/2} (2 - x - 2y)\, dy\, dx = \tfrac{1}{3}$$

par des calculs identiques à ceux de l'exemple 4 dans la section 12.3.

(N'allez pas en conclure qu'il soit nécessaire de passer par des intégrales triples pour calculer des volumes. Ce n'est qu'une façon parmi d'autres de conduire le calcul.)

Toutes les applications des intégrales doubles de la section 12.5 s'étendent aux intégrales triples. Par exemple, si la densité d'un solide qui occupe la région E est en tout point (x, y, z) donnée par $\rho(x, y, z)$, en unités de masse par unité de volume, alors, sa **masse** est

13
$$m = \iiint_E \rho(x, y, z)dV,$$

et ses **moments** par rapport aux trois plans de coordonnées sont

14
$$M_{yz} = \iiint_E x\rho(x, y, z)\, dV \qquad M_{xz} = \iiint_E y\rho(x, y, z)\, dV$$

$$M_{xy} = \iiint_E z\rho(x, y, z)\, dV$$

Le **centre de masse** occupe le point $(\overline{x}, \overline{y}, \overline{z})$ où

15
$$\overline{x} = \frac{M_{yz}}{m} \qquad \overline{y} = \frac{M_{xz}}{m} \qquad \overline{z} = \frac{M_{xy}}{m}.$$

Lorsque la densité est constante, le centre de masse est aussi le centre géométrique de E. Les **moments d'inertie** par rapport aux trois axes de coordonnées sont

16
$$I_x = \iiint_E (y^2 + z^2)\rho(x, y, z)\, dV \qquad I_y = \iiint_E (x^2 + z^2)\rho(x, y, z)\, dV$$

$$I_z = \iiint_E (x^2 + y^2)\rho(x, y, z)\, dV.$$

Comme dans la section 12.5, la **charge électrique** totale d'un solide qui occupe l région E et dont la densité de charge en un point est donnée par $\sigma(x, y, z)$ est calculée pa

$$Q = \iiint_E \sigma(x, y, z)dV.$$

Dans la situation où X, Y et Z sont trois variables aléatoires continues, leur **fonction d densité conjointe** est une fonction de trois variables telle que la probabilité pour qu (X, Y, Z) se trouve dans E est égale à

$$P((X, Y, Z) \in E) = \iiint_E f(x, y, z)dV.$$

En particulier,

$$P(a \leqslant X \leqslant b, c \leqslant Y \leqslant d, r \leqslant Z \leqslant s) = \int_a^b \int_c^d \int_r^s f(x, y, z)dz\, dy\, dx.$$

La fonction de densité conjointe est telle que

$$f(x,y,z) \geqslant 0 \qquad \int_{-\infty}^{\infty} \int_{-\infty}^{\infty} \int_{-\infty}^{\infty} f(x,y,z)\,dz\,dy\,dx = 1.$$

EXEMPLE 5 ■ Situez le centre de masse d'un solide de densité constante, borné par le cylindre parabolique $x = y^2$ et les plans $x = z$, $z = 0$ et $x = 1$.

SOLUTION La figure 14 fait voir le solide E et sa projection sur le plan Oxy. Comme les surfaces inférieure et supérieure de E sont les plans $z = 0$ et $z = x$, E est décrit comme une région de type 1 :

$$E = \{(x,y,z) \mid -1 \leqslant y \leqslant 1, y^2 \leqslant x \leqslant 1, 0 \leqslant z \leqslant x\}.$$

Si la densité constante est écrite $\rho(x,y,z) = \rho$, alors la masse est le nombre

$$
\begin{aligned}
m &= \iiint_E \rho\,dV = \int_{-1}^{1} \int_{y^2}^{1} \int_{0}^{x} \rho\,dz\,dx\,dy \\
&= \rho \int_{-1}^{1} \int_{y^2}^{1} x\,dx\,dy = \rho \int_{-1}^{1} \left[\frac{x^2}{2} \right]_{x=y^2}^{x=1} dy \\
&= \frac{\rho}{2} \int_{-1}^{1} (1 - y^4)\,dy = \rho \int_{0}^{1} (1 - y^4)\,dy \\
&= \rho \left[y - \frac{y^5}{5} \right]_{0}^{1} = \frac{4\rho}{5}.
\end{aligned}
$$

En raison de la symétrie de E et ρ par rapport au plan Oxz, on peut immédiatement écrire $M_{xz} = 0$ et, de là, $\bar{y} = 0$. Les autres moments sont

$$
\begin{aligned}
M_{yz} &= \iiint_E x\rho\,dV = \int_{-1}^{1} \int_{y^2}^{1} \int_{0}^{x} x\rho\,dz\,dx\,dy \\
&= \rho \int_{-1}^{1} \int_{y^2}^{1} x^2\,dx\,dy = \rho \int_{-1}^{1} \left[\frac{x^3}{3} \right]_{x=y^2}^{x=1} dy \\
&= \frac{2\rho}{3} \int_{0}^{1} (1 - y^6)\,dy = \frac{2\rho}{3} \left[y - \frac{y^7}{7} \right]_{0}^{1} = \frac{4\rho}{7}.
\end{aligned}
$$

$$
\begin{aligned}
M_{xy} &= \iiint_E z\rho\,dV = \int_{-1}^{1} \int_{y^2}^{1} \int_{0}^{x} z\rho\,dz\,dx\,dy \\
&= \rho \int_{-1}^{1} \int_{y^2}^{1} \left[\frac{z^2}{2} \right]_{z=0}^{z=x} dx\,dy = \frac{\rho}{2} \int_{-1}^{1} \int_{y^2}^{1} x^2\,dx\,dy \\
&= \frac{\rho}{3} \int_{0}^{1} (1 - y^6)\,dy = \frac{2\rho}{7}.
\end{aligned}
$$

Par conséquent, le centre de masse est situé en

$$(\bar{x}, \bar{y}, \bar{z}) = \left(\frac{M_{yz}}{m}, \frac{M_{xz}}{m}, \frac{M_{xy}}{m} \right) = \left(\frac{5}{7}, 0, \frac{5}{14} \right).$$

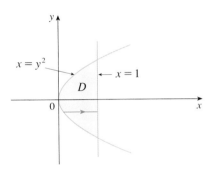

FIGURE 14

12.7 Exercices •

1. Calculez l'intégrale de l'exemple 1, en intégrant d'abord par rapport à z, ensuite par rapport à x et enfin par rapport à y.

2. Calculez $\iiint_E (x^2 + yz)dV$, où
$$E = \{(x,y,z) \mid 0 \leqslant x \leqslant 2, -3 \leqslant y \leqslant 0, -1 \leqslant z \leqslant 1\},$$
selon les trois ordres différents d'intégration.

3-6 ■ Calculez l'intégrale itérée.

3. $\int_0^1 \int_0^z \int_0^y xyz \, dx \, dy \, dz$ **4.** $\int_0^1 \int_x^{2x} \int_0^{x+y} 2xy \, dz \, dy \, dx$

5. $\int_0^\pi \int_0^2 \int_0^{\sqrt{4-z^2}} z \sin y \, dx \, dz \, dy$

6. $\int_0^3 \int_0^{\sqrt{9-x^2}} \int_0^x yz \, dy \, dz \, dx$

7-14 ■ Calculez l'intégrale triple.

7. $\iiint_E yz \, dV$,
où $E = \{(x,y,z) \mid 0 \leqslant z \leqslant 1, 0 \leqslant y \leqslant 2z, 0 \leqslant x \leqslant z+2\}$.

8. $\iiint_E e^x dV$,
où $E = \{(x,y,z) \mid 0 \leqslant y \leqslant 1, 0 \leqslant x \leqslant y, 0 \leqslant z \leqslant x+y\}$.

9. $\iiint_E y \, dV$, où E se trouve sous le plan $z = x + 2y$ et au-dessus de la région du plan Oxy bornée par les courbes $y = x^2$, $y = 0$ et $x = 1$.

10. $\iiint_E xz \, dV$, où E est le tétraèdre de sommets $(0,0,0)$, $(0,1,0)$, $(1,1,0)$ et $(0,1,1)$.

11. $\iiint_E z \, dV$, où E est bornée par les plans $x = 0$, $y = 0$, $z = 0$, $y + z = 1$ et $x + z = 1$.

12. $\iiint_E (x + 2y)dV$, où E est bornée par le cylindre parabolique $y = x^2$ et les plans $x = z$, $x = y$ et $z = 0$.

13. $\iiint_E x \, dV$, où E est bornée par le paraboloïde $x = 4y^2 + 4z^2$ et le plan $x = 4$.

14. $\iiint_E z \, dV$, où E est bornée par le cylindre $y^2 + z^2 = 9$ et les plans $x = 0$, $y = 3x$ et $z = 0$ dans le premier octant.

15-18 ■ Utilisez une intégrale triple pour calculer le volume du solide décrit.

15. Le tétraèdre formé par les plans de coordonnées et le plan $2x + 3y + 6z = 12$.

16. Le solide borné par le cylindre elliptique $4x^2 + z^2 = 4$ et les plans $y = 0$ et $y = z + 2$.

17. Le solide borné par le cylindre $x = y^2$ et les plans $z = 0$ et $x + z = 1$.

18. Le solide enfermé dans les paraboloïdes $z = x^2 + y^2$ et $z = 18 - x^2 - y^2$.

19. a) Exprimez le volume du coin du premier octant taillé hors du cylindre $y^2 + z^2 = 1$ par les plans $y = x$ et $x = 1$ sous la forme d'une intégrale triple.

     LCS   b) Calculez l'intégrale de la partie a), soit à l'aide d'une table d'intégrales, soit d'un logiciel de calcul formel.

20. a) La **Méthode du point médian pour une intégrale triple** consiste à approximer l'intégrale triple sur un parallélipipède rectangle B par une somme de Riemann, où $f(x,y,z)$ est calculé au centre $(\overline{x}_i, \overline{y}_j, \overline{z}_k)$ du sous-parallélipipède B_{ijk}. Calculez par cette méthode une valeur approchée de $\iiint_B e^{-x^2-y^2-z^2} dV$, où B est le cube défini par $0 \leqslant x \leqslant 1$, $0 \leqslant y \leqslant 1$, $0 \leqslant z \leqslant 1$. Divisez B en 8 sous-cubes de même mesure.

     LCS   b) Calculez, avec une précision de deux décimales, l'intégrale de la partie a) avec un logiciel de calcul formel. Comparez avec la réponse de la partie a).

21-22 ■ Représentez le solide dont le volume est calculé par l'intégrale itérée.

21. $\int_0^1 \int_0^{1-x} \int_0^{2-2z} dy \, dz \, dx$ **22.** $\int_0^2 \int_0^{2-y} \int_0^{4-y^2} dx \, dz \, dy$

23-26 ■ Exprimez l'intégrale $\iiint_E f(x,y,z)dV$ comme une intégrale itérée de six manières différentes. E est le solide borné par les surfaces données.

23. $x^2 + z^2 = 4$, $y = 0$, $y = 6$
24. $z = 0$, $x = 0$, $y = 2$, $z = y - 2x$
25. $z = 0$, $z = y$, $x^2 = 1 - y$
26. $9x^2 + 4y^2 + z^2 = 1$

27. La figure présente la région d'intégration de l'intégrale
$$\int_0^1 \int_{\sqrt{x}}^1 \int_0^{1-y} f(x,y,z)dz \, dy \, dx.$$
Quelles sont les intégrales itérées équivalentes dans les cinq autres ordres possibles ?

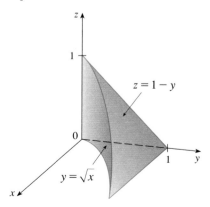

28. La figure présente la région d'intégration de l'intégrale

$$\int_0^1 \int_0^{1-x^2} \int_0^{1-x} f(x, y, z)\,dy\,dz\,dx.$$

Quelles sont les intégrales itérées équivalentes dans les cinq autres ordres possibles ?

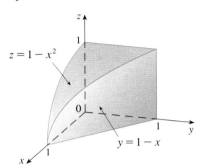

29-30 ■ Écrivez cinq autres intégrales itérées égales à celle donnée.

29. $\int_0^1 \int_y^1 \int_0^y f(x, y, z)\,dz\,dx\,dy.$

30. $\int_0^1 \int_0^{x^2} \int_0^y f(x, y, z)\,dz\,dy\,dx.$

31-34 ■ Déterminez la masse et le centre de masse du solide E caractérisé par la densité ρ.

31. E est le solide de l'exercice 9 ; $\rho(x, y, z) = 2$.

32. E est borné par le cylindre parabolique $z = 1 - y^2$ et les plans $x + z = 1$, $x = 0$ et $z = 0$; $\rho(x, y, z) = 4$.

33. E est le cube décrit par $0 \leqslant x \leqslant a$, $0 \leqslant y \leqslant a$, $0 \leqslant z \leqslant a$; $\rho(x, y, z) = x^2 + y^2 + z^2$.

34. E est le tétraèdre formé par les plans $x = 0$, $y = 0$, $z = 0$, $x + y + z = 1$; $\rho(x, y, z) = y$.

35-36 ■ Établissez, sans la calculer, l'expression de l'intégrale de a) la masse, b) du centre de masse et c) du moment d'inertie par rapport à l'axe Oz.

35. Le solide de l'exercice 13 ; $\rho(x, y, z) = x^2 + y^2 + z^2$.

36. L'hémisphère $x^2 + y^2 + z^2 = 1$, $z \geqslant 0$; $\rho(x, y, z) = \sqrt{x^2 + y^2 + z^2}$.

37. Soit E le solide du premier octant borné par le cylindre $x^2 + y^2 = 1$ et les plans $y = z$, $x = 0$ et $z = 0$ et dont la densité est donnée par la fonction

$$\rho(x, y, z) = 1 + x + y + z.$$

À l'aide d'un logiciel de calcul formel, calculez la valeur exacte de
a) la masse ;

b) du centre de masse ;
c) du moment d'inertie par rapport à Oz.

38. Si E est le solide de l'exercice 14 et si sa densité en chaque point est donnée par $\rho(x, y, z) = x^2 + y^2$, calculez les quantités suivantes avec trois décimales correctes.
a) La masse.
b) Le centre de masse.
c) Le moment d'inertie par rapport à Oz.

39. Calculez les moments d'inertie d'un cube de densité constante k et de côté L si un sommet se trouve à l'origine et trois arêtes le long des axes de coordonnées.

40. Déterminez les moments d'inertie d'une brique rectangulaire de dimensions a, b et c, de masse M et de densité constante, si le centre de la brique est situé à l'origine et les arêtes parallèles aux axes de coordonnées.

41. La fonction de densité conjointe des variables aléatoires X, Y et Z est $f(x, y, z)) = Cxyz$ pour $0 \leqslant x \leqslant 2$, $0 \leqslant y \leqslant 2$, $0 \leqslant z \leqslant 2$, et $f(x, y, z) = 0$ sinon.
a) Déterminez la valeur de la constante C.
b) Calculez $P(X \leqslant 1, Y \leqslant 1, Z \leqslant 1)$.
c) Calculez $P(X + Y + Z \leqslant 1)$.

42. On suppose que X, Y et Z sont trois variables aléatoires dont la fonction de densité conjointe est

$$f(x, y, z) = Ce^{-(0,5x+0,2y+0,1z)},$$

pour $x \geqslant 0$, $y \geqslant 0$, $z \geqslant 0$ et $f(x, y, z) = 0$ sinon.
a) Déterminez la valeur de la constante C.
b) Calculez $P(X \leqslant 1, Y \leqslant 1)$.
c) Calculez $P(X \leqslant 1, Y \leqslant 1, Z \leqslant 1)$.

43-44 ■ La **valeur moyenne** d'une fonction $f(x, y, z)$ sur une région solide E est par définition

$$f_{\text{moy}} = \frac{1}{V(E)} \iiint_E f(x, y, z)\,dV,$$

où $V(E)$ désigne le volume de E. Si, par exemple, ρ est une fonction de densité, alors ρ_{moy} est la densité moyenne de E.

43. Calculez la valeur moyenne de la fonction $f(x, y, z) = xyz$ sur le cube d'arête L qui se trouve dans le premier octant avec un sommet à l'origine et les arêtes parallèles aux axes de coordonnées.

44. Calculez la valeur moyenne de la fonction $f(x, y, z) = x + y + z$ sur le tétraèdre de sommets $(0, 0, 0)$, $(1, 0, 0)$, $(0, 1, 0)$ et $(0, 0, 1)$.

45. Sur quelle région E l'intégrale triple

$$\iiint_E (1 - x^2 - 2y^2 - 3z^2)\,dV$$

prend-elle sa plus grande valeur ?

Sujet à découvrir

Le volume des hypersphères

Ce projet a comme but d'établir des formules pour calculer le volume d'une hypersphère dans un espace de dimension n.

1. Calculez par une intégrale double et la substitution trigonométrique $y = r \sin \theta$, jointe à la formule 64 des tables d'intégrale, l'aire d'un cercle de rayon r.

2. Calculez par une intégrale triple et une substitution trigonométrique le volume d'une sphère de rayon r.

3. Calculez par une intégrale quadruple l'hypervolume de l'hypersphère $x^2 + y^2 + z^2 + w^2 = r^2$ de $\mathbb{R}^4$. (Servez-vous uniquement d'une substitution trigonométrique et des formules de réductions de $\int \sin^n x \, dx$ ou $\int \cos^n x \, dx$.)

4. Utilisez une intégrale multiple d'ordre n pour calculer le volume enfermé dans une hypersphère de rayon r dans un espace $\mathbb{R}^n$ de dimension n. [*Suggestion :* Les formules sont différentes selon que n est pair ou impair.]

12.8 Des intégrales triples en coordonnées cylindriques et sphériques •••••••••

Nous avons eu l'occasion de constater dans la section 12.4 que certaines intégrales doubles étaient plus faciles à calculer en coordonnées polaires. Dans cette section, nous allons observer que certaines intégrales triples sont plus faciles à calculer en coordonnées cylindriques et sphériques.

■ En coordonnées cylindriques

De la section 9.7, on se souvient que les coordonnées cylindriques d'un point P sont (r, θ, z), où r, θ et z sont indiquées dans la figure 1. On suppose que E est une région de type 1 dont la projection D sur le plan Oxy se prête à une description en coordonnées polaires (voyez la figure 2). En particulier, il est supposé que f est continue et que E est décrit par

$$E = \{(x, y, z) \mid (x, y) \in D, \phi_1(x, y) \leqslant z \leqslant \phi_2(x, y)\},$$

FIGURE 1

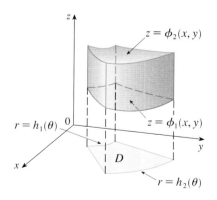

FIGURE 2

où D est donné en coordonnées polaires par

$$D = \{(r, \theta) \mid \alpha \leqslant \theta \leqslant \beta, h_1(\theta) \leqslant r \leqslant h_2(\theta)\}.$$

On sait, de l'équation 6 dans la section 12.7, que

1 $$\iiint\limits_E f(x, y, z)\, dV = \iint\limits_D \left[\int_{\phi_1(x,y)}^{\phi_2(x,y)} f(x, y, z)\, dz \right] dA.$$

Mais on sait aussi comment calculer des intégrales doubles en coordonnées polaires. Il ne reste donc qu'à combiner l'équation 1 avec l'équation 3 de la section 12.4 pour arriver à

2 $$\iiint\limits_E f(x, y, z)\, dV = \int_\alpha^\beta \int_{h_1(\theta)}^{h_2(\theta)} \int_{\phi_1(r\cos\theta,\, r\sin\theta)}^{\phi_2(r\cos\theta,\, r\sin\theta)} f(r\cos\theta, r\sin\theta, z)\, r\, dz\, dr\, d\theta$$

La formule 2 est la formule de **changement de variables en coordonnées cylindriques** pour les intégrales triples. Elle dit comment procéder pour passer des coordonnées rectangulaires aux coordonnées cylindriques dans une intégrale triple : il faut remplacer x par $r\cos\theta$, y par $r\sin\theta$, laisser z tel quel, attribuer à chacune des variables z, r et θ les bornes d'intégration appropriées et enfin remplacer dV par $r\, dz\, dr\, d\theta$. (La figure 3 aide à visualiser et à rappeler cette conversion.) Cette formule est particulièrement adéquate quand E est une région solide qui se décrit aisément en coordonnées cylindriques, et plus spécialement quand la fonction $f(x, y, z)$ contient l'expression $x^2 + y^2$.

FIGURE 3

Élément de volume en coordonnées cylindriques : $dV = r\, dz\, dr\, d\theta$

EXEMPLE 1 ■ Un solide E est la portion du cylindre $x^2 + y^2 = 1$ fermée inférieurement par le paraboloïde $z = 1 - x^2 - y^2$ (voyez la figure 4) et coiffée par le plan $z = 4$. La densité en chaque point est proportionnelle à la distance qui sépare le point de l'axe du cylindre. Calculez la masse de E.

SOLUTION Comme, en coordonnées cylindriques, l'équation du cylindre est $r = 1$ et celle du paraboloïde, $z = 1 - r^2$, on peut décrire E de la manière suivante

$$E = \{(r, \theta, z) \mid 0 \leqslant \theta \leqslant 2\pi, 0 \leqslant r \leqslant 1, 1 - r^2 \leqslant z \leqslant 4\}.$$

Que la densité en (x, y, z) soit proportionnelle à la distance de l'axe Oz s'écrit

$$f(x, y, z) = K\sqrt{x^2 + y^2} = Kr,$$

où K est la constante de proportionnalité. Par conséquent, d'après la formule 13 dans la section 12.7, la masse de E est le nombre

$$m = \iiint\limits_E K\sqrt{x^2 + y^2}\, dV = \int_0^{2\pi} \int_0^1 \int_{1-r^2}^4 (Kr)\, r\, dz\, dr\, d\theta$$

$$= \int_0^{2\pi} d\theta \int_0^1 Kr^2[4 - (1 - r^2)]\, dr = 2\pi K \int_0^1 (3r^2 + r^4)\, dr$$

$$= 2\pi K \left[r^3 + \frac{r^5}{5} \right]_0^1 = \frac{12\pi K}{5}.$$

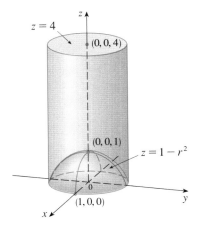

$z = 4$

$(0, 0, 4)$

$(0, 0, 1)$ $z = 1 - r^2$

$(1, 0, 0)$

FIGURE 4

EXEMPLE 2 ■ Calculez $\displaystyle\int_{-2}^2 \int_{-\sqrt{4-x^2}}^{\sqrt{4-x^2}} \int_{\sqrt{x^2+y^2}}^2 (x^2 + y^2)\, dz\, dy\, dx.$

SOLUTION Cette intégrale itérée est une intégrale triple sur la région solide

$$E = \{(x, y, z) \mid -2 \leqslant x \leqslant 2, -\sqrt{4 - x^2} \leqslant y \leqslant \sqrt{4 - x^2}, \sqrt{x^2 + y^2} \leqslant z \leqslant 2\}$$

et la projection de E sur le plan Oxy est le disque $x^2 + y^2 \leqslant 4$. La frontière inférieure de

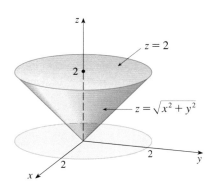

FIGURE 5

E est le cône $z = \sqrt{x^2 + y^2}$ et la frontière supérieure, le plan $z = 2$ (voyez la figure 5). La description de cette région est beaucoup plus simple en coordonnées cylindriques :

$$E = \{(r, \theta, z) \mid 0 \leqslant \theta \leqslant 2\pi, 0 \leqslant r \leqslant 2, r \leqslant z \leqslant 2\}.$$

Par conséquent, on

$$\int_{-2}^{2} \int_{-\sqrt{4-x^2}}^{\sqrt{4-x^2}} \int_{\sqrt{x^2+y^2}}^{2} (x^2 + y^2)\, dz\, dy\, dx = \iiint_E (x^2 + y^2)\, dV$$

$$= \int_0^{2\pi} \int_0^2 \int_r^2 r^2\, r\, dz\, dr\, d\theta$$

$$= \int_0^{2\pi} d\theta \int_0^2 r^3(2 - r)\, dr$$

$$= 2\pi \left[\tfrac{1}{2} r^4 - \tfrac{1}{5} r^5 \right]_0^2 = \frac{16\pi}{5}.$$

■ **En coordonnées sphériques**

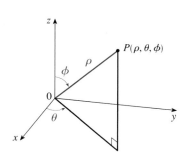

FIGURE 6 Les coordonnées sphériques de P

Les coordonnées sphériques (ρ, θ, ϕ) d'un point ont été définies dans la section 9.7 (voyez la figure 6) et les relations qui les lient aux coordonnées rectangulaires sont, pour rappel :

3 $\qquad x = \rho \sin \phi \cos \theta \qquad y = \rho \sin \phi \sin \theta \qquad z = \rho \cos \phi.$

Dans ce système de coordonnées, le pendant du parallélipipède rectangle est un **coin sphérique**

$$E = \{(\rho, \theta, \phi) \mid a \leqslant \rho \leqslant b, \alpha \leqslant \theta \leqslant \beta, c \leqslant \phi \leqslant d\},$$

où $a \geqslant 0$, $\beta - \alpha \leqslant 2\pi$ et $d - c \leqslant \pi$. Bien que l'intégrale triple ait été définie en divisant des solides en petits parallélipipèdes, on peut montrer qu'on arrive au même résultat en le divisant en petits coins sphériques E_{ijk} par les sphères $\rho = \rho_i$, les demi-plans $\theta = \theta_j$ et les demi-cônes $\phi = \phi_k$. La figure 7 montre que E_{ijk} est à peu de chose près un parallélipipède de dimensions $\Delta\rho$, $\rho_i \Delta\phi$ (arc d'un cercle de rayon ρ_i, angle $\Delta\phi$), et $\rho_i \sin \phi_k \Delta\theta$ (arc d'un cercle de rayon $\rho_i \sin \phi_k$, angle $\Delta\theta$). Dès lors, le volume de E_{ijk} vaut approximativement

$$(\Delta\rho) \times (\rho_i \Delta\phi) \times (\rho_i \sin \phi_k \Delta\theta) = \rho_i^2 \sin \phi_k \Delta\rho \Delta\phi \Delta\theta.$$

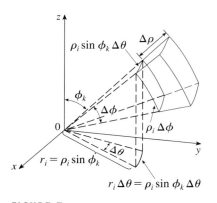

FIGURE 7

Une approximation par une triple somme de Riemann est donc de la forme

$$\sum_{i=1}^{l} \sum_{j=1}^{m} \sum_{k=1}^{n} f(\rho_i \sin \phi_k \cos \theta_j, \rho_i \sin \phi_k \sin \theta_j, \rho_i \cos \phi_k)\, \rho_i^2 \sin \phi_k \Delta\rho\, \Delta\theta\, \Delta\phi.$$

Mais cette somme est une somme de Riemann de la fonction

$$F(\rho, \theta, \phi) = \rho^2 \sin \phi\, f(\rho \sin \phi \cos \theta, \rho \sin \phi \sin \theta, \rho \cos \phi).$$

Ce qui précède rend compréhensible la **formule de changement de variables en coordonnées sphériques** que voici.

4
$$\iiint_E f(x,y,z)\,dV$$
$$= \int_c^d \int_\alpha^\beta \int_a^b f(\rho\sin\phi\cos\theta, \rho\sin\phi\sin\theta, \rho\cos\phi)\rho^2\sin\phi\,d\rho\,d\theta\,d\phi$$

où E est un coin sphérique décrit par

$$E = \{(\rho,\theta,\phi)\mid a \leqslant \rho \leqslant b, \alpha \leqslant \theta \leqslant \beta, c \leqslant \phi \leqslant d\}.$$

La formule 4 indique comment convertir une intégrale triple de coordonnées rectangulaires en coordonnées sphériques : il faut faire les substitutions

$$x = \rho\sin\phi\cos\theta \qquad y = \rho\sin\phi\sin\theta \qquad z = \rho\cos\phi,$$

adapter les bornes d'intégration et remplacer dV par $\rho^2\sin\phi\,d\rho\,d\theta\,d\phi$. C'est ce qu'illustre la figure 8.

Cette formule peut être étendue à des domaines sphériques plus généraux tels que

$$E = \{(\rho,\theta,\phi)\mid \alpha \leqslant \theta \leqslant \beta, c \leqslant \phi \leqslant d, g_1(\theta,\phi) \leqslant \rho \leqslant g_2(\theta,\phi)\}.$$

Dans ce cas, la formule est la même qu'en (4), à part que les bornes d'intégration de ρ sont $g_1(\theta,\phi)$ et $g_2(\theta,\phi)$.

Les coordonnées sphériques interviennent généralement dans des intégrales triples sur des domaines d'intégration délimités par des cônes et des sphères.

EXEMPLE 3 ■ Calculez $\displaystyle\iiint_B e^{(x^2+y^2+z^2)^{3/2}}\,dV$, où B est la boule unité

$$B = \{(x,y,z)\mid x^2 + y^2 + z^2 \leqslant 1\}.$$

SOLUTION Vu que la frontière de B est une sphère, on adopte les coordonnées sphériques

$$B = \{(\rho,\theta,\phi)\mid 0 \leqslant \rho \leqslant 1, 0 \leqslant \theta \leqslant 2\pi, 0 \leqslant \phi \leqslant \pi\}.$$

De plus, les coordonnées sphériques conviennent parce que

$$x^2 + y^2 + z^2 = \rho^2.$$

D'où, (4) conduit à

$$\iiint_B e^{(x^2+y^2+z^2)^{3/2}}\,dV = \int_0^\pi \int_0^{2\pi} \int_0^1 e^{(\rho^2)^{3/2}}\rho^2\sin\phi\,d\rho\,d\theta\,d\phi$$

$$= \int_0^\pi \sin\phi\,d\phi \int_0^{2\pi} d\theta \int_0^1 \rho^2 e^{\rho^3}\,d\rho$$

$$= \left[-\cos\phi\right]_0^\pi (2\pi)\left[\tfrac{1}{3}e^{\rho^3}\right]_0^1 = \frac{4\pi}{3}(e-1).$$

REMARQUE ● Il aurait été extrêmement malaisé de calculer l'intégrale de l'exemple 3 sans les coordonnées sphériques. L'intégrale itérée en coordonnées rectangulaires eût

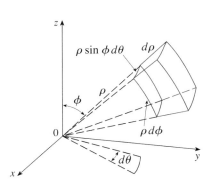

FIGURE 8
Élément de volume en coordonnées sphériques : $dV = \rho^2\sin\phi\,d\rho\,d\theta\,d\phi$

été

$$\int_{-1}^{1} \int_{-\sqrt{1-x^2}}^{\sqrt{1-x^2}} \int_{-\sqrt{1-x^2-y^2}}^{\sqrt{1-x^2-y^2}} e^{(x^2+y^2+z^2)^{3/2}} \, dz \, dy \, dx.$$

EXEMPLE 4 ■ Calculez à l'aide des coordonnées sphériques le volume du solide qui se trouve compris entre le cône $z = \sqrt{x^2 + y^2}$ et la sphère $x^2 + y^2 + z^2 = z$ (voyez la figure 9).

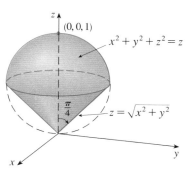

FIGURE 9

SOLUTION La sphère passe par l'origine, mais son centre est en $(0, 0, 1/2)$. L'équation de cette sphère en coordonnées sphériques est

$$\rho^2 = \rho \cos \phi \qquad \text{ou} \qquad \rho = \cos \phi.$$

Le cône peut être décrit par

$$\rho \cos \phi = \sqrt{\rho^2 \sin^2 \phi \cos^2 \theta + \rho^2 \sin^2 \phi \sin^2 \theta} = \rho \sin \phi.$$

Cela donne $\sin \phi = \cos \phi$, ou $\phi = \pi/4$. Par conséquent, la description du solide E en coordonnées sphériques est

$$E = \{(\rho, \theta, \phi) \mid 0 \leqslant \theta \leqslant 2\pi, 0 \leqslant \phi \leqslant \pi/4, 0 \leqslant \rho \leqslant \cos \phi\},$$

et son volume résulte du calcul suivant :

$$V(E) = \iiint_E dV = \int_0^{2\pi} \int_0^{\pi/4} \int_0^{\cos \phi} \rho^2 \sin \phi \, d\rho \, d\phi \, d\theta$$

$$= \int_0^{2\pi} d\theta \int_0^{\pi/4} \sin \phi \left[\frac{\rho^3}{3} \right]_{\rho=0}^{\rho=\cos \phi} d\phi$$

$$= \frac{2\pi}{3} \int_0^{\pi/4} \sin \phi \cos^3 \phi \, d\phi = \frac{2\pi}{3} \left[-\frac{\cos^4 \phi}{4} \right]_0^{\pi/4} = \frac{\pi}{8}.$$

La figure 10 donne une autre vue (celle fournie par Maple) du solide de l'exemple 4.

FIGURE 10

12.8 Exercices ●

1-4 ■ Représentez le solide dont le volume est donné par l'intégrale et calculez l'intégrale.

1. $\int_0^{2\pi} \int_0^2 \int_0^{4-r^2} r \, dz \, dr \, d\theta$ **2.** $\int_1^3 \int_0^{\pi/2} \int_r^3 r \, dz \, d\theta \, dr$

3. $\int_0^{\pi/2} \int_0^{\pi/2} \int_0^1 \rho^2 \sin \phi \, d\rho \, d\theta \, d\phi$

4. $\int_0^{\pi/3} \int_0^{2\pi} \int_0^{\sec \phi} \rho^2 \sin \phi \, d\rho \, d\theta \, d\phi$

5-6 ■ Établissez l'intégrale triple d'une quelconque fonction continue $f(x, y, z)$ en coordonnées cylindriques ou sphériques sur le solide représenté.

7-14 ■ Employez des coordonnées cylindriques.

7. Calculez $\iiint_E (x^2 + y^2)dV$, où E est le domaine borné par le cylindre $x^2 + y^2 = 4$ et les plans $z = -1$ et $z = 2$.

8. Calculez $\iiint_E \sqrt{x^2 + y^2}\, dV$, où E est le domaine borné par le paraboloïde $z = 9 - x^2 - y^2$ et le plan Oxy.

9. Calculez $\iiint_E y\, dV$, où E est la région enserrée entre les cylindres $x^2 + y^2 = 1$ et $x^2 + y^2 = 4$, au-dessus du plan Oxy et sous le plan $z = x + 2$.

10. Calculez $\iiint_E xz\, dV$, où E est le domaine borné par les plans $z = 0$ et $z = y$ et le cylindre $x^2 + y^2 = 1$ dans le demi-espace $y \geqslant 0$.

11. Calculez $\iiint_E x^2 dV$, où E est le domaine borné par le cylindre $x^2 + y^2 = 1$, au-dessus du plan $z = 0$ et sous le cône $z^2 = 4x^2 + 4y^2$.

12. a) Calculez le volume du solide que le cylindre $r = a\cos\theta$ découpe hors de la sphère de rayon a centrée à l'origine.
b) Illustrez la partie a) en faisant apparaître la sphère et le cylindre dans un même écran.

13. Calculez la masse et le centre de masse du solide S borné par le paraboloïde $z = 4x^2 + 4y^2$ et le plan $z = a$ $(a > 0)$ si S a une densité constante K.

14. a) Calculez le volume de la région E bornée par les paraboloïdes $z = x^2 + y^2$ et $z = 36 - 3x^2 - 3y^2$.
b) Calculez le centre géométrique de la région E de la partie a).

15-24 ■ Employez des coordonnées sphériques.

15. Calculez $\iiint_B (x^2 + y^2 + z^2)dV$, où B est la sphère unité $x^2 + y^2 + z^2 \leqslant 1$.

16. Calculez $\iiint_H (x^2 + y^2)dV$, où H est la demi-sphère située au-dessus du plan Oxy et sous la sphère $x^2 + y^2 + z^2 = 1$.

17. Calculez $\iiint_E y^2 dV$, où E est la partie de la boule unité $x^2 + y^2 + z^2 \leqslant 1$ qui se trouve dans le premier octant.

18. Calculez $\iiint_E xe^{(x^2+y^2+z^2)^2} dV$, où E est le solide enfermé entre les sphères $x^2 + y^2 + z^2 = 1$ et $x^2 + y^2 + z^2 = 4$ dans le premier octant.

19. Calculez $\iiint_E \sqrt{x^2 + y^2 + z^2}\, dV$, où E est la région bornée inférieurement par le cône $\phi = \pi/6$ et supérieurement par la sphère $\rho = 2$.

20. Calculez $\iiint_E x^2 dV$, où E est entre les sphères $\rho = 1$ et $\rho = 3$ et au-dessus du cône $\phi = \pi/4$.

21. a) Calculez le volume du solide qui se trouve au-dessus du cône $\phi = \pi/3$ et sous la sphère $\rho = 4\cos\phi$.
b) Calculez le centre géométrique de la région de la partie a).

22. Soit H l'hémisphère de rayon a, dont la densité en un point quelconque est proportionnelle à sa distance par rapport au centre de la base.
a) Calculez la masse de H.
b) Calculez le centre de masse de H.
c) Calculez le moment d'inertie de H par rapport à son axe.

23. a) Calculez le centre géométrique d'un solide homogène hémisphérique de rayon a.
b) Calculez le moment d'inertie du solide de la partie a) par rapport à un diamètre de sa base.

24. Calculez la masse et le centre de masse d'une demi-sphère solide de rayon a si la densité en un point quelconque est proportionnelle à sa distance par rapport à la base.

25-28 ■ Choisissez de travailler en coordonnées cylindriques ou sphériques, selon ce qui vous semble le plus approprié.

25. Calculez le volume et le centre de masse du solide E qui se trouve au-dessus du cône $z = \sqrt{x^2 + y^2}$ et sous la sphère $x^2 + y^2 + z^2 = 1$.

26. Calculez le plus petit coin que découpe dans une sphère de rayon a deux plans dont l'intersection est un diamètre et qui font entre eux un angle de $\pi/6$.

27. Calculez $\iiint_E z\, dV$, où E repose sur le paraboloïde $z = x^2 + y^2$ et est fermé par le plan $z = 2y$. Servez-vous de tables d'intégrales ou d'un logiciel de calcul formel pour calculer l'intégrale.

28. a) Calculez le volume du tore $\rho = \sin\phi$.
b) Faites dessiner le tore par un outil graphique.

29. Passez aux coordonnées cylindriques pour calculer l'intégrale :

$$\int_{-1}^{1} \int_{-\sqrt{1-x^2}}^{\sqrt{1-x^2}} \int_{x^2+y^2}^{2-x^2-y^2} (x^2 + y^2)^{3/2} \, dz \, dy \, dx.$$

30. Passez aux coordonnées sphériques pour calculer l'intégrale :

$$\int_{0}^{3} \int_{0}^{\sqrt{9-y^2}} \int_{\sqrt{x^2+y^2}}^{\sqrt{18-x^2-y^2}} (x^2 + y^2 + z^2) \, dz \, dx \, dy.$$

LCS 31. Dans le sujet d'étude de la page 697, il a été question de la famille des surfaces

$$\rho = 1 + \frac{1}{5} \sin m\theta \sin n\phi,$$

qui servaient pour modéliser des tumeurs. La figure montre une telle sphère boursouflée avec $m = 6$ et $n = 5$. Calculez son volume à l'aide d'un outil graphique adapté.

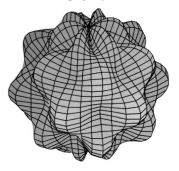

32. Démontrez que

$$\int_{-\infty}^{\infty} \int_{-\infty}^{\infty} \int_{-\infty}^{\infty} \sqrt{x^2 + y^2 + z^2} \, e^{-(x^2+y^2+z^2)} \, dx \, dy \, dz = 2\pi.$$

(L'intégrale triple impropre est définie comme la limite d'une intégrale triple sur une sphère dont le rayon s'accroît sans bornes.)

33. Quand les géologues se penchent sur la formation des chaînes de montagnes, ils évaluent le travail que requiert l'érection d'une montagne à partir du niveau de la mer. Soit une montagne qui aurait pratiquement la forme d'un cône circulaire droit. On suppose que la densité de la matière à proximité d'un point P est $g(P)$ et la hauteur $h(P)$.

a) Établissez une intégrale qui représente le travail total qu'a requis la formation de la montagne.

b) On considère que le mont Fuji au Japon a la forme d'un cône circulaire droit de 18 km de rayon de base, 3 800 m de haut et une densité constante de 3 200 kg/m³. Combien de travail a nécessité la formation du mont Fuji si précédemment la terre était au niveau de la mer ?

Projet appliqué

Une course d'objets qui roulent

Roulent en bas d'un plan incliné une balle pleine (en marbre), une balle creuse (une balle de squash), un cylindre plein (une barre d'acier) et un cylindre creux (un tuyau de plomb). Lequel de ces objets arrive en bas le premier ? (Faites un pari avant de commencer la résolution.)

Pour répondre à cette question, on considère une balle ou un cylindre de masse m, de rayon r et de moment d'inertie I (par rapport à l'axe de rotation). Si h est la hauteur du point de départ, alors l'énergie potentielle au sommet vaut mgh. Si l'objet arrive en bas avec une vitesse v et une vitesse angulaire ω, alors $v = \omega r$. L'énergie cinétique en bas se compose de deux termes : $\frac{1}{2}mv^2$ due à la translation (descente de la pente) et $\frac{1}{2}I\omega^2$ due à la rotation. En faisant l'hypothèse que la perte d'énergie due au frottement du roulement est négligeable, la loi de conservation de l'énergie impose que

$$mgh = \frac{1}{2}mv^2 + \frac{1}{2}I\omega^2.$$

1. Démontrez que

$$v^2 = \frac{2gh}{1 + I^*} \qquad \text{ou } I^* = \frac{I}{mr^2}.$$

2. Si $y(t)$ est la distance verticale franchie au temps t, alors le même raisonnement que celui tenu au point 1 montre que $v^2 = 2gy/(1 + I^*)$ à tout moment t.

Démontrez à partir de ce résultat que y satisfait à l'équation différentielle

$$\frac{dy}{dt} = \sqrt{\frac{2g}{1 + I^*}}(\sin \alpha)\sqrt{y},$$

où α est l'angle d'inclinaison du plan.

3. En résolvant l'équation différentielle du problème 2, montrez que le temps total du trajet est

$$T = \sqrt{\frac{2h(1 + I^*)}{g \sin^2 \alpha}}.$$

Cette expression révèle que c'est l'objet dont le I^* est le plus faible qui gagne la course.

4. Montrez que $I^* = \frac{1}{2}$ pour un cylindre plein et $I^* = 1$ pour un cylindre creux.

5. Calculez I^* pour une balle partiellement vide de rayon intérieur a et de rayon extérieur r. Exprimez votre réponse en termes de $b = a/r$. Examinez ce qui se passe lorsque $a \to 0$ et lorsque $a \to r$.

6. Montrez que $I^* = \frac{2}{5}$ pour une balle pleine et que $I^* = \frac{2}{3}$ pour une balle creuse. Les objets arrivent donc dans l'ordre : balle pleine, cylindre plein, balle creuse, cylindre creux.

Sujet à découvrir

L'intersection de trois cylindres

La figure montre le solide formé par trois cylindres circulaires de même diamètre qui se coupent à angle droit. Dans ce projet, on cherche à calculer le volume de ce solide et on étudie comment sa forme change si les diamètres des cylindres sont différents.

1. Dessinez soigneusement le solide formé par l'intersection des trois cylindres $x^2 + y^2 = 1$, $x^2 + z^2 = 1$ et $y^2 + z^2 = 1$. Indiquez les positions des axes de coordonnées et attribuez à chaque face l'équation du cylindre correspondant.

2. Calculez le volume du solide.

3. Faites dessiner les arêtes du solide par un outil graphique.

4. Qu'arrive-t-il au solide lorsque le rayon du premier cylindre est différent de 1 ? Illustrez par un croquis fait à la main ou par un dessin fait à l'ordinateur.

12.9 Le changement de variables dans les intégrales multiples • • • • • • • • • • • • •

Le changement de variable (ou substitution) est une des méthodes qui simplifie le calcul des intégrales simples. En intervertissant les rôles de x et u, la Règle de substitution (voyez (5) dans la section 5.5) peut s'écrire

1
$$\int_a^b f(x)dx = \int_c^d f(g(u))g'(u)du,$$

où $x = g(u)$ et $a = g(c)$, $b = g(d)$. La formule 1 s'écrit encore d'une autre façon :

2
$$\int_a^b f(x)dx = \int_c^d f(x(u))\frac{dx}{du}du.$$

Changer de variables peut aussi être fructueux dans le calcul des intégrales doubles. On l'a déjà vu dans le cas particulier du passage aux coordonnées polaires. Les nouvelles variables r et θ sont liées aux anciennes x et y par les équations

$$x = r\cos\theta \qquad y = r\sin\theta,$$

et la formule de changement de variables [voyez (2) dans la section 12.4] s'écrit :

$$\iint_R f(x,y)dA = \iint_S f(r\cos\theta, r\sin\theta)r\,dr\,d\theta,$$

où S est la région du plan $Or\theta$ qui correspond à la région R du plan Oxy.

Plus généralement, on envisage maintenant une changement de variables donné par une **transformation** T du plan Ouv vers le plan Oxy :

$$T(u,v) = (x,y),$$

où x et y sont liées aux variables u et v par les équations

3
$$x = g(u,v) \qquad y = h(u,v),$$

qui parfois sont aussi écrites

$$x = x(u,v) \qquad y = y(u,v).$$

On suppose habituellement que T est une **transformation de classe C**^{1}, ce qui signifie que g et h ont des dérivées partielles du premier ordre continues.

Une transformation T n'est en réalité qu'une fonction dont le domaine de définition et l'ensemble image sont tous les deux des sous-ensembles de $\mathbb{R}^2$. Lorsque $T(u_1,v_1) = (x_1,y_1)$, alors le point (x_1,y_1) est appelé l'**image** du point (u_1,v_1). Si deux points distincts n'ont jamais la même image, T est dite **injective**. La figure 1 montre l'effet d'une transformation T sur une région S du plan Ouv. T tranforme S en une région R du plan Oxy appelée l'**image de** S, composée des images de tous les points de S.

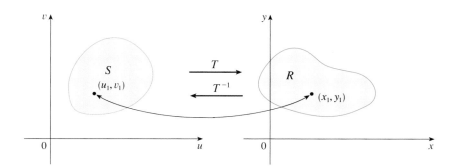

FIGURE I

Si T est une transformation injective, alors elle admet une **transformation réciproque** T^{-1} du plan Oxy vers le plan Ouv et il est possible de résoudre les équations 3 par rapport à u et v en fonction de x et y :

$$u = G(x,y) \qquad v = H(x,y).$$

EXEMPLE I ■ Une transformation est définie par les équations

$$x = u^2 - v^2 \qquad y = 2uv.$$

Déterminez l'image du carré $S = \{(u,v) \mid 0 \leqslant u \leqslant 1, 0 \leqslant v \leqslant 1\}$.

SOLUTION On cherche l'image des bords de S. L'équation du premier bord S_1 est $v = 0$ ($0 \leqslant u \leqslant 1$) (voyez la figure 2). Dans ce cas, les équations de T donnent $x = u^2$, $y = 0$, et donc $0 \leqslant x \leqslant 1$. Le segment S_1 devient après la tranformation le segment qui joint $(0,0)$ à $(1,0)$ du plan Oxy. Ensuite, le côté S_2 répond à $u = 1$ ($0 \leqslant v \leqslant 1$) et poser $u = 1$ dans les équations de la transformation conduit à

$$x = 1 - v^2 \qquad y = 2v.$$

En éliminant v, on arrive à

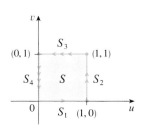

4 $$x = 1 - \frac{y^2}{4} \qquad 0 \leqslant x \leqslant 1,$$

qui représente un arc de parabole. De même, S_3 qui répond à $v = 1$ ($0 \leqslant u \leqslant 1$) a comme image l'arc de parabole

5 $$x = \frac{y^2}{4} - 1 \qquad -1 \leqslant x \leqslant 0.$$

Enfin, S_4 est donné par $u = 0$ ($0 \leqslant v \leqslant 1$) dont l'image est $x = -v^2$, $y = 0$, c'est-à-dire $-1 \leqslant x \leqslant 0$. (Notez que si on fait le tour du carré dans le sens contraire des aiguilles d'une montre, on tourne aussi dans le sens contraire des aiguilles d'une montre sur le contour parabolique.) L'image de S est la région R (visible dans la figure 2) délimitée par l'axe Ox et les paraboles d'équations 4 et 5.

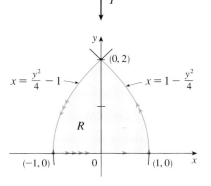

FIGURE 2

On se propose maintenant de regarder comment un changement de variables affecte une intégrale double. On part d'un petit rectangle S du plan Ouv dont le coin inférieur gauche est le point (u_0, v_0) et dont les dimensions sont Δu et Δv (voyez la figure 3).

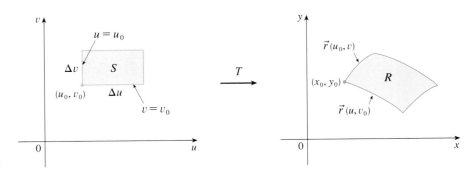

FIGURE 3

L'image de S est une région R du plan Oxy dont un des points de la frontière est $(x_0, y_0) = T(u_0, v_0)$. Le vecteur

$$\vec{r}(u, v) = g(u, v)\,\vec{i} + h(u, v)\vec{j},$$

est le vecteur position de l'image du point (u, v). L'équation du bord inférieur de S est $v = v_0$, dont la courbe image est décrite par la fonction vectorielle $\vec{r}(u, v_0)$. Le vecteur tangent en (x_0, y_0) à cette courbe image est

$$\frac{\partial \vec{r}}{\partial u} = g'_u(u_0, v_0)\,\vec{i} + h'_u(u_0, v_0)\vec{j} = \frac{\partial x}{\partial u}\,\vec{i} + \frac{\partial y}{\partial u}\,\vec{j}.$$

De même, le vecteur tangent en (x_0, y_0) à la courbe image du côté gauche de S, (à savoir $u = u_0$) est

$$\frac{\partial \vec{r}}{\partial v} = g'_v(u_0, v_0)\,\vec{i} + h'_v(u_0, v_0)\vec{j} = \frac{\partial x}{\partial v}\,\vec{i} + \frac{\partial y}{\partial v}\,\vec{j}.$$

La région image R de S peut être approchée par un parallélogramme construit sur les vecteurs sécants

$$\vec{a} = \vec{r}(u_0 + \Delta u, v_0) - \vec{r}(u_0, v_0) \qquad \vec{b} = \vec{r}(u_0, v_0 + \Delta v) - \vec{r}(u_0, v_0),$$

comme on peut le voir sur la figure 4. Or,

$$\frac{\partial \vec{r}}{\partial u} = \lim_{\Delta u \to 0} \frac{\vec{r}(u_0 + \Delta u, v_0) - \vec{r}(u_0, v_0)}{\Delta u},$$

de sorte que

$$\vec{r}(u_0 + \Delta u, v_0) - \vec{r}(u_0, v_0) \approx \Delta u \frac{\partial \vec{r}}{\partial u}.$$

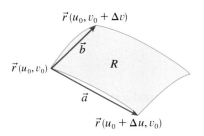

FIGURE 4

De même,

$$\vec{r}(u_0, v_0 + \Delta v) - \vec{r}(u_0, v_0) \approx \Delta v \frac{\partial \vec{r}}{\partial v}.$$

Il en résulte que R peut être approximé par un parallélogramme construit sur les vecteurs $\Delta u \frac{\partial \vec{r}}{\partial u}$ et $\Delta v \frac{\partial \vec{r}}{\partial v}$ (voyez la figure 5). Et de là, l'aire de R vaut à peu de chose près l'aire de ce parallélogramme qui, suivant une formule de la section 9.4, est obtenue par le calcul suivant

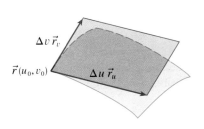

FIGURE 5

6
$$\left\| \left(\Delta u \frac{\partial \vec{r}}{\partial u}\right) \wedge \left(\Delta v \frac{\partial \vec{r}}{\partial v}\right) \right\| = \left\| \frac{\partial \vec{r}}{\partial u} \wedge \frac{\partial \vec{r}}{\partial v} \right\| \Delta u \Delta v.$$

On calcule le produit vectoriel :

$$\frac{\partial \vec{r}}{\partial u} \wedge \frac{\partial \vec{r}}{\partial v} = \begin{vmatrix} \vec{i} & \vec{j} & \vec{k} \\ \dfrac{\partial x}{\partial u} & \dfrac{\partial y}{\partial u} & 0 \\ \dfrac{\partial x}{\partial v} & \dfrac{\partial y}{\partial v} & 0 \end{vmatrix} = \begin{vmatrix} \dfrac{\partial x}{\partial u} & \dfrac{\partial y}{\partial u} \\ \dfrac{\partial x}{\partial v} & \dfrac{\partial y}{\partial v} \end{vmatrix} \vec{k} = \begin{vmatrix} \dfrac{\partial x}{\partial u} & \dfrac{\partial x}{\partial v} \\ \dfrac{\partial y}{\partial u} & \dfrac{\partial y}{\partial v} \end{vmatrix} \vec{k}$$

Le déterminant qui apparaît dans ce calcul se nomme le *Jacobien* de la transformation et reçoit une notation spéciale.

> Le Jacobien doit son nom au mathématicien allemand Carl Gustav Jacob Jacobi (1804-1851). Bien que le mathématicien français Cauchy ait utilisé ces déterminants spéciaux qui impliquent des dérivées partielles, Jacobi les développa en une méthode de calcul des intégrales multiples.

7 Définition Le **Jacobien** d'une transformation T donnée par $x = g(u, v)$ et $y = h(u, v)$ est

$$\frac{\partial(x, y)}{\partial(u, v)} = \begin{vmatrix} \dfrac{\partial x}{\partial u} & \dfrac{\partial x}{\partial v} \\ \dfrac{\partial y}{\partial u} & \dfrac{\partial y}{\partial v} \end{vmatrix} = \frac{\partial x}{\partial u} \frac{\partial y}{\partial v} - \frac{\partial x}{\partial v} \frac{\partial y}{\partial u}$$

Avec cette notation, la valeur approchée de l'aire ΔA de R annoncée dans l'équation 6 s'écrit

$$\boxed{8} \qquad \Delta A \approx \left| \frac{\partial(x, y)}{\partial(u, v)} \right| \Delta u \Delta v,$$

où le Jacobien est calculé en (u_0, v_0).

Maintenant, on divise une région S du plan Ouv en sous-rectangles S_{ij} et on appelle R_{ij} leurs images dans Oxy (voyez la figure 6). En employant l'approximation (8) pour l'aire de chaque R_{ij}, l'intégrale double de f sur R est approchée par la double somme :

$$\iint\limits_R f(x, y)\, dA \approx \sum_{i=1}^{m} \sum_{j=1}^{n} f(x_i, y_j)\, \Delta A$$

$$\approx \sum_{i=1}^{m} \sum_{j=1}^{n} f(g(u_i, v_j),\ h(u_i, v_j)) \left| \frac{\partial(x, y)}{\partial(u, v)} \right| \Delta u\, \Delta v$$

où le Jacobien est calculé en (u_i, v_j). Cette double somme est une somme de Riemann

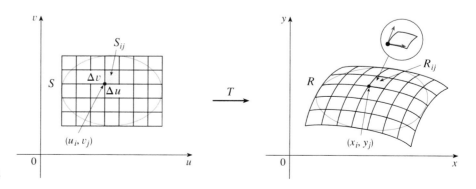

FIGURE 6

relative à l'intégrale

$$\iint_S f(g(u, v), h(u, v)) \left| \frac{\partial(x, y)}{\partial(u, v)} \right| du\, dv$$

L'argumentation qui précède suggère que le théorème suivant soit vrai. (Une démonstration tout à fait complète n'est donnée qu'en analyse approfondie.)

> **9 Changement de variables dans une intégrale double** On suppose que T est une transformation injective de classe C^1 dont le Jacobien est non nul et qui envoie une région S du plan Ouv sur la région R du plan Oxy. On suppose que f est continue sur R et que R et S sont des régions planes de type I ou II. Alors,
>
> $$\iint_R f(x, y)dA = \iint_S f(x(u, v), y(u, v)) \left| \frac{\partial(x, y)}{\partial(u, v)} \right| du\, dv$$

Le théorème 9 dit qu'on passe d'une intégrale en x et y à une intégrale en u et v, en exprimant x et y en termes de u et v et en remplaçant dA par

$$dA = \left| \frac{\partial(x, y)}{\partial(u, v)} \right| du\, dv.$$

La similitude entre la formule du théorème 9 et celle de l'équation 2 à une dimension est remarquable. En lieu et place de la dérivée dx/du, il y a la valeur absolue du Jacobien : $|\partial(x, y)/\partial(u, v)|$.

En guise de première application du théorème 9, on montre que la formule d'intégration en coordonnées polaires établie précédemment n'en est qu'un cas particulier. La transformation T du plan $Or\theta$ dans le plan Oxy est décrite par

$$x = g(r, \theta) = r\cos\theta \qquad y = h(r, \theta) = r\sin\theta,$$

et la visualisation géométrique de cette transformation apparaît dans la figure 7. T transforme un rectangle ordinaire du plan $Or\theta$ en un rectangle polaire du plan Oxy. L'expression du Jacobien de T est, dans ce cas,

$$\frac{\partial(x, y)}{\partial(r, \theta)} = \begin{vmatrix} \dfrac{\partial x}{\partial r} & \dfrac{\partial x}{\partial \theta} \\[2mm] \dfrac{\partial y}{\partial r} & \dfrac{\partial y}{\partial \theta} \end{vmatrix} = \begin{vmatrix} \cos\theta & -r\sin\theta \\ \sin\theta & r\cos\theta \end{vmatrix} = r\cos^2\theta + r\sin^2\theta = r > 0.$$

De là, le théorème 9 donne

$$\iint_R f(x, y)\, dx\, dy = \iint_S f(r\cos\theta, r\sin\theta) \left| \frac{\partial(x, y)}{\partial(r, \theta)} \right| dr\, d\theta$$

$$= \int_\alpha^\beta \int_a^b f(r\cos\theta, r\sin\theta)\, r\, dr\, d\theta$$

ce qui est bien la même que la formule 2 dans la section 12.4.

EXEMPLE 2 ■ Effectuez le changement de variables $x = u^2 - v^2$, $y = 2uv$ pour calculer l'intégrale $\iint_R y\, dA$, où R est la région délimitée par l'axe Ox et les paraboles $y^2 = 4 - 4x$ et $y^2 = 4 + 4x$.

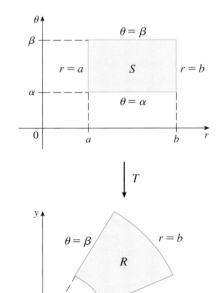

FIGURE 7
La transformation en coordonnées polaires

SOLUTION La région R est celle de la figure 2. L'exemple 1 a expliqué que $T(S) = R$, où S est le carré $[0, 1] \times [0, 1]$. L'avantage du changement de variables est justement de simplifier la région. Il faut d'abord calculer le Jacobien :

$$\frac{\partial(x, y)}{\partial(u, v)} = \begin{vmatrix} \dfrac{\partial x}{\partial u} & \dfrac{\partial x}{\partial v} \\ \dfrac{\partial y}{\partial u} & \dfrac{\partial y}{\partial v} \end{vmatrix} = \begin{vmatrix} 2u & -2v \\ 2v & 2u \end{vmatrix} = 4u^2 + 4v^2 > 0.$$

Ensuite, selon le théorème 9,

$$\iint_R y \, dA = \iint_S 2uv \left| \frac{\partial(x, y)}{\partial(u, v)} \right| dA$$

$$= \int_0^1 \int_0^1 (2uv)4(u^2 + v^2) \, du \, dv$$

$$= 8 \int_0^1 \int_0^1 (u^3 v + uv^3) \, du \, dv = 8 \int_0^1 \left[\frac{u^4}{4} v + \frac{u^2}{2} v^3 \right]_{u=0}^{u=1} dv$$

$$= \int_0^1 (2v + 4v^3) \, dv = \left[v^2 + v^4 \right]_0^1 = 2.$$

REMARQUE ● La résolution de l'exemple 2 n'a posé aucune difficulté parce que le changement de variables adéquat était donné. Lorsque la transformation n'est pas fournie, la première étape est de réfléchir au changement de variables qui convient. La forme de $f(x, y)$ peut suggérer la bonne transformation, surtout si son expression est malaisée à intégrer. Si c'est la forme de la région R d'intégration qui est compliquée, alors la transformation doit faire en sorte que la description de la région S correspondante dans le plan Ouv soit simple.

EXEMPLE 3 ■ Calculez l'intégrale $\iint_R e^{(x+y)/(x-y)} dA$, où R est la région trapézoïdale de sommets $(0, 1)$, $(2, 0)$, $(0, -2)$ et $(0, -1)$.

SOLUTION Vu qu'il n'est pas facile d'intégrer $e^{(x+y)/(x-y)}$, le changement de variables suggéré s'inspire de la forme de cette fonction

$$\boxed{10} \qquad u = x + y \qquad v = x - y.$$

Ces équations définissent une transformation réciproque T^{-1} du plan Oxy vers le plan Ouv. Pour se ramener au théorème 9 qui est écrit pour une transformation T du plan Ouv vers le plan Oxy, on résout les équations 10 par rapport à x et y :

$$\boxed{11} \qquad x = \frac{1}{2}(u + v) \qquad y = \frac{1}{2}(u - v).$$

Le jacobien de T est

$$\frac{\partial(x, y)}{\partial(u, v)} = \begin{vmatrix} \dfrac{\partial x}{\partial u} & \dfrac{\partial x}{\partial v} \\ \dfrac{\partial y}{\partial u} & \dfrac{\partial y}{\partial v} \end{vmatrix} = \begin{vmatrix} \dfrac{1}{2} & \dfrac{1}{2} \\ \dfrac{1}{2} & -\dfrac{1}{2} \end{vmatrix} = -\frac{1}{2}.$$

Pour dessiner la région S image de R par T, on note que les arêtes de R appartiennent aux droites d'équations

$$y = 0 \qquad x - y = 2 \qquad x = 0 \qquad x - y = 1,$$

et que, après substitution dans les équations 10 et 11, les arêtes correspondantes dans le plan Ouv sont sur les droites

$$u = v \qquad v = 2 \qquad u = -v \qquad v = 1.$$

La région S est donc le trapèze de sommets $(1, 1)$, $(2, 2)$, $(-2, 2)$ et $(-1, 1)$ que l'on peut voir dans la figure 8. Comme

$$S = \{(u, v) \mid 1 \leqslant v \leqslant 2, -v \leqslant u \leqslant v\},$$

le théorème 9 s'applique et conduit à

$$\iint\limits_{R} e^{(x+y)/(x-y)} \, dA = \iint\limits_{S} e^{u/v} \left| \frac{\partial(x, y)}{\partial(u, v)} \right| du\, dv$$

$$= \int_{1}^{2} \int_{-v}^{v} e^{u/v} \left(\tfrac{1}{2}\right) du\, dv = \tfrac{1}{2} \int_{1}^{2} \left[v e^{u/v} \right]_{u=-v}^{u=v} dv$$

$$= \tfrac{1}{2} \int_{1}^{2} (e - e^{-1}) v\, dv = \tfrac{3}{4}(e - e^{-1}).$$

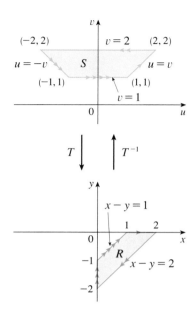

FIGURE 8

Il existe bien évidemment une formule de changement de variables analogue pour les intégrales triples. Soit T une transformation qui envoie une région S de l'espace $Ouvw$ dans l'espace $Oxyz$ au moyen des équations

$$x = g(u, v, w) \qquad y = h(u, v, w) \qquad z = k(u, v, w).$$

Le **Jacobien** de T est le déterminant d'ordre 3 que voici :

$$\boxed{12} \qquad \frac{\partial(x, y, z)}{\partial(u, v, w)} = \begin{vmatrix} \dfrac{\partial x}{\partial u} & \dfrac{\partial x}{\partial v} & \dfrac{\partial x}{\partial w} \\[2mm] \dfrac{\partial y}{\partial u} & \dfrac{\partial y}{\partial v} & \dfrac{\partial y}{\partial w} \\[2mm] \dfrac{\partial z}{\partial u} & \dfrac{\partial z}{\partial v} & \dfrac{\partial z}{\partial w} \end{vmatrix}$$

Sous des hypothèses semblables à celles du théorème 9, on a la formule suivante pour les intégrales triples :

$$\boxed{\begin{aligned} \boxed{13} \quad & \iiint\limits_{R} f(x, y, z) \, dV \\ & = \iiint\limits_{S} f(x(u, v, w), y(u, v, w), z(u, v, w)) \left| \frac{\partial(x, y, z)}{\partial(u, v, w)} \right| du\, dv\, dw \end{aligned}}$$

EXEMPLE 4 ■ Retrouvez la formule d'intégration en coordonnées sphériques à partir de la formule 13.

SOLUTION Le changement de variables est décrit par

$$x = \rho \sin \phi \cos \theta \qquad y = \rho \sin \phi \sin \theta \qquad z = \rho \cos \phi.$$

On calcule le Jacobien :

$$\frac{\partial(x, y, z)}{\partial(\rho, \theta, \phi)} = \begin{vmatrix} \sin \phi \cos \theta & -\rho \sin \phi \sin \theta & \rho \cos \phi \cos \theta \\ \sin \phi \sin \theta & \rho \sin \phi \cos \theta & \rho \cos \phi \sin \theta \\ \cos \phi & 0 & -\rho \sin \phi \end{vmatrix}$$

$$= \cos \phi \begin{vmatrix} -\rho \sin \phi \sin \theta & \rho \cos \phi \cos \theta \\ \rho \sin \phi \cos \theta & \rho \cos \phi \sin \theta \end{vmatrix} - \rho \sin \phi \begin{vmatrix} \sin \phi \cos \theta & -\rho \sin \phi \sin \theta \\ \sin \phi \sin \theta & \rho \sin \phi \cos \theta \end{vmatrix}$$

$$= \cos \phi \, (-\rho^2 \sin \phi \cos \phi \sin^2\theta - \rho^2 \sin \phi \cos \phi \cos^2\theta)$$
$$\quad - \rho \sin \phi \, (\rho \sin^2\phi \cos^2\theta + \rho \sin^2\phi \sin^2\theta)$$
$$= -\rho^2 \sin \phi \cos^2\phi - \rho^2 \sin \phi \sin^2\phi = -\rho^2 \sin \phi.$$

Comme $0 \leqslant \phi \leqslant \pi$, on a $\sin \phi \geqslant 0$. Par conséquent,

$$\left| \frac{\partial(x, y, z)}{\partial(\rho, \theta, \phi)} \right| = |-\rho^2 \sin \phi| = \rho^2 \sin \phi$$

et la formule 13 donne

$$\iiint_R f(x, y, z) \, dV = \iiint_S f(\rho \sin \phi \cos \theta, \rho \sin \phi \sin \theta, \rho \cos \phi) \rho^2 \sin \phi \, d\rho \, d\theta \, d\phi$$

qui est bien équivalente à la formule 4 de la section 12.8.

12.9 Exercices • • • • • • • • • • • • • •

1-6 ■ Calculez le Jacobien de la transformation.

1. $x = u + 4v, \quad y = 3u - 2v$

2. $x = u^2 - v^2, \quad y = u^2 + v^2$

3. $x = e^{2u} \cos v, \quad y = e^{2u} \sin v$

4. $x = se^t, \quad y = se^{-t}$

5. $x = u + v + w, \quad y = u + v - w, \quad z = u - v + w$

6. $x = 2u, \quad y = 3v^2, \quad z = 4w^3$

7-10 ■ Décrivez l'image de l'ensemble S sous la transformation donnée.

7. $S = \{(u, v) \mid 0 \leqslant u \leqslant 2, 0 \leqslant v \leqslant 1\}$; $x = u - 2v, y = 2u - v$.

8. $S = \{(u, v) \mid 0 \leqslant u \leqslant 1, u \leqslant v \leqslant 1\}$; $x = u^2, y = v$.

9. S est la région triangulaire de sommets $(0, 0)$, $(1, 0)$, $(0, 1)$; $x = 4u + 3v, y = 4v$.

10. S est le disque donné par $u^2 + v^2 \leqslant 1$; $x = au, y = bv$.

11-16 ■ Calculez l'intégrale à l'aide de la transformation donnée.

11. $\iint_R (3x + 4y) dA$, où R est le domaine borné par les droites $y = x$, $y = x - 2$, $y = -2x$ et $y = 3 - 2x$; $x = \frac{1}{3}(u + v), y = \frac{1}{3}(v - 2u)$.

12. $\iint_R (x + y) dA$, où R est le carré de sommets $(0, 0)$, $(2, 3)$, $(5, 1)$, $(3, -2)$; $x = 2u + 3v, y = 3u - 2v$.

13. $\iint_R x^2 dA$, où R est la région délimitée par l'ellipse $9x^2 + 4y^2 = 36$; $x = 2u, y = 3v$.

14. $\iint_R (x^2 - xy + y^2) dA$, où R est la région délimitée par l'ellipse $x^2 - xy + y^2 = 2$; $x = \sqrt{2}u - \sqrt{2/3}v, y = \sqrt{2}u + \sqrt{2/3}v$.

15. $\iint_R xy \, dA$, où R est la région du premier quadrant bornée par les droites $y = x$ et $y = 3x$ et les hyperboles $xy = 1$, $xy = 3$; $x = u/v, y = v$.

16. $\iint_R y^2 dA$, où R est le domaine borné par les courbes $xy = 1$, $xy = 2, xy^2 = 1, xy^2 = 2$;

$u = xy, v = xy^2$. Illustrez en dessinant R à l'aide d'un outil graphique ou d'un ordinateur.

17. a) Calculez $\iiint_E dV$, où E est l'ellipsoïde solide $x^2/a^2 + y^2/b^2 + z^2/c^2 = 1$. Employez la transformation $x = au$, $y = bv$ et $z = cw$.

b) La Terre n'est pas une sphère parfaite ; son mouvement de rotation entraîne un applatissement des pôles. On peut dire qu'elle a plus ou moins la forme d'un ellipsoïde où $a = b = 6378$ km et $c = 6356$ km. Estimez le volume de la Terre grâce à la partie a).

18. Calculez $\iiint_E x^2 y\, dV$, où E est le solide de l'exercice 17.

19-23 ■ Calculez l'intégrale en effectuant un changement de variables judicieux.

19. $\iint_R xy\, dA$, où R est la région bornée par les droites $2x - y = 1$, $2x - y = -3$, $3x + y = 1$ et $3x + y = -2$.

20. $\iint_R \dfrac{x + 2y}{\cos(x - y)}\, dA$, où R est le parallélogramme formé par les droites $y = x$, $y = x - 1$, $x + 2y = 0$ et $x + 2y = 2$.

21. $\iint_R \cos\left(\dfrac{y - x}{y + x}\right) dA$, où R est la région trapézoïdale de sommets $(1, 0)$, $(2, 0)$, $(0, 2)$ et $(0, 1)$.

22. $\iint_R \sin(9x^2 + 4y^2)\, dA$, où R est la région du premier quadrant bornée par l'ellipse $9x^2 + 4y^2 = 1$.

23. $\iint_R e^{x+y}\, dA$, où R est décrite par l'inégalité $|x| + |y| \leqslant 1$.

24. Soit f une fonction continue sur $[0, 1]$ et soit R la région triangulaire de sommets $(0, 0)$, $(1, 0)$ et $(0, 1)$. Montrez que
$$\iint_R f(x + y)\, dA = \int_0^1 u f(u)\, du.$$

Chapitre 12 Révision

• CONTRÔLE DES CONCEPTS •

1. On suppose que f est une fonction continue définie sur un rectangle $R = [a, b] \times [c, d]$.

a) Écrivez une expression d'une double somme de Riemann de f. Au cas où $f \geqslant 0$, que représente la somme ?

b) Écrivez la définition de $\iint_R f(x, y)\, dA$ comme une limite.

c) Quelle est l'interprétation géométrique de $\iint_R f(x, y)\, dA$ quand $f(x, y) \geqslant 0$? Et quand f prend des valeurs positives et négatives ?

d) Comment calculez-vous $\iint_R f(x, y)\, dA$?

e) Que dit la Méthode du point médian pour des intégrales doubles ?

f) Écrivez une expression de la valeur moyenne de f.

2. a) Comment définissez-vous $\iint_D f(x, y)\, dA$ lorsque D est un domaine borné autre qu'un rectangle ?

b) Qu'est-ce qu'un domaine de type I ? Comment calculez-vous $\iint_D f(x, y)\, dA$ quand D est un domaine de type I ?

c) Qu'est-ce qu'un domaine de type II ? Comment calculez-vous $\iint_D f(x, y)\, dA$ quand D est un domaine de type II ?

d) Quelles sont les propriétés des intégrales doubles ?

4. Pour une plaque de métal qui occupe une région plane D et a une densité $\rho(x, y)$, écrivez des expressions en termes d'intégrales doubles de chaque grandeur.

a) La masse.

b) Les moments par rapport aux axes.

c) Le centre de masse.

d) Les moments d'inertie par rapport aux axes et par rapport à l'origine.

5. Soit f une fonction de densité conjointe d'une paire de variables aléatoires continues X et Y.

a) Écrivez sous forme d'intégrale double la probabilité pour que X soit situé entre a et b et Y entre c et d.

b) Quelle propriété possède f ?

c) Quelles sont les espérances mathématiques de X et Y ?

6. Écrivez une expression de l'aire d'une surface S dans chacun des cas suivants.

a) S est une surface paramétrée décrite par une fonction vectorielle $\vec{r}(u, v)$, $(u, v) \in D$.

b) S a comme équation $z = f(x, y)$, $(x, y) \in D$.

c) S est la surface de révolution engendrée par la rotation de la courbe $y = f(x)$, $a \leqslant x \leqslant b$ autour de l'axe Ox.

7. a) Écrivez la définition de l'intégrale triple de f sur un parallélépipède rectangle B.

b) Comment calculez-vous $\iiint_B f(x, y, z)\, dV$?

c) Comment définissez-vous $\iiint_E f(x, y, z)\, dV$ si E est une région solide autre qu'un parallélépipède rectangle ?

d) Qu'est-ce qu'une région solide de type 1 ? Comment calculez-vous $\iiint_E f(x, y, z)\, dV$ sur une telle région ?

e) Qu'est-ce qu'une région solide de type 2 ? Comment calculez-vous $\iiint_E f(x, y, z)\, dV$ sur une telle région ?

f) Qu'est-ce qu'une région solide de type 3 ? Comment calculez-vous $\iiint_E f(x, y, z)\, dV$ sur une telle région ?

8. Lorsqu'un solide occupe la région E avec une répartition des masses $\rho(x,y,z)$, écrivez des expressions en termes d'intégrales doubles de chaque grandeur.

a) La masse.

b) Les moments par rapport aux plans de coordonnées.

c) Les coordonnées du centre de masse.

d) Les moments d'inertie par rapport aux axes.

9. a) Comment passe-t-on des coordonnées rectangulaires aux coordonnées cylindriques dans une intégrale triple ?

b) Comment passe-t-on des coordonnées rectangulaires aux coordonnées sphériques dans une intégrale triple ?

c) Dans quelles situations a-t-on intérêt à passer aux coordonnées cylindriques ou sphériques ?

10. a) Si une transformation T est donnée par

$$x = g(u,v) \qquad y = h(u,v),$$

qu'est-ce que le Jacobien de T ?

b) Comment s'effectue un changement de variables dans une intégrale double ?

c) Comment s'effectue un changement de variables dans une intégrale triple ?

◢ **VRAI-FAUX** ◣

Dites si la proposition est vraie ou fausse. Si elle est vraie, expliquez pourquoi. Si elle est fausse, expliquez pourquoi et donnez un exemple qui contredit la proposition.

1. $\int_{-1}^{2} \int_{0}^{6} x^2 \sin(x-y)\,dx\,dy = \int_{0}^{6} \int_{-1}^{2} x^2 \sin(x-y)\,dy\,dx$.

2. $\int_{-1}^{1} \int_{0}^{1} e^{x^2+y^2} \sin y\,dx\,dy = 0$

3. Si D est le disque $x^2 + y^2 \leqslant 4$, alors

$$\iint_{D} \sqrt{4 - x^2 - y^2}\,dA = \frac{16\pi}{3}$$

4. $\int_{1}^{4} \int_{0}^{1} (x^2 + \sqrt{y}) \sin(x^2 y^2)\,dx\,dy \leqslant 9$.

5. L'intégrale

$$\int_{0}^{2\pi} \int_{0}^{2} \int_{r}^{2} dz\,dr\,d\theta$$

représente le volume intérieur au cône $z = \sqrt{x^2 + y^2}$ fermé par le plan $z = 2$.

6. L'intégrale $\iiint_{E} kr^3\,dz\,dr\,d\theta$ représente le moment d'inertie par rapport à l'axe Oz d'un solide E de densité constante k.

◆ **EXERCICES** ◆

1. Voici une carte de courbes de niveau d'une fonction f sur le carré $[0,3] \times [0,3]$. Estimez la valeur de l'intégrale $\iint_{R} f(x,y)\,dA$ par une somme de Riemann à neuf termes. Prenez les points au choix aux coins supérieurs droits des sous-carrés.

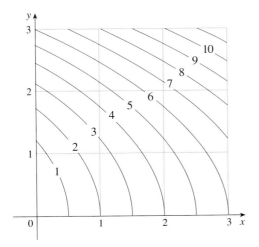

2. Calculez une valeur approchée de l'intégrale de l'exercice 1 par la Méthode du point médian.

3-8 ■ Calculez l'intégrale itérée.

3. $\int_{-2}^{2} \int_{0}^{4} (4x^3 + 3xy^2)\,dx\,dy$

4. $\int_{0}^{\pi} \int_{0}^{1} x \cos(xy)\,dy\,dx$

5. $\int_{1}^{2} \int_{0}^{x^2} \frac{1}{x+y}\,dy\,dx$

6. $\int_{0}^{1} \int_{0}^{y^2} e^{y^3}\,dx\,dy$

7. $\int_{0}^{1} \int_{0}^{x^2} \int_{0}^{y} y^2 z\,dz\,dy\,dx$

8. $\int_{0}^{1} \int_{\sqrt{y}}^{1} \int_{0}^{y} xy\,dz\,dx\,dy$

· · · · · · · · · · · · · · · · · · ·

9-10 ■ Écrivez $\iint_{R} f(x,y)\,dA$ comme une intégrale itérée, où R est la région dessinée et f une fonction arbitraire continue sur R.

9.

10.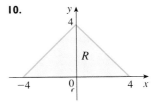

· · · · · · · · · · · · · · · · · · ·

11. Décrivez la région dont l'aire est calculée par l'intégrale

$$\int_{0}^{\pi} \int_{1}^{1+\sin\theta} r\,dr\,d\theta.$$

12. Décrivez le solide dont le volume est calculé par l'intégrale

$$\int_0^{2\pi} \int_0^{\pi/6} \int_1^3 \rho^2 \sin\phi \, d\rho \, d\phi \, d\theta$$

et calculez l'intégrale.

13-14 ■ Calculez l'intégrale itérée après avoir interverti l'ordre d'intégration.

13. $\int_0^1 \int_x^1 e^{x/y} \, dy \, dx$ **14.** $\int_0^1 \int_{y^2}^1 y \sin(x^2) \, dx \, dy$

15-28 ■ Calculez la valeur de l'intégrale multiple.

15. $\displaystyle\iint_R \frac{1}{(x-y)^2} \, dA$, où $R = \{(x,y) \mid 0 \leqslant x \leqslant 1, 2 \leqslant y \leqslant 4\}$.

16. $\displaystyle\iint_D x^3 dA$, où $D = \{(x,y) \mid -1 \leqslant x \leqslant 1, x^2 - 1 \leqslant y \leqslant x + 1\}$.

17. $\displaystyle\iint_D xy \, dA$, où D est bornée par $y^2 = x^3$ et $y = x$.

18. $\displaystyle\iint_D xe^y dA$, où D est bornée par $y = 0$, $y = x^2$, $x = 1$.

19. $\displaystyle\iint_D (xy + 2x + 3y) dA$, où D est la région du premier quadrant bornée par $x = 1 - y^2$, $y = 0$, $x = 0$.

20. $\displaystyle\iint_D y \, dA$, où D est la région du premier quadrant qui s'étend au-dessus de l'hyperbole $xy = 1$ et la droite $y = x$ et sous la droite $y = 2$.

21. $\displaystyle\iint_D (x^2 + y^2)^{3/2} dA$, où D est la région du premier quadrant bornée par les droites $y = 0$ et $y = \sqrt{3}x$ et le cercle $x^2 + y^2 = 9$.

22. $\displaystyle\iint_D \sqrt{x^2 + y^2} \, dA$, où D est le disque fermé de rayon 1, centré en $(0,1)$.

23. $\displaystyle\iiint_E x^2 z \, dV$, où $E = \{(x,y,z) \mid 0 \leqslant x \leqslant 2, 0 \leqslant y \leqslant 2x, 0 \leqslant z \leqslant x\}$.

24. $\displaystyle\iiint_T y \, dV$, où T est le tétraèdre fermé par les plans $x = 0$, $y = 0$, $z = 0$ et $2x + y + z = 2$.

25. $\displaystyle\iiint_E y^2 z^2 dV$, où E est borné par le paraboloïde $x = 1 - y^2 - z^2$ et le plan $x = 0$.

26. $\displaystyle\iiint_E z \, dV$, où E est borné par les plans $y = 0$, $z = 0$, $x + y = 2$ et le cylindre $y^2 + z^2 = 1$ dans le premier octant.

27. $\displaystyle\iiint_E yz \, dV$, où E est situé au-dessus du plan $z = 0$, sous le plan $z = y$ et à l'intérieur du cylindre $x^2 + y^2 = 4$.

28. $\displaystyle\iiint_H z^3 \sqrt{x^2 + y^2 + z^2} \, dV$, où H est la demi-sphère solide centrée à l'origine de rayon 1, au-dessus du plan Oxy.

29-34 ■ Calculez le volume du solide décrit.

29. Sous le paraboloïde $z = x^2 + 4y^2$ et au-dessus du rectangle $R = [0,2] \times [1,4]$.

30. Sous la surface $z = x^2 y$ et au-dessus du triangle du plan Oxy de sommets $(1,0)$, $(2,1)$ et $(4,0)$.

31. Le tétraèdre de sommets $(0,0,0)$, $(0,0,1)$, $(0,2,0)$ et $(2,2,0)$.

32. Le cylindre $x^2 + y^2 = 4$ fermé par les plans $z = 0$ et $y + z = 3$.

33. Un des coins taillés dans le cylindre $x^2 + 9y^2 = a^2$ par les plans $z = 0$ et $z = mx$.

34. Au-dessus du paraboloïde $z = x^2 + y^2$ et sous le demi-cône $z = \sqrt{x^2 + y^2}$.

35. On considère une plaque de métal qui occupe la région D bornée par la parabole $x = 1 - y^2$ et les axes de coordonnées dans le premier quadrant, avec une répartition des masses $\rho(x,y) = y$.
a) Déterminez la masse de la plaque de métal.
b) Déterminez le centre de masse.
c) Déterminez les moments d'inertie par rapport aux axes Ox et Oy.

36. Une plaque de métal occupe la portion du disque $x^2 + y^2 \leqslant a^2$ dans le premier quadrant.
a) Déterminez le centre géométrique de la plaque de métal.
b) Déterminez le centre de masse de la plaque si la fonction de densité est $\rho(x,y) = xy^2$.

37. a) Déterminez le centre géométrique d'un cône circulaire droit de hauteur h et de rayon de base a. (Placez le cône avec sa base dans le plan Oxy, le centre de sa base à l'origine et son axe le long de l'axe Oz.)
b) Déterminez le moment d'inertie du cône par rapport à son axe (l'axe Oz).

38. a) Établissez (sans la calculer) une intégrale qui fournisse l'aire de la portion de surface décrite par la fonction vectorielle $\vec{r}(u,v) = v^2 \vec{i} - uv\vec{j} + u^2 \vec{k}$, $0 \leqslant u \leqslant 3$, $-3 \leqslant v \leqslant 3$.
LCS b) À l'aide d'un logiciel de calcul formel, obtenez une valeur approchée de l'aire à 4 décimales correctes.

39. Calculez l'aire de la portion de surface $z = x^2 + y$ qui se projette sur le triangle de sommets $(0,0)$, $(1,0)$ et $(0,2)$.

LCS **40.** Faites dessiner la surface $z = x \sin y$, $-3 \leqslant x \leqslant 3$, $-\pi \leqslant y \leqslant \pi$, et calculez son aire avec quatre décimales correctes.

41. Calculez en passant aux coordonnées polaires

$$\int_0^{\sqrt{2}} \int_y^{\sqrt{4-y^2}} \frac{1}{1 + x^2 + y^2} \, dx \, dy.$$

42. Calculez en passant aux coordonnées sphériques

$$\int_0^1 \int_0^{\sqrt{1-x^2}} \int_0^{\sqrt{1-x^2-y^2}} (x^2 + y^2 + z^2)^2 \, dz \, dy \, dx$$

43. Calculez une valeur approchée de l'intégrale $\iint_D y^2 dA$, où D est le domaine borné par les courbes $y = 1 - x^2$ et $y = e^x$. (Prenez un outil graphique pour dessiner les courbes et lire les coordonnées des points d'intersection.)

44. Situez le centre de masse du tétraèdre de sommets $(0,0,0)$, $(1,0,0)$, $(0,2,0)$, $(0,0,3)$, dans lequel la masse est répartie selon la fonction $\rho(x,y,z) = x^2 + y^2 + z^2$.

45. La fonction de densité conjointe des variables aléatoires X et Y est

$$f(x,y) = \begin{cases} C(x+y) & \text{si } 0 \leqslant x \leqslant 3, 0 \leqslant y \leqslant 2 \\ 0 & \text{sinon.} \end{cases}$$

a) Calculez la valeur de la constante C.
b) Calculez $P(X \leqslant 2, Y \geqslant 1)$.
c) Calculez $P(X + Y \leqslant 1)$.

46. Un lustre a trois ampoules dont la durée moyenne de vie est de 800 heures. À supposer qu'on puisse modéliser la probabilité de défaillance de ces ampoules par une fonction de densité exponentielle, de moyenne $\mu = 800$, déterminez la probabilité pour que les trois ampoules ensemble aient terminé leur fonction en moins de 1000 heures.

47. Réécrivez l'intégrale itérée

$$\int_{-1}^{1} \int_{x^2}^{1} \int_{0}^{1-y} f(x,y,z) \, dz \, dy \, dx$$

comme une intégrale itérée dans l'ordre $dx\,dy\,dz$.

48. Écrivez les cinq autres intégrales itérées égales à

$$\int_{0}^{2} \int_{0}^{y^3} \int_{0}^{y^2} f(x,y,z) \, dz \, dx \, dy.$$

49. Effectuez la transformation $u = x - y$, $v = x + y$ pour calculer $\iint_R (x-y)/(x+y) dA$, où R est le carré de sommets $(0,2)$, $(1,1)$, $(2,2)$ et $(1,3)$.

50. Effectuez la transformation $x = u^2$, $y = v^2$, $z = w^2$ pour déterminer le volume de la région délimitée par la surface $\sqrt{x} + \sqrt{y} + \sqrt{z} = 1$ et les plans de coordonnées.

51. Servez-vous de la formule de changement de variables et d'une transformation judicieuse pour calculer $\iint_R xy \, dA$, où R est le carré de sommets $(0,0)$, $(1,1)$, $(2,0)$ et $(1,-1)$.

52. a) Calculez $\iint_D \dfrac{1}{(x^2 + y^2)^{n/2}} dV$, où n est un entier et D le domaine compris entre les cercles centrés à l'origine et de rayons r et R, $0 < r < R$.

b) Pour quelles valeurs de n l'intégrale de la partie a) a-t-elle une limite lorsque $r \to 0^+$?

c) Calculez $\iiint_E \dfrac{1}{(x^2 + y^2 + z^2)^{n/2}} dV$, où n est un entier et E la région comprise entre les sphères centrées à l'origine et de rayons r et R, $0 < r < R$.

b) Pour quelles valeurs de n l'intégrale de la partie c) a-t-elle une limite lorsque $r \to 0^+$?

1. Si $[x]$ désigne le plus grand entier inférieur ou égal à x, calculez l'intégrale

$$\iint_R [x+y]\,dA,$$

où $R = \{(x,y) \mid 1 \leqslant x \leqslant 3, 2 \leqslant y \leqslant 5\}$.

2. Calculez l'intégrale

$$\int_0^1 \int_0^1 e^{\max\{x^2, y^2\}}\,dy\,dx,$$

où $\max\{x^2, y^2\}$ désigne le plus grand des deux nombres x^2 et y^2.

3. Calculez la valeur moyenne de la fonction $f(x) = \int_x^1 \cos(t^2)\,dt$ sur l'intervalle $[0, 1]$.

4. Démontrez

$$\iiint_E (\vec{a} \cdot \vec{r})(\vec{b} \cdot \vec{r})(\vec{c} \cdot \vec{r})\,dV = \frac{(\alpha\beta\gamma)^2}{8|\vec{a} \cdot (\vec{b} \wedge \vec{c})|}$$

où $\vec{a}$, $\vec{b}$ et $\vec{c}$ sont des vecteurs constants, $\vec{r}$, le vecteur position $x\vec{i} + y\vec{j} + z\vec{k}$, et E, décrit par les inégalités $0 \leqslant \vec{a} \cdot \vec{r} \leqslant \alpha$, $0 \leqslant \vec{b} \cdot \vec{r} \leqslant \beta$, $0 \leqslant \vec{c} \cdot \vec{r} \leqslant \gamma$.

5. L'intégrale double $\displaystyle\int_0^1 \int_0^1 \frac{1}{1-xy}\,dx\,dy$ est une intégrale impropre qui peut être définie comme la limite des intégrales doubles sur le rectangle $[0, t] \times [0, t]$ lorsque $t \to 1^-$. Mais si on développe l'intégrande en une série géométrique, on peut exprimer l'intégrale comme la somme d'une série infinie. Montrez que

$$\int_0^1 \int_0^1 \frac{1}{1-xy}\,dx\,dy = \sum_{n=1}^{\infty} \frac{1}{n^2}.$$

6. Leonhard Euler a été capable de trouver la valeur exacte de la série du problème 5. En 1736, il démontra que

$$\sum_{n=1}^{\infty} \frac{1}{n^2} = \frac{\pi^2}{6}.$$

On vous demande ici de démontrer ce résultat en calculant l'intégrale double du problème 5 et on vous suggère d'effectuer le changement de variables

$$x = \frac{u-v}{\sqrt{2}} \qquad y = \frac{u+v}{\sqrt{2}}.$$

Ces équations traduisent une rotation autour de l'origine d'un angle $\pi/4$. Vous aurez besoin de tracer la région correspondante dans le plan Ouv.

[*Suggestion :* Si, lors du calcul de l'intégrale, vous rencontrez l'une des expressions $(1 - \sin\theta)/\cos\theta$ ou $(\cos\theta)/(1 + \sin\theta)$, vous utiliserez volontiers l'identité $\cos\theta = \sin((\pi/2) - \theta)$ et l'identité semblable pour $\sin\theta$.]

7. a) Démontrez que

$$\int_0^1 \int_0^1 \int_0^1 \frac{1}{1-xyz}\,dx\,dy\,dz = \sum_{n=1}^{\infty} \frac{1}{n^3}.$$

(Personne n'a trouvé à ce jour la valeur de la somme de cette série.)

b) Démontrez que

$$\int_0^1 \int_0^1 \int_0^1 \frac{1}{1+xyz}\,dx\,dy\,dz = \sum_{n=1}^{\infty} \frac{(-1)^{n-1}}{n^3}.$$

Calculez la valeur de la somme de cette série avec deux décimales correctes en calculant l'intégrale triple de cette expression.

8. Démontrez que

$$\int_0^\infty \frac{\text{Arctg } \pi x - \text{Arctg } x}{x} \, dx = \frac{\pi}{2} \ln \pi,$$

en exprimant d'abord l'intégrale comme une intégrale itérée.

9. Si f est continue, démontrez que

$$\int_0^x \int_0^y \int_0^z f(t) dt \, dz \, dy = \frac{1}{2} \int_0^x (x - t)^2 f(t) dt.$$

10. a) Une plaque de métal de densité constante ρ a la forme d'un disque centré à l'origine et de rayon R. Utilisez la loi de gravitation de Newton (voyez la section 10.4) pour montrer que l'intensité de la force d'attraction que la plaque de métal exerce sur un corps de masse m situé au point $(0, 0, d)$ de la partie positive de l'axe Oz vaut

$$F = 2\pi G m \rho d \left(\frac{1}{d} - \frac{1}{\sqrt{R^2 + d^2}} \right).$$

[*Suggestion* : Divisez le disque de la figure 4 dans la section 12.4 et calculez d'abord la composante verticale de la force exercée par le sous-rectangle polaire R_{ij}.]

b) Démontrez que l'intensité de la force d'attraction d'une plaque de métal de densité ρ qui occupe tout le plan sur un objet de masse m situé à une distance d du plan vaut

$$F = 2\pi G m \rho.$$

Remarquez que cette expression ne dépend pas de d.

Dans ce chapitre, nous étudions l'analyse des champs vectoriels. (Ce sont des fonctions qui, à des points dans l'espace, associent des vecteurs.) En particulier, on va définir les intégrales curvilignes (qui servent à calculer le travail d'un champ de force quand il déplace un objet le long d'une courbe). Ensuite, on va définir les intégrales de surface (qui servent à calculer le flux d'un fluide à travers une surface). Les liens entre ces nouveaux types d'intégrales et les intégrales simples, doubles et triples que nous avons rencontrées précédemment apparaissent dans les versions de dimension plus élevée du Théorème fondamental du calcul différentiel et intégral que sont le Théorème de Green, le Théorème de Stokes et le Théorème de flux-divergence.

13

L'analyse vectorielle

13.1 Les champs vectoriels •

Les vecteurs de la figure 1 représentent la vitesse du vent, en intensité, orientation et sens en des points situés à 10 m d'altitude dans la baie de San Francisco. Un simple coup d'oeil sur la figure (a) révèle que là où les flèches sont les plus grandes, c'est-à-dire à l'entrée de la baie à hauteur du Golden Gate Bridge, les vents sont les plus violents à ce moment. La partie (b) montre un schéma des vents fort différent, à un autre moment. On peut imaginer qu'à chaque point de l'air est associé un vecteur représentatif de la direction du vent et de sa force. C'est un exemple de champ de vitesse.

(a) 17 h, le 6 août 1997

(b) 13 h, le 7 janvier 1998

FIGURE 1 Des champs de vitesse représentatifs des vents dans la baie de San Francisco

Un autre type de champ vectoriel, appelé champ de force, est celui qui associe à chaque point d'une région un vecteur représentatif d'une force. Par exemple, le champ gravitationnel dont il sera question dans l'exemple 4.

En général, un champ vectoriel est une fonction dont le domaine de définition est un ensemble de points de $\mathbb{R}^2$ (ou $\mathbb{R}^3$) et dont l'ensemble image est un ensemble de vecteurs de V_2 (ou V_3).

> **1 Définition** Soit D un sous-ensemble de $\mathbb{R}^2$ (une région plane). Un **champ vectoriel défini sur** $\mathbb{R}^2$ est une fonction $\vec{F}$ qui fait correspondre à chaque point (x, y) de D un vecteur de dimension deux $\vec{F}(x, y)$.

La meilleure façon de dessiner un champ vectoriel est de tracer la flèche qui représente le vecteur $\vec{F}(x, y)$ au départ du point (x, y). Il n'est évidemment pas possible de faire cela pour tous les points (x, y), mais déjà quelques segments orientés en des

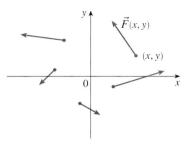

FIGURE 2
Un champ vectoriel défini sur $\mathbb{R}^2$

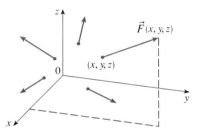

FIGURE 3
Champ vectoriel défini sur $\mathbb{R}^3$

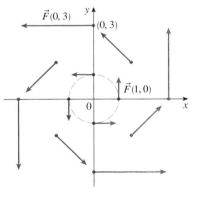

FIGURE 4
$\vec{F}(x, y) = -y\vec{i} + x\vec{j}$

points représentatifs de D, comme dans la figure 2, donnent une idée de $\vec{F}$. Du fait que $\vec{F}(x,y)$ est un vecteur de dimension deux, on peut l'écrire en fonction de ses fonctions composantes P et Q comme suit :

$$\vec{F}(x,y) = P(x,y)\vec{i} + Q(x,y)\vec{j} = (P(x,y), Q(x,y)),$$

ou, plus brièvement,

$$\vec{F} = P\vec{i} + Q\vec{j}.$$

Notez que P et Q sont des fonctions de deux variables et sont parfois appelées **champs scalaires** pour les distinguer des champs vectoriels.

> **2 Définition**   Soit E un sous-ensemble de $\mathbb{R}^3$. Un **champ vectoriel défini sur $\mathbb{R}^3$** est une fonction $\vec{F}$ qui fait correspondre à chaque point (x, y, z) de E un vecteur de dimension trois $\vec{F}(x, y, z)$.

Un champ vectoriel $\vec{F}$ défini sur $\mathbb{R}^3$ est représenté dans la figure 3. Il peut être exprimé en fonction de ses composantes P, Q et R selon

$$\vec{F}(x,y,z) = P(x,y,z)\vec{i} + Q(x,y,z)\vec{j} + R(x,y,z)\vec{k}.$$

Comme dans le cas des fonctions vectorielles dans la section 10.1, on peut définir une continuité des champs vectoriels et démontrer que $\vec{F}$ est continu si et seulement si ses fonctions composantes P, Q et R sont continues.

On identifie parfois un point (x, y, z) avec son vecteur position $\vec{x} = (x, y, z)$ et on écrit $\vec{F}(\vec{x})$ au lieu de $\vec{F}(x, y, z)$. Alors, $\vec{F}$ devient une fonction qui fait correspondre un vecteur $\vec{F}(\vec{x})$ à un vecteur $\vec{x}$.

EXEMPLE I ■ Soit un champ vectoriel défini sur $\mathbb{R}^2$ par

$$\vec{F}(x, y) = -y\vec{i} + x\vec{j}.$$

Décrivez $\vec{F}$ en dessinant quelques-uns des vecteurs $\vec{F}(x, y)$ comme dans la figure 2.
SOLUTION Comme $\vec{F}(1, 0) = \vec{j}$, on dessine le vecteur $\vec{j} = (0, 1)$ en plaçant son origine au point $(1, 0)$ (figure 4). Comme $\vec{F}(0, 1) = -\vec{i}$, on dessine le vecteur $(-1, 0)$ en plaçant son origine au point $(0, 1)$. En continuant de cette façon, on trace un certain nombre de vecteurs représentatifs du champ vectoriel (voyez la figure 4).

Il semble que chaque flèche soit tangente à un cercle centré à l'origine. Pour en être certain, on effectue le produit scalaire du vecteur position $\vec{x} = x\vec{i} + y\vec{j}$ avec le vecteur $\vec{F}(\vec{x}) = \vec{F}(x, y)$:

$$\vec{x} \cdot \vec{F}(\vec{x}) = (x\vec{i} + y\vec{j}) \cdot (-y\vec{i} + x\vec{j})$$
$$= -xy + yx = 0.$$

Ceci démontre qu'effectivement, $\vec{F}(x, y)$ est perpendiculaire au vecteur position (x, y) et donc tangent à un cercle centré à l'origine et de rayon $\|\vec{x}\| = \sqrt{x^2 + y^2}$. Remarquez aussi que

$$\|\vec{F}(x, y)\| = \sqrt{(-y)^2 + x^2} = \sqrt{x^2 + y^2} = \|\vec{x}\|,$$

autrement dit, la norme du vecteur $\vec{F}(x, y)$ est égale au rayon du cercle auquel (x, y) appartient.

Certains logiciels de calcul formel sont capables de dessiner des champs vectoriels en dimension deux ou trois. Les représentations qu'ils produisent donnent une meilleure idée du champ vectoriel que lorsqu'il est fait à la main parce que le nombre de segments orientés tracés est beaucoup plus grand. La figure 5 montre le dessin par ordinateur du champ vectoriel de l'exemple 1 ; les figures 6 et 7 exposent deux autres champs vectoriels. L'ordinateur s'occupe de réduire les longueurs des segments pour qu'ils ne soient pas trop grands tout en tenant compte de leurs vraies longueurs.

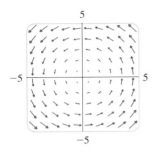

FIGURE 5
$\vec{F}(x, y) = (-y, x)$

FIGURE 6
$\vec{F}(x, y) = (y, \sin x)$

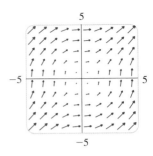

FIGURE 7
$\vec{F}(x, y) = [\ln(1 + y^2), \ln(1 + x^2)]$

EXEMPLE 2 ■ Dessinez le champ vectoriel défini sur $\mathbb{R}^3$ par $\vec{F}(x, y, z) = z\,\vec{k}$.

SOLUTION La figure 8 montre le dessin obtenu. On remarque que tous les vecteurs sont verticaux, sont de sens positif au-dessus du plan Oxy et de sens négatif en dessous. Leur norme augmente en fonction de leur distance au plan Oxy.

Sa formule étant particulièrement simple, on aurait pu dessiner à la main le champ vectoriel de l'exemple 2. Mais ce n'est pas le cas de la plupart des champs vectoriels de dimension trois qui sont virtuellement impossibles à tracer à la main et nécessitent donc de recourir à un logiciel adéquat. Les figures 9, 10 et 11 montrent des exemples. On remarque que les champs vectoriels des figures 9 et 10 ont des formules fort semblables mais que tous les vecteurs de la figure 10 sont dirigés dans le sens négatif de l'axe Oy, vu que la composante selon cet axe leur est commune et vaut -2. En imaginant que le champ vectoriel de la figure 11 est un champ de vitesse, une particule sera emportée vers le haut dans un mouvement en spirale autour de l'axe Oz, dans le sens des aiguilles d'une montre si on regarde d'en haut.

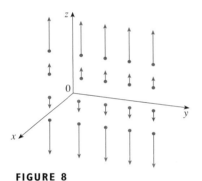

FIGURE 8
$\vec{F}(x, y, z) = z\,\vec{k}$

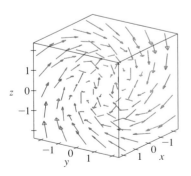

FIGURE 9
$\vec{F}(x, y, z) = y\,\vec{i} + z\,\vec{j} + x\,\vec{k}$

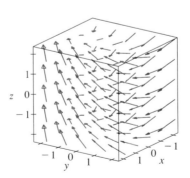

FIGURE 10
$\vec{F}(x, y, z) = y\,\vec{i} - 2\,\vec{j} + x\,\vec{k}$

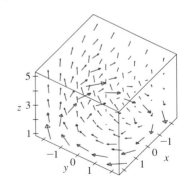

FIGURE 11
$\vec{F}(x, y, z) = \dfrac{y}{z}\vec{i} - \dfrac{x}{z}\vec{j} + \dfrac{z}{4}\vec{k}$

EXEMPLE 3 ■ Imaginez un fluide qui s'écoule régulièrement dans un tube et soit $\vec{V}(x, y, z)$ le vecteur vitesse en un point (x, y, z). Alors, $\vec{V}$ associe un vecteur à chaque point (x, y, z) d'un certain domaine E (l'intérieur du tube) et ainsi, $\vec{V}$ est un champ

FIGURE 12

Champ de vitesse d'un fluide en mouvement

vectoriel défini sur $\mathbb{R}^3$, appelé un **champ de vitesse**. La figure 12 suggère un champ de vitesse possible. La longueur de la flèche rend compte de la vitesse en un point donné.

On rencontre encore des champs de vitesse dans d'autres domaines de la physique. Par exemple, le champ de vitesse de l'exemple 1 pourrait être celui qui décrit la rotation d'une roue qui tourne dans le sens contraire des aiguilles d'une montre. L'explication de la figure 1 a mis en évidence un autre champ de vitesse.

EXEMPLE 4 ■ La loi de gravitation universelle de Newton énonce que l'intensité de la force de gravitation entre deux objets de masses m et M est de la forme

$$\|\vec{F}\| = \frac{mMG}{r^2},$$

où r est la distance entre les objets et G la constante de gravitation. (C'est un exemple de loi de proportionnalité inverse par rapport au carré.) On suppose que l'objet de masse M occupe l'origine du repère de $\mathbb{R}^3$. (Par exemple, M pourrait être la masse de la Terre et l'origine son centre.) Si $\vec{x} = (x, y, z)$ désigne le vecteur position de l'objet de masse m, alors $r = \|\vec{x}\|$ et donc $r^2 = \|\vec{x}\|^2$. La force de gravité exercée sur ce deuxième objet agit en direction de l'origine. Or, le vecteur unité dans cette direction est

$$-\frac{\vec{x}}{\|\vec{x}\|}.$$

Par conséquent, la force de gravité exercée sur l'objet en $\vec{x} = (x, y, z)$ est

3 $$\vec{F}(\vec{x}) = -\frac{mMG}{\|\vec{x}\|^3}\vec{x}.$$

[Comme les physiciens préfèrent la notation $\vec{r}$ à $\vec{x}$ pour le vecteur position, il se peut que vous rencontriez la formule 3 écrite sous la forme $\vec{F} = -(mMG/r^3)\vec{r}$.] La fonction donnée par l'expression 3 est un exemple de champ vectoriel, appelé le **champ de force gravitationnelle**, parce qu'il associe un vecteur [la force $\vec{F}(\vec{x})$] à chaque point $\vec{x}$ de l'espace.

La formule 3 est une façon compacte d'écrire le champ de gravitation, mais il peut aussi être explicité par rapport à ses fonctions composantes en introduisant $\vec{x} = x\vec{i} + y\vec{j} + z\vec{k}$ et $\|\vec{x}\| = \sqrt{x^2 + y^2 + z^2}$:

$$\vec{F}(x, y, z) = \frac{-mMGx}{(x^2 + y^2 + z^2)^{3/2}}\vec{i} + \frac{-mMGy}{(x^2 + y^2 + z^2)^{3/2}}\vec{j} + \frac{-mMGz}{(x^2 + y^2 + z^2)^{3/2}}\vec{k}.$$

La figure 13 donne une image du champ de gravitation $\vec{F}$.

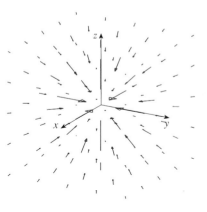

FIGURE 13

Le champ gravitationnel

EXEMPLE 5 ■ Une charge électrique Q occupe l'origine. Selon la loi de Coulomb, la force électrique $\vec{F}(\vec{x})$ qu'exerce cette charge sur une charge q située en un point (x, y, z) de vecteur position $\vec{x} = (x, y, z)$ est

4 $$\vec{F}(\vec{x}) = \frac{\varepsilon qQ}{\|\vec{x}\|^3}\vec{x},$$

où ε est une constante (qui dépend des unités adoptées). Si les charges sont semblables, $qQ > 0$ et la force est répulsive ; si les charges sont contraires, $qQ < 0$ et la force est attractive. On remarque la ressemblance entre les formules 3 et 4. Ces deux champs vectoriels sont des exemples de **champ de force.**

À la force électrique $\vec{F}$, les physiciens préfèrent souvent la force par unité de charge :

$$\vec{E}(\vec{x}) = \frac{1}{q}\vec{F}(\vec{x}) = \frac{\varepsilon Q}{\|\vec{x}\|^3}\vec{x}.$$

Dans ce cas, E est un champ vectoriel défini sur $\mathbb{R}^3$ appelé le **champ électrique** de Q.

■ Les champs de gradient

On se souvient, suite à la section 11.6, que si f est une fonction scalaire de deux variables, son gradient ∇f (ou $\overrightarrow{\mathrm{grad}}\, f$) est défini par

$$\nabla f(x,y) = f_x'(x,y)\,\vec{i} + f_y'(x,y)\vec{j}.$$

De là, ∇f est manifestement un champ vectoriel défini sur $\mathbb{R}^2$ et s'appelle un **champ de gradient**. De même, si f est une fonction scalaire de trois variables, son gradient est un champ vectoriel défini sur $\mathbb{R}^3$ par

$$\nabla f(x,y,z) = f_x'(x,y,z)\,\vec{i} + f_y'(x,y,z)\vec{j} + f_z'(x,y,z)\,\vec{k}.$$

EXEMPLE 6 ■ Déterminez le champ de gradient de $f(x,y) = x^2y - y^3$. Représentez le champ de gradient en même temps qu'une carte de courbes de niveau de f. Comment ces deux diagrammes sont-ils liés ?

SOLUTION Le champ de gradient est défini par

$$\nabla f(x,y) = \frac{\partial f}{\partial x}\vec{i} + \frac{\partial f}{\partial y}\vec{j} = 2xy\,\vec{i} + (x^2 - 3y^2)\vec{j}.$$

La figure 14 représente un diagramme de courbes de niveau superposé au champ de gradient. On remarque, comme on pouvait s'y attendre en raison de la section 11.6, que les vecteurs gradients sont orthogonaux aux courbes de niveau. On remarque encore que les vecteurs gradients sont longs là où les courbes de niveau sont proches les unes des autres, tandis qu'ils sont courts là où les courbes de niveau sont plus écartées. C'est que la norme du vecteur gradient est la valeur de la dérivée de f dans la direction du gradient et que la proximité des courbes de niveau est signe d'un graphique très raide.

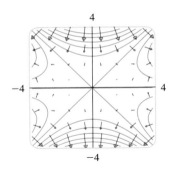

FIGURE 14

Un champ vectoriel $\vec{F}$ est dit **champ vectoriel conservatif** s'il est le gradient d'une certaine fonction scalaire, c'est-à-dire, s'il existe une fonction f telle que $\vec{F} = \nabla f$. Dans cette situation, f est appelée une **fonction potentiel** de $\vec{F}$.

Tous les champs vectoriels ne sont pas conservatifs, mais de tels champs inteviennent fréquemment en physique. Par exemple, le champ gravitationnel $\vec{F}$ de l'exemple 4 est conservatif parce que si on définit

$$f(x,y,z) = \frac{mMG}{\sqrt{x^2 + y^2 + z^2}}$$

alors,

$$\nabla f(x,y,z) = \frac{\partial f}{\partial x}\vec{i} + \frac{\partial f}{\partial y}\vec{j} + \frac{\partial f}{\partial z}\vec{k}$$

$$= \frac{-mMGx}{(x^2+y^2+z^2)^{3/2}}\vec{i} + \frac{-mMGy}{(x^2+y^2+z^2)^{3/2}}\vec{j} + \frac{-mMGz}{(x^2+y^2+z^2)^{3/2}}\vec{k}$$

$$= \vec{F}(x,y,z).$$

On apprendra dans les sections 13.3 et 13.5 à reconnaître si un champ vectoriel donné est conservatif ou non.

13.1 Exercices

1-10 ■ Représentez le champ vectoriel $\vec{F}$ en produisant une figure du genre de la figure 4 ou de la figure 8.

1. $\vec{F}(x, y) = x\vec{i} + y\vec{j}$

2. $\vec{F}(x, y) = x\vec{i} - y\vec{j}$

3. $\vec{F}(x, y) = y\vec{i} + \vec{j}$

4. $\vec{F}(x, y) = -x\vec{i} + 2y\vec{j}$

5. $\vec{F}(x, y) = \dfrac{y\vec{i} + x\vec{j}}{\sqrt{x^2 + y^2}}$

6. $\vec{F}(x, y) = \dfrac{y\vec{i} - x\vec{j}}{\sqrt{x^2 + y^2}}$

7. $\vec{F}(x, y, z) = \vec{j}$

8. $\vec{F}(x, y, z) = z\vec{j}$

9. $\vec{F}(x, y, z) = y\vec{j}$

10. $\vec{F}(x, y, z) = \vec{j} - \vec{i}$

11-14 ■ Associez les champs vectoriels avec les représentations (étiquetées I-IV). Donnez les raisons de votre choix.

I

II

III

IV
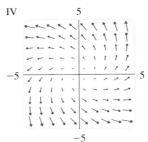

11. $\vec{F}(x, y) = (y, x)$

12. $\vec{F}(x, y) = (2x - 3y, 2x + 3y)$

13. $\vec{F}(x, y) = (\sin x, \sin y)$

14. $\vec{F}(x, y) = (\ln(1 + x^2 + y^2), x)$

15-18 ■ Associez les champs vectoriels définis sur $\mathbb{R}^3$ avec les représentations (étiquetées I-IV). Donnez les raisons de votre choix.

15. $\vec{F}(x, y, z) = \vec{i} + 2\vec{j} + 3\vec{k}$

16. $\vec{F}(x, y, z) = \vec{i} + 2\vec{j} + z\vec{k}$

17. $\vec{F}(x, y, z) = x\vec{i} + y\vec{j} + 3\vec{k}$

18. $\vec{F}(x, y, z) = x\vec{i} + y\vec{j} + z\vec{k}$

I

II

III

IV
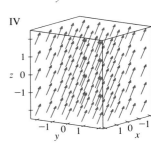

LCS **19.** Si vous disposez d'un logiciel de calcul symbolique qui dessine des champs vectoriels (la commande de Maple est fieldplot et celle de Mathematica, PlotVectorField), servez-vous en pour visualiser

$$\vec{F}(x, y) = (y^2 - 2xy)\vec{i} + (3xy - 6x^2)\vec{j}.$$

Expliquez l'allure en repérant l'ensemble des points (x, y) tels que $\vec{F}(x, y) = \vec{0}$.

LCS **20.** Soit $\vec{F}(\vec{x}) = (r^2 - 2r)\vec{x}$, où $\vec{x} = (x, y)$ et $\vec{r} = \|\vec{x}\|$. À l'aide d'un logiciel de calcul symbolique, représentez ce champ vectoriel sur différents domaines jusqu'à ce que vous compreniez ce qui se passe. Décrivez l'allure générale du dessin et expliquez-la en déterminant les points tels que $\vec{F}(\vec{x}) = \vec{0}$.

21-24 ■ Définissez le champ de gradient de f.

21. $f(x, y) = e^{3x} \cos 4y$

22. $f(x, y) = \sin(2x + 3y)$

23. $f(x, y, z) = xy^2 - yz^3$

24. $f(x, y, z) = x \ln(y - z)$

25-26 ■ Définissez le champ vectoriel gradient $\overrightarrow{\text{grad}} f$ de f et représentez-le.

25. $f(x, y) = x^2 - \frac{1}{2}y^2$

26. $f(x, y) = \ln\sqrt{x^2 + y^2}$

LCS 27-28 ■ Représentez, superposés, le champ de gradient de f et un diagramme de courbes de niveau de f. Expliquez les liens entre ces deux ensembles.

27. $f(x, y) = \sin x + \sin y$

28. $f(x, y) = \sin(x + y)$

29-32 ■ Associez les fonctions avec les représentations de leur champ de gradient (étiquetés I-IV). Donnez les raisons de votre choix.

29. $f(x, y) = xy$ **30.** $f(x, y) = x^2 - y^2$

31. $f(x, y) = x^2 + y^2$ **32.** $f(x, y) = \sqrt{x^2 + y^2}$

I

II

III

IV
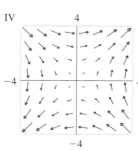

33. Les **lignes de courant** d'un champ vectoriel sont les trajectoires suivies par une particule dont le champ de vitesse est le champ vectoriel donné. Les vecteurs dans un champ vectoriel sont donc tangents aux lignes de courant.

   a) Servez-vous d'un dessin du champ vectoriel $\vec{F}(x, y) = x\vec{i} - y\vec{j}$ pour tracer quelques lignes de courant. D'après vos tracés, avez-vous une idée des équations de vos lignes de courant ?

   b) Si une ligne de courant est décrite par les équations paramétriques $x = x(t)$, $y = y(t)$, expliquez pourquoi ces équations satisfont à l'équation différentielle $dx/dt = x$ et $dy/dt = -y$. Ensuite, résolvez les équations différentielles pour déterminer une équation de la ligne de courant qui passe par le point $(1, 1)$.

34. a) Faites un dessin du champ vectoriel $\vec{F}(x, y) = \vec{i} + x\vec{j}$, puis servez-vous en pour tracer quelques lignes de courant. Quelle allure semblent avoir ces lignes de courant ?

   b) Si une ligne de courant est décrite par les équations paramétriques $x = x(t)$, $y = y(t)$, à quelles équations différentielles satisfont ces fonctions. Déduisez-en que $dy/dx = x$.

   c) Si une particule part de l'origine dans le champ vectoriel $\vec{F}$, quelle est une équation du chemin qu'elle va suivre ?

13.2 Les intégrales curvilignes

Dans cette section, on définit une intégrale semblable à une intégrale simple, à ceci près qu'on intègre sur une courbe C au lieu d'intégrer sur un intervalle $[a, b]$. De telles intégrales portent le nom d'*intégrales curvilignes*, bien que l'appellation « intégrales de ligne » soit parfois utilisée quoique moins appropriée. Elles ont été inventées au 19ᵉ siècle pour résoudre des problèmes relatifs à l'écoulement des fluides, aux forces, à l'électrostatique et au magnétisme.

On part d'une courbe plane C définie par les équations paramétriques

Ⅰ $x = x(t)$ $y = y(t)$ $a \leqslant t \leqslant b$,

ou, de façon équivalente, par l'équation vectorielle $\vec{r}(t) = x(t)\,\vec{i} + y(t)\vec{j}$, et on suppose que C est une courbe lisse. [Ce qui signifie que $\vec{r}\,'$ est continue et $\vec{r}\,'(t) \neq \vec{0}$. Voyez la section 10.2.] Si on divise l'intervalle de variation du paramètre $[a, b]$ en n sous-intervalles $[t_{i-1}, t_i]$ d'égale longueur et si on note $x_i = x(t_i)$ et $y_i = y(t_i)$, alors l'arc C est subdivisé en n sous-arcs de longueurs $\Delta s_1, \Delta s_2, \ldots, \Delta s_n$ (voyez la figure 1) sur chacun desquels on choisit un point $P_i^*(x_i^*, y_i^*)$ (qui est l'image d'un certain t_i^* appartenant à $[t_{i-1}, t_i]$). On considère maintenant une fonction de deux variables f dont le domaine de définition comprend la courbe C, on calcule la valeur de f au point (x_i^*, y_i^*), on la multiplie par la longueur Δs_i du sous-arc et on fait la somme de ces produits :

$$\sum_{i=1}^{n} f(x_i^*, y_i^*) \Delta s_i.$$

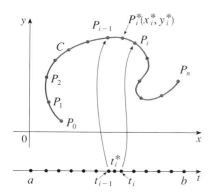

FIGURE I

Cela ressemble à une somme de Riemann. On en prend la limite pour n tendant vers l'infini et par analogie avec l'intégrale simple, on adopte la définition suivante.

2 Définition Soit f définie sur une courbe lisse C donnée par les équations 1. L'**intégrale curviligne de f le long de C** est

$$\int_C f(x,y)\,ds = \lim_{n\to\infty} \sum_{i=1}^{n} f(x_i^*, y_i^*) \Delta s_i,$$

pourvu que cette limite existe.

On a établi, dans la section 6.3, que la longueur de C est le nombre

$$L = \int_a^b \sqrt{\left(\frac{dx}{dt}\right)^2 + \left(\frac{dy}{dt}\right)^2}\,dt.$$

Par un argument de même type, on peut démontrer que si f est une fonction continue, la limite de la définition 2 existe toujours et aussi que l'intégrale curviligne est calculable par la formule :

3
$$\int_C f(x,y)\,ds = \int_a^b f(x(t)), y(t)) \sqrt{\left(\frac{dx}{dt}\right)^2 + \left(\frac{dy}{dt}\right)^2}\,dt$$

La valeur de l'intégrale curviligne ne dépend pas de la paramétrisation de la courbe, à condition que l'arc ne soit parcouru qu'une seule fois lorsque t passe par toutes les valeurs depuis a jusqu'à b.

Si $s(t)$ désigne la fonction qui à t fait correspondre la longueur de C entre $\vec{r}(a)$ et $\vec{r}(t)$, alors

$$\frac{ds}{dt} = \sqrt{\left(\frac{dx}{dt}\right)^2 + \left(\frac{dy}{dt}\right)^2}.$$

Pour se souvenir de la formule 3, il suffit donc d'exprimer tout en fonction du paramètre t : x et y sont exprimées en fonction de t par les équations paramétriques et ds est exprimée en fonction de t par

$$ds = \sqrt{\left(\frac{dx}{dt}\right)^2 + \left(\frac{dy}{dt}\right)^2}\,dt.$$

Dans le cas très particulier où C est le segment de droite qui joint $(a,0)$ à $(b,0)$ et en faisant jouer à x le rôle de paramètre, l'arc C est décrit paramétriquement par : $x = x$, $y = 0$, $a \leqslant x \leqslant b$ et l'expression 3 devient

$$\int_C f(x,y)\,ds = \int_a^b f(x,0)\,dx.$$

L'intégrale curviligne se réduit donc à une intégrale simple ordinaire.

Tout comme une intégrale simple ordinaire, une intégrale curviligne d'une fonction *positive* a une interprétation en termes d'aire. En effet, lorsque $f(x,y) \geqslant 0$, $\int_C f(x,y)\,ds$ représente l'aire d'un côté d'une « clôture » ou d'un « rideau » dans la figure 2 dont la base est C et dont $f(x,y)$ est la hauteur au-dessus du point (x,y).

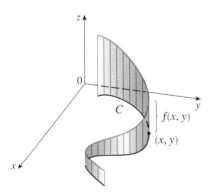

FIGURE 2

EXEMPLE 1 ■ Calculez $\displaystyle\int_C (2 + x^2 y)\,ds$, où C est le demi-cercle supérieur $x^2 + y^2 = 1$.

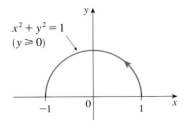

$x^2 + y^2 = 1$
$(y \geqslant 0)$

FIGURE 3

SOLUTION On rappelle qu'une paramétrisation du cercle de rayon 1 est

$$x = \cos t \qquad y = \sin t,$$

et que sa moitié supérieure est parcourue lorsque t passe par les valeurs de l'intervalle $[0, \pi]$ (voyez la figure 3). Dès lors, suivant la formule 3,

$$\int_C (2 + x^2 y)\, ds = \int_0^\pi (2 + \cos^2 t \sin t) \sqrt{\left(\frac{dx}{dt}\right)^2 + \left(\frac{dy}{dt}\right)^2}\, dt$$

$$= \int_0^\pi (2 + \cos^2 t \sin t) \sqrt{\sin^2 t + \cos^2 t}\, dt$$

$$= \int_0^\pi (2 + \cos^2 t \sin t)\, dt = \left[2t - \frac{\cos^3 t}{3} \right]_0^\pi$$

$$= 2\pi + \tfrac{2}{3}.$$

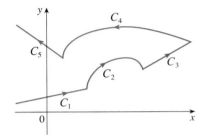

FIGURE 4
Une courbe lisse par morceaux

La figure 4 montre une courbe C composée d'un nombre fini d'arcs lisses $C_1, C_2, \ldots, C_n$, mis bout à bout. On dit dans ce cas que C est **lisse par morceaux** et l'intégrale curviligne sur C est définie comme la somme des intégrales curvilignes de f le long de chaque morceau de C :

$$\int_C f(x, y)\,ds = \int_{C_1} f(x, y)\,ds + \int_{C_2} f(x, y)\,ds + \cdots + \int_{C_n} f(x, y)\,ds.$$

EXEMPLE 2 ■ Calculez $\displaystyle\int_C 2x\, ds$, où C se compose de l'arc C_1 de la parabole $y = x^2$ entre $(0, 0)$ et $(1, 1)$ suivi du segment vertical C_2 qui relie $(1, 1)$ à $(1, 2)$.

SOLUTION La figure 5 montre la courbe C. Comme C_1 est le graphe d'une fonction de x, on peut prendre x comme paramètre et décrire C_1 par

$$x = x \qquad y = x^2 \qquad 0 \leqslant x \leqslant 1.$$

Par conséquent,

$$\int_{C_1} 2x\, ds = \int_0^1 2x \sqrt{\left(\frac{dx}{dx}\right)^2 + \left(\frac{dy}{dx}\right)^2}\, dx$$

$$= \int_0^1 2x \sqrt{1 + 4x^2}\, dx = \tfrac{1}{4} \cdot \tfrac{2}{3}(1 + 4x^2)^{3/2}\Big]_0^1 = \frac{5\sqrt{5} - 1}{6}.$$

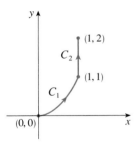

FIGURE 5
$C = C_1 \cup C_2$

Il est facile de décrire C_2 en prenant y comme paramètre :

$$x = 1 \qquad y = y \qquad 1 \leqslant y \leqslant 2$$

et de là,

$$\int_{C_2} 2x\, ds = \int_1^2 2(1) \sqrt{\left(\frac{dx}{dy}\right)^2 + \left(\frac{dy}{dy}\right)^2}\, dy = \int_1^2 2\, dy = 2.$$

Finalement

$$\int_C 2x\, ds = \int_{C_1} 2x\, ds + \int_{C_2} 2x\, ds = \frac{5\sqrt{5} - 1}{6} + 2.$$

Toute interprétation physique d'une intégrale curviligne $\int_C f(x, y) ds$ dépend de l'interprétation physique de la fonction f elle-même. On suppose que $\rho(x, y)$ représente la densité en un point (x, y) d'un fin fil profilé selon une courbe C. Dans ce contexte, la masse du tronçon de fil compris entre P_{i-1} et P_i dans la figure 1 vaut à peu de chose près $\rho(x_i^*, y_i^*) \Delta s_i$ et la masse totale, $\sum_i \rho(x_i^*, y_i^*) \Delta s_i$. En prenant de plus en plus de points sur la courbe, on obtient la **masse** m du fil comme la limite de ces approximations :

$$m = \lim_{n \to \infty} \sum_{i=1}^{n} \rho(x_i^*, y_i^*) \Delta s_i = \int_C \rho(x, y) \, ds.$$

[Par exemple, si $\rho(x, y) = 2 + x^2 y$ représente la densité d'un fil semi-circulaire, alors l'intégrale de l'exemple 1 représente la masse du fil.] Le **centre de masse** d'un fil de densité ρ se trouve au point $(\bar{x}, \bar{y})$ tel que

4
$$\bar{x} = \frac{1}{m} \int_C x\rho(x, y) \, ds \qquad \bar{y} = \frac{1}{m} \int_C y\rho(x, y) \, ds.$$

D'autres interprétations physiques des intégrales curvilignes seront étudiées plus loin dans ce chapitre.

EXEMPLE 3 ■ Un fil suit la courbure du demi-cercle $x^2 + y^2 = 1, y \geqslant 0$. Il est plus épais dans sa partie inférieure que dans sa partie supérieure. Déterminez le centre de masse du fil si la densité en un point est proportionnelle à sa distance de la droite $y = 1$.

SOLUTION Comme dans l'exemple 1, on choisit la paramétrisation $x = \cos t, y = \sin t$, $0 \leqslant t \leqslant \pi$ et on trouve ainsi $ds = dt$. L'expression de la densité est

$$\rho(x, y) = k(1 - y),$$

où k est une constante, et de là, la masse du fil vaut

$$m = \int_C k(1 - y) \, ds = \int_0^\pi k(1 - \sin t) \, dt$$

$$= k\big[t + \cos t\big]_0^\pi = k(\pi - 2).$$

En se référant aux équations 4, on a

$$\bar{y} = \frac{1}{m} \int_C y\rho(x, y) \, ds = \frac{1}{k(\pi - 2)} \int_C yk(1 - y) \, ds$$

$$= \frac{1}{\pi - 2} \int_0^\pi (\sin t - \sin^2 t) \, dt = \frac{1}{\pi - 2}\Big[-\cos t - \tfrac{1}{2}t + \tfrac{1}{4}\sin 2t\Big]_0^\pi$$

$$= \frac{4 - \pi}{2(\pi - 2)}.$$

En raison de la symétrie, $\bar{x} = 0$. Les coordonnées du centre de masse sont donc

$$\left(0, \frac{4 - \pi}{2(\pi - 2)}\right) \approx (0; 0{,}38).$$

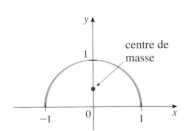

FIGURE 6

Voyez la figure 6.

En remplaçant Δs_i dans la définition 2 par $\Delta x_i = x_i - x_{i-1}$ ou par $\Delta y_i = y_i - y_{i-1}$, on obtient deux autres intégrales curvilignes. Elles s'appellent **intégrales curvilignes de f le long de C par rapport à x et à y** :

5
$$\int_C f(x,y)dx = \lim_{n \to \infty} \sum_{i=1}^{n} f(x_i^*, y_i^*)\Delta x_i.$$

6
$$\int_C f(x,y)ds = \lim_{n \to \infty} \sum_{i=1}^{n} f(x_i^*, y_i^*)\Delta y_i.$$

Lorsqu'on veut les distinguer de l'intégrale curviligne originale $\int_C f(x,y)ds$, on appelle cette dernière **intégrale curviligne par rapport à l'abscisse curviligne**.

Les formules que voici précisent que le calcul des intégrales curvilignes par rapport à x et y s'effectue aussi en exprimant tout en fonction de t : $x = x(t)$, $y = y(t)$, $dx = x'(t)dt$, $dy = y'(t)dt$.

7
$$\int_C f(x,y)dx = \int_a^b f(x(t),y(t))x'(t)\,dt$$

$$\int_C f(x,y)dy = \int_a^b f(x(t),y(t))y'(t)\,dt$$

Il arrive souvent que des intégrales curvilignes par rapport à x et à y se présentent ensemble. Il est courant, lorsque cela arrive, d'écourter leur écriture en :

$$\int_C P(x,y)\,dx + \int_C Q(x,y)\,dy = \int_C P(x,y)\,dx + Q(x,y)\,dy.$$

Ce qui, lors de l'établissement d'une intégrale curviligne sur une courbe décrite géométriquement, pose le plus de difficulté est parfois de choisir une description paramétrique. Comme il est fréquent d'avoir à paramétriser un segment de droite, autant tenir prête à l'emploi l'écriture vectorielle d'un segment qui commence en $\vec{r}_0$ et se termine en $\vec{r}_1$:

8
$$\vec{r}(t) = (1-t)\vec{r}_0 + t\vec{r}_1 \qquad 0 \leqslant t \leqslant 1.$$

(Voyez l'équation 1 dans la section 9.5 avec $\vec{v} = \vec{r}_1 - \vec{r}_0$.)

EXEMPLE 4 ■ Calculez $\int_C y^2 dx + x\,dy$, où   a) $C = C_1$ est le segment qui relie $(-5, -3)$ à $(0, 2)$ et   b) $C = C_2$ est l'arc de la parabole $x = 4 - y^2$ depuis $(-5, -3)$ jusqu'à $(0, 2)$ (voyez la figure 7).

SOLUTION

a) Le segment C_1 est l'arc paramétré

$$x = 5t - 5 \qquad y = 5t - 3 \qquad 0 \leqslant t \leqslant 1.$$

[Il suffit d'employer l'expression 8 avec $\vec{r}_0 = (-5, -3)$ et $\vec{r}_1 = (0, 2)$.] Alors,

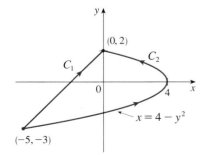

FIGURE 7

$dx = 5dt$, $dy = 5dt$ et la formule 7 conduit à

$$\int_{C_1} y^2\, dx + x\, dy = \int_0^1 (5t - 3)^2 (5\, dt) + (5t - 5)(5\, dt)$$

$$= 5 \int_0^1 (25t^2 - 25t + 4)\, dt$$

$$= 5 \left[\frac{25t^3}{3} - \frac{25t^2}{2} + 4t \right]_0^1 = -\frac{5}{6}.$$

b) Comme l'équation de la parabole est exprimée en fonction de y, on prend y comme paramètre et C_2 est l'arc paramétré

$$x = 4 - y^2 \qquad y = y \qquad -3 \leqslant y \leqslant 2.$$

Alors, $dx = -2y\, dy$ et, d'après la formule 7, on a

$$\int_{C_2} y^2\, dx + x\, dy = \int_{-3}^2 y^2(-2y)\, dy + (4 - y^2)\, dy$$

$$= \int_{-3}^2 (-2y^3 - y^2 + 4)\, dy$$

$$= \left[-\frac{y^4}{2} - \frac{y^3}{3} + 4y \right]_{-3}^2 = 40\tfrac{5}{6}.$$

Vous aurez remarqué que les réponses aux questions a) et b) dans l'exemple 4 sont différentes, même si les deux arcs ont les mêmes extrémités. En général donc, la valeur d'une intégrale curviligne ne dépend pas que des extrémités de l'arc mais aussi du chemin suivi d'une extrémité à l'autre. (Cependant, il arrive que, sous certaines conditions qui seront exposées dans la section 13.3, l'intégrale soit indépendante du chemin.)

On remarque encore que les réponses dans l'exemple 4 dépendent du sens de parcours de la courbe sur laquelle porte l'intégration. Si $-C_1$ désigne le segment qui va de $(0, 2)$ à $(-5, -3)$, une paramétrisation en est

$$x = -5t \qquad y = 2 - 5t \qquad 0 \leqslant t \leqslant 1,$$

et

$$\int_{-C_1} y^2\, dx + x\, dy = \frac{5}{6}.$$

En général, une paramétrisation $x = x(t)$, $y = y(t)$, $a \leqslant t \leqslant b$ porte en elle un **sens** de parcours d'une courbe C, sens qui est positif pour les valeurs croissantes du paramètre t. (Voyez, dans la figure 8, le point initial A image de la valeur a du paramètre et l'extrémité B, image de $t = b$.)

Si $-C$ désigne la même courbe mais parcourue en sens inverse (de B vers A, dans la figure 8), alors

$$\int_{-C} f(x, y)dx = -\int_C f(x, y)dx \qquad \int_{-C} f(x, y)dy = -\int_C f(x, y)dy.$$

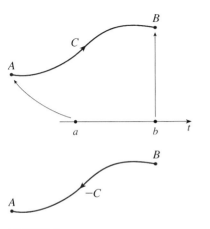

FIGURE 8

Par contre, l'intégrale curviligne par rapport à l'abscisse curviligne, elle, ne change *pas* lorsqu'on inverse le sens de parcours de l'arc :

$$\int_{-C} f(x,y)ds = \int_C f(x,y)ds.$$

C'est dû au fait que Δs_i est toujours positif, tandis que Δx_i et Δy_i changent de signe quand le sens de parcours de C est inversé.

■ Les intégrales curvilignes dans l'espace

On part d'une courbe lisse C de l'espace définie par les équations paramétriques

$$x = x(t) \qquad y = y(t) \qquad z = z(t) \qquad a \leqslant t \leqslant b,$$

ou, de façon équivalente, par l'équation vectorielle $\vec{r}(t) = x(t)\vec{i} + y(t)\vec{j} + z(t)\vec{k}$. On envisage maintenant une fonction de trois variables f continue sur un domaine qui inclut la courbe C et on définit l'**intégrale curviligne de** f **le long de** C (par rapport à l'abscisse curviligne) de la même façon que dans le cas des courbes planes :

$$\int_C f(x,y,z)ds = \lim_{n \to \infty} \sum_{i=1}^n f(x_i^*, y_i^*, z_i^*)\Delta s_i.$$

Cette intégrale curviligne est calculable par une formule semblable à la formule 3 :

9
$$\int_C f(x,y,z)ds = \int_a^b f(x(t)), y(t), z(t))\sqrt{\left(\frac{dx}{dt}\right)^2 + \left(\frac{dy}{dt}\right)^2 + \left(\frac{dz}{dt}\right)^2}\,dt.$$

On observe que les intégrales des formules 3 et 9 reçoivent une même écriture vectorielle très compacte :

$$\int_a^b f(\vec{r}(t))\|\vec{r}\,'(t)\|dt.$$

Dans le cas particulier $f(x,y,z) = 1$, cette intégrale se réduit à

$$\int_C ds = \int_a^b \|\vec{r}\,'(t)\|dt = L,$$

où L est la longueur de la courbe C (voyez la formule 3 dans la section 10.3).

On définit de même les intégrales curvilignes le long de C par rapport à x, y et z. Par exemple,

$$\int_C f(x,y,z)dz = \lim_{n \to \infty} \sum_{i=1}^n f(x_i^*, y_i^*, z_i^*)\Delta z_i$$

$$= \int_a^b f(x(t), y(t), z(t))\,z'(t)\,dt.$$

Et donc, comme pour les intégrales curvilignes dans le plan, on calcule des intégrales de la forme

10
$$\int_C P(x,y,z)\,dx + Q(x,y,z)\,dy + R(x,y,z)\,dz$$

en exprimant tout (x, y, z, dx, dy, dz) en fonction du paramètre t.

FIGURE 9

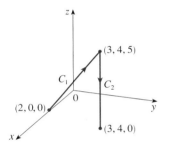

FIGURE 10

EXEMPLE 5 ■ Calculez $\int_C y \sin z \, ds$, où C est l'hélice circulaire décrite par les équations $x = \cos t$, $y = \sin t$, $z = t$, $0 \leqslant t \leqslant 2\pi$ (voyez la figure 9).

SOLUTION La formule 9 conduit à

$$\int_C y \sin z \, ds = \int_0^{2\pi} (\sin t) \sin t \sqrt{\left(\frac{dx}{dt}\right)^2 + \left(\frac{dy}{dt}\right)^2 + \left(\frac{dz}{dt}\right)^2} \, dt$$

$$= \int_0^{2\pi} \sin^2 t \sqrt{\sin^2 t + \cos^2 t + 1} \, dt$$

$$= \sqrt{2} \int_0^{2\pi} \tfrac{1}{2}(1 - \cos 2t) \, dt = \frac{\sqrt{2}}{2} \left[t - \tfrac{1}{2} \sin 2t\right]_0^{2\pi} = \sqrt{2} \, \pi.$$

EXEMPLE 6 ■ Calculez $\int_C y \, dx + z \, dy + x \, dz$, où C se compose du segment C_1 de $(2,0,0)$ à $(3,4,5)$ suivi du segment vertical C_2 de $(3,4,5)$ à $(3,4,0)$.

SOLUTION Cette courbe C est tracée dans la figure 10. En faisant appel à l'équation 8, on écrit C_1 sous la forme

$$\vec{r}(t) = (1 - t)(2,0,0) + t(3,4,5) = (2 + t, 4t, 5t),$$

ou, sous forme paramétrique,

$$x = 2 + t \qquad y = 4t \qquad z = 5t \qquad 0 \leqslant t \leqslant 1.$$

D'où

$$\int_{C_1} y \, dx + z \, dy + x \, dz = \int_0^1 (4t) \, dt + (5t)4 \, dt + (2 + t)5 \, dt$$

$$= \int_0^1 (10 + 29t) \, dt = 10t + 29 \frac{t^2}{2} \Big]_0^1 = 24{,}5.$$

De même, C_2 s'écrit sous la forme

$$\vec{r}(t) = (1 - t)(3,4,5) + t(3,4,0) = (3,4,5 - 5t),$$

ou

$$x = 3 \qquad y = 4 \qquad z = 5 - 5t \qquad 0 \leqslant t \leqslant 1.$$

Alors, $dx = 0 = dy$ et

$$\int_{C_2} y \, dx + z \, dy + x \, dz = \int_0^1 3(-5) \, dt = -15.$$

On termine en faisant la somme de ces intégrales :

$$\int_C y \, dx + z \, dy + x \, dz = 24{,}5 - 15 = 9{,}5.$$

■ **Les intégrales curvilignes d'un champ vectoriel**

La section 6.5 a traité le travail $W = \int_a^b f(x) \, dx$ effectué par une force variable $f(x)$ pour déplacer une particule depuis a jusqu'à b le long de l'axe Ox. Plus loin, la section 9.3 a établi que le travail effectué par une force constante $\vec{F}$ pour déplacer un objet depuis un point P jusqu'à un point Q dans l'espace était $W = \vec{F} \cdot \vec{D}$, où $\vec{D} = \overrightarrow{PQ}$ est le vecteur déplacement.

On envisage maintenant le cas où $\vec{F} = P\vec{i} + Q\vec{j} + R\vec{k}$ est un champ de force, continu sur $\mathbb{R}^3$, comme l'était le champ gravitationnel de l'exemple 4 dans la section 13.1 ou le champ de force électrique de l'exemple 5 dans la section 13.1. (Un champ de force sur $\mathbb{R}^2$ serait le cas particulier où $R = 0$ et où P et Q ne dépendraient que de x et y.) On cherche à calculer le travail effectué par cette force pour déplacer une particule le long d'une courbe lisse C.

On obtient une division de C en sous-arcs $P_{i-1}P_i$ de longueur Δs_i en divisant l'intervalle $[a, b]$ de variation du paramètre en sous-intervalles d'égale longueur. (Voyez la figure 1 pour le cas de dimension deux ou la figure 11 pour le cas de dimension trois.) Sur chaque sous-arc, on choisit un point $P_i^*(x_i^*, y_i^*, z_i^*)$, image de la valeur t_i^* du paramètre. À condition que Δs_i soit petit, on peut dire que le déplacement de la particule de P_{i-1} à P_i le long de la courbe s'effectue à peu de chose près dans la direction du vecteur unitaire tangent $\vec{T}(t_i^*)$ en P_i^*. Dès lors, le travail effectué par la force $\vec{F}$ pour déplacer la particule de P_{i-1} à P_i vaut environ

$$\vec{F}(x_i^*, y_i^*, z_i^*) \cdot [\Delta s_i \vec{T}(t_i^*)] = [\vec{F}(x_i^*, y_i^*, z_i^*) \cdot \vec{T}(t_i^*)]\Delta s_i,$$

et le travail total pour déplacer la particule le long de C vaut environ

11
$$\sum_{i=1}^{n} \left[\vec{F}(x_i^*, y_i^*, z_i^*) \cdot \vec{T}(x_i^*, y_i^*, z_i^*) \right] \Delta s_i$$

où $\vec{T}(x, y, z)$ est le vecteur unitaire tangent au point (x, y, z) de C. Pour que ces approximations deviennent plus exactes, on sent intuitivement qu'il faut faire croître n. C'est ainsi que le **travail** W effectué par un champ de force $\vec{F}$ est défini comme la limite des sommes de Riemann (11), à savoir

12
$$W = \int_C \vec{F}(x, y, z) \cdot \vec{T}(x, y, z)\, ds = \int_C \vec{F} \cdot \vec{T} ds.$$

L'expression 12 énonce que le *travail est l'intégrale par rapport à l'abscisse curviligne de la composante tangentielle de la force.*

Si la courbe C est donnée par l'équation vectorielle $\vec{r}(t) = x(t)\vec{i} + y(t)\vec{j} + z(t)\vec{k}$, alors $\vec{T}(t) = \vec{r}'(t)/\|\vec{r}'(t)\|$ et l'expression 12 devient, compte tenu de (9):

$$W = \int_a^b \left[\vec{F}(\vec{r}(t)) \cdot \frac{\vec{r}'(t)}{\|\vec{r}'(t)\|} \right] \|\vec{r}'(t)\| dt$$

$$= \int_a^b \vec{F}(\vec{r}(t)) \cdot \vec{r}'(t) dt.$$

Cette dernière intégrale est souvent écrite brièvement $\int_C \vec{F} \cdot d\vec{r}$ et intervient dans d'autres domaines de la physique. Voilà pourquoi on donne la définition suivante de l'intégrale curviligne de tout champ vectoriel continu.

13 Définition   Soit $\vec{F}$ un champ vectoriel continu défini sur une courbe lisse C par une fonction vectorielle $\vec{r}(t)$, $a \leqslant t \leqslant b$. Alors, l'**intégrale curviligne de $\vec{F}$ le long de C** est

$$\int_C \vec{F} \cdot d\vec{r} = \int_a^b \vec{F}(\vec{r}(t)) \cdot \vec{r}'(t) dt = \int_C \vec{F} \cdot \vec{T} ds.$$

FIGURE 11

Quand on se sert de la définition 13, on se souvient que $\vec{F}(\vec{r}(t))$ n'est qu'une abréviation de $\vec{F}(x(t), y(t), z(t))$ et que pour calculer $\vec{F}(\vec{r}(t))$, il n'y a qu'à remplacer x par $x(t)$, y par $y(t)$ et z par $z(t)$ dans l'expression de $\vec{F}(x, y, z)$. On remarque aussi qu'il est correct d'écrire $d\vec{r} = \vec{r}\,'(t)dt$.

La figure 12 montre le champ de force et la courbe de l'exemple 7. Le travail effectué est négatif parce que le champ entrave le mouvement le long de la courbe.

EXEMPLE 7 ■ Calculez le travail effectué par le champ de force $\vec{F}(x, y) = x^2\,\vec{i} - xy\,\vec{j}$ pour déplacer une particule le long du quart de cercle $\vec{r}(t) = \cos t\,\vec{i} + \sin t\,\vec{j}$, $0 \leqslant t \leqslant \pi/2$.

SOLUTION Comme $x = \cos t$ et $y = \sin t$, on a

$$\vec{F}(\vec{r}(t)) = \cos^2 t\,\vec{i} - \cos t \sin t\,\vec{j}$$

et

$$\vec{r}\,'(t) = -\sin t\,\vec{i} + \cos t\,\vec{j}.$$

Par conséquent, le travail effectué vaut

$$\int_C \vec{F} \cdot d\vec{r} = \int_0^{\pi/2} \vec{F}(\vec{r}(t)) \cdot \vec{r}\,'(t)\,dt = \int_0^{\pi/2} (-2\cos^2 t \sin t)\,dt$$

$$= 2\frac{\cos^3 t}{3}\Big]_0^{\pi/2} = -\frac{2}{3}.$$

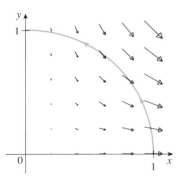

FIGURE 12

REMARQUE ● Malgré que $\int_C \vec{F} \cdot d\vec{r} = \int_C \vec{F} \cdot \vec{T}\,ds$ et que les intégrales curvilignes par rapport à l'abscisse curviligne restent inchangées lorsque le sens est inversé, il n'en est pas moins vrai que

$$\int_{-C} \vec{F} \cdot d\vec{r} = -\int_C \vec{F} \cdot d\vec{r},$$

parce que le vecteur unitaire tangent $\vec{T}$ est remplacé par son opposé lorsque C est changé en $-C$.

La figure 13 montre la cubique gauche C de l'exemple 8 et quelques segments orientés représentatifs en trois points de C.

EXEMPLE 8 ■ Calculez $\int_C \vec{F} \cdot d\vec{r}$, où $\vec{F}(x, y, z) = xy\,\vec{i} + yz\,\vec{j} + zx\,\vec{k}$ et où C est la cubique gauche définie par

$$x = t \qquad y = t^2 \qquad z = t^3 \qquad 0 \leqslant t \leqslant 1.$$

SOLUTION On a

$$\vec{r}(t) = t\,\vec{i} + t^2\,\vec{j} + t^3\,\vec{k}.$$

$$\vec{r}\,'(t) = \vec{i} + 2t\,\vec{j} + 3t^2\,\vec{k}.$$

$$\vec{F}(\vec{r}(t)) = t^3\,\vec{i} + t^5\,\vec{j} + t^4\,\vec{k}.$$

D'où,

$$\int_C \vec{F} \cdot d\vec{r} = \int_0^1 \vec{F}(\vec{r}(t)) \cdot \vec{r}\,'(t)dt$$

$$= \int_0^1 (t^3 + 5t^6)dt = \frac{t^4}{4} + \frac{5t^7}{7}\Big]_0^1 = \frac{27}{28}.$$

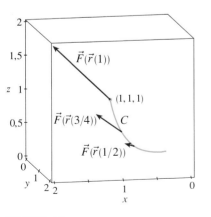

FIGURE 13

Il reste pour terminer à souligner le lien entre les intégrales curvilignes de champ vectoriel et les intégrales curvilignes de champ scalaire. Soit un champ vectoriel $\vec{F}$ défini sur $\mathbb{R}^3$ par ses composantes $\vec{F} = P\vec{i} + Q\vec{j} + R\vec{k}$. L'intégrale curviligne le long de C de ce champ est, selon l'équation 13,

$$\int_C \vec{F} \cdot d\vec{r} = \int_a^b \vec{F}(\vec{r}(t)) \cdot \vec{r}\,'(t)dt$$

$$= \int_a^b (P\vec{i} + Q\vec{j} + R\vec{k}) \cdot (x'(t)\vec{i} + y'(t)\vec{j} + z'(t)\vec{k})dt$$

$$= \int_a^b [P(x(t), y(t), z(t))x'(t) + Q(x(t), y(t), z(t))y'(t) + R(x(t), y(t), z(t))z'(t)]dt.$$

Mais, cette dernière intégrale est justement l'intégrale curviligne de l'expression 10. Dès lors, on a

$$\int_C \vec{F} \cdot d\vec{r} = \int_C P\,dx + Q\,dy + R\,dz \qquad \text{où } \vec{F} = P\vec{i} + Q\vec{j} + R\vec{k}.$$

Par exemple, l'intégrale $\int_C y\,dx + z\,dy + x\,dz$ de l'exemple 6 pourrait être écrite comme $\int_C \vec{F} \cdot d\vec{r}$ avec

$$F(x, y, z) = y\vec{i} + z\vec{j} + x\vec{k}.$$

13.2 Exercices •

1-12 ■ Calculez l'intégrale curviligne, où C est la courbe donnée.

1. $\int_C x\,ds$, $\quad C: x = t^3, y = t, 0 \leqslant t \leqslant 1$.

2. $\int_C y\,ds$, $\quad C: x = t^3, y = t^2, 0 \leqslant t \leqslant 1$.

3. $\int_C xy^4\,ds$, C est la moitié droite du cercle $x^2 + y^2 = 16$.

4. $\int_C (x - 2y^2)dy$, C est l'arc de la parabole $y = x^2$ depuis $(-2, 4)$ jusqu'à $(1, 1)$.

5. $\int_C xy\,dx + (x - y)dy$, C se compose des segments de droite qui vont de $(0, 0)$ jusqu'à $(2, 0)$ et de $(2, 0)$ jusqu'à $(3, 2)$.

6. $\int_C x\sqrt{y}\,dx + 2y\sqrt{x}\,dy$, C se compose du plus petit arc du cercle $x^2 + y^2 = 1$ d'extrémités $(1, 0)$ et $(0, 1)$ et du segment qui relie $(0, 1)$ à $(4, 3)$.

7. $\int_C xyz\,ds$, $\quad C: x = 2t, y = 3\sin t, z = 3\cos t, 0 \leqslant t \leqslant \pi/2$.

8. $\int_C x^2 z\,ds$, $\quad C: x = \sin 2t, y = 3t, z = \cos 2t, 0 \leqslant t \leqslant \pi/4$.

9. $\int_C xy^2 z\,ds$, $\quad C$ est le segment qui joint $(1, 0, 1)$ à $(0, 3, 6)$.

10. $\int_C x^3 y^2 z\,dz$, $\quad C: x = 2t, y = t^2, z = t^2, 0 \leqslant t \leqslant 1$.

11. $\int_C z^2\,dx - z\,dy + 2y\,dz$, C se compose des segments qui joignent $(0, 0, 0)$ à $(0, 1, 1)$, $(0, 1, 1)$ à $(1, 2, 3)$ et $(1, 2, 3)$ à $(1, 2, 4)$.

12. $\int_C yz\,dx + xz\,dy + xy\,dz$, C se compose des segments qui joignent $(0, 0, 0)$ à $(2, 0, 0)$, $(2, 0, 0)$ à $(1, 3, -1)$ et $(1, 3, -1)$ à $(1, 3, 0)$.

• •

13. Soit $\vec{F}$ le champ vectoriel que montre la figure.

a) Si C_1 est le segment vertical de $(-3, -3)$ à $(-3, 3)$, déterminez si $\int_{C_1} \vec{F} \cdot d\vec{r}$ est positive, négative ou nulle.

b) Si C_2 est le cercle de rayon 3, centré à l'origine, orienté dans le sens contraire des aiguilles d'une montre, déterminez si $\int_{C_2} \vec{F} \cdot d\vec{r}$ est positive, négative ou nulle.

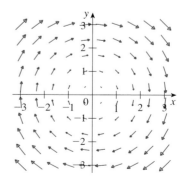

14. La figure montre un champ vectoriel $\vec{F}$ et deux courbes C_1 et C_2. Les intégrales curvilignes de $\vec{F}$ sur C_1 et C_2 sont-elles positives, négatives ou nulles ? Pourquoi ?

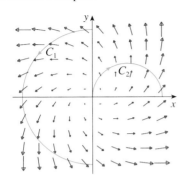

15-18 ■ Calculez l'intégrale curviligne $\int_C \vec{F} \cdot d\vec{r}$, si C est la courbe décrite par la fonction vectorielle $\vec{r}(t)$.

15. $\vec{F}(x,y) = x^2 y \vec{i} - xy \vec{j}$,
$\vec{r}(t) = t^3 \vec{i} + t^4 \vec{j}, \ 0 \leqslant t \leqslant 1$

16. $\vec{F}(x,y,z) = (y+z)\vec{i} - x^2 \vec{j} - 4y^2 \vec{k}$,
$\vec{r}(t) = t\vec{i} + t^2 \vec{j} + t^4 \vec{k}, \ 0 \leqslant t \leqslant 1$

17. $\vec{F}(x,y,z) = \sin x \, \vec{i} + \cos y \, \vec{j} + xz \vec{k}$,
$\vec{r}(t) = t^3 \vec{i} - t^2 \vec{j} + t \vec{k}, \ 0 \leqslant t \leqslant 1$

18. $\vec{F}(x,y,z) = x^2 \vec{i} + xy \vec{j} + z^2 \vec{k}$,
$\vec{r}(t) = \sin t \, \vec{i} + \cos t \, \vec{j} + t^2 \vec{k}, \ 0 \leqslant t \leqslant \pi/2$

19-20 ■ Au vu des graphiques du champ vectoriel $\vec{F}$ et de la courbe C, devinez si l'intégrale curviligne de $\vec{F}$ sur C est positive, négative ou nulle ? Calculez ensuite l'intégrale curviligne.

19. $\vec{F}(x,y) = (x-y)\vec{i} + xy \vec{j}$, C est l'arc de cercle $x^2 + y^2 = 4$ parcouru de $(2,0)$ à $(0,-2)$ dans le sens contraire des aiguilles d'une montre.

20. $\vec{F}(x,y) = \dfrac{x}{\sqrt{x^2+y^2}}\vec{i} + \dfrac{y}{\sqrt{x^2+y^2}}\vec{j}$, C est l'arc de la parabole $y = x^2$ de $(-1,1)$ à $(1,1)$.

21. a) Calculez l'intégrale curviligne $\int_C \vec{F} \cdot d\vec{r}$,
où $\vec{F}(x,y) = e^{x-1}\vec{i} + xy \vec{j}$ et où C est donnée par $\vec{r}(t) = t^2 \vec{i} + t^3 \vec{j}, \ 0 \leqslant t \leqslant 1$.

b) Illustrez la partie a) à l'aide d'un outil graphique en traçant la courbe C et les vecteurs du champ vectoriel correspondant à $t = 0, \ 1/\sqrt{2}$ et 1 (comme dans la figure 13).

22. a) Calculez l'intégrale curviligne $\int_C \vec{F} \cdot d\vec{r}$,
où $\vec{F}(x,y,z) = x\vec{i} - z\vec{j} + y\vec{k}$ et où C est donnée par $\vec{r}(t) = 2t\vec{i} + 3t\vec{j} - t^2 \vec{k}, \ -1 \leqslant t \leqslant 1$.

b) Illustrez la partie a) à l'aide d'un outil graphique en traçant la courbe C et les vecteurs du champ vectoriel correspondant à $t = \pm 1$ et $\pm 1/2$ (comme dans la figure 13).

23. Calculez la valeur exacte de $\int_C x^3 y^5 ds$, où C est l'arc de l'astroïde $x = \cos^3 t, y = \sin^3 t$ du premier quadrant.

24. a) Calculez le travail effectué par le champ de force $\vec{F}(x,y) = x^2 \vec{i} + xy \vec{j}$ sur une particule le long du cercle $x^2 + y^2 = 4$, orienté dans le sens contraire des aiguilles d'une montre.

b) Représentez le champ de forces et la courbe sur un même écran à l'aide d'un outil graphique. Servez-vous de cette représentation pour expliquer votre réponse à la partie a).

25. Un fin fil est courbé en forme de demi-cercle $x^2 + y^2 = 4, x \geqslant 0$. En supposant la densité constante, calculez la masse et le centre de masse du fil.

26. Calculez la masse et le centre de masse d'un fin fil en forme de quart de cercle $x^2 + y^2 = r^2, x \geqslant 0, y \geqslant 0$ si la densité est donnée par $\rho(x,y) = x + y$.

27. a) Écrivez des expressions semblables aux équations 4 pour les coordonnées $(\bar{x}, \bar{y}, \bar{z})$ du centre de masse d'un fin fil profilé selon une courbe de l'espace C et dont la fonction de densité est $\rho(x,y,z)$.

b) Calculez les coordonnées du centre de masse d'un fil en forme d'hélice $x = 2\sin t, y = 2\cos t, z = 3t, 0 \leqslant t \leqslant 2\pi$, si la densité est égale à une constante k.

28. Calculez les coordonnées du centre de masse d'un fil en forme d'hélice $x = t, y = \cos t, z = \sin t, 0 \leqslant t \leqslant 2\pi$, si la densité en tout point est égale au carré de la distance à l'origine.

29. Les **moments d'inertie** par rapport aux axes Ox et Oy d'un fil de densité $\rho(x,y)$ qui suit une courbe plane C sont donnés par
$$I_x = \int_C y^2 \rho(x,y)ds \qquad I_y = \int_C x^2 \rho(x,y)ds.$$
Calculez les moments d'inertie du fil de l'exercice 27.

30. Un fil de densité $\rho(x,y,z)$ suit une courbe de l'espace C. Ses **moments d'inertie** par rapport aux axes Ox, Oy et Oz sont définis par
$$I_x = \int_C (y^2 + z^2)\rho(x,y,z)ds.$$
$$I_y = \int_C (x^2 + z^2)\rho(x,y,z)ds.$$
$$I_z = \int_C (x^2 + y^2)\rho(x,y,z)ds.$$
Calculez les moments d'inertie du fil de l'exemple 3.

31. Calculez le travail effectué par le champ de force $\vec{F}(x,y) = x\vec{i} + (y+2)\vec{j}$ lors du déplacement d'un objet le long d'une arche de la cycloïde
$$\vec{r}(t) = (t - \sin t)\vec{i} + (1 - \cos t)\vec{j} \qquad 0 \leqslant t \leqslant 2\pi.$$

32. Calculez le travail effectué par le champ de force $\vec{F}(x,y) = x\sin y \, \vec{i} + y\vec{j}$ lors du déplacement d'un objet le long d'une arche de la parabole $y = x^2$ entre $(-1,1)$ et $(2,4)$.

33. Calculez le travail effectué par le champ de force $\vec{F}(x,y,z) = xy\,\vec{i} + yx\,\vec{j} + zy\,\vec{k}$ lors du déplacement d'un objet le long de la courbe $\vec{r}(t) = t^2\,\vec{i} - t^3\,\vec{j} + t^4\,\vec{k}$ $0 \leqslant t \leqslant 1$.

34. La force qu'exerce une charge électrique située à l'origine sur une particule chargée située en un point (x,y,z) de vecteur position $\vec{r} = (x,y,z)$ est $\vec{F}(\vec{r}) = K\vec{r}/\|\vec{r}\|^3$ où K est une constante. (Voyez l'exemple 5 dans la section 13.1.) Calculez le travail effectué lorsque la particule est déplacée en ligne droite de $(2,0,0)$ à $(2,1,5)$.

35. Un homme de 710 N porte un bidon de peinture de 110 N en haut d'un escalier hélicoïdal qui tourne autour d'un silo de 6 m de rayon. Si le silo fait 27 m de haut et si l'homme fait exactement trois tours complets, quel est le travail qu'a effectué l'homme contre la pesanteur en grimpant jusqu'en haut ?

36. On suppose qu'il y a un trou dans le bidon de peinture de l'homme de l'exercice 35. 40 N de peinture s'échappe du bidon pendant que l'homme gravit l'escalier. Quel est le travail effectué ?

37. Un objet se déplace le long de la courbe C représentée dans la figure entre $(1,2)$ et $(9,8)$.

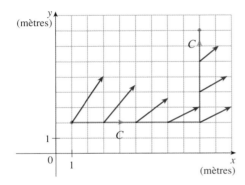

Les longueurs des vecteurs dans le champ de force $\vec{F}$ sont mesurés en newtons par rapport à l'échelle des axes. Estimez le travail effectué par $\vec{F}$ sur l'objet.

38. Des expériences mettent en évidence qu'un long fil conducteur rectiligne transportant un courant stationnaire d'intensité I produit un champ magnétique $\vec{B}$ qui est tangent à n'importe quel cercle situé dans un plan perpendiculaire à la direction du fil, axé sur le fil (comme dans la figure). La *loi d'Ampère* lie le courant électrique à son effet magnétique, elle affirme que

$$\int_C \vec{B} \cdot d\vec{r} = \mu_0 I,$$

où I est le courant final qui passe à travers toute surface bornée par une courbe fermée C et μ_0 une constante, dite de perméabilité magnétique du milieu . En prenant pour C le cercle de rayon r, montrez que l'intensité $B = \|\vec{B}\|$ du champ magnétique à une distance r du centre du fil vaut

$$B = \frac{\mu_0 I}{2\pi r}.$$

13.3 Le théorème fondamental des intégrales curvilignes ● ● ● ● ● ● ● ● ● ● ● ● ● ● ●

On se souvient (voyez la section 5.4) que la deuxième partie du Théorème fondamental du calcul différentiel et intégral pouvait être écrite sous la forme

❶ $$\int_a^b F'(x)\,dx = F(b) - F(a),$$

où F' est continue sur $[a,b]$. Cette formule 1 avait été dénommée le Théorème de variation totale : l'intégrale d'un taux de variation est la variation totale.

En pensant au vecteur gradient ∇f d'une fonction f de deux ou de trois variables comme à une sorte de dérivée de f, le théorème suivant apparaît comme une version du Théorème fondamental pour intégrales curvilignes.

> **2 Théorème**   Soit C une courbe lisse donnée par la fonction vectorielle $\vec{r}(t)$, $a \leqslant t \leqslant b$. Soit f une fonction différentiable de deux ou de trois variables dont le vecteur gradient ∇f est continu sur C. Alors
>
> $$\int_C \nabla f \cdot d\vec{r} = f(\vec{r}(b)) - f(\vec{r}(a)).$$

REMARQUE ● Le théorème 2 indique que pour calculer l'intégrale curviligne d'un champ vectoriel conservatif (le champ de gradient de la fonction potentiel f) il suffit de connaître la valeur de f aux extrémités de C. En effet, le théorème 2 exprime que l'intégrale curviligne de ∇f est la variation totale de f. Si f est une fonction de deux variables et C une courbe plane de point initial $A(x_1, y_1)$ et de point terminal $B(x_2, y_2)$, comme dans la figure 1, alors le théorème 2 s'écrit

$$\int_C \nabla f \cdot d\vec{r} = f(x_2, y_2) - f(x_1, y_1).$$

Si f est une fonction de trois variables et C une courbe de l'espace de point initial $A(x_1, y_1, z_1)$ et de point terminal $B(x_2, y_2, z_2)$, alors

$$\int_C \nabla f \cdot d\vec{r} = f(x_2, y_2, z_2) - f(x_1, y_1, z_1).$$

On démontre le théorème 2 dans ce cas.

Démonstration du théorème 2   La définition 13 de la section 13.2 implique

$$\begin{aligned}
\int_C \nabla f \cdot d\vec{r} &= \int_a^b \nabla f(\vec{r}(t)) \cdot \vec{r}'(t)\, dt \\[2mm]
&= \int_a^b \left(\frac{\partial f}{\partial x}\frac{dx}{dt} + \frac{\partial f}{\partial y}\frac{dy}{dt} + \frac{\partial f}{\partial z}\frac{dz}{dt} \right) dt \\[2mm]
&= \int_a^b \frac{d}{dt} f(\vec{r}(t))\, dt \qquad \text{\small (par la règle de dérivation des fonctions composées)} \\[2mm]
&= f(\vec{r}(b)) - f(\vec{r}(a))
\end{aligned}$$

La dernière étape est due au Théorème fondamental du calcul différentiel et intégral (équation 1).   ■

Même si la démonstration du théorème 2 ne concernait qu'une courbe lisse, elle est aussi valable pour une courbe lisse par morceaux. Il suffit de décomposer C en un nombre fini de courbes lisses par morceaux et d'additionner les intégrales relatives à chaque morceau.

EXEMPLE 1 ■ Calculez le travail effectué par le champ gravitationnel

$$\vec{F}(\vec{x}) = -\frac{mMG}{\|\vec{x}\|^3}\vec{x},$$

lorsqu'une particule de masse m se déplace du point $(3, 4, 12)$ jusqu'au point $(2, 2, 0)$ le long d'une courbe lisse par morceaux C. (Voyez l'exemple 4 dans la section 13.1.)

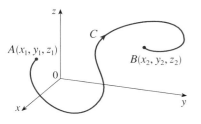

FIGURE 1

SOLUTION Pour avoir déjà étudié ce champ dans la section 13.1, on sait que $\vec{F}$ est un champ vectoriel conservatif ; en effet, $\vec{F} = \nabla f$, où

$$f(x,y,z) = \frac{mMG}{\sqrt{x^2 + y^2 + z^2}}.$$

Par conséquent, par application du théorème 2, le travail effectué est égal au nombre

$$W = \int_C \vec{F} \cdot d\vec{r} = \int_C \nabla f \cdot d\vec{r}$$
$$= f(2, 2, 0) - f(3, 4, 12)$$
$$= \frac{mMG}{\sqrt{2^2 + 2^2}} - \frac{mMG}{\sqrt{3^2 + 4^2 + 12^2}} = mMG\left(\frac{1}{2\sqrt{2}} - \frac{1}{13}\right).$$

■ Indépendance du chemin

On suppose que C_1 et C_2 sont deux courbes lisses par morceaux (appelées aussi **chemins**) qui toutes deux relient le point A, dit point initial, au point B, dit point final. On sait depuis l'exemple 4 de la section 13.2 qu'en général, $\int_{C_1} \vec{F} \cdot d\vec{r} \neq \int_{C_2} \vec{F} \cdot d\vec{r}$. Mais, par ailleurs, une des conséquences du théorème 2 est que

$$\int_{C_1} \nabla f \cdot d\vec{r} = \int_{C_2} \nabla f \cdot d\vec{r},$$

à condition que ∇f soit continu. Autrement dit, l'intégrale curviligne d'un champ conservatif ne dépend que du point initial et du point final d'une courbe.

En général, si $\vec{F}$ est un champ vectoriel continu sur un domaine D, on dit que l'intégrale curviligne $\int_C \vec{F} \cdot d\vec{r}$ est **indépendante du chemin** si $\int_{C_1} \vec{F} \cdot d\vec{r} = \int_{C_2} \vec{F} \cdot d\vec{r}$, quels que soient les deux chemins C_1 et C_2 dans D qui relient les mêmes points. Dans ce vocabulaire, on peut dire que les *intégrales curvilignes des champs vectoriels conservatifs sont indépendantes du chemin*.

Une courbe est dite **fermée** si son point terminal coïncide avec son point initial, autrement dit, si $\vec{r}(b) = \vec{r}(a)$ (voyez la figure 2). On suppose avoir affaire à une intégrale curviligne $\int_C \vec{F} \cdot d\vec{r}$ indépendante du chemin dans D et à un chemin fermé C quelconque de D. En choisissant au hasard deux points A et B sur ce contour fermé, on peut le voir comme composé du chemin C_1 de A à B suivi du chemin C_2 de B à A (voyez la figure 3). Alors,

$$\int_C \vec{F} \cdot d\vec{r} = \int_{C_1} \vec{F} \cdot d\vec{r} + \int_{C_2} \vec{F} \cdot d\vec{r} = \int_{C_1} \vec{F} \cdot d\vec{r} - \int_{-C_2} \vec{F} \cdot d\vec{r} = 0,$$

puisque C_1 et $-C_2$ partent et finissent aux mêmes points.

Inversement, s'il est vrai que $\int_C \vec{F} \cdot d\vec{r} = 0$ où C est un chemin fermé de D, alors on peut démontrer l'indépendance du chemin comme suit. On prend deux chemins quelconques C_1 et C_2 qui relient A et B dans D et on définit C comme la courbe composée de C_1 suivie de $-C_2$. Alors,

$$0 = \int_C \vec{F} \cdot d\vec{r} = \int_{C_1} \vec{F} \cdot d\vec{r} + \int_{-C_2} \vec{F} \cdot d\vec{r} = \int_{C_1} \vec{F} \cdot d\vec{r} - \int_{C_2} \vec{F} \cdot d\vec{r},$$

ce qui entraîne $\int_{C_1} \vec{F} \cdot d\vec{r} = \int_{C_2} \vec{F} \cdot d\vec{r}$. Ce raisonnement constitue une démonstration de l'énoncé que voici.

> **3 Théorème** $\int_C \vec{F} \cdot d\vec{r}$ est indépendante du chemin d'intégration dans D si et seulement si $\int_C \vec{F} \cdot d\vec{r} = 0$ sur toute chemin fermé C de D.

FIGURE 2
Une courbe fermée

FIGURE 3

Puisqu'on sait que l'intégrale curviligne de tout champ vectoriel conservatif $\vec{F}$ ne dépend pas du chemin d'intégration, il s'ensuit que $\int_C \vec{F} \cdot d\vec{r} = 0$ sur tout chemin fermé. Physiquement cette propriété signifie que le travail d'un champ de force conservatif (comme le champ gravitationnel ou le champ électrique de la section 13.1) lorsqu'il déplace un objet sur un chemin fermé est nul.

Le théorème suivant affirme que *seul* un champ vectoriel qui est indépendant du chemin est conservatif. Il va être énoncé et démontré pour des courbes planes, mais il est valable également pour des courbes de l'espace. On suppose que D est **ouvert**, ce qui signifie que pour chaque point P de D, il existe un disque centré en P entièrement inclus dans D. (De cette façon, D ne contient aucun de ses points frontières.) De plus, il est supposé que D est **connexe**. Cela signifie que deux points quelconques de D peuvent être reliés par un chemin entièrement contenu dans D.

> **4 Théorème** Soit $\vec{F}$ un champ vectoriel continu sur une région ouverte et connexe D. Si $\int_C \vec{F} \cdot d\vec{r}$ est indépendante du chemin dans D, alors $\vec{F}$ est un champ conservatif sur D ; autrement dit, il existe une fonction f telle que $\nabla f = \vec{F}$.

Démonstration Soit $A(a, b)$ un point fixé de D. On construit la fonction potentiel désirée f comme suit

$$f(x, y) = \int_{(a,b)}^{(x,y)} \vec{F} \cdot d\vec{r},$$

où (x, y) est un point quelconque de D. Étant donné que $\int_C \vec{F} \cdot d\vec{r}$ est indépendante du chemin, le calcul de $f(x, y)$ peut être fait sur n'importe quel chemin C qui joint (a, b) à (x, y). Puisque D est ouvert, il existe, contenu dans D, un disque centré en (x, y). Dans ce disque, on choisit un point quelconque (x_1, y) avec $x_1 < x$ dans le but de construire un chemin C de (a, b) à (x, y) composé de C_1 qui va de (a, b) à (x_1, y) suivi du segment horizontal C_2 qui va de (x_1, y) à (x, y) (voyez la figure 4). Sur ce chemin, on a

$$f(x, y) = \int_{C_1} \vec{F} \cdot d\vec{r} + \int_{C_2} \vec{F} \cdot d\vec{r} = \int_{(a,b)}^{(x_1, y)} \vec{F} \cdot d\vec{r} + \int_{C_2} \vec{F} \cdot d\vec{r}.$$

On remarque que la première de ces intégrales ne dépend pas de x. Il en découle

$$\frac{\partial}{\partial x} f(x, y) = 0 + \frac{\partial}{\partial x} \int_{C_2} \vec{F} \cdot d\vec{r}.$$

Si on écrit $\vec{F}$ et $d\vec{r}$ en fonction de leurs composantes, $\vec{F} = P\vec{i} + Q\vec{j}$ et $d\vec{r} = dx\,\vec{i} + dy\,\vec{j}$, alors

$$\int_{C_2} \vec{F} \cdot d\vec{r} = \int_{C_2} P\,dx + Q\,dy.$$

Or, sur C_2, y est constante, ce qui entraîne $dy = 0$. Adoptant t comme paramètre avec $x_1 \leqslant t \leqslant x$, on a

$$\frac{\partial}{\partial x} f(x, y) = \frac{\partial}{\partial x} \int_{C_2} P\,dx + Q\,dy$$

$$= \frac{\partial}{\partial x} \int_{x_1}^{x} P(t, y)\,dt = P(x, y),$$

par application de la partie 1 du Théorème fondamental du calcul différentiel et intégral (voyez la section 5.4). Un raisonnement semblable, mené sur un segment

FIGURE 4

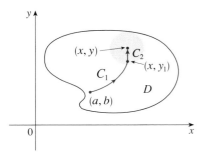

FIGURE 5

vertical (voyez la figure 5), conduirait à

$$\frac{\partial}{\partial y} f(x,y) = \frac{\partial}{\partial y} \int_{C_2} P\,dx + Q\,dy = \frac{\partial}{\partial y} \int_{y_1}^{y} Q(x,t)\,dt = Q(x,y).$$

D'où

$$\vec{F} = P\vec{i} + Q\vec{j} = \frac{\partial f}{\partial x}\,\vec{i} + \frac{\partial f}{\partial y}\,\vec{j} = \nabla f,$$

ce qui prouve que $\vec{F}$ est conservatif. ■

Une question reste posée : comment déterminer si un champ vectoriel est conservatif ? On suppose donné le champ vectoriel conservatif $\vec{F} = P\vec{i} + Q\vec{j}$, où P et Q ont des dérivées partielles premières continues. Alors, il existe une fonction f telle que $\vec{F} = \nabla f$, c'est-à-dire que,

$$P = \frac{\partial f}{\partial x} \qquad \text{et} \qquad Q = \frac{\partial f}{\partial y}.$$

De là, par le Théorème de Clairaut,

$$\frac{\partial P}{\partial y} = \frac{\partial^2 f}{\partial y\partial x} = \frac{\partial^2 f}{\partial x\partial y} = \frac{\partial Q}{\partial x}.$$

> **5 Théorème**   Si $\vec{F}(x,y) = P(x,y)\,\vec{i} + Q(x,y)\,\vec{j}$ est un champ vectoriel conservatif, où P et Q ont des dérivées partielles d'ordre 1 continues sur un domaine D, alors, sur tout D, on a
>
> $$\frac{\partial P}{\partial y} = \frac{\partial Q}{\partial x}.$$

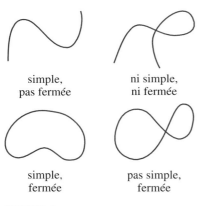

FIGURE 6

Types de courbes

La réciproque du théorème 5 n'est vraie que sur un type particulier de région. En vue d'expliquer cela, on a besoin du concept de **courbe simple**, qui signifie une courbe qui ne se recoupe elle-même nulle part entre ses extrémités. [Voyez la figure 6 ; $\vec{r}(a) = \vec{r}(b)$ pour une courbe fermée simple, alors que $\vec{r}(t_1) \neq \vec{r}(t_2)$ pour $a < t_1 < t_2 < b$.]

Le théorème 4 exigeait déjà une région ouverte connexe. Le théorème suivant se montre plus exigeant encore. Une région du plan **simplement connexe** est une région D telle que toute courbe simple fermée dans D n'entoure que des points de D. Vu la figure 7, on comprend intuitivement qu'une région simplement connexe ne peut pas avoir de trou ni se composer de deux morceaux séparés.

À condition de se limiter aux régions simplement connexes, on peut maintenant énoncer une réciproque partielle du théorème 5 qui fournit en même temps une méthode facile pour vérifier si un champ vectoriel défini sur $\mathbb{R}^2$ est conservatif. La preuve en sera ébauchée dans la section suivante comme conséquence du Théorème de Green.

région simplement connexe

régions non simplement connexes

FIGURE 7

> **6 Théorème**   Soit $\vec{F}(x,y) = P(x,y)\,\vec{i} + Q(x,y)\,\vec{j}$ un champ vectoriel défini sur une région simplement connexe D. On suppose que P et Q ont des dérivées partielles d'ordre 1 continues sur un domaine D et que, sur tout D,
>
> $$\frac{\partial P}{\partial y} = \frac{\partial Q}{\partial x}.$$
>
> Alors $\vec{F}$ est conservatif.

FIGURE 8

Les figures 8 et 9 montrent les champs vectoriels des exemples 2 et 3, respectivement. Les vecteurs dans la figure 8 qui partent de la courbe fermée C ont l'air d'être orientés grosso modo dans la même direction que C. D'où, il semblerait que $\int_C \vec{F} \cdot d\vec{r} > 0$ et donc $\vec{F}$ ne serait pas conservatif. Les calculs faits dans l'exemple 2 confirme cette impression. Dans la figure 9, certains des vecteurs proches des courbes C_1 et C_2 sont dirigés dans la même direction que les courbes, tandis que d'autres ont la direction opposée. Il semble donc possible que les intégrales curvilignes sur tous les chemins fermés soient nulles. L'exemple 3 démontre en effet que $\vec{F}$ est conservatif.

FIGURE 9

EXEMPLE 2 ■ Déterminez si le champ vectoriel

$$\vec{F}(x,y) = (x-y)\vec{i} + (x-2)\vec{j}$$

est conservatif.

SOLUTION Ici, $P(x,y) = x - y$ et $Q(x,y) = x - 2$. Alors

$$\frac{\partial P}{\partial y} = -1 \qquad \frac{\partial Q}{\partial x} = 1.$$

Comme $\partial P/\partial y \neq \partial Q/\partial x$, $\vec{F}$ n'est pas conservatif, conformément au théorème 5.

EXEMPLE 3 ■ Déterminez si le champ vectoriel

$$\vec{F}(x,y) = (3 + 2xy)\vec{i} + (x^2 - 3y^2)\vec{j}$$

est conservatif.

SOLUTION Ici, $P(x,y) = 3 + 2xy$ et $Q(x,y) = x^2 - 3y^2$. Alors

$$\frac{\partial P}{\partial y} = 2x = \frac{\partial Q}{\partial x}.$$

De plus, le domaine D de $\vec{F}$ est le plan $\mathbb{R}^2$ tout entier, qui est ouvert et simplement connexe. Par conséquent, le théorème 6 s'applique et mène à la conclusion que $\vec{F}$ est conservatif.

Le théorème 6 a permis de conclure dans l'exemple 3 que le champ était conservatif, mais il n'a pas donné d'indication sur comment procéder pour déterminer la fonction potentiel f telle que $\vec{F} = \nabla f$. La démonstration du théorème 4 donne toutefois une idée sur comment découvrir f : par intégration partielle, comme dans l'exemple que voici.

EXEMPLE 4 ■

a) Déterminez une fonction f telle que $\vec{F} = \nabla f$, si $\vec{F}(x,y) = (3 + 2xy)\vec{i} + (x^2 - 3y^2)\vec{j}$.

b) Calculez l'intégrale curviligne $\int_C \vec{F} \cdot d\vec{r}$, où C est la courbe décrite par $\vec{r}(t) = e^t \sin t\, \vec{i} + e^t \cos t\, \vec{j}$, $0 \leqslant t \leqslant \pi$.

SOLUTION

a) Sachant, grâce à l'exemple 3, que $\vec{F}$ est conservatif, il existe une fonction f telle que $\nabla f = \vec{F}$, c'est-à-dire telle que,

7 $$f'_x(x,y) = 3 + 2xy,$$

8 $$f'_y(x,y) = x^2 - 3y^2.$$

En intégrant (7) par rapport à x, on obtient

9 $$f(x,y) = 3x + x^2 y + g(y).$$

On remarque que la constante d'intégration est une constante par rapport à x, donc une fonction de y qui a été notée $g(y)$. On prend maintenant la dérivée partielle par rapport à y :

10 $$f'_y(x,y) = x^2 + g'(y).$$

La comparaison de (8) et (10) conduit à

$$g'(y) = -3y^2.$$

En intégrant par rapport à y, on obtient

$$g(y) = -y^3 + K,$$

où K est une constante. La substitution de cette expression dans (9) conduit enfin à la fonction potentiel cherchée

$$f(x, y) = 3x + x^2 y - y^3 + K.$$

b) Pour pouvoir appliquer le théorème 2, il suffit de connaître les extrémités de C, à savoir $\vec{r}(0) = (0, 1)$ et $\vec{r}(\pi) = (0, -e^\pi)$. Comme toutes les valeurs de K dans l'expression de $f(x, y)$ dans la partie a) sont bonnes, on prend $K = 0$. Il vient

$$\int_C \vec{F} \cdot d\vec{r} = \int_C \nabla f \cdot d\vec{r} = f(0, -e^\pi) - f(0, 1)$$
$$= e^{3\pi} - (-1) = e^{3\pi} + 1.$$

Cette méthode est beaucoup plus courte que la méthode directe de calcul de l'intégrale curviligne, telle qu'elle a été mise en œuvre dans la section 13.2.

Vous trouverez un critère pour distinguer si un champ vectoriel défini sur $\mathbb{R}^3$ est conservatif dans la section 13.5. D'ici là, l'exemple que voici montre que la technique pour déterminer la fonction potentiel est fort semblable à celle qui vient d'être pratiquée pour un champ vectoriel défini sur $\mathbb{R}^2$.

EXEMPLE 5 ■ Cherchez une fonction f telle que $\nabla f = \vec{F}$, dans le cas où $\vec{F}(x, y, z) = y^2 \vec{i} + (2xy + e^{3z})\vec{j} + 3ye^{3z}\vec{k}$.

SOLUTION Si une telle fonction f existe, alors

11
$$f'_x(x, y, z) = y^2$$

12
$$f'_y(x, y, z) = 2xy + e^{3z}$$

13
$$f'_z(x, y, z) = 3ye^{3z}$$

On intègre (11) par rapport à x :

14
$$f(x, y, z) = xy^2 + g(y, z),$$

où $g(y, z)$ est une constante par rapport à x. On dérive (14) partiellement par rapport à y :

$$f'_y(x, y, z) = 2xy + g'_y(y, z),$$

et on compare avec (12). Il en sort :

$$g'_y(y, z) = e^{3z}.$$

Ensuite, $g(y, z) = ye^{3z} + h(z)$ et après substitution dans (14),

$$f(x, y, z) = xy^2 + ye^{3z} + h(z).$$

Enfin, on dérive partiellement par rapport à z et on compare avec (13). Cela mène à $h_z'(z) = 0$ et de là, $h(z) = K$, une constante. Finalement, la fonction cherchée est

$$f(x, y, z) = xy^2 + ye^{3z} + K.$$

On peut facilement vérifier que $\nabla f = \vec{F}$.

■ La conservation de l'énergie

Appliquons les idées de ce chapitre à un champ de force continu $\vec{F}$ qui déplace un objet le long d'un chemin C donné par $\vec{r}(t)$, $a \leqslant t \leqslant b$, qui commence en $\vec{r}(a) = A$ et finit en $\vec{r}(b) = B$. En accord avec la seconde loi de Newton sur le mouvement (voyez la section 10.4), la force $\vec{F}(\vec{r}(t))$ en un point de C est liée à l'accélération $\vec{a}(t) = \vec{r}''(t)$ par l'équation

$$\vec{F}(\vec{r}(t)) = m\vec{r}''(t).$$

Le travail fourni par la force sur l'objet est donc

$$W = \int_C \vec{F} \cdot d\vec{r} = \int_a^b \vec{F}(\vec{r}(t)) \cdot \vec{r}'(t)\, dt$$

$$= \int_a^b m\vec{r}''(t) \cdot \vec{r}'(t)\, dt$$

$$= \frac{m}{2} \int_a^b \frac{d}{dt}\left[\vec{r}'(t) \cdot \vec{r}'(t)\right] dt \qquad \text{(Théorème 3, formule 4 dans la section 10.2)}$$

$$= \frac{m}{2} \int_a^b \frac{d}{dt}\|\vec{r}'(t)\|^2\, dt$$

$$= \frac{m}{2}\left[\|\vec{r}'(t)\|^2\right]_a^b \qquad \text{(Théorème fondamental)}$$

$$= \frac{m}{2}\left(\|\vec{r}'(b)\|^2 - \|\vec{r}'(a)\|^2\right)$$

Par conséquent,

15
$$W = \frac{1}{2}m\|\vec{v}(b)\|^2 - \frac{1}{2}m\|\vec{v}(a)\|^2,$$

où $\vec{v} = \vec{r}'$ est la vitesse.

La grandeur $\frac{1}{2}m\|\vec{v}(t)\|^2$, c'est-à-dire la moitié du produit de la masse par le carré de la vitesse, est appelée l'**énergie cinétique** de l'objet. L'équation (15) peut être réécrite

16
$$W = K(b) - K(a)$$

et être lue : le travail fourni par le champ de force le long de C est égal à la variation de l'énergie cinétique entre les extrémités de C.

Ajoutons l'hypothèse que $\vec{F}$ est un champ de force conservatif, c'est-à-dire que $\vec{F} = \nabla f$. En physique, l'**énergie potentielle** d'un objet au point (x, y, z) est définie par $P(x, y, z) = -f(x, y, z)$, ce qui entraîne $\vec{F} = -\nabla P$. En appliquant le théorème 2, on obtient

$$W = \int_c \vec{F} \cdot d\vec{r} = -\int_C \nabla P \cdot d\vec{r}$$
$$= -[P(\vec{r}(b)) - P(\vec{r}(a))]$$
$$= P(A) - P(B).$$

Ce résultat joint à l'équation 16 donne

$$P(A) + K(A) = P(B) + K(B),$$

et s'énonce : quand un objet se déplace d'un point A jusqu'à un point B sous l'effet d'un champ de force conservatif, alors la somme de son énergie potentielle et de son énergie cinétique reste constante. Cet énoncé est connu sous le nom de **Loi de la conservation de l'énergie** et là se trouve l'origine de l'attribut *conservatif* à un champ vectoriel.

13.3 Exercices ● ● ● ● ● ● ● ● ● ● ● ● ● ● ● ●

1. La figure montre une courbe C et un diagramme de courbes de niveau d'une fonction f dont le gradient est continu. Calculez $\int_C \nabla f \cdot d\vec{r}$.

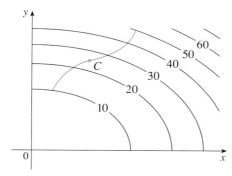

2. Voici une table de valeurs d'une fonction f de gradient continu. Calculez $\int_C \nabla f \cdot d\vec{r}$, où C est décrite par les équations paramétriques $x = t^2 + 1$, $y = t^3 + t$, $0 \leq t \leq 1$.

x \ y	0	1	2
0	1	6	4
1	3	5	7
2	8	2	9

3-10 ■ Dites si le champ vectoriel $\vec{F}$ est conservatif ou non. Si oui, cherchez une fonction f telle que $\nabla f = \vec{F}$.

3. $\vec{F}(x, y) = (2x - 3y)\vec{i} + (2y - 3x)\vec{j}$

4. $\vec{F}(x, y) = (3x^2 - 4y)\vec{i} + (4y^2 - 2x)\vec{j}$

5. $\vec{F}(x, y) = (x^2 + y)\vec{i} + x^2\vec{j}$

6. $\vec{F}(x, y) = (x + y^2)\vec{i} + (2xy + y^2)\vec{j}$

7. $\vec{F}(x, y) = (1 + 4x^3y^3)\vec{i} + 3x^4y^2\vec{j}$

8. $\vec{F}(x, y) = (y \cos x - \cos y)\vec{i} + (\sin x + x \sin y)\vec{j}$

9. $\vec{F}(x, y) = (ye^x + \sin y)\vec{i} + (e^x + x \cos y)\vec{j}$

10. $\vec{F}(x, y) = (ye^{xy} + 4x^3y)\vec{i} + (xe^{xy} + x^4)\vec{j}$

11. La figure montre le champ vectoriel $\vec{F}(x, y) = (2xy, x^2)$ et trois chemins qui vont de $(1, 2)$ à $(3, 2)$.
a) Expliquez pourquoi $\int_C \vec{F} \cdot d\vec{r}$ a la même valeur le long de ces trois chemins.
b) Quelle est cette valeur commune ?

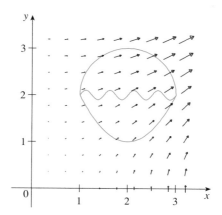

12-18 ■
a) Cherchez une fonction f telle que $\vec{F} = \nabla f$ et
b) servez-vous de la partie a) pour calculer $\int_C \nabla f \cdot d\vec{r}$ le long de la courbe C donnée.

12. $\vec{F}(x, y) = y\vec{i} + x\vec{j}$,
C est l'arc de la courbe $y = x^4 - x^3$ entre $(1, 0)$ et $(2, 8)$.

13. $\vec{F}(x, y) = 2xy^3\, \vec{i} + 3x^2y^2\, \vec{j}$,
$C : \vec{r}(t) = \sin t\, \vec{i} + (t^2 + 1)\, \vec{j},\ 0 \leqslant t \leqslant \pi/2$.

14. $\vec{F}(x, y) = e^{2y}\, \vec{i} + (1 + 2xe^{2y})\, \vec{j}$,
$C : \vec{r}(t) = te^t\, \vec{i} + (1 + t)\, \vec{j},\ 0 \leqslant t \leqslant 1$.

15. $\vec{F}(x, y, z) = y\, \vec{i} + (x + z)\, \vec{j} + y\, \vec{k}$,
C est le segment qui joint $(2, 1, 4)$ à $(8, 3, -1)$.

16. $\vec{F}(x, y, z) = 2xy^3z^4\, \vec{i} + 3x^2y^2z^4\, \vec{j} + 4x^2y^3z^3\, \vec{k}$,
$C : x = t,\ y = t^2,\ z = t^3,\ 0 \leqslant t \leqslant 2$.

17. $\vec{F}(x, y, z) = (2xz + \sin y)\, \vec{i} + x\cos y\, \vec{j} + x^2\, \vec{k}$,
$C : \vec{r}(t) = \cos t\, \vec{i} + \sin t\, \vec{j} + t\, \vec{k},\ 0 \leqslant t \leqslant 2\pi$.

18. $\vec{F}(x, y, z) = 4xe^z\, \vec{i} + \cos y\, \vec{j} + 2x^2e^z\, \vec{k}$,
$C : \vec{r}(t) = t\, \vec{i} + t^2\, \vec{j} + t^4\, \vec{k},\ 0 \leqslant t \leqslant 1$.

19-20 ■ Démontrez que l'intégrale curviligne est indépendante du chemin et calculez l'intégrale.

19. $\int_C 2x\sin y\, dx + (x^2\cos y - 3y^2)\, dy$,
C est un chemin qui relie $(-1, 0)$ et $(5, 1)$.

20. $\int_C (2y^2 - 12x^3y^3)\, dx + (4xy - 9x^4y^2)\, dy$,
C est un chemin qui relie $(1, 1)$ à $(3, 2)$.

21-22 ■ Calculez le travail fourni par le champ de force $\vec{F}$ pour déplacer un objet de P à Q.

21. $\vec{F}(x, y) = x^2y^3\, \vec{i} + x^3y^2\, \vec{j}$; $P(0, 0)$, $Q(2, 1)$.

22. $\vec{F}(x, y) = (y^2/x^2)\, \vec{i} - (2y/x)\, \vec{j}$; $P(1, 1)$, $Q(4, -2)$.

23. Le champ vectoriel représenté dans la figure est-il conservatif? Expliquez.

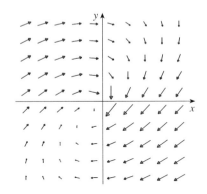

24-25 ■ Faites représenter $\vec{F}$ et sur cette représentation, conjecturer si $\vec{F}$ est conservatif ou non. Vérifiez ensuite si votre conjecture est correcte.

24. $\vec{F}(x, y) = (2xy + \sin y)\, \vec{i} + (x^2 + x\cos y)\, \vec{j}$

25. $\vec{F}(x, y) = \dfrac{(x - 2y)\, \vec{i} + (x - 2)\, \vec{j}}{\sqrt{1 + x^2 + y^2}}$

26. Soit $\vec{F} = \nabla f$, où $f(x, y) = \sin(x - 2y)$. Déterminez des courbes C_1 et C_2 non fermées et qui satisfont à l'équation.

a) $\int_{C_1} \vec{F} \cdot d\vec{r} = 0$ b) $\int_{C_2} \vec{F} \cdot d\vec{r} = 1$.

27. Démontrez que si le champ vectoriel $\vec{F} = P\vec{i} + Q\vec{j} + R\vec{k}$ est conservatif et si P, Q et R ont des dérivées partielles premières continues, alors

$$\frac{\partial P}{\partial y} = \frac{\partial Q}{\partial x} \qquad \frac{\partial P}{\partial z} = \frac{\partial R}{\partial x} \qquad \frac{\partial Q}{\partial z} = \frac{\partial R}{\partial y}$$

28. Servez-vous de l'exercice 27 pour montrez que l'intégrale curviligne $\int_C y\, dx + x\, dy + xyz\, dz$ n'est pas indépendante du chemin.

29-32 ■ Les ensembles donnés sont-ils a) ouverts b) connexes c) simplement connexes?

29. $\{(x, y)\,|\, x > 0, y > 0\}$

30. $\{(x, y)\,|\, x \neq 0\}$

31. $\{(x, y)\,|\, 1 < x^2 + y^2 < 4\}$

32. $\{(x, y)\,|\, x^2 + y^2 \leqslant 1 \text{ ou } 4 \leqslant x^2 + y^2 \leqslant 9\}$

33. Soit $\vec{F}(x, y) = \dfrac{-y\vec{i} + x\vec{j}}{x^2 + y^2}$.

a) Démontrez que $\partial P/\partial y = \partial Q/\partial x$.
b) Démontrez que $\int_C \vec{F} \cdot d\vec{r}$ n'est pas indépendante du chemin. [*Suggestion* : Calculez $\int_{C_1} \vec{F} \cdot d\vec{r}$ et $\int_{C_2} \vec{F} \cdot d\vec{r}$, où C_1 et C_2 sont respectivement les moitiés supérieure et inférieure du cercle $x^2 + y^2 = 1$ de $(1, 0)$ à $(-1, 0)$.] Le théorème 6 est-il mis en défaut?

34. a) On suppose que $\vec{F}$ est un champ de force inversement proportionnel au carré, c'est-à-dire

$$\vec{F}(\vec{r}) = \frac{c\vec{r}}{\|\vec{r}\|^3},$$

pour une certaine constante c et $\vec{r} = x\, \vec{i} + y\, \vec{j} + z\, \vec{k}$. Cherchez une expression du travail fourni par $\vec{F}$ lors du déplacement d'un objet sur un chemin qui va d'un point P_1 à un point P_2, en termes de distance d_1 et d_2 de ces points vis-à-vis de l'origine.

b) Le champ gravitationnel $\vec{F} = -(mMG)\vec{r}/\|\vec{r}\|^3$, dont il a été question dans l'exemple 4 de la section 13.1, est un exemple d'un champ de ce type. Servez-vous de la partie a) pour déterminer le travail fourni par le champ gravitationnel lorsque la Terre va de l'aphélie (sa distance maximale du Soleil, $1{,}52 \times 10^8$ km) au périhélie (sa distance minimale du Soleil, $1{,}47 \times 10^8$ km). (Pour rappel, $m = 5{,}97 \times 10^{24}$ kg, $M = 1{,}99 \times 10^{30}$ kg et $G = 6{,}67 \times 10^{-11}$ N·m²/kg².)

c) Le champ électrique $\vec{E} = \varepsilon qQ\vec{r}/\|\vec{r}\|^3$ de l'exemple 5 dans la section 13.1 est un autre exemple d'un tel champ. On suppose qu'un électron de charge $-1{,}6 \times 10^{-19}$ C se trouve à l'origine. Une charge positive unitaire se situe à 10^{-12} m de l'électron et se déplace en un point situé à mi-chemin de cette distance de l'électron. Servez-vous de la partie a) pour déterminer le travail effectué par le champ électrique. ($\varepsilon = 8{,}985 \times 10^{10}$.)

13.4 Le théorème de Green ●

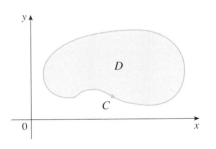

FIGURE 1

Le Théorème de Green établit une relation entre une intégrale curviligne le long d'un contour simple fermé C et une intégrale double sur le domaine D du plan délimité par C. (Voyez la figure 1. On suppose que D contient aussi bien les points intérieurs à C que les points de C.) L'énoncé du théorème de Green est basé sur un sens de parcours conventionnel : sera considéré comme **orienté positivement** le parcours *en sens inverse des aiguilles d'une montre* de C. Si C est décrite par la fonction vectorielle $\vec{r}(t)$, $a \leqslant t \leqslant b$, la région D est donc toujours à gauche du point $\vec{r}(t)$ lorsqu'il parcourt C

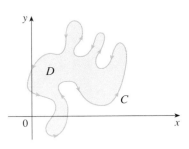

FIGURE 2   (a) Orientation positive   (b) Orientation négative

(voyez la figure 2).

> **Théorème de Green** Soit C une courbe plane simple, fermée, lisse par morceaux, orientée positivement et soit D le domaine délimité par C. Si P et Q sont pourvues de dérivées partielles continues dans une région ouverte qui contient D, alors
>
> $$\int_C P\,dx + Q\,dy = \iint_D \left(\frac{\partial Q}{\partial x} - \frac{\partial P}{\partial y} \right) dA.$$

REMARQUE ● On utilise parfois la notation

$$\oint_C P\,dx + Q\,dy \qquad \text{ou} \qquad \oint_C P\,dx + Q\,dy$$

pour signifier que l'intégrale curviligne est calculée selon le sens positif de la courbe fermée C. On rencontre aussi la notation ∂D pour la frontière du domaine D orientée dans le sens positif et cela donne de la formule du Théorème de Green l'écriture suivante :

1
$$\iint_D \left(\frac{\partial Q}{\partial x} - \frac{\partial P}{\partial y} \right) dA = \int_{\partial D} P\,dx + Q\,dy.$$

Le théorème de Green est à regarder comme l'homologue du Théorème fondamental du calcul intégral pour les intégrales doubles. Comparez l'expression 1 avec la partie 2 du Théorème fondamental qui s'écrit

$$\int_a^b F'(x)dx = F(b) - F(a).$$

Dans les deux cas, il y a dans le membre de gauche de l'équation une intégrale d'une expression qui comprend des dérivées (F', $\partial Q/\partial x$ et $\partial P/\partial y$). Et dans les deux cas, il y a dans le membre de droite les valeurs des fonctions d'origine (F, P et Q) sur la *frontière* du domaine. (Dans le cas à une dimension, le domaine d'intégration est l'intervalle $[a, b]$ dont la frontière n'est constituée que des deux points a et b.)

Il n'est pas facile de démontrer le Théorème de Green dans la situation générale envisagée dans la formule 1, mais il est possible d'en donner une dans le cas particulier où le domaine est à la fois de type I et II (voyez la section 12.3). On appelle de tels domaines des **domaines simples**.

Démonstration du Théorème de Green dans le cas où D est un domaine simple   Pour démontrer le Théorème de Green il suffirait de démontrer séparément

2
$$\int_C P\,dx = -\iint_D \frac{\partial P}{\partial y}\,dA.$$

et

3
$$\int_C Q\,dy = \iint_D \frac{\partial Q}{\partial x}\,dA.$$

On va démontrer l'expression 2 en regardant D comme un domaine de type I décrit par
$$D = \{(x,y)\mid a \leqslant x \leqslant b, g_1(x) \leqslant y \leqslant g_2(x)\},$$

où g_1 et g_2 sont des fonctions continues. De ce point de vue, l'intégrale double du membre de droite s'écrit comme l'intégrale itérée :

4
$$\iint_D \frac{\partial P}{\partial y}\,dA = \int_a^b \int_{g_1(x)}^{g_2(x)} \frac{\partial P}{\partial y}(x,y)\,dy\,dx$$
$$= \int_a^b \left[P(x, g_2(x)) - P(x, g_1(x))\right]dx,$$

la dernière étape étant une application du Théorème fondamental du calcul différentiel et intégral.

Maintenant, pour calculer le membre de gauche de l'expression 2, on va décomposer C en une suite de quatre arcs C_1, C_2, C_3 et C_4, tels qu'ils sont indiqués dans la figure 3. Si x sert de paramètre, l'arc C_1 est décrit paramétriquement par $x = x$, $y = g_1(x)$, $a \leqslant x \leqslant b$ et
$$\int_{C_1} P(x,y)dx = \int_a^b P(x, g_1(x))dx.$$

Comme l'arc C_3 va de droite à gauche, l'arc $-C_3$ va de gauche à droite et est décrit paramétriquement par $x = x$, $y = g_2(x)$, $a \leqslant x \leqslant b$ et
$$\int_{C_3} P(x,y)dx = -\int_{-C_3} P(x,y)dx = -\int_a^b P(x, g_2(x))dx.$$

Sur C_2 et C_4 (chacun de ces arcs pourrait être réduit à un point), x est constant et donc $dx = 0$. D'où
$$\int_{C_2} P(x,y)dx = 0 = \int_{C_4} P(x,y)dx.$$

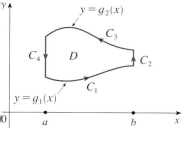

GURE 3

De là,

$$\int_C P(x,y)dx = \int_{C_1} P(x,y)dx + \int_{C_2} P(x,y)dx + \int_{C_3} P(x,y)dx + \int_{C_4} P(x,y)dx$$

$$= \int_a^b P(x, g_1(x))dx - \int_a^b P(x, g_2(x))dx.$$

Cette dernière expression, comparée à l'équation 4, permet de conclure à

$$\int_C P(x,y)dx = - \iint_D \frac{\partial P}{\partial y} dA.$$

La démonstration de l'équation 3 se fait de la même manière en regardant D comme un domaine de type II (voyez l'exercice 26). Il ne reste alors qu'à additionner les équations 2 et 3 pour obtenir la formule du Théorème de Green. ■

EXEMPLE 1 ■ Calculez $\int_C x^4 dx + xy\, dy$, où C est la courbe triangulaire composée des trois segments de $(0,0)$ à $(1,0)$, de $(1,0)$ à $(0,1)$ et de $(0,1)$ à $(0,0)$.

SOLUTION Bien que l'intégrale curviligne donnée puisse être calculée par les méthodes habituelles de la section 13.2, cela demanderait tout de même de traiter trois intégrales séparées sur chacun des côtés du triangle. Aussi, on choisit d'employer le Théorème de Green. On observe que le domaine D limité par C est simple et que C est orienté dans le sens positif (voyez la figure 4). En posant $P(x,y) = x^4$ et $Q(x,y) = xy$, on obtient

$$\int_C x^4\, dx + xy\, dy = \iint_D \left(\frac{\partial Q}{\partial x} - \frac{\partial P}{\partial y} \right) dA = \int_0^1 \int_0^{1-x} (y-0)\, dy\, dx$$

$$= \int_0^1 \left[\frac{y^2}{2} \right]_{y=0}^{y=1-x} dx = \tfrac{1}{2} \int_0^1 (1-x)^2\, dx$$

$$= -\tfrac{1}{6}(1-x)^3 \Big]_0^1 = \tfrac{1}{6}.$$

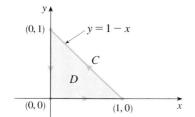

FIGURE 4

EXEMPLE 2 ■ Calculez $\oint_C (3y - e^{\sin x})dx + (7x + \sqrt{y^4+1})dy$, où C est le cercle $x^2 + y^2 = 9$.

SOLUTION Comme le domaine D limité par C est le disque $x^2 + y^2 \leqslant 9$, on passe aux coordonnées polaires après avoir appliqué le Théorème de Green :

$$\oint_C (3y - e^{\sin x})\, dx + (7x + \sqrt{y^4+1})\, dy$$

$$= \iint_D \left[\frac{\partial}{\partial x}(7x + \sqrt{y^4+1}) - \frac{\partial}{\partial y}(3y - e^{\sin x}) \right] dA$$

$$= \int_0^{2\pi} \int_0^3 (7-3)r\, dr\, d\theta$$

$$= 4 \int_0^{2\pi} d\theta \int_0^3 r\, dr = 36\pi.$$

Au lieu de passer aux coordonnées polaires, on aurait pu simplement se servir du fait que D est un disque de rayon 3 et écrire directement

$$\iint_D 4\, dA = 4 \cdot \pi(3)^2 = 36\pi.$$

Dans les exemples 1 et 2, on a pu constater que l'intégrale double était plus facile à calculer que l'intégrale curviligne. (Essayez l'intégrale curviligne de l'exemple 2 et vous serez vite convaincu !) Mais il y a des cas où il est plus facile de calculer l'intégrale curviligne et le Théorème de Green est alors employé dans l'autre sens. Par exemple, s'il est connu que $P(x, y) = Q(x, y) = 0$ sur la courbe C, le Théorème de Green donne immédiatement :

$$\iint_D \left(\frac{\partial Q}{\partial x} - \frac{\partial P}{\partial y} \right) dA = \int_C P\, dx + Q\, dy = 0,$$

indépendamment des valeurs que prennent P et Q sur le domaine D.

Le Théorème de Green dans le sens inverse sert aussi dans le calcul des aires. Puisque l'aire de D est donnée par $\iint_D 1\, dA$, on voudrait trouver P et Q tels que

$$\frac{\partial Q}{\partial x} - \frac{\partial P}{\partial y} = 1.$$

Il y a plusieurs possibilités : $P(x, y) = 0$ et $Q(x, y) = x$; $P(x, y) = -y$ et $Q(x, y) = 0$; ou $P(x, y) = -y/2$ et $Q(x, y) = x/2$. Le Théorème de Green donne alors les formules suivantes pour calculer l'aire de D :

5

$$A = \oint_C x\, dy = -\oint_C y\, dx = \frac{1}{2} \oint_C x\, dy - y\, dx.$$

EXEMPLE 3 ■ Calculez l'aire du domaine limité par l'ellipse $\dfrac{x^2}{a^2} + \dfrac{y^2}{b^2} = 1$.

SOLUTION L'ellipse est décrite paramétriquement par $x = a \cos t$ et $y = b \sin t$, $0 \leqslant t \leqslant 2\pi$. En choisissant la troisième formule de 5, on obtient

$$A = \frac{1}{2} \int_C x\, dy - y\, dx$$

$$= \frac{1}{2} \int_0^{2\pi} (a \cos t)(b \cos t)dt - (b \sin t)(-a \sin t)dt$$

$$= \frac{ab}{2} \int_0^{2\pi} dt = \pi ab.$$

Bien que le Théorème de Green n'ait été démontré que dans le cas où D est simple, il peut facilement être étendu à un domaine D qui est une réunion finie de domaines simples. Le domaine D de la figure 5, par exemple, peut être vu comme $D = D_1 \cup D_2$, où D_1 et D_2 sont tous les deux simples. La frontière de D_1 est $C_1 \cup C_3$ et celle de D_2 est $C_2 \cup (-C_3)$. L'application du Théorème de Green à D_1 et à D_2 séparément conduit à

$$\int_{C_1 \cup C_3} P\, dx + Q\, dy = \iint_{D_1} \left(\frac{\partial Q}{\partial x} - \frac{\partial P}{\partial y} \right) dA,$$

$$\int_{C_2 \cup (-C_3)} P\, dx + Q\, dy = \iint_{D_2} \left(\frac{\partial Q}{\partial x} - \frac{\partial P}{\partial y} \right) dA,$$

FIGURE 5

FIGURE 6

La somme de ces deux équations, après la simplification des intégrales curvilignes le long de C_3 et de $-C_3$, fournit

$$\int_{C_1 \cup C_2} P\,dx + Q\,dy = \iint_D \left(\frac{\partial Q}{\partial x} - \frac{\partial P}{\partial y}\right) dA,$$

ce qui est la formule de Green pour $D = D_1 \cup D_2$, puisque sa frontière est $C = C_1 \cup C_2$.

La généralisation à n'importe quelle réunion finie de régions simples (voyez la figure 6) se fait par le même raisonnement.

EXEMPLE 4 ■ Calculez $\int_C y^2\,dx + 3xy\,dy$, où C est la frontière du demi-anneau circulaire supérieur formé par les cercles $x^2 + y^2 = 1$ et $x^2 + y^2 = 4$.

SOLUTION On remarque que D n'est pas simple, mais que l'axe Oy le divise en deux régions simples (voyez la figure 7). En coordonnées polaires, D est décrit par

$$D = \{(r, \theta) \mid 1 \leqslant r \leqslant 2, 0 \leqslant \theta \leqslant \pi\}.$$

Dès lors, le Théorème de Green donne

$$\int_C y^2\,dx + 3xy\,dy = \iint_D \left[\frac{\partial}{\partial x}(3xy) - \frac{\partial}{\partial y}(y^2)\right] dA$$

$$= \iint_D y\,dA = \int_0^\pi \int_1^2 (r\sin\theta)\,r\,dr\,d\theta$$

$$= \int_0^\pi \sin\theta\,d\theta \int_1^2 r^2\,dr = \left[-\cos\theta\right]_0^\pi \left[\frac{r^3}{3}\right]_1^2$$

$$= \frac{14}{3}$$

FIGURE 7

FIGURE 8

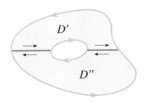

FIGURE 9

Le Théorème de Green peut encore être étendu à des régions qui ont des trous, c'est-à-dire des régions qui ne sont pas simplement connexes. La frontière C du domaine D dans la figure 8 se compose de deux courbes simples fermées C_1 et C_2. On suppose que ces frontières sont orientées de sorte que le domaine D est toujours à gauche lorsqu'on parcourt la courbe C. Le sens positif de la courbe extérieure C_1 est dans le sens contraire aux aiguilles d'une montre, tandis que celui de C_2 est dans le sens des aiguilles d'une montre. Si on divise D en deux domaines D' et D'' par les lignes que l'on peut voir dans la figure 9 et qu'on applique le Théorème de Green à D' et à D'', on arrive à

$$\iint_D \left(\frac{\partial Q}{\partial x} - \frac{\partial P}{\partial y}\right) dA = \iint_{D'} \left(\frac{\partial Q}{\partial x} - \frac{\partial P}{\partial y}\right) dA + \iint_{D''} \left(\frac{\partial Q}{\partial x} - \frac{\partial P}{\partial y}\right) dA$$

$$= \int_{\partial D'} P\,dx + Q\,dy + \int_{\partial D''} P\,dx + Q\,dy.$$

Comme les lignes communes sont en sens opposés, les intégrales curvilignes le long de ces lignes s'annulent et il reste

$$\iint_D \left(\frac{\partial Q}{\partial x} - \frac{\partial P}{\partial y}\right) dA = \int_{C_1} P\,dx + Q\,dy + \int_{C_2} P\,dx + Q\,dy = \int_C P\,dx + Q\,dy,$$

ce qui est le Théorème de Green sur le domaine D.

EXEMPLE 5 ■ Soit $\vec{F}(x,y) = (-y\vec{i} + x\vec{j})/(x^2 + y^2)$. Montrez que $\int_C \vec{F} \cdot d\vec{r} = 2\pi$ sur tout chemin fermé simple qui entoure l'origine.

SOLUTION Vu que C est un chemin *quelconque* qui entoure l'origine, il est difficile de calculer l'intégrale directement. On choisit dès lors un cercle C' orienté dans le sens contraire des aiguilles d'une montre, centré à l'origine et de rayon a suffisamment petit pour que C' soit intérieur à la boucle formée par C (voyez la figure 10). Soit D la région limitée par C et C'. Sa frontière orientée positivement est $C \cup (-C')$ et le Théorème de Green est applicable. Il donne

$$\int_C P\,dx + Q\,dy + \int_{-C'} P\,dx + Q\,dy = \iint_D \left(\frac{\partial Q}{\partial x} - \frac{\partial P}{\partial y}\right) dA$$

$$= \iint_D \left[\frac{y^2 - x^2}{(x^2 + y^2)^2} - \frac{y^2 - x^2}{(x^2 + y^2)^2}\right] dA$$

$$= 0$$

Il s'ensuit

$$\int_C P\,dx + Q\,dy = \int_{C'} P\,dx + Q\,dy,$$

c'est-à-dire

$$\int_C \vec{F} \cdot d\vec{r} = \int_{C'} \vec{F} \cdot d\vec{r}.$$

Cette dernière intégrale peut être facilement évaluée à partir de la description paramétrique $\vec{r}(t) = a\cos t\,\vec{i} + a\sin t\,\vec{j}$, $0 \leqslant t \leqslant 2\pi$.

$$\int_C \vec{F} \cdot d\vec{r} = \int_{C'} \vec{F} \cdot d\vec{r} = \int_0^{2\pi} \vec{F}(\vec{r}(t)) \cdot \vec{r}'(t)\,dt$$

$$= \int_0^{2\pi} \frac{(-a\sin t)(-a\sin t) + (a\cos t)(a\cos t)}{a^2\cos^2 t + a^2\sin^2 t}\,dt$$

$$= \int_0^{2\pi} dt = 2\pi.$$

Cette section se termine par le retour annoncé sur un résultat de la section précédente, examiné maintenant à la lumière du Théorème de Green.

Esquisse de la démonstration du théorème 6 de la section 13.3 Il était supposé que $\vec{F} = P\vec{i} + Q\vec{j}$ était un champ vectoriel défini sur un domaine simplement connexe D, que P et Q avaient des dérivées partielles premières continues et que, sur tout D,

$$\frac{\partial P}{\partial y} = \frac{\partial Q}{\partial x}.$$

Si C est un chemin fermé simple contenu dans D et si R désigne la région que C entoure, alors le Théorème de Green mène au résultat suivant :

$$\oint_C \vec{F} \cdot d\vec{r} = \oint_C P\,dx + Q\,dy = \iint_R \left(\frac{\partial Q}{\partial x} - \frac{\partial P}{\partial y}\right) dA = \iint_R 0\,dA = 0.$$

Une courbe qui n'est pas simple se coupe elle-même en un ou plusieurs points et peut être décomposée en un certain nombre de courbes simples. Or, les intégrales curvilignes de $\vec{F}$ sur ces courbes simples sont nulles. En faisant leur somme, on arrive donc à $\int_C \vec{F} \cdot d\vec{r} = 0$ pour tout contour fermé C. Par conséquent, $\int_C \vec{F} \cdot d\vec{r}$ ne dépend

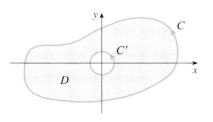

FIGURE 10

pas du chemin dans D, d'après le théorème 3 de la section 13.3. Il en résulte que le champ vectoriel $\vec{F}$ est conservatif. ■

13.4 Exercices

1-2 ■ Calculez l'intégrale curviligne de deux façons différentes : a) directement et b) par le Théorème de Green.

1. $\oint_C x^2 y\, dx + xy^3\, dy$, C est le carré de sommets $(0,0)$, $(1,0)$, $(1,1)$ et $(0,1)$.

2. $\oint_C (x^2 + y^2)\, dx + 2xy\, dy$, C se compose de l'arc de parabole $y = x^2$ compris entre $(0,0)$ et $(2,4)$ et des segments de droite qui vont de $(2,4)$ à $(0,4)$ et de $(0,4)$ à $(0,0)$.

LCS **3-4** ■ Vérifier le Théorème de Green en calculant, à l'aide d'un logiciel de calcul formel, l'intégrale double et l'intégrale curviligne.

3. $P(x,y) = x^4 y^5$, $Q(x,y) = -x^7 y^6$, C est le cercle $x^2 + y^2 = 1$.

4. $P(x,y) = y^2 \sin x$, $Q(x,y) = x^2 \sin y$, C se compose de l'arc de parabole $y = x^2$ de $(0,0)$ à $(1,1)$ suivi du segment de $(1,1)$ à $(0,0)$.

5-14 ■ Servez-vous du Théorème de Green pour calculer l'intégrale curviligne le long de la courbe donnée orientée dans le sens positif.

5. $\int_C xy\, dx + y^5\, dy$, C est le triangle de sommets $(0,0)$, $(2,0)$ et $(2,1)$.

6. $\int_C x^2 y\, dx + xy^5\, dy$, C est le carré de sommets $(\pm 1, \pm 1)$.

7. $\int_C (y + e^{\sqrt{x}})\, dx + (2x + \cos y^2)\, dy$, C est la frontière de la région enfermée entre les paraboles $y = x^2$ et $x = y^2$.

8. $\int_C (y^2 - \mathrm{Arctg}\, x)\, dx + (3x + \sin y)\, dy$, C est le bord de la région enfermée entre la parabole $y = x^2$ et la droite $y = 4$.

9. $\int_C x^2\, dx + y^2\, dy$, C est la courbe $x^6 + y^6 = 1$.

10. $\int_C x^2 y\, dx - 3y^2\, dy$, C est le cercle $x^2 + y^2 = 1$.

11. $\int_C xy\, dx + 2x^2\, dy$, C se compose du segment de $(-2,0)$ à $(2,0)$ et du demi-cercle supérieur $x^2 + y^2 = 4$.

12. $\int_C (x^3 - y^3)\, dx + (x^3 + y^3)\, dy$, C est la frontière de la région comprise entre les deux cercles $x^2 + y^2 = 1$ et $x^2 + y^2 = 9$.

13. $\int_C \vec{F} \cdot d\vec{r}$, où $\vec{F}(x,y) = (y^2 - x^2 y)\vec{i} + xy^2\vec{j}$ et où C se compose du cercle $x^2 + y^2 = 4$ depuis $(2,0)$ jusqu'à $(\sqrt{2}, \sqrt{2})$ et des segments de $(\sqrt{2}, \sqrt{2})$ à $(0,0)$ et de $(0,0)$ jusqu'à $(2,0)$.

14. $\int_C \vec{F} \cdot d\vec{r}$, où $\vec{F}(x,y) = x^3 y\vec{i} + x^4\vec{j}$ et où C est la courbe $x^4 + y^4 = 1$.

15. Employez le Théorème de Green pour calculer le travail fourni par la force $\vec{F}(x,y) = x(x+y)\vec{i} + xy^2\vec{j}$ lors du déplacement d'une particule depuis l'origine jusqu'au point $(1,0)$ le long de l'axe Ox, puis jusqu'au point $(0,1)$ en ligne droite et enfin de retour à l'origine le long de l'axe Oy.

16. Une particule part du point $(-2,0)$, va le long de l'axe Ox jusqu'à $(2,0)$, puis revient au point de départ le long du demi-cercle $y = \sqrt{4 - x^2}$. Calculez par la Théorème de Green le travail effectué sur cette particule par le champ de force $\vec{F}(x,y) = (x, x^3 + 3xy^2)$.

17-18 ■ Calculez l'aire de la région donnée, à l'aide des formules de l'expression 5.

17. La région limitée par l'hypocycloïde d'équation vectorielle $\vec{r}(t) = \cos^3 t\, \vec{i} + \sin^3 t\, \vec{j}$, $0 \leqslant t \leqslant 2\pi$.

18. La région bornée par la courbe d'équation vectorielle $\vec{r}(t) = \cos t\, \vec{i} + \sin^3 t\, \vec{j}$, $0 \leqslant t \leqslant 2\pi$.

19. a) Démontrez que
$$\int_C x\, dy - y\, dx = x_1 y_2 - x_2 y_1$$
si C est le segment qui relie le point (x_1, y_1) au point (x_2, y_2).

b) Si les sommets d'un polygone, énumérés dans le sens contraire des aiguilles d'une montre, sont $(x_1, y_1), (x_2, y_2), \ldots, (x_n, y_n)$, montrez que l'aire du polygone est le nombre
$$A = \tfrac{1}{2}[(x_1 y_2 - x_2 y_1) + (x_2 y_3 - x_3 y_2) + \cdots + (x_{n-1} y_n - x_n y_{n-1}) + (x_n y_1 - x_1 y_n)]$$

c) Calculez l'aire du pentagone de sommets $(0,0), (2,1), (1,3), (0,2)$ et $(-1,1)$.

20. Soit D un domaine ceinturé par un chemin fermé simple C du plan Oxy. Employez le théorème de Green pour démontrer que les coordonnées du centre géométrique $(\bar{x}, \bar{y})$ de D sont
$$\bar{x} = \frac{1}{2A} \oint_C x^2\, dy \qquad \bar{y} = -\frac{1}{2A} \oint_C y^2\, dx$$
où A représente l'aire de D.

21. Servez-vous des formules de l'exercice 20 pour déterminer les coordonnées du centre géométrique du triangle de sommets $(0,0), (1,0)$ et $(0,1)$.

22. Servez-vous des formules de l'exercice 20 pour déterminer les coordonnées du centre géométrique d'un domaine semi-circulaire de rayon a.

23. Une fine plaque de métal de densité constante $\rho(x, y) = \rho$ occupe une région du plan Oxy bornée par un chemin fermé simple C. Démontrez que ses moments d'inertie par rapport aux axes sont égaux à

$$I_x = -\frac{\rho}{3} \oint_C y^3 \, dx.$$

$$I_y = \frac{\rho}{3} \oint_C x^3 \, dy.$$

24. Servez-vous de l'exercice 23 pour calculer le moment d'inertie d'un disque circulaire de rayon a de densité constante ρ par rapport à un diamètre. (Comparez avec l'exemple 4 dans la section 12.5.)

25. Si $\vec{F}$ est le champ vectoriel de l'exemple 5, montrez que $\int_C \vec{F} \cdot d\vec{r} = 0$ sur tout contour simple fermé qui ne passe pas par l'origine ou ne l'entoure pas.

26. Complétez la démonstration du cas particulier du Théorème de Green en démontrant l'équation 3.

27. Démontrez la formule du changement de variables dans une intégrale double (formule 9 de la section 12.9) dans le cas $f(x, y) = 1$, à l'aide du Théorème de Green :

$$\iint_R dx \, dy = \iint_S \left| \frac{\partial(x, y)}{\partial(u, v)} \right| du \, dv$$

Ici R est la région du plan Oxy qui correspond à la région S du plan Ouv par la transformation donnée par $x = g(u, v)$, $y = h(u, v)$. [*Suggestion :* remarquez que le membre de gauche est $A(R)$ et appliquez la première partie de l'équation 5. Convertissez l'intégrale curviligne sur ∂R en une intégrale curviligne sur ∂S et appliquez le Théorème de Green dans le plan Ouv.]

13.5 La divergence et le rotationnel •

Dans cette section, sont définies deux opérations applicables à un champ vectoriel et qui jouent un rôle primordial dans les applications de l'analyse vectorielle à l'étude de l'écoulement des fluides, de l'électricité et du magnétisme. Chacune de ces opérations ressemble à la différentiation, mais l'une produit un champ vectoriel tandis que l'autre produit un champ scalaire.

■ Le rotationnel

Si $\vec{F} = P\vec{i} + Q\vec{j} + R\vec{k}$ est un champ vectoriel défini sur $\mathbb{R}^3$ et si les dérivées partielles de P, Q et R existent, alors le **rotationnel** de $\vec{F}$ est le champ vectoriel défini sur $\mathbb{R}^3$ par

$$\boxed{1 \qquad \operatorname{rot} \vec{F} = \left(\frac{\partial R}{\partial y} - \frac{\partial Q}{\partial z} \right) \vec{i} + \left(\frac{\partial P}{\partial z} - \frac{\partial R}{\partial x} \right) \vec{j} + \left(\frac{\partial Q}{\partial x} - \frac{\partial P}{\partial y} \right) \vec{k}}$$

Afin de faciliter la mémorisation, on va réécrire l'expression 1 à l'aide d'un opérateur. On introduit l'opérateur différentiel ∇ (« del » ou « nabla ») :

$$\nabla = \vec{i} \frac{\partial}{\partial x} + \vec{j} \frac{\partial}{\partial y} + \vec{k} \frac{\partial}{\partial z}.$$

Appliqué à une fonction scalaire, il a pour effet de produire le gradient de f :

$$\nabla f = \vec{i} \frac{\partial f}{\partial x} + \vec{j} \frac{\partial f}{\partial y} + \vec{k} \frac{\partial f}{\partial z} = \frac{\partial f}{\partial x} \vec{i} + \frac{\partial f}{\partial y} \vec{j} + \frac{\partial f}{\partial z} \vec{k}.$$

Si on voit ∇ comme un « vecteur symbolique » de composantes $\partial/\partial x$, $\partial/\partial y$ et $\partial/\partial z$, on peut envisager de former le produit vectoriel de ∇ et de $\vec{F}$ et cela donne :

$$\nabla \wedge \vec{F} = \begin{vmatrix} \vec{i} & \vec{j} & \vec{k} \\ \dfrac{\partial}{\partial x} & \dfrac{\partial}{\partial y} & \dfrac{\partial}{\partial z} \\ P & Q & R \end{vmatrix}$$

$$= \left(\frac{\partial R}{\partial y} - \frac{\partial Q}{\partial z} \right)\vec{i} + \left(\frac{\partial P}{\partial z} - \frac{\partial R}{\partial x} \right)\vec{j} + \left(\frac{\partial Q}{\partial x} - \frac{\partial P}{\partial y} \right)\vec{k}$$

$$= \text{rot } \vec{F}$$

La meilleure façon de retenir la définition du rotationnel est l'expression symbolique

2

$$\text{rot } \vec{F} = \nabla \wedge \vec{F}$$

EXEMPLE 1 ■ Calculez rot $\vec{F}$ si $\vec{F}(x, y, z) = xz\,\vec{i} + xyz\,\vec{j} - y^2\,\vec{k}$.

SOLUTION D'après la formule 2, on a

$$\text{rot } \vec{F} = \nabla \wedge \vec{F} = \begin{vmatrix} \vec{i} & \vec{j} & \vec{k} \\ \dfrac{\partial}{\partial x} & \dfrac{\partial}{\partial y} & \dfrac{\partial}{\partial z} \\ xz & xyz & -y^2 \end{vmatrix}$$

$$= \left[\frac{\partial}{\partial y}(-y^2) - \frac{\partial}{\partial z}(xyz) \right]\vec{i} - \left[\frac{\partial}{\partial x}(-y^2) - \frac{\partial}{\partial z}(xz) \right]\vec{j}$$

$$+ \left[\frac{\partial}{\partial x}(xyz) - \frac{\partial}{\partial y}(xz) \right]\vec{k}$$

$$= (-2y - xy)\vec{i} - (0 - x)\vec{j} + (yz - 0)\vec{k}$$

$$= -y(2 + x)\vec{i} + x\vec{j} + yz\vec{k}.$$

La plupart des logiciels de calcul formel ont une commande qui effectue le calcul du rotationnel et de la divergence d'un champ vectoriel. Si vous avez accès à un tel logiciel, utilisez-le pour vérifier les réponses des exemples et des exercices de cette section.

Compte tenu du fait que le gradient d'une fonction scalaire f de trois variables est un champ vectoriel défini sur $\mathbb{R}^3$, on peut envisager d'en calculer le rotationnel. Le théorème suivant affirme que le rotationnel d'un champ de gradient est le vecteur nul.

3 Théorème Si f est une fonction de trois variables qui a des dérivées secondes partielles continues, alors

$$\text{rot } (\nabla f) = \vec{0}.$$

Démonstration On calcule

$$\text{rot}\,(\nabla f) = \nabla \wedge (\nabla f) = \begin{vmatrix} \vec{i} & \vec{j} & \vec{k} \\ \dfrac{\partial}{\partial x} & \dfrac{\partial}{\partial y} & \dfrac{\partial}{\partial z} \\ \dfrac{\partial f}{\partial x} & \dfrac{\partial f}{\partial y} & \dfrac{\partial f}{\partial z} \end{vmatrix}$$

$$= \left(\frac{\partial^2 f}{\partial y\,\partial z} - \frac{\partial^2 f}{\partial z\,\partial y} \right)\vec{i} + \left(\frac{\partial^2 f}{\partial z\,\partial x} - \frac{\partial^2 f}{\partial x\,\partial z} \right)\vec{j} + \left(\frac{\partial^2 f}{\partial x\,\partial y} - \frac{\partial^2 f}{\partial y\,\partial x} \right)\vec{k}$$

$$= 0\vec{i} + 0\vec{j} + 0\vec{k} = \vec{0}.$$

en vertu du Théorème de Clairaut. ■

La similitude avec le fait, connu depuis la section 9.4, $\vec{a} \wedge \vec{a} = \vec{0}$, pour tout vecteur de dimension 3 est frappante.

Comme un champ vectoriel conservatif est tel que $\vec{F} = \nabla f$, le théorème 3 revient à dire :

Si $\vec{F}$ est conservatif, alors rot $\vec{F} = \vec{0}$.

Comparez ceci avec l'exercice 27 de la section 13.3.

Voilà un moyen facile de vérifier qu'un champ vectoriel n'est pas conservatif.

EXEMPLE 2 ■ Vérifiez que le champ vectoriel $\vec{F}(x,y,z) = xz\,\vec{i} + xyz\,\vec{j} - y^2\,\vec{k}$ n'est pas conservatif.

SOLUTION Comme on a calculé, dans l'exemple 1, que

$$\text{rot}\,\vec{F} = -y(2+x)\,\vec{i} + xj\,\vec{j} + yz\,\vec{k},$$

et que ce vecteur n'est pas nul, le champ vectoriel $\vec{F}$ n'est pas conservatif, en vertu du théorème 3.

La réciproque du théorème 3 n'est pas vraie en général, mais le théorème suivant énonce que la réciproque est vraie si $\vec{F}$ est défini partout. (Plus généralement, elle est vraie si le domaine est simplement connexe, c'est-à-dire n'a « pas de trou ».) Le théorème 4 est une version de dimension 3 du théorème 6 de la section 13.3. Sa démonstration requiert le théorème de Stokes et n'est esquissée qu'à la fin de la section 13.7.

> **4 Théorème** Si $\vec{F}$ est un champ vectoriel défini sur tout $\mathbb{R}^3$, dont les fonctions composantes ont des dérivées partielles continues et si rot $\vec{F} = \vec{0}$, alors $\vec{F}$ est un champ vectoriel conservatif.

EXEMPLE 3 ■

a) Vérifiez que $\vec{F}(x,y,z) = y^2 z^3\,\vec{i} + 2xyz^3\,\vec{j} + 3xy^2 z^2\,\vec{k}$ est un champ vectoriel conservatif.

b) Cherchez une fonction f telle que $\vec{F} = \nabla f$

SOLUTION

a) On calcule le rotationnel de $\vec{F}$:

$$\operatorname{rot} \vec{F} = \nabla \wedge \vec{F} = \begin{vmatrix} \vec{i} & \vec{j} & \vec{k} \\ \dfrac{\partial}{\partial x} & \dfrac{\partial}{\partial y} & \dfrac{\partial}{\partial z} \\ y^2 z^3 & 2xyz^3 & 3xy^2 z^2 \end{vmatrix}$$

$$= (6xyz^2 - 6xyz^2)\,\vec{i} - (3y^2 z^2 - 3y^2 z^2)\,\vec{j} + (2yz^3 - 2yz^3)\,\vec{k}$$

$$= \vec{0}.$$

Comme $\operatorname{rot} \vec{F} = \vec{0}$ et que le domaine de $\vec{F}$ est $\mathbb{R}^3$, $\vec{F}$ est un champ vectoriel conservatif, en vertu du théorème 4.

b) La méthode pour déterminer f a été exposée dans la section 13.3. On a ici

5 $$f'_x(x, y, z) = y^2 z^3$$

6 $$f'_y(x, y, z) = 2xyz^3$$

7 $$f'_z(x, y, z) = 3xy^2 z^2$$

L'intégration partielle de (5) par rapport à x donne

8 $$f(x, y, z) = xy^2 z^3 + g(y, z).$$

La dérivée partielle de (8) par rapport à y fournit $f'_y(x, y, z) = 2xyz^3 + g'_y(y, z)$ et la comparaison avec (6) apporte $g'_y(y, z) = 0$. D'où $g(y, z) = h(z)$ et

$$f'_z(x, y, z) = 3xy^2 z^2 + h'(z).$$

Alors, (7) entraîne $h'(z) = 0$ et de là

$$f(x, y, z) = xy^2 z^3 + K.$$

Le terme *rotationnel* du vecteur rotationnel lui vient de ce qu'il est associé au mouvement de rotation. Une telle association est expliquée à l'exercice 33. Une autre se présente lorsque $\vec{F}$ représente un champ de vitesse de l'écoulement d'un fluide (voyez l'exemple 3 de la section 13.1.) Les particules proches de (x, y, z) dans le fluide tendent à tourner autour de l'axe dirigé dans le sens de $\operatorname{rot} \vec{F}(x, y, z)$ et la norme de ce vecteur rotationnel rend compte de la vitesse à laquelle les particules tournent autour de l'axe (voyez la figure 1). Lorsque $\operatorname{rot} \vec{F} = \vec{0}$ en un point P, il n'y a pas de rotation à cet endroit, on dit que $\vec{F}$ est **irrotationnel** en P. En d'autres mots, il n'y a ni toubillon ni turbulence en P. Lorsque $\operatorname{rot} \vec{F} = \vec{0}$, une petite roue à palettes serait entraînée dans le fluide sans même tourner autour de son axe. Lorsque $\operatorname{rot} \vec{F} \neq \vec{0}$, la roue tournerait autour de son axe. Une explication plus détaillée viendra à la suite du théorème de Stokes dans la section 13.7.

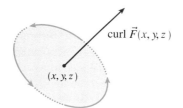

curl $\vec{F}(x, y, z)$

(x, y, z)

FIGURE 1

■ La divergence

Si $\vec{F} = P\vec{i} + Q\vec{j} + R\vec{k}$ est un champ vectoriel défini sur $\mathbb{R}^3$ et si les dérivées partielles $\partial P / \partial x$, $\partial Q / \partial y$ et $\partial R / \partial z$ existent, alors la **divergence** de $\vec{F}$ est la fonction de trois variables définie par

9

$$\operatorname{div} \vec{F} = \frac{\partial P}{\partial x} + \frac{\partial Q}{\partial y} + \frac{\partial R}{\partial z}$$

Il est à noter que rot $\vec{F}$ est un champ vectoriel tandis que div $\vec{F}$ est un champ scalaire. Avec la notation de l'opérateur vectoriel gradient $\nabla = (\partial/\partial x)\vec{i} + (\partial/\partial y)\vec{j} + (\partial/\partial z)\vec{k}$, la divergence de $\vec{F}$ s'écrit symboliquement comme le produit scalaire de ∇ et de $\vec{F}$:

10

$$\text{div } \vec{F} = \nabla \cdot \vec{F}$$

EXEMPLE 4 ■ Calculez div $\vec{F}$ si $\vec{F}(x, y, z) = xz\vec{i} + xyz\vec{j} - y^2\vec{k}$.

SOLUTION Par application immédiate de la définition de la divergence (équation 9 ou 10), on obtient

$$\text{div } \vec{F} = \nabla \cdot \vec{F} = \frac{\partial}{\partial x}(xz) + \frac{\partial}{\partial y}(xyz) + \frac{\partial}{\partial z}(-y^2)$$

$$= z + xz.$$

Si $\vec{F}$ est un champ vectoriel défini sur $\mathbb{R}^3$, rot $\vec{F}$ en est un aussi et à ce titre, on peut envisager d'en calculer la divergence. Le théorème suivant affirme que le résultat est nul.

11 Théorème   Si $\vec{F} = P\vec{i} + Q\vec{j} + R\vec{k}$ est un champ vectoriel défini sur $\mathbb{R}^3$ et si P, Q et R ont des dérivées secondes partielles continues, alors

$$\text{div rot } \vec{F} = 0.$$

Remarquez l'analogie avec le produit mixte :
$\vec{a} \cdot (\vec{a} \wedge \vec{b}) = 0.$

Démonstration   Les définitions de la divergence et du rotationnel conduisent à

$$\text{div rot } \vec{F} = \nabla \cdot (\nabla \wedge \vec{F})$$

$$= \frac{\partial}{\partial x}\left(\frac{\partial R}{\partial y} - \frac{\partial Q}{\partial z}\right) + \frac{\partial}{\partial y}\left(\frac{\partial P}{\partial z} - \frac{\partial R}{\partial x}\right) + \frac{\partial}{\partial z}\left(\frac{\partial Q}{\partial x} - \frac{\partial P}{\partial y}\right)$$

$$= \frac{\partial^2 R}{\partial x\,\partial y} - \frac{\partial^2 Q}{\partial x\,\partial z} + \frac{\partial^2 P}{\partial y\,\partial z} - \frac{\partial^2 R}{\partial y\,\partial x} + \frac{\partial^2 Q}{\partial z\,\partial x} - \frac{\partial^2 P}{\partial z\,\partial y}$$

$$= 0$$

parce que les termes se simplifient deux à deux, en vertu du Théorème de Clairaut.

EXEMPLE 5 ■ Démontrez que le champ vectoriel $\vec{F}(x, y, z) = xz\vec{i} + xyz\vec{j} - y^2\vec{k}$ ne peut pas être écrit comme le rotationnel d'un autre champ vectoriel, c'est-à-dire $\vec{F} \neq \text{rot } \vec{G}$.

SOLUTION Dans l'exemple 4, on a calculé

$$\text{div } \vec{F} = z + xz,$$

et donc div $\vec{F} \neq 0$. S'il était possible de trouver une champ vectoriel $\vec{G}$ tel que $\vec{F} = \text{rot } \vec{G}$, on aurait, d'après le théorème 11,

$$\text{div } \vec{F} = \text{div rot } \vec{G} = 0,$$

ce qui contredirait div $\vec{F} \neq 0$. Par conséquent, $\vec{F}$ n'est pas le rotationnel d'un autre champ vectoriel.

La raison de cette interprétation de div $\vec{F}$ sera donnée à la fin de la section 13.8, comme une conséquence du Théorème de flux-divergence.

C'est à nouveau le contexte de l'écoulement des fluides qui permet d'expliquer le terme *divergence*. Si $\vec{F}(x, y, z)$ est le champ de vitesse au sein d'un fluide (ou d'un gaz), alors div $\vec{F}(x, y, z)$ représente le taux de variation net (par rapport au temps) de la masse de fluide (ou de gaz) passant en ce point par unité de volume. En d'autres mots, div $\vec{F}(x, y, z)$ mesure la tendance du fluide à quitter le point (x, y, z). Lorsque div $\vec{F} = 0$, on dit que $\vec{F}$ est **incompressible**.

Un autre opérateur différentiel se dégage du calcul de la divergence d'un champ de gradient ∇f. Si f est une fonction de trois variables, on a

$$\text{div}\,(\nabla f) = \nabla \cdot (\nabla f) = \frac{\partial^2 f}{\partial x^2} + \frac{\partial^2 f}{\partial y^2} + \frac{\partial^2 f}{\partial z^2},$$

et comme cette expression intervient souvent, elle s'écrit en abrégé $\nabla^2 f$. L'opérateur

$$\nabla^2 = \nabla \cdot \nabla$$

s'appelle l'**opérateur de Laplace** à cause de sa relation avec l'équation de Laplace

$$\nabla^2 f = \frac{\partial^2 f}{\partial x^2} + \frac{\partial^2 f}{\partial y^2} + \frac{\partial^2 f}{\partial z^2} = 0.$$

Appliqué à un champ vectoriel

$$\vec{F} = P\vec{i} + Q\vec{j} + R\vec{k},$$

l'opérateur de Laplace ∇^2 porte sur les composantes :

$$\nabla^2 \vec{F} = \nabla^2 P\vec{i} + \nabla^2 Q\vec{j} + \nabla^2 R\vec{k}.$$

■ Les formes vectorielles du Théorème de Green

Les opérateurs rotationnel et divergence nous permettent de réécrire le Théorème de Green sous des versions qui seront utiles plus loin. On suppose que le domaine D du plan, sa courbe frontière C et les fonctions P et Q satisfont aux hypothèses du Théorème de Green. On considère alors le champ vectoriel $\vec{F} = P\vec{i} + Q\vec{j}$. Son intégrale curviligne est

$$\oint_C \vec{F} \cdot d\vec{r} = \oint_C P\,dx + Q\,dy,$$

et son rotationnel est

$$\text{rot}\,\vec{F} = \begin{vmatrix} \vec{i} & \vec{j} & \vec{k} \\ \dfrac{\partial}{\partial x} & \dfrac{\partial}{\partial y} & \dfrac{\partial}{\partial z} \\ P(x, y) & Q(x, y) & 0 \end{vmatrix} = \left(\frac{\partial Q}{\partial x} - \frac{\partial P}{\partial y} \right)\vec{k}$$

Par conséquent,

$$(\text{rot}\,\vec{F}) \cdot \vec{k} = \left(\frac{\partial Q}{\partial x} - \frac{\partial P}{\partial y} \right)\vec{k} \cdot \vec{k} = \frac{\partial Q}{\partial x} - \frac{\partial P}{\partial y}$$

et la formule du Théorème de Green peut maintenant s'écrire sous une forme vectorielle

12

$$\oint_C \vec{F} \cdot d\vec{r} = \iint_D (\text{rot}\,\vec{F}) \cdot \vec{k}\,dA.$$

L'équation 12 exprime l'intégrale cuviligne de la composante tangentielle de $\vec{F}$ le long de C comme une intégrale double de la composante verticale de rot $\vec{F}$ sur le domaine D que délimite C. On dérive maintenant une formule analogue pour la composante *normale* de $\vec{F}$.

Si C est représentée par la fonction vectorielle

$$\vec{r}(t) = x(t)\,\vec{i} + y(t)\,\vec{j} \qquad a \leqslant t \leqslant b,$$

le vecteur unitaire tangent (voyez la section 10.2) est

$$\vec{T}(t) = \frac{x'(t)}{\|\vec{r}'(t)\|}\,\vec{i} + \frac{y'(t)}{\|\vec{r}'(t)\|}\,\vec{j}.$$

Et vous pouvez vérifier que le vecteur unitaire normal à C tourné vers l'extérieur est

$$\vec{n}(t) = \frac{y'(t)}{\|\vec{r}'(t)\|}\,\vec{i} - \frac{x'(t)}{\|\vec{r}'(t)\|}\,\vec{j}.$$

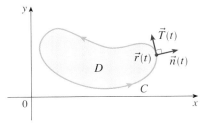

FIGURE 2

(Voyez la figure 2.) Alors, suite à l'équation 3 de la section 13.2, on obtient

$$
\begin{aligned}
\int_C \vec{F} \cdot \vec{n}\, ds &= \int_a^b (\vec{F} \cdot \vec{n})(t)\|\vec{r}'(t)\| dt \\
&= \int_a^b \left[\frac{P(x(t),y(t))y'(t)}{\|\vec{r}'(t)\|} - \frac{Q(x(t),y(t))x'(t)}{\|\vec{r}'(t)\|} \right] \|\vec{r}'(t)\| dt \\
&= \int_a^b P(x(t),y(t))y'(t)dt - Q(x(t),y(t))x'(t)dt \\
&= \int_C P\,dy - Q\,dx \\
&= \iint_D \left(\frac{\partial P}{\partial x} + \frac{\partial Q}{\partial y} \right) dA
\end{aligned}
$$

par le Théorème de Green. Or, l'intégrande de cette intégrale double est justement la divergence de $\vec{F}$. Ainsi, on a une seconde forme vectorielle du Théorème de Green.

13

$$\int_C \vec{F} \cdot \vec{n}\, ds = \iint_D \text{div } \vec{F}(x,y)dA.$$

Cette version dit que l'intégrale curviligne de la composante normale de $\vec{F}$ le long de C est égale à l'intégrale double de la divergence de $\vec{F}$ sur le domaine D que délimite C.

13.5 Exercices

1-6 ■ Calculez a) le rotationnel et b) la divergence du champ vectoriel.

1. $\vec{F}(x,y,z) = yz\,\vec{i} + xz\,\vec{j} + xy\,\vec{k}.$

2. $\vec{F}(x,y,z) = x^2y\,\vec{i} + yz^2\,\vec{j} + zx^2\,\vec{k}.$

3. $\vec{F}(x,y,z) = xy\,\vec{j} + xyz\,\vec{k}.$

4. $\vec{F}(x,y,z) = \sin x\,\vec{i} + \cos x\,\vec{j} + z^2\,\vec{k}.$

5. $\vec{F}(x,y,z) = e^{xz}\,\vec{i} - 2e^{yz}\,\vec{j} + 3xe^y\,\vec{k}.$

6. $\vec{F}(x,y,z) = e^{xyz}\,\vec{i} + \sin(x-y)\,\vec{j} - \frac{xy}{z}\,\vec{k}.$

7-9 ■ Voici l'image du champ vectoriel $\vec{F}$ dans le plan Oxy. Il se présente semblablement dans tous les autres plans horizontaux. (En d'autres mots, $\vec{F}$ est indépendant de z et sa composante en z est nulle.)
a) Est-ce que div $\vec{F}$ est positive, négative ou nulle ? Expliquez.
b) Vérifiez si rot $\vec{F} = \vec{0}$. Si non, quelle est l'orientation de rot $\vec{F}$?

7.   **8.**

9.

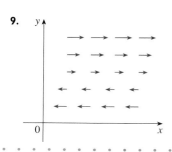

10. Soit f un champ scalaire et $\vec{F}$ un champ vectoriel. Examinez si chaque expression a du sens. À défaut, expliquez pourquoi. Dans l'affirmative, dites s'il s'agit d'un champ vectoriel ou d'un champ scalaire.

a) rot f b) $\overrightarrow{\text{grad}}\, f$

c) div $\vec{F}$ d) rot $(\overrightarrow{\text{grad}}\, f)$

e) $\overrightarrow{\text{grad}}\, \vec{F}$ f) $\overrightarrow{\text{grad}}\,(\text{div }\vec{F})$

g) div $(\overrightarrow{\text{grad}}\, f)$ h) $\overrightarrow{\text{grad}}\,(\text{div }f)$

i) rot $(\text{rot }\vec{F})$ j) div $(\text{div }\vec{F})$

k) $(\overrightarrow{\text{grad}}\, f) \wedge (\text{div }\vec{F})$ l) div $(\text{rot }(\overrightarrow{\text{grad}}\, f))$

11-16 ■ Examinez si le champ vectoriel est conservatif. Dans l'affirmative, déterminez une fonction f telle que $\vec{F} = \nabla f$.

11. $\vec{F}(x,y,z) = y\vec{i} + x\vec{j} + \vec{k}$.

12. $\vec{F}(x,y,z) = x\vec{i} + y\vec{j} + x\vec{k}$.

13. $\vec{F}(x,y,z) = yz\vec{i} - z^2\vec{j} + x^2\vec{k}$.

14. $\vec{F}(x,y,z) = z\vec{i} + 2yz\vec{j} + (x + y^2)\vec{k}$.

15. $\vec{F}(x,y,z) = yz\vec{i} + (y^2 + xz)\vec{j} + xy\vec{k}$.

16. $\vec{F}(x,y,z) = x\vec{i} + e^y\sin z\vec{j} + e^y\cos z\vec{k}$.

17. Y a-t-il un champ vectoriel $\vec{G}$ défini sur $\mathbb{R}^3$ tel que rot $G = xy^2\vec{i} + yz^2\vec{j} + zx^2\vec{k}$? Expliquez.

18. Y a-t-il un champ vectoriel $\vec{G}$ défini sur $\mathbb{R}^3$ tel que rot $G = yz\vec{i} + xyz\vec{j} + xy\vec{k}$? Expliquez.

19. Démontrez que tout champ vectoriel de la forme
$$F(x,y,z) = f(x)\vec{i} + g(y)\vec{j} + h(z)\vec{k},$$
où f, g et h sont des fonctions différentiables, est irrotationnel.

20. Démontrez que tout champ vectoriel de la forme
$$F(x,y,z) = f(y,z)\vec{i} + g(x,z)\vec{j} + h(x,y)\vec{k},$$
est incompressible.

21-27 ■ Démontrez l'identité, en supposant que les dérivées partielles impliquées existent et sont continues. Si f est un champ scalaire et si $\vec{F}$, $\vec{G}$ sont des champs vectoriels, alors $f\vec{F}$, $\vec{F} \cdot \vec{G}$ et $\vec{F} \wedge \vec{G}$ sont définis par
$$(f\vec{F})(x,y,z) = f(x,y,z)\vec{F}(x,y,z)$$
$$(\vec{F} \cdot \vec{G})(x,y,z) = \vec{F}(x,y,z) \cdot \vec{G}(x,y,z)$$
$$(\vec{F} \wedge \vec{G})(x,y,z) = \vec{F}(x,y,z) \wedge \vec{G}(x,y,z)$$

21. div $(\vec{F} + \vec{G}) = \text{div }\vec{F} + \text{div }\vec{G}$.

22. rot $(\vec{F} + \vec{G}) = \text{rot }\vec{F} + \text{rot }\vec{G}$.

23. div $(f\vec{F}) = f\,\text{div }\vec{F} + \vec{F} \cdot \nabla f$.

24. rot $(f\vec{F}) = f\,\text{rot }\vec{F} + (\nabla f) \wedge \vec{F}$.

25. div $(\vec{F} \wedge \vec{G}) = \vec{G} \cdot \text{rot }\vec{F} - \vec{F} \cdot \text{rot }\vec{G}$.

26. div $(\nabla f \wedge \nabla g) = 0$.

27. rot rot $\vec{F} = \overrightarrow{\text{grad}}\,\text{div }\vec{F} - \nabla^2\vec{F}$.

28-30 ■ Soit $\vec{r} = x\vec{i} + y\vec{j} + z\vec{k}$ et $r = \|\vec{r}\|$.

28. Vérifiez les identités.

a) $\nabla \cdot \vec{r} = 3$

b) $\nabla \cdot (r\vec{r}) = 4r$

c) $\nabla^2 r^3 = 12r$

29. Vérifiez les identités.

a) $\nabla r = \vec{r}/r$

b) $\nabla \wedge \vec{r} = \vec{0}$

c) $\nabla(1/r) = -\vec{r}/r^3$

d) $\nabla \ln r = \vec{r}/r^2$

30. Calculez div $\vec{F}$ si $\vec{F} = \vec{r}/r^p$. Y a-t-il une valeur de p pour laquelle div $\vec{F} = 0$?

31. À l'aide du Théorème de Green sous sa forme 13, démontrez la **première identité de Green** :
$$\iint_D f\nabla^2 g\, dA = \oint_C f(\nabla g) \cdot \vec{n}\, ds - \iint_D \nabla f \cdot \nabla g\, dA$$

où D et C satisfont aux hypothèses du Théorème de Green et où les dérivées partielles de f impliquées existent et sont continues. (La grandeur $\nabla g \cdot \vec{n} = g'_n$ intervient dans l'intégrale curviligne. C'est la dérivée de g dans la direction du vecteur normal $\vec{n}$ et elle s'appelle la **dérivée normale** de g.)

32. À l'aide de la première identité de Green (exercice 31), démontrez la **deuxième identité de Green** :

$$\iint\limits_{D} (f\nabla^2 g - g\nabla^2 f)\, dA = \oint_C (f\nabla g - g\nabla f)\cdot \vec{n}\, ds$$

où D et C satisfont aux hypothèses du Théorème de Green et où les dérivées partielles de f impliquées existent et sont continues.

33. Cet exercice établit un lien entre le vecteur rotationnel et les rotations. Soit B un corps rigide en rotation autour de l'axe Oz. La rotation peut être décrite par le vecteur $\vec{w} = \omega\vec{k}$, où ω est la vitesse angulaire de B, c'est-à-dire la vitesse tangentielle en tout point P de B divisée par la distance d du point par rapport à l'axe de rotation. Soit $\vec{r} = (x, y, z)$ le vecteur position de P.

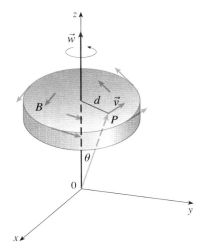

a) Si θ désigne l'angle indiqué dans la figure, montrez que le champ de vitesse de B est donné par $\vec{v} = \vec{w}\wedge\vec{r}$.
b) Montrez que $\vec{v} = -\omega y\,\vec{i} + \omega x\,\vec{j}$.
c) Montrez que rot $\vec{v} = 2\vec{w}$.

34. Les équations de Maxwell, qui lient le champ électrique $\vec{E}$ et le champ magnétique $\vec{H}$ lorsqu'ils varient dans le temps dans une région qui ne contient ni charge, ni courant, peuvent être exprimées par :

$$\text{div } \vec{E} = 0 \qquad\qquad \text{div } \vec{H} = 0$$
$$\text{rot } \vec{E} = -\frac{1}{c}\frac{\partial\vec{H}}{\partial t} \qquad \text{rot } \vec{H} = \frac{1}{c}\frac{\partial\vec{E}}{\partial t}$$

où c est la vitesse de la lumière. Servez-vous de ces équations pour démontrer :

a) $\nabla\wedge(\nabla\wedge\vec{E}) = -\dfrac{1}{c^2}\dfrac{\partial^2\vec{E}}{\partial t^2}$

b) $\nabla\wedge(\nabla\wedge\vec{H}) = -\dfrac{1}{c^2}\dfrac{\partial^2\vec{H}}{\partial t^2}$

c) $\nabla^2\vec{E} = \dfrac{1}{c^2}\dfrac{\partial^2\vec{E}}{\partial t^2}$ [*Suggestion :* Employez l'exercice 27.]

d) $\nabla^2\vec{H} = \dfrac{1}{c^2}\dfrac{\partial^2\vec{H}}{\partial t^2}$

13.6 Les intégrales de surface ● ● ● ● ● ● ● ● ● ● ● ● ● ●

Les intégrales de surface sont à l'aire d'une surface ce que sont les intégrales curvilignes à l'abscisse curviligne. On suppose que f est une fonction de trois variables définie sur un domaine qui inclut une surface S. On va définir l'intégrale de surface de f sur S de telle sorte que, au cas où $f(x, y, z) = 1$, la valeur de l'intégrale de surface soit égale à l'aire de S. On commence par des surfaces paramétrées et ensuite on envisage le cas particulier où S est la représentation graphique d'une fonction de deux variables.

■ Les surfaces paramétrées

On suppose la surface S décrite par la fonction vectorielle

$$\vec{r}(u, v) = x(u, v)\,\vec{i} + y(u, v)\,\vec{j} + z(u, v)\,\vec{k} \qquad (u, v)\in D.$$

On fait l'hypothèse que les paramètres varient dans un domaine rectangulaire qu'on divise en sous-rectangles R_{ij} de dimensions Δu et Δv. Alors, la surface S est divisée en

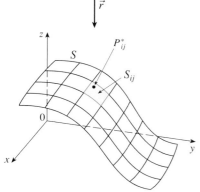

FIGURE I

Il est supposé que la surface est parcourue une seule fois lorsque (u, v) prend toutes les valeurs de D. La valeur de l'intégrale de surface ne dépend pas de la paramétrisation retenue.

éléments d'aire S_{ij}, comme en montre la figure 1. On calcule la valeur de f en un point P_{ij}^* de chaque élément de surface, on multiplie cette valeur par l'aire ΔS_{ij} de l'élément de surface et on forme la somme de Riemann

$$\sum_{i=1}^{m} \sum_{j=1}^{n} f(P_{ij}^*) \Delta S_{ij}.$$

On prend ensuite la limite lorsque le nombre d'éléments de surface croît sans borne et on définit l' **intégrale de surface de f sur S** par

1
$$\iint_{S} f(x, y, z) dS = \lim_{m, n \to \infty} \sum_{i=1}^{m} \sum_{j=1}^{n} f(P_{ij}^*) \Delta S_{ij}.$$

L'analogie avec la définition de l'intégrale curviligne (définition 2 de la section 13.2) ainsi que l'analogie avec la définition de l'intégrale double (définition 5 de la section 12.1) sont remarquables.

Pour le calcul de l'intégrale de surface de l'équation 1, on remplace l'aire de l'élément de surface ΔS_{ij} par celle, qui lui est approximativement égale, d'un parallélogramme du plan tangent. Dans la section 12.6 consacrée aux aires des surfaces, on a fait l'approximation

$$\Delta S_{ij} \approx \left\| \frac{\partial \vec{r}}{\partial u} \wedge \frac{\partial \vec{r}}{\partial v} \right\| \Delta u \Delta v,$$

où

$$\frac{\partial \vec{r}}{\partial u} = \frac{\partial x}{\partial u} \vec{i} + \frac{\partial y}{\partial u} \vec{j} + \frac{\partial z}{\partial u} \vec{k} \qquad \frac{\partial \vec{r}}{\partial v} = \frac{\partial x}{\partial v} \vec{i} + \frac{\partial y}{\partial v} \vec{j} + \frac{\partial z}{\partial v} \vec{k}$$

sont les vecteurs tangents en un sommet de S_{ij}. Si les composantes sont continues, si $\partial \vec{r}/\partial u$ et $\partial \vec{r}/\partial v$ ne sont pas nuls et pas parallèles à l'intérieur de D, on peut montrer à partir de la définition 1, même si D n'est pas rectangulaire, que

2
$$\iint_{S} f(x, y, z) dS = \iint_{D} f(\vec{r}(u, v)) \left\| \frac{\partial \vec{r}}{\partial u} \wedge \frac{\partial \vec{r}}{\partial v} \right\| dA.$$

Cette expression est à rapprocher de la formule de l'intégrale curviligne

$$\int_{C} f(x, y, z) ds = \int_{a}^{b} f(\vec{r}(t)) \|\vec{r}'(t)\| dt.$$

Notez encore que

$$\iint_{S} 1 \, dS = \iint_{D} \left\| \frac{\partial \vec{r}}{\partial u} \wedge \frac{\partial \vec{r}}{\partial v} \right\| dA = A(S).$$

La formule 2 permet de transformer une intégrale de surface en un intégrale double sur le domaine paramétré D. Dans cette formule, $f(\vec{r}(u, v))$ s'obtient en remplaçant x par $x(u, v)$, y par $y(u, v)$ et z par $z(u, v)$ dans l'expression de $f(x, y, z)$.

EXEMPLE I ■ Calculez l'intégrale de surface $\iint_{S} x^2 dS$, où S est la sphère unité $x^2 + y^2 + z^2 = 1$.

SOLUTION Comme dans l'exemple 3 de la section 10.5, la sphère est représentée paramétriquement par

$$x = \sin\phi\cos\theta \qquad y = \sin\phi\sin\theta \qquad z = \cos\phi.$$

$$0 \leqslant \phi \leqslant \pi \qquad 0 \leqslant \theta \leqslant 2\pi,$$

ou par,

$$\vec{r}(\phi, \theta) = \sin\phi\cos\theta\,\vec{i} + \sin\phi\sin\theta\,\vec{j} + \cos\phi\,\vec{k}.$$

Comme il a déjà été constaté dans l'exemple 1 de la section 12.6,

$$\left\| \frac{\partial\vec{r}}{\partial\phi} \wedge \frac{\partial\vec{r}}{\partial\theta} \right\| = \sin\phi.$$

Dès lors, conformément à la formule 2,

$$\iint_S x^2\, dS = \iint_D (\sin\phi\cos\theta)^2 \left\| \frac{\partial\vec{r}}{\partial\phi} \wedge \frac{\partial\vec{r}}{\partial\theta} \right\| dA$$

$$= \int_0^{2\pi} \int_0^{\pi} \sin^2\phi\cos^2\theta\sin\phi\, d\phi\, d\theta = \int_0^{2\pi} \cos^2\theta\, d\theta \int_0^{\pi} \sin^3\phi\, d\phi$$

$$= \int_0^{2\pi} \tfrac{1}{2}(1 + \cos 2\theta)\, d\theta \int_0^{\pi} (\sin\phi - \sin\phi\cos^2\phi)\, d\phi$$

$$= \tfrac{1}{2}\big[\theta + \tfrac{1}{2}\sin 2\theta\big]_0^{2\pi} \big[-\cos\phi + \tfrac{1}{3}\cos^3\phi\big]_0^{\pi} = \frac{4\pi}{3}.$$

On a employé les identités

$$\cos^2\theta = \frac{1}{2}(1 + \cos 2\theta)$$

$$\sin^2\phi = 1 - \cos^2\phi$$

On aurait pu exploiter les formules **64** et **67** de la table de primitives.

Les applications des intégrales de surface sont les mêmes que celles des intégrales que nous avons rencontrées précédemment. Par exemple, si une fine feuille (disons, une feuille d'aluminium) a la forme d'une surface S et que la densité (masse par unité d'aire) au point (x, y, z) est donnée par $\rho(x, y, z)$, alors la **masse** totale de la feuille est

$$m = \iint_S \rho(x, y, z)\, dS,$$

et les coordonnées $(\bar{x}, \bar{y}, \bar{z})$ du **centre de masse** sont données par les formules

$$\bar{x} = \frac{1}{m} \iint_S x\rho(x, y, z)\, dS,$$

$$\bar{y} = \frac{1}{m} \iint_S y\rho(x, y, z)\, dS,$$

$$\bar{z} = \frac{1}{m} \iint_S z\rho(x, y, z)\, dS,$$

Les moments d'inertie sont aussi définis comme précédemment (voyez l'exercice 33).

■ Les représentations graphiques

Toute surface S d'équation $z = g(x, y)$ peut être vue comme une surface paramétrée décrites par les équations paramétriques

$$x = x \qquad y = y \qquad z = g(x, y),$$

et dans ce cas,

$$\frac{\partial \vec{r}}{\partial x} = \vec{i} + \left(\frac{\partial g}{\partial x}\right)\vec{k} \qquad \frac{\partial \vec{r}}{\partial y} = \vec{j} + \left(\frac{\partial g}{\partial y}\right)\vec{k}.$$

D'où

3
$$\frac{\partial \vec{r}}{\partial x} \wedge \frac{\partial \vec{r}}{\partial y} = -\frac{\partial g}{\partial x}\,\vec{i} - \frac{\partial g}{\partial y}\,\vec{j} + \vec{k}$$

et

$$\left\|\frac{\partial \vec{r}}{\partial x} \wedge \frac{\partial \vec{r}}{\partial y}\right\| = \sqrt{\left(\frac{\partial z}{\partial x}\right)^2 + \left(\frac{\partial z}{\partial y}\right)^2 + 1}.$$

La formule 2 devient

4
$$\iint_S f(x,y,z)\,dS = \iint_D f(x,y,g(x,y))\sqrt{\left(\frac{\partial z}{\partial x}\right)^2 + \left(\frac{\partial z}{\partial y}\right)^2 + 1}\; dA.$$

Il existe bien sûr des formules semblables lorsqu'il s'avère préférable de projeter S sur le plan Oyz ou sur le plan Oxz. Si, par exemple, S est une surface d'équation $y = h(x,z)$ et D sa projection sur le plan Oxz, alors

$$\iint_S f(x,y,z)\,dS = \iint_D f(x,h(x,z),z)\sqrt{\left(\frac{\partial y}{\partial x}\right)^2 + \left(\frac{\partial y}{\partial z}\right)^2 + 1}\; dA.$$

EXEMPLE 2 ■ Calculez $\iint_S y\,dS$, où S est la surface $z = x + y^2$, $0 \leqslant x \leqslant 1$, $0 \leqslant y \leqslant 2$ (voyez la figure 2).

SOLUTION Puisque

$$\frac{\partial z}{\partial x} = 1 \qquad \text{et} \qquad \frac{\partial z}{\partial y} = 2y,$$

la formule 4 donne

$$\iint_S y\,dS = \iint_D y\sqrt{1 + \left(\frac{\partial z}{\partial x}\right)^2 + \left(\frac{\partial z}{\partial y}\right)^2}\; dA$$

$$= \int_0^1 \int_0^2 y\sqrt{1 + 1 + 4y^2}\; dy\,dx$$

$$= \int_0^1 dx\,\sqrt{2}\int_0^2 y\sqrt{1 + 2y^2}\; dy$$

$$= \sqrt{2}\left(\tfrac{1}{4}\right)\tfrac{2}{3}(1 + 2y^2)^{3/2}\Big]_0^2 = \frac{13\sqrt{2}}{3}.$$

FIGURE 2

Si S est une surface lisse par morceaux, c'est-à-dire, une union finie de surface lisses $S_1, S_2, \ldots, S_n$ qui n'ont en commun que leurs frontières, alors l'intégrale de surface de f sur S est définie par

$$\iint_S f(x,y,z)\,dS = \iint_{S_1} f(x,y,z)\,dS + \cdots + \iint_{S_n} f(x,y,z)\,dS.$$

EXEMPLE 3 ■ Calculez $\iint_S z\, dS$, où S est la surface dont la partie latérale S_1 est le cylindre $x^2 + y^2 = 1$, le fond S_2, le disque $x^2 + y^2 \leqslant 1$ et la partie supérieure S_3, la portion du plan $z = x + 1$ qui domine S_2.

SOLUTION La figure 3 montre la surface décrite dans l'énoncé. (La position traditionnelle des axes a été modifiée pour avoir une meilleure vue de S.) Pour S_1, on se sert des paramètres θ et z (voyez l'exemple 4 de la section 10.5) et on la décrit par les équations paramétriques

$$x = \cos\theta \qquad y = \sin\theta \qquad z = z$$

où

$$0 \leqslant \theta \leqslant 2\pi \qquad \text{et} \qquad 0 \leqslant z \leqslant 1 + x = 1 + \cos\theta.$$

De là,

$$\frac{\partial \vec{r}}{\partial \theta} \wedge \frac{\partial \vec{r}}{\partial z} = \begin{vmatrix} \vec{i} & \vec{j} & \vec{k} \\ -\sin\theta & \cos\theta & 0 \\ 0 & 0 & 1 \end{vmatrix} = \cos\theta\,\vec{i} + \sin\theta\,\vec{j},$$

et

$$\left\| \frac{\partial \vec{r}}{\partial \theta} \wedge \frac{\partial \vec{r}}{\partial z} \right\| = \sqrt{\cos^2\theta + \sin^2\theta} = 1.$$

Alors, l'intégrale de surface sur S_1 s'écrit

$$\iint_{S_1} z\, dS = \iint_D z \left\| \frac{\partial \vec{r}}{\partial \phi} \wedge \frac{\partial \vec{r}}{\partial \theta} \right\| dA$$

$$= \int_0^{2\pi} \int_0^{1+\cos\theta} z\, dz\, d\theta = \int_0^{2\pi} \tfrac{1}{2} (1 + \cos\theta)^2\, d\theta$$

$$= \tfrac{1}{2} \int_0^{2\pi} \left[1 + 2\cos\theta + \tfrac{1}{2}(1 + \cos 2\theta) \right] d\theta$$

$$= \tfrac{1}{2} \left[\tfrac{3}{2}\theta + 2\sin\theta + \tfrac{1}{4}\sin 2\theta \right]_0^{2\pi} = \frac{3\pi}{2}.$$

Comme S_2 se trouve dans le plan $z = 0$,

$$\iint_{S_2} z\, dS = \iint_{S_2} 0\, dS = 0.$$

Enfin, la face supérieure S_3 se trouve au-dessus du disque unité D et fait partie du plan $z = 1 + x$. Aussi, en prenant $g(x, y) = 1 + x$ dans la formule 4 et en passant aux coordonnées polaires, on obtient

$$\iint_{S_3} z\, dS = \iint_D (1 + x) \sqrt{1 + \left(\frac{\partial z}{\partial x}\right)^2 + \left(\frac{\partial z}{\partial y}\right)^2}\, dA$$

$$= \int_0^{2\pi} \int_0^1 (1 + r\cos\theta) \sqrt{1 + 1 + 0}\; r\, dr\, d\theta$$

$$= \sqrt{2} \int_0^{2\pi} \int_0^1 (r + r^2\cos\theta)\, dr\, d\theta$$

$$= \sqrt{2} \int_0^{2\pi} \left(\tfrac{1}{2} + \tfrac{1}{3}\cos\theta \right) d\theta = \sqrt{2} \left[\frac{\theta}{2} + \frac{\sin\theta}{3} \right]_0^{2\pi} = \sqrt{2}\,\pi.$$

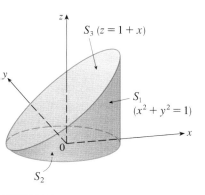

S_3 ($z = 1 + x$)

S_1
($x^2 + y^2 = 1$)

S_2

FIGURE 3

Par conséquent,

$$\iint_S z\,dS = \iint_{S_1} z\,dS + \iint_{S_2} z\,dS + \iint_{S_3} z\,dS$$
$$= \frac{3\pi}{2} + 0 + \sqrt{2}\,\pi = \left(\frac{3}{2} + \sqrt{2}\right)\pi.$$

■ Les surfaces orientables

Avant de définir les intégrales de surface d'un champ vectoriel, il est nécessaire d'écarter les surfaces non orientables dont le ruban de Möbius de la figure 4 est un exemple. [Il porte le nom du géomètre allemand Auguste Möbius (1790-1868).] Vous pouvez en fabriquer un en prenant une longue bandelette de papier rectangulaire et en attachant une des extrémités à l'autre après l'avoir tournée d'un demi-tour, comme dans la figure 5. Si une fourmi rampait le long du ruban de Möbius en partant d'un point P, elle finirait de l'« autre côté » du ruban (c'est-à-dire avec son dos orienté dans la direction opposée). Ensuite, si la fourmi continuait à ramper dans la même direction, elle finirait par arriver à nouveau au même point P sans jamais avoir franchi un bord. (Si vous avez fabriqué un ruban de Möbius, essayez de tracer une ligne au crayon au milieu.) Un ruban de Möbius n'a donc en fait qu'une seule face.

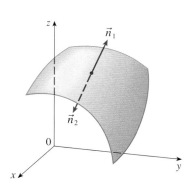

FIGURE 4
Un ruban de Möbius

FIGURE 5
Construction d'un ruban de Möbius

À partir de maintenant, on ne considère que des surfaces orientables (deux faces). On part d'une surface S qui admet un plan tangent en chacun de ses points (x, y, z) (sauf en certains points de sa frontière). En un point (x, y, z) quelconque, il y a deux vecteurs unitaires normaux $\vec{n}_1$ et $\vec{n}_2 = -\vec{n}_1$ (voyez la figure 6). S'il est possible de choisir un vecteur unitaire normal $\vec{n}$ de telle sorte que cette attribution d'un vecteur $\vec{n}$ à chaque point (x, y, z) de S soit continue, alors S est dite une **surface orientable** et le choix de $\vec{n}$ dote S d'une **orientation**. Toute surface orientable a deux orientations possibles (voyez la figure 7).

FIGURE 6

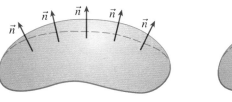

FIGURE 7 Les deux orientations d'une surface orientable

Pour une surface $z = g(x, y)$ représentative de la fonction g, on peut se servir de l'équation 3 pour associer à cette surface une orientation naturelle, celle du vecteur unitaire normal

5

$$\vec{n} = \frac{-\dfrac{\partial g}{\partial x}\,\vec{i} - \dfrac{\partial g}{\partial y}\,\vec{j} + \vec{k}}{\sqrt{\left(\dfrac{\partial g}{\partial x}\right)^2 + \left(\dfrac{\partial g}{\partial y}\right)^2 + 1}}.$$

Comme la composante en $\vec{k}$ est positive, cela donne une orientation de la surface dirigée vers le haut.

Au cas où S est une surface lisse orientable décrite paramétriquement par une fonction vectorielle $\vec{r}(u, v)$, elle est automatiquement dotée d'une orientation par le vecteur unitaire normal

6
$$\vec{n} = \frac{\dfrac{\partial \vec{r}}{\partial u} \wedge \dfrac{\partial \vec{r}}{\partial v}}{\left\| \dfrac{\partial \vec{r}}{\partial u} \wedge \dfrac{\partial \vec{r}}{\partial v} \right\|}$$

et de l'orientation opposée par $-\vec{n}$. Prenons l'exemple de la sphère (exemple 3 de la section 10.5) d'équation $x^2 + y^2 + z^2 = a^2$ décrite par les équations paramétriques

$$\vec{r}(\phi, \theta) = a \sin \phi \cos \theta \, \vec{i} + a \sin \phi \sin \theta \, \vec{j} + a \cos \phi \, \vec{k}.$$

On a calculé, à l'exemple 1 de la section 12.6, que

$$\frac{\partial \vec{r}}{\partial \phi} \wedge \frac{\partial \vec{r}}{\partial \theta} = a^2 \sin^2 \phi \cos \theta \, \vec{i} + a^2 \sin^2 \phi \sin \theta \, \vec{j} + a^2 \sin \phi \cos \phi \, \vec{k}$$

et que

$$\left\| \frac{\partial \vec{r}}{\partial \phi} \wedge \frac{\partial \vec{r}}{\partial \theta} \right\| = a^2 \sin \phi.$$

L'orientation induite par $\vec{r}(\phi, \theta)$ est donc définie par le vecteur unitaire normal

$$\vec{n} = \frac{\dfrac{\partial \vec{r}}{\partial \phi} \wedge \dfrac{\partial \vec{r}}{\partial \theta}}{\left\| \dfrac{\partial \vec{r}}{\partial \phi} \wedge \dfrac{\partial \vec{r}}{\partial \theta} \right\|} = \sin \phi \cos \theta \, \vec{i} + \sin \phi \sin \theta \, \vec{j} + \cos \phi \, \vec{k} = \frac{1}{a} \, \vec{r}(\phi, \theta).$$

On note ici que le vecteur $\vec{n}$ a le même sens que le vecteur position, c'est-à-dire vers l'extérieur de la sphère (voyez la figure 8). Le sens opposé (vers l'intérieur) aurait été obtenu (voyez la figure 9) en renversant l'ordre des paramètres, vu que $\frac{\partial \vec{r}}{\partial \theta} \wedge \frac{\partial \vec{r}}{\partial \phi} = -\frac{\partial \vec{r}}{\partial \phi} \wedge \frac{\partial \vec{r}}{\partial \theta}$.

Dans le cas d'une **surface close**, c'est-à-dire d'une surface qui constitue la cloison d'une région solide E, il est convenu que l'**orientation positive** est celle du vecteur normal dirigé vers l'*extérieur* de E, l'orientation négative étant celle des normales dirigées vers l'intérieur (voyez les figures 8 et 9).

■ Les intégrales de surface de champs vectoriels

On suppose que S est une surface orientée de vecteur unitaire normal $\vec{n}$ et on imagine qu'un fluide dont la densité au point (x, y, z) est $\rho(x, y, z)$ et à l'intérieur duquel règne un champ de vitesse $\vec{v}(x, y, z)$ s'écoule à travers S. (Pensez à S comme une surface imaginaire qui n'empêche pas le fluide de passer, un filet de pêche dans une rivière, par exemple.) Alors, le débit (masse par unité de temps) par unité d'aire est égal à $\rho\vec{v}$. Si on divise S en petites parcelles S_{ij}, comme dans la figure 10 (comparez avec la figure 1), alors S_{ij} est presque plan et on peut dire que la masse de fluide qui traverse S_{ij} dans la direction de la normale $\vec{n}$ par unité de temps vaut approximativement

$$(\rho\vec{v} \cdot \vec{n}) A(S_{ij}),$$

où ρ, $\vec{v}$ et $\vec{n}$ sont calculés en un certain point de S_{ij}. (Rappelez-vous que $\rho\vec{v} \cdot \vec{n}$ est la composante du vecteur $\rho\vec{v}$ dans la direction du vecteur unitaire $\vec{n}$.) En faisant la somme de ces quantités et en prenant la limite, on obtient, conformément à la définition 1, l'intégrale de surface de la fonction $\rho\vec{v} \cdot \vec{n}$ sur S :

7
$$\iint_S \rho\vec{v} \cdot \vec{n} \, dS = \iint_S \rho(x, y, z)\vec{v}(x, y, z) \cdot \vec{n}(x, y, z) \, dS,$$

et cette intégrale est interprétée physiquement comme le taux d'écoulement à travers S.

FIGURE 8
Sens positif

FIGURE 9
Sens négatif

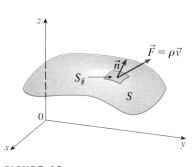

FIGURE 10

En écrivant $\vec{F} = \rho\vec{v}$, $\vec{F}$ est un champ vectoriel défini sur $\mathbb{R}^3$ et l'intégrale de l'équation 7 devient

$$\iint_S \vec{F} \cdot \vec{n}\, dS.$$

Une intégrale de surface de cette forme intervient souvent en physique dans des situations où $\vec{F}$ n'est pas égal à $\rho\vec{v}$; on l'appelle *intégrale de surface (ou intégrale de flux)* de $\vec{F}$ sur S.

---

8 Définition Si $\vec{F}$ est un champ vectoriel défini sur une surface orientée S de vecteur unitaire normal $\vec{n}$, alors l'**intégrale de surface de $\vec{F}$ sur** S est

$$\iint_S \vec{F}\, d\vec{S} = \iint_S \vec{F} \cdot \vec{n}\, dS.$$

Cette intégrale est aussi appelée le **flux** du champ $\vec{F}$ à travers S.

La définition 8 s'énonce : l'intégrale de surface d'un champ vectoriel sur S est égale à l'intégrale de surface de sa composante normale sur S (comme défini précédemment.)

Si c'est une fonction vectorielle $\vec{r}(u, v)$ qui décrit S, alors $\vec{n}$ est donné par la formule 6 et la définition 8 jointe à la formule 2 conduisent à

$$\iint_S \vec{F} \cdot d\vec{S} = \iint_S \vec{F} \cdot \frac{\dfrac{\partial \vec{r}}{\partial u} \wedge \dfrac{\partial \vec{r}}{\partial v}}{\left\| \dfrac{\partial \vec{r}}{\partial u} \wedge \dfrac{\partial \vec{r}}{\partial v} \right\|}\, dS$$

$$= \iint_D \left[\vec{F}(\vec{r}(u, v)) \cdot \frac{\dfrac{\partial \vec{r}}{\partial u} \wedge \dfrac{\partial \vec{r}}{\partial v}}{\left\| \dfrac{\partial \vec{r}}{\partial u} \wedge \dfrac{\partial \vec{r}}{\partial v} \right\|} \right] \left\| \frac{\partial \vec{r}}{\partial u} \wedge \frac{\partial \vec{r}}{\partial v} \right\| dA,$$

où D est le domaine paramétré. Après simplification, on a

L'expression 9 est à rapprocher de l'expression analogue pour calculer des intégrales curvilignes de champs vectoriels, la définition 13 de la section 13.2 :

$$\int_C \vec{F} \cdot d\vec{r} = \int_a^b \vec{F}(\vec{r}(t)) \cdot \vec{r}'(t)\, dt.$$

9
$$\iint_S \vec{F} \cdot d\vec{S} = \iint_D \vec{F} \cdot \left(\frac{\partial \vec{r}}{\partial u} \wedge \frac{\partial \vec{r}}{\partial v} \right) dA$$

EXEMPLE 4 ■ Calculez le flux du champ vectoriel $\vec{F}(x, y, z) = z\,\vec{i} + y\,\vec{j} + x\,\vec{k}$ à travers la sphère de rayon unité $x^2 + y^2 + z^2 = 1$.

SOLUTION Avec la description paramétrique

$$\vec{r}(\phi, \theta) = a \sin\phi \cos\theta\,\vec{i} + a \sin\phi \sin\theta\,\vec{j} + a \cos\phi\,\vec{k},$$

où

$$0 \leqslant \phi \leqslant \pi \qquad 0 \leqslant \theta \leqslant 2\pi,$$

on a

$$\vec{F}(\vec{r}(\phi, \theta)) = \cos\phi\,\vec{i} + \sin\phi \sin\theta\,\vec{j} + \sin\phi \cos\theta\,\vec{k},$$

et, de l'exemple 1 dans la section 12.6,

$$\frac{\partial \vec{r}}{\partial \phi} \wedge \frac{\partial \vec{r}}{\partial \theta} = \sin^2\phi \cos\theta\,\vec{i} + \sin^2\phi \sin\theta\,\vec{j} + \sin\phi \cos\phi\,\vec{k}.$$

La figure 11 montre le champ vectoriel $\vec{F}$ de l'exemple 4 en des points de la sphère unité.

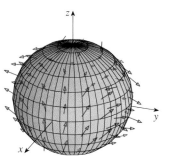

FIGURE 11

De là,

$$\vec{F}(\vec{r}(\phi, \theta)) \cdot \left(\frac{\partial \vec{r}}{\partial \phi} \wedge \frac{\partial \vec{r}}{\partial \theta} \right) = \cos \phi \sin^2 \phi \cos \theta + \sin^3 \phi \sin^2 \theta + \sin^2 \phi \cos \phi \cos \theta$$

et, suivant la formule 9, le flux est égal à

$$\iint_S \vec{F} \cdot d\vec{S} = \iint_D \vec{F} \cdot \left(\frac{\partial \vec{r}}{\partial \phi} \wedge \frac{\partial \vec{r}}{\partial \theta} \right) dA$$

$$= \int_0^{2\pi} \int_0^{\pi} (2 \sin^2 \phi \cos \phi \cos \theta + \sin^3 \phi \sin^2 \theta) \, d\phi \, d\theta$$

$$= 2 \int_0^{\pi} \sin^2 \phi \cos \phi \, d\phi \int_0^{2\pi} \cos \theta \, d\theta + \int_0^{\pi} \sin^3 \phi \, d\phi \int_0^{2\pi} \sin^2 \theta \, d\theta$$

$$= 0 + \int_0^{\pi} \sin^3 \phi \, d\phi \int_0^{2\pi} \sin^2 \theta \, d\theta \quad \left(\text{puisque} \int_0^{2\pi} \cos \theta \, d\theta = 0 \right)$$

$$= \frac{4\pi}{3}.$$

par les mêmes calculs qu'à l'exemple 1.

Si le champ vectoriel de l'exemple 4 est un champ de vitesse qui décrit l'écoulement d'un fluide de densité 1, la réponse $4\pi/3$ représente le rythme de l'écoulement à travers la sphère de rayon unité, en unités de masse par unités de temps.

Au cas où une surface S est la représentation graphique d'équation $z = g(x, y)$, les variables x et y peuvent servir de paramètres et alors, par l'équation 3,

$$\vec{F} \cdot \left(\frac{\partial \vec{r}}{\partial x} \wedge \frac{\partial \vec{r}}{\partial y} \right) = (P\vec{i} + Q\vec{j} + R\vec{k}) \cdot \left(-\frac{\partial g}{\partial x} \vec{i} - \frac{\partial g}{\partial y} \vec{j} + \vec{k} \right).$$

La formule 9 s'écrit alors dans ce cas

10
$$\iint_S \vec{F} \cdot d\vec{S} = \iint_D \left(-P \frac{\partial g}{\partial x} - Q \frac{\partial g}{\partial y} + R \right) dA$$

Cette formule repose sur une orientation vers le haut de S ; si l'orientation était vers le bas, il faudrait multiplier par -1. Des formules analogues peuvent être établies dans le cas où l'équation de S est $y = h(x, z)$ ou $x = k(y, z)$. (Voyez les exercices 29 et 30.)

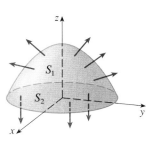

FIGURE 12

EXEMPLE 5 ■ Calculez $\iint_S \vec{F} \cdot d\vec{S}$, où $\vec{F}(x, y, z) = y\vec{i} + x\vec{j} + z\vec{k}$ et si S est la frontière du solide E fermé par le paraboloïde $z = 1 - x^2 - y^2$ et le plan $z = 0$.

SOLUTION S se compose d'une face supérieure parabolique S_1 et d'une face de base circulaire S_2 (voyez la figure 12). Vu que S est fermée, on adopte la convention de l'orientation positive (vers l'extérieur). Cela implique que S_1 est orientée vers le haut et on peut appliquer la formule 10, où D est la projection de S_1 sur le plan Oxy, à savoir le disque $x^2 + y^2 \leqslant 1$. Comme

$$P(x, y, z) = y \qquad Q(x, y, z) = x \qquad R(x, y, z) = z = 1 - x^2 - y^2,$$

sur S_1 et comme

$$\frac{\partial g}{\partial x} = -2x \qquad \frac{\partial g}{\partial y} = -2y,$$

on a

$$\iint_{S_1} \vec{F} \cdot d\vec{S} = \iint_D \left(-P\,\frac{\partial g}{\partial x} - Q\,\frac{\partial g}{\partial y} + R \right) dA$$

$$= \iint_D \left[-y(-2x) - x(-2y) + 1 - x^2 - y^2 \right] dA$$

$$= \iint_D (1 + 4xy - x^2 - y^2)\, dA$$

$$= \int_0^{2\pi} \int_0^1 (1 + 4r^2 \cos\theta \sin\theta - r^2)\, r\, dr\, d\theta$$

$$= \int_0^{2\pi} \int_0^1 (r - r^3 + 4r^3 \cos\theta \sin\theta)\, dr\, d\theta$$

$$= \int_0^{2\pi} \left(\tfrac{1}{4} + \cos\theta \sin\theta \right) d\theta = \tfrac{1}{4}(2\pi) + 0 = \frac{\pi}{2}.$$

Le disque S_2 est orienté vers le bas, de sorte que son vecteur unitaire normal est $\vec{n} = -\vec{k}$ et de là, on a

$$\iint_{S_2} \vec{F} \cdot d\vec{S} = \iint_{S_2} \vec{F} \cdot (-\vec{k})\, dS = \iint_D (-z)\, dA = \iint_D 0\, dA = 0,$$

puisque $z = 0$ sur S_2. Enfin, par définition, $\iint_S \vec{F} \cdot d\vec{S}$ est égale à la somme de intégrales de surface de $\vec{F}$ sur les morceaux S_1 et S_2 :

$$\iint_S \vec{F} \cdot d\vec{S} = \iint_{S_1} \vec{F} \cdot d\vec{S} + \iint_{S_2} \vec{F} \cdot d\vec{S} = \frac{\pi}{2} + 0 = \frac{\pi}{2}.$$

Bien que l'intégrale de surface ait été introduite avec le vocabulaire de l'écoulement des fluides, ce concept intervient dans d'autres situations physiques. Par exemple, lorsque $\vec{E}$ est un champ électrique (voyez l'exemple 5 de la section 13.1), l'intégrale de surface

$$\int_S \vec{E} \cdot d\vec{S}$$

est appelée le **flux du champ électrique** $\vec{E}$ traversant la surface S. Une des lois importantes de l'électrostatique est la **loi de Gauss** qui dit que la charge nette à l'intérieur d'une surface fermée S est

III
$$Q = \varepsilon_0 \iint_S \vec{E} \cdot d\vec{S},$$

où ε_0 est une constante (appelée la permittivité du milieu) qui dépend des unités employées. (Dans le système SI, $\varepsilon_0 \approx 8,8542 \times 10^{-12}$ C^2/N·m^2.) Si dans l'exemple 4 le champ $\vec{F}$ représente un champ électrique, on peut conclure que la charge enfermée dans S vaut $Q = 4\pi\varepsilon_0/3$.

L'étude des flux de chaleur constitue une autre application des intégrales de surface. On suppose que la température en un point (x, y, z) d'un corps est $u(x, y, z)$. Alors, le **transfert d'énergie thermique** a lieu selon le champ vectoriel

$$\vec{F} = -K\nabla u,$$

où K est une constante déterminée expérimentalement, appelée la **conductivité** de la substance. La quantité de chaleur transmise à travers la surface S dans le corps par unité de temps est alors donnée par l'intégrale de surface

$$\iint_S \vec{F} \cdot d\vec{S} = -K \iint_S \nabla u \cdot d\vec{S}.$$

EXEMPLE 6 ■ La température u en un point d'une boule métallique est proportionnelle au carré de la distance au centre de la boule. Calculez le taux de transmission de chaleur à travers une sphère S de rayon a centrée au centre de la boule.

SOLUTION Si le centre de la boule occupe l'origine, l'expression de la température est

$$u(x, y, z) = C(x^2 + y^2 + z^2),$$

où C est la contante de proportionnalité. Le transfert de chaleur est caractérisé par

$$\vec{F}(x, y, z) = -K\nabla u = -KC(2x\vec{i} + 2y\vec{j} + 2z\vec{k}),$$

où K est la conductivité du métal. Au lieu d'employer l'habituelle description paramétrique de la sphère, comme dans l'exemple 4, on préfère observer que le vecteur unitaire pointé vers l'extérieur de la sphère $x^2 + y^2 + z^2 = a^2$ en (x, y, z) est

$$\vec{n} = \frac{1}{a}(x\vec{i} + y\vec{j} + z\vec{k})$$

et de là

$$\vec{F} \cdot \vec{n} = -\frac{2KC}{a}(x^2 + y^2 + z^2).$$

Mais comme sur S on a $x^2 + y^2 + z^2 = a^2$, $\vec{F} \cdot \vec{n} = -2aKC$. Par conséquent, le taux de transmission de chaleur à travers S vaut

$$\iint_S \vec{F} d\vec{S} = \iint_S \vec{F} \cdot \vec{n} \, dS$$

$$= -2aKC \iint_S dS = -2aKCA(S)$$

$$= -2aKC(4\pi a^2) = -8KC\pi a^3.$$

13.6 Exercices •

1. Soit S le cube de sommets $(\pm 1, \pm 1, \pm 1)$. Calculez une valeur approchée de $\iint_S \sqrt{x^2 + 2y^2 + 3z^2} dS$ à l'aide d'une somme de Riemann (définition 1), en prenant comme parcelles S_{ij} les carrés que sont les faces du cube et comme points P_{ij}^* les centres des carrés.

2. Une surface S se compose de la face latérale du cylindre $x^2 + y^2 = 1$, $-1 \leqslant z \leqslant 1$ et des deux disques inférieur et supérieur. D'une fonction f on sait qu'elle est continue et qu'elle prend les valeurs suivantes : $f(\pm 1, 0, 0) = 2$, $f(0, \pm 1, 0) = 3$ et $f(0, 0, \pm 1) = 4$. Estimez la valeur de $\iint_S f(x, y, z) dS$ à l'aide d'une somme de Riemann, en prenant comme parcelles S_{ij} quatre quarts de cylindre et les disques extrêmes.

3. Soit H l'hémisphère $x^2 + y^2 + z^2 = 50, z \geqslant 0$. On suppose que f est une fonction continue telle que $f(3, 4, 5) = 7$, $f(3, -4, 5) = 8, f(-3, 4, 5) = 9$ et $f(-3, -4, 5) = 12$. En divisant H en quatre parcelles, estimez la valeur de $\iint_H f(x, y, z) dS$.

4. On suppose que $f(x, y, z) = g(\sqrt{x^2 + y^2 + z^2})$, où g est une fonction d'une variable telle que $g(2) = -5$. Calculez $\iint_S f(x, y, z) dS$, où S est la sphère $x^2 + y^2 + z^2 = 4$.

5-16 ■ Calculez l'intégrale de surface.

5. $\iint_S yz \, dS$, S est la surface d'équations paramétriques $x = uv, y = u + v, z = u - v, u^2 + v^2 \leqslant 1$.

6. $\iint_S \sqrt{1 + x^2 + y^2} dS$, S est l'hélicoïde d'équation vectorielle $\vec{r}(u, v) = u \cos v \, \vec{i} + u \sin v \, \vec{j} + v \, \vec{k}, 0 \leqslant u \leqslant 1, 0 \leqslant v \leqslant \pi$.

7. $\iint_S y \, dS$, S est la portion du plan $3x + 2y + z = 6$ qui se trouve dans le premier octant.

8. $\iint_S xz \, dS$, S est le triangle de sommets $(1, 0, 0)$, $(0, 1, 0)$ et $(0, 0, 1)$.

9. $\iint_S x \, dS$, S est la surface $y = x^2 + 4z, 0 \leqslant x \leqslant 2, 0 \leqslant z \leqslant 2$.

10. $\iint_S (y^2 + z^2) dS$, S est la partie du paraboloïde $x = 4 - y^2 - z^2$ qui se trouve à l'avant du plan $x = 0$.

11. $\iint_S yz \, dS$, S est la partie du plan $z = y + 3$ qui se trouve à l'intérieur du cylindre $x^2 + y^2 = 1$.

12. $\iint_S xy \, dS$, S est la paroi de la région délimitée par le cylindre $x^2 + z^2 = 1$ et les plans $y = 0$ et $x + y = 2$.

13. $\iint_S (x^2 z + y^2 z) dS$, S est l'hémisphère $x^2 + y^2 + z^2 = 4, z \geqslant 0$.

14. $\iint_S xyz \, dS$, S est la portion de la sphère $x^2 + y^2 + z^2 = 1$ qui se trouve au-dessus du cône $z = \sqrt{x^2 + y^2}$.

15. $\iint_S (x^2 y + z^2) dS$, S est la partie du cylindre comprise entre les plans $z = 0$ et $z = 2$.

16. $\iint_S (x^2 + y^2 + z^2) dS$, S se compose du cylindre de l'exercice 15 et de ses disques inférieur et supérieur.

17-25 ■ Calculez l'intégrale de surface $\iint_S \vec{F} \cdot d\vec{S}$ pour le champ vectoriel $\vec{F}$ donné et la surface orientée S. En d'autres mots, déterminez le flux de $\vec{F}$ à travers S. Pour les surfaces fermées, choisissez l'orientation positive (tournée vers l'extérieur).

17. $\vec{F}(x, y, z) = e^y \vec{i} + y e^x \vec{j} + x^2 y \vec{k}$, S est la partie du paraboloïde $z = x^2 + y^2$ qui domine le carré $0 \leqslant x \leqslant 1, 0 \leqslant y \leqslant 1$, orientée vers le haut.

18. $\vec{F}(x, y, z) = x^2 y \vec{i} - 3xy^2 \vec{j} + 4y^3 \vec{k}$, S est la portion du paraboloïde $z = x^2 + y^2 - 9$ qui se trouve sous le rectangle $0 \leqslant x \leqslant 2$, $0 \leqslant y \leqslant 1$ et orientée vers le bas.

19. $\vec{F}(x, y, z) = x \vec{i} + xy \vec{j} + xz \vec{k}$, S est la surface de l'exercice 7 orientée vers le haut.

20. $\vec{F}(x, y, z) = -x \vec{i} - y \vec{j} + z^2 \vec{k}$, S est la portion du cône $z = \sqrt{x^2 + y^2}$ comprise entre les plans $z = 1$ et $z = 2$, orientée vers le haut.

21. $\vec{F}(x, y, z) = x \vec{i} + y \vec{j} + z \vec{k}$, S est la sphère $x^2 + y^2 + z^2 = 9$.

22. $\vec{F}(x, y, z) = -y \vec{i} + x \vec{j} + 3z \vec{k}$, S est l'hémisphère $z = \sqrt{16 - x^2 - y^2}$, orientée vers le haut.

23. $\vec{F}(x, y, z) = y \vec{j} - z \vec{k}$, S est le paraboloïde $y = x^2 + z^2$, $0 \leqslant y \leqslant 1$ et le disque $x^2 + z^2 \leqslant 1, y = 1$.

24. $\vec{F}(x, y, z) = x \vec{i} + y \vec{j} + 5 \vec{k}$, S est la surface de l'exercice 12.

25. $\vec{F}(x, y, z) = x \vec{i} + 2y \vec{j} + 3z \vec{k}$, S est le cube de sommets $(\pm 1, \pm 1, \pm 1)$.

LCS 26. Calculez la valeur exacte de $\iint_S x^2 yz \, dS$, où S est la surface $z = xy, 0 \leqslant x \leqslant 1, 0 \leqslant y \leqslant 1$.

LCS 27. Calculez la valeur de $\iint_S x^2 y^2 z^2 dS$ avec quatre décimales correctes, où S est la portion du paraboloïde $z = 3 - 2x^2 - y^2$ qui se trouve au-dessus du plan Oxy.

LCS 28. Calculez le flux de $\vec{F}(x, y, z) = \sin(xyz) \vec{i} + x^2 y \vec{j} + z^2 e^{x/5} \vec{k}$ à travers la portion du cylindre $4y^2 + z^2 = 4$ qui se trouve au-dessus du plan Oxy et entre les plans $x = -2$ et $x = 2$, et orientée vers le haut. Illustrez en faisant dessiner par un logiciel approprié, dans un même écran, le cylindre et le champ vectoriel.

29. Établissez une formule pour $\iint_S \vec{F} \cdot d\vec{S}$, semblable à la formule 10, pour le cas où S est donnée par $y = h(x, z)$ et où $\vec{n}$ est le vecteur unitaire normal orienté vers la gauche.

30. Établissez une formule pour $\iint_S \vec{F} \cdot d\vec{S}$, semblable à la formule 10, pour le cas où S est donnée par $x = k(y, z)$ et où $\vec{n}$ est le vecteur unitaire normal orienté vers l'avant (c'est-à-dire en direction de l'observateur quand les axes sont disposés comme d'habitude).

31. Calculez le centre de masse de l'hémisphère $x^2 + y^2 + z^2 = a^2$, $z \geqslant 0$, si la densité est constante.

32. Calculez la masse d'un fin entonnoir de forme conique $z = \sqrt{x^2 + y^2}$, $1 \leqslant z \leqslant 4$ si la densité est donnée par $\rho(x, y, z) = 10 - z$.

33. a) Écrivez l'expression sous la forme d'une intégrale du moment d'inertie I_z par rapport à l'axe Oz d'une fine feuille qui a la forme d'une surface S et dont la densité est donnée par la fonction ρ.

   b) Calculez le moment d'inertie par rapport à l'axe Oz de l'entonnoir de l'exercice 32.

34. La surface conique $z^2 = x^2 + y^2, 0 \leqslant z \leqslant a$ est de densité constante k. Déterminez a) le centre de masse et b) le moment d'inertie par rapport à l'axe Oz.

35. Un liquide de densité 1200 coule selon un champ de vitesse $\vec{v} = y\vec{i} + \vec{j} + z\vec{k}$. Déterminez le flux vers le haut à travers le paraboloïde $z = 9 - (x^2 + y^2)/4$, $x^2 + y^2 \leqslant 36$.

36. Un liquide de densité 1500 coule avec une vitesse $\vec{v} = -y\vec{i} + x\vec{j} + 2z\vec{k}$. Déterminez le flux dirigé vers l'extérieur à travers la sphère $x^2 + y^2 + z^2 = 25$.

37. Servez-vous de la loi de Gauss pour déterminer la charge contenue dans l'hémisphère solide $x^2 + y^2 + z^2 \leqslant a^2$, $z \geqslant 0$, si le champ électrique est $\vec{E}(x, y, z) = x\vec{i} + y\vec{j} + 2z\vec{k}$.

38. Servez-vous de la loi de Gauss pour déterminer la charge à l'intérieur du cube de sommets $(\pm 1, \pm 1, \pm 1)$ si le champ électrique est $\vec{E}(x, y, z) = x\vec{i} + y\vec{j} + z\vec{k}$.

39. La température au point (x, y, z) d'une substance de conductivité $K = 6{,}5$ est $u(x, y, z) = 2y^2 + 2z^2$. Calculez le flux de chaleur vers l'intérieur à travers la surface cylindrique $y^2 + z^2 = 6$, $0 \leqslant x \leqslant 4$.

40. La température en un point d'une balle de conductivité K est inversement proportionnelle à la distance au centre de la balle. Calculez le flux de chaleur à travers une sphère S de rayon a dont le centre occupe le centre de la balle.

13.7 Le théorème de Stokes •••••••••••••••••••••••••••

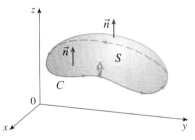

FIGURE I

Le théorème de Stokes tire son nom du mathématicien et physicien irlandais Sir George Stokes (1819-1903). Stokes fut professeur à Cambridge (il tint la même chaire que Newton, la chaire Lucas de mathématiques) et est connu pour ses recherches sur l'écoulement des fluides et la lumière. Ce qu'on appelle le Théorème de Stokes a réellement été découvert par le physicien écossais Sir William Thomson (1824-1907, connu sous le nom de Lord Kelvin). Stokes eut connaissance de ce théorème dans une lettre de Thomson en 1850 et il demanda à ses étudiants de le démontrer lors d'un examen à l'université de Cambridge en 1854. On ignore s'il y eut des étudiants qui y parvinrent.

Le théorème de Stokes peut être vu comme une version du Théorème de Green de dimension supérieure. Alors que le Théorème de Green met en relation une intégrale double sur un domaine du plan D avec une intégrale curviligne autour de sa courbe frontière, le Théorème de Stokes lie une intégrale de suface sur une surface S à l'intégrale curviligne autour de la courbe frontière de S (qui est une courbe de l'espace). La figure 1 montre une surface orientée par un vecteur unitaire normal $\vec{n}$. L'orientation de la surface S détermine le **sens positif de la courbe frontière** C, indiqué par des flèches dans la figure. En effet, si vous marchez sur C dans le sens positif, la tête dans la direction de $\vec{n}$, la surface sera toujours à votre gauche.

> **Théorème de Stokes** Soit S une surface orientée, lisse par morceaux, dont le bord est une courbe C simple fermée, lisse par morceaux, orientée positivement. Soit $\vec{F}$ un champ vectoriel dont les composantes ont des dérivées partielles continues sur une région ouverte de $\mathbb{R}^3$ qui contient S. Alors,
> $$\int_C \vec{F} \cdot d\vec{r} = \iint_S \operatorname{rot} \vec{F} \cdot d\vec{S}.$$

Puisque

$$\int_C \vec{F} \cdot d\vec{r} = \int_C \vec{F} \cdot \vec{T}\, ds \qquad \text{et} \qquad \iint_S \operatorname{rot} \vec{F} \cdot d\vec{S} = \iint_S \operatorname{rot} \vec{F} \cdot \vec{n}\, dS,$$

le Théorème de Stokes dit que l'intégrale curviligne, autour de la frontière de S, de la composante tangentielle de $\vec{F}$ est égale à l'intégrale de surface de la composante normale du rotationnel de $\vec{F}$.

Comme le bord orienté positivement de la surface orientée S s'écrit souvent ∂S, le Théorème de Stokes prend la forme

$$\iint_S \operatorname{rot} \vec{F} \cdot d\vec{S} = \int_{\partial S} \vec{F} \cdot d\vec{r}.$$

Notez l'analogie entre le Théorème de Stokes, le Théorème de Green et le Théorème fondamental du calcul différentiel et intégral. Comme précédemment, l'intégrale du membre de gauche de l'équation 1 contient des dérivées (rot $\vec{F}$ est une sorte de dérivée de $\vec{F}$) et le membre de droite implique les valeurs de $\vec{F}$ seulement sur la *frontière* de S.

Dans le cas particulier où la surface S est plate et contenue dans le plan Oxy orienté vers le haut, le vecteur unitaire normal est $\vec{k}$, l'intégrale de surface devient une intégrale double et la formule du Théorème de Stokes devient

$$\int_C \vec{F} \cdot d\vec{r} = \iint_S \text{rot } \vec{F} \cdot d\vec{S} = \iint_S \text{rot } \vec{F} \cdot \vec{k} \, dA,$$

ce qui est exactement la forme vectorielle du Théorème de Green donnée dans l'expression 12 de la section 13.5. Il est clair de cette façon que le Théorème de Green est en réalité un cas particulier du Théorème de Stokes.

Même si la démonstration du Théorème de Stokes dans sa généralité ne peut pas figurer dans un ouvrage comme celui-ci, à cause de son degré de difficulté, nous tenons à en donner un début de preuve dans la situation où S est une représentation graphique et où $\vec{F}$, S et C sont bien configurés.

Démonstration d'un cas particulier du Théorème de Stokes On suppose que S est la surface d'équation $z = g(x, y)$, $(x, y) \in D$, où g a des dérivées partielles secondes continues et où D est une région plane simple dont la frontière C_1 correspond à C. Si S est orientée vers le haut, l'orientation positive de C correspond à l'orientation positive de C_1 (voyez la figure 2). Soit $\vec{F} = P\vec{i} + Q\vec{j} + R\vec{k}$, où P, Q et R ont des dérivées partielles continues.

Comme S est une représentation graphique, la formule 10 de la section 13.6 est d'application, mais avec $\vec{F}$ remplacé par rot $\vec{F}$. Il en résulte

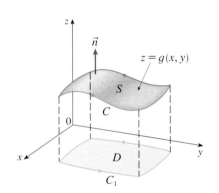

FIGURE 2

2
$$\iint_S \text{rot } \vec{F} \cdot d\vec{S}$$

$$= \iint_D \left[-\left(\frac{\partial R}{\partial y} - \frac{\partial Q}{\partial z}\right)\frac{\partial z}{\partial x} - \left(\frac{\partial P}{\partial z} - \frac{\partial R}{\partial x}\right)\frac{\partial z}{\partial y} + \left(\frac{\partial Q}{\partial x} - \frac{\partial P}{\partial y}\right) \right] dA$$

où les dérivées partielles de P, Q et R sont évaluées en $(x, y, g(x, y))$. Si C_1 est décrit paramétriquement par

$$x = x(t) \qquad y = y(t) \qquad a \leqslant t \leqslant b,$$

alors C admet la description paramétrique

$$x = x(t) \qquad y = y(t) \qquad z = g(x(t), y(t)) \qquad a \leqslant t \leqslant b.$$

On peut maintenant calculer l'intégrale curviligne du membre de gauche, en faisant appel aussi à la Règle de dérivation des fonctions composées :

$$\int_C \vec{F} \cdot d\vec{r} = \int_a^b \left(P\frac{dx}{dt} + Q\frac{dy}{dt} + R\frac{dz}{dt} \right) dt$$

$$= \int_a^b \left[P\frac{dx}{dt} + Q\frac{dy}{dt} + R\left(\frac{\partial z}{\partial x}\frac{dx}{dt} + \frac{\partial z}{\partial y}\frac{dy}{dt}\right) \right] dt$$

$$= \int_a^b \left[\left(P + R\frac{\partial z}{\partial x} \right)\frac{dx}{dt} + \left(Q + R\frac{\partial z}{\partial y} \right)\frac{dy}{dt} \right] dt$$

$$= \int_{C_1} \left(P + R\frac{\partial z}{\partial x} \right) dx + \left(Q + R\frac{\partial z}{\partial y} \right) dy$$

$$= \iint_D \left[\frac{\partial}{\partial x}\left(Q + R\frac{\partial z}{\partial y} \right) - \frac{\partial}{\partial y}\left(P + R\frac{\partial z}{\partial x} \right) \right] dA$$

La dernière étape est justifiée par le Théorème de Green. Les calculs se poursuivent encore, à nouveau grâce à la Règle de dérivation des fonctions composées, et en se souvenant que P, Q et R sont des fonctions de x, y et z et que z est à son tour fonction de x et y :

$$\int_C \vec{F} \cdot d\vec{r} = \iint_D \left[\left(\frac{\partial Q}{\partial x} + \frac{\partial Q}{\partial z} \frac{\partial z}{\partial x} + \frac{\partial R}{\partial x} \frac{\partial z}{\partial y} + \frac{\partial R}{\partial z} \frac{\partial z}{\partial x} \frac{\partial z}{\partial y} + R \frac{\partial^2 z}{\partial x \, \partial y} \right) - \left(\frac{\partial P}{\partial y} + \frac{\partial P}{\partial z} \frac{\partial z}{\partial y} + \frac{\partial R}{\partial y} \frac{\partial z}{\partial x} + \frac{\partial R}{\partial z} \frac{\partial z}{\partial y} \frac{\partial z}{\partial x} + R \frac{\partial^2 z}{\partial y \, \partial x} \right) \right] dA$$

Quatre des termes de cette intégrale double se simplifient tandis que les six autres peuvent être réarrangés pour se présenter comme dans le membre de droite de la formule 2. Par conséquent,

$$\int_C \vec{F} \cdot d\vec{r} = \iint_S \operatorname{rot} \vec{F} \cdot d\vec{S}. \qquad \blacksquare$$

EXEMPLE 1 ■ Calculez $\int_C \vec{F} \cdot d\vec{r}$, où $\vec{F}(x,y,z) = -y^2\,\vec{i} + x\vec{j} + z^2\,\vec{k}$ et où C est la courbe d'intersection du plan $y + z = 2$ avec le cylindre $x^2 + y^2 = 1$. (Orientez C dans le sens contraire des aiguilles d'une montre, vu d'en haut.)

SOLUTION La figure 3 montre la courbe C (une ellipse). Bien que $\int_C \vec{F} \cdot d\vec{r}$ puisse être calculée directement, il est plus facile de passer par le Théorème de Stokes. Il faut d'abord calculer

$$\operatorname{rot} \vec{F} = \begin{vmatrix} \vec{i} & \vec{j} & \vec{k} \\ \dfrac{\partial}{\partial x} & \dfrac{\partial}{\partial y} & \dfrac{\partial}{\partial z} \\ -y^2 & x & z^2 \end{vmatrix} = (1 + 2y)\,\vec{k}.$$

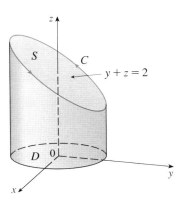

FIGURE 3

Le domaine S de l'intégrale de surface est la région elliptique du plan $y + z = 2$ que ceinture l'ellipse C. L'orientation vers le haut de S induit l'orientation positive de C. La projection D de S sur la plan Oxy est le disque $x^2 + y^2 \leqslant 1$. L'équation 10 de la section 13.6 avec $z = g(x,y) = 2 - y$ conduit à

$$\begin{aligned} \int_C \vec{F} \cdot d\vec{r} &= \iint_S \operatorname{rot} \vec{F} \cdot d\vec{S} = \iint_D (1 + 2y)\,dA \\ &= \int_0^{2\pi} \int_0^1 (1 + 2r\sin\theta)\,r\,dr\,d\theta \\ &= \int_0^{2\pi} \left[\frac{r^2}{2} + 2\frac{r^3}{3}\sin\theta \right]_0^1 d\theta \\ &= \int_0^{2\pi} \left(\frac{1}{2} + \frac{2}{3}\sin\theta \right) d\theta \\ &= \frac{1}{2}(2\pi) + 0 = \pi. \end{aligned}$$

EXEMPLE 2 ■ Calculez, en utilisant le Théorème de Stokes, l'intégrale $\iint_S \operatorname{rot} \vec{F} \cdot d\vec{S}$ où $\vec{F}(x,y,z) = yz\,\vec{i} + xz\,\vec{j} + xy\,\vec{k}$ et où S est la portion de la sphère $x^2 + y^2 + z^2 = 4$ qui se trouve à l'intérieur du cylindre $x^2 + y^2 = 1$ et au-dessus du plan Oxy (voyez la figure 4).

SOLUTION Pour déterminer l'équation de la courbe frontière C, on résout le système des équations $x^2 + y^2 + z^2 = 4$ et $x^2 + y^2 = 1$. Par soustration, il vient $z^2 = 3$ ou $z = \sqrt{3}$ (puisque $z > 0$). De là, C est décrite par les équations $x^2 + y^2 = 1$, $z = \sqrt{3}$ et vectoriellement par la fonction

$$\vec{r}(t) = \cos t\,\vec{i} + \sin t\,\vec{j} + \sqrt{3}\,\vec{k} \qquad 0 \leqslant t \leqslant 2\pi.$$

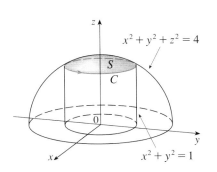

FIGURE 4

On calcule $\vec{r}'(t) = -\sin t\,\vec{i} + \cos t\,\vec{j}$ et
$$\vec{F}(\vec{r}(t)) = \sqrt{3}\sin t\,\vec{i} + \sqrt{3}\cos t\,\vec{j} + \cos t\sin t\,\vec{k}.$$

Le Théorème de Stokes conduit à
$$\iint_S \operatorname{rot}\vec{F}\cdot d\vec{S} = \int_C \vec{F}\cdot d\vec{r} = \int_0^{2\pi} \vec{F}(\vec{r}(t))\cdot \vec{r}'(t)\,dt$$
$$= \int_0^{2\pi} (-\sqrt{3}\sin^2 t + \sqrt{3}\cos^2 t)\,dt$$
$$= \sqrt{3}\int_0^{2\pi} \cos 2t\,dt = 0.$$

On remarque, dans l'exemple 2, que l'intégrale de surface a été calculée en n◄ connaissant les valeurs de $\vec{F}$ que sur la courbe frontière C. Cela signifie que la valeur d◄ l'intégrale de surface serait la même si on intégrait sur une autre surface, du momen◄ qu'elle est bordée par la même frontière C.

En général, si S_1 et S_2 sont des surfaces orientées bordées par la même courb◄ frontière orientée C et qui satisfont aux hypothèses du Théorème de Stokes, alors

3
$$\iint_{S_1} \operatorname{rot}\vec{F}\cdot d\vec{S} = \int_C \vec{F}\cdot d\vec{r} = \iint_{S_2} \operatorname{rot}\vec{F}\cdot d\vec{S}.$$

C'est utile à savoir dans le cas où l'intégration est difficile sur une surface et plus simpl◄ sur une autre.

Il est temps d'éclairer le sens du rotationnel, à la faveur du Théorème de Stokes On suppose que C est une courbe fermée orientée et que $\vec{v}$ représente le champ d◄ vitesse d'un fluide en mouvement. On considère l'intégrale curviligne
$$\int_C \vec{v}\cdot d\vec{r} = \int_C \vec{v}\cdot \vec{T}\,ds$$

et on rappelle que $\vec{v}\cdot\vec{T}$ est la composante de $\vec{v}$ dans la direction du vecteur unitair◄ tangent $\vec{T}$. Dès lors, plus la direction de $\vec{v}$ est proche de la direction de $\vec{T}$, plus la valeu◄ de $\vec{v}\cdot\vec{T}$ est grande. De ce fait, le nombre $\int_C \vec{v}\cdot d\vec{r}$ est une mesure de la tendance d◄ fluide à se déplacer autour de C. Il est d'ailleurs appelé la **circulation** de $\vec{v}$ autour de C (voyez la figure 5).

Soit maintenant $P_0(x_0,y_0,z_0)$ un point dans le fluide et soit S_a un petit disque d◄ rayon a, centré en P_0. Sous l'hypothèse que $\operatorname{rot}\vec{F}$ est continu, on peut penser qu◄ $(\operatorname{rot}\vec{F})(P) \approx \operatorname{rot}\vec{F})(P_0)$ en tous les points P de S_a. Grâce au Théorème de Stokes, o◄ calcule alors la valeur approchée de la circulation autour de la frontière de C_a :
$$\int_{C_a} \vec{v}\cdot d\vec{r} = \iint_{S_a} \operatorname{rot}\vec{v}\cdot d\vec{S} = \iint_{S_a} \operatorname{rot}\vec{v}\cdot\vec{n}\,dS$$
$$\approx \iint_{S_a} \operatorname{rot}\vec{v}(P_0)\cdot\vec{n}(P_0)\,dS$$
$$= \operatorname{rot}\vec{v}(P_0)\cdot\vec{n}(P_0)\pi a^2.$$

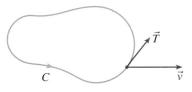

(a) $\int_C \vec{v}\cdot d\vec{r} > 0$, circulation positive

(b) $\int_C \vec{v}\cdot d\vec{r} < 0$, circulation négative

FIGURE 5

Imaginez une petite roue à palettes placée dans le fluide en un point P, comme dans la figure 6 ; la roue tourne d'autant plus vite que son axe est parallèle à rot $\vec{v}$.

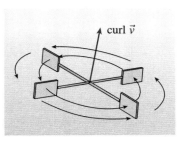

FIGURE 6

Comme cette approximation est d'autant meilleure que a est proche de 0, on a

4 $$\text{rot } \vec{v}(P_0) \cdot \vec{n}(P_0) = \lim_{a \to 0} \frac{1}{\pi a^2} \int_{C_a} \vec{v} \cdot d\vec{r}.$$

L'équation 4 établit la relation entre le rotationnel et la circulation. Elle montre que rot $\vec{v} \cdot \vec{n}$ est une mesure de l'effet de tourbillon du fluide autour de l'axe $\vec{n}$. Cet effet est d'autant plus fort que l'axe est orienté comme rot $\vec{v}$.

Enfin, mentionnons que le Théorème de Stokes peut servir à démontrer le théorème 4 de la section 13.5 (qui affirmait que si rot $\vec{F} = \vec{0}$ sur tout $\mathbb{R}^3$, alors $\vec{F}$ est conservatif). De ce qui précède (théorèmes 3 et 4 de la section 13.3), on sait que $\vec{F}$ est conservatif si $\int_C \vec{F} \cdot d\vec{r} = 0$ sur tout chemin fermé C. Étant donné C, on suppose pouvoir trouver une surface orientable S dont C constitue la frontière (la démonstration de ceci demanderait des techniques fort avancées). Alors, en vertu du Théorème de Stokes,

$$\int_C \vec{F} \cdot d\vec{r} = \iint_S \text{rot } \vec{F} \cdot d\vec{S} = \iint_S \vec{0} \cdot d\vec{S} = 0.$$

Une courbe qui n'est pas simple peut être divisée en un certain nombre de courbes simples et les intégrales autour de ces courbes simples sont toutes nulles. En faisant la somme de ces intégrales, on arrive à $\int_C \vec{F} \cdot d\vec{r} = 0$ sur toute courbe fermée C.

13.7 Exercices

1. Voici un hémisphère H et une portion P de paraboloïde. On suppose que $\vec{F}$ est un champ vectoriel défini sur $\mathbb{R}^3$ dont les composantes ont des dérivées partielles continues. Expliquez pourquoi

$$\iint_H \text{rot } \vec{F} \cdot d\vec{S} = \iint_P \text{rot } \vec{F} \cdot d\vec{S}.$$

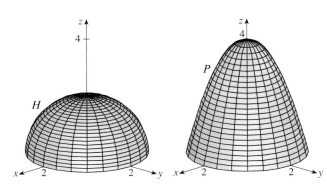

2-6 ■ Calculez $\iint_S \text{rot } \vec{F} \cdot d\vec{S}$, en utilisant le Théorème de Stokes.

2. $\vec{F}(x, y, z) = y^2 z \vec{i} + xz \vec{j} + x^2 y^2 \vec{k}$, S est la portion du paraboloïde $z = x^2 + y^2$ qui se trouve à l'intérieur du cylindre $x^2 + y^2 = 1$, orientée vers le haut.

3. $\vec{F}(x, y, z) = xyz \vec{i} + xy \vec{j} + e^{xy} \cos z \vec{k}$, S est l'hémisphère $x^2 + y^2 + z^2 = 1, z \geq 0$, orienté vers le haut.

4. $\vec{F}(x, y, z) = (x + \text{Arctg } yz) \vec{i} + y^2 z \vec{j} + z \vec{k}$, S est la portion de l'hémisphère $x = \sqrt{9 - y^2 - z^2}$ qui se trouve à l'intérieur du cylindre $y^2 + z^2 = 4$, orientée dans le sens positif de l'axe Ox.

5. $\vec{F}(x, y, z) = xyz \vec{i} + xy \vec{j} + x^2 yz \vec{k}$, S se compose de la face supérieure et des quatre faces latérales (sans le fond) du cube de sommets $(\pm 1, \pm 1, \pm 1)$, orientée vers l'extérieur. [*Suggestion :* Utilisez l'équation 3.]

6. $\vec{F}(x, y, z) = xy \vec{i} + e^z \vec{j} + xy^2 \vec{k}$, S se compose de quatre faces de la pyramide de sommets $(0, 0, 0)$, $(1, 0, 0)$, $(0, 0, 1)$, $(1, 0, 1)$ et $(0, 1, 0)$ qui se trouve à droite du plan Oxz, orientée dans le sens positif de l'axe Oy. [*Suggestion :* Utilisez l'équation 3.]

7-10 ■ Calculez $\int_C \vec{F} \cdot d\vec{r}$, en utilisant le Théorème de Stokes. Dans chaque cas, C est orientée, vue d'en haut, dans le sens contraire des aiguilles d'une montre.

7. $\vec{F}(x, y, z) = xz \vec{i} + 2xy \vec{j} + 3xy \vec{k}$, C est la frontière de la partie du plan $3x + y + z = 3$ qui se trouve dans le premier octant.

8. $\vec{F}(x, y, z) = z^2 \vec{i} + y^2 \vec{j} + xy \vec{k}$, C est le triangle de sommets $(1, 0, 0)$, $(0, 1, 0)$ et $(0, 0, 2)$.

9. $\vec{F}(x, y, z) = 2z \vec{i} + 4x \vec{j} + 5y \vec{k}$, C est la courbe d'intersection du plan $z = x + 4$ et du cylindre $x^2 + y^2 = 4$.

10. $\vec{F}(x, y, z) = x \vec{i} + y \vec{j} + (x^2 + y^2) \vec{k}$, C est la frontière de la partie du paraboloïde $z = 1 - x^2 - y^2$ située dans le premier octant.

11. a) Calculez $\int_C \vec{F} \cdot d\vec{r}$ par le Théorème de Stokes, si

$$\vec{F}(x, y, z) = x^2 z \vec{i} + xy^2 \vec{j} + z^2 \vec{k},$$

si C est la courbe d'intersection du plan $x + y + z = 1$ et du cylindre $x^2 + y^2 = 9$, orientée dans le sens contraire des aiguilles d'une montre, vue d'en haut.

 b) Dessinez le plan et le cylindre sur des domaines qui permettent de voir la courbe C et la surface dont il est question dans la partie a).

c) Déterminez des équations paramétriques de C et servez-vous en pour dessiner C.

12. a) Calculez $\int_C \vec{F} \cdot d\vec{r}$ par le Théorème de Stokes, si $\vec{F}(x, y, z) = x^2 y \vec{i} + \frac{1}{3} x^3 \vec{j} + xy \vec{k}$, si C est la courbe d'intersection du paraboloïde hyperbolique $z = y^2 - x^2$ et du cylindre $x^2 + y^2 = 1$, orientée dans le sens des aiguilles d'une montre, vue d'en haut.

b) Dessinez le plan et le cylindre sur des domaines qui permettent de voir la courbe C et la surface dont il est question dans la partie a).

c) Déterminez des équations paramétriques de C et servez-vous en pour dessiner C.

13-15 ■ Vérifiez que le Théorème de Stokes est vrai pour le champ vectoriel $\vec{F}$ et la surface S donnés.

13. $\vec{F}(x, y, z) = 3y \vec{i} + 4z \vec{j} - 6x \vec{k}$, S est la portion du paraboloïde $z = 9 - x^2 - y^2$ qui se trouve au-dessus du plan Oxy, orientée vers le haut.

14. $\vec{F}(x, y, z) = xy \vec{i} + yz \vec{j} + xz \vec{k}$,
S est l'hémisphère $z = \sqrt{a^2 - x^2 - y^2}$, orienté vers le haut.

15. $\vec{F}(x, y, z) = y \vec{i} + z \vec{j} + x \vec{k}$, S est la partie du plan $x + y + z = 1$ située dans le premier octant, orientée vers le haut.

16. Soit

$$\vec{F}(x, y, z) = (ax^3 - 3xz^2, x^2 y + by^3, cz^3).$$

Soit C la courbe de l'exercice 12 et on considère toutes les surfaces lisses possibles S dont la frontière est la courbe C. Déterminez les valeurs de a, b et c pour lesquelles $\iint_S \vec{F} \cdot d\vec{S}$ est indépendante du choix de S.

17. Calculez le travail du champ de force

$$\vec{F}(x, y, z) = (x^x + z^2) \vec{i} + (y^y + x^2) \vec{j} + (z^z + y^2) \vec{k}$$

quand une particule se déplace sous son influence autour du bord de la partie de la sphère $x^2 + y^2 + z^2 = 4$ qui se trouve dans le premier octant, dans le sens contraire des aiguilles d'une montre, vu d'en haut.

18. Calculez $\int_C (y + \sin x) dx + (z^2 + \cos y) dy + x^3 dz$, où C est la courbe $\vec{r}(t) = (\sin t, \cos t, \sin 2t)$, $0 \leqslant t \leqslant 2\pi$. [*Suggestion*: Tenez compte du fait que C appartient à la surface $z = 2xy$.]

19. Démontrez que $\iint_S$ rot $\vec{F} \cdot d\vec{S} = 0$, si S est une sphère et si $\vec{F}$ satisfait aux hypothèses du Théorème de Stokes.

20. On suppose que S et C satisfont aux hypothèses du Théorème de Stokes et que f et g ont des dérivées partielles secondes continues. Servez-vous des exercices 22 et 24 de la section 13.5 pour démontrer les égalités suivantes.

a) $\int_C (f \nabla g) \cdot d\vec{r} = \iint_S (\nabla f \wedge \nabla g) \cdot d\vec{S}$

b) $\int_C (f \nabla f) \cdot d\vec{r} = 0$

c) $\int_C (f \nabla g + g \nabla f) \cdot d\vec{r} = 0$

Sujet de rédaction

Trois hommes et deux théorèmes

Bien que deux des plus importants théorèmes de l'analyse vectorielle portent le nom de George Green et George Stokes, il y a un troisième homme, William Thomson (connu surtout sous le nom de Lord Kelvin), qui a joué un grand rôle dans la formulation, la divulgation et les applications de ces deux résultats. Tous les trois se sont appliqués à voir comment les deux théorèmes pouvaient contribuer à expliquer et à prédire des phénomènes physiques en électricité et magnétisme et en théorie de l'écoulement des fluides. Les premiers éléments historiques figurent dans la marge des pages 947 et 976.

Rédigez un article sur les origines historiques du Théorème de Green et du Théorème de Stokes. Expliquez les ressemblances et la relation qui lient ces deux théorèmes. Étudiez les rôles que Green, Thomson et Stokes ont joué en découvrant ces théorèmes et en les faisant connaître. Montrez comment ces théorèmes sont sortis de l'exploration de l'électricité et du magnétisme et comment ils ont été utilisés ultérieurement pour expliquer toutes sortes de problèmes en physique.

Le dictionnaire publié par Gillipsie [1] est une bonne source tant du point de vue biographique que scientifique. Le livre de Hutchinson [2] fournit un compte rendu de la vie de Stokes. D'autres circonstances historiques et mathématiques figurent dans Katz [3] et Kline [4].

La photo montre un vitrail de Cambridge en l'honneur de George Green.

1. C. C. Gillipsie, ed., *Dictionary of Scientific Biography*, New York : Scribner's, 1974. Voyez l'article sur Green de P. J. Wallis dans le volume XV et les articles sur Thomson de Jed Buchwald et sur Stokes de E. M. Parkinson dans le volume XIII.

2. G. E. Hutchinson, *The Enchanted Voyage*, New Haven, Yale University Press, 1962.

3. Victor Katz, *A History of Mathematics : An Introduction,* New York : Harper-Collins, 1993, p 678-680.

4. M. Kline, *Mathematical Thought from Ancient to Modern Times*, New York, Oxford University Press, 1972, p. 683-685.

13.8 Le théorème de flux-divergence ● ● ● ● ● ● ● ● ● ● ● ● ● ● ● ● ●

Dans la section 13.5, le Théorème de Green a été écrit sous forme vectorielle

$$\int_C \vec{F} \cdot \vec{n}\, ds = \iint_D \operatorname{div} \vec{F}(x,y)dA,$$

où C est la frontière, orientée positivement, du domaine plan D. À tenter d'écrire l'extension de ce théorème à un champ vectoriel défini sur $\mathbb{R}^3$, on est amené à la conjecture

■
$$\iint_S \vec{F} \cdot \vec{n}\, dS = \iiint_E \operatorname{div} \vec{F}(x,y,z)dV,$$

où S est la surface frontière de la région solide E. Il se fait que le théorème de l'équation 1 est vrai, sous certaines hypothèses. Il porte le nom de Théorème de flux-divergence. Il ressemble au Théorème de Green et au Théorème de Stokes en ce qu'il lie l'intégrale d'une dérivée (div $\vec{F}$, en l'occurence) sur une région à l'intégrale de la fonction d'origine $\vec{F}$ sur la frontière de la région.

À ce moment, il peut être bon de se rafraîchir la mémoire sur les différents types de régions sur lesquelles ont été calculées des intégrales triples dans la section 12.7. On énonce et démontre le Théorème de flux-divergence sur des régions E qui sont simultanément de type 1, 2 et 3 et de telles régions sont appelées des **régions solides simples**. (Par exemple, des régions bornées par des ellipsoïdes ou des parallélipipèdes rectangles sont des régions solides simples.) La frontière de E est une surface fermée et on convient, comme dans la section 13.6, que l'orientation positive est dirigée vers l'extérieur ; c'est-à-dire que le vecteur unitaire normal $\vec{n}$ sort de E.

Le Théorème de flux-divergence est parfois appelé Théorème de Gauss, du nom du grand mathématicien allemand Karl Friedrich Gauss (1777-1855), qui le découvrit lors de ses recherches en électrostatique. En Europe, ce théorème est connu comme le Théorème d'Ostrogradski d'après le mathématicien Michel Vassilievitch Ostrogradski (1801-1862), qui publia ce résultat en 1826.

Théorème de flux-divergence (ou d'Ostrogradski)   Soit E une région solide simple et soit S la surface frontière de E, orientée positivement (vers l'extérieur). Soit $\vec{F}$ un champ vectoriel dont les composantes ont des dérivées partielles continues sur une région ouverte de $\mathbb{R}^3$ qui contient E. Alors,

$$\iint_S \vec{F} \cdot d\vec{S} = \iiint_E \operatorname{div} \vec{F}\, dV.$$

Démonstration   Soit $\vec{F} = P\vec{i} + Q\vec{j} + R\vec{k}$. Alors,

$$\text{div } \vec{F} = \frac{\partial P}{\partial x} + \frac{\partial Q}{\partial y} + \frac{\partial R}{\partial z}$$

et

$$\iiint_E \text{div } \vec{F} \, dV = \iiint_E \frac{\partial P}{\partial x} dV + \iiint_E \frac{\partial Q}{\partial y} dV + \iiint_E \frac{\partial R}{\partial z} dV.$$

Si $\vec{n}$ désigne le vecteur unitaire normal à S, l'intégrale de surface du membre de gauche du Théorème de flux-divergence s'écrit

$$\iint_S \vec{F} \cdot d\vec{S} = \iint_S \vec{F} \cdot \vec{n} \, dS = \iint_S (P\vec{i} + Q\vec{j} + R\vec{k}) \cdot \vec{n} \, dS$$

$$= \iint_S P\vec{i} \cdot \vec{n} \, dS + \iint_S Q\vec{j} \cdot \vec{n} \, dS + \iint_S R\vec{k} \cdot \vec{n} \, dS.$$

Par conséquent, pour démontrer le Théorème de flux-divergence, il suffit de prouver les trois relations :

2
$$\iint_S P\vec{i} \cdot \vec{n} \, dS = \iiint_E \frac{\partial P}{\partial x} dV.$$

3
$$\iint_S Q\vec{j} \cdot \vec{n} \, dS = \iiint_E \frac{\partial Q}{\partial y} dV.$$

4
$$\iint_S R\vec{k} \cdot \vec{n} \, dS = \iiint_E \frac{\partial R}{\partial z} dV.$$

La relation 4 se démontre à partir de la description de E comme un domaine de type 1 :

$$E = \{(x, y, z) \mid (x, y) \in D, \phi_1(x, y) \leqslant z \leqslant \phi_2(x, y)\},$$

où D est la projection de E sur le plan Oxy. Selon l'équation 6 de la section 12.7, on a

$$\iiint_E \frac{\partial R}{\partial z} \, dV = \iint_D \left[\int_{\phi_1(x,y)}^{\phi_2(x,y)} \frac{\partial R}{\partial z}(x, y, z) \, dz \right] dA$$

et de là, par le Théorème fondamental du calcul différentiel et intégral,

5
$$\iiint_E \frac{\partial R}{\partial z} \, dV = \iint_D [R(x, y, \phi_2(x, y)) - R(x, y, \phi_1(x, y))] \, dA$$

La surface frontière S se compose de trois morceaux : le fond S_1, la partie supérieure S_2 et peut-être une surface verticale S_3 qui se projette sur la frontière de D (voyez la figure 1. Parfois, S_3 est absente, comme dans le cas d'une sphère, par exemple.) Vu que sur S_3, $\vec{k} \cdot \vec{n} = 0$, parce que $\vec{k}$ est vertical et $\vec{n}$ est horizontal,

$$\iint_{S_3} R\vec{k} \cdot \vec{n} \, dS = \iint_{S_3} 0 \, dS = 0.$$

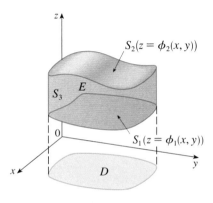

FIGURE I

D'où, indépendemment du fait qu'il y ait une surface verticale ou non, on peut écrire

6
$$\iint_S R\,\vec{k}\cdot\vec{n}\,dS = \iint_{S_1} R\,\vec{k}\cdot\vec{n}\,dS + \iint_{S_2} R\,\vec{k}\cdot\vec{n}\,dS$$

L'équation de S_2 est $z = \phi_2(x,y)$, $(x,y) \in D$, et le vecteur normal $\vec{n}$ pointe vers le haut. Dans ces conditions, l'équation 10 de la section 13.6 (où $\vec{F}$ est remplacé par $R\,\vec{k}$) fournit

$$\iint_{S_2} R\,\vec{k}\cdot\vec{n}\,dS = \iint_D R(x,y,\phi_2(x,y))\,dA.$$

Comme l'équation de S_1 est $z = \phi_1(x,y)$, et que le vecteur normal $\vec{n}$ pointe ici vers le bas, on est amené à multiplier par -1,

$$\iint_{S_1} R\,\vec{k}\cdot\vec{n}\,dS = -\iint_D R(x,y,\phi_1(x,y))\,dA.$$

Par conséquent, l'équation 6 se réécrit

$$\iint_S R\,\vec{k}\cdot\vec{n}\,dS = \iint_D [R(x,y,\phi_2(x,y)) - R(x,y,\phi_1(x,y))]\,dA.$$

La comparaison avec l'équation 5 mène à l'égalité attendue

$$\iint_S R\,\vec{k}\cdot\vec{n}\,dS = \iiint_E \frac{\partial R}{\partial z}\,dV.$$

La méthode de démonstration du Théorème de flux-divergence est fort semblable à celle du Théorème de Green.

Les relations 2 et 3 se démontrent de manière analogue à partir des descriptions de E comme région de type 2 ou de type 3. ■

EXEMPLE 1 ■ Calculez le flux du champ vectoriel $\vec{F}(x,y,z) = z\,\vec{i} + y\,\vec{j} + x\,\vec{k}$ sur la sphère unité $x^2 + y^2 + z^2 = 1$.

SOLUTION Avant tout, on calcule la divergence de $\vec{F}$:

$$\text{div}\,\vec{F} = \frac{\partial}{\partial x}(z) + \frac{\partial}{\partial y}(y) + \frac{\partial}{\partial z}(x) = 1.$$

La solution de l'exemple 1 est à rapprocher de la solution de l'exemple 4 dans la section 13.6.

La sphère unité S cloisonne la boule unité B donnée par $x^2 + y^2 + z^2 \leqslant 1$. Le Théorème de flux-divergence conduit alors à

$$\iint_S \vec{F}\cdot d\vec{S} = \iiint_B \text{div}\,\vec{F}\,dV = \iiint_B 1\,dV$$
$$= V(B) = \frac{4}{3}\pi(1)^3 = \frac{4\pi}{3}.$$

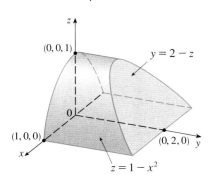

FIGURE 2

EXEMPLE 2 ■ Calculez $\iint_S \vec{F}\cdot d\vec{S}$, où
$$\vec{F}(x,y,z) = xy\,\vec{i} + (y^2 + e^{xz^2})\,\vec{j} + \sin(xy)\,\vec{k},$$

et où S est la surface de la région solide E bornée par le cylindre parabolique $z = 1 - x^2$ et les plans $z = 0$, $y = 0$ et $y + z = 2$ (voyez la figure 2).

SOLUTION Calculer directement l'intégrale de surface ne serait pas chose facile (car il faudrait la décomposer en quatre intégrales de surface sur chacune des parties qui composent S). En outre, la divergence de $\vec{F}$ est beaucoup plus simple que $\vec{F}$ lui-même :

$$\text{div } \vec{F} = \frac{\partial}{\partial x}(xy) + \frac{\partial}{\partial y}(y^2 + e^{xz^2}) + \frac{\partial}{\partial z}(\sin xy)$$

$$= y + 2y = 3y.$$

Par conséquent, on change l'intégrale de surface en une intégrale triple, grâce au Théorème de flux-divergence. Le mieux pour calculer l'intégrale triple est de décrire E comme une région de type 3 :

$$E = \{(x,y,z) \mid -1 \leqslant x \leqslant 1, 0 \leqslant z \leqslant 1 - x^2, 0 \leqslant y \leqslant 2 - z\}$$

Alors,

$$\iint_S \vec{F} \cdot d\vec{S} = \iiint_E \text{div } \vec{F}\, dV = \iiint_E 3y\, dV$$

$$= 3 \int_{-1}^{1} \int_0^{1-x^2} \int_0^{2-z} y\, dy\, dz\, dx$$

$$= 3 \int_{-1}^{1} \int_0^{1-x^2} \frac{(2-z)^2}{2}\, dz\, dx$$

$$= \frac{3}{2} \int_{-1}^{1} \left[-\frac{(2-z)^3}{3} \right]_0^{1-x^2} dx$$

$$= -\tfrac{1}{2} \int_{-1}^{1} \left[(x^2+1)^3 - 8 \right] dx$$

$$= -\int_0^1 (x^6 + 3x^4 + 3x^2 - 7)\, dx = \frac{184}{35}.$$

Bien que le Théorème de flux-divergence ait été démontré seulement sur des régions solides simples, il est également valable sur une réunion finie de régions solides simples. (Cette extension est analogue à celle qui a été faite dans la section 13.4 pour le Théorème de Green.)

Soit, par exemple, la région E comprise entre les deux surfaces fermées S_1 et S_2, où S_1 est entièrement à l'intérieur de S_2. Les vecteurs unitaires normaux à S_1 et S_2, dirigés vers l'extérieur, sont respectivement $\vec{n}_1$ et $\vec{n}_2$. La surface frontière de E est la réunion de S_1 et S_2 et le vecteur unitaire normal, dirigé vers l'extérieur est $\vec{n} = -\vec{n}_1$ sur S_1 et $\vec{n}_2$ sur S_2 (voyez la figure 3). L'application du Théorème de flux-divergence conduit à

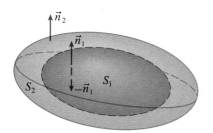

FIGURE 3

7
$$\iiint_E \text{div } \vec{F}\, dV = \iint_S \vec{F} \cdot d\vec{S} = \iint_S \vec{F} \cdot \vec{n}\, dS$$

$$= \iint_{S_1} \vec{F} \cdot (-\vec{n}_1)\, dS + \iint_{S_2} \vec{F} \cdot \vec{n}_2\, dS$$

$$= -\iint_{S_1} \vec{F} \cdot d\vec{S} + \iint_{S_2} \vec{F} \cdot d\vec{S}.$$

Voyons ce que donne l'application de ce théorème au cas du champ électrique (voyez l'exemple 5 de la section 13.1) :

$$\vec{E}(\vec{x}) = \frac{\varepsilon Q}{\|\vec{x}\|^3} \vec{x},$$

où S_1 est une petite sphère de rayon a, centrée à l'origine. Vous pouvez vérifier que div $\vec{E} = 0$ (voyez l'exercice 17). Aussi, l'équation 7 donne

$$\iint_{S_2} \vec{E} \cdot d\vec{S} = \iint_{S_1} \vec{E} \cdot d\vec{S} + \iiint_E \text{div } \vec{E} \, dV$$

$$= \iint_{S_1} \vec{E} \cdot d\vec{S} = \iint_{S_1} \vec{E} \cdot \vec{n} \, dS.$$

L'avantage dans ce calcul est qu'il est possible de calculer l'intégrale de surface sur S_1 parce que S_1 est une sphère. Le vecteur normal en $\vec{x}$ est $\vec{x}/\|\vec{x}\|$ et de là,

$$\vec{E} \cdot \vec{n} = \frac{\varepsilon Q}{\|\vec{x}\|^3} \vec{x} \cdot \left(\frac{\vec{x}}{\|\vec{x}\|}\right) = \frac{\varepsilon Q}{\|\vec{x}\|^4} \vec{x} \cdot \vec{x}$$

$$= \frac{\varepsilon Q}{\|\vec{x}\|^2} = \frac{\varepsilon Q}{a^2},$$

puisque l'équation de S_1 est $\|\vec{x}\| = a$. Dès lors,

$$\iint_{S_2} \vec{E} \cdot d\vec{S} = \iint_{S_1} \vec{E} \cdot \vec{n} \, dS$$

$$= \frac{\varepsilon Q}{a^2} \iint_{S_1} dS = \frac{\varepsilon Q}{a^2} A(S_1)$$

$$= \frac{\varepsilon Q}{a^2} 4\pi a^2 = 4\pi \varepsilon Q.$$

Ceci démontre que le flux électrique de $\vec{E}$ vaut $4\pi\varepsilon Q$ à travers *toute* surface fermée S_2 qui contient l'origine. [C'est un cas particulier de la Loi de Gauss (équation 11 dans la section 13.6) pour une seule charge. La relation entre ε et ε_0 est $\varepsilon = 1/(4\pi\varepsilon_0)$.]

Le Théorème de flux-divergence s'applique aussi dans l'étude de l'écoulement des fluides. Soit $\vec{v}(x,y,z)$ le champ de vitesse à l'intérieur d'un fluide de densité constante ρ. Alors $\vec{F} = \rho\vec{v}$ est le flux par unité d'aire. Soit maintenant $P_0(x_0, y_0, z_0)$ un point dans le fluide et soit B_a une petite boule de rayon a, centré en P_0. Sous l'hypothèse que div $\vec{F}$ est continu, on peut penser que $(\text{div } \vec{F})(P) \approx (\text{div } \vec{F})(P_0)$ en tous les points P de B_a. On calcule alors la valeur approchée du flux à travers la sphère S_a comme suit :

$$\iint_{S_a} \vec{F} \cdot d\vec{S} = \iiint_{B_a} \text{div } \vec{F} \, dV$$

$$\approx \iiint_{B_a} \text{div } \vec{F}(P_0) dV$$

$$= \text{div } \vec{F}(P_0) V(B_a).$$

Plus a est proche de 0, meilleure est cette approximation et donc

8
$$\text{div } \vec{F}(P_0) = \lim_{a \to 0} \frac{1}{V(B_a)} \iint_{S_a} \vec{F} \cdot d\vec{S}.$$

L'équation 8 exprime que div $\vec{F}(P_0)$ est le flux net vers l'extérieur par unité de volume en P_0. (C'est la raison du mot *divergence*.) Lorsque div $\vec{F}(P) > 0$, le flux net près de P est sortant et P est appelé une **source**. Si div $\vec{F}(P) < 0$, le flux net près de P est entrant et P est dit un **puits**. Au vu de la figure 4, il apparaît que les vecteurs dont le point final est proche de P_1 sont plus courts que les vecteurs qui ont leur point initial à proximité de P_1. Le flux net en P_1 est vers l'extérieur et donc, div $\vec{F}(P_1) > 0$ et P_1 est une source. Aux alentours de P_2 par contre, les flèches tournées vers l'intérieur sont plus longues que celles tournées vers l'extérieur. Dans ce cas, le flux entrant l'emporte, div $\vec{F}(P_2) < 0$ et P_2 est un puits. Tout ceci est confirmé par le calcul sur la formule de définition de $\vec{F}$. Comme $\vec{F} = x^2\vec{i} + y^2\vec{j}$, div $\vec{F} = 2x + 2y$, et donc div $\vec{F}$ est positive lorsque $y > -x$. Les points au-dessus de la droite $y = -x$ sont sources et ceux d'en dessous sont puits.

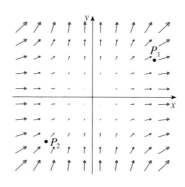

FIGURE 4
Le champ vectoriel $\vec{F} = x^2\vec{i} + y^2\vec{j}$

13.8 Exercices

1. Voici représenté un champ vectoriel $\vec{F}$. Servez-vous de l'interprétation de la divergence donnée dans cette section pour déterminer si div $\vec{F}$ est positive ou négative en P_1 et en P_2.

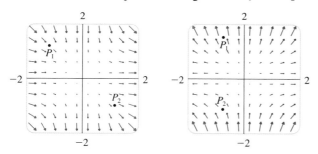

FIGURE POUR L'EXERCICE 1   FIGURE POUR L'EXERCICE 2

2. a) Les points P_1 et P_2 sont-ils sources ou puits par rapport au champ vectoriel $\vec{F}$ illustré dans la figure ci-dessus ? Donnez une explication basée seulement sur l'image.
   b) Sachant que $\vec{F}(x, y) = (x, y^2)$, servez-vous de la définition de la divergence pour vérifier votre réponse à la partie a).

3-4 ■ Vérifiez que le Théorème de flux-divergence est vrai pour le champ vectoriel $\vec{F}$ sur la région E.

3. $\vec{F}(x, y, z) = 3x\vec{i} + xy\vec{j} + 2xz\vec{k}$; E est le cube borné par les plans $x = 0$, $x = 1$, $y = 0$, $y = 1$, $z = 0$ et $z = 1$.

4. $\vec{F}(x, y, z) = xz\vec{i} + yz\vec{j} + 3z^2\vec{k}$; E est le solide borné par le paraboloïde $z = x^2 + y^2$ et le plan $z = 1$.

5-13 ■ Calculez l'intégrale de surface $\iint_S \vec{F} \cdot d\vec{S}$ en utilisant le Théorème de flux-divergence ; autrement dit, calculez le flux de $\vec{F}$ à travers S.

5. $\vec{F}(x, y, z) = 3x^2z^3\vec{i} + 9x^2yz^2\vec{j} - 4xy^2\vec{k}$; S est la surface du cube de sommets $(\pm 1, \pm 1, \pm 1)$.

6. $\vec{F}(x, y, z) = x^2y\vec{i} - x^2z\vec{j} + z^2y\vec{k}$; S est la surface du parallélipipède rectangle formé par les plans $x = 0$, $x = 3$, $y = 0$, $y = 2$, $z = 0$ et $z = 1$.

7. $\vec{F}(x, y, z) = -xz\vec{i} - yz\vec{j} + z^2\vec{k}$; S est l'ellipsoïde $x^2/a^2 + y^2/b^2 + z^2/c^2 = 1$.

8. $\vec{F}(x, y, z) = 3xy\vec{i} + y^2\vec{j} - x^2y^4\vec{k}$; S est la surface du tétraèdre de sommets $(0, 0, 0)$, $(1, 0, 0)$, $(0, 1, 0)$ et $(0, 0, 1)$.

9. $\vec{F}(x, y, z) = x^3 \vec{i} + y^3 \vec{j} + z^3 \vec{k}$; S est la sphère $x^2 + y^2 + z^2 = 1$.

10. $\vec{F}(x, y, z) = x^3 \vec{i} + 2xz^2 \vec{j} + 3y^2z \vec{k}$; S est la surface du solide délimité par le paraboloïde $z = 4 - x^2 - y^2$ et le plan Oxy.

11. $\vec{F}(x, y, z) = ye^z \vec{i} + y^2 \vec{j} + e^{xy} \vec{k}$; S est la surface du solide délimité par le cylindre $x^2 + y^2 = 9$ et les plans $z = 0$ et $z = y - 3$.

12. $\vec{F}(x, y, z) = (x^3 + y\sin z)\vec{i} + (y^3 + z\sin x)\vec{j} + 3z \vec{k}$; S est la surface du solide fermé par les hémisphères $z = \sqrt{4 - x^2 - y^2}$, $z = \sqrt{1 - x^2 - y^2}$ et le plan $z = 0$.

13. $\vec{F}(x, y, z) = e^y \mathrm{tg}\, z \vec{i} + y\sqrt{3 - x^2} \vec{j} + x\sin y \vec{k}$; S est la surface du solide qui se trouve au-dessus du plan Oxy et sous la surface $z = 2 - x^4 - y^4$, $-1 \leqslant x \leqslant 1$, $-1 \leqslant y \leqslant 1$.

14. Faites dessiner par un outil graphique le champ vectoriel

$$\vec{F}(x, y, z) = \sin x \cos^2 y \vec{i} + \sin^3 y \cos^4 z \vec{j} + \sin^5 z \cos^6 x \vec{k}$$

dans le cube du premier octant fermé par les plans $x = \pi/2$, $y = \pi/2$ et $z = \pi/2$. Ensuite, calculez le flux à travers la surface de ce cube.

15. Servez-vous du Théorème de flux-divergence pour calculer $\iint_S \vec{F} \cdot d\vec{S}$, où

$$\vec{F}(x, y, z) = z^2 x \vec{i} + (\tfrac{1}{3}y^3 + \mathrm{tg}\, z)\vec{j} + (x^2 z + y^2) \vec{k},$$

et où S est la moitié supérieure de la sphère $x^2 + y^2 + z^2 = 1$. [*Suggestion* : remarquez que S n'est pas une surface fermée. Calculez d'abord les intégrales sur S_1 et S_2, où S_1 est le disque $x^2 + y^2 \leqslant 1$, orienté vers le haut, et $S_2 = S \cup S_1$.]

16. Soit $\vec{F}(x, y, z) = z\mathrm{Arctg}\,(y^2)\vec{i} + z^3 \ln(x^2 + 1)\vec{j} + z \vec{k}$. Calculez le flux de $\vec{F}$ à travers la partie du paraboloïde $x^2 + y^2 + z = 2$ qui se trouve au-dessus du plan $z = 1$ et orientée vers le haut.

17. Vérifiez que $\mathrm{div}\, \vec{E} = 0$ pour le champ électrique

$$\vec{E}(\vec{x}) = \frac{\varepsilon Q}{\|\vec{x}\|^3} \vec{x}.$$

18. Servez-vous du Théorème de flux-divergence pour calculer

$$\iint_S (2x + 2y + z^2)\, dS,$$

où S est la sphère $x^2 + y^2 + z^2 = 1$.

19-24 ■ Démontrez chaque identité, en supposant que S et E satisfont aux conditions du Théorème de flux-divergence et que les fonctions scalaires et les composantes des champs vectoriels ont des dérivées secondes partielles continues.

19. $\iint_S \vec{a} \cdot \vec{n}\, dS = 0$ où $\vec{a}$ est un vecteur constant.

20. $V(E) = \tfrac{1}{3} \iint_S \vec{F} \cdot d\vec{S}$ où $\vec{F}(x, y, z) = x \vec{i} + y \vec{j} + z \vec{k}$.

21. $\iint_S \mathrm{rot}\, \vec{F} \cdot d\vec{S} = 0$

22. $\iint_S f'_{\vec{n}}\, dS = \iiint_E \nabla^2 f\, dV$.

23. $\iint_S (f \nabla g) \cdot \vec{n}\, dS = \iiint_E (f \nabla^2 g + \nabla f \cdot \nabla g) dV$.

24. $\iint_S (f \nabla g - g \nabla f) \cdot \vec{n}\, dS = \iiint_E (f \nabla^2 g - g \nabla^2 f) dV$.

25. On suppose que S et E satisfont aux conditions du Théorème de flux-divergence et que f est une fonction scalaire dotée de dérivées partielles continues. Démontrez que

$$\iint_S f \vec{n}\, dS = \iiint_E \nabla f\, dV.$$

Ces intégrales de surface et triple de fonctions vectorielles sont des vecteurs définis en intégrant chaque fonction composante. [*Suggestion* : Appliquez pour commencer le Théorème de flux-divergence à $\vec{F} = f \vec{c}$, où $\vec{c}$ est un vecteur arbitraire constant.]

26. Un solide occupe une région E cloisonnée par la surface S et est immergé dans un liquide dont la densité ρ est constante. On choisit un repère tel que le plan Oxy coïncide avec la surface du liquide et que l'axe Oz pointe vers le bas dans la direction du liquide. La pression à la profondeur z vaut $p = \rho g z$, où g est l'accélération due à la pesanteur (voyez la section 6.5). La poussée totale exercée sur le solide et due à la pression est donnée par l'intégrale de surface

$$\vec{F} = -\iint_S p\vec{n}\, dS,$$

où $\vec{n}$ est le vecteur unitaire extérieur. Utilisez le résultat de l'exercice 25 pour montrer que $\vec{F} = -W \vec{k}$, où W est le poids du liquide déplacé par le solide. (Remarquez que $\vec{F}$ est orienté vers le haut parce que z est orienté vers le bas.) Le résultat s'appelle le *principe d'Archimède* : La poussée exercée vers le haut sur un objet est égale au poids du liquide déplacé.

13.9 Résumé

Les principaux résultats de ce chapitre sont tous des versions, de dimension plus élevée, du Théorème fondamental du calcul différentiel et intégral. Pour vous aider à les retenir, ils sont ici rassemblés (sans les hypothèses) afin de mieux voir leur ressemblance. Remarquez que, dans chaque cas, le membre de gauche contient une intégrale d'une « dérivée » sur un domaine tandis que le membre de droite n'implique la fonction d'origine que sur la *frontière* du domaine.

Théorème fondamental du calcul différentiel et intégral

$$\int_a^b F'(x)\, dx = F(b) - F(a)$$

Théorème fondamental des intégrales curvilignes

$$\int_C \nabla f \cdot d\vec{r} = f(\vec{r}(b)) - f(\vec{r}(a))$$

Théorème de Green

$$\iint_D \left(\frac{\partial Q}{\partial x} - \frac{\partial P}{\partial y} \right) dA = \int_C P\, dx + Q\, dy$$

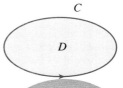

Théorème de Stokes

$$\iint_S \operatorname{rot} \vec{F} \cdot d\vec{S} = \int_C \vec{F} \cdot d\vec{r}$$

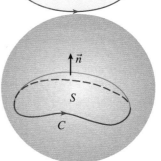

Théorème de flux-divergence

$$\iiint_E \operatorname{div} \vec{F}\, dV = \iint_S \vec{F} \cdot d\vec{S}$$

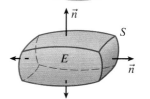

Chapitre 13 Révision

———— • CONTRÔLE DES CONCEPTS • ————

1. Qu'est-ce qu'un champ vectoriel ? Donnez trois exemples de champ vectoriel qui ont une interprétation en physique.

2. a) Qu'est-ce qu'un champ conservatif ?
   b) Qu'est-ce qu'une fonction potentiel ?

3. a) Écrivez la définition de l'intégrale curviligne d'une fonction scalaire f le long d'une courbe lisse C par rapport à l'abscisse curviligne.
   b) Comment calculez-vous une telle intégrale ?
   c) Écrivez des formules de la masse et du centre de masse d'un fin fil qui suit la courbe C, si la densité est donnée par la fonction $\rho(x, y)$.
   d) Écrivez les définitions des intégrales curvilignes le long de C d'une fonction scalaire f par rapport à x, y et z.
   e) Comment calculez-vous ces intégrales curvilignes ?

4. a) Définissez l'intégrale curviligne d'un champ vectoriel $\vec{F}$ le long d'une courbe lisse C décrite par la fonction vectorielle $\vec{r}(t)$.
   b) Que représente cette intégrale curviligne dans le cas où $\vec{F}$ est un champ de force.
   c) Si $\vec{F} = (P, Q, R)$, quelle relation y a-t-il entre l'intégrale curviligne de $\vec{F}$ et les intégrales curvilignes des fonctions composantes P, Q et R ?

5. Énoncez le Théorème fondamental des intégrales curvilignes.

6. a) Quelle est la signification de $\int_C \vec{F} \cdot d\vec{r}$ est indépendante du chemin ?
   b) Si vous savez que $\int_C \vec{F} \cdot d\vec{r}$ est indépendante du chemin, que pouvez-vous dire à propos de $\vec{F}$?

7. Énoncez le Théorème de Green.

8. Écrivez des expressions de l'aire de la région enfermée dans une courbe fermée C en termes d'intégrales curvilignes autour de C.

9. Soit $\vec{F}$ un champ vectoriel défini sur $\mathbb{R}^3$.
   a) Définissez rot $\vec{F}$.
   b) Définissez div $\vec{F}$.
   c) Si $\vec{F}$ est un champ de vitesse au sein d'un fluide, quelle est l'interprétation de rot $\vec{F}$ et de div $\vec{F}$?

10. Si $\vec{F} = P\vec{i} + Q\vec{j}$, comment testez-vous que $\vec{F}$ est conservatif ? Et si $\vec{F}$ est un champ vectoriel défini sur $\mathbb{R}^3$?

11. a) Écrivez la définition de l'intégrale de surface d'une fonction scalaire f sur une surface S.
    b) Comment calculez-vous une telle intégrale si S est une surface paramétrée par l'équation vectorielle $\vec{r}(u, v)$?
    c) Et si S est la surface d'équation $z = g(x, y)$?
    d) Écrivez des formules de la masse et du centre de masse d'une fine feuille qui a la forme d'une surface S et dont la densité est donnée en chaque point par $\rho(x, y, z)$.

12. a) Qu'est-ce qu'une surface orientée ?
    b) Définissez l'intégrale de surface (ou flux) d'un champ vectoriel $\vec{F}$ sur une surface orientée S de vecteur unitaire normal $\vec{n}$.
    c) Comment calculez-vous une telle intégrale de surface si S est une surface paramétrée par la fonction vectorielle $\vec{r}(u, v)$?
    d) Et si S est une surface d'équation $z = g(x, y)$?

13. Énoncez le Théorème de Stokes.

14. Énoncez le Théorème de flux-divergence.

15. En quoi le Théorème fondamental du calcul différentiel et intégral, le Théorème de Green, le Théorème de Stokes et le Théorème de flux-divergence se ressemblent-ils ?

———— ▲ VRAI-FAUX ▲ ————

Dites si la proposition est vraie ou fausse. Si elle est vraie, expliquez pourquoi. Si elle est fausse, expliquez pourquoi et donnez un exemple qui contredit la proposition.

1. Si $\vec{F}$ est un champ vectoriel, div $\vec{F}$ est un champ vectoriel.

2. Si $\vec{F}$ est un champ vectoriel, rot $\vec{F}$ est un champ vectoriel.

3. Si f a des dérivées partielles continues de tous ordres sur $\mathbb{R}^3$, alors div (rot ∇f) = 0.

4. Si f a des dérivées partielles continues sur $\mathbb{R}^3$ et si C est un cercle quelconque, alors $\int_C \nabla f \cdot d\vec{r} = 0$.

5. Si $\vec{F} = P\vec{i} + Q\vec{j}$ et si $P'_y = Q'_x$ sur un domaine ouvert D, alors $\vec{F}$ est conservatif.

6. $\int_{-C} f(x, y)ds = -\int_C f(x, y)ds$.

7. Si S est une sphère et si $\vec{F}$ est un champ vectoriel constant, alors $\iint_S \vec{F} \cdot d\vec{S} = 0$.

8. Il existe un champ vectoriel $\vec{F}$ tel que

$$\text{rot } \vec{F} = x\vec{i} + y\vec{j} + z\vec{k}.$$

◆ EXERCICES ◆

1. Voici un champ vectoriel $\vec{F}$, une courbe C et un point P.
   a) L'intégrale $\int_C \vec{F} \cdot d\vec{r}$ est-elle positive, négative ou nulle ? Expliquez.
   b) div $\vec{F}(P)$ est-elle positive, négative ou nulle ? Expliquez.

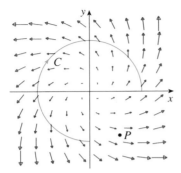

2-9 ■ Calculez l'intégrale curviligne.

2. $\int_C yz^2 ds$, C est le segment qui joint $(-1, 1, 3)$ à $(0, 3, 5)$.

3. $\int_C x^3 z\, ds$, $C : x = 2\sin t, y = t, z = 2\cos t, 0 \leqslant t \leqslant \pi/2$.

4. $\int_C xy\, dx + y\, dy$, C est l'arc de sinusoïde $y = \sin x, 0 \leqslant x \leqslant \pi/2$.

5. $\int_C x^3 y\, dx - x\, dy$, C est le cercle $x^2 + y^2 = 1$ orienté dans le sens contraire des aiguilles d'une montre.

6. $\int_C x \sin y\, dx + xyz\, dz$,
   C est décrite par $\vec{r}(t) = t\vec{i} + t^2\vec{j} + t^3\vec{k}, 0 \leqslant t \leqslant 1$.

7. $\int_C y\, dx + z\, dy + x\, dz$, C se compose des segments qui joignent $(0, 0, 0)$ à $(1, 1, 2)$ et $(1, 1, 2)$ à $(3, 1, 4)$.

8. $\int_C \vec{F} \cdot d\vec{r}$, où $\vec{F}(x, y) = x^2 y\vec{i} + e^y \vec{j}$ et où C est décrite par $\vec{r}(t) = t^2 \vec{i} - t^3 \vec{j}, 0 \leqslant t \leqslant 1$.

9. $\int_C \vec{F} \cdot d\vec{r}$, où $\vec{F}(x, y, z) = (x + y)\vec{i} + z\vec{j} + x^2 y\vec{k}$ et où C est donnée par $\vec{r}(t) = 2t\vec{i} + t^2\vec{j} + t^4\vec{k}, 0 \leqslant t \leqslant 1$.

10. Calculez le travail effectué par le champ de force
$$\vec{F}(x, y, z) = z\vec{i} + x\vec{j} + y\vec{k}$$
en déplaçant une particule du point $(3, 0, 0)$ au point $(0, \pi/2, 3)$ le long.
   a) d'une ligne droite,
   b) le long de l'hélice $x = 3\cos t, y = t, z = 3\sin t$.

11-12 ■ Montrez que $\vec{F}$ est un champ vectoriel conservatif. Déterminez ensuite une fonction f telle que $\vec{F} = \nabla f$.

11. $\vec{F}(x, y) = \sin y\vec{i} + (x\cos y + \sin y)\vec{j}$

12. $\vec{F}(x, y, z) = (2xy^3 + z^2)\vec{i} + (3x^2 y^2 + 2yz)\vec{j} + (y^2 + 2xz)\vec{k}$.

13-14 ■ Démontrez que $\vec{F}$ est conservatif et servez-vous de cette propriété pour calculer $\int_C \vec{F} \cdot d\vec{r}$ le long de la courbe donnée.

13. $\vec{F}(x, y) = (2x + y^2 + 3x^2 y)\vec{i} + (2xy + x^3 + 3y^2)\vec{j}$,
   C est l'arc de la courbe $y = x\sin x$ entre $(0, 0)$ et $(\pi, 0)$.

14. $\vec{F}(x, y, z) = yz(2x + y)\vec{i} + xz(x + 2y)\vec{j} + xy(x + y)\vec{k}$,
   C est la courbe décrite par l'équation vectorielle $\vec{r}(t) = (1 + t)\vec{i} + (1 + 2t^2)\vec{j} + (1 + 3t^3)\vec{k}, 0 \leqslant t \leqslant 1$.

15. Vérifiez que le Théorème de Green est vrai pour l'intégrale curviligne $\int_C xy\, dx + x^2\, dy$, où C est le triangle de sommets $(0, 0)$, $(1, 0)$ et $(1, 2)$.

16. Servez-vous du Théorème de Green pour calculer
$$\int_C (1 + \text{tg } x)dx + (x^2 + e^y)dy,$$
où C est la frontière, orientée positivement, de la région qu'encerclent les courbes $y = \sqrt{x}$, $x = 1$ et $y = 0$.

17. Servez-vous du Théorème de Green pour calculer
$$\int_C x^2 y\, dx - xy^2\, dy$$
où C est le cercle $x^2 + y^2 = 4$, orienté dans le sens contraire des aiguilles d'une montre.

18. Calculez rot $\vec{F}$ et div $\vec{F}$ si
$$\vec{F}(x, y, z) = x^2 z\vec{i} + 2x\sin y\vec{j} + 2z\cos y\vec{k}.$$

19. Démontrez qu'il n'existe pas de champ vectoriel $\vec{G}$ tel que
$$\text{rot } \vec{G} = 2x\vec{i} + 3yz\vec{j} - xz^2\vec{k}.$$

20. Montrez que, sous certaines conditions à mettre sur les champs vectoriels $\vec{F}$ et $\vec{G}$,
$$\text{rot } (\vec{F} \wedge \vec{G}) = \vec{F}\text{ div } \vec{G} - \vec{G}\text{ div } \vec{F} + (\vec{G} \cdot \nabla)\vec{F} - (\vec{F} \cdot \nabla)\vec{G}.$$

21. Si C est une courbe plane simple fermée lisse par morceaux et si f et g sont des fonctions différentiables, démontrez que
$$\nabla^2(fg) = f\nabla^2 g + g\nabla^2 f + 2\nabla f \cdot \nabla g.$$

23. Si f est une fonction harmonique, c'est-à-dire une fonction telle que $\nabla^2 f = 0$, démontrez que l'intégrale curviligne $\int f_y'dx - f_x'dy$ est indépendante du chemin sur tout domaine simple D.

24. a) Dessinez la courbe C d'équations paramétriques
$$x = \cos t \qquad y = \sin t \qquad z = \sin t \qquad 0 \leqslant t \leqslant 2\pi$$
   b) Calculez
$$\int_C 2xe^{2y}dx + (2x^2 e^{2y} + 2y \cot g\, z)dy - y^2 \text{cosec}^2 z\, dz.$$

25-28 ■ Calculez l'intégrale de surface.

25. $\iint_S z\, dS$, où S est la portion du paraboloïde $z = x^2 + y^2$ située sous le plan $z = 4$.

26. $\iint_S (x^2 z + y^2 z)\, dS$, où S est la partie du plan $z = 4 + x + y$ qui se trouve à l'intérieur du cylindre $x^2 + y^2 = 4$.

27. $\iint_S \vec{F} \cdot d\vec{S}$, où $F(x, y, z) = xz\,\vec{i} - 2y\,\vec{j} + 3x\,\vec{k}$ et où S est la sphère $x^2 + y^2 + z^2 = 4$, orientée vers l'extérieur.

28. $\iint_S \vec{F} \cdot d\vec{S}$, où $F(x, y, z) = x^2\,\vec{i} + xy\,\vec{j} + z\,\vec{k}$ et où S est la portion du paraboloïde $z = x^2 + y^2$, située sous le plan $z = 1$, orientée vers le haut.

. . . .

29. Vérifiez que le Théorème de Stokes est vrai pour le champ vectoriel $\vec{F}(x, y, z) = x^2\,\vec{i} + y^2\,\vec{j} + z^2\,\vec{k}$, où S est la portion du paraboloïde $z = 1 - x^2 - y^2$ située au-dessus du plan Oxy et orientée vers le haut.

30. Servez-vous du Théorème de Stokes pour calculer $\iint_S \operatorname{rot} \vec{F} \cdot d\vec{S}$, où $\vec{F}(x, y, z) = x^2 yz\,\vec{i} + yz^2\,\vec{j} + z^3 e^{xy}\,\vec{k}$ et où S est la portion de la sphère $x^2 + y^2 + z^2 = 5$ qui dépasse le plan $z = 1$, orientée vers le haut.

31. Servez-vous du Théorème de Stokes pour calculer $\int_C \vec{F} \cdot d\vec{r}$, où $\vec{F}(x, y, z) = xy\,\vec{i} + yz\,\vec{j} + zx\,\vec{k}$ et où C est le triangle de sommets $(1, 0, 0)$, $(0, 1, 0)$ et $(0, 0, 1)$, orienté dans le sens contraire des aiguilles d'une montre, vu d'en haut.

32. Utilisez le Théorème de flux-divergence pour calculer l'intégrale de surface $\iint_S \vec{F} \cdot d\vec{S}$, où $F(x, y, z) = x^3\,\vec{i} + y^3\,\vec{j} + z^3\,\vec{k}$ et où S est la surface du solide délimité par le cylindre $x^2 + y^2 = 1$ et les plans $z = 0$ et $z = 2$.

33. Vérifiez que le Théorème de flux-divergence est vrai pour le champ vectoriel $\vec{F}(x, y, z) = x\,\vec{i} + y\,\vec{j} + z\,\vec{k}$, où E est la boule unité $x^2 + y^2 + z^2 \leqslant 1$.

34. Calculez le flux vers l'extérieur du champ
$$\vec{F}(x, y, z) = \frac{x\,\vec{i} + y\,\vec{j} + z\,\vec{k}}{(x^2 + y^2 + z^2)^{3/2}}$$
à travers l'ellipsoïde $4x^2 + 9y^2 + 6z^2 = 36$.

35. Soit
$$\vec{F}(x, y, z) = (3x^2 yz - 3y)\,\vec{i} + (x^3 z - 3x)\,\vec{j} + (x^3 y + 2z)\,\vec{k}.$$
Calculez $\int_C \vec{F} \cdot d\vec{r}$, où C est la courbe de point initial $(0, 0, 2)$ et de point final $(0, 3, 0)$ montrée dans la figure.

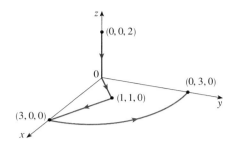

36. Soit
$$\vec{F}(x, y) = \frac{(2x^3 + 2xy^2 - 2y)\,\vec{i} + (2y^3 + 2x^2 y + 2x)\,\vec{j}}{x^2 + y^2}.$$
Calculez $\oint_C \vec{F} \cdot d\vec{r}$, où C est la courbe de la figure.

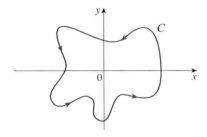

37. Calculez $\iint_S \vec{F} \cdot \vec{n}\, dS$, où $\vec{F}(x, y, z) = x\,\vec{i} + y\,\vec{j} + z\,\vec{k}$ et où S est la surface, orientée vers l'extérieur, dessinée dans la figure (la frontière d'un cube amputé, en un coin, d'un cube unité).

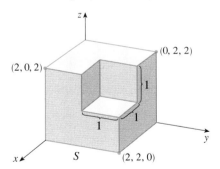

38. Démontrez que $\iint_S \operatorname{rot} \vec{F} \cdot d\vec{S} = 0$, si les composantes de $\vec{F}$ ont des dérivées secondes partielles continues et si S est la surface d'une région solide simple.

**Pleins feux
sur la résolution
de problèmes**

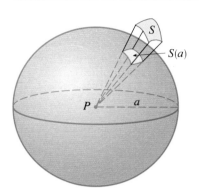

Figure relative au problème 1

1. Soit S une surface paramétrée lisse et soit P un point tel que chaque demi-droite issue de P ne coupe S qu'une fois. L'**angle solide** $\Omega(S)$ sous-tendu par S en P est la gerbe de demi-droites issues de P et traversant S. Soit $S(a)$ l'intersection de $\Omega(S)$ avec la surface de la sphère de centre P et de rayon a. On définit la mesure de l'angle solide (en *stéradians*) par

$$|\Omega(S)| = \frac{\text{aire de } S(a)}{a^2}.$$

Appliquez le Théorème de flux-divergence à la portion de $\Omega(S)$ comprise entre $S(a)$ et S pour montrer que

$$|\Omega(S)| = \iint_S \frac{\vec{r} \cdot \vec{n}}{r^3} dS,$$

où $\vec{r}$ désigne le rayon vecteur de P jusqu'à n'importe quel point de S, où $r = \|\vec{r}\|$ et où le vecteur normal unitaire $\vec{n}$ est dans le sens opposé à P.

Ceci montre que la définition de la mesure d'un angle solide est indépendante du rayon a de la sphère. D'où, la mesure de l'angle solide est égal à l'aire sous-tendue sur la sphère *unité*. (L'analogie avec la définition du radian est remarquable.) L'angle solide sous-tendu par une sphère en son centre vaut donc 4π stéradians.

2. Déterminez la courbe simple fermée C pour laquelle la valeur de l'intégrale curviligne

$$\int_C (y^3 - y)dx - 2x^3 dy$$

est maximale.

3. Soit C une courbe de l'espace, simple, fermée, lisse par morceaux, située dans un plan de vecteur unitaire normal $\vec{n} = (a, b, c)$ et orientée positivement par rapport à $\vec{n}$. Démontrez que l'aire plane de la région délimitée par C vaut

$$\frac{1}{2} \int_C (bz - cy)dx + (cx - az)dy + (ay - bx)dz.$$

4. La figure montre la séquence des mouvements qui se produisent dans chacun des quatre cylindres d'un moteur à combustion interne. Chaque piston monte et descend et est relié au vilbrequin par une bielle. Soit $P(t)$ et $V(t)$ la pression et le volume à l'intérieur d'un cylindre au moment t, où $a \leqslant t \leqslant b$ indique la durée d'un cycle complet. Le graphique montre comment P et V varient au cours d'un cycle d'un moteur à quatre temps.

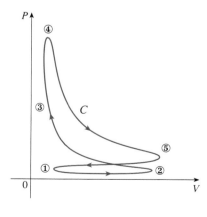

Pendant l'admission (de ① à ②), un mélange d'air et de carburant à la pression atmosphérique est admis dans le cylindre, la soupape d'admission étant ouverte, pendant que le piston se déplace vers le bas. Le piston comprime alors rapidement le mélange, les deux soupapes étant fermées, c'est la phase de compression (de ② à ③). Le volume diminue et la pression augmente. En ③, l'étincelle enflamme le carburant, faisant augmenter la température et la pression tandis que le volume reste presque constant jusqu'en ④. Alors, les soupapes étant fermées, l'explosion repousse brutalement le piston vers le bas, c'est la phase moteur (de ④ à ⑤). La soupape d'échappement s'ouvre ; la pression et la température diminuent et l'énergie mécanique emmagasinée dans le volant tournant pousse le piston vers le haut, forçant le reste des gaz inutiles à s'évacuer par la soupape d'échappement. La soupape d'échappement se ferme, la soupape d'admission s'ouvre. On est de retour en ① et le cycle recommence.

a) Démontrez que le travail effectué sur le piston durant un cycle d'un moteur quatre temps est $W = \int_C P\,dV$, où C est la courbe du plan OPV tracée dans la figure. [*Suggestion :* Soit $x(t)$ la distance du piston au sommet du cylindre. On note que la force sur le piston est $\vec{F} = AP(t)\,\vec{\imath}$, où A est l'aire du sommet du piston. Alors, $W = \int_{C_1} \vec{F} \cdot d\vec{r}$, où C_1 est donnée par $\vec{r}(t) = x(t)\,\vec{\imath}$, $a \leqslant t \leqslant b$. Il est aussi possible de travailler directement avec des sommes de Riemann.]

b) Servez-vous de la formule 5 dans la section 13.4, pour montrer que le travail est la différence des aires des deux boucles formées par C.

Annexes

D Les définitions formelles des limites •

Voici une version précise de la définition 1 de la section 11.2 :

> **❶ Définition** Soit f une fonction de deux variables définie sur un disque de centre (a, b), sauf peut-être en (a, b). On dit que la **limite de** $f(x, y)$ **quand** (x, y) **tend vers** (a, b) est L et on écrit
>
> $$\lim_{(x,y)\to(a,b)} f(x, y) = L,$$
>
> si, pour tout nombre $\varepsilon > 0$, il existe un nombre $\delta > 0$ correspondant tel que
>
> $$|f(x, y) - L| < \varepsilon \quad \text{lorsque} \quad 0 < \sqrt{(x-a)^2 + (y-b)^2} < \delta.$$

Comme $|f(x, y) - L|$ est la distance entre les nombres $f(x, y)$ et L et $\sqrt{(x-a)^2 + (y-b)^2}$, la distance entre le point (x, y) et le point (a, b), la définition 5 établit que la distance entre $f(x, y)$ et L peut être rendue arbitrairement petite en rendant la distance entre (x, y) et (a, b) suffisamment petite (mais pas nulle). La figure 13 présente une illustration de la définition 5 dans laquelle la surface S est le graphique de f. Dès qu'un $\varepsilon > 0$ est donné, on peut trouver un $\delta > 0$ tel que si (x, y) est contraint de rester dans le disque D_δ sans être égal à (a, b), alors la partie de S correspondante est située entre les plans horizontaux $z = L - \varepsilon$ et $z = L + \varepsilon$.

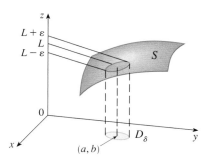

FIGURE 1

EXEMPLE 1 ■ Démontrez que $\displaystyle\lim_{(x,y)\to(0,0)} \frac{3x^2 y}{x^2 + y^2} = 0$.

SOLUTION Soit $\varepsilon > 0$. On cherche à trouver $\delta > 0$ tel que

$$\left| \frac{3x^2 y}{x^2 + y^2} - 0 \right| < \varepsilon \quad \text{quand} \quad 0 < \sqrt{x^2 + y^2} < \delta,$$

ou

$$\frac{3x^2 |y|}{x^2 + y^2} < \varepsilon \quad \text{quand} \quad 0 < \sqrt{x^2 + y^2} < \delta.$$

Comme $x^2 \leqslant x^2 + y^2$ puisque $y^2 \geqslant 0$,

$$\frac{3x^2 |y|}{x^2 + y^2} \leqslant 3|y| = 3\sqrt{y^2} \leqslant 3\sqrt{x^2 + y^2}$$

D'où, si on choisit $\delta = \varepsilon/3$ et si on suppose $0 < \sqrt{x^2 + y^2} < \delta$, alors

$$\left| \frac{3x^2 y}{x^2 + y^2} - 0 \right| \leqslant 3\sqrt{x^2 + y^2} \leqslant 3\delta = 3\left(\frac{\varepsilon}{3}\right) = \varepsilon.$$

De là, selon la définition 1,

$$\lim_{(x,y)\to(0,0)} \frac{3x^2 y}{x^2 + y^2} = 0.$$

D Exercices •

21. Utilisez la définition 1 pour démontrer que $\displaystyle\lim_{(x,y)\to(0,0)} \frac{xy}{\sqrt{x^2 + y^2}} = 0$.

E Quelques démonstrations •

Dans cette annexe, nous présentons les démonstrations de certains théorèmes qui ont été énoncés dans le corps du texte.

Le théorème de Clairaut a été énoncé dans la section 11.3

> **Le Théorème de Clairaut** On suppose que f est définie sur un disque D contenant le point (a, b). Si les fonctions f_{xy}'' et f_{yx}'' sont toutes les deux continues sur D, alors $f_{xy}''(a, b) = f_{yx}''(a, b)$.

Démonstration Considérons, pour de petites valeurs de h ($h \neq 0$), la différence

$$\Delta(h) = [\,f(a + h, b + h) - f(a + h, b)\,] - [\,f(a, b + h) - f(a, b)\,]$$

Cette différence s'écrit tout simplement en termes de $g(x) = f(x, b + h) - f(x, b)$,

$$\Delta(h) = g(a + h) - g(a).$$

Selon le Théorème des accroissements finis, il existe un nombre c entre a et $a + h$ tel que

$$g(a + h) - g(a) = g'(c)h = h[\,f_x'(c, b + h) - f_x'(c, b)\,].$$

Une nouvelle application du Théorème des accroissements finis, à f_x' cette fois, conduit à l'existence d'un nombre d entre b et $b + h$ tel que

$$f_x'(c, b + h) - f_x'(c, b) = f_{xy}''(c, d)h.$$

Ces deux équations mises ensemble donnent

$$\Delta(h) = h^2 f_{xy}''(c, d).$$

Lorsque $h \to 0$, alors $(c, d) \to (a, b)$ et, grâce à la continuité de f_{xy}'' en (a, b),

$$\lim_{h\to 0} \frac{\Delta(h)}{h^2} = \lim_{(c,d)\to(a,b)} f_{xy}''(c, d) = f_{xy}''(a, b).$$

De manière analogue, en écrivant

$$\Delta(h) = [\,f(a + h, b + h) - f(a, b + h)\,] - [\,f(a + h, b) - f(a, b)\,],$$

en appliquant à deux reprises le Théorème des accroissements finis et en exploitant la continuité de f_{yx}'' en (a, b), nous obtenons

$$\lim_{h\to 0} \frac{\Delta(h)}{h^2} = f_{yx}''(a, b).$$

Il s'ensuit que $f_{xy}''(a, b) = f_{yx}''(a, b)$. ■

Ce théorème a été cité dans la section 11.4.

Théorème   Si les dérivées partielles f_x' et f_y' existent à proximité de (a, b) et sont continues en (a, b), alors f est différentiable en (a, b).

Démonstration   Soit

$$\Delta z = f(a + \Delta x, b + \Delta y) - f(a, b).$$

Conformément à la définition 7 de la section 11.4, prouver que f est différentiable revient à montrer que Δz peut s'écrire sous la forme

$$\Delta z = f_x'(a, b)\Delta x + f_y'(a, b)\Delta y + \varepsilon_1 \Delta x + \varepsilon_2 \Delta y,$$

où ε_1 et $\varepsilon_2 \to 0$ lorsque $(\Delta x, \Delta y) \to (0, 0)$. Au vu de la figure 1, nous écrivons

■ $\Delta z = [\,f(a + \Delta x, b + \Delta y) - f(a, b + \Delta y)\,] + [\,f(a, b + \Delta y) - f(a, b)\,]$

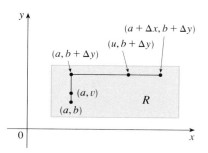

FIGURE 1

Observons que la fonction d'une seule variable

$$g(x) = f(x, b + \Delta y)$$

est définie sur l'intervalle $[a, a + \Delta x]$ et que $g'(x) = f_x'(x, b + \Delta y)$. Nous appliquons le Théorème des accroissements finis à g :

$$g(a + \Delta x) - g(a) = g'(u)\Delta x,$$

où u est un nombre situé entre a et $a + \Delta x$. En termes de f, cette équation s'écrit

$$f(a + \Delta x, b + \Delta y) - f(a, b + \Delta y) = f_x'(u, b + \Delta y)\,\Delta x.$$

Ainsi est acquise une expression de la première partie du membre de droite de l'équation 1. En vue de la seconde partie, nous posons $h(y) = f(a, y)$, ce qui fait de h une fonction d'une seule variable définie sur l'intervalle $[b, b + \Delta y]$ et dont la dérivée est $h'(y) = f_y'(a, y)$. Nous appliquons également le Théorème des accroissements finis à h :

$$h(b + \Delta y) - h(b) = h'(v)\Delta y,$$

où v est un nombre situé entre b et $b + \Delta y$. En termes de f, cette équation s'écrit

$$f(a, b + \Delta y) - f(a, b) = f_y'(a, v)\,\Delta y.$$

Nous subtituons maintenant ces expressions dans l'équation 3 et obtenons

$$\Delta z = f_x'(u, b + \Delta y)\, \Delta x + f_y'(a, v)\, \Delta y$$

$$= f_x'(a, b)\, \Delta x + [\, f_x'(u, b + \Delta y) - f_x'(a, b)]\, \Delta x + f_y'(a, b)\, \Delta y$$

$$+ [\, f_y'(a, v) - f_y'(a, b)]\, \Delta y$$

$$= f_x'(a, b)\, \Delta x + f_y'(a, b)\, \Delta y + \varepsilon_1\, \Delta x + \varepsilon_2\, \Delta y$$

où

$$\varepsilon_1 = f_x'(u, b + \Delta y) - f_x'(a, b)$$

$$\varepsilon_2 = f_y'(a, v) - f_y'(a, b).$$

Comme $(u, b + \Delta y) \to (a, b)$ et $(a, v) \to (a, b)$ lorsque $(\Delta x, \Delta y) \to (0, 0)$, et comme f_x' et f_y' sont continues en (a, b), nous voyons que $\varepsilon_1 \to 0$ et $\varepsilon_2 \to 0$ lorsque $(\Delta x, \Delta y) \to (0, 0)$.

Par conséquent, f est différentiable en (a, b). ∎ ■

Le Test des dérivées secondes a été étudié dans la section 11.7. Les parties b) et c) ont des démonstrations semblables.

Le Test des dérivées secondes   On suppose que les dérivées partielles secondes de f sont continues sur un disque centré en (a, b) et que $f_x'(a, b) = 0$ et $f_y'(a, b) = 0$ [c'est-à-dire que (a, b) est un point critique de f]. Soit

$$D = D(a, b) = f_{xx}''(a, b) f_{yy}''(a, b) - [f_{xy}''(a, b)]^2.$$

a) Si $D > 0$ et $f_{xx}''(a, b) > 0$, alors f a un minimum local.

b) Si $D > 0$ et $f_{xx}''(a, b) < 0$, alors f a un maximum local.

c) Si $D < 0$, alors $f(a, b)$ n'est ni un maximum local, ni un minimum local.

Démonstration de la partie a)   Nous calculons la dérivée directionnelle du second ordre de f dans la direction $\vec{u} = \langle h, k \rangle$. La dérivée du premier ordre dans cette direction est, selon le théorème 3 de la section 11.6,

$$f_{\vec{u}}' = f_x' h + f_y' k.$$

La dérivée directionnelle d'ordre 2 s'obtient en appliquant une deuxième fois ce théorème :

$$f_{\vec{u}\vec{u}}'' = (f_{\vec{u}}')_{\vec{u}}' = \frac{\partial}{\partial x}(f_{\vec{u}}')h + \frac{\partial}{\partial y}(f_{\vec{u}}')k$$

$$= (f_{xx}'' h + f_{yx}'' k)h + (f_{xy}'' h + f_{yy}'' k)k$$

$$= f_{xx}'' h^2 + 2 f_{xy}'' hk + f_{yy}'' k^2 \qquad \text{(par le Théorème de Clairaut)}$$

En complétant le carré, nous pouvons donner à cette expression de la dérivée seconde directionnelle la forme suivante :

2
$$f_{\vec{u}\vec{u}}'' = f_{xx}''\left(h + \frac{f_{xy}''}{f_{xx}''}k\right)^2 + \frac{k^2}{f_{xx}''}(f_{xx}'' f_{yy}'' - f_{xy}''^{\,2}).$$

Il est supposé que $f_{xx}''(a, b) > 0$ et que $D(a, b) > 0$. Or, f_{xx}'' et $D = f_{xx}'' f_{yy}'' - f_{xy}''^{\,2}$ sont des fonctions continues. Il existe donc un disque B, centré en (a, b) et de rayon $\delta > 0$, tel que $f_{xx}''(x, y) > 0$ et que $D(x, y) > 0$ pour (x, y) dans B. Par conséquent, eu égard à l'équation 2, nous constatons que $f''_{\vec{u}\vec{u}} > 0$ quand (x, y) appartient à B. Cela signifie que si C désigne la courbe intersection de la surface représentative de f avec le plan vertical passant par $P(a, b, f(a, b))$ dans la direction de $\vec{u}$, alors C est convexe sur un intervalle de longueur 2δ. Comme cela se vérifie dans la direction de tout vecteur $\vec{u}$, le graphique de f se trouve au-dessus de son plan tangent horizontal en P, du moins en ce qui concerne les (x, y) de B. De ce fait, $f(x, y) \geq f(a, b)$ quand (x, y) appartient à B et $f(a, b)$ est bien un minimum local.

■

G Les coordonnées polaires •

Les coordonnées polaires offrent une autre façon de localiser les points dans le plan. Elles sont précieuses parce que certaines régions et certaines courbes bénéficient, dans ces coordonnées, d'une description et d'une équation très simples. C'est en calcul différentiel et intégral à plusieurs variables que les coordonnées polaires trouvent leurs principales applications : le calcul des intégrales doubles et l'établissement des lois de Kepler sur le mouvement planétaire.

G.I Les courbes en coordonnées polaires • • • • • • • • • • • • • • • • • •

Dans un système de coordonnées, un point du plan est désigné par un couple de nombres, appelées ses coordonnées. Habituellement, nous utilisons les coordonnées cartésiennes, qui sont les distances orientées par rapport aux deux axes perpendiculaires. Ici, nous voulons décrire un autre système de coordonnées, introduit par Newton, appelé **système de coordonnées polaires**, qui convient mieux à beaucoup de points de vue.

Nous choisissons un point du plan, appelé **pôle** (ou origine) et marqué O. Ensuite, nous traçons un rayon (une demi-droite) qui part de O, appelée **axe polaire**. Cet axe est généralement dessiné horizontalement et orienté positivement vers la droite. Il correspond à la partie positive de l'axe Ox dans un repère cartésien.

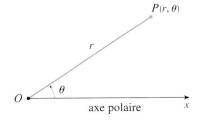

FIGURE I

Pour un point P du plan, soit r la distance de O à P et soit θ l'angle (mesuré le plus souvent en radians) entre l'axe polaire et la droite OP, comme indiqué dans la figure 1. Le point P peut alors être repéré par le couple (r, θ) et r et θ sont appelées les **coordonnées polaires** de P. Il est convenu qu'un angle est positif s'il est mesuré dans le sens contraire des aiguilles d'une montre à partir de l'axe polaire et au contraire négatif s'il est mesuré dans le sens des aiguilles d'une montre. Au cas où $P = O$, alors $r = 0$ et il est convenu que $(0, \theta)$ représente le pôle quelle que soit la valeur de θ.

Nous étendons la signification des coordonnées polaires (r, θ) au cas où r est négatif en acceptant que, comme dans la figure 2, les points $(-r, \theta)$ et (r, θ) soient sur la même droite passant par O et à la même distance $|r|$ de O, mais de part et d'autre de O. Lorsque $r > 0$, le point (r, θ) appartient au même quadrant que θ ; mais si $r < 0$, il est dans le quadrant opposé par rapport au pôle. Remarquez que $(-r, \theta)$ et $(r, \theta + \pi)$ représentent le même point.

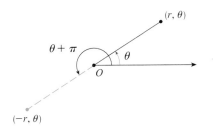

FIGURE 2

EXEMPLE I ■ Repérez les points de coordonnées polaires données.

a) $(1, 5\pi/4)$ b) $(2, 3\pi)$ c) $(2, -2\pi/3)$ d) $(-3, 3\pi/4)$.

SOLUTION Les points sont marqués dans la figure 3. En particulier, le point $(-3, 3\pi/4)$ est situé à trois unités du pôle et dans le quatrième quadrant parce que $3\pi/4$ est un angle qui termine dans le deuxième quadrant et que $r = -3$ est négatif.

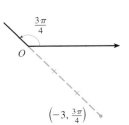

FIGURE 3

En coordonnées cartésiennes, chaque point n'a qu'une seule représentation alors qu'en coordonnées polaires chaque point en a plusieurs. Par exemple, le point $(1, 5\pi/4)$ de l'exemple 1 a) peut aussi être repéré par $(1, -3\pi/4)$ ou $(1, 13\pi/4)$ ou $(1, \pi/4)$ (voyez la figure 4).

FIGURE 4

Comme à un tour complet dans le sens contraire des aiguilles d'une montre correspond un angle de 2π, un point représenté par les coordonnées polaires (r, θ) l'est aussi par

$$(r, \theta + 2n\pi) \qquad \text{et} \qquad (-r, \theta + (2n + 1)\pi),$$

où n est un entier quelconque.

La relation entre les coordonnées cartésiennes et polaires se lit dans la figure 5, sur laquelle le pôle correspond à l'origine et l'axe polaire coïncide avec le demi-axe positif Ox. Si le point P admet le couple (x, y) en coordonnées cartésiennes et le couple (r, θ) en coordonnées polaires, alors, d'après la figure,

$$\cos\theta = \frac{x}{r} \qquad \sin\theta = \frac{y}{r}.$$

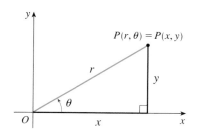

FIGURE 5

Aussi,

1
$$x = r\cos\theta \qquad y = r\sin\theta$$

Même si les équations 1 ont été déduites de la figure 5, qui illustre le cas particulier où $r > 0$ et $0 < \theta < \pi/2$, elles sont néanmoins valables quelles que soient les valeurs de r et θ. (Voyez les définitions générales de $\sin\theta$ et $\cos\theta$ dans l'annexe C.)

Les équations 1 nous permettent de trouver les coordonnées cartésiennes d'un point au départ des coordonnées polaires. À l'inverse, pour trouver r et θ, connaissant x et y, il faut employer les équations

2
$$r^2 = x^2 + y^2 \qquad \text{tg } \theta = \frac{y}{x},$$

qui s'obtiennent aussi par lecture de la figure 5 ou se déduisent des équations 1.

EXEMPLE 2 ■ Convertissez les coordonnées polaires du point $(2, \pi/3)$ en coordonnées cartésiennes.

SOLUTION Étant donné que $r = 2$ et $\theta = \pi/3$, les équations 1 donnent

$$x = r\cos\theta = 2\cos\frac{\pi}{3} = 2 \cdot \frac{1}{2} = 1$$

$$y = r\sin\theta = 2\sin\frac{\pi}{3} = 2 \cdot \frac{\sqrt{3}}{2} = \sqrt{3}.$$

Il s'agit donc du point $(1, \sqrt{3})$ en coordonnées cartésiennes.

EXEMPLE 3 ■ Quelles sont les coordonnées polaires du point de coordonnées cartésiennes $(1, -1)$?

SOLUTION Si on décide de prendre r positif, alors les équations 2 donnent

$$r = \sqrt{x^2 + y^2} = \sqrt{1^2 + (-1)^2} = \sqrt{2} \qquad \text{tg } \theta = \frac{y}{x} = \frac{-1}{1} = -1.$$

Comme le point $(1, -1)$ appartient au quatrième quadrant, on choisit $\theta = -\pi/4$ ou $\theta = 7\pi/4$. Dès lors, une réponse possible est $(\sqrt{2}, -\pi/4)$; une autre, $(\sqrt{2}, 7\pi/4)$. ■

REMARQUE ● Les équations 2 ne déterminent pas univoquement θ à partir de x et y parce que, lorsque θ parcourt l'intervalle $0 \leqslant \theta < 2\pi$, chaque valeur de tg θ est atteinte deux fois. Il ne suffit donc pas, lors de la conversion des coordonnées cartésiennes en coordonnées polaires, de déterminer r et θ qui vérifient les équations 2, encore faut-il, comme dans l'exemple 3, choisir θ de manière à ce que le point soit dans le bon quadrant.

Le **graphique d'une équation polaire** $r = f(\theta)$, ou plus généralement $F(r, \theta) = 0$, est fait de tous les points P dont une représentation en coordonnées polaires vérifie l'équation.

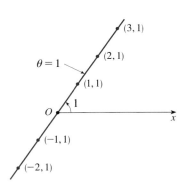

FIGURE 6

EXEMPLE 4 ■ Quelle courbe est représentée par l'équation polaire $r = 2$?

SOLUTION La courbe se compose de tous les points (r, θ) où $r = 2$. Comme r représente la distance du pôle au point, la courbe $r = 2$ représente le cercle centré en O et de rayon 2. De façon générale, l'équation $r = a$ représente un cercle de centre O et de rayon $|a|$ (voyez la figure 6). ■

EXEMPLE 5 ■ Dessinez la courbe polaire $\theta = 1$.

SOLUTION Cette courbe comprend tous les points (r, θ) tels que l'angle polaire θ soit de 1 radian. C'est une droite qui passe par O et qui fait un angle de 1 radian avec l'axe polaire (voyez la figure 7). Remarquez que si $r > 0$, les points $(r, 1)$ de la droite se trouvent dans le premier quadrant, tandis que si $r < 0$, ils sont dans le troisième. ■

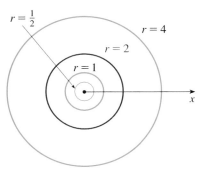

FIGURE 7

EXEMPLE 6 ■

a) Dessinez la courbe d'équation polaire $r = 2 \cos \theta$.

b) Déterminez l'équation cartésienne de cette courbe.

SOLUTION

a) La figure 8 présente la table des valeurs de r pour certaines valeurs habituelles de θ et la position des points correspondants (r, θ). On relie ces points pour

θ	$r = 2 \cos \theta$
0	2
$\pi/6$	$\sqrt{3}$
$\pi/4$	$\sqrt{2}$
$\pi/3$	1
$\pi/2$	0
$2\pi/3$	-1
$3\pi/4$	$-\sqrt{2}$
$5\pi/6$	$-\sqrt{3}$
π	-2

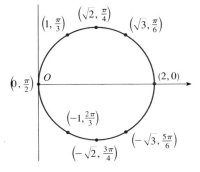

FIGURE 8
Table des valeurs et graphique
de $r = 2 \cos \theta$

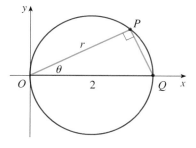

FIGURE 9

obtenir le graphique qui semble être un cercle. Seules ont été prises en considération des valeurs de θ comprises entre 0 et π, puisque lorsque θ croît au-delà de π, on retombe sur les mêmes points.

b) Ce sont les formules 1 et 2 qui sont mises en œuvre pour convertir l'équation donnée en équation cartésienne. Comme de $x = r \cos \theta$, on tire $\cos \theta = x/r$, l'équation $r = 2 \cos \theta$ devient $r = 2x/r$, ce qui donne

$$2x = r^2 = x^2 + y^2 \qquad \text{ou} \qquad x^2 + y^2 - 2x = 0.$$

En complétant le carré, on arrive à

$$(x - 1)^2 + y^2 = 1,$$

qui est bien l'équation d'un cercle centré en $(1, 0)$ et de rayon 1.

La figure 9 a pour but de montrer géométriquement que le cercle de l'exemple 6 a comme équation $r = 2 \cos \theta$. Comme l'angle OPQ est un angle droit (pourquoi?)il s'ensuit bien $r/2 = \cos \theta$.

EXEMPLE 7 ■ Dessinez la courbe $r = 1 + \sin \theta$.

SOLUTION Au lieu de marquer les points comme dans l'exemple 6, on commence par faire le graphique de $r = 1 + \sin \theta$ en coordonnées *cartésiennes* dans la figure 10 ; il suffit pour cela de translater la courbe sinus d'une unité vers le haut. Cette courbe permet de lire d'un coup d'œil comment varient les valeurs de r lorsque θ augmente.

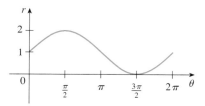

FIGURE 10

$r = 1 + \sin \theta$ en coordonnées cartésiennes, $0 \leqslant \theta \leqslant 2\pi$

Par exemple, on lit que, lorsque θ va de 0 à $\pi/2$, r (la distance vis-à-vis de O) va de 1 à 2. On trace donc la partie correspondante de la courbe polaire dans la figure 11 (a). Lorsque θ croît de $\pi/2$ à π, la figure 10 montre que r décroît de 2 à 1, et il en résulte le tronçon suivant de la courbe dans la figure 11(b). Lorsque θ va de π à $3\pi/2$, r décroît de 1 à 0 ainsi que le montre la partie (c). Enfin, lorsque θ passe de $3\pi/2$ à 2π, r passe de 0 à 1, comme on le voit sur la partie (d). En faisant parcourir à θ des valeurs au-delà de 2π ou en dessous de 0, on ne ferait que repasser sur le premier tracé. La figure 11(e) de la courbe complète provient de la mise bout à bout des tronçons des figures 11(a)-(d). Cette courbe porte le nom de **cardioïde** parce qu'elle rappelle la forme d'un cœur.

(a)

(b)

(c)

(d)

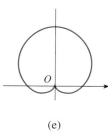

(e)

FIGURE 11 Étapes du tracé de la cardioïde $r = 1 + \sin \theta$

EXEMPLE 8 ■ Tracez la courbe $r = \cos 2\theta$.

SOLUTION On commence, comme dans l'exemple 7, par tracer $r = \cos 2\theta$, $0 \leqslant \theta \leqslant 2\pi$ dans un repère cartésien, c'est la figure 12. Lorsque θ varie de 0 à $\pi/4$, la figure 12 montre que r varie de 1 à 0 et on dessine la portion correspondante de la courbe polaire dans la figure 13 (simplement fléchée). Lorsque θ croît de $\pi/4$ à $\pi/2$, r va de 0 à -1. Cela signifie que la distance par rapport à O augmente de 0 à 1, mais au lieu d'être dans le premier quadrant, cette portion de la courbe polaire (doublement fléchée) est dans le quadrant opposé par rapport à O, c'est-à-dire le troisième. Le reste de la courbe est obtenu de façon analogue, les flèches et les chiffres indiquant l'ordre dans lequel les divers morceaux sont tracés. La courbe finale a quatre boucles et s'appelle une **rosace à quatre lobes**.

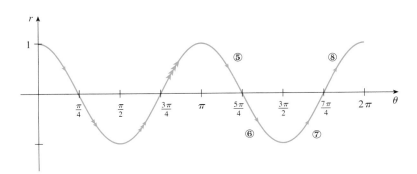

FIGURE 12
$r = \cos 2\theta$ en coordonnées cartésiennes

FIGURE 13
Rosace à quatre lobes $r = \cos 2\theta$

Tirer parti des symétries peut parfois être utile lors du tracé des courbes polaires. Les trois règles suivantes sont expliquées par la figure 14.

a) Si l'équation polaire ne change pas lorsque θ est remplacé par $-\theta$, la courbe est symétrique par rapport à l'axe polaire.

b) Si l'équation polaire ne change pas lorsque r est remplacé par $-r$, la courbe est symétrique par rapport au pôle. (Cela signifie que la courbe est inchangée après une rotation de $180°$ autour de l'origine.)

c) Si l'équation polaire ne change pas lorsque θ est remplacé par $\pi - \theta$, la courbe est symétrique par rapport à la droite verticale $\theta = \pi/2$.

FIGURE 14   (a)   (b)   (c)

Les courbes tracées dans les exemples 6 et 8 sont symétriques par rapport à l'axe polaire, puisque $\cos(-\theta) = \cos \theta$. Les courbes des exemples 7 et 8 sont symétriques par rapport à $\theta = \pi/2$ parce que $\sin(\pi - \theta) = \sin \theta$ et $\cos 2(\pi - \theta) =$

$\cos 2\theta$. De plus, la rosace est aussi symétrique par rapport au pôle. Ces symétries auraient pu être exploitées au moment de dessiner les courbes. C'est ainsi, qu'à l'exemple 6, il aurait suffi de considérer les points correspondants à $0 \leqslant \theta \leqslant \pi/2$ et de prendre ensuite l'image symétrique par rapport à l'axe polaire pour compléter le cercle.

■ Les tangentes aux courbes polaires

Pour déterminer une tangente à une courbe polaire $r = f(\theta)$, on considère θ comme un paramètre et on décrit la courbe au moyen des équations paramétriques :

$$x = r\cos\theta = f(\theta)\cos\theta \qquad y = r\sin\theta = f(\theta)\sin\theta$$

Ensuite, on fait appel à la méthode du calcul des pentes dans cette situation (équation 7 de la section 3.5) et à la Règle de dérivation du produit :

3
$$\frac{dy}{dx} = \frac{\dfrac{dy}{d\theta}}{\dfrac{dx}{d\theta}} = \frac{\dfrac{dr}{d\theta}\sin\theta + r\cos\theta}{\dfrac{dr}{d\theta}\cos\theta - r\sin\theta}$$

Les tangentes sont horizontales aux points en lesquels $dy/d\theta = 0$ (mais $dx/d\theta \neq 0$). De même, les tangentes sont verticales aux points en lesquels $dx/d\theta = 0$ (mais $dy/d\theta \neq 0$).

Remarquez que pour les tangentes au pôle, c'est-à-dire quand $r = 0$, l'équation 3 se simplifie en

$$\frac{dy}{dx} = \text{tg }\theta \qquad \text{à condition que } \frac{dr}{d\theta} \neq 0.$$

Dans l'exemple 8, $r = \cos 2\theta = 0$ pour $\theta = \pi/4$ ou $3\pi/4$. De ce fait, les droites $\theta = \pi/4$ et $\theta = 3\pi/4$ (ou $y = x$ et $y = -x$) sont des droites tangentes à la courbe $r = \cos 2\theta$ à l'origine.

EXEMPLE 9 ■

a) Déterminez la pente de la tangente au point de la cardioïde de l'exemple 7 correspondant à $\theta = \pi/3$.

b) En quels points de la cardioïde, la tangente est-elle horizontale ou verticale ?

SOLUTION Selon l'équation 3 appliquée à la courbe $r = 1 + \sin\theta$, on a

$$\frac{dy}{dx} = \frac{\dfrac{dr}{d\theta}\sin\theta + r\cos\theta}{\dfrac{dr}{d\theta}\cos\theta - r\sin\theta} = \frac{\cos\theta\sin\theta + (1 + \sin\theta)\cos\theta}{\cos\theta\cos\theta - (1 + \sin\theta)\sin\theta}$$

$$= \frac{\cos\theta(1 + 2\sin\theta)}{1 - 2\sin^2\theta - \sin\theta} = \frac{\cos\theta(1 + 2\sin\theta)}{(1 + \sin\theta)(1 - 2\sin\theta)}.$$

a) La pente de la tangente au point en lequel $\theta = \pi/3$ est

$$\frac{dy}{dx}\bigg|_{\theta = \pi/3} = \frac{\cos(\pi/3)(1 + 2\sin(\pi/3))}{(1 + \sin(\pi/3))(1 - 2\sin(\pi/3))}$$

$$= \frac{\frac{1}{2}(1 + \sqrt{3})}{(1 + \sqrt{3}/2)(1 - \sqrt{3})} = \frac{1 + \sqrt{3}}{(2 + \sqrt{3})(1 - \sqrt{3})}$$

$$= \frac{1 + \sqrt{3}}{-1 - \sqrt{3}} = -1.$$

b) Observez que

$$\frac{dy}{d\theta} = \cos\theta(1 + 2\sin\theta) = 0 \qquad \text{quand } \theta = \frac{\pi}{2}, \frac{3\pi}{2}, \frac{7\pi}{6}, \frac{11\pi}{6}$$

$$\frac{dx}{d\theta} = (1 + \sin\theta)(1 - 2\sin\theta) = 0 \qquad \text{quand } \theta = \frac{3\pi}{2}, \frac{\pi}{6}, \frac{5\pi}{6}$$

Par conséquent, les tangentes sont horizontales aux points $(2, \pi/2)$, $(\frac{1}{2}, 7\pi/6)$ et $(\frac{1}{2}, 11\pi/6)$ et verticales aux points $(\frac{3}{2}, \pi/6)$ et $(\frac{3}{2}, 5\pi/6)$. Lorsque $\theta = 3\pi/2$, $dy/d\theta$ et $dx/d\theta$ sont tous les deux nuls et il faut donc être prudent. Par application de la Règle de l'Hospital, on a

Et par symétrie,

$$\lim_{\theta \to (3\pi/2)^+} \frac{dy}{dx} = -\infty$$

Au pôle, la tangente est donc verticale (voyez la figure 15).

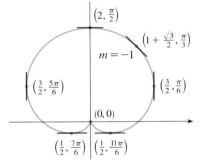

FIGURE 15
Des tangentes à $r = 1 + \sin\theta$

REMARQUE ● Au lieu de retenir la formule 3, on peut employer directement la manière dont elle a été établie. Par exemple, on aurait pu écrire immédiatement dans l'exemple 9 :

$$x = r\cos\theta = (1 + \sin\theta)\cos\theta = \cos\theta + \tfrac{1}{2}\sin 2\theta$$

$$y = r\sin\theta = (1 + \sin\theta)\sin\theta = \sin\theta + \sin^2\theta$$

$$\frac{dy}{dx} = \frac{dy/d\theta}{dx/d\theta} = \frac{\cos\theta + 2\sin\theta\cos\theta}{-\sin\theta + \cos 2\theta} = \frac{\cos\theta + \sin 2\theta}{-\sin\theta + \cos 2\theta}$$

FIGURE 16
$r = \sin\theta + \sin^3(5\theta/2)$

■ 🖩 **Dessiner des courbes polaires à l'aide d'outils graphiques**

Bien qu'il soit bon de savoir dessiner à la main des courbes polaires simples, il faut nécessairement recourir à une calculatrice graphique ou à un ordinateur lorsqu'il s'agit de représenter une courbe aussi compliquée que celle de la figure 16.

Certains outils graphiques disposent de commandes qui leur permettent de tracer directement le graphique d'une courbe polaire. D'autres par contre ne le font que par le biais des équations paramétriques. Dans ce cas, on prend l'équation polaire

$r = f(\theta)$ et on écrit les équations paramétriques suivantes

$$x = r\cos\theta = f(\theta)\cos\theta \qquad y = r\sin\theta = f(\theta)\sin\theta$$

Parfois, pour certaines machines, il est obligatoire d'appeler le paramètre t et non θ.

EXEMPLE 10 ■ Faites dessiner la courbe $r = \sin(8\theta/5)$.

SOLUTION On suppose que notre outil graphique ne dispose pas d'une commande intégrée de tracé de courbes polaires. Il faut donc dans ce cas travailler avec les équations paramétriques, qui sont

$$x = r\cos\theta = \sin(8\theta/5)\cos\theta \qquad y = r\sin\theta = \sin(8\theta/5)\sin\theta$$

De toutes façons, il est nécessaire de déterminer le domaine de définition de θ. La question à se poser est celle-ci : combien de rotations complètes faut-il pour que la courbe se superpose à elle-même ? Si la réponse est notée n, alors

$$\sin\frac{8(\theta + 2n\pi)}{5} = \sin\frac{8\theta}{5}$$

et la question devient : pour quelles valeurs de n $16n\pi/5$ est-il un multiple pair de π ? Cela se produit pour la première fois pour $n = 5$. Par conséquent, on aura tracé la courbe entière une fois en faisant varier θ dans l'intervalle $0 \leqslant \theta \leqslant 10\pi$. Après avoir changé θ en t, les équations paramétriques à introduire sont

$$x = \sin(8t/5)\cos t \qquad y = \sin(8t/5)\sin t \qquad 0 \leqslant t \leqslant 10\pi$$

et la figure 17 dévoile la courbe produite. Remarquez que cette courbe a 16 boucles.

FIGURE 17
$r = \sin(8\theta/5)$

L'exercice 45 consiste à prouver analytiquement les constatations faites sur les figures.

EXEMPLE 11 ■ Étudiez la famille des courbes polaires définie par $r = 1 + c\sin\theta$. Examinez comment la forme change avec c. (Ces courbes s'appellent des **limaçons**, à cause de leur forme pour certaines valeurs de c.)

SOLUTION Voici les graphiques produits par ordinateur pour différentes valeurs de c. Lorsque $c > 1$, la courbe présente une boucle dont l'ampleur diminue avec c. Lorsque $c = 1$, la boucle a disparu et la courbe est la cardioïde dessinée dans l'exemple 7. Pour c

FIGURE 18 Quelques membres de la famille des limaçons $r = 1 + c\sin\theta$

compris entre 1 et $\frac{1}{2}$, le point de rebroussement de la cardioïde s'est émoussé et est devenu une fossette. Quand c décroît encore de $\frac{1}{2}$ à 0, le limaçon a une forme ovale. Cet ovale devient de plus en plus rond quand $c \to 0$ et quand $c = 0$, cette courbe n'est autre que le cercle $r = 1$.

Le reste de la figure 18 montre que lorsque c est négatif, la courbe change de forme dans l'ordre inverse. Ces courbes ne sont en fait que les images symétriques par rapport à l'axe horizontal des courbes correspondant aux valeurs de c positives.

G.I Exercices •

-2 ■ Marquez le point de coordonnées polaires données. Cherchez ensuite deux autres couples de coordonnées polaires de ce point, l'un où $r > 0$ et l'autre où $r < 0$.

. a) $(1, \pi/2)$ b) $(-1, \pi/5)$ c) $(3, 2)$

. a) $(3, 0)$ b) $(2, -\pi/7)$ c) $(-1, \pi)$

-4 ■ Marquez le point de coordonnées polaires données. Cherchez ensuite le couple de coordonnées cartésiennes du point.

. a) $(\sqrt{2}, \pi/4)$ b) $(1,5, 3\pi/2)$ c) $(-1, \pi/3)$

. a) $(2, 2\pi/3)$ b) $(4, 3\pi)$ c) $(-2, -5\pi/6)$

-6 ■ Voici les coordonnées cartésiennes d'un point. Déterminez ses coordonnées polaires (r, θ) où $r > 0$ et $0 \leqslant \theta < 2\pi$.

. a) $(-1, 1)$ b) $(2\sqrt{3}, -2)$

. a) $(-1, -\sqrt{3})$ b) $(3, 4)$

-12 ■ Ombrez la région du plan faite des points dont les coordonnées polaires satisfont aux conditions données.

7. $r > 1$ **8.** $0 \leqslant \theta \leqslant \pi/3$

9. $0 \leqslant r \leqslant 2, \quad \pi/2 \leqslant \theta \leqslant \pi$

0. $1 \leqslant r < 3, \quad -\pi/4 \leqslant \theta \leqslant \pi/4$

1. $3 < r < 4, \quad -\pi/2 \leqslant \theta \leqslant \pi$

2. $-1 \leqslant r \leqslant 1, \quad \pi/4 \leqslant \theta \leqslant 3\pi/4$

3-16 ■ Trouvez une équation cartésienne de la courbe décrite par l'équation polaire donnée.

3. $r \sin \theta = 2$ **14.** $r = 2 \sin \theta$

5. $r = \dfrac{1}{1 - \cos \theta}$ **16.** $r^2 = \sin 2\theta$

7-20 ■ Cherchez une équation polaire de la courbe représentée par l'équation cartésienne donnée.

7. $y = 5$ **18.** $y = x + 1$

19. $x^2 + y^2 = 25$ **20.** $x^2 - y^2 = 1$

21-32 ■ Dessinez la courbe d'équation polaire donnée.

21. $r = 5$ **22.** $\theta = 3\pi/4$

23. $r = 2 \sin \theta$ **24.** $r = 1 + \cos \theta$

25. $r = \theta, \ \theta \geqslant 0$ **26.** $r = 1/\theta$

27. $r = 1 - 2 \cos \theta$ **28.** $r = 2 + \cos \theta$

29. $r = 2 \cos 4\theta$ **30.** $r = 2 \cos 3\theta$

31. $r^2 = 4 \cos 2\theta$ **32.** $r = 2 \cos(3\theta/2)$

33. Montrez que la courbe polaire $r = 4 + 2 \sec \theta$ (appelée une **conchoïde**) admet la droite $x = 2$ comme tangente verticale en établissant que $\lim_{r \to \pm\infty} x = 2$. Aidez-vous de cela pour tracer la conchoïde.

34. Montrez que la droite $x = 1$ est une asymptote verticale de la courbe $r = \sin \theta \operatorname{tg} \theta$ (appelée **cissoïde de Dioclès**). Montrez aussi que la courbe est entièrement située dans la tranche $0 \leqslant x < 1$. Aidez-vous de cette caractéristique pour dessiner la cissoïde.

35-38 ■ Calculez la pente de la tangente à la courbe polaire donnée au point spécifié par la valeur de θ.

35. $r = 3 \cos \theta, \quad \theta = \pi/3$

36. $r = \cos \theta + \sin \theta, \quad \theta = \pi/4$

37. $r = \theta, \quad \theta = \pi/2$

38. $r = \sin 3\theta, \quad \theta = \pi/6$

39-42 ■ Déterminez les points en lesquels la courbe donnée admet une tangente horizontale ou verticale.

39. $r = \cos 2\theta$ **40.** $r = \cos \theta + \sin \theta$

41. $r = 1 + \cos \theta$ **42.** $r = e^\theta$

43. Montrez que l'équation polaire $r = a \sin \theta + b \cos \theta$, où $ab \neq 0$, représente un cercle. Déterminez son centre et son rayon.

44. Montrez que les courbes $r = a \sin \theta$ et $r = a \cos \theta$ se coupent à angle droit.

45. a) Dans l'exemple 11, les graphiques suggèrent que le limaçon $r = 1 + c \sin \theta$ a une boucle intérieure quand $|c| > 1$. Démontrez que c'est vrai et déterminez les valeurs de θ auxquelles correspondent les points de la boucle intérieure.

b) De la figure 18, il ressort que le limaçon perd sa fossette quand $c = \frac{1}{2}$. Démontrez-le.

46. Mettez en correspondance les équations polaires et les graphiques étiquetés I-IV. Justifiez vos choix.

a) $r = \sin(\theta/2)$ b) $r = \sin(\theta/4)$

c) $r = \sec(3\theta)$ d) $r = \theta \sin \theta$

e) $r = 1 + 4 \cos 5\theta$ f) $r = 1/\sqrt{\theta}$

I

II

III

IV

V

VI
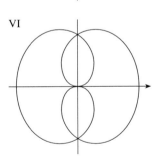

47-50 ■ Produisez le graphique de la courbe polaire à l'aide d'un outil graphique. Choisissez l'intervalle de variation du paramètre qui fait apparaître la totalité de la courbe.

47. $r = 1 + 2 \sin(\theta/2)$ (néphroïde)

48. $r = \sqrt{1 - 0.8 \sin^2 \theta}$ (hippopède)

49. $r = \sin(9\theta/4)$

50. $r = 1 + 4 \cos(\theta/3)$

51. Comment les graphiques de $r = 1 + \sin(\theta - \pi/6)$ et $r = 1 + \sin(\theta - \pi/3)$ sont-ils liés à celui de $r = 1 + \sin \theta$? De façon générale, comment le graphique de $r = f(\theta - \alpha)$ est-il relié à celui de $r = f(\theta)$?

52. Cherchez graphiquement d'abord l'ordonnée du point le plus haut de la courbe $r = \sin 2\theta$. Calculez ensuite la valeur exacte grâce aux techniques du calcul différentiel.

53. a) Étudiez la famille des courbes définie par les équations polaires $r = \sin n\theta$, où n est un entier positif. Comment le nombres de boucles est-il lié à n?

b) Que se passe-t-il si l'équation de la partie a) est remplacée par $r = |\sin n\theta|$?

54. Une famille de courbes est définie par les équations

$$r = 1 + c \sin n\theta,$$

où c est un nombre réel et n un entier positif. Comment le graphique change-t-il lorsque n croît? Comment change-t-lorsque n change? Illustrez en montrant un nombre suffisant de graphiques pour soutenir vos conclusions.

55. Une famille de courbes a les équations polaires

$$r = \frac{1 - a \cos \theta}{1 + a \cos \theta}.$$

Observez comment le graphique change avec les valeurs du nombre a. En particulier, pointez les valeurs de transition d'une forme de courbe à une autre.

56. L'astronome Giovanni Cassini (1625-1712) a étudié la famille de courbes d'équation polaire

$$r^4 - 2c^2 r^2 \cos 2\theta + c^4 - a^4 = 0,$$

où a et c sont des nombres réels positifs. Ces courbes portent le nom de **ovales de Cassini**, même si elles n'ont la forme ovale que pour certaines valeurs de a et c. (Cassini était convaincu que ces courbes représentaient les orbites planétaires mieux que les ellipses de Kepler.) Examinez les différentes formes que ces courbes peuvent présenter. En particulier, quelle relation lie a et c quand la courbe se divise en deux parties?

57. Soit P un point quelconque (autre que l'origine) de la courbe $r = f(\theta)$. Si ψ est l'angle entre la tangente en P et le rayon OP

montrez que

$$\text{tg } \psi = \frac{r}{dr/d\theta}.$$

[*Suggestion* : Observez sur la figure que $\psi = \phi - \theta$.]

58. a) Grâce à l'exercice 57, démontrez que pour la courbe $r = e^{\theta}$, l'angle entre la tangente et le rayon-vecteur de n'importe lequel de ses points mesure $\pi/4$.

b) Illustrez la partie a) en dessinant la courbe et les tangentes aux points correspondant à $\theta = 0$ et $\pi/2$.

c) Démontrez que toutes les courbes polaires $r = f(\theta)$ qui jouissent de la propriété que l'angle ψ entre le rayon-vecteur et la tangente est une constante sont forcément de la forme $r = Ce^{k\theta}$, où C et k sont des constantes.

G.2 Les aires et les longueurs d'arcs en coordonnées polaires. • • • • • • • • • • • • • •

FIGURE 1

Dans cette section, nous mettons au point la formule de calcul de l'aire d'une région dont les frontières sont données par des équations polaires. Nous avons besoin pour cela de la formule de l'aire d'un secteur circulaire

∎ $$A = \tfrac{1}{2}r^2\theta,$$

où, comme dans la figure 1, r est le rayon et θ la mesure en radians de l'angle au centre du secteur. La formule 1 provient de ce que l'aire d'un secteur est proportionnelle à l'angle au centre : $A = (\theta/2\pi)\pi r^2 = \tfrac{1}{2}r^2\theta$.

Soit $\mathcal{R}$ la région, illustrée dans la figure 2, délimitée par la courbe polaire $r = f(\theta)$ et par les rayons $\theta = a$ et $\theta = b$, où f est une fonction continue positive et où $0 < b - a \leqslant 2\pi$. Nous divisons l'intervalle $[a,b]$ en sous-intervalles d'extrémités $\theta_0, \theta_1, \theta_2, \ldots, \theta_n$ et de longueur égale $\Delta\theta$. Les rayons $\theta = \theta_i$ divise alors $\mathcal{R}$ en n régions plus petites d'angle au centre $\Delta\theta = \theta_i - \theta_{i-1}$. Si nous choisissons θ_i^* dans le sous-intervalle $[\theta_{i-1}, \theta_i]$ d'indice i, l'aire ΔA_i de la $i^{\text{ème}}$ région vaut à peu près celle d'un secteur circulaire d'angle au centre $\Delta\theta$ et de rayon $f(\theta_i^*)$ (voyez la figure 3).

FIGURE 2

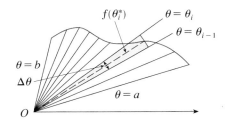

FIGURE 3

D'après la formule 1, l'aire de ce secteur est égale à

$$\Delta A_i \approx \frac{1}{2}[f(\theta_i^*)]^2 \Delta\theta,$$

et ainsi, l'aire totale A de $\mathcal{R}$ vaut à peu près

∎ $$A \approx \sum_{i=1}^{n} \frac{1}{2}[f(\theta_i^*)]^2 \Delta\theta.$$

Il ressort de la figure 3 que, plus n est grand, meilleure est cette approximation. Or, les sommes 2 sont des sommes de Riemann de la fonction $g(\theta) = \tfrac{1}{2}[f(\theta)]^2$. D'où

$$\lim_{n\to\infty} \sum_{i=1}^{n} \frac{1}{2}[f(\theta_i^*)]^2 \Delta\theta = \int_a^b \frac{1}{2}[f(\theta)]^2 d\theta.$$

Par conséquent, il semble acceptable (et il peut du reste être démontré) que la formule de l'aire A de la région polaire $\mathcal{R}$ est

3
$$A = \int_a^b \tfrac{1}{2}[f(\theta)]^2 \, d\theta$$

La formule 3 est souvent écrite

4
$$A = \int_a^b \tfrac{1}{2} r^2 \, d\theta$$

où il est entendu que $r = f(\theta)$. Notez la similitude entre les formules 1 et 4.

Lors de l'application des formules 3 ou 4, il est bon de visualiser la région comme balayée par un rayon qui tourne de la position initiale d'angle a jusqu'à la position finale d'angle b.

EXEMPLE 1 ■ Calculez l'aire de la région enfermée dans une boucle de la rosace à 4 lobes $r = \cos 2\theta$.

SOLUTION La courbe $r = \cos 2\theta$ a été dessinée dans l'exemple 8 de la section G.1. La figure 4 reproduit cette courbe en mettant en évidence que la région formée par la boucle de droite est entièrement balayée par un rayon qui tourne de $\theta = -\pi/4$ jusqu'à $\theta = \pi/4$. De là,

$$A = \int_{-\pi/4}^{\pi/4} \tfrac{1}{2} r^2 \, d\theta = \tfrac{1}{2} \int_{-\pi/4}^{\pi/4} \cos^2 2\theta \, d\theta$$

$$= \int_0^{\pi/4} \cos^2 2\theta \, d\theta = \int_0^{\pi/4} \tfrac{1}{2}(1 + \cos 4\theta) \, d\theta$$

$$= \tfrac{1}{2}\Big[\theta + \tfrac{1}{4}\sin 4\theta\Big]_0^{\pi/4} = \frac{\pi}{8}.$$

On fait appel à la formule de l'angle demi

$$\cos^2 x = \frac{1}{2}(1 + \cos 2x).$$

C'est la formule 17a de l'annexe C. Sinon, on peut appliquer la formule **64** de la table de primitives.

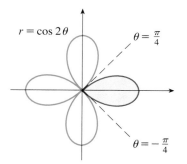

$r = \cos 2\theta$

$\theta = \dfrac{\pi}{4}$

$\theta = -\dfrac{\pi}{4}$

FIGURE 4

EXEMPLE 2 ■ Calculez la mesure de la région située à l'intérieur du cercle $r = 3 \sin \theta$ et à l'extérieur de la cardioïde $r = 1 + \sin \theta$.

SOLUTION La région en question est ombrée dans la figure 5 où ont été tracés le cercle et la cardioïde (voyez l'exemple 7 de la section G.1). Les valeurs de a et b qui interviennent dans la formule 4 sont déterminées par les points d'intersection des deux courbes. Celles-ci se coupent quand $3 \sin \theta = 1 + \sin \theta$, ou $\sin \theta = \tfrac{1}{2}$. Les solutions de cette équation sont $\theta = \pi/6$ et $\theta = 5\pi/6$. L'aire demandée s'obtient en retranchant l'aire intérieure à la cardioïde entre $\theta = \pi/6$ et $\theta = 5\pi/6$ de l'aire intérieure au cercle

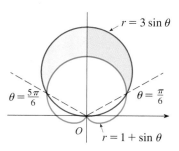

$r = 3 \sin \theta$

$\theta = \dfrac{5\pi}{6}$

$\theta = \dfrac{\pi}{6}$

O

$r = 1 + \sin \theta$

FIGURE 5

entre $\theta = \pi/6$ et $\theta = 5\pi/6$:

$$A = \tfrac{1}{2} \int_{\pi/6}^{5\pi/6} (3 \sin \theta)^2 \, d\theta - \tfrac{1}{2} \int_{\pi/6}^{5\pi/6} (1 + \sin \theta)^2 \, d\theta.$$

Comme la région est symétrique par rapport à la droite verticale $\theta = \pi/2$, on peut écrire

$$
\begin{aligned}
A &= 2\left[\tfrac{1}{2} \int_{\pi/6}^{\pi/2} 9 \sin^2 \theta \, d\theta - \tfrac{1}{2} \int_{\pi/6}^{\pi/2} (1 + 2 \sin \theta + \sin^2 \theta) \, d\theta \right] \\
&= \int_{\pi/6}^{\pi/2} (8 \sin^2 \theta - 1 - 2 \sin \theta) \, d\theta \\
&= \int_{\pi/6}^{\pi/2} (3 - 4 \cos 2\theta - 2 \sin \theta) \, d\theta \\
&= 3\theta - 2 \sin 2\theta + 2 \cos \theta \Big]_{\pi/6}^{\pi/2} = \pi.
\end{aligned}
$$

On fait appel à la formule de l'angle demi

$$\sin^2 \theta = \frac{1}{2}(1 - \cos 2\theta).$$

C'est la formule 17b de l'annexe C. Sinon, on peut appliquer la formule 63 de la table de primitives.

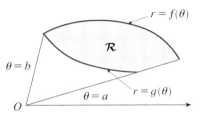

FIGURE 6

À l'exemple 2, on a en fait calculé l'aire d'une région délimitée par deux courbes polaires. De façon générale, soit $\mathcal{R}$ une région, telle que celle de la figure 6, dont les frontières se composent des courbes d'équation polaire $r = f(\theta)$, $r = g(\theta)$, $\theta = a$ et $\theta = b$, où $f(\theta) \geqslant g(\theta) \geqslant 0$ et $0 < b - a \leqslant 2\pi$. L'aire A de $\mathcal{R}$ est obtenue en retranchant l'aire intérieure à $r = g(\theta)$ de l'aire intérieure à $r = f(\theta)$, ce qui, d'après la formule 3, conduit à

$$
\begin{aligned}
A &= \int_a^b \tfrac{1}{2} [f(\theta)]^2 \, d\theta - \int_a^b \tfrac{1}{2} [g(\theta)]^2 \, d\theta \\
&= \tfrac{1}{2} \int_a^b ([f(\theta)]^2 - [g(\theta)]^2) \, d\theta.
\end{aligned}
$$

 MISE EN GARDE ● Le fait que la représentation en coordonnées polaires d'un point ne soit pas univoque rend parfois difficile le repérage des points en lesquels deux courbes polaires se coupent. Par exemple, il est évident, au vu de la figure 5, que le cercle et la cardioïde ont trois points d'intersection ; pourtant, la résolution simultanée des équations $r = 3 \sin \theta$ et $r = 1 + \sin \theta$ n'a conduit qu'aux deux solutions $(\tfrac{3}{2}, \pi/6)$ et $(\tfrac{3}{2}, 5\pi/6)$. L'origine est aussi un point d'intersection, mais il ne peut pas sortir de la résolution simultanée des équations des courbes car l'origine n'a pas une unique représentation en coordonnées polaires qui vérifie à la fois les deux équations. Quand l'origine est représentée par $(0, 0)$ ou par $(0, \pi)$, alors elle vérifie $r = 3 \sin \theta$ et donc elle se trouve sur le cercle ; et quand l'origine est représentée par $(0, 3\pi/2)$, elle vérifie $r = 1 + \sin \theta$ et se trouve donc sur la cardioïde. Imaginez un moment que deux points parcourt chacune des courbes à mesure que θ balaie l'intervalle $[0, 2\pi]$. Sur une des courbes, l'origine est atteinte quand $\theta = 0$ et $\theta = \pi$, tandis que sur l'autre courbe, elle est atteinte quand $\theta = 3\pi/2$. Les deux points ne se rencontrent pas à l'origine parce qu'ils y passent à des moments différents. Cela n'empêche pas les deux courbes de s'y croiser néanmoins.

En conclusion, pour trouver *tous* les points d'intersection de deux courbes polaires, il est recommandé de les dessiner et un calculateur graphique ou un ordinateur sont particulièrement bienvenus pour cela.

EXEMPLE 3 ■ Chercher tous les points d'intersection des courbes $r = \cos 2\theta$ et $r = \tfrac{1}{2}$.

SOLUTION La résolution des équations $r = \cos 2\theta$ et $r = \tfrac{1}{2}$ conduit à $\cos 2\theta = \tfrac{1}{2}$, ou $2\theta = \pi/3, 5\pi/3, 7\pi/3, 11\pi/3$. Les valeurs de θ comprises entre 0 et 2π qui vérifient les deux équations sont donc $\theta = \pi/6, 5\pi/6, 7\pi/6, 11\pi/6$. Cette résolution repère donc les quatre points d'intersection $(\frac{1}{2}, \pi/6)$, $(\frac{1}{2}, 5\pi/6)$, $(\frac{1}{2}, 7\pi/6)$, $(\frac{1}{2}, 11\pi/6)$.

Pourtant, la figure 7 montre clairement que les courbes ont encore quatre autres points d'intersection, à savoir $(\frac{1}{2}, \pi/3)$, $(\frac{1}{2}, 2\pi/3)$, $(\frac{1}{2}, 4\pi/3)$, $(\frac{1}{2}, 5\pi/3)$. Ces points peuvent être obtenus soit par symétrie, soit en choisissant $r = -\frac{1}{2}$ comme équation du cercle et en résolvant simultanément les équations $r = \cos 2\theta$ et $r = -\frac{1}{2}$.

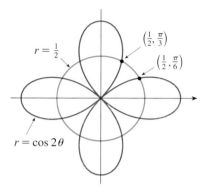

FIGURE 7

■ **Les longueurs d'arcs**

Pour déterminer la longueur d'une courbe polaire $r = f(\theta)$, $a \leqslant \theta \leqslant b$, nous regardons θ comme un paramètre et écrivons les équations paramétriques de la courbe

$$x = r \cos \theta = f(\theta) \cos \theta \qquad y = r \sin \theta = f(\theta) \sin \theta.$$

Nous calculons les dérivées par rapport à θ à l'aide de la Règle de dérivation du produit :

Ainsi, grâce à l'identité $\cos^2 \theta + \sin^2 \theta = 1$,

$$\left(\frac{dx}{d\theta}\right)^2 + \left(\frac{dy}{d\theta}\right)^2 = \left(\frac{dr}{d\theta}\right)^2 \cos^2\theta - 2r \frac{dr}{d\theta} \cos \theta \sin \theta + r^2 \sin^2\theta$$

$$+ \left(\frac{dr}{d\theta}\right)^2 \sin^2\theta + 2r \frac{dr}{d\theta} \sin \theta \cos \theta + r^2 \cos^2\theta$$

$$= \left(\frac{dr}{d\theta}\right)^2 + r^2.$$

Sous l'hypothèse que f' est une fonction continue, nous faisons appel à la formule 1 de la section 6.3 qui nous donne la longueur d'un arc

$$L = \int_a^b \sqrt{\left(\frac{dx}{d\theta}\right)^2 + \left(\frac{dy}{d\theta}\right)^2} \, d\theta$$

Dès lors, la longueur d'une courbe polaire $r = f(\theta)$, $a \leqslant \theta \leqslant b$ est

5

$$L = \int_a^b \sqrt{r^2 + \left(\frac{dr}{d\theta}\right)^2} \, d\theta$$

EXEMPLE 4 ■ Calculez la longueur de la cardioïde $r = 1 + \sin \theta$.

SOLUTION La cardioïde est dessinée dans la figure 11 de la section G.1. Pour avoir sa longueur totale, il faut faire varier le paramètre dans l'intervalle $[0, 2\pi]$. La formule 5 donne

$$L = \int_0^{2\pi} \sqrt{r^2 + \left(\frac{dr}{d\theta}\right)^2}\, d\theta = \int_0^{2\pi} \sqrt{(1 + \sin \theta)^2 + \cos^2\theta}\, d\theta$$

$$= \int_0^{2\pi} \sqrt{2 + 2\sin \theta}\, d\theta$$

Le calcul de cette intégrale effectué par un logiciel de calcul symbolique donne comme résultat $L = 8$.

G.2 Exercices •

1-4 ■ Calculez l'aire de la région délimitée par la courbe donnée et appartenant au secteur indiqué.

1. $r = \theta, \quad 0 \le \theta \le \pi$

2. $r = e^{\theta}, \quad -\pi/2 \le \theta \le \pi/2$

3. $r = 2\cos \theta, \quad 0 \le \theta \le \pi/6$

4. $r = 1/\theta, \quad \pi/6 \le \theta \le 5\pi/6$

5-8 ■ Tracez la courbe et calculez l'aire de la région qu'elle entoure.

5. $r^2 = 4\cos 2\theta$ **6.** $r = 4(1 - \cos \theta)$

7. $r = 4 - \sin \theta$ **8.** $r = \sin 3\theta$

9. Dessinez la courbe $r = 2 + \cos 6\theta$ et calculez l'aire de la région qu'elle entoure.

10. La courbe d'équation polaire $r = 2\sin \theta \cos^2 \theta$ porte le nom de **bifolium**. Dessinez-la et calculez l'aire de la région qu'elle entoure.

11-14 ■ Calculez l'aire d'une boucle de la courbe.

11. $r = \sin 5\theta$ **12.** $r = 2\cos 4\theta$

13. $r = 1 + 2\sin \theta$ (la boucle intérieure)

14. $r = 2 + 3\cos \theta$ (la boucle intérieure)

15-18 ■ Calculez l'aire de la région qui se trouve à l'intérieur de la première courbe et à l'extérieur de la seconde.

15. $r = 1 - \cos \theta, \quad r = \frac{3}{2}$

16. $r = 3\cos \theta, \quad r = 2 - \cos \theta$

17. $r = 4\sin \theta, \quad r = 2$

18. $r = 1 + \cos \theta, \quad r = 3\cos \theta$

19-22 ■ Calculez l'aire de la région qui se trouve entre les deux courbes.

19. $r = \sin \theta, \quad r = \cos \theta$ **20.** $r = \sin 2\theta, \quad r = \sin \theta$

21. $r = \sin 2\theta, \quad r = \cos 2\theta$ **22.** $r^2 = 2\sin 2\theta, \quad r = 1$

23. Calculer l'aire de la région intérieure à la grande boucle et extérieure à la petite boucle du limaçon $r = \frac{1}{2} + \cos \theta$.

24. Dessinez l'hippopède $r = \sqrt{1 - 0{,}8\sin^2 \theta}$ et le cercle $r = \sin \theta$ et calculez exactement l'aire de la région comprise entre ces deux courbes.

25-28 ■ Recherchez tous les points d'intersection des courbes données.

25. $r = \cos \theta, \quad r = 1 - \cos \theta$

26. $r = \cos 3\theta, \quad r = \sin 3\theta$

27. $r = \sin \theta, \quad r = \sin 2\theta$

28. $r^2 = \sin 2\theta, \quad r^2 = \cos 2\theta$

29. Il n'est pas possible de déterminer exactement les points d'intersection de la cardioïde $r = 1 + \sin \theta$ et de la spirale $r = 2\theta, -\pi/2 \le \theta \le \pi/2$. Déterminez ces valeurs approximativement en les lisant sur un graphique. Servez-vous en pour calculer une estimation de l'aire de la région qui se trouve comprise entre ces deux courbes.

30. Estimez les valeurs de θ pour lesquelles les courbes $r = 3 + \sin 5\theta$ et $r = 6\sin \theta$ se coupent. Servez-vous en pour calculer une estimation de l'aire de la région qui se trouve comprise entre ces deux courbes.

31-34 ■ Calculez la longueur exacte des arcs polaires.

31. $r = 2^{\theta}, \quad 0 \le \theta \le 2\pi$

32. $r = e^{-\theta}, \quad 0 \le \theta \le 3\pi$

CAS **33.** $r = \theta^2, \quad 0 \le \theta \le 2\pi$

CAS **34.** $r = \theta, \quad 0 \le \theta \le 2\pi$

35-36 ■ À l'aide d'une calculatrice ou d'un ordinateur, calculez avec 4 décimales correctes la longueur de la boucle décrite.

35. Une boucle de la rosace à quatre lobes $r = \cos 2\theta$.

36. La boucle de la conchoïde $r = 4 + 2\sec \theta$.

Sujet à découvrir

Les sections coniques en coordonnées polaires

Nous vous invitons à découvrir un traitement unifié des trois types de conique en termes de foyer et de directrice. Nous allons voir qu'une conique dont le foyer occupe l'origine admet une équation polaire très simple. Au chapitre 10, c'est l'équation de l'ellipse sous sa forme polaire qui nous conduit aux lois de Kepler du mouvement planétaire.

Soit F un point fixe (appelé **foyer**) et d une droite fixe (appelée **directrice**) du plan. Soit e un nombre positif fixé (appelé **excentricité**). Soit C l'ensemble de tous les points P du plan tels que

$$\frac{|PF|}{|Pd|} = e$$

(c'est-à-dire que, pour un point P, le rapport entre sa distance à F et sa distance à d est la constante e.) Vous remarquez immédiatement que si $e = 1$, alors $|PF| = |Pd|$ et la condition donnée devient tout simplement la définition d'une parabole telle qu'elle a été donnée dans l'annexe B.

1. Si le foyer F occupe l'origine et si la directrice est parallèle à l'axe Oy, à q unités vers la droite, son équation est $x = q$ et elle est perpendiculaire à l'axe polaire. Servez-vous de la figure 1 pour montrer que

$$r = e(q - r\cos\theta)$$

où (r, θ) sont les coordonnées polaires du point P.

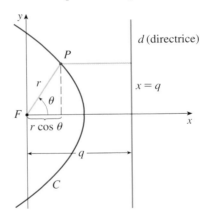

FIGURE I

2. En convertissant l'équation polaire du problème 1 en coordonnées cartésiennes, montrez que la courbe C est une ellipse si $e < 1$. (Voyez l'annexe B pour une étude des ellipses.)

3. Montrez que C est une hyperbole si $e > 1$.

4. Démontrez que l'équation polaire

$$r = \frac{eq}{1 + e\cos\theta}$$

représente une ellipse si $e < 1$, une parabole si $e = 1$ ou une hyperbole si $e > 1$.

5. Déterminez l'excentricité et la directrice de chacune des coniques suivantes. Identifiez de quelle conique il s'agit et dessinez-la.

a) $r = \dfrac{4}{1 + 3\cos\theta}$ b) $r = \dfrac{8}{3 + 3\cos\theta}$ c) $r = \dfrac{2}{2 + \cos\theta}$

6. Tracez dans un même système d'axes les coniques $r = e/(1 - e\cos\theta)$ pour $e = 0,4$, $0,6$, $0,8$ et 1. Comment la valeur de e affecte-t-elle la forme de la courbe ?

7. a) Montrez que l'équation polaire d'une ellipse de directrice $x = q$ peut être mise sous la forme

$$r = \frac{a(1 - e^2)}{1 - e\cos\theta}.$$

b) Écrivez une équation approximative de l'orbite elliptique de la planète Terre autour du Soleil (en un foyer) étant donné que l'excentricité vaut environ 0,017 et la longueur du plus grand axe $2,99 \times 10^8$ km.

8. a) Les planètes tournent autour du Soleil suivant une trajectoire elliptique dont le soleil occupe un des foyers. On appelle respectivement *périhélie* et *aphélie* les points de l'orbite où la distance au Soleil est la plus courte et la plus longue. (Voyez la figure 2.) Servez-vous de l'équation du problème 7a) pour montrer que la distance du périhélie d'une planète au Soleil est $a(1 - e)$ et celle de l'aphélie, $a(1 + e)$.

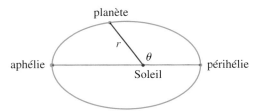

FIGURE 2

b) Utilisez les données du problème 7b) pour calculer à quelle distance du Soleil se trouve la Terre à l'aphélie et au périhélie.

9. a) La planète Mercure suit une trajectoire elliptique d'excentricité 0,206. Elle ne s'approche pas du Soleil à moins de $4,6 \times 10^7$ km. Calculez sa distance maximale du Soleil à l'aide des résultats du problème 8a).

b) Calculez la longueur de la trajectoire complète parcourue par Mercure au cours d'une révolution autour du Soleil. (Calculez l'intégrale définie à l'aide de votre calculatrice ou de votre ordinateur.)

H Les nombres complexes ●

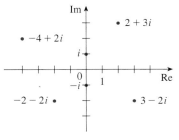

FIGURE 1

Des nombres complexes associés à des points du plan d'Argand-Cauchy

Un **nombre complexe** peut être représenté par une expression de la forme $a + bi$, où a et b sont des nombres réels et où i est un symbole qui jouit de la propriété $i^2 = -1$. Le nombre complexe $a + bi$ peut aussi être représenté par le couple (a, b) et marqué comme un point dans le plan (appelé plan d'Argand-Cauchy) comme dans la figure 1. De cette façon, le nombre complexe $i = 0 + 1 \cdot i$ a comme image le point de coordonnées $(0, 1)$.

La **partie réelle** d'un nombre complexe $a + bi$ est le nombre réel a et la **partie imaginaire** est le nombre réel b. La partie réelle de $4 - 3i$ par exemple est 4 et la partie imaginaire -3. Deux nombres complexes $a + bi$ et $c + di$ sont **égaux** si $a = c$ et $b = d$, c'est-à-dire si leurs parties réelles sont égales et leurs parties imaginaires égales. Dans le plan d'Argand-Cauchy, l'axe Ox est appelé l'axe réel et l'axe Oy, l'axe imaginaire.

La somme ou la différence de deux nombres complexes est, par définition, un nombre complexe dont la partie réelle et la partie imaginaire sont respectivement la somme ou la différence des parties réelles et des parties imaginaires :

$$(a + bi) + (c + di) = (a + c) + (b + d)i$$

$$(a + bi) - (c + di) = (a - c) + (b - d)i$$

Par exemple,

$$(1 - i) + (4 + 7i) = (1 + 4) + (-1 + 7)i = 5 + 6i.$$

Le produit des nombres complexes est défini de manière à ce que les lois habituelles de commutativité et de distributivité tiennent :

$$(a + bi)(c + di) = a(c + di) + (bi)(c + di)$$

$$= ac + adi + bci + bdi^2$$

Comme $i^2 = -1$, cette expression devient

$$(a + bi)(c + di) = (ac - bd) + (ad + bc)i.$$

EXEMPLE 1 ■

$$(-1 + 3i)(2 - 5i) = (-1)(2 - 5i) + 3i(2 - 5i)$$

$$= -2 + 5i + 6i - 15(-1) = 13 + 11i.$$

La division des nombres complexes s'apparente à la manière qu'on a de rendre rationnel le dénominateur d'une fraction rationnelle. À un nombre complexe $z = a + bi$ est associé $\bar{z} = a - bi$ que l'on appelle le **complexe conjugué**. Pour effectuer la division de deux nombres complexes, on multiplie numérateur et dénominateur par le complexe conjugué du dénominateur.

EXEMPLE 2 ■ Exprimez le nombre $\dfrac{-1 + 3i}{2 + 5i}$ sous la forme $a + bi$.

SOLUTION On multiplie numérateur et dénominateur par le complexe conjugué de $2 + 5i$, à savoir par $2 - 5i$, et on exploite au passage le résultat de l'exemple 1 :

$$\frac{-1 + 3i}{2 + 5i} = \frac{-1 + 3i}{2 + 5i} \cdot \frac{2 - 5i}{2 - 5i} = \frac{13 + 11i}{2^2 + 5^2} = \frac{13}{29} + \frac{11}{29}i.$$

La figure 2 montre l'interprétation géométrique du complexe conjugué : $\bar{z}$ est l'image symétrique de l'image de z par rapport à l'axe réel. Voici encadrées les principales propriétés des complexes conjugués. Les démonstrations découlent de la définition et sont demandées à titre d'exercice (voyez l'exercice 18).

FIGURE 2

Propriétés des conjugués

$$\overline{z + w} = \bar{z} + \bar{w} \qquad \overline{zw} = \bar{z}\,\bar{w} \qquad \overline{z^n} = \bar{z}^n$$

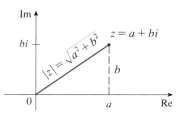

FIGURE 3

Le **module**, ou **valeur absolue**, $|z|$ d'un nombre complexe $z = a + bi$ est la distance de son image à l'origine. À la figure 3 on peut lire que, si $z = a + bi$, alors

$$|z| = \sqrt{a^2 + b^2}.$$

Remarquez que

$$z\bar{z} = (a + bi - (a - bi)) = a^2 + abi - abi - b^2 i^2 = a^2 + b^2,$$

et donc

$$z\bar{z} = |z|^2.$$

Ceci explique pourquoi la procédure de division expliquée ci-dessus, et mise en œuvre dans l'exemple 2, est générale :

$$\frac{z}{w} = \frac{z\bar{w}}{w\bar{w}} = \frac{z\bar{w}}{|w|^2}$$

Comme $i^2 = -1$, on peut penser que i est une racine carrée de -1. Mais on a aussi $(-i)^2 = i^2 = -1$, d'où $-i$ est également une racine carrée de -1. On dit que i est la **principale racine carrée** de -1 et on écrit $\sqrt{-1} = i$. De ce fait, pour un nombre positif quelconque c, on écrit

$$\sqrt{-c} = \sqrt{c}\, i.$$

Désormais, avec cette convention, l'établissement et la formule des racines d'une équation du second degré $ax^2 + bx + c = 0$ sont valables même quand $b^2 - 4ac < 0$:

$$x = \frac{-b \pm \sqrt{b^2 - 4ac}}{2a}$$

EXEMPLE 3 ■ Quelles sont les racines de l'équation $x^2 + x + 1 = 0$?

SOLUTION Conformément à la formule, on a

$$x = \frac{-1 \pm \sqrt{1^2 - 4 \cdot 1}}{2} = \frac{-1 \pm \sqrt{-3}}{2} = \frac{-1 \pm \sqrt{3}\, i}{2}.$$

On remarque que les solutions de l'équation dans l'exemple 3 sont des nombres complexes conjugués l'un de l'autre. Ce sera toujours le cas des solutions d'une équation quadratique quelconque $ax^2 + bx + c = 0$ à coefficients a, b et c réels. (Si z est réel, $\bar{z} = z$ et z est son propre conjugué.)

On a vu que si on admet les nombres complexes comme solutions, alors toute équation quadratique a une solution. Plus généralement, il est vrai que toute équation polynomiale

$$a_n x^n + a_{n-1} x^{n-1} + \cdots + a_1 x + a_0 = 0$$

de degré au moins égal à un a une solution parmi les nombres complexes. Ce résultat est connu comme le Théorème fondamental de l'algèbre ou Théorème de Gauss-d'Alembert et a été démontré par Gauss.

■ La forme polaire

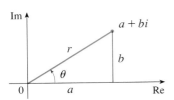

FIGURE 4

On sait que tout nombre complexe $z = a + bi$ a comme image un point (a, b) et que n'importe quel point peut être représenté par ses coordonnées polaires (r, θ) avec $r \geq 0$. Si on regarde la figure 4, on voit que

$$a = r\cos\theta \qquad b = r\sin\theta.$$

D'où, il vient

$$z = a + bi = (r\cos\theta) + (r\sin\theta)i.$$

Par conséquent, tout nombre complexe z peut être écrit sous la forme

$$\boxed{z = r(\cos\theta + i\sin\theta)}$$

où

$$r = |z| = \sqrt{a^2 + b^2} \qquad \text{et} \qquad \text{tg}\,\theta = \frac{b}{a}.$$

L'angle θ est appelé l'**argument** de z et on écrit $\theta = \text{Arg}\,z$. Notez que Arg z n'est pas unique ; deux arguments quelconques de z diffèrent d'un multiple entier de 2π.

EXEMPLE 4 ■ Écrivez chacun des nombres suivants sous forme polaire.

a) $z = 1 + i$ b) $w = \sqrt{3} - i$.

SOLUTION

a) On calcule $r = |z| = \sqrt{1^2 + 1^2} = \sqrt{2}$ et $\text{tg}\,\theta = 1$. On peut donc prendre $\theta = \pi/4$. La forme polaire est

$$z = \sqrt{2}\left(\cos\frac{\pi}{4} + i\sin\frac{\pi}{4}\right).$$

b) Ici, $r = |w| = \sqrt{3 + 1} = 2$ et $\text{tg}\,\theta = -1/\sqrt{3}$. Comme w est dans le quatrième quadrant, on prend $\theta = -\pi/6$ et

$$w = 2\left[\cos\left(-\frac{\pi}{6}\right) + i\sin\left(-\frac{\pi}{6}\right)\right].$$

Les images de z et w sont dans la figure 5.

FIGURE 5

La forme polaire des nombres complexes éclaire les opérations de multiplication et de division. Soit

$$z_1 = r_1(\cos\theta_1 + i\sin\theta_1) \qquad z_2 = r_2(\cos\theta_2 + i\sin\theta_2)$$

deux nombres complexes écrits sous forme polaire. Alors

$$z_1 z_2 = r_1 r_2(\cos\theta_1 + i\sin\theta_1)(\cos\theta_2 + i\sin\theta_2)$$
$$= r_1 r_2[(\cos\theta_1\cos\theta_2 - \sin\theta_1\sin\theta_2) + i(\sin\theta_1\cos\theta_2 + \cos\theta_1\sin\theta_2)]$$

FIGURE 6

FIGURE 7

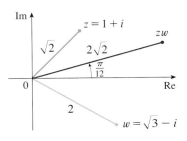

FIGURE 8

De là, grâce aux formules d'addition du sinus et du cosinus, on a

1
$$z_1 z_2 = r_1 r_2 [\cos(\theta_1 + \theta_2) + i \sin(\theta_1 + \theta_2)]$$

Cette formule dit que *pour multiplier deux nombres complexes, on multiplie les modules et on additionne les arguments.* (Voyez la figure 6.)

Un développement semblable exploitant les formules de soustraction des sinus et des cosinus montre que *pour diviser deux nombres complexes, on divise les modules et on soustrait les arguments.*

$$\frac{z_1}{z_2} = \frac{r_1}{r_2}[\cos(\theta_1 - \theta_2) + i \sin(\theta_1 - \theta_2)] \qquad z_2 \neq 0$$

Le cas particulier où $z_1 = 1$ et $z_2 = z$ (et par conséquent $\theta_1 = 0$ et $\theta_2 = \theta$) est illustré dans la figure 7. Il s'écrit

$$\text{Si } z = r(\cos\theta + i\sin\theta), \text{ alors } \frac{1}{z} = \frac{1}{r}(\cos\theta - i\sin\theta).$$

EXEMPLE 5 ■ Effectuez le produit des nombres complexes $1 + i$ et $\sqrt{3} - i$ en passant à la forme polaire.

SOLUTION D'après l'exemple 4, on a

$$1 + i = \sqrt{2}\left(\cos\frac{\pi}{4} + i\sin\frac{\pi}{4}\right)$$

et

$$\sqrt{3} - i = 2\left[\cos\left(-\frac{\pi}{6}\right) + i\sin\left(-\frac{\pi}{6}\right)\right].$$

Maintenant, en vertu de l'équation 1,

$$(1 + i)(\sqrt{3} - i) = 2\sqrt{2}\left[\cos\left(\frac{\pi}{4} - \frac{\pi}{6}\right) + i\sin\left(\frac{\pi}{4} - \frac{\pi}{6}\right)\right]$$

$$= 2\sqrt{2}\left(\cos\frac{\pi}{12} + i\sin\frac{\pi}{12}\right).$$

La figure 8 illustre ce produit.

Calculer des puissances de nombres complexes revient à employer la formule 1 plusieurs fois. Si

$$z = r(\cos\theta + i\sin\theta),$$

alors

$$z^2 = r^2(\cos 2\theta + i\sin 2\theta)$$

et

$$z^3 = z z^2 = r^3(\cos 3\theta + i\sin 3\theta).$$

La formule générale de la puissance n d'un nombre complexe z porte le nom du mathématicien français Abraham de Moivre (1667-1754).

---

2 **Formule de Moivre**   Si $z = r(\cos\theta + i\sin\theta)$ et si n est un entier positif, alors

$$z^n = [r(\cos\theta + i\sin\theta)]^n = r^n(\cos n\theta + i\sin n\theta).$$

Elle affirme que *pour prendre la $n^{ième}$ puissance d'un nombre complexe, on élève le module à la $n^{ième}$ puissance et on multiplie l'argument par n.*

EXEMPLE 6 ■ Calculez $\left(\frac{1}{2} + \frac{1}{2}i\right)^{10}$.

SOLUTION Comme $\frac{1}{2} + \frac{1}{2}i = \frac{1}{2}(1 + i)$, la forme polaire suit du résultat de l'exemple 4a):

$$\frac{1}{2} + \frac{1}{2}i = \frac{\sqrt{2}}{2}\left(\cos\frac{\pi}{4} + i\sin\frac{\pi}{4}\right).$$

Reste à appliquer la Formule de Moivre,

$$\left(\frac{1}{2} + \frac{1}{2}i\right)^{10} = \left(\frac{\sqrt{2}}{2}\right)^{10}\left(\cos\frac{10\pi}{4} + i\sin\frac{10\pi}{4}\right)$$

$$= \frac{2^5}{2^{10}}\left(\cos\frac{5\pi}{2} + i\sin\frac{5\pi}{2}\right) = \frac{1}{32}i.$$

La Formule de Moivre sert aussi à découvrir les racines $n^{ièmes}$ des nombres complexes. Une racine $n^{ième}$ d'un nombre complexe z est un nombre complexe w tel que

$$w^n = z.$$

Écrivons ces deux nombres sous forme trigonométrique

$$w = s(\cos\phi + i\sin\phi) \qquad \text{et} \qquad z = r(\cos\theta + i\sin\theta),$$

et appliquons la Formule de Moivre :

$$s^n(\cos n\phi + i\sin n\phi) = r(\cos\theta + i\sin\theta).$$

L'égalité de ces deux nombres complexes conduit à

$$s^n = r \qquad \text{ou} \qquad s = r^{1/n}$$

et

$$\cos n\phi = \cos\theta \qquad \text{et} \qquad \sin n\phi = \sin\theta.$$

Compte tenu du fait que sinus et cosinus sont des fonctions périodiques de période 2π, il suit que

$$n\phi = \theta + 2k\pi \qquad \text{ou} \qquad \phi = \frac{\theta + 2k\pi}{n}.$$

D'où

$$w = r^{1/n}\left[\cos\left(\frac{\theta + 2k\pi}{n}\right) + \sin\left(\frac{\theta + 2k\pi}{n}\right)\right].$$

Il y a donc autant de racines que de valeurs différentes de w et c'est le cas pour $k = 0, 1, 2, \ldots, n - 1$.

> **3** **Les racines d'un nombre complexe** Soit $z = r(\cos \theta + i \sin \theta)$ et n un entier positif. Alors z a n racines $n^{\text{ièmes}}$ distinctes
>
> $$w_k = r^{1/n}\left[\cos\left(\frac{\theta + 2k\pi}{n}\right) + i\sin\left(\frac{\theta + 2k\pi}{n}\right)\right]$$
>
> où $k = 0, 1, 2, \ldots, n - 1$.

Il est à noter que le module de toutes ces racines est $|w_k| = r^{1/n}$. Les racines $n^{\text{ièmes}}$ de z se trouvent donc toutes sur le cercle de rayon $r^{1/n}$ du plan d'Argand-Cauchy. De plus, comme les arguments de ces n racines diffèrent de $2\pi/n$, elles sont régulièrement espacées autour du cercle.

EXEMPLE 7 ■ Déterminez les 6 racines sixièmes de $z = -8$ et marquez-les dans le plan d'Argand-Cauchy.

SOLUTION Sous forme trigonométrique, $z = 8(\cos \pi + i \sin \pi)$. L'expression des racines est, d'après 3,

$$w_k = 8^{1/6}\left(\cos\frac{\pi + 2k\pi}{6} + i\sin\frac{\pi + 2k\pi}{6}\right)$$

Les six racines de -8 sont alors obtenues en donnant à k dans cette formule successivement les valeurs $0, 1, 2, 3, 4, 5$:

$$w_0 = 8^{1/6}\left(\cos\frac{\pi}{6} + i\sin\frac{\pi}{6}\right) = \sqrt{2}\left(\frac{\sqrt{3}}{2} + \frac{1}{2}i\right)$$

$$w_1 = 8^{1/6}\left(\cos\frac{\pi}{2} + i\sin\frac{\pi}{2}\right) = \sqrt{2}\,i$$

$$w_2 = 8^{1/6}\left(\cos\frac{5\pi}{6} + i\sin\frac{5\pi}{6}\right) = \sqrt{2}\left(-\frac{\sqrt{3}}{2} + \frac{1}{2}i\right)$$

$$w_3 = 8^{1/6}\left(\cos\frac{7\pi}{6} + i\sin\frac{7\pi}{6}\right) = \sqrt{2}\left(-\frac{\sqrt{3}}{2} - \frac{1}{2}i\right)$$

$$w_4 = 8^{1/6}\left(\cos\frac{3\pi}{2} + i\sin\frac{3\pi}{2}\right) = -\sqrt{2}\,i$$

$$w_5 = 8^{1/6}\left(\cos\frac{11\pi}{6} + i\sin\frac{11\pi}{6}\right) = \sqrt{2}\left(\frac{\sqrt{3}}{2} - \frac{1}{2}i\right)$$

Les images de ces racines sont réparties sur le cercle de rayon $\sqrt{2}$ comme le montre la figure 9.

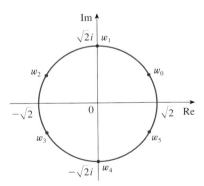

FIGURE 9
Les six racines sixièmes de $z = -8$

■ Les exponentielles complexes

Il est nécessaire de donner un sens à l'expression e^z quand $z = x + iy$ est un nombre complexe. La théorie des séries infinies que nous avons vue dans le chapitre 8 peut être étendue au cas où les termes sont des nombres complexes. Guidés par la série de Taylor de e^x (équation 11 de la section 8.7), nous définissons

4
$$e^z = \sum_{n=0}^{\infty} \frac{z^n}{n!} = 1 + z + \frac{z^2}{2!} + \frac{z^3}{3!} + \cdots$$

et il s'avère que cette fonction exponentielle complexe a les mêmes propriétés que la fonction exponentielle réelle. En particulier, il est vrai que

5
$$e^{z_1 + z_2} = e^{z_1} e^{z_2}.$$

Au cas où $z = iy$, avec y réel, l'équation 4 fournit, compte tenu de

$$i^2 = -1, \qquad i^3 = i^2 i = -i, \qquad i^4 = 1, \qquad i^5 = i, \ldots,$$

$$e^{iy} = 1 + iy + \frac{(iy)^2}{2!} + \frac{(iy)^3}{3!} + \frac{(iy)^4}{4!} + \frac{(iy)^5}{5!} + \cdots$$

$$= 1 + iy - \frac{y^2}{2!} - i\frac{y^3}{3!} + \frac{y^4}{4!} + i\frac{y^5}{5!} + \cdots$$

$$= \left(1 - \frac{y^2}{2!} + \frac{y^4}{4!} - \frac{y^6}{6!} + \cdots\right) + i\left(y - \frac{y^3}{3!} + \frac{y^5}{5!} - \cdots\right)$$

$$= \cos y + i \sin y.$$

On a reconnu dans les parties réelles et imaginaires du second membre le développement en séries de Taylor de $\cos y$ et $\sin y$ (équations 16 et 15 de la section 8.7). Ce résultat est célèbre et connu sous le nom de **formule d'Euler** :

6
$$e^{iy} = \cos y + i \sin y$$

Les formules 5 et 6 mises ensemble donnent

7
$$e^{x+iy} = e^x e^{iy} = e^x(\cos y + i \sin y).$$

EXEMPLE 8 ■ Calculez   a) $e^{i\pi}$ b) $e^{-1+i\pi/2}$

SOLUTION

a) D'après la formule d'Euler, on a
$$e^{i\pi} = \cos \pi + i \sin \pi = -1 + i(0) = -1.$$

b) Grâce à l'équation 7, on a
$$e^{-1+i\pi/2} = e^{-1}\left(\cos \frac{\pi}{2} + i \sin \frac{\pi}{2}\right) = \frac{1}{e}[0 + i(1)] = \frac{i}{e}.$$

Terminons par une démonstration de la Formule de Moivre, que la formule d'Euler rend aisée :

$$[r(\cos\theta + i\sin\theta)]^n = (re^{i\theta})^n = r^n e^{in\theta} = r^n(\cos n\theta + i\sin n\theta).$$

H Exercices

1-14 ■ Calculez l'expression et mettez-la sous la forme $a + bi$.

1. $(3 + 2i) + (7 - 3i)$

2. $(1 + i) - (2 - 3i)$

3. $(3 - i)(4 + i)$

4. $(4 - 7i)(1 + 3i)$

5. $\overline{12 + 7i}$

6. $\overline{2i(\frac{1}{2} - i)}$

7. $\dfrac{2 + 3i}{1 - 5i}$

8. $\dfrac{5 - i}{3 + 4i}$

9. $\dfrac{1}{1 + i}$

10. $\dfrac{3}{4 - 3i}$

11. i^3

12. i^{100}

13. $\sqrt{-25}$

14. $\sqrt{-3}\sqrt{-12}$

15-17 ■ Calculez le complexe conjugué et le module du nombre donné.

15. $3 + 4i$

16. $\sqrt{3} - i$

17. $-4i$

18. Démontrez les propriétés suivantes des nombres complexes.
a) $\overline{z + w} = \bar{z} + \bar{w}$
b) $\overline{zw} = \bar{z}\,\bar{w}$
c) $\overline{z^n} = \bar{z}^n$, où n est un entier positif. [*Suggestion :* Écrivez $z = a + bi, w = c + di$.]

19-24 ■ Déterminez toutes les solutions de l'équation.

19. $4x^2 + 9 = 0$

20. $x^4 = 1$

21. $x^2 - 8x + 17 = 0$

22. $x^2 - 4x + 5 = 0$

23. $z^2 + z + 2 = 0$

24. $z^2 + \frac{1}{2}z + \frac{1}{4} = 0$

25-28 ■ Écrivez le nombre sous forme polaire en choisissant l'argument compris entre 0 et 2π.

25. $-3 + 3i$

26. $1 - \sqrt{3}\,i$

27. $3 + 4i$

28. $8i$

29-32 ■ Déterminez les formes polaires de $zw, z/w$ et $1/z$ après avoir mis z et w sous forme polaire.

29. $z = \sqrt{3} + i, \quad w = 1 + \sqrt{3}\,i$

30. $z = 4\sqrt{3} - 4i, \quad w = 8i$

31. $z = 2\sqrt{3} - 2i, \quad w = -1 + i$

32. $z = 4(\sqrt{3} + i), \quad w = -3 - 3i$

33-36 ■ Calculez, par la Formule de Moivre, la puissance indiquée.

33. $(1 + i)^{20}$

34. $(1 - \sqrt{3}\,i)^5$

35. $(2\sqrt{3} + 2i)^5$

36. $(1 - i)^8$

37-40 ■ Calculez les racines indiquées. Montrez leur image dans le plan d'Argand-Cauchy.

37. Les racines huitièmes de 1.

38. Les racines cinquièmes de 32.

39. Les racines cubiques de i.

40. Les racines cubiques de $1 + i$.

41-46 ■ Écrivez le nombre sous la forme $a + bi$.

41. $e^{i\pi/2}$

42. $e^{2\pi i}$

43. $e^{i3\pi/4}$

44. $e^{-i\pi}$

45. $e^{2+i\pi}$

46. e^{1+2i}

47. Servez-vous de la Formule de Moivre avec $n = 3$ pour exprimer $\cos 3\theta$ et $\sin 3\theta$ en termes de $\cos\theta$ et $\sin\theta$.

48. Utilisez la formule d'Euler pour démontrer les formules suivantes de $\cos x$ et $\sin x$:

$$\cos x = \frac{e^{ix} + e^{-ix}}{2}.$$

$$\sin x = \frac{e^{ix} - e^{-ix}}{2i}.$$

49. Soit $u(x) = f(x) + ig(x)$ une fonction à valeurs complexes d'une variable réelle x. On suppose que les parties réelle et imaginaire $f(x)$ et $g(x)$ sont des fonctions dérivables de x. Alors, la dérivée de u est définie par $u'(x) = f'(x) + ig'(x)$. Employez cette définition ainsi que l'équation 7 pour démontrer que si $F(x) = e^{rx}$, alors $F'(x) = re^{rx}$, où $r = a + bi$ est un nombre complexe.

50. a) Si u est une fonction à valeurs complexes d'une variable réelle, l'intégrale indéfinie $\int u(x)dx$ est une primitive de u. Calculez

$$\int e^{(1+i)x}dx.$$

b) En considérant les parties réelle et imaginaire de l'intégrale de la partie a), calculez les intégrales réelles

$$\int e^x \cos x\,dx \qquad \text{et} \qquad \int e^x \sin x\,dx.$$

Comparez avec la méthode adoptée dans l'exemple 4 de la section 5.6.

Réponses aux exercices impairs ●

CHAPITRE 9

Exercices 9.1 ■ page 650

1. $(4, 0, -3)$ **3.** Q; R
5. Un plan vertical qui
coupe le plan Oxy selon
la droite $y = 2 - x$, $z = 0$
(voyez le graphique)

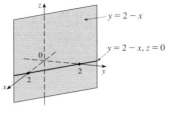

7. $|AB| = \sqrt{6}$, $|BC| = \sqrt{33}$, $|CA| = 3\sqrt{3}$; triangle rectangle.
9. $x^2 + (y - 1)^2 + (z + 1)^2 = 16$;
$(y - 1)^2 + (z + 1)^2 = 16, x = 0$
11. $(-1, -4, 2)$, 7   **13.** b) $\sqrt{85}/2$, $\frac{5}{2}$, $\sqrt{94}/2$
15. a) $(x - 2)^2 + (y + 3)^2 + (z - 6)^2 = 36$
b) $(x - 2)^2 + (y + 3)^2 + (z - 6)^2 = 4$
c) $(x - 2)^2 + (y + 3)^2 + (z - 6)^2 = 9$
17. Un plan parallèle au plan Oyz, 9 unités devant lui.
19. Un demi-espace composé de tous les points à droite du plan
$y = 2$.
21. Tous les points sur et entre les plans horizontaux $z = 2$ et $z = -2$.
23. Tous les points extérieurs à la sphère de rayon 1 centrée en O.
25. Tous les points intérieurs à la sphère de rayon 2 et centrée en
$(0, 0, 1)$.
27. $y < 0$ **29.** $r^2 < x^2 + y^2 + z^2 < R^2$

31. a) $(2, 1, 4)$ b)
33. $14x - 6y - 10z = 9$,
un plan perpendiculaire à AB

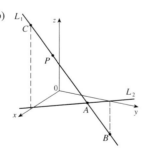

Exercices 9.2 ■ page 658

1. a) Scalaire   b) Vecteur   c) Vecteur   d) Scalaire
3. a) $\overrightarrow{AC}$ b) $\overrightarrow{CA}$ c) $\overrightarrow{BD}$ d) $\overrightarrow{BA}$
5. $\vec{a} = (3, 1)$ **7.** $\vec{a} = (2, 0, -2)$

9. $(1, 0, 2)$ **11.** 13, $(3, -4)$, $(7, -20)$,
$(10, -24)$, $(7, -4)$

13. $\sqrt{2}$, $2\vec{i}$, $-2\vec{j}$, $2\vec{i} - 2\vec{j}$, $7\vec{i} + \vec{j}$.   **15.** $(1/\sqrt{5}, 2/\sqrt{5})$
17. $\vec{0}$
19. $\vec{F} = (6\sqrt{3} - 5\sqrt{2})\vec{i} + (6 + 5\sqrt{2})\vec{j} \approx 3,32\vec{i} + 13,07\vec{j}$,
$|\vec{F}| \approx 13,5$ N, $\theta \approx 76°$.
21. $\sqrt{493} \approx 22,2$ km/h N8°O.
23. $\vec{T}_1 \approx -196\vec{i} + 3,92\vec{j}$, $\vec{T}_2 \approx 196\vec{i} + 3,92\vec{j}$.
25. $\vec{a} \approx (0,50; 0,31; 0,81)$
27. Une sphère de rayon 1, centrée en (x_0, y_0, z_0)

Exercices 9.3 ■ page 665

1. b), c), d) ont du sens.   **3.** 3   **5.** -5
7. $\vec{u} \cdot \vec{v} = \frac{1}{2}$, $\vec{u} \cdot \vec{w} = -\frac{1}{2}$ **11.** Arccos $\frac{11}{15} \approx 43°$
13. Arccos $(1/(7\sqrt{3})) \approx 85°$
15. a) Parallèles   b) Orthogonaux   c) Ni l'un, ni l'autre,
d) Orthogonaux.
17. $(\vec{i} - \vec{j} - \vec{k})/\sqrt{3}$ [ou $(-\vec{i} + \vec{j} + \vec{k})/\sqrt{3}$]
19. $11/\sqrt{13}$, $(22/13, 33/13)$ **21.** $1/\sqrt{2}$, $(\vec{i} + \vec{k})/2$
25. $(0, 0, -2\sqrt{10})$ ou tout vecteur de la forme
$(s, t, 3s - 2\sqrt{10})$, $s, t \in \mathbb{R}$
27. 38 J   **29.** $300\cos 20° \approx 282$ J   **31.** $\frac{13}{5}$
33. Arccos $(1/\sqrt{3}) \approx 55°$

Exercices 9.4 ■ page 673

1. a) Scalaire   b) N'a pas de sens   c) Vecteur
d) N'a pas de sens   e) N'a pas de sens   f) Scalaire
3. 24 ; vers la page.   **5.** $10,8\sin 80° \approx 10,6$ J
7. $(3, 14, -9)$ **9.** $-2\vec{i} + 2\vec{j}$
11. $(-2/\sqrt{6}, -1/\sqrt{6}, 1/\sqrt{6})$, $(2/\sqrt{6}, 1/\sqrt{6}, -1/\sqrt{6})$
13. 4   **15.** a) $(6, 3, 2)$ b) $\frac{7}{2}$ **17.** ≈ 417 N
19. 226   **21.** 21   **25.** b) $\sqrt{97/3}$
31. a) Non   b) Non   c) Oui

Exercices 9.5 ■ page 682

1. a) Vrai   b) Faux   c) Vrai   d) Faux
e) Faux   f) Vrai   g) Faux   h) Vrai   i) Vrai
j) Faux   k) Vrai
3. $\vec{r} = (\vec{j} + 2\vec{k}) + t(6\vec{i} + 3\vec{j} + 2\vec{k})$; $x = 6t, y = 1 + 3t, z = 2 + 2t$
5. $\vec{r} = (\vec{i} + 6\vec{k}) + t(\vec{i} + 3\vec{j} + \vec{k})$; $x = 1 + t, y = 3t, z = 6 + t$
7. $x = 3, y = 1 + t, z = -1 - 5t$; $x = 3, y - 1 = (z + 1)/(-5)$
11. a) $x/2 = (y - 2)/3 = (z + 1)/(-7)$
b) $(-\frac{2}{7}, \frac{11}{7}, 0)$, $(-\frac{4}{3}, 0, \frac{11}{3})$, $(0, 2, -1)$
13. Gauches   **15.** Parallèles   **17.** $7x + y + 4z = 31$
19. $x + y - z = 13$ **21.** $x - 2y + z = 0$
23. $25x + 14y + 8z = 77$ **25.** $(1, 0, 0)$

27. Ni l'un ni l'autre. 60° **29.** Perpendiculaire
31. a) $x - 2 = y/(-8) = z/(-7)$
b) Arccos $(-\sqrt{6}/5) \approx 119°$ (ou 61°)
33. $(x/a) + (y/b) + (z/c) = 1$
35. $x = 3t, y = 1 - t, z = 2 - 2t$
37. π_1 et π_3 sont parallèles, π_2 et π_4 sont identiques.
39. $\sqrt{22/5}$ **41.** $\frac{25}{3}$ **43.** $7\sqrt{6}/18$ **47.** $1/\sqrt{6}$

Exercices 9.6 ■ page 691

1. a) 25 ; un vent de 40 nœuds qui souffle pendant 15 h va produire en pleine mer des vagues de 25 pieds de profondeur.
b) $f(30, t)$ est une fonction du temps qui donne la profondeur des vagues produites par un vent de 30 nœuds qui souffle pendant t heures.
c) $f(v, 30)$ est une fonction de v qui donne la profondeur des vagues produites par un vent de force v qui souffle pendant 30 heures.
3. a) 1   b) $\mathbb{R}^2$ c) $\{z | z > 0\}$

5. $\{(x, y) \mid y \geqslant 2x\}$ **7.** $\{(x, y) \mid y \geqslant -x^2\}$

9. $z = 3$, plan horizontal   **11.** $x + y + z = 1$, plan

13. $z = 1 - x^2$

15. a) VI   b) V   c) I   d) IV   e) II   f) III
17. $z = x^2 + 9y^2$ **19.**

21. a) Un cercle de rayon 1 centré à l'origine.
b) Un cylindre circulaire de rayon 1 ayant pour axe Oz
c) Un cylindre circulaire de rayon 1 ayant pour axe Oy

23. $x = k, y^2 - z^2 = 1 - k^2$, hyperbole $(k \neq \pm 1)$;
$y = k, x^2 - z^2 = 1 - k^2$, hyperbole $(k \neq \pm 1)$;
$z = k, x^2 + y^2 = 1 + k^2$, cercle

25.

Il apparaît que f atteint un maximum de 15 environ. Il y a deux maximums locaux, mais pas de minimum local.

27.

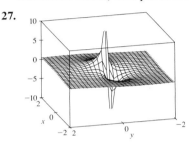

Les valeurs de la fonction s'approchent de 0 lorsque x et y deviennent grands ; lorsque (x, y) tend vers l'origine, f tend vers $\pm\infty$ ou 0, selon la direction.

29.

Exercices 9.7 ■ page 696

1. Voyez pages 692–93
3. a) $(0, 3, 1)$ b) $(3, 0, -6)$

5. a) $(1, \pi, 0)$ b) $(2, \pi/6, 4)$
7. a) $(0, 0, 1)$ b) $(\sqrt{3}/4, \frac{1}{4}, \sqrt{3}/2)$

9. a) $(3, \pi, \pi/2)$ b) $(2, 0, \pi/3)$
11. Cylindre de rayon 3.   **13.** Demi-cône.
15. Paraboloïde circulaire.
17. Cylindre circulaire, rayon 1, axe parallèle à Oz.
19. Sphère, rayon 5, centre à l'origine.
21. a) $r^2 + z^2 = 16$ b) $\rho = 4$
23. a) $r = 2\sin\theta$ b) $\rho\sin\phi = 2\sin\theta$

25.   **27.**

29. $0 \le \phi \le \pi/4$, $0 \le \rho \le \cos\phi$
31.

Chapitre 9 Révision ■ page 698

Vrai-Faux
1. Vrai   **3.** Vrai   **5.** Vrai   **7.** Vrai   **9.** Vrai
11. Faux   **13.** Faux

Exercices
1. a) $(x-1)^2 + (y+1)^2 + (z-2)^2 = 9$
b) $(-2, -3, 5), 6$
3. $\vec{u} \cdot \vec{v} = 3\sqrt{2}$; $\|\vec{u} \wedge \vec{v}\| = 3\sqrt{2}$; hors de la page.
5. 4   **7.** a) 2   b) -2 c) -2 d) 0
9. Arccos $\frac{1}{3} \approx 71°$
11. a) $(4, -3, 4)$ b) $\sqrt{41}/2$
13. 166 N, 114 N
15. $x = 1 + 2t, y = 2 - t, z = 4 + 3t$
17. $x = 1 + 4t, y = -3t, z = 1 + 5t$
19. $x + 2y + 5z = 8$ **21.** $x + y + z = 4$
23. Gauches   **25.** $22/\sqrt{26}$
27. $\{(x, y) \mid y > -x - 1, x \ne 1\}$ **29.**

31.   **33.**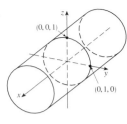

35. $(\sqrt{3}, 1, 2)$, $(2\sqrt{2}, \pi/6, \pi/4)$
37. $(1, \sqrt{3}, 2\sqrt{3})$, $(2, \pi/3, 2\sqrt{3})$
39. $r^2 + z^2 = 4$, $\rho = 2$ **41.** $z = 4r^2$.

Pleins feux sur la résolution de problèmes
1. $(\sqrt{3} - 1, 5)$m
3. a) $(x+1)/(-2c) = (y-c)/(c^2-1) = (z-c)/(c^2+1)$
b) $x^2 + y^2 = t^2 + 1, z = t$ c) $4\pi/3$

CHAPITRE 10

Exercices 10.1 ■ page 708

1. $[1, 5]$ **3.** $2\vec{i} + \frac{1}{2}\vec{j} + (\text{tg } 1)\vec{k}$
5. V   **7.** I   **9.** IV

11.   **13.**

15.   **17.**

19.   **21.**

23.   **25.**

29. $\vec{r}(t) = t\vec{i} + \frac{t^2-1}{2}\vec{j} + \frac{t^2+1}{2}\vec{k}$, $t \in \mathbb{R}$.

31. $x = 2\cos t, y = 2\sin t, z = 4\cos^2 t$

Exercices 10.2 ■ page 714

1. a)

b)

c) $\vec{r}'(4) = \lim\limits_{h \to 0} \dfrac{\vec{r}(4+h) - \vec{r}(4)}{h}$; $\vec{T}(4) = \dfrac{\vec{r}'(4)}{\|\vec{r}'(4)\|}$

d)

3. a), c)

b) $\vec{r}'(t) = (-\sin t, \cos t)$

5. a), c)

7. a), c)

b) $\vec{r}'(t) = \vec{i} + 2t\vec{j}$ b) $\vec{r}'(t) = e^t\vec{i} - 2e^{-2t}\vec{j}$

9. $\vec{r}'(t) = \sec^2 t\vec{j} + \sec t \operatorname{tg} t\vec{k}$

11. $\vec{r}'(t) = -2t/(4 - t^2)\vec{i} + 1/(2\sqrt{1+t})\vec{j} - 12e^{3t}\vec{k}$

13. $\vec{r}'(t) = \vec{b} + 2t\vec{c}$

15. $\frac{2}{5}\vec{i} + (2\sqrt{3}/5)\vec{j} - \frac{3}{5}\vec{k}$

17. $(1, 2t, 3t^2)$, $(1/\sqrt{14}, 2/\sqrt{14}, 3/\sqrt{14})$, $(0, 2, 6t)$, $(6t^2, -6t, 2)$

19. $x = 1 + t, y = 1 + 2t, z = 1 + 3t$

21. $x = -(\pi/2)t, y = \frac{1}{4} + t, z = 1 + 4t$

23. $x = (\pi/4) + t, y = 1 - t, z = 1 + t$

25. a) Pas lisse   b) Lisse   c) Pas lisse

27. $66°$ **29.** $\frac{1}{2}\vec{i} + \frac{1}{3}\vec{j} + \frac{1}{4}\vec{k}$

31. $\frac{1}{2}\vec{i} + \frac{1}{2}\vec{j} + (4 - \pi)/(4\sqrt{2})\vec{k}$

33. $e^t\vec{i} + t^2\vec{j} + (t\ln t - t)\vec{k} + \vec{C}$

35. $(t^3/3)\vec{i} + (t^4 + 1)\vec{j} - (t^3/3)\vec{k}$

41. $1 - 4t\cos t + 11t^2\sin t + 3t^3\cos t$

Exercices 10.3 ■ page 722

1. $\sqrt{13}\,(b - a)$ **3.** 8   **5.** 9,5706

7. $\vec{r}(t(s)) = (1 + s/\sqrt{2})\sin[\ln(1 + s/\sqrt{2})]\vec{i}$
$+ (1 + s/\sqrt{2})\cos[\ln(1 + s/\sqrt{2})]\vec{j}$

9. $\vec{r}(t(s)) = 3\sin(s/5)\vec{i} + (4s/5)\vec{j} + 3\cos(s/5)\vec{k}$

11. a) $(\frac{4}{5}\cos 4t, \frac{3}{5}, -\frac{4}{5}\sin 4t)$, $(-\sin 4t, 0, -\cos 4t)$ b) $\frac{16}{25}$

13. a) $(-\sqrt{2}\sin t, \cos t, \cos t)/\sqrt{2}$,
$(-\sqrt{2}\cos t, -\sin t, -\sin t)/\sqrt{2}$ b) $1/\sqrt{2}$

15. $2/(4t^2 + 1)^{3/2}$ **17.** $\sqrt{2}/(1 + \cos^2 t)^{3/2}$

19. $6|x|/(1 + 9x^4)^{3/2}$ **21.** $|\sin x|/(1 + \cos^2 x)^{3/2}$

23. $(-\frac{1}{2}\ln 2, 1/\sqrt{2})$; tend vers 0

25. a) P b) $\approx 1,3$, $\approx 0,7$

27.

29. $6/[\,|t|(9t^2 + 4)^{3/2}]$

31. $(\frac{2}{3}, \frac{2}{3}, \frac{1}{3})$, $(-\frac{1}{3}, \frac{2}{3}, -\frac{2}{3})$, $(-\frac{2}{3}, \frac{1}{3}, \frac{2}{3})$

33. $y = 6x + \pi, x + 6y = 6\pi$

35. $(x + \frac{5}{2})^2 + y^2 = \frac{81}{4}$, $x^2 + (y - \frac{5}{3})^2 = \frac{16}{9}$

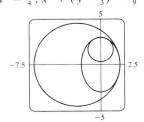

37. $(-1, -3, 1)$ **45.** 2 m

Exercices 10.4 ■ page 731

1. a) $1,8\vec{i} - 3,8\vec{j} - 0,7\vec{k}$, $2,0\vec{i} - 2,4\vec{j} - 0,6\vec{k}$,
$2,8\vec{i} + 1,8\vec{j} - 0,3\vec{k}$, $2,8\vec{i} + 0,8\vec{j} - 0,4\vec{k}$
b) $2,4\vec{i} - 0,8\vec{j} - 0,5\vec{k}$, 2,58

3. $\vec{v}(t) = (2t, 1)$
$\vec{a}(t) = (2, 0)$
$\|\vec{v}(t)\| = \sqrt{4t^2 + 1}$

5. $(t) = e^t\vec{i} - e^{-t}\vec{j}$
$\vec{a}(t) = e^t\vec{i} + e^{-t}\vec{j}$
$\|\vec{v}(t)\| = \sqrt{e^{2t} + e^{-2t}}$

7. $\vec{v}(t) = \cos t\vec{i} + \vec{j} - \sin t\vec{k}$
$\vec{a}(t) = -\sin t\vec{i} - \cos t\vec{k}$
$\|\vec{v}(t)\| = \sqrt{2}$

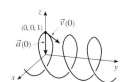

9. $e^t[(\cos t - \sin t)\vec{i} + (\sin t + \cos t)\vec{j} + (t + 1)\vec{k}]$,
$e^t[-2\sin t\vec{i} + 2\cos t\vec{j} + (t + 2)\vec{k}]$, $e^t\sqrt{t^2 + 2t + 3}$
11. $\vec{v}(t) = \vec{i} - \vec{j} + t\vec{k}$, $\vec{r}(t) = t\vec{i} - t\vec{j} + (t^2/2)\vec{k}$
13. a) $\vec{r}(t) = (1 + t^2/2)\vec{i} + t^2\vec{j} + (1 + t^3/3)\vec{k}$
b)

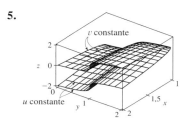

15. $t = 4$　**17.** $\vec{r}(t) = t\vec{i} - t\vec{j} + \frac{5}{2}t^2\vec{k}$, $|\vec{v}(t)| = \sqrt{25t^2 + 2}$
19. a) 22 km　b) 3,2 km　c) 500 m/s
21. 30 m/s　**25.** $(\sin t)/\sqrt{2(1 - \cos t)}$, $\sqrt{(1 - \cos t)/2}$
27. $e^t - e^{-t}$, $\sqrt{2}$　**29.** $t = 1$

Exercices 10.5　■　page 738
1. Paraboloïde circulaire d'axe Oz.
3. Cylindre circulaire d'axe Ox
5.

7.

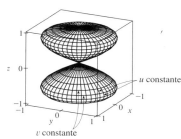

9. IV　**11.** I　**13.** II
15. $x = x$, $y = y$, $z = \sqrt{1 - 3x^2 - 2y^2}$
[ou $x = (1/\sqrt{3})\sin\phi\cos\theta$, $y = (1/\sqrt{2})\sin\phi\sin\theta$,
$z = \cos\phi$, $0 \leqslant \phi \leqslant \pi/2$, $0 \leqslant \theta \leqslant 2\pi$]
17. $x = x$, $y = 6 - 3x^2 - 2z^2$, $z = z$, $3x^2 + 2z^2 \leqslant 6$
19. $x = 2\sin\phi\cos\theta$, $y = 2\sin\phi\sin\theta$,
$z = 2\cos\phi$, $0 \leqslant \phi \leqslant \pi/4$, $0 \leqslant \theta \leqslant 2\pi$
21. $x = r\cos\theta$, $y = r\sin\theta$, $z = 5$, $0 \leqslant r \leqslant 4$, $0 \leqslant \theta \leqslant 2\pi$
[ou $x = x$, $y = y$, $z = 5$, $x^2 + y^2 \leqslant 16$]
23. $x = x$, $y = e^{-x}\cos\theta$,
$z = e^{-x}\sin\theta$, $0 \leqslant x \leqslant 3$,
$0 \leqslant \theta \leqslant 2\pi$

25. b)

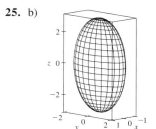

27. a) La spirale tourne en sens inverse.
b) Le nombre de spires double.

Chapitre 10 Révision　■　page 740
Vrai-Faux
1. Vrai　**3.** Faux　**5.** Faux　**7.** Faux　**9.** Vrai

Exercices

1. a)

b) $\cos t\vec{j} - \sin t\vec{k}$, $-\sin t\vec{j} - \cos t\vec{k}$
3. $\vec{r}(t) = 4\cos t\vec{i} + 4\sin t\vec{j} + (5 - 4\cos t)\vec{k}$, $0 \leqslant t \leqslant 2\pi$
5. $\frac{5}{6}\vec{i} + \frac{9}{4}\vec{j} + \frac{1}{5}\vec{k}$　**7.** 15,9241　**9.** $\pi/2$
11. a) $(t^2, t, 1)/\sqrt{t^4 + t^2 + 1}$
b) $(2t, 1 - t^4, -2t^3 - t)/\sqrt{t^8 + 4t^6 + 2t^4 + 5t^2}$
c) $\sqrt{t^8 + 4t^6 + 2t^4 + 5t^2}/(t^4 + t^2 + 1)^2$
13. $12/17^{3/2}$　**15.** $x - 2y + 2\pi = 0$
17. $\vec{v}(t) = 2\sqrt{2}\vec{i} + 2e^{2t}\vec{j} - 2e^{-2t}\vec{k}$, $\|\vec{v}(t)\| = 2(e^{2t} + e^{-2t})$,
$\vec{a}(t) = 4e^{2t}\vec{j} + 4e^{-2t}\vec{k}$
19. a) À 1 m du sol et à 18,52 m de l'athlète.
b) $\approx 6,47$ m　c) $\approx 19,38$ m de l'athlète.
21. $x = 2\sin\phi\cos\theta$, $y = 2\sin\phi\sin\theta$, $z = 2\cos\phi$,
$0 \leqslant \theta \leqslant 2\pi$, $\pi/3 \leqslant \phi \leqslant 2\pi/3$
23. c) $-2e^{-t}\vec{v}_d + e^{-t}\vec{R}$　**25.** b) $3x^5 - 8x^4 + 6x^3$; non

Pleins feux sur la résolution de problèmes　■　page 743
1. a) $\vec{v} = \omega R(-\sin\omega t\vec{i} + \cos\omega t\vec{j})$　c) $\vec{a} = -\omega^2\vec{r}$
3. a) $90°$, $v_0^2/(2g)$
5. b) $\vec{R}(t) = (m/k)(1 - e^{-kt/m})\vec{v}_0 +$
$(gm/k)[(m/k)(1 - e^{-kt/m}) - t]\vec{j}$
7. a) ≈ 27 cm à droite du bord de la table, $\approx 4,47$ m/s.
b) $\approx 7,7°$　c) $\approx 61,8$ cm à droite du bord de la table.

CHAPITRE 11

Exercices 11.1　■　page 756
1. a) -7; une température de $8°$C avec un vent de 60 km/h est ressentie comme une température de $-7°$ en l'absence de vent.

b) Quelle doit être la vitesse du vent pour qu'une température de $-12°C$ soit ressentie comme $-26°$? 20 km/h.

c) Lorsque le vent souffle à 80 km/h, quelle température donne l'impression qu'il fait $-14°C$? 4°C.

d) C'est une fonction de la vitesse du vent qui donne la température ressentie alors que la température réelle est de $-4°C$.

e) C'est une fonction de la température qui donne la température ressentie lorsque la vitesse du vent est 50 km/h.

3. Oui   **5.** $\{(x,y) | x \geq y\}$; $\{z | z \geq 0\}$

7. a) 0   b) $\{(x,y,z) | x - y + z > 0\}$ c) $\mathbb{R}$.

9. ≈ 56, ≈ 35 **11.** Raide. Presque plat.

13. $xy = k$

15. $x/y = k$

17. $\sqrt{x + y} = k$

19. $x = y^2 + k$

21. $x^2 + 9y^2 = k$

23.

25.

27.

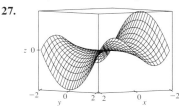

29. a) B   b) III   **31.** a) F   b) V

33. a) D   b) IV   **35.** Une famille de plans parallèles.

37. Une famille d'hyperboloïdes à une ou deux nappes d'axe Oy.

39. Lorsque $c = 0$, le graphique est un cylindre. Lorsque $c > 0$, les courbes de niveau sont des ellipses. Le graphique est convexe lorsqu'on s'éloigne de l'origine et la raideur s'accroît lorsque c croît. Lorsque $c < 0$, les courbes de niveau sont des hyperboles. Le graphique est convexe dans la direction de Oy et concave lorsqu'on s'approche du plan Oxy dans la direction de Ox, donnant un point selle près de $(0, 0, 1)$.

41. b) $y = 0,75x + 0,01$.

Exercices 11.2 ■ page 765

1. Rien ; si f est continue, $f(3, 1) = 6$ **3.** $-\frac{5}{2}$

5. -927 **7.** N'existe pas   **9.** N'existe pas

11. 0   **13.** N'existe pas   **15.** 2   **17.** N'existe pas

19. Le graphique montre que la fonction approche diverses valeurs selon le chemin suivi.

21. $h(x, y) = 4x^2 + 9y^2 + 12xy - 24x - 36y + 36$ $+\sqrt{2x + 3y - 6}$; $\{(x,y) | 2x + 3y \geq 6\}$

23. Le long de la droite $y = x$.   **25.** $\{(x,y) | y \neq x^2\}$

27. $\mathbb{R}^2$ **29.** $\{(x,y,z) | z \neq x^2 + y^2\}$

31. $\{(x,y) | (x,y) \neq (0,0)\}$ **33.** 0   **35.** 0

Exercices 11.3 ■ page 775

1. a) Le taux de variation de la température en fonction de la longitude, la latitude et le temps étant fixés ; le taux de variation lorsque seule la latitude change ; le taux de variation lorsque seul le temps change.

b) Positif, négatif, positif.

3. a) $f_T'(12, 20) \approx 1,375$; lorsqu'il fait 12° et que le vent souffle à 20 km/h, l'indice de refroidissement dû au vent augmente de $1,375°C$ pour chaque degré supplémentaire. $f_v'(12, 20) \approx -0,3$; lorsqu'il fait 12° et que la vitesse du vent est de 20 km/h, l'indice de refroidissement dû au vent diminue de 0,3°C pour chaque km/h supplémentaire de la vitesse du vent.

b) Positive, négative.

5. $c = f$, $b = f_x'$, $a = f_y'$.

7. $f_x'(1, 2) = -8 = $ pente de C_1, $f_y'(1, 2) = -4 = $ pente de C_2.

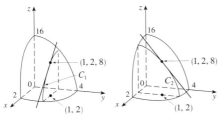

9. $f_x = 2x + 2xy$, $f_y = 2y + x^2$

11. $f_x'(x, y) = 2y/(x + y)^2$, $f_y'(x, y) = -2x/(x + y)^2$

13. $f_u' = v/(u^2 + v^2)$, $f_v' = -u/(u^2 + v^2)$

15. $\partial z/\partial x = 1/\sqrt{x^2 + y^2}$,
$\partial z/\partial y = y/(x^2 + y^2 + x\sqrt{x^2 + y^2})$

17. $f_x' = 2xyz^3 + y$, $f_y' = x^2z^3 + x$, $f_z' = 3x^2yz^2 - 1$

19. $u_x' = -\dfrac{yz\cos(y/(x + z))}{(x + z)^2}$, $u_y' = \dfrac{z\cos(y/(x + z))}{x + z}$,

$u_z' = \sin\left(\dfrac{y}{x + z}\right) - \dfrac{yz\cos(y/(x + z))}{(x + z)^2}$

21. $f_x' = 1/(z - t)$, $f_y' = 1/(t - z)$, $f_z' = (y - x)/(z - t)^2$,
$f_t' = (x - y)/(z - t)^2$

23. $\partial u/\partial x_i = x_i/\sqrt{x_1^2 + x_2^2 + \cdots + x_n^2}$ **25.** 2   **27.** -1

29. $(y - z)/(x - y)$, $(x + z)/(x - y)$

31. $(x - y - z)/(x + z)$, $(y - x)/(x + z)$ **33.** 0

35. $f_x'(x, y) = 2x - y$, $f_y'(x, y) = 4y - x$

37. a) $f'(x)$, $g'(y)$ b) $f'(x + y)$, $f'(x + y)$

39. $f_{xx}'' = 2y$, $f_{xy}'' = 2x + 1/(2\sqrt{y}) = f_{yx}''$,
$f_{yy}'' = -x/(4y\sqrt{y})$

41. $z_{xx}'' = \dfrac{3(2x^2 + y^2)}{\sqrt{x^2 + y^2}}$, $z_{xy}'' = \dfrac{3xy}{\sqrt{x^2 + y^2}} = z_{yx}''$,

$z_{yy}'' = \dfrac{3(x^2 + 2y^2)}{\sqrt{x^2 + y^2}}$

45. $-48xy$ **47.** $48x^3y^3z^2$

49. $72yz^2/(x + 2y^2 + 3z^3)^3$ **51.** $\approx 12,2$, $\approx 16,8$, $\approx 23,25$

61. R^2/R_1^2 **65.** Non

67. $x = 1 + t$, $y = 2$, $z = 2 - 2t$ **69.** -2

71. a)

b) $f_x'(x, y) = \dfrac{x^4y + 4x^2y^3 - y^5}{(x^2 + y^2)^2}$,

$f_y'(x, y) = \dfrac{x^5 - 4x^3y^2 - xy^4}{(x^2 + y^2)^2}$

c) $0, 0$ e) Non, puisque f_{xy}'' et f_{yx}'' ne sont pas continues.

Exercices II.4 ■ page 787

1. $8x + 10y - z = 9$ **3.** $2x + y - z = 1$

5.

7.

9. $2x + \frac{1}{4}y - 1$ **11.** $x + 1$

13. $-\frac{2}{3}x - \frac{7}{3}y + \frac{20}{3}$; $2,84\overline{6}$ **15.** $\frac{3}{7}x + \frac{2}{7}y + \frac{6}{7}z$; $6,9914$

17. $4T + H - 329$; $129\,°\text{F}$ **19.** $dz = 2xy^3\,dx + 3x^2y^2\,dy$

21. $dw = (x^2 + y^2 + z^2)^{-1}(x\,dx + y\,dy + z\,dz)$

23. $\Delta z = 0,9225$, $dz = 0,9$ **25.** $5,4\,\text{cm}^2$ **27.** $16\,\text{cm}^3$

29. 150   **31.** $\frac{1}{17} \approx 0,059\,\Omega$ **33.** $3x - y + 3z = 3$

35. $x = 0$ **37.** $\varepsilon_1 = \Delta x$, $\varepsilon_2 = \Delta y$

Exercices II.5 ■ page 796

1. $6t^5 + 4t^3 + 4t$

3. $y^2z^3\cos t - 2xyz^3\sin t + 6xy^2z^2e^{2t}$

5. $\partial z/\partial s = 4sx\sin y + 2tx^2\cos y$,
$\partial z/\partial t = 4tx\sin y + 2sx^2\cos y$

7. $\partial z/\partial s = 2x(1 - 3y^3)e^t - 9x^2y^2e^{-t}$,
$\partial z/\partial t = 2x(1 - 3y^3)se^t + 9x^2y^2se^{-t}$

9. 62

11. $\dfrac{\partial u}{\partial r} = \dfrac{\partial u}{\partial x}\dfrac{\partial x}{\partial r} + \dfrac{\partial u}{\partial y}\dfrac{\partial y}{\partial r}$, $\dfrac{\partial u}{\partial s} = \dfrac{\partial u}{\partial x}\dfrac{\partial x}{\partial s} + \dfrac{\partial u}{\partial y}\dfrac{\partial y}{\partial s}$,

$\dfrac{\partial u}{\partial t} = \dfrac{\partial u}{\partial x}\dfrac{\partial x}{\partial t} + \dfrac{\partial u}{\partial y}\dfrac{\partial y}{\partial t}$

13. $\dfrac{\partial v}{\partial x} = \dfrac{\partial v}{\partial p}\dfrac{\partial p}{\partial x} + \dfrac{\partial v}{\partial q}\dfrac{\partial q}{\partial x} + \dfrac{\partial v}{\partial r}\dfrac{\partial r}{\partial x}$,

$\dfrac{\partial v}{\partial y} = \dfrac{\partial v}{\partial p}\dfrac{\partial p}{\partial y} + \dfrac{\partial v}{\partial q}\dfrac{\partial q}{\partial y} + \dfrac{\partial v}{\partial r}\dfrac{\partial r}{\partial y}$,

$\dfrac{\partial v}{\partial z} = \dfrac{\partial v}{\partial p}\dfrac{\partial p}{\partial z} + \dfrac{\partial v}{\partial q}\dfrac{\partial q}{\partial z} + \dfrac{\partial v}{\partial r}\dfrac{\partial r}{\partial z}$

15. 2, 0   **17.** 0, 0, 4

19. $\partial u/\partial p = 2(z - x)/(y + z)^2 = -t/p^2$, $\partial u/\partial r = 0$,
$\partial u/\partial t = 2/(y + z) = 1/p$

21. $(y - 2x)/(3y^2 - x)$

23. $(y - z)/(x - y)$, $(x + z)/(x - y)$

25. $-(e^y + ze^x)/(y + e^x)$, $-(xe^y + z)/(y + e^x)$

27. 2 °C/s   **29.** $\approx -0{,}33$ m/s par minute

31. a) 6 m³/s   b) 10 m²/s   c) 0 m/s

33. $-0{,}27$ L/s

35. a) $\partial z/\partial r = (\partial z/\partial x)\cos\theta + (\partial z/\partial y)\sin\theta$,
$\partial z/\partial\theta = -(\partial z/\partial x)r\sin\theta + (\partial z/\partial y)r\cos\theta$

41. $4rs\,\partial^2 z/\partial x^2 + (4r^2 + 4s^2)\,\partial^2 z/\partial x\,\partial y + 4rs\,\partial^2 z/\partial y^2$
$+ 2\,\partial z/\partial y$

Exercices 11.6 ■ page 808

1. $\approx -0{,}1$ millibar/mi   **3.** $7\sqrt{3} - 16$

5. a) $\nabla f(x, y) = (3x^2 - 8xy, -4x^2 + 2y)$ b) $(0, -2)$
c) $-\frac{8}{5}$

7. a) $\nabla f(x, y, z) = (y^2z^3, 2xyz^3, 3xy^2z^2)$ b) $(4, -4, 12)$
c) $20/\sqrt{3}$

9. $\frac{7}{52}$ **11.** $-\pi/(4\sqrt{3})$ **13.** $\sqrt{5}$, $(1, 2)$

15. $\sqrt{11}$, $(1, -1, -3)$ **17.** b) $(-12, 92)$

19. a) $-40/(3\sqrt{3})$

21. a) $32/\sqrt{3}$ b) $(38, 6, 12)$ c) $2\sqrt{406}$ **23.** $\frac{327}{13}$

27. a) $3x - y + z = 4$ b) $(x - 1)/3 = -y = z - 1$

29. a) $x + y - z = 1$ b) $x - 1 = y = -z$

31.

33. $(4, 8)$, $x + 2y = 4$

37. $(\pm\sqrt{6}/3, \mp 2\sqrt{6}/3, \pm\sqrt{6}/2)$

41. $x = -1 - 10t$, $y = 1 - 16t$, $z = 2 - 12t$

45. Si $\vec{u} = (a, b)$ et $\vec{v} = (c, d)$, alors $af'_x + bf'_y$ et $cf'_x + df'_y$ dont connus. Il faut donc résoudre le système d'équations linéaires en f'_x et f'_y.

Exercices 11.7 ■ page 818

1. a) f a un minimum local en $(1, 1)$
b) f a un point-selle en $(1, 1)$

3. Minimum local en $(1, 1)$, point-selle en $(0, 0)$

5. Minimum $f(-2, 3) = -13$.

7. Minimum $f(0, 0) = 4$, points-selle $(\pm\sqrt{2}, -1)$

9. Point selle $(1, 2)$ **11.** Aucun

13. Points-selle $(0, n\pi)$, n entier.

15. Maximum $f(0, 0) = 2$, minimum $f(0, 2) = -2$,
points-selle $(\pm 1, 1)$.

17. Maximum $f(\pi/3, \pi/3) = 3\sqrt{3}/2$,
minimum $f(5\pi/3, 5\pi/3) = -3\sqrt{3}/2$

19. Minimums $f(-1{,}714; 0) \approx -9{,}200$, $f(1{,}402; 0) \approx 0{,}242$, point-selle $(0{,}312; 0)$, point le plus bas $(-1{,}714; 0; -9{,}200)$

21. Maximums $f(-1{,}267; 0) \approx 1{,}310$, $f(1{,}629; \pm 1{,}063) \approx 8{,}105$,
points-selle $(-0{,}259; 0)$, $(1{,}526; 0)$, points les plus hauts
$(1{,}629; \pm 1{,}063; 8{,}105)$

23. Minimum $f(4, 0) = -7$, maximum $f(4, 5) = 13$

25. Maximum $f(\pm 1, 1) = 7$, minimum $f(0, 0) = 4$

27. Maximum $f(2, 4) = 3$, minimum $f(-2, 4) = -9$

29.
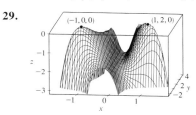

31. $7/\sqrt{61}$ **33.** $(0, 0, 1)$, $(0, 0, -1)$ **35.** $\frac{100}{3}, \frac{100}{3}, \frac{100}{3}$

37. $16/\sqrt{3}$ **39.** $\frac{4}{3}$ **41.** Cube d'arête $c/12$

43. Base carrée de 40 cm de côté, hauteur 20 cm.

Exercices 11.8 ■ page 828

1. ≈ 59, 30

3. Maxima $f(\pm 1, 0) = 1$, minima $f(0, \pm 1) = -1$

5. Maxima $f(\pm\sqrt{2}/3, \pm\sqrt{2}) = \frac{2}{3}$,
minima $f(\pm\sqrt{2}/3, \mp\sqrt{2}) = -\frac{2}{3}$

7. Maximum $f(1/\sqrt{35}, 3/\sqrt{35}, 5/\sqrt{35}) = \sqrt{35}$,
minimum $f(-1/\sqrt{35}, -3/\sqrt{35}, -5/\sqrt{35}) = -\sqrt{35}$

9. Maximum $2/\sqrt{3}$, minimum $-2/\sqrt{3}$

11. Maximum $\sqrt{3}$, minimum 1

13. Maximum $f(\frac{1}{2}, \frac{1}{2}, \frac{1}{2}, \frac{1}{2}) = 2$,
minimum $f(-\frac{1}{2}, -\frac{1}{2}, -\frac{1}{2}, -\frac{1}{2}) = -2$

15. Maximum $f(1, \sqrt{2}, -\sqrt{2}) = 1 + 2\sqrt{2}$,
minimum $f(1, -\sqrt{2}, \sqrt{2}) = 1 - 2\sqrt{2}$

17. Maximum $\frac{3}{2}$, minimum $\frac{1}{2}$

19. Maxima $f(\pm 1/\sqrt{2}, \mp 1/(2\sqrt{2})) = e^{1/4}$,
minima $f(\pm 1/\sqrt{2}, \pm 1/(2\sqrt{2})) = e^{-1/4}$

25-35. Voyez les exercices 31-41 de la section 11.7.

37. $(\frac{1}{2}, \frac{1}{2}, \frac{1}{2})$ est le plus proche, $(-1, -1, 2)$ est le plus éloigné.

Chapitre 11 Révision ■ page 832

Vrai-Faux

1. Vrai   **3.** Faux   **5.** Faux   **7.** Vrai   **9.** Faux
11. Vrai

Exercices

1. $\{(x, y) \mid -1 \leqslant x \leqslant 1\}$

3.   **5.**

7. $\frac{2}{3}$

9. a) $\approx 3.5°C/m$, $-3°C/m$ b) $\approx 0.35°C/m$ d'après l'équation 9 de la section 11.6 (La définition 2 de la section 11.6 donne $\approx 1.1°C/m$.)   c) -0.25

11. $f_x' = 12x^3 - \sqrt{y}, f_y' = -\frac{1}{2}x/\sqrt{y}$
13. $f_s' = 2e^{2s}\cos \pi t, f_t' = -\pi e^{2s}\sin \pi t$
15. $f_x' = y^z, f_y' = xzy^{z-1}, f_z' = xy^z \ln y$
17. $f_{xx}'' = 2y^3 - 24x^2, f_{xy}'' = 6xy^2, f_{yy}'' = 6x^2y + 2$
19. $f_{xx}'' = 0, f_{yy}'' = 2xz^3, f_{zz}'' = 6xy^2z, f_{xy}'' = 2yz^3,$
$f_{xz}'' = 3y^2z^2, f_{yz}'' = 6xyz^2$
23. $6y - z = 1$ **25.** $x + 3y + 9z = 18$
27. $x + 4y + 4z = 0$ **29.** $(\pm\sqrt{2/7}, \pm 1/\sqrt{14}, \mp 3/\sqrt{14})$
31. $60x + \frac{24}{5}y + \frac{32}{5}z - 120; 38.656$
33. $e^t + 2(y/z)(3t^2 + 4) - 2t(y^2/z^2)$ **35.** $-47, 108$
41. $ze^{x\sqrt{y}}(z\sqrt{y}, xz/(2\sqrt{y}), 2)$ **43.** $\frac{43}{5}$
45. $\sqrt{145}/2, (4, \frac{9}{2})$ **47.** $\approx \frac{5}{8}$ nœud/mi
49. Minimum $f(-4, 1) = -11$
51. Maximum $f(1, 1) = 1;$
points selle $(0, 0), (0, 3), (3, 0)$
53. Maximum $f(1, 2) = 4$, minimum $f(2, 4) = -64$
55. Maximum $f(-1, 0) = 2$, minima $f(1, \pm 1) = -3,$
points selle $(-1, \pm 1), (1, 0)$
57. Maximum $f(\pm\sqrt{2/3}, 1/\sqrt{3}) = 2/(3\sqrt{3}),$
minimum $f(\pm\sqrt{2/3}, -1/\sqrt{3}) = -2/(3\sqrt{3})$
59. Maximum $f(3, 3, 3) = 9,$
minimum $f(1, 1, -1) = f(1, -1, 1) = f(-1, 1, 1) = 1$
61. $(\pm 3^{-1/4}, 3^{-1/4}\sqrt{2}, \pm 3^{1/4}), (\pm 3^{-1/4}, -3^{-1/4}\sqrt{2}, \pm 3^{1/4})$
63. $P(2 - \sqrt{3}), P(3 - \sqrt{3})/6, P(2\sqrt{3} - 3)/3$

Pleins feux sur le résolution de problèmes ■ page 836

1. $L^2l^2, \frac{1}{4}L^2l^2$ **5.** a) $x = w/3$, base $= w/3$ **b)** Oui
9. $\sqrt{6}/2, 3\sqrt{2}/2$

CHAPITRE 12

Exercices 12.1 ■ page 848

1. a) -17.75 b) -15.75 c) -8.75 d) -6.75
3. a) 63 b) 43.5 **5.** a) -6 b) -3.5
7. $U < V < L$ **9.** ≈ 248 **11.** 3
13. $0.6065 ; 0.5694 ; 0.5606 ; 0.5585 ; 0.5579 ; 0.5578$

Exercices 12.2 ■ page 854

1. $4x - 6x^2, y - 1$ **3.** $\frac{32}{3}$ **5.** 0 **7.** 6 **9.** $-\frac{585}{8}$
11. $\frac{15}{4}(2 - \sqrt{3})$ **13.** $[(\sqrt{3} - 1)/2] - (\pi/12)$

15.

17. 37.5 **19.** $\frac{166}{27}$ **21.** $\frac{4}{15}(2\sqrt{2} - 1)$ **23.** 36
25. $21e - 57$

27. $\frac{5}{6}$

29. Le théorème de Fubini n'est pas applicable parce que l'intégrande a une discontinuité infinie à l'origine.

Exercices 12.3 ■ page 862

1. $\frac{1}{6}$ **3.** $(1 - \cos 1)/2$ **5.** $\frac{1}{12}$ **7.** $\frac{1}{2}e^4 - 2e$
9. $(1 - \cos 1)/2$ **11.** $\frac{1}{8}$ **13.** $\frac{6}{35}$ **15.** $\frac{31}{8}$
17. $\frac{1}{6}$ **19.** $\frac{1}{3}$ **21.** $0, 1.213, 0.713$
23. $13\,984\,735\,616/14\,549\,535$
25. $\int_0^1 \int_y^1 f(x, y)\, dx\, dy$ **27.** $\int_0^{\ln 2} \int_{e^y}^2 f(x, y)\, dx\, dy$

29. $\int_0^2 \int_0^{2x} f(x, y)\, dy\, dx$

31. $(e^9 - 1)/6$ **33.** $\frac{1}{4}\sin 81$ **35.** $(2\sqrt{2} - 1)/3$
37. 1 **39.** $0 \leq \iint_D \sqrt{x^3 + y^3}\, dA \leq \sqrt{2}$ **43.** 8π
45. $2\pi/3$

Exercices 12.4 ■ page 868

1. $\int_0^{2\pi} \int_0^2 f(r\cos\theta, r\sin\theta)\, r\, dr\, d\theta$ **3.** $\int_{-2}^2 \int_x^2 f(x, y)\, dy\, dx$
5. $\int_0^{2\pi} \int_2^5 f(r\cos\theta, r\sin\theta)\, r\, dr\, d\theta$ **7.** 0 **9.** $\frac{609}{8}$ **11.** 2
13. $81\pi/2$ **15.** $\frac{4}{3}\pi a^3$ **17.** $(2\pi/3)[1 - (1/\sqrt{2})]$
19. $(8\pi/3)(64 - 24\sqrt{3})$ **21.** $\pi/8$ **23.** $(\pi/4)(e - 1)$
25. $4\pi/3$ **27.** 1800π ft^3 **29.** $\frac{15}{16}$
31. a) $\sqrt{\pi}/4$ b) $\sqrt{\pi}/2$

Exercices 12.5 ■ page 878

1. $\frac{50}{3}$ C **3.** $\frac{1}{6}, (\frac{4}{7}, \frac{3}{4})$ **5.** 6, $(\frac{3}{4}, \frac{3}{2})$
7. $\frac{27}{2}, (\frac{8}{5}, \frac{1}{2})$ **9.** $(\frac{3}{8}, 3\pi/16)$
11. $(2a/5, 2a/5)$ si le sommet est en $(0, 0)$ et les côtés le long des
axes positifs.
13. $\frac{1}{10}, \frac{1}{16}, \frac{13}{80}$ **15.** $\frac{189}{20}, \frac{1269}{28}, \frac{1917}{35}$
17. a) $\frac{1}{2}$ b) 0,375 c) $\frac{5}{48} \approx 0{,}1042$
19. b) ■ $e^{-0{,}2} \approx 0{,}8187$ ■ $1 + e^{-1{,}8} - e^{-0{,}8} - e^{-1} \approx 0{,}3481$
c) 2, 5
21. $\approx 0{,}500$
23. a) $\iint_D (k/20)[20 - \sqrt{(x - x_0)^2 + (y - y_0)^2}\,] dA$, où D est le disque
de 10 km de rayon centré au centre de la ville.
b) $200\pi k/3 \approx 209k$, $200(\pi/2 - \frac{8}{9})k \approx 136k$, au bord.

Exercices 12.6 ■ page 883

1. $4\sqrt{6}\,\pi$ **3.** $(\pi/6)(17\sqrt{17} - 5\sqrt{5})$
5. $(\sqrt{21}/2) + \frac{17}{4}[\ln(2 + \sqrt{21}) - \ln\sqrt{17}\,]$
7. $2a^2(\pi - 2)$ **9.** $\pi(2\sqrt{6} - \frac{8}{3})$
11. a) $\approx 1{,}83$ b) $\approx 1{,}8616$
13. b)

c)
$\int_0^{2\pi} \int_0^\pi \sqrt{36\sin^4 u \cos^2 v + 9\sin^4 u \sin^2 v + 4\cos^2 u \sin^2 u}\ du\, dv$

17. $\pi(37\sqrt{37} - 17\sqrt{17})/6$

Exercices 12.7 ■ page 892

3. $\frac{1}{48}$ **5.** $\frac{16}{3}$ **7.** $\frac{7}{5}$ **9.** $\frac{5}{28}$ **11.** $\frac{1}{12}$
13. $16\pi/3$ **15.** 8 **17.** $\frac{8}{15}$
19. a) $\int_0^1 \int_0^x \int_0^{\sqrt{1 - y^2}} dz\, dy\, dx$ b) $\frac{1}{4}\pi - \frac{1}{3}$
21.

23. $\int_{-2}^2 \int_0^6 \int_{-\sqrt{4-x^2}}^{\sqrt{4-x^2}} f(x, y, z)\, dz\, dy\, dx$
$= \int_0^6 \int_{-2}^2 \int_{-\sqrt{4-x^2}}^{\sqrt{4-x^2}} f(x, y, z)\, dz\, dx\, dy$
$= \int_{-2}^2 \int_0^6 \int_{-\sqrt{4-z^2}}^{\sqrt{4-z^2}} f(x, y, z)\, dx\, dy\, dz$
$= \int_0^6 \int_{-2}^2 \int_{-\sqrt{4-z^2}}^{\sqrt{4-z^2}} f(x, y, z)\, dx\, dz\, dy$
$= \int_{-2}^2 \int_{-\sqrt{4-x^2}}^{\sqrt{4-x^2}} \int_0^6 f(x, y, z)\, dy\, dz\, dx$
$= \int_{-2}^2 \int_{-\sqrt{4-z^2}}^{\sqrt{4-z^2}} \int_0^6 f(x, y, z)\, dy\, dx\, dz$
25. $\int_{-1}^1 \int_0^{1-x^2} \int_0^y f(x, y, z)\, dz\, dy\, dx$
$= \int_0^1 \int_{-\sqrt{1-y}}^{\sqrt{1-y}} \int_0^y f(x, y, z)\, dz\, dx\, dy$
$= \int_0^1 \int_z^1 \int_{-\sqrt{1-y}}^{\sqrt{1-y}} f(x, y, z)\, dx\, dy\, dz$
$= \int_0^1 \int_0^y \int_{-\sqrt{1-y}}^{\sqrt{1-y}} f(x, y, z)\, dx\, dz\, dy$
$= \int_{-1}^1 \int_0^{1-x^2} \int_z^{1-x^2} f(x, y, z)\, dy\, dz\, dx$
$= \int_0^1 \int_{-\sqrt{1-z}}^{\sqrt{1-z}} \int_z^{1-x^2} f(x, y, z)\, dy\, dx\, dz$
27. $\int_0^1 \int_{\sqrt{x}}^1 \int_0^{1-y} f(x, y, z)\, dz\, dy\, dx = \int_0^1 \int_0^{y^2} \int_0^{1-y} f(x, y, z)\, dz\, dx\, dy$
$= \int_0^1 \int_0^{1-z} \int_0^{y^2} f(x, y, z)\, dx\, dy\, dz = \int_0^1 \int_0^{1-y} \int_0^{y^2} f(x, y, z)\, dx\, dz\, dy$
$= \int_0^1 \int_0^{1-\sqrt{x}} \int_{\sqrt{x}}^{1-z} f(x, y, z)\, dy\, dz\, dx$
$= \int_0^1 \int_0^{(1-z)^2} \int_{\sqrt{x}}^{1-z} f(x, y, z)\, dy\, dx\, dz$
29. $\int_0^1 \int_0^x \int_0^y f(x, y, z)\, dz\, dy\, dx = \int_0^1 \int_z^1 \int_y^1 f(x, y, z)\, dx\, dy\, dz$
$= \int_0^1 \int_0^y \int_y^1 f(x, y, z)\, dx\, dz\, dy = \int_0^1 \int_0^x \int_z^x f(x, y, z)\, dy\, dz\, dx$
$= \int_0^1 \int_z^1 \int_z^x f(x, y, z)\, dy\, dx\, dz$
31. $\frac{9}{10}, (\frac{22}{27}, \frac{25}{63}, \frac{152}{189})$ **33.** $a^5, (7a/12, 7a/12, 7a/12)$
35. a) $m = \int_{-1}^1 \int_{-\sqrt{1-y^2}}^{\sqrt{1-y^2}} \int_{4y^2+4z^2}^4 (x^2 + y^2 + z^2)\, dx\, dz\, dy$
b) $(\bar{x}, \bar{y}, \bar{z})$, où
$\bar{x} = (1/m) \int_{-1}^1 \int_{-\sqrt{1-y^2}}^{\sqrt{1-y^2}} \int_{4y^2+4z^2}^4 x(x^2 + y^2 + z^2)\, dx\, dz\, dy$,
$\bar{y} = (1/m) \int_{-1}^1 \int_{-\sqrt{1-y^2}}^{\sqrt{1-y^2}} \int_{4y^2+4z^2}^4 y(x^2 + y^2 + z^2)\, dx\, dz\, dy$,
$\bar{z} = (1/m) \int_{-1}^1 \int_{-\sqrt{1-y^2}}^{\sqrt{1-y^2}} \int_{4y^2+4z^2}^4 z(x^2 + y^2 + z^2)\, dx\, dz\, dy$
c) $\int_{-1}^1 \int_{-\sqrt{1-y^2}}^{\sqrt{1-y^2}} \int_{4y^2+4z^2}^4 (x^2 + y^2)(x^2 + y^2 + z^2)\, dx\, dz\, dy$
37. a) $\frac{3}{32}\pi + \frac{11}{24}$ b) $(\bar{x}, \bar{y}, \bar{z})$, où $\bar{x} = 28/(9\pi + 44)$,
$\bar{y} = 2(15\pi + 64)/[5(9\pi + 44)]$,
$\bar{z} = (45\pi + 208)/[15(9\pi + 44)]$
c) $(68 + 15\pi)/240$
39. $I_x = I_y = I_z = \frac{2}{3}kL^5$
41. a) $\frac{1}{8}$ b) $\frac{1}{64}$ c) $\frac{1}{5760}$ **43.** $L^3/8$
45. La région bornée par l'ellipsoïde $x^2 + 2y^2 + 3z^2 = 1$.

Exercices 12.8 ■ **page 898**

1. 8π **3.** $\pi/6$

5. $\int_0^{\pi/2} \int_0^3 \int_0^2 f(r\cos\theta, r\sin\theta, z) r\,dz\,dr\,d\theta$

7. 24π **9.** 0 **11.** $2\pi/5$ **13.** $\pi K a^2/8$, $(0, 0, 2a/3)$

15. $4\pi/5$ **17.** $\pi/30$ **19.** $4\pi(2 - \sqrt{3})$ **21.** a) 10π

b) $(0; 0; 2,1)$ **23.** a) $(0, 0, \frac{3}{8}a)$ b) $4K\pi a^5/15$

25. $(2\pi/3)[1 - (1/\sqrt{2})]$, $(0, 0, 3/[8(2 - \sqrt{2})])$ **27.** $5\pi/6$

29. $8\pi/35$ **31.** $136\pi/99$

33. a) $\iiint_C h(P)g(P)\,dV$, où C est le cône.

b) $\approx 4,2 \times 10^{19}$ J

Exercices 12.9 ■ **page 909**

1. -14 **3.** $2e^{4u}$ **5.** -4

7. Le parallélogramme borné par les droites $y = 2x$, $y = 2x + 3$, $x = 2y$, $x = 2y - 6$.

9. La région triangulaire de sommets $(0, 0)$, $(4, 0)$, $(3, 4)$.

11. $\frac{11}{3}$ **13.** 6π **15.** $2\ln 3$

17. a) $\frac{4}{3}\pi abc$ b) $1,083 \times 10^{12}$ km³

19. $-\frac{66}{125}$ **21.** $\frac{3}{2}\sin 1$ **23.** $e - e^{-1}$

Chapitre 12 Révision ■ **page 911**

Vrai-Faux

1. Vrai   **3.** Vrai   **5.** Faux

Exercices

1. ≈ 64.0 **3.** 1152 **5.** $\ln(\frac{27}{4}) - 1$ **7.** $\frac{1}{110}$

9. $\int_0^\pi \int_2^4 f(r\cos\theta, r\sin\theta) r\,dr\,d\theta$

11. La région extérieure au cercle $r = 1$ et intérieure à la cardioïde $r = 1 + \sin\theta$.

13. $(e - 1)/2$ **15.** $\ln\frac{3}{2}$ **17.** $\frac{1}{40}$ **19.** $\frac{41}{30}$ **21.** $81\pi/5$

23. $\frac{32}{3}$ **25.** $\pi/96$ **27.** $\frac{64}{15}$ **29.** 176 **31.** $\frac{2}{3}$

33. $2ma^3/9$ **35.** a) $\frac{1}{4}$ b) $(\frac{1}{3}, \frac{8}{15})$ c) $I_x = \frac{1}{12}, I_y = \frac{1}{24}$

37. a) $(0, 0, h/4)$ b) $\pi a^4 h/10$

39. $\ln(\sqrt{2} + \sqrt{3}) + \sqrt{2}/3$ **41.** $(\pi/8)\ln 5$ **43.** $0,0512$

45. a) $\frac{1}{15}$ b) $\frac{1}{3}$ c) $\frac{1}{45}$

47. $\int_0^1 \int_0^{1-z} \int_{-\sqrt{y}}^{\sqrt{y}} f(x, y, z)\,dx\,dy\,dz$ **49.** $-\ln 2$ **51.** 0

Pleins feux sur la résolution de problèmes ■ **page 914**

1. 30 **3.** $\frac{1}{2}\sin 1$ **7.** b) $0,90$

CHAPITRE 13

Exercices 13.1 ■ **page 923**

1.   **3.**

5.   **7.**

9.   **11.** III   **13.** II

15. IV   **17.** III

19.   La droite $y = 2x$

21. $\nabla f(x, y) = 3e^{3x}\cos 4y\,\vec{i} - 4e^{3x}\sin 4y\,\vec{j}$

23. $\nabla f(x, y, z) = y^2\vec{i} + (2xy - z^3)\vec{j} - 3yz^2\vec{k}$

25. $\nabla f(x, y) = 2x\vec{i} - y\vec{j}$

27. 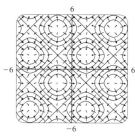   **29.** IV   **31.** II

33. a)

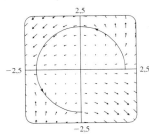

$$y = C/x$$

b) $y = 1/x, x > 0$

Exercices 13.2 ■ page 934

1. $(10\sqrt{10} - 1)/54$ **3.** $1638,4$ **5.** $\frac{17}{3}$

7. $9\sqrt{13}\,\pi/4$ **9.** $3\sqrt{35}$ **11.** $\frac{77}{6}$

13. a) Positive   b) Négative   **15.** $-\frac{19}{143}$

17. $\frac{6}{5} - \cos 1 - \sin 1$

19. $3\pi + \frac{2}{3}$

21. a) $\frac{11}{8} - 1/e$

23. $\frac{945}{16\,777\,216}\,\pi$

b)

25. $2\pi k, (4/\pi, 0)$

27. a) $\bar{x} = (1/m) \iint_C x\rho(x, y, z)\,ds,$

$\bar{y} = (1/m) \int_C y\rho(x, y, z)\,ds,$

$\bar{z} = (1/m) \int_C z\rho(x, y, z)\,ds,$ où $m = \int_C \rho(x, y, z)\,ds$

b) $2\sqrt{13}\,k\pi, (0, 0, 3\pi)$

29. $I_x = k((\pi/2) - \frac{4}{3}), I_y = k((\pi/2) - \frac{2}{3})$

31. $2\pi^2$ **33.** $\frac{23}{88}$

35. $22\,140$ J   **37.** ≈ 22 J

Exercices 13.3 ■ page 944

1. 40 **3.** $f(x, y) = x^2 - 3xy + y^2 + K$

5. Non conservatif   **7.** $f(x, y) = x^4 y^3 + x + K$

9. $f(x, y) = ye^x + x\sin y + K$ **11.** b) 16

13. a) $f(x, y) = x^2 y^3$ b) $[1 + (\pi^2/4)]^3$

15. a) $f(x, y, z) = xy + yz$ b) 15

17. a) $f(x, y, z) = x^2 z + x\sin y$ b) 2π

19. $25\sin 1 - 1$ **21.** $\frac{8}{3}$ **23.** Non   **25.** Non

29. a) Oui   b) Oui   c) Oui

31. a) Oui   b) Oui   c) Non

Exercices 13.4 ■ page 952

1. $-\frac{1}{12}$ **5.** $-\frac{4}{3}$ **7.** $\frac{1}{3}$ **9.** 0 **11.** 0

13. $\pi + \frac{16}{3}[(1/\sqrt{2}) - 1]$ **15.** $-\frac{1}{12}$ **17.** $3\pi/8$

19. c) $\frac{9}{2}$ **21.** $(\frac{1}{3}, \frac{1}{3})$

Exercices 13.5 ■ page 959

1. a) $\vec{0}$ b) 0

3. a) $xz\vec{i} - yz\vec{j} + y\vec{k}$ b) $x + xy$

5. a) $(3xe^y + 2ye^{yz})\vec{i} + (xe^{xz} - 3e^y)\vec{j}$

b) $ze^{xz} - 2ze^{yz}$

7. a) Négative   b) rot $\vec{F} = \vec{0}$

9. a) Nulle   b) rot $\vec{F}$ est orienté dans le sens négatif de l'axe Oz

11. $f(x, y, z) = xy + z + K$ **13.** Non conservatif

15. $f(x, y, z) = xyz + (y^3/3) + K$ **17.** Non

Exercices 13.6 ■ page 971

1. $8(1 + \sqrt{2} + \sqrt{3}) \approx 33,17$ **3.** 900π **5.** 0

7. $3\sqrt{14}$ **9.** $(33\sqrt{33} - 17\sqrt{17})/6$ **11.** $\pi\sqrt{2}/4$

13. 16π **15.** 16π **17.** $(11 - 10e)/6$ **19.** 12

21. 108π **23.** 0 **25.** 48 **27.** $3,4895$

29. $\iint_S \vec{F} \cdot d\vec{S} = \iint_D [P(\partial h/\partial x) - Q + R(\partial h/\partial z)]\,dA,$

où $D =$ projection sur le plan Oxz

31. $(0, 0, a/2)$

33. a) $I_z = \iint_S (x^2 + y^2)\rho(x, y, z)\,dS$

b) $4329\sqrt{2}\,\pi/5$

35. $194\,400\pi$ **37.** $8\pi a^3 \varepsilon_0/3$ **39.** 1248π

Exercices 13.7 ■ page 977

3. π **5.** 0 **7.** $3,5$ **9.** -4π

11. a) $81\pi/2$ b)

c) $x = 3\cos t, y = 3\sin t,$

$z = 1 - 3(\cos t + \sin t),$

$0 \le t \le 2\pi$

17. 16

Exercices 13.8 ■ page 984

1. Négative en P_1, positive en P_2 **5.** 8
7. 0 **9.** $12\pi/5$ **11.** $-81\pi/2$
13. $341\sqrt{2}/60 + \frac{81}{20}$ Arcsin $(\sqrt{3}/3)$ **15.** $13\pi/20$

Chapitre 13 Révision ■ page 987

Vrai-Faux

1. Faux **3.** Vrai **5.** Faux **7.** Vrai

Exercices

1. a) Négative b) Positive **3.** $4\sqrt{5}$ **5.** $-\pi$
7. $\frac{17}{2}$ **9.** 5 **11.** $f(x, y) = x \sin y - \cos y$
13. π^2 **17.** -8π **25.** $\pi(391\sqrt{17} + 1)/60$
27. $-64\pi/3$ **31.** $-\frac{1}{2}$ **35.** -4 **37.** 21

ANNEXES

Exercices G.1 ■ page A15

1. a)

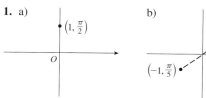

$(1, 5\pi/2), (-1, 3\pi/2)$

b)

$(1, 6\pi/5), (-1, 11\pi/5)$

c)

$(3, 2 + 2\pi), (-3, 2 + \pi)$

3. a)

$(1, 1)$

b)

$(0; -1,5)$

c)

$(-\frac{1}{2}, -\sqrt{3}/2)$

5. a) $(\sqrt{2}, 3\pi/4)$ b) $(4, 11\pi/6)$

7.

9.

$r = 2$

11.

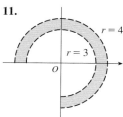

$r = 4$
$r = 3$

13. $y = 2$ **15.** $y^2 = 2x + 1$

17. $r \sin \theta = 5$ **19.** $r = 5$

21.

$(5, 0)$

23.

25.

27.

29.

$\theta = \frac{\pi}{8}$

31.

$\theta = \frac{\pi}{4}$

33.

$(2, 0)$ $(6, 0)$

35. $1/\sqrt{3}$ **37.** $-2/\pi$

39. Horizontale en $(1, 3\pi/2)$, $(1, \pi/2)$, $(\frac{2}{3}, \alpha)$, $(\frac{2}{3}, \pi - \alpha)$, $(\frac{2}{3}, \pi + \alpha)$, $(\frac{2}{3}, 2\pi - \alpha)$, où $\alpha = \text{Arcsin}\,(1/\sqrt{6})$.
Verticale en $(1, 0)$, $(1, \pi)$, $(\frac{2}{3}, 3\pi/2 - \alpha)$, $(\frac{2}{3}, 3\pi/2 + \alpha)$, $(\frac{2}{3}, \pi/2 - \alpha)$, $(\frac{2}{3}, \pi/2 + \alpha)$.
41. Horizontale en $(\frac{3}{2}, \pi/3)$, $(\frac{3}{2}, 5\pi/3)$ et au pôle.
Verticale en $(2, 0)$, $(\frac{1}{2}, 2\pi/3)$, $(\frac{1}{2}, 4\pi/3)$.
43. Centre $(b/2, a/2)$, rayon $\sqrt{a^2 + b^2}/2$
45. a) Pour $c < -1$, la boucle commence en $\theta = \text{Arcsin}\,(-1/c)$ et finit en $\theta = \pi - \text{Arcsin}\,(-1/c)$; pour $c > 1$, elle commence en $\theta = \pi + \text{Arcsin}\,(1/c)$ et finit en $\theta = 2\pi - \text{Arcsin}\,(1/c)$.

47.   **49.**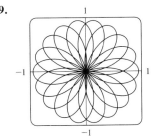

51. Ils diffèrent d'une rotation dans le sens contraire des aiguilles d'une montre d'un angle $\pi/6$, $\pi/3$ ou α autour de l'origine.
53. a) Une rose à n lobes si n est impair et $2n$ lobes si n est pair.
b) Le nombre de lobes est toujours $2n$.
55. Pour $0 < a < 1$, la courbe est un ovale, qui développe une fossette lorsque $a \to 1^-$. Pour $a > 1$, la courbe se divise en deux morceaux dont l'un a une boucle.

Exercices G.2 ■ page A21

1. $\pi^3/6$ **3.** $(\pi/6) + (\sqrt{3}/4)$
5. 4 **7.** $33\pi/2$

9. $9\pi/2$

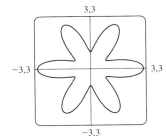

11. $\pi/20$
13. $\pi - (3\sqrt{3}/2)$
15. $(9\sqrt{3}/8) - (\pi/4)$
17. $(4\pi/3) + 2\sqrt{3}$
19. $(\pi - 2)/8$
21. $(\pi/2) - 1$
23. $(\pi + 3\sqrt{3})/4$

25. $(\frac{1}{2}, \pi/3)$, $(\frac{1}{2}, 5\pi/3)$ et le pôle.
27. $(\sqrt{3}/2, \pi/3)$, $(\sqrt{3}/2, 2\pi/3)$ et le pôle.
29. Intersection en $\theta \approx 0,89$ et $2,25$; aire $\approx 3,46$.
31. $\sqrt{1 + (\ln 2)^2}(4^\pi - 1)/\ln 2$
33. $\frac{8}{3}[(\pi^2 + 1)^{3/2} - 1]$ **35.** $2,422$

Exercices H ■ page A31

1. $10 - i$ **3.** $13 - i$ **5.** $12 - 7i$ **7.** $-\frac{1}{2} + \frac{1}{2}i$
9. $\frac{1}{2} - \frac{1}{2}i$ **11.** $-i$ **13.** $5i$ **15.** $3 - 4i, 5$ **17.** $4i, 4$
19. $\pm \frac{3}{2}i$ **21.** $4 \pm i$ **23.** $-\frac{1}{2} \pm (\sqrt{7}/2)i$
25. $3\sqrt{2}[\cos(3\pi/4) + i\sin(3\pi/4)]$
27. $5\{\cos[\text{Arctg}(\frac{4}{3})] + i\sin[\text{Arctg}(\frac{4}{3})]\}$
29. $4[\cos(\pi/2) + i\sin(\pi/2)]$, $\cos(-\pi/6) + i\sin(-\pi/6)$, $\frac{1}{2}[\cos(-\pi/6) + i\sin(-\pi/6)]$
31. $4\sqrt{2}[\cos(7\pi/12) + i\sin(7\pi/12)]$, $(2\sqrt{2})[\cos(13\pi/12) + i\sin(13\pi/12)]$, $\frac{1}{4}[\cos(\pi/6) + i\sin(\pi/6)]$
33. -1024 **35.** $-512\sqrt{3} + 512i$
37. ± 1, $\pm i$, $(1/\sqrt{2})(\pm 1 \pm i)$ **39.** $\pm(\sqrt{3}/2) + \frac{1}{2}i, -i$

41. i **43.** $(-1/\sqrt{2}) + (1/\sqrt{2})i$ **45.** $-e^2$
47. $\cos 3\theta = \cos^3\theta - 3\cos\theta\sin^2\theta$,
$\sin 3\theta = 3\cos^2\theta\sin\theta - \sin^3\theta$

Index